編集復刻版

水原克敏　編・解題

戦後改革期文部省実験学校資料集成　第Ⅱ期　第3巻

不二出版

〈復刻にあたって〉

一、原本自体の破損・不良によって、印字が不鮮明あるいは判読不能な箇所があります。

一、資料の中には人権の視点から見て不適切な語句・表現・論もありますが、歴史的資料の復刻という性質上、そのまま収録しました。

一、解題（水原克敏）は第1巻巻頭に収録しました。

（不二出版）

〈第3巻　目次〉

資料番号―資料名◆編・著◆発行所◆発行年月日……復刻版頁

〈初等教育研究資料〉

10―第10集　算数　実験学校の研究報告（6）◆文部省◆明治図書出版◆一九五五・一〇・五……-1-

11―第11集　国語　実験学校の研究報告（1）◆文部省◆明治図書出版◆一九五六・二・一〇……-149-

12―第12集　読解のつまずきとその指導（1）◆文部省◆博文堂出版◆一九五六・二・二一……-253-

13―第13集　教育課程　実験学校の研究報告◆文部省◆明治図書出版◆一九五六・九・五……-361-

◎収録一覧

巻		資料名	出版社	発行年月日
		〈初等教育研究資料〉		
第1巻	1	第１集　児童生徒の漢字を書く能力とその基準	明治図書出版	1952(昭和27)年５月10日
	2	第２集　算数　実験学校の研究報告(１)	明治図書出版	1952(昭和27)年６月５日
	3	第３集　算数　実験学校の研究報告(２)	明治図書出版	1953(昭和28)年１月20日
	4	第４集　算数　実験学校の研究報告(３)	明治図書出版	1953(昭和28)年３月５日
	5	第５集　音楽科　実験学校の研究報告(１)	音楽之友社	1953(昭和28)年５月10日
第2巻	6	第６集　児童生徒のかなの読み書き能力	明治図書出版	1954(昭和29)年５月１日
	7	第７集　児童の計算力と誤答	博文堂出版	1954(昭和29)年３月25日
	8	第８集　算数　実験学校の研究報告(４)	明治図書出版	1954(昭和29)年６月１日
	9	第９集　算数　実験学校の研究報告(５)	明治図書出版	1955(昭和30)年６月５日
第3巻	10	第10集　算数　実験学校の研究報告(６)	明治図書出版	1955(昭和30)年10月５日
	11	第11集　国語　実験学校の研究報告(１)	明治図書出版	1956(昭和31)年２月10日
	12	第12集　読解のつまずきとその指導(１)	博文堂出版	1956(昭和31)年２月22日
	13	第13集　教育課程　実験学校の研究報告	明治図書出版	1956(昭和31)年９月５日
第4巻	14	第14集　頭声発声指導の研究―音楽科実験学校の研究報告(２)	教育出版	1956(昭和31)年７月20日
	15	第15集　算数　実験学校の研究報告(７)	明治図書出版	1956(昭和31)年９月５日
	16	第16集　小学校社会科における単元の展開と評価の研究―実験学校の研究報告	光風出版	1956(昭和31)年12月10日
	17	第17集　国語　実験学校の研究報告(２)	明治図書出版	1957(昭和32)年６月10日
	18	第18集　読解のつまずきとその指導(２)	明治図書出版	1956(昭和31)年11月15日
第5巻	19	第19集　漢字の学習指導に関する研究	明治図書出版	1957(昭和32)年６月15日
	20	第20集　国語　実験学校の研究報告(３)	明治図書出版	1958(昭和33)年９月
	21	第21集　色彩学習の範囲と系統の研究―図画工作実験学校の研究報告(１)	博文堂出版	1958(昭和33)年９月５日
	22	第22集　家庭科　実験学校の研究報告(１)	学習研究社	1959(昭和34)年11月15日
第6巻	23	第23集　小学校　特別教育活動の効果的な運営―実験学校の研究報告	光風出版	1960(昭和35)年５月15日
	24	第24集　小学校ローマ字指導資料	教育出版	1960(昭和35)年７月15日
	25	第25集　構成学習における指導内容の範囲と系列―図画工作実験学校の研究報告	東洋館出版社	1961(昭和36)年８月30日
		〈文部省初等教育実験学校研究発表要項〉		
	26	昭和28年度　(文部省初等中等教育局初等教育課)		1954(昭和29)年５月
	27	昭和29年度　(文部省初等中等教育局初等教育課)		1955(昭和30)年５月

初等教育研究資料第Ⅹ集

算　数
実験学校の研究報告

(6)

文部省

算数実験学校の研究報告

(6)

(1955年度)

文　部　省

まえがき

この研究報告は，文部省初等教育実験学校であった鎌倉市立御成小学校及び静岡県湖西町立鷲津小学校において，昭和二十六年から二十八年までの三か年間に研究したことがらをまとめたものである。

この両校における研究は，ともに，算数において反復練習をした場合の練習曲線を調べ，それをもとにして，その指導を効果的にすることをねらったものである。

反復練習は，基礎的な技能を身につけさせる上において，算数指導上欠くことのできない重要なものである。しかし，これによって効果をあげるためには，周到な計画を要するとともに，児童，教師ともに相当な努力が必要である。このために，反復練習といえば，それだけで，毛嫌いされたり，単に形式的に済ましたりするような傾向が見受けられるのである。これは，反復練習について，理論的な解明はあっても，実際的な研究資料がなかったことにもよると考えられる。

この意味において，ここで報告されている内容は，非常に貴重な資料となるものであり，また，実際に非常に面白い結果が示されている。ただ，細部については，両校で必ずしも一致しない面もあり，今後の研究に残されている面もある。しかし，これは，はじめての試みであり，しかも，日常の学習指導と並行して行うという困難な条件のもとであってみれば致し方のないことと思う。この意を解され，算数の指導において，また，この面の研究をされる場合に，これを活用していただければ，誠に幸いと考えている。

最後に，この困難な実験研究を心よく引き受けて下さった両校に対して，深く感謝の意を表するとともに，実験を担当された職員各位の三か年間の御

力に対して，深甚の敬意を表したい。なお，この研究は，前任者和田義信氏（現東京教育大学教授）の適切な指導の下にできたものであることをここに記し，同氏に対しても感謝の意を表しておきたい。

昭和 30 年 4 月

文部事務官　中　島　健　三

第 I 部

神奈川県鎌倉市立御成小学校

は し が き

御成小学校が，反復練習の指導を効果的にするために

(1) 反復練習をした時，どんな練習曲線ができるか。

(2) 反復練習はどんな時やめたらよいか。

の課題のもとに，文部省算数科実験学校として，昭和26年度から研究を始めた。以来，どんな歩みを続けたか，ここで，その結果について一応まとめ，広く御批判を得，更に，一段と研究の深化を計りたいと考えている。

研究は，各年次によって，次のように進めて来た。昭和26年度の研究内容は，主として，「反復練習をした時の練習曲線の研究」であって，児童の知能と練習曲線がどのように関連しているかについて，予備実験を行い，その結果から問題の焦点を明らかにした。昭和27年度には前年度に引続き，「反復練習をした時の練習曲線」に関して本実験を行い，その結果から明らかになったものを13の項目にまとめ，次の実験研究の基礎にした。研究第三年目の昭和28年度には，前年度の研究によって明らかになった事がらをもとにして，学習指導への展開のための実験を行った。その目標は，

(1) いつ反復練習に入ったらよいか。

(2) 反復練習はどのように指導したらよいか。

(3) 反復練習の効果判定はどのようにしたらよいか。

の三項目とし，それぞれの分野から実験を実施し，その結果を考察した。更に，29年度には，これまで3年間にわたって研究してわかった事がらを基礎として，総合的に学習指導に生かすことを研究した。

以上，各年次の研究大要を述べたが，研究が進むとともに解明せねばならない問題が多数見出された。この解明は，これから後，研究を続けて明らか

にして行くこととし，まず，今日まで4年間にわたっての研究結果を集録して報告をつくることにした。

昭和30年3月

御成小学校長　三浦郷親

I 研究の概観

§1. 研究のねらい

1 この研究の必要性について

私たちは見たり聞いたりして，自分でわかっているつもりでも，いざそれを行おうとすると，まごつくことがしばしばある。

これは「理解」という事が経験を通して，自分の内に定着しないからであろう。

この事は子どもに就いてもいえる。たとえば，一年生の子どもに，数字の書き順の誤りを手をとって訂正してやったからといって，それだけで今後も正しく書けるとは限らない。また，国語で「危（検，険，倹）のうち違っているものを×で消しなさい。」と出すと，ふだんは何の抵抗も感じなかった子どもでも迷ったり誤ったりする。 48＋2＝(5.0, 6.8, 4.10) に就いても同様なことが言えよう。この事は，「場」の違いからくるものであろうが，とにかく，理解したことが何時どんな場合でも，正しく，しかもすらすらとできるまでにしておくことは，学習上大切なことの一つである。

こうすることに依って，仕事を一層能率化し，ひいては新しいアイデアを生む原動力にまでなる。ここに，反復練習の意義があると考えられる。しかし，この指導は，一般に，非常な時間と努力とを要するものであるが，この指導の能率化ということは，上のねらいを達成する上に，是非とも必要な研究であると考えたのである。

2 どんなことを明らかにしようとしているか

もくじ

もくじ

このように，本研究は，「学習を確かなものにするために，一体，どのように反復練習の指導をしたら，最も効果的か」をねらうのであるが，一応の目標として，直接，次のことを明らかにすることを考えた。

(a) 知能と練習曲線との関係

(b) どんな時練習曲線は上昇し，または下降するか

(c) どの位，練習したらプラトー（高原）状態になるか

(d) 性格（環境も含む）と練習曲線との関係，更に，これをもとにして，学習指導への利用という立場から，次のことを調べるこにした

① どんなとき，反復練習に入ったらよいか。

② 特にどんなものを反復練習させたらよいか。

③ どのように練習させたらよいか。

④ どの位反復練習させたらよいか。

§2. 実験研究についての基礎的研究

A 反復練習と理解について

反復練習は，一般に，理解の次にくる段階とされている。

したがって，子どもたちがあることを理解しているかどうかは，反復練習の指導に当って，直接重要なことがらになってくるわけである。

特にそれが基礎的学習であれば，なおさらのことであろう。

反復練習は，先にも述べた様に，理解したことが，何時でも必要に応じて，何等の抵抗なく正しく出来る様にすることが，その指導目的である。それゆえ，先づ正しい理解をもとにしてかかることが必要である。あやふやな理解の仕方で反復練習に入ることは，成長・発達しつつある児童に，とり返しのつかないゆがめた結果をうえつけることにならんとも限らないし，また，そ

れを矯正するには，一そう多くの労力をかけなければならないであろう。

このように，反復練習と理解とは不離一体のものであると考えられる。このような考えにもとずいて，われわれは「理解したことを色々な場で何度も繰返し練習すること」を反復練習と呼ぶことにした。

この考えの上で，理解ということを次の様に捉えてみた。

たとえば，

35＋8＝43 ということが単に形式的にできるというのではなく，今までの学習経験をもとにして，35＋8の説明ができること，すなわち，累積的に構成されてきた基礎的理解事項が，35＋8の型のものにまで適用されるだけに拡張されることである。

この基礎的事項としては，次のようなことが挙げられる。

(a) 35や8の数詞の意味が具体的にわかる。

35は10が3つと1か5つであるということ，など

(b) 35＋8というのは，どんな場面に用いられる演算であるか。＋の意味が具体的にわかること

(c) 5＋8や30＋5などの基礎的計算ができること

これらをもとにして，一般に，2位数＋基数の場合について正しくできるようになることが，35＋8についての理解ができたと考えるのである。

このようなとらえ方は，あるいは一般的に考えて，なお，問題があると思うが，ここでは，「反復練習の指導上」から見て，この方が適当であるとみたのである。

B 反復練習の領域について

今まで考えた反復練習のねらいからみて，反復練習は，算数の全分解にわたって必要ということができる。

しかし，特に，技能的なもの，例えば，九々をはじめとして，計算やソロバンとか，測定とかなどは，数的処理をする場合の道具の役割をするものであり，或程度は形式的な訓練によって，使いこなせるようにまでなることが予想できるし，必要なことでもある。分数の大小の判定とか演算の決定とか，判断に関するものについても反復練習は必要であるが，これらは形式的な繰返しだけでは済まされないものであると考えられる。

なお，算数が累積的学習としての線が強いことから，これを系統的に見ると，たとえば，九九のように特に基礎的なものに就いては，慎重にその指導を進めておく必要がある。このようなものについては，反復練習の占める位置も極めて重要で，これから先の学習を大いに左右することになると考えられる。

それゆえ，その前後の学習を一連のものとしてみ，どこに反復練習の重点をおいたら，学習を効果的に，しかも能率的にすることができるかを考えておく必要もある。

以上の考えのもとに，学習指導要領から，反復練習が特に必要と思われるものを拾ってみると，次のようになる。

(1) 数えたり・読んだり・書いたりする

（1年）　数える（一つづつ・二つづつ・五つづつ・十づつ）
　　　　数を読む
　　　　数を書く
　　　　数を使う

（4年－5年）　大きな数の読み方・書き方
　　　　　　概数のとり方

(2) 計　　算

（2年）　加法・減法九九

　　　　2位数と基数の加減法
（3年）　乗法・除法九九
　　　　特に，繰上り下りのある計算
（4年）　基数及び2位数の乗法
　　　　10，100，1000 の乗法
　　　　除数が基数で商が3位数に及ぶ計算・ソロバンの加減法

(3) 測　　定

（2年）　時計の読み方（5分くぎり）
（3年）　時計の読み方（1分くぎり）
　　　　コンパス／三角定木 ｝の使い方
（5年）　長さの目測
　　　　広さの目測
（6年）　分度器を使う

(4) 表とグラフ

（3年）　棒グラフの読み方・書き方（作り方）
（4年）　折れ線グラフの読み方・書き方・表の読み方
（6年）　正方形グラフ・帯グラフ・円グラフの読み方・書き方

(5) 分　　数

（4年－5年）　分数の大小の判定
　　　　　　分数を小数になおす，その逆
（5年）　同分母の分数の加減
　　　　整数と分数との加減
（5年－6年）　約分・通分
　　　　　　異分母の分数の加減

分数×整数

(6) 小　　数

（４年）　小数の位取り（0.25 の 2 は $\frac{1}{10}$ が２つ，5 は $\frac{1}{100}$ が５つ）

（５年）　小数の四則

(7) 実　　務

（４年）　時刻表を読む
　　　　　出納帳を使う

(8) 問題解決

（２年）　加減法の演算決定

（３年）　乗法の演算決定

（４年）　除法の演算決定
　　　　　二段階の問題解決にあたっての演算決定
　　　　　式のつくり方・使い方（（ ）の使い方）

（５年）　面積・体積の求め方
　　　　　問題の場の分析

（６年）　百分率を用いる

(9) 物の形と図形

（３年）　円をかく

（４年）　正方形や長方形を正しく書く

（５年）　平行・水平・鉛直・垂直・水平面・鉛直線を見極める

（６年）　縮図を読んだり・作ったりする

C　練習曲線について

練習曲線については，「教育心理」の方面で，一般的に研究されているので，次のような書物を参考にした。

「教育心理学」　武政太郎著
「教育心理学」　教育大学編
「教育心理学」　ジョルダン　白根孝之訳
「教育的統計法」　田中寛一著
「人間工学」　田中寛一著
「クレペリン精神作業検査法」　解説者　横田象一郎

これらの書物によれば，ここでいう練習曲線は，「練習効果線」とか「学習曲線」とか呼ばれている。

そして，その種類としては

①　速度の曲線　②　作業量の曲線　③　力量曲線　④　比率曲線

などが挙げられ，それらの特徴としては，一般に

①　動揺性がある　②　周期的なものである　③　一般性がある

といわれている。

また，「型」については，次のようなものがあげられている。（ここでは作業量と速度の曲線についてあげた）

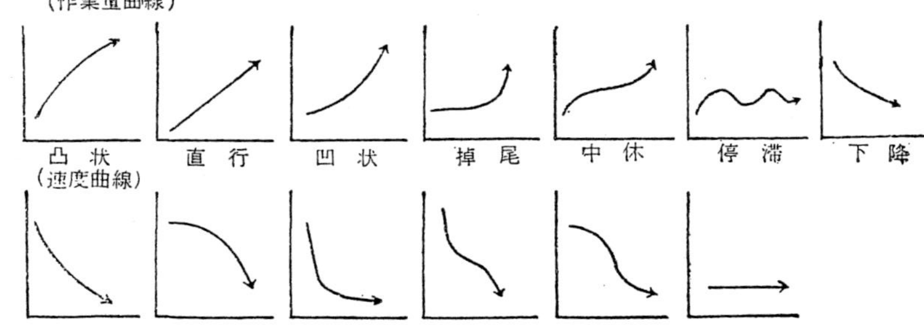

D　効果的ということについて

一般に効果的というのは，相対的な意味に於て，より目的的であるという

ことであろう。

たとえば，「父が言うより，母が言った方が効果的だ」とか，「毎日一回一時間づつ練習するより，三十分づつ二回に分けて練習する方が効果的である」というような時には，そのようにした方が「より目的にかなう」ということであろう。

ここでは，こうした一般的な意味だけでなく，学習指導という立場からは，さらに，「能率的」ということをも含めて考えてみる必要がある。すなわち，学校教育においては，常に，限られた学習指導時間内で，効果をあげることが必要なわけであって，単に目的にかなうというだけでなく，同じ結果に要する時間や労力がたえず問題になってくるわけである。すなわち，能率的であるかどうかということに関係してくる。これを具体的に述べて見ると，次のようなことになろう。すなわち，反復練習で効果があったということは，

① 誤が少なくなり，より正しくなる。
② 速くできるようになる。
③ 得た力が永続するようになる。
④ 得た力がより広い範囲に用いられるようになる。
⑤ 気楽にできるようになる。
⑥ 適用がすぐできる。

など

また，能率的という観点からすれば，

① 練習問題が少くて同じ効果がある。
② 時間または期間が少くて，同じ効果があがる。
③ 練習に要する労力や精神的負担が少くてすむ。

以上のようなことがらを，より効果的ということを考えていく目安にした。

E　いつ止めてよいかについて

前項でいうような効果があった場合には，「止めてよい」と，一応，考えることができるが，反復練習のねらいから考えて，次のような時期があげられる。

すなわち，反復練習を止めてよいと考えられるには，次のような条件が必要であるといえる。

① 次の学習の基礎として，十分役立つような状態になっている。
② 一定の速度内で，正しくでき，この能力が将来も相当期間維持できると認められるような状態である。

実際問題としては，各個人の内容によってちがいはあるであろうが，これを，練習曲線の上からどのように判断するかが問題である。われわれとしては，曲線が高原状態になるときを一応の目安として考えた。

しかし，止めてよいといっても，絶対的に止めてよいというのではなく，学習に応じて，必要な時には適宜反復練習することが，実際には，いるわけである。この場合の練習は，以前程の努力を払わなくても，前の実力にもどるようになっていることが望ましいし，ものによっては，日常の算数の学習で十分補える場合もあるであろう。

§3.　実験研究の計画

A　全体の計画について

(a)　実験期間は三カ年であるので，最初の一年間は，課題について，具体的な研究問題がどこにあるかをはっきりさせることにし，しかる後に，その中心問題について実験研究するようにした。

第二年度には，その結果に基づいて，派生した問題について研究し，更に

学習指導と結びつけて実験を試みることにした。

第三年度には，単元の内に今までの実験の結果を適用し，検証を兼ねて，実験結果の一般化を図ることを考えた。

(b) 実験研究の方法については，衆知の様に「動物実験ではない」という点を特に念頭において，実験を進めることにした。

B 実施について

実施に当っては，特に，次のような点に留意した。

(a) 今迄の経験と理論に基づいて仮設を立て，できるだけ，むだのないように実験を進めることに努力した。

(b) できるだけ条件をコントロールして，因果関係がわかりやすい様にした。

(c) 資料は具体的に，且つ豊富に用意しておくことにした。

(d) あまり特殊な問題に深入りしないで，一般化できる様なことに重点をおいた。しかし，必要に応じて，個人のケースをとることにした。

(e) 先にも述べた様に，実験によって，児童の学習がマイナスにならないようじゅうぶん注意した。

C 結果の処理について

結果の処理については，やたらに解釈は下さないで，あくまで資料に基づいて，客観的に考察することに努めたが，実際には，そうでないような事もあって反省している。

特に，先にも述べたように，「このような条件で行ったので，こうした結果が出た。」という因果関係がはっきりわかるようように処理し，それについての具体的な資料をいつも添えることにした。

更に，数量的には出ないものでも，結果として注意すべきことは観察記録としてあげておく。たとえば，子供の気分なども，結果の解釈に問題になるので，これについての教師の観察などをそえておくことである。

D 派生した問題について

これについては，あくまで課題解決のために意義のあるものだけに止め，間口を拡げないように努めた。

しかし，学習上重要なことは，特別に取り扱うようにした。なお，この項につけ加えて，実験の反省を挙げることにした。

Ⅱ　知能段階と練習曲線との関係〔実験研究Ⅰ〕

§1.　予　備　実　験

A　ね　ら　い

実験研究に当って直接問題になったのは，一体どこから手をつけたらよいか，ということであった。

今までの机上研究やわれわれの経験から，およその見当はつくが，当校の子どもについて，その見当は当てはまりそうか，また，具体的に問題が起るかをみる必要がある。これを予備実験として，まず，調べることにした。これによって，

第一に，問題の在りかを明確におさえる

第二に，しっかりした計画をたて，実験を能率化する

第三に，児童の犠牲を最小限にくいとめる

ことをねらったわけである。

B　実　　施

(1)　予　　想

予想をたてて，予備実験の目安とした。

（練習曲線に関して）

知能段階の違いは，練習曲線の上に，曲線の上昇率または，上昇度などの相違となって，はっきり現われるのではなかろうか。

（いつ止めてよいかに関して）

知能段階の低い者ほど，プラトー（高原状態）が早く現われるのでは

なかろうか。

この場合の知能段階としては，新制田中Ｂ式の評価段階を用いた。これは，客観的に条件をきめておいて，実験を進めることによって，結果をはっきりつかみたかったからである。

(2)　児 童 の 選 定

①　一般的な考えで，正常と見られる児童

（たとえば，身体障害者とか精神薄弱児等は除く）

②　行わせようとする内容について，一通り理解できていると見做せる者

上の条件に入る児童を，各学年とも，一クラスの中より知能の各段階A，B，C，D，E毎に，無作為に男女２名ずつ，計20名を選んだ。

例　４年１組（新制田中Ｂ式知能検査による）

児　童	A_1	A_2	A_3	A_4	B_1	B_2	B_3	B_4	C_1	C_2	C_3	C_4	D_1	D_2	D_3	D_4	E_1	E_2	E_3	E_4
	男	男	女	女	男	男	女	女	男	男	女	女	男	男	女	女	男	男	女	女
知能段階	＋2				＋1				0				－1				－2			
	A	A	A	A	B	B	B	B	C	C	C	C	D	D	D	D	E	E	E	E
知　能　点	65.	68.	52.	68	56.	54.	52.	50	46.	47.	40.	46	37.	35.	43.	41	35.	34.	33.	33
知能偏差値	74.	66.	61.	74	59.	62.	55.	58	50.	53.	48.	49	43.	41.	44.	45	41.	37.	39.	39

(3)　練習問題とその分析

各学年既習教材の中から，次の様なことを練習させた。

（１年）　基数＋基数で和が10以下の場合

（２年）　二位数＋二位数で繰上らない場合

基数＋基数で繰上る場合

（３年）　二位数＋二位数で繰上り一回の場合と二回の場合

（４年）　三位数＋三位数で繰上り２回で和は1000以下の場合

（５，６年）　（何時何分）－（何時何分）で繰下りのある場合

練習問題は以上のように決めたが，これを反復練習させるに当って，予め

その問題の分析をしておくことは，次の点で必要と考えた。

① 子どもは一応は理解しているかもしれないが，なお，その弱点を明瞭につかむため，また，指導者に手落ちがあるかどうかもはっきりさせるため

② 練習曲線の状態について，くわしく考察する時の資料として重要である。

次に，4年生のものを例として，これを挙げてみる。

「3位数＋3位数で，繰上り2回，和が1000以下」

例
$$\begin{array}{r} 124 \\ +387 \\ \hline \end{array}$$

この計算が正しくできるためには，

① 位をそろえること

② それぞれの係数を正しく加えること

③ 係数が10以上になったら，次の上位に10位の係数を繰入れること

などができなければならない。

したがって，この計算で，子供たちが誤るとすれば，次のことが予想される。

① 加法九九をちがえる。

② 繰上げるときに，まちがう。

③ 位取りをちがえる。

④ 数字の見誤り，あるいは，書き誤りなど

(4) 児童の性格や能力の調査

子どもについての詳細な調査は，実験の必要に応じて，その都度調べることにして，ここでは前もって大体必要であると考えられることだけについて，調査しておくことにした。すなわち，

① 知能……主として論理的な面として，これは，新制田中式知能テストを用いた。

② 性格……主として心理的な面として，これは，中島義友氏，性格診断テスト及び教師の観察によった。

③ 書写能力……主として身体的な面として，これは，5分間に無意的な数字を模写することによって調べた。

④ 九九……（四年生では加法九九）……基礎能力として，

これらの資料は，実験研究の必要に応じて示すことにする。

(5) 練習問題の作製（四年生を例とする）

(a) 問題作製の立場

次のような考えの上に立って，問題を作製した。

○ 学習指導の面から考えて，なるべく多くのタイプの問題を与えたい。

○ 与える問題は，毎回等質であるようにする。

(b) 問題の作り方

三位数＋三位数で繰上り2回，和は1000以下という場合の問題の数は非常に多い。その中から問題を選び出すということが先ず考えられたが，三位数どうしの組合せよりも，各位の加えられる数と加える数の組合わせに注目した方が等質にするという立場から意味があると考えた。

それで，各位の組合せの総てをあげ，その中より三つ抽き出すことによって，3位数と3位数との組合せを作ることにした。すなわち，

一位　45通り

十位　55通り（0をも含む）

百位　28通り（繰上らない場合だけとる）

一位の45通りは，

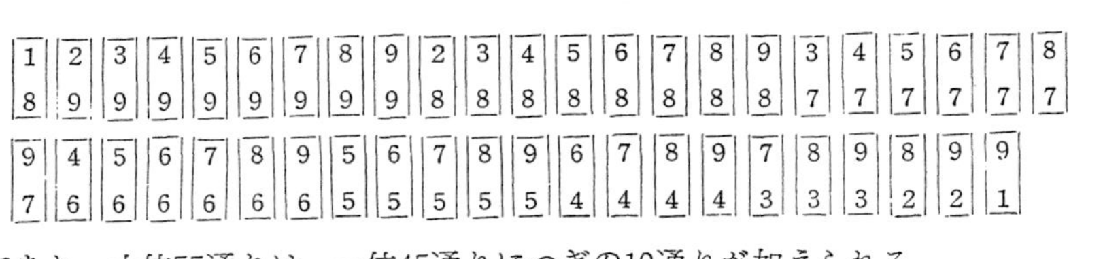

1	2	3	4	5	6	7	8	9	2	3	4	5	6	7	8	9	3	4	5	6	7	8
8	9	9	9	9	9	9	9	9	8	8	8	8	8	8	8	8	7	7	7	7	7	7

9	4	5	6	7	8	9	5	6	7	8	9	6	7	8	9	7	8	9	8	9	9
7	6	6	6	6	6	6	5	5	5	5	5	4	4	4	4	3	3	3	2	2	1

であり，十位55通りは，一位45通りにつぎの10通りが加えられる。

0	1	2	3	4	5	6	7	8	9
9	8	7	6	5	4	3	2	1	0

百位の28通りは，

1	2	3	4	5	6	7	1	2	3	5	6	1	2	3	4	5	1	2	3	4	1
7	6	5	4	3	2	1	6	5	4	2	1	5	4	3	2	1	4	3	2	1	3

2	3	1	2	1
2	1	2	1	1

これでできる問題の総数は 69300題である。

(c) 問題の配列

今までの経験から，子どもが5分間にできる解答数とそれに要する用紙の大きさを考慮して，1回の問題は一応 110題とした。各位の組合のカードを作り，それを無作為に抽出して1題の問題を作り，とった順にその問題を配列した。

	百位	十位	一位		
たてにならべる	2 4	6 8	3 9	よこにとって →	① 263 489
	3 3	5 5	4 7	→	② 354 357
	1 6	6 7	9 3	→	③ 169 673
	⋮	⋮	⋮		

(1) 27. 5. 6 男 女 なまえ＿＿＿＿＿＿

224 399	419 194	648 267	298 373	428 199	158 555	147 498
623 278	613 289	915 217	671 239	627 387	713 188	645 256
378 443	636 176	319 299	824 198	546 268	132 788	769 162
821 719	812 390	618 283	930 879	814 194	920 489	931 274
336 387	437 287	536 196	248 578	654 277	346 569	429 495
723 187	724 296	731 478	826 175	931 559	915 675	924 278
167 476	177 235	335 197	179 166	145 589	425 288	578 248
643 157	412 679	532 473	345 739	738 163	713 189	826 446
329 493	647 276	367 449	366 539	377 474	227 278	539 168
822 181	923 757	816 634	905 335	851 839	505 396	707 197
267 374	295 498	458 376	169 57∞	755 169	349 472	568 363
641 768	793 137	834 176	756 149	924 866	821 529	931 472

(d) 「等質の問題」に代えて

このような方法で各回の問題を作っておけば，600回以上続けないかぎり，全く同じ問題だけにぶつかるということはなくなることが期待できる。

ここでは，各位のカードには困難度の差がない（すなわち，数字の種類によって，困難度のちがいがない）と仮定したわけであるが，この仮定のもとで，毎回異った問題をやりながら，しかも，この意味で等質のものをやることができるわけである。

このほかに，等質の問題を作る作り方はあると思われるが，ここでは，この方法をとることにした。

(6) 実　　施

(a) 練習のさせ方

○ 昭和26年11月8日～12日，15日

1日に練習2回（第2校時の始め及び第5校時の始め），1回の練習は5分間のタイムリミットで，練習前後の指導（前日の結果や当日の結果を反省する）を含めて，全体の時間は15分～20分である。

○ 練習の条件ができるだけ一定するように毎日心掛ける。天候，気温などの環境条件については毎日記録しておく。

○ 練習の目的について話し合い，正答数の増減について関心をもたせる。また，個人別にグラフを作らせ，結果を記入させる。

○ 練習中，児童の行動について観察記録をとる。

(b) 記　録　例

第 1 学 年　　　　　　　　　　　　　　（7 日 目）

	10 月 31 日　水 曜 日　天候　晴　気温16°C
作業前の学習に於ける状況	○廊下を静かに歩くにはどうしたらよいかについての話合い ○青と赤の信号が廊下にできたから，どちらを歩いたらよいかの話合い ○右と左についての理解 ○歩行練習を行う
休憩時に於ける状況	○右側歩行についての意識が強くシグナルに注意して，大部分の者が歩行練習をする。
練習についての指導及び注意	○右からするのでなく左からすること ○できるだけ速く，しかし，まちがえることよりは正しくやることの方がたいせつ ○2と8で○ということは，おかねでいえばいくらのこと
練習中又はその後に於いて観察されたこと	○校時のベルがなつてもなかなか静かにならなかった ○各個人について，その発達の様子を説明すると，A_1「ぼくはO君より少ない。O君がいちばんできる」と，そのできぐあいを比較する。 ○Yは中腰となって答をかいていく。 ○A_1 そで口をしきりにひつぱる，服の小さいのを気にしている様子 ○Eはしきりにとなりの児童を見る。色鉛筆を使いだす。 ○「やめ」というとびっくりするものあり。 ○カーテンはしてあるが日がよくあたる。 ○答案提出中とても騒しい。 ○風邪ぎみの者が多い。O，K，KO，Omなど

第4学年，第5学年　　　各回毎に児童に筆答させた質問

1. 昨夜寝た時間，起きた時間
2. 練習前の手足，体の調子は？
3. 練習後疲れを感じたか。
4. 練習中気になったり，考えたりしたことがあるか。
5. 昨日から練習までに叱られたり，ほめられたりしたことがあるか。
6. 練習に気のりがしたか。

C 結果とその考察

(1) 結　　果

練習の結果について，5日間の移動平均をとってみると，次のようである。

4 年 1 組　練習による各個人の正答数の変化と移動平均

（5日の移動平均）（正は正答数）　（移 は 移 動 平 均）

児童名	A_1		A_2		A_3		A_4		B_1		B_2		B_3		B_4		C_1		C_2	
練習回数	正	移	正	移	正	移	正	移	正	移	正	移	正	移	正	移	正	移	正	移
1	49		34		72		53		34		35		35		41		27		36	
2	62		40		80		59		28		38		45		42		32		36	
3	69	68.2	46	43.2	80	81.4	56	60.0	41	37.0	44	42.6	53	47.2	52	48.4	34	34.2	42	42.0
4	79	78.6	46	43.2	89	84.6	65	64.6	42	40.6	48	46.4	52	52.4	58	52.0	40	36.4	56	46.0
5	82	85.2	49	51.0	86	85.8	67	66.8	40	43.6	48	47.4	51	53.8	49	53.6	38	37.0	40	49.8
6	101	91.2	54	53.2	88	87.2	76	69.8	52	43.8	54	48.4	61	53.4	59	55.4	38	37.2	56	52.6
7	95	96.4	59	56.6	86	88.6	70	72.0	43	45.2	43	48.6	52	54.6	50	57.4	35	37.4	55	55.8
8	99	101.0	57	57.6	87	89.6	71	73.4	42	47.6	49	48.4	51	57.0	61	59.6	35	39.0	56	61.2
9	105	103.0	64	59.4	96	91.0	76	73.4	49	47.6	49	49.4	58	56.4	68	62.8	41	40.0	72	63.6
10	105	106.0	54	60.0	91	93.4	74	74.8	49	50.2	47	52.4	63	58.8	60	66.4	46	42.6	67	67.4
11	101	108.0	63	62.4	95	97.6	76	77.8	55	52.6	59	53.4			75	69.4	43	44.8	63	71.0
12	110	108.0	65	61.8	98	99.6	77	80.4	56	54.6	58	55.8			68	69.4	48	46.4	74	72.4
13	109	108.4	66	61.2	108	101.4	86	83.8	54	56.6	54	57.4	58	62.4	76	72.8	46	46.4	74	74.2
14	107	107.0	61	61.4	106	101.2	89	87.0	59	57.0	61	56.2	64	64.0	68	71.8	49	48.0	79	72.8
15	105	106.4	51	61.0	100	103.4	91	89.4	59	57.8	55	58.4	69	64.4	77	74.4	46	50.0	76	72.4
16	104	107.0	64	60.4	94	102.0	92	91.0	57	59.2	53	59.6	66	65.6	70	71.6	51	53.4	61	73.2
17	107	109.0	63	63.8	109	102.6	89	82.8	60	61.4	69	61.4	65	66.2	81	73.8	58	55.4	72	74.6
18	112	110.4	63	68.4	101	104.2	94	93.4	61	64.8	60	65.4	64	66.6	62	73.4	63	58.2	78	76.8
19	117	115.4	78	71.8	109	108.6	98	96.0	69	68.6	70	70.2	67	70.2	79	77.2	59	60.0	86	83.6
20	112	116.4	74	75.6	108	109.4	94	97.2	77	69.8	75	99.8	71	72.0	75	75.2	60	60.8	87	87.8
21	129	116.4	81	79.6	116	112.4	105	98.4	76	68.8	77	74.2	84	74.6	89	80.0	60	59.2	95	91.0
22	112	120.0	82	80.4	113	114.2	95	97.6	66	65.6	67	75.4	74	77.0	73	81.0	62	59.2	93	92.6
23	112	121.2	83	80.8	116	114.4	100	98.6			82	77.0	77	78.4	84	81.0	55	59.6	94	92.6
24	135	119.0	82	79.8	118	113.8	94	98.2			76	77.2	79	77.0	85	78.8	59	60.6	92	92.4
25	118	123.4	76	79.4	109	114.6	99	100.4	56	65.0	83	83.0	78	77.6	77	83.4	62	62.0	89	91 6
26	118	128.8	76	79.2	113	118.0	103	102.2	53	65.2	78	86.0	77	78.4	75	84.0	65	65.4	94	92.2
27	134	121.0	80	78.2	117	119.4	106	113.6	74	67.8	96	90.4	77	80.8	96	86.8	69	67.8	89	93.8
28	139	132.2	82	81.8	133	122.0	109	106.4	77	74.4	97	94.0	81	85.0	87	91.2	72	69.8	97	95.8
29	136	134.8	77	83.0	125	122.2	101	106.0	79	79.0	98	95.8	91	87.8	89	94.0	71	71.0	100	96.6
30	134	134.6	94	85.2	122	122.8	113	106.0	89	81.2	101	94.2	99	91.6	99	94.6	72	71.8	99	100.8
31	131	133.8	82	86.2	114	119.8	101	105.8	76	83.6	87	96.2	91	93.4	81	96.2	71	73.4	98	101.6
32	133	134.2	91	88.6	120	120.0	106	108.4	85	85.4	88	95.0	96	92.8	99	95.0	73	75.2	110	100.8
33	135	138.8	86	91.8	118	123.2	108	110.6	89	89.2	107	97.4	90	93.4	95	97.2	80	78 0	101	105.2
34	138	139.8	90	93.8	126	123.2	114	111.6	88	93.6	92	99.4	88	94.4	93	98.2	80	80.0	96	106.3
35	157	142.6	110	96.8	138	124.6	124	116.4	108	98.0	113		102	95.6	110	102.2	86	82.0	121	106.2
36	136	144.8	92	98.8	114	126.2	106	118.8	98	98.8	97		96	96.2	94	105.8	81	82.0	106	106.6
37	147	146.6	106	101.0	127	129.2	130	120.8	107	101.4			102	99.4	119	111.6	83	82.8	107	109.6
38	146	144.0	96	100.6	126	127.2	120	120.8	93	100.2			93	99.6	113	113.2	80	83.0	103	106 4
39	147	146.6	104	105.6	141	131.0	124	125.6	101	99.0			104	122.0	122	118 0	84	84.0	111	109.6
40	144	145.2	105	104.4	127	132.4	124	125.4	102	96.6			103	103.2	118	116.2	87	84.2	105	109 6
41	149		107		134		130		92				108		118		86		122	
42	140		100		134		129		95				108		110		84		107	

練習回数	C_3		C_4		D_1		D_2		D_3		D_4		E_1		E_2		E_3		E_4	
	正	移	正	移	正	移	正	移	正	移	正	移	正	移	正	移	正	移	正	移
1	46		46		17		24		34		20		0		37		18		25	
2	47		46		20		28		37		24		4		45		26		25	
3	48	48.0	50	49.4	21	20.2	31	28.8	47	42.4	31	28.6	4	5.2	48	48.4	26	26.6	33	29.6
4	54	50.0	55	52.2	22	19.8	29	31.2	51	44.8	32	32.6	11	7.8	55	53.4	31	30.8	37	32.2
5	45	52.4	50	54.6	21	19.6	32	31.2	43	47.8	36	34.6	17	9.4	57	55.6	32	33.8	28	33.6
6	56	54.8	60	56.0	15	20.2	36	32.2	46	48.0	40	35.4	13	10.8	62	56.6	39	35.6	38	34.2
7	59	57.2	53	57.8	19	21.0	28	34.4	52	47.4	34	36.2	12	11.0	56	55.6	41	37.0	32	33.8
8	60	60.2	57	61.4	24	20.8	36	35.8	48	47.8	35	37.0	11	13.4	53	57.0	35	36.4	36	34.8
9	66	62.0	64	62.0	26	24.4	40	35.8	48	47.6	36	36.8	12	14.4	50	58.0	38	37.0	35	35.6
10	60	63.0	68	65.4	20	24.8	39	38.2	45	45.2	40	38.0	19	14.8	66	59.2	29	36.0	33	34.2
11	65	65.0	63	68.6	33	27.0	36	39.0	45	43.2	39	39.2	18	16.0	65	62.0	42	38.6	42	34 4
12	64	66.0	75	70.6	21	28.0	40	41.4	40	41.6	40	40.6	14	17.0	62	65.4	36	40.2	25	33.6
13	70	68.8	73	72.0	35	30.4	40	43.6	38	42.0	41	40.2	17	16.4	67	64.6	48	43.6	37	34 8
14	71	68.6	74	73.6	31	32.0	52	45.8	40	43.6	43	37.8	17	15.8	67	65.8	46	44.8	31	33.2
15	74	70.6	75	74.8	32	34.2	50	47.6	47	47.2	38	37.8	16	16.4	62	67.0	46	47.8	39	37 0
16	64	70.6	71	76.2	41	32.8	47	47.8	53	51.2	27	34.8	15	16.0	71	68.6	48	47.0	34	38.0
17	74	71.2	81	77.8	32	34.2	49	47.8	58	55.6	40	33.6	17	16.4	68	68.2	51	47.4	44	40.2
18	70	70.2	80	79.8	28	35.6			58	57.8	26	32.8	15	15.8	75	69.8	44	49.2	42	41.4
19	74	72.3	82	84.0	38	36.0			62	58.8	37	36.2	19	16.0	65	71.0	48	49.4	42	43.0
20	69	73.6	85	84.0	39	37.0			58	56.4	34	35.2	13	15.6	70	73.0	56	49.0	45	42.8
21			92	86.2	43	39.2	41	45.4	58	57.2	44	38.8	16	13.6	82	72.6	49	50.8	42	43.6
22			81	88.0	37	40.4	52	46.6	46	55.2	35	39.0	15	11.8	73	75.2	49	52.2	43	45.4
23	77	75.6	91	90.2	39	38.2	38	48.8	62	55.4	44	41.0	5	12.0	73	74.0	53	52.0	46	46.8
24	78	76.2	91	90.6	44	37.0	53	5 26	52	55.0	38	40.6	10	11.8	78	71.6	55	53.4	51	48.4
25	80	80 0	96	94.4	38	38.6	60	54.6	58	58.2	44	42.2	14	12.8	64	72.2	54	53.6	52	50.2
26	77	82.6	94	96.6	37	38.4	60	61.2	56	58.2	42	42.2	15	15.8	70	74.2	56	54.4	50	52.6
27	88	84.4	100	100.0	45	39.8	62	64.2	62	62.0	43	44.6	20	19.2	76	75.0	50	54.6	52	54.4
28	90	86.0	102	100.0	38	43.8	71	66.2	63	63.2	44	43.8	20	21.6	83	78.0	57	54.4	58	53.2
29	87	88.4	108	99.8	51	45.8	68	68.6	70	63.6	50	43.0	27	22.8	82	79.8	56	55.2	60	52.0
30	88	90.2	96	99.8	48	47.4	70	71.2	65	62.8	40	43.0	26	23.2	79	81.8	53	57.6	46	51.2
31	89	93.2	93	99.4			72	72.2	58	63.4	38	43.4			79	80.8	60	58.8	44	50.2
32	97	95.8	100	97.2	47	48.2	75	73.8	58	61.4	43	44.6	21	22.8	86	79.8	62	57.8	48	50.2
33	105	100.4	100	102.4	53	46.6	76	77.2	66	61.4	46	46.8	22	22.2	78	82.8	63	60.8	53	54.4
34	100	102.0	97	104.2	42	45.6	76	78.2	60	63.2	46	47.6	18	19.0	77	83.0	51	62.5	60	57.6
35	111	103.2	122	106.4	43	46.4	43	46.4	66	66.6	61	49.2	24	19.4	93	85.0	68	63.0	67	61.8
36	97	104.4	102	108.8	43	45.6	77	83.4	66	67.4	42	49.8	10	18.6	81	87.6	66	65.3	60	64.2
37	103	105.2	111	112.4	51	47.8	95	95.8	75	70.0	51	50.8	23	20.2	96	90.4			69	66.2
38	111	104.0	112	111.2	49	45.8	82	87.0	70	72.0	49	49.6	18	20.6	91	91.0			65	66.8
39	104	106.2	115	115.6	53	45.2	88	90.6	73	72.4	51	52.8	26	23.0	91	92.2	67	69.6	70	67.6
40	105	108.2	116	115.4	33	44.4	93	89.6	76	68.6	55	54.2	26	22.6	96	91.2	77	72.8	70	67.2
41	108		124		40		95		68		58		22		87		70		64	
42	113		110		47		90		56		58		21		91		84		67	

第２学年　**練習による各個人の正答数の変化と移動平均**（５日の移動平均）(1)

児童名	A_1 女		A_2 女		A_3 男		A_4 男		B_1 女		B_2 女		B_3 男		B_4 男		C_1 女		C_2 女	
練習回数	正	移	正	移	正	移	正	移	正	移	正	移	正	移	正	移	正	移	正	移
1	87		66		49		51		40		38		62		41		54		44	
2	96		70		58		50		55		35		71		48		57		47	
3	97	97.4	75	74.2	59	60.4	56	59.0	65	59.0	50	45.8	67	69.8	53	50.6	71	71.2	48	45.4
4	100	102.4	78	79.2	67	66.0	57	55.0	63	59.2	51	51.0	74	73.0	52	55.4	84	78.8	47	47.0
5	107	106.0	82	84.0	69	68.4	46	56.0	72	74.4	55	54.4	75	74.4	59	56.3	90	81.0	41	47.4
6	112	109.6	92	89.4	77	73.0	66	59.0	91	78.2	64	55.2	78	74.6	65	60.0	92	81.8	52	47.4
7	114	114.6	93	95.4	70	76.6	55	60.8	81	83.6	52	57.4	78	80.2	55	61.4	68	83.2	49	49.0
8	115	118.0	102	101.2	82	80.6	71	66.0	84	88.4	54	58.6	88	82.6	69	61.6	75	84.6	48	52.8
9	125	120.4	108	105.2	85	84.2	66	66.2	90	89.4	62	57.8	82	84.6	59	61.6	91	87.2	55	52.0
10	124	123.8	111	109.2	89	88.4	72	67.4	96	91.4	61	60.2	87	86.6	60	65.2	97	93.0	60	52.5
11	124	127.4	112	111.2	95	90.1	68	66.0	96	92.8	60	68.8	88	85.5	65	69.2	105	95.4	58	58.4
12	131	130.4	113	112.0	91	94.8	60	66.4	91	91.6	64	69.6	88	89.0	73	72.8	97	97.8	59	61.0
13	133	131.6	112	109.2	102	97.2	64	65.8	91	87.2	77	71.6	84	85.6	72	76.6	97	99.2	60	61.8
14	130	134.6	112	110.6	100	100.2	68	66.2	84	84.8	66	77.0	88	84.0	76	78.2	108	99.8	68	60.6
15	140	135.4	97	111.2	101	102.4	69	70.0	84	85.0	71	78.6	80	81.4	78	78.0	99	103.8	64	60.8
16	139	137.4	120	110.4	110	105.0	70	73.2	84	88.8	87	73.2	80	80.0	87	73.2	108	108.0	52	61.0
17	135	139.2	115	110.6	102	111.0	79	75.6	92	92.8	72	76.6	75	80.4	80	81.4	117	106.6	60	61.0
18	143		108	112.8	115	110.2	80	77.4	103		70	78.2	77	81.8	83	83.2	108	108.6	61	62.0
19	139		113		127		80		100		83		90		82		101		68	
20	/		108		97		78		/		79		87		87		109		69	

26

(2)

児童名	C_3 男		C_4 男		D_1 女		D_2 女		D_3 男		D_4 男		E_1 女		E_2 女		E_3 男		E_4 男	
練習回数	正	移	正	移	正	移	正	移	正	移	正	移	正	移	正	移	正	移	正	移
1	46		46		54		31		21		34		27		34		31		27	
2	48		52		54		23		27		42		38		42		32		23	
3	55	53.0	51	55.0	63	58.0	29	29.6	32	29.6	33	40.2	35	35.4	34	39.8	32	32.2	32	30.2
4	56	56.2	58	57.4	58	59.8	35	30.6	32	34.4	44	44.0	36	39.8	50	43.6	32	35.2	33	33.6
5	60	57.4	68	57.8	61	62.2	30	31.2	36	36.8	48	47.6	41	40.6	39	44.8	34	38.0	36	36.4
6	62	58.4	58	61.4	63	63.4	36	3118	45	37.2	53	53.0	49	43.0	53	48.0	46	41.0	44	38.4
7	54	60.0	54	61.6	66	65.8	26	32.0	39	38.0	60	56.0	42	45.6	48	48.8	46	44.0	37	41.4
8	60	59.8	69	60.0	69	68.6	32	33.2	34	37.2	60	58.4	47	48.0	50	51.4	47	48.0	42	42.2
9	64	61.6	58	62.8	70	69.9	36	33.6	36	35.0	59	59.2	49	49.4	54	52.2	47	49.0	48	43.0
10	59	63.8	59	64.8	75	70.0	36	37.0	32	35.4	60	60.0	53	51.8	52	54.2	54	51.4	40	46.9
11	71	66.4	72	65.2	69	72.6	38	41.6	33	37.4	57	62.0	56	55.6	57	57.0	52	54.6	47	49.2
12	65	68.8	64	67.8	70	73.0	43	44.0	41	39.0	64	63.4	54	57.9	58	58.6	57	57.2	56	47.8
13	73	71.6	71	69.8	79	72.8	55	47.0	44	41.2	70	64.4	66	59.8	64	61.4	63	59.4	54	51.6
14	76	71.4	72	688.4	72	74.2	48	48.0	44	42.6	66	67.0	60	61.0	62	62.8	63	61.2	41	51.6
15	73	73.2	70	70.4	74	76.6	51	49.6	43	42.4	65	69.0	62	63.4	66	63.8	65	63.2	59	50.8
16	70	71.6	65	71.4	76	77.8	43	46.0	41	42.2	70	69.8	63	64.2	64	63.2	61	62.8	48	51.0
17	74	71.2	74	72.6	82	82.6	51	46.2	40	42.6	74	72.0	66	66.2	63	62.2	67	66.8	52	55.2
18	65	68.8	76	73.0	85	86.0	37	45.0	43	43.6	74	73.2	70		61	61.8	61	68.8	55	53.4
19	74		78		94		49		46		77		70		57		80		62	
20	61		72		93		45		48		71		/		64		71		50	

27

知能段階別練習曲線（段階別平均の移動平均曲線）

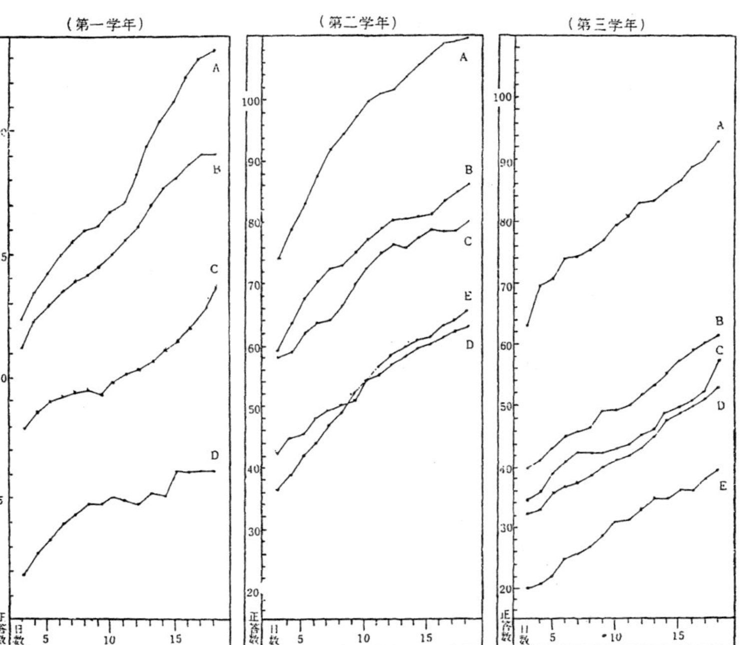

知能段階別練習曲線

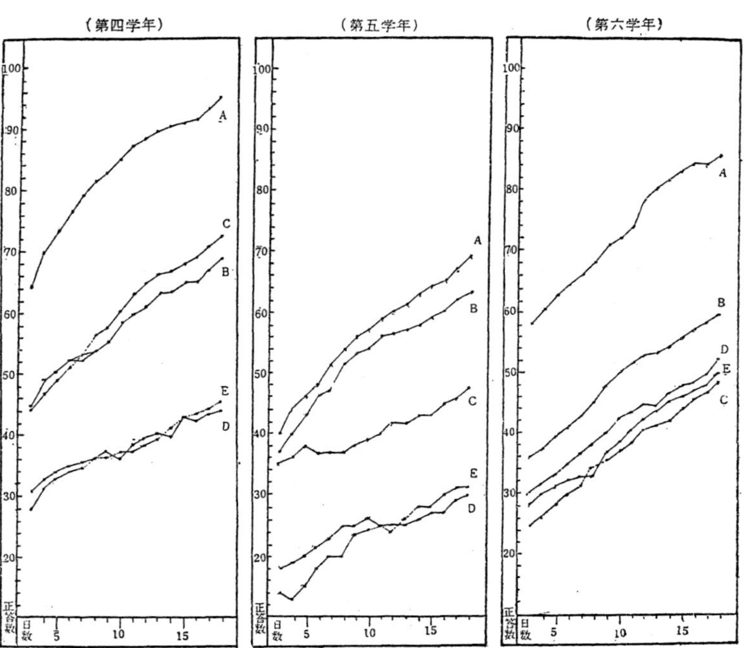

個人別練習曲線（第2学年） ——練習成績の曲線 ……移動平均の曲線

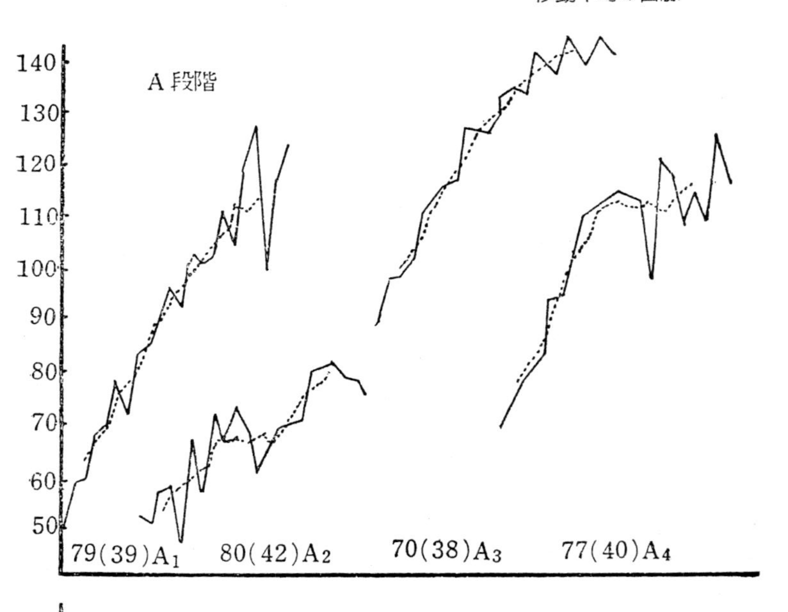

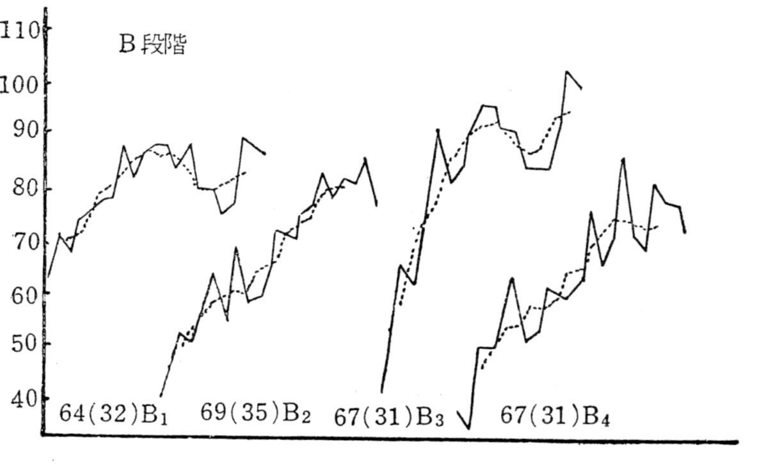

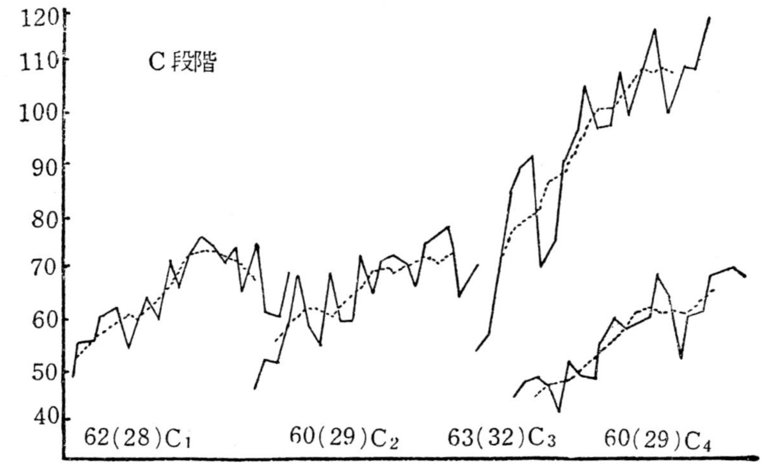

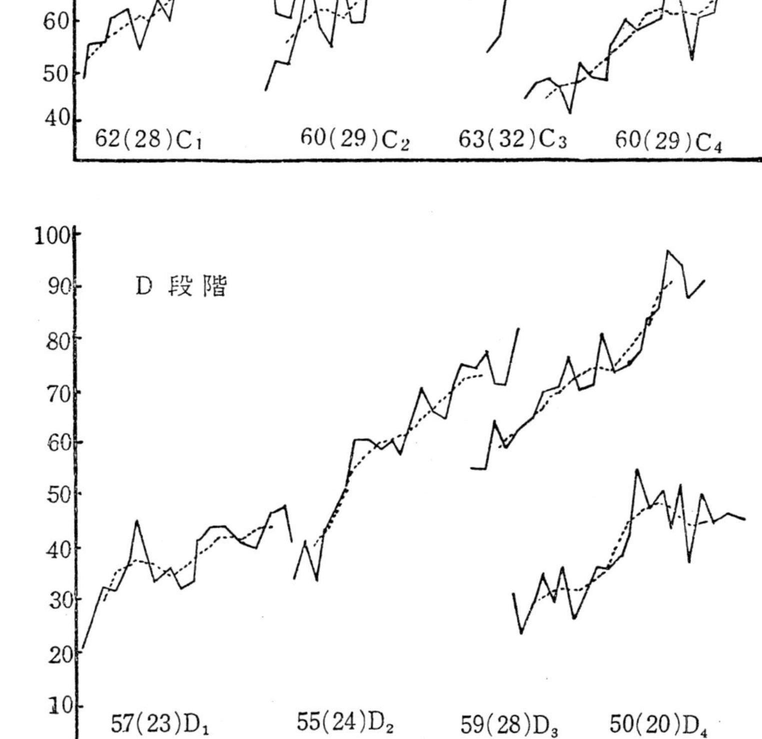

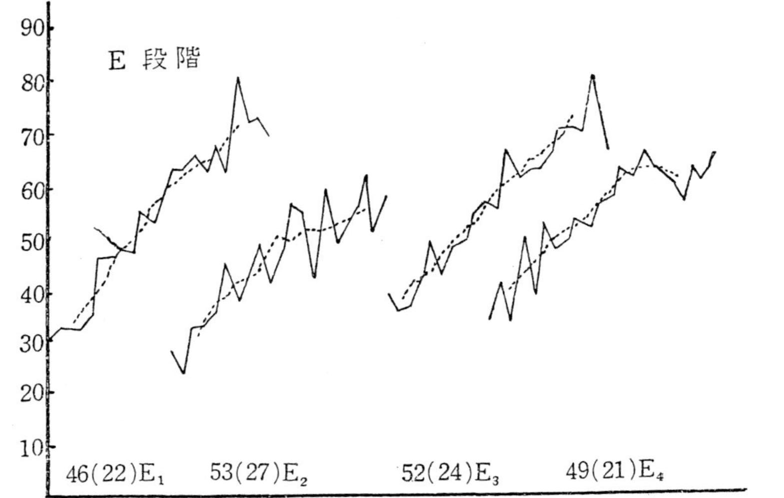

(2) **予想に対しての結果の考察**

(a) 知能段階の違いは，練線曲線の上にはっきり現われるかがどうかについて

「知能段階の優れているものほど練習曲線の勾配が急であるとは限らないが，部分的には関係があるものがある。

○ たとえば，二学年の知能段階別練習曲線を見ると，「A段階のものは練習の初めより急激に上昇し，E段階の者と共に，他の段階の者よりも急である」ということがいえよう。

B・C段階については，A段階よりゆるやかな上昇で，しかも，ほゞ同一の型の曲線になっている。

D段階のものは一番劣っている。E段階は，勾配はA段階に次ぐが，高い増加率を示している。

結局，ここでは，一応，曲線の勾配と知能段階とに関係がありそうだといえる程度である。他の学年についても，ほとんどこれと類似している。

また，作業量と知能段階についても，ほゞ同様のことがいえるのではなかろうか。

○ 曲線の動揺を練習曲線で見ると，A段階の子供（A_4を除いて）は，練習の前半は変動が非常に小さく，その上昇は急である。しかし，11，12回目をこえてくると，多少の変動が起るが，全体的に見れば他の段階の子供よりはるかに動揺は少く，しっかりした足どりで上昇している。他の段階については，練習の初めよりかなりの変動が認められる。

練習曲線の型が，知能段階によって決められるとはいい難いが，部分的に関係があるものもある。

○ 個人別練習曲線で見ると，A_1，B_4，C_4，D_1，E_1，E_3のように，各段階の中に直進型とみられるものもあれば，B_3，C_3，D_2，E_2のように，放物線状の曲線をなすものも見られ，全体的にはっきりした関係があるとはいえない。

ただ，比較的A段階の者は直進型らしいものが多く見られるこれは他の学年でも同ようである。

(b) 知能の低い者ほど早くプラトーがくるのではないかについて

曲線を見てもわかるように，

「20回ないし42回の練習では，高原状態に入ったと認めるところまでいかなかった。従って，高原状態に達するのに個々人の練習回数に違いがあるということも認めることはできなかった。

しかし，各段階とも，停滞期がある程度の周期性をもっていくつか見られた。

(c) そ の 他

○ 「一日１回と２回の練習とでは，その発達に違いがあったか」について見ると，

一日１回と２回の組を回数毎に比較してみると，発達の状況は殆んど変わっていなかった。

○ 「どんな時曲線が下降したか」についてみると，(前回の正答数よりも，次の回の正答数の方が少なくなった時）練習期間中の観察及び児童に筆答させた結果からみて，次のような事があげられる。

① 情意の動揺

やる気がしない。練習をいっしゃうけんめいやっても正答数がふえない状態が続いた時。胸がどきどきしたとき。隣の人，机の凸凹が気になった時など

② 身体の状態の影響

手がかじかんでいる。体がだるく頭が重い。風邪を引いている。など

③ 環境の影響

外がうるさい。教室が暗い。温度が低い。時など

(例) ２年生の場合

① 努力家できちょうめんなもの(勝気)，競走心の強いもの，安定感のあるものは上昇し，

② 仕事の粗雑なもの，動揺しやすいもの（不安定）（むらがある）などは，あらゆる曲線に動揺が多く，上昇の仕方が少い。

①と見られる者は，A_1，A_2，A_3，C_1，E_1，E_1 で，A_1 A_2 A_3 は努力家で競走心も旺盛，また，安定感もある。E_1 E_2 は非常に熱心で，

ひたむきな努力をはらっている。C_1（女）の児童が非常に上昇しているのは，級中一という程の勝気で競走心が強く，計算練習は自分の得意なものであるとする自信があったからであろう。

②と見られるものは，D_4 D_1 C_4 B_3 A_1 で，D_1 C_2 はやろうとする意志が弱く，特に D_1 は練習中，鉛筆でいたずらしたり，考えこんだり，書いたり消したりして容易にやろうとせず，注意されても気にもとめないふうであった。なお，この児童は，他に精神的な暗さのあった事も曲線に動揺を示した理由になろう。B_3 は，知能はよい方であり，字も比較的丁寧であるが，気まゝなところがあり，あまり正答数の増加ということも気にしない。A_4 は他の児童とはやゝ異り知能点が級中一であるが，（事実問題解決は非常に優れている）「計算には自信がない」とか「計算の一つ一つをもう一度たしかめてみないと，次へ進めない」とかいっているが，その割に変動も多く，増加率も少ないのは，どういうわけかはっきりつかめなかった。

○ 途中欠席したが，４～５日すると，欠席前に同一正答数であった児童の練習曲線に追いついた児童があった。

たとえば，次に示すものはその一例である。

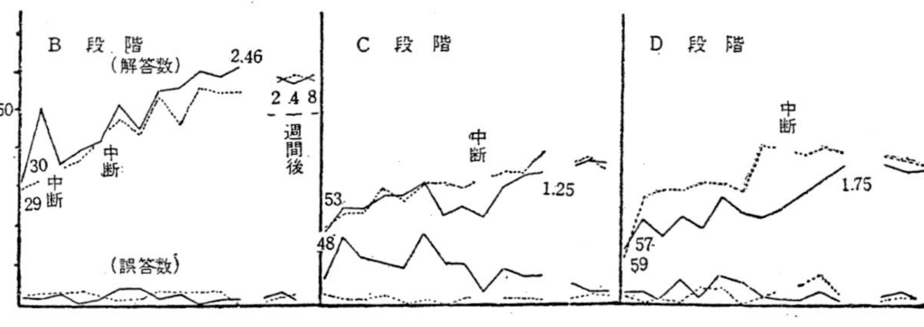

§2. 本 実 験

A 研究問題の設定

予備実験によって得た結果から，次のような問題を設定して，集中的に実験を開始することにした。

〔研 究 問 題〕

(1) **練習曲線に関して**

(a) 知能段階の違いは，練線習曲の上にどのように現われるか。

① 知能段階の違いは，練習曲線の勾配が急であるか，緩かであるかに関係があるか。

② 知能段階の違いは作業量の多少に関係があるか。

(b) 一般に曲線の勾配が昇った時，降った時は，子どもがどんな状態にあったときか。

(2) **停滞期に関して**

(a) 知能段階の違いは，停滞期とどのように関係があるか。

(b) 停滞期と練習効果の間にどんな関係があるか。

(3) **練習曲線に関して**

知能段階と練習曲線との関連について，考えられる各種の場合を，図をもって示すと，次のような場合があげられる。

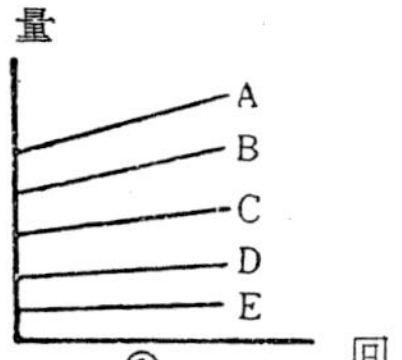

①は勾配・作業量ともに関係が深い場合

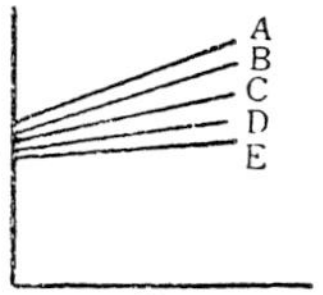

②は，当初の作業量はほぼ同じだが，だんだん相違が出てくる場合

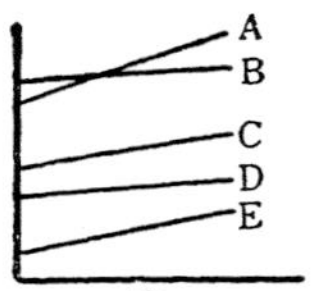

③，④，⑤は，一部分についてだけ関係があるとみられる場合

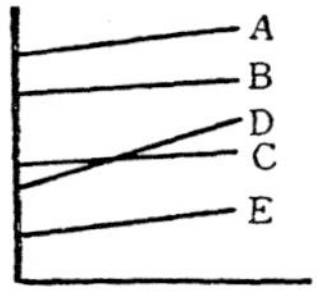

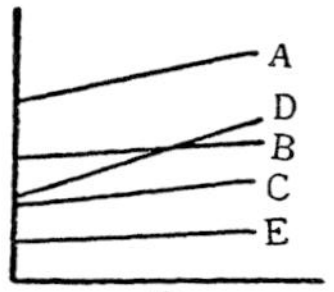

(4) **停滞期に関して**

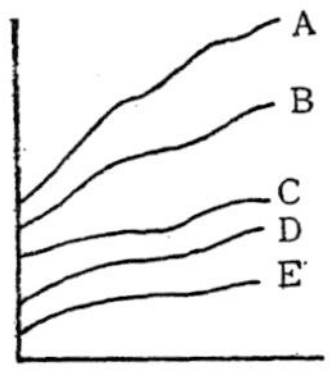

知能優れている者ほど，停滞期が遅く，直ぐ解消して上昇して行く場合を左に示してみた。この停滞期が学習効果を維持する節になるのではなかろうかなどと考えた。

B 実 施

(1) **児童の選定と練習問題の作製**

○ 実験対象の児童は，4年3組全員62名とし，あわせて2年～5年生各1組ずつ行う。

○ 練習問題は予備実験の時と同様，「3位数＋3位数で繰上り2回，和は1000以下」で，その作製に関しても，予備実験の場合と同様，各位の数の組合わせによって作製・配列した。

○ 期間は27年3月5日から12日間で，1日1回正味5分間の練習をした。

(2) **理 解 調 査**

反復練習に入るに当って，子供達がどれ程理解しているかを，次のようにして調査してみた。

すなわち，3位数＋3位数で繰上りのある問題ができるに至るまでの理解事項を調べ，更に，基礎技能についても調べた。

実際には，このようにくわしく調査する必要はないのではないかと考えたが，どんなつまづきが，練習曲線にひびくかわからないので，とにかく一応行わせてみたのである。

(a) 数の意味が十分理解されているかどうかについて

① 1つ1つの集りについて数を認めることができるか。(量でも個数化することができる)

② 一定の集合を1つ，2つと数えることができるか。

③ 一つの集合を部分集合として数えることができるか。

④ 各位の数字は単位のものがいくつあるかを示す係数であることがわかるか。

(b) 位取りが正しくできるかどうかについて

⑤ 10ずつまとめて，100，1000と数え進める事ができるか。

⑥ 単位を揃えることができるか。

(c) 基本的な計算ができるかについて

⑦ 単位が同じである二，三のグループのものについて，その和を求めることができるか。(繰上らない場合) また，それらの差を求めることができるか。

⑧ 10の合成・分解が自由にできるか。

⑨ 単位が異なる二つのグループの和を求めることができるか。

⑩ 繰り上りのある場合に，二つの和を求めることができるか。三つの場合についてもできるか。

⑪ 一位数及び二位数の和を求めるに当って，繰上りのある場合の計算ができるか。また，差を求めるに当って，繰下げの計算ができるか。

(d) さらに

⑫ 10の合成・分解が反射的にできるか。

⑬ 加法九九がどの程度正しく速くできるか。

⑭ 数字がどの程度速く書けるか。

⑮ 3つの基数の和を求める場合に，特に，9＋1＋7や1＋8＋2などのとき，10になる2つの数を反射的に見い出して，さきに計算していくことができるか。

以上のことを調べるために，次のような問題を作製して，ワークリミットで行わせ，できない所は，その子供たちに一応指導し，理解させるようにした。

① おはながいくつありますか。

( )

おはなを8つかきなさい。

( )

9つだけくろくぬりなさい。

○○○○○○○○○○

13あるかたまりに，○をつけなさい。

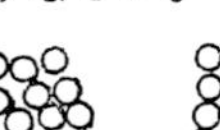

② 10円のおさつのたばがあります。 ひとたば 10まいあります。

みんなで いくたば ありますか。 ( )

みんなで おかねが いくらありますか。 ( )

③ おだんご がありますこれ がいくさらできますか。( )

100円は，10円さつだと( )まいで，1円さつだと( )まいです。

④ つぎのおこたえで，ちがうとおもうところに×をつけなさい。

9円は1円が{1つ／8つ／9つ}　10円は1円が{1つ／10／11}　30円は10円が{2つ／3つ／4つ}

10円は10円が{1つ／2つ／10}　400円は100円が{3つ／4つ／5つ}　100円は1円が{10／1つ／100}

35円は，10円が（　　）つと1円が（　　）

240円は，100円が（　　）つと10円が（　　）

308円は，100円が（　　）つと10円が（　　）と1円が（　　）です。

つぎのおさつのうち，215円だけ残して，あとはけしなさい。

100　100　100　10　10　10　1　1　1

100　100　10　10　10　1　1

⑤ マッチのじく木を「さんじゅうご」ほんとりなさい。……（じっさいにする）

「さんじゅうご」と，すうじでかきなさい。（　　　）

「ひゃくご」と，すうじでかきなさい。（　　　）

⑥ つぎのすうじをよみなさい。

70（　　　　）　107（　　　　）　444（　　　　）

つぎのすうじを　たて　にして，くわえることができるようにしなさい。

（5. 40. 140）　　（8. 13. 50. 405）

⑦ つぎのけいさんが　ちがっていたら　正しくなおしなさい。

1	7	40	300	80	900
+3	−4	+20	+600	−40	−700
4	2	420	80000	4	200

⑧ 10は，2と（　　）　100は，30と（　　）

100は，98と（　　）　10は，（　　）と3

100は，（　　）と60　100は，（　　）と95

⑨ 4＋10＝　400＋20＝　510＋7＝

107＋80＝　600＋65＝

⑩ 7＋6＝　9＋8＝　13＋8＝

25＋7＝　40＋70＝　49＋80＝

73＋37＝　65＋35＝　84＋39＝

14−9＝　40−13＝　33−18＝

⑪ わたくしは，おまつりのとき，父から200円，母から100円，姉から50円いただきました。それで，つぎのものをかいました。

	円
ふうせん	18. 00
おかし	25. 00
おにんぎょう	105. 00
はけのついたけしゴム	13. 00

あといくらのこっていますか。（　　　　）

次に，数字を書く速さを調べるために，別紙に，無意味な数を5分間書写させてみた。

2	8	4	3	1	0	9	2	5	7	4	6	8	9
8	3	4	1	3	9	5	6	2	0	1	3	4	7
1	3	0	4	5	9	7	6	1	8	9	4	2	7

書写した数を３で割った値，たとえば，513字書写した子どもがいたら，513÷３＝171 を，３位数の問題のできる限度と考えた。

（註） 上の理解程度の調査によって，まだ理解不十分と思われる児童には，半具体物及び具体物を使って，個別的に指導を加え，とにかく，一応できるようにして，全員反復練習に入ることにした。

(3) 実　　施

(a) 練習に当って特に注意したのは，先の予備実験の時にわかった，次のような子どもである。

○ 速さはあるが，非常に誤りが多い。

○ 同じ様な型の誤りをする。

○ 自分の結果が分らぬ場合は，張り合いもなく，あき易くなる。

これについて，次の事を注意して練習をさせた。

① 反復練習の目標をはっきりさせる。

② 特に各自が不注意で誤ったところを確認させるために，毎回練習終了後，互に検討し合い，どこがどのようにちがったかを認めさせるようにした。それについて，教師と共にいくつか練習をした。

③ 子どもによって到達する程度がちがうから，速くできなくとも正しくするようにするとか，それぞれ，自分の長所・短所を認め，それぞれに目標を持たせるようにした。

④ 成績をグラフに毎日つけて，各自の進歩がよくわかるようにしておいた。

(b) その他，練習の条件は予備実験の時と同様である。

すなわち，

○ 練習指導の時間は10時ごろから始めて15分～20分間で，このうち正味練習時間は５分間である。

○ １日１回で12回行う。

○ 練習終了後，２週間目，４週間目及び８週間目に，永続効果を調べることにした。

C 結果とその考察

(1) 練習曲線に関して

(a) 12回の反復練習の結果，各個人の正解答数とその変化を示す曲線の勾配がどのようであるかを示すと，次の表のようになった。上昇の様子を比較するには，そのグラフに依ってもわかるが，一定の規準のもとに比べるために，その解答数及び正答数の変化を示す曲線を一つの直線で近似し，そのこうばいをとってみることにした。この直線をきめるに当っては，最小自乗法を用いた。

すなわち，その直線のこうばいをｍとすると，これは，次の式で求められる。

$$y-M_y=m(x-M_x)$$

$$m=\frac{\Sigma x_i y_i - nM_xM_y}{\Sigma_x{}^2{}_i - nM^2_x}$$

上の式で，ｘは回数，ｙは解答数で，M_x，M_y はその平均値である。

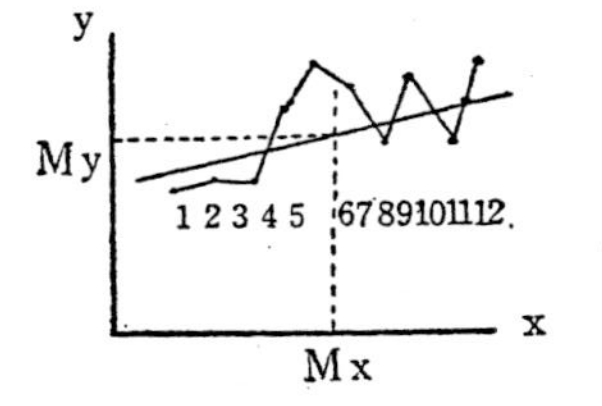

——— 練習成績の曲線
------- 移動平均の曲線

次の表は，このｍを求める計算の例を示したものである。

氏名　番号 1

曲線の勾配 (0.77)					曲線の勾配 (1.08)				
回	解答数 y_i	x_i	$\Sigma x_i y_i$	Σx_i^2	回	正答数 y'_i	x'_i	$\Sigma x'_i y'_i$	$\Sigma x'^2_i$
1	10	−5	− 50	25	1	6	−5	− 30	25
2	13	−4	− 52	16	2	9	−4	− 36	16
3	18	−3	− 54	9	3	16	−3	− 48	9
4	15	−2	− 30	4	4	9	−2	− 18	4
5	16	−1	− 16	1	5	12	−1	− 12	1
6	19	0	0	0	6	16	0	0	0
7	17	1	+ 17	1	7	11	1	+ 11	1
8	14	2	+ 28	4	8	14	2	+ 28	4
9	17	3	+ 51	3	9	17	3	+ 51	3
10	22	4	+ 88	16	10	20	4	+ 80	16
11	17	5	+ 85	25	11	16	5	+ 80	25
12	24	6	+144	36	12	17	6	+132	36
計	202	6	+211	146	計	168	6	+238	146

$$m=\frac{\Sigma x_i y_i - {}_nM_xM_y}{\Sigma x_i^2 - {}_nM_x^2}$$

$$=\frac{\Sigma x_i y_i - {}_nM_xM_y}{146-3}$$

$$=\frac{\Sigma x_i y_i - \frac{\Sigma y_i}{2}}{143}$$

$$=\frac{211-101}{143}$$

$$=0.77$$

$$m=\frac{238-84}{143}$$

$$=1.08$$

各回の解答数及び正答数とその勾配（mの値）

児童番号	知能段階	練習回数 1	2	3	4	5	6	7	8	9	10	11	12	勾配（mの値）
1	A	55 54	86 83	87 82	95 93	93 90	106 105	99 99	104 104	97 96	115 115	119 119	123 121	4.51 4.70
2	A	67 64	89 88	87 86	92 87	96 95	114 112	114 114	111 109	105 103	116 114	120 120	124 124	4.31 4.51
3	A	39 38	48 46	44 43	56 56	55 53	64 62	63 63	58 57	63 63	66 66	59 57	72 71	2.51 2.64
4	A	38 37	59 59	61 60	73 72	73 72	83 82	87 86	85 84	88 88	88 87	84 83	95 94	4.04 4.02
5	A	30 28	37 35	47 44	55 55	51 51	65 62	58 57	60 58	65 63	72 70	61 59	77 75	3.44 3.38
6	A	38 36	45 42	48 46	55 53	56 55	64 58	64 62	57 55	65 63	66 65	67 61	70 67	2.54 2.41
7	A	39 39	53 53	54 53	60 58	62 60	66 64	64 63	74 73	68 66	78 77	66 62	77 76	3.05 2.56
8	A	25 24	28 28	32 32	30 29	26 25	32 30	33 31	31 30	31 26	40 40	34 32	40 40	1.17 0.97
9	A	54 54	69 67	61 60	67 67	73 72	77 72	70 67	78 77	63 63	84 83	66 65	80 79	1.41 1.43
10	B	54 51	63 62	67 60	80 79	87 83	102 101	96 96	109 108	103 102	115 114	106 105	114 113	5.38 5.70
11	B	53 52	70 63	66 66	71 71	78 76	86 82	85 84	91 90	83 83	94 93	90 89	100 99	3.46 3.65
14	B	46 45	46 45	57 53	63 61	60 57	75 75	72 72	76 75	70 69	80 80	83 83	88 88	3.62 3.87
15	B	58 54	82 81	80 79	92 92	94 93	101 102	107 106	113 112	112 110	122 118	113 111	120 120	4.96 4.96
16	B	37 36	53 47	55 54	61 59	63 61	72 70	74 72	67 65	68 68	88 84	72 70	78 78	3.22 3.27
17	B	35 34	44 40	40 34	50 48	53 51	62 58	56 53	55 51	48 47	53 49	50 49	57 55	1.61 1.42
18	B	40 39	64 62	65 64	66 65	72 69	79 70	80 79	89 80	84 84	90 80	76 69	87 86	3.18 2.89
19	B	36 35	41 40	34 31	47 47	40 38	50 41	45 43	46 46	49 48	53 51	54 54	57 55	1.72 2.11
20	B	34 31	44 40	47 41	49 47	47 43	60 58	59 55	61 61	59 57	70 70	68 68	73 73	3.14 3.15
21	B	40 40	53 53	51 51	51 48	61 61	62 61	65 64	69 69	68 68	64 62	63 62	75 74	2.50 2.58
22	B	25 23	31 30	30 29	33 29	35 28	38 31	37 36	40 36	36 33	42 40	41 38	45 45	1.41 1.60
23	B	35 34	40 37	45 44	46 46	48 48	62 61	55 54	56 54	59 58	62 59	64 62	65 63	2.48 2.71
24	B	35 34	43 41	40 36	46 46	49 47	56 54	59 56	60 58	59 59	65 63	62 62	68 67	2.80 2.94

25	B	35	48	51	53	59	58	57	60	51	63	60	68	1.90
		34	47	49	51	56	54	57	60	51	60	59	66	1.90
26	B	39	45	49	39	50	60	66	62	65	75	67	75	2.89
		37	45	49	38	48	59	66	59	64	75	66	74	3.32
27	B	37	47	45	51	49	58	61	66	63	72	63	69	2.79
		36	47	45	50	49	56	61	66	63	71	63	69	2.83
28	B	41	54	54	58	61	66	65	60	64	72	62	73	2.02
		39	51	54	54	60	63	62	58	61	68	61	70	1.80
30	B	30	49	34	39	41	56	44	54	55	59	58	60	2.48
		29	48	32	39	40	56	43	53	53	59	57	59	2.56
31	C	30	43	40	48	44	54	53	53	53	61	67	72	3.08
		29	41	37	48	41	54	52	52	52	56	65	68	2.94
32	C	32	48	46	50	50	58	51	56	53	63	61	68	2.06
		31	46	44	40	46	58	51	53	49	62	58	66	2.23
33	C	25	32	31	32	33	39	40	42	43	46	43	44	1.62
		24	31	31	32	32	38	38	42	43	45	42	44	1.77
34	C	34	40	41	40	51	60	57	57	60	64	59	68	2.94
		32	39	40	39	50	60	57	57	60	64	58	66	2.92
35	C	31	32	34	38	36	44	40	41	41	46	40	50	1.46
		30	32	31	37	36	41	39	40	41	46	38	50	1.43
36	C	28	41	46	42	43	46	47	45	49	57	64	66	2.54
		26	40	40	37	38	45	46	43	45	54	63	63	2.67
37	C	30	30	36	38	40	44	40	49	48	55	53	58	2.46
		29	29	35	37	38	40	39	47	47	54	52	56	2.47
38	C	42	53	54	63	63	72	69	73	65	75	67	78	1.76
		36	50	48	52	56	63	63	63	62	75	65	76	2.22
39	C	46	63	58	64	67	69	66	62	75	70	69	72	2.09
		45	60	57	59	61	66	65	61	74	70	69	68	2.01
40	C	38	45	37	43	36	46	45	42	42	47	47	50	1.53
		34	44	35	37	32	44	45	39	41	46	41	47	0.82
41	C	35	35	33	37	52	57	59	59	59	66	58	66	3.54
		34	27	28	33	52	55	58	59	59	65	57	65	3.58
42	C	35	38	34	46	46	55	45	50	40	54	50	56	1.56
		28	30	34	45	21	41	29	45	38	53	48	48	1.87
43	C	27	47	44	49	46	49	48	48	47	51	47	55	1.23
		27	46	44	48	45	47	47	45	46	50	44	54	1.10
44	C	27	31	32	31	34	42	40	38	46	46	44	45	1.56
		24	29	31	30	31	37	38	36	43	42	42	44	1.66
45	C	28	36	36	46	44	54	50	55	57	58	51	57	2.49
		26	34	35	44	42	50	50	55	54	58	50	54	2.45
46	C	35	42	45	52	48	48	54	59	54	50	53	57	1.71
		35	42	45	47	44	40	50	58	51	44	52	57	1.37
47	C	35	46	48	52	52	63	58	62	58	63	57	65	1.93
		34	43	45	52	52	58	58	60	56	63	56	62	2.01
48	C	17	24	24	26	27	30	30	24	22	29	32	33	1.99
		12	8	13	16	18	13	12	14	19	20	25	26	1.25
49	C	29	40	42	45	38	47	46	45	47	50	47	56	2.33
		28	35	32	33	32	46	44	42	43	43	47	53	1.88
51	C	30	32	29	35	38	39	51	39	37	39	34	41	1 13
		29	32	24	31	32	38	50	35	37	38	33	41	1.03

52	C	31	18	13	27	22	35	32	30	26	17	11	19	− 0.52
		30	14	2	13	0	27	28	21	9	1	8	17	− 0.62
55	D	28	35	35	39	39	48	45	44	48	57	60	62	2.83
		28	32	31	39	39	47	43	42	48	54	51	60	2.72
56	D	42	48	52	56	58	62	66	70	73	77	65	75	2.85
		38	48	50	55	57	62	66	69	72	75	65	75	2.51
57	D	12	21	17	22	19	26	23	22	24	28	32	35	1.61
		9	18	16	6	8	19	17	20	23	27	29	34	1.75
58	D	34	40	43	47	48	51	56	51	50	56	51	58	1.72
		30	37	43	46	40	47	52	51	49	55	51	56	1.91
60	E	34	40	48	44	44	58	47	50	49	56	55	63	1.91
		32	40	47	40	43	57	46	49	47	56	54	63	1.86
61	E	24	37	49	0	51	58	6.5	64	67	77	67	79	4.98
		14	11	5	60	2	56	6.2	61	64	77	66	71	8.13
62	E	32	37	38	40	36	43	3.9	43	46	52	49	59	1.89
		32	37	37	39	36	41	3.9	43	46	48	49	58	2.01

(註)　各欄の数値で，上の段は解答数，下の段は正答数を示したものである。

(b)　さて，この表について，一般的な結果を出すに当って，各段階から任意に1名づつ選出して，深く考察してみることにした。

次に示したのは，個人別練習曲線のうち，1(A),14(B),43(C),56(D),62(E)の子どものものである。

問答数の曲線

A段階に属する1番の子どもは，練習の始めより急激な上昇を示している。途中6回～9回に於いてやゝ進歩がゆるやかとなっているが，その後はまた，急な上昇を示している。解答数の勾配(mの値)は，4.51であり，A段階のものの中では，最も高い値を示している。また，進歩がゆるやかになった7，8回に於ては，誤答は零である。

B段階に属する14番の子どもは，始め二回までは変化がなかったが，その後はAの子どもと同様の上昇の型をとっている。勾配は3.26であり，Bグループでは，三番目になっている。

C段階に属する43番の子どもは，始めにおいて急な進歩を示しているが，3回以後はほとんど進歩を示さず，停滞状態を示し，12回に第二の進歩を示しているにすぎない。この子どもは女性で，性格は温順，仕事は忠実で，表裏なく行動をする。学習態度も真面目であるが，切れる頭ではなく，いわれたことだけは着実に行うような平凡な女性である。積極性には物足りなさがある。この勾配は1.23で，C段階では低い方の値を示している。

D段階に属する56番の子どもは，図をみてもわかるように，始めより10回にいたるまで，ほとんど直線的な上昇を示している。11回目に77から65と減っているが，不注意の誤りは一つもなく，次の12回目には75と上昇している。この時も誤答は零である。この勾配は 2.83 である。

E段階に属する62番の子供は，始めより7回目までゆるやかな進歩を示し，8回目よりやゝ急な進歩を示している。この勾配は 1.89 であるが，1. 2. 3. 4. 5. 7. 8. 9. 11 の回の誤答は零であり，不注意の誤りをしなかったことについては，実験児童中一番よい成績であった。

なお，A_1の子どもに，解答数の曲線をその都度見せて，その時の状態を簡単に書かせた結果，次のようなことがわかった。

A_1（男）書写力 154

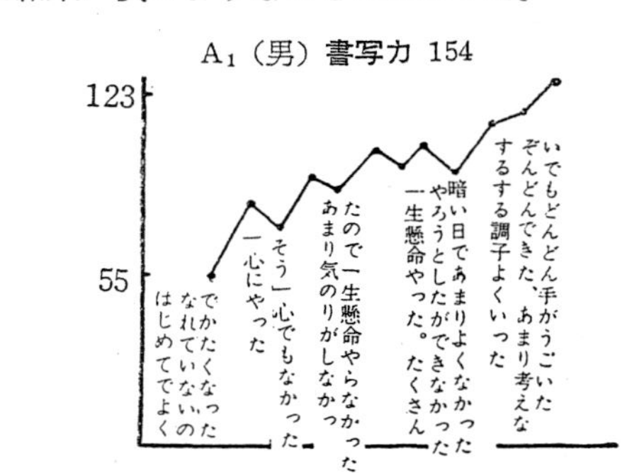

学級全体の子どもについての解答数及びそのこうばいは次のようである。

学級の平均解答数及び正答数とその勾配

	1	2	3	4	5	6	7	8	9	10	11	12	勾配
解答数	34. 3	43. 8	44. 0	48. 0	50. 0	57. 8	56. 8	58. 1	58. 2	63. 8	59. 7	66. 3	2.48
正答数	32. 6	41. 3	40. 9	44. 6	45. 9	54. 6	54. 8	56. 1	56. 6	61. 6	58. 1	64. 7	2.56

これを個人別練習曲線の例としてとりあげた児童についてのものと比較すると，解答数については，左の表のようになる。

	A_1	B_{14}	C_{43}	D_{56}	E_{62}
勾　配	4.51	3.62	1.23	2.85	1.89
2.48と比較して	急	急	ゆるやか	急	ゆるやか

すなわち，C段階に属する43番の児童，D段階に属する56番の児童のこうばいは，全体の平均に比べて小である。他の段階については，いずれも大である。

(d)　以上のことをもとにして，「知能段階の違いは，練習曲線の勾配が急であるか，緩やかであるかに関係があるか」について，考察してみる。

学級平均の勾配と各知能段階別の勾配との比較表

・解答数の場合

	A	B	C	D	E
	9	18	21	4	3
学級平均より大である人数	7	13	5	2	1
学級平均より小である人数	2	5	16	2	2

・正解数の場合

	A	B	C	D	E
	9	18	21	4	3
学級平均より大である人数	7	13	4	1	1
学級平均より小である人数	2	5	17	3	2

左の表でわかるように，A，B段階に属する子どもについては，大多数が学級平均に比べて大である。しかし，C段階では，これが逆になっている。D，E段階に属する子どもについては，学級平均よりも大になるものもあり，小になるものもあって，これがはっきりとはいえない。

すなわち，一般的には，次のようなことがいえるようである。

> 一般にA・B段階に属する子供の勾配は，学級平均のそれより急であるが，C段階に属する子供については緩やかである。
>
> D・E段階の子供については，学級平均より急なものもあり緩やかなものもあって，一般的なことは，これからはいえない。

(e) この他，練習曲線に関してわかったことがらについて，次に述べる。

○ 5分間の練習時間のうち，いつが比較的・作業量が多く誤りが少なかったかについて

4年6組46名について，15回練習させたうち，その第3回目，6回目及び9回目について，1分毎に「，」をつけさせて，毎分間の作業量を調べた。その結果は，次の図表のとおりである。

各分毎の知能段階別作業量　註 ① 3回目——— 6回目—·—·— 9回目------　②下段は誤答

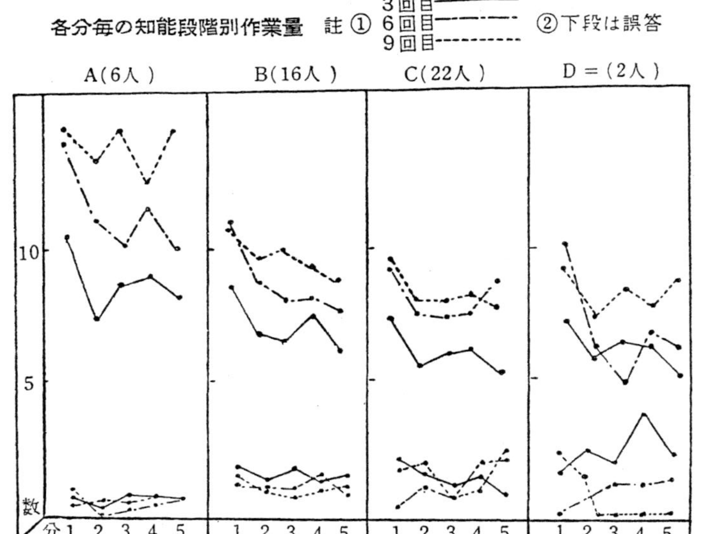

これについて，次のことがわかる，

① どの段階についても各回とも最初の1分間の解答数が最も多い。

② どの段階についても，2分目は解答数が少くなっている。

③ 一般に4分目は比較的解答数は多い。

④ どの段階についても，5分目は一般に解答数が最も少いといってよい。

これに対し，誤答は多い方である。

⑤ 一般に，誤答の割合は，回を追って多くなる傾向にある。

なお，3回を平均したグラフを作ると，次のようになる。

各分毎の知能段階別平均作業量

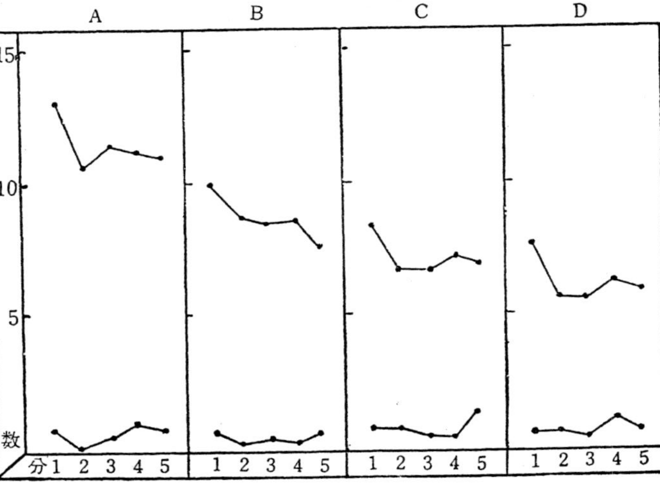

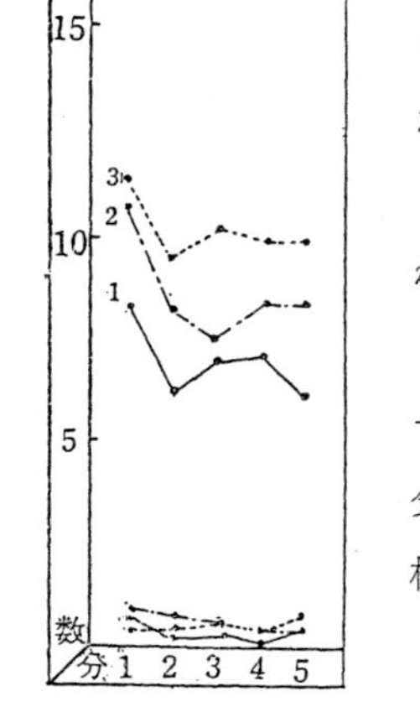

学級全体について，各回毎の平均をとったものも，左のような結果になる。前にのべたことがかなりはっきりみられる。

以上の点を考え合わせると，次のようなことがわかる。

最初の1分間は別として，3分から4分ごろが一番能率があがっているようである。そして，4分の終り頃から次第に低下しはじめ，5分目には相当能率が低くなっている。

このことから，練習は一応4分間で打切った方がよいようである。

それ以上に練習をする必要があるときは，そこで多少の休けいをして，再び練習を開始するようにしたらよいように思う。このことは，後でものべるが，一回位の休みがあった直後は非常な上昇を示し，誤りも少い結果が出ていることがらもいえる。

A 1 書写能力（173 題）

伸長　伸長　伸長　伸長　停滞　停滞　停滞

講堂がうるさくて気になってしかたがなかった(停滞)

この組は教室不足のため講堂を区切って三つの級が入っている。との一つである。

正答数　回　10　20　30　40　50　100

○　一般に，どんな状態の時に曲線の勾配が上昇したり，下降したりするかについて，これを例にとって調べてみよう。

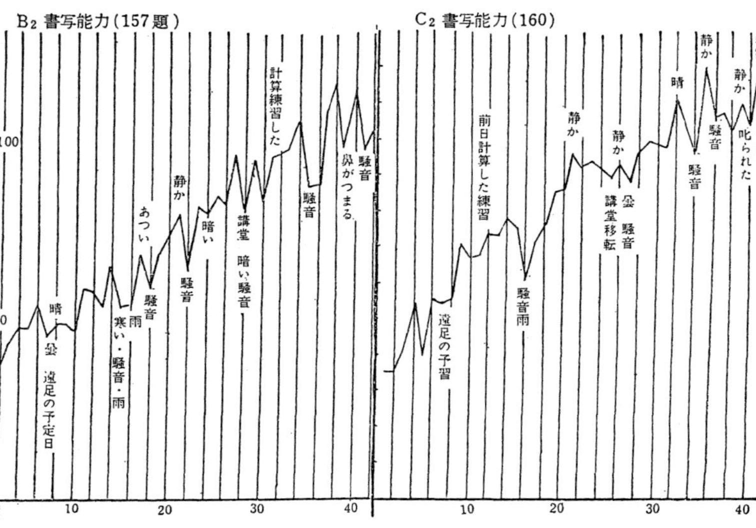

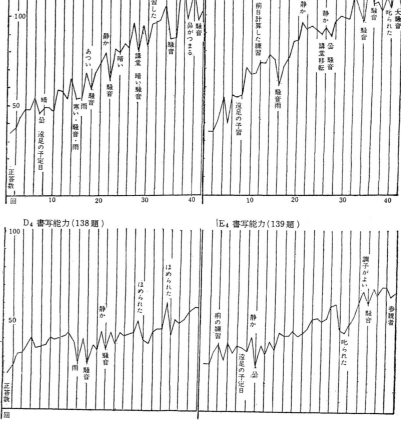

上にあげたグラフは，毎回子どもの感想を記入させた結果を示したものである。また，次は，これを原因別にまとめたものである。この百分率は，その原因となる事態を訴えている場合に，19名中何名が上昇または下降を示し

たか，その割合を表わすものである。

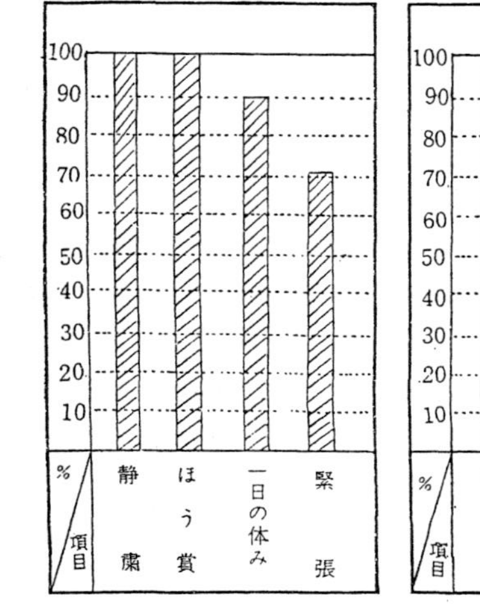

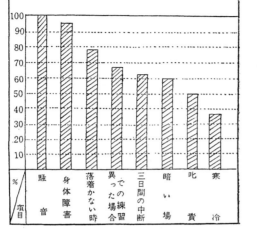

（下降する場合）

① 騒音のある時

全般的に影響の最も大きかったのはこれで，気を取られる程騒がしい時には，下降が激しい。たとえば，前でピンポンをする音が聞えたり，後でバケツを叩く音が聞えたりする時，などである。また，雨天で教室の周囲が騒然としている時も，激しく下降している。

とにかく，19名中全員下降しているが，その程度は，種々である。

② 身体に異常ある場合

頭痛，腹痛，及び手の異常がある時など，また，身体がだるいような時にも落ちている。然し，非常なる努力家には，これが認められない。

③ 練習の場が変れる場合

この影響は割合に大きい。いつも使い馴れた所が良いらしい。今まで

使用していた教室が使えず，一日だけ他の教室で練習した場合は，気移りしたり目新しかったりして，全般的に下っており，その程度も大である。特に，知能の高い者が大きく下降する。

なお，良い環境へ移った場合は，落着きの無い者が下り，中以上の児童は大体上昇している。11月6日に講堂へ移動したとき，19名中13名が下降している。

④ 特に気にかかることがあるような場合

遠足があるはずの日に，雨で，できなくなったというように，何か気にかゝることがあって，専念できない時に下降している。また，参観者があった場合は，知能優秀な者を除き，いくらか下っている。

遠足が中止になったとき，19名中15名が下降

参観者あった時，知能段階C以下のもの12名中8名が下降

⑤ 中断のあった時

三日位連続して休日の時は，やや落ちるが，二・三回の後はもとの曲線上と見られる所までもどる場合がおおい。

⑥ 天候のよくない場合

雨天の日や非常な曇天の場合などは，教室の内部が暗くなるためか，いくらか下降する。然し，その程度はあまり大きくはない。

11月2日（雨のため暗い）19名中11名が下降している。

⑦ 叱責された時

親や先生などに叱られた時にも下降する。これは，女子に特に目立って現われる。

17人中8名が下降している。

⑧ 非常に寒いとき

非常な低温のために手がこごえたり，固くなって思うように動かなか

ったりした時，下降している。一般に，寒く感ずる日にもこの傾向がある。

19名中６名ばかりが訴えている。

（上昇する場合）

① 静かである時

周囲が大変静かである時は，特記に値する程の上昇を示している。

非常に静かな時は，すべての子どもが上昇を示している。

② ほめられた時

しかられたときと反対に，家でほめられたり，テストなどができて，先生にほめられたりした時は上昇している。このことは，女子には，よりはっきり見られる。

ほめられたもの４名中，４名とも上昇している。

③ 休日をはさんだ時（中断１～２日位しても，もとのところへかえることに一致する）

連休ではそうではないが，１日位休んだ其の翌日で，天候が良く静かである場合には，非常な上昇が見られる。これは後半に於て目立つ。休みが二日以上になると，一旦たるむようである。

20名中18名に，これがみられる。

④ 緊張した場合

参観者があって心が緊張した場合は，上昇が見られるものがある。しかし，さきに，下降の場合にあげたように，却って気が散る者は下降している。

特に，A，B段階の子どもでは，７名中５名が上昇している。

なお，全般的には，次のような傾向がみられる。

10回位迄は，全体的には，回数毎にどんどん上昇している。それ以後になると，やや条件に左右され易くなるようで，上下の変動が現われ出す。

特に，午前・午后に分けてみた場合は，午后の方がよくない。

(2) **停滞状態に関して**

(a) これについては，まず，４年１組の児童20名についての実験結果を調査検討し，次の三つの観点から調べることにした。

○ 42回の練習中に，平均何回位停滞状況を示しているか。（平均停滞回数）

○ それらの停滞状況は，練習何回目頃に現われているか。（停滞兆候）

○ それらの停滞期間は，何日間位か。（停滞期間）

次にあげた表及びグラフは，この観点から整理したものである。

停　滞　状　況

（註）停滞期間１というのは，この時期に他の大部分の子どもが停滞しているので，この時期を停滞と一応おさえた。その結果１というのもできた。

知能段階	児童	第一次停滞兆候(日目)	停滞期間	第二次停滞兆候(日目)	停滞期間	第三次停滞兆候(日目)	停滞期間	第四次停滞兆候(日目)	停滞期間	第五次停滞兆候(日目)	停滞期間	第六次停滞兆候(日目)	停滞期間	停滞回数	平均停滞期間
A	A	—	—	11	4	19	2	23	6	29	2	37	3	5	3
	B	—	—	11	5	—	—	21	6	—	—	37	3	3	5
	C	—	—	13	3	—	—	22	3	28	3	37	2	4	3
	D	—	—	—	—	—	—	21	3	28	3	37	1	3	2
B	E	—	—	—	—	20	6	—	—	29	3	37	3	2	5
	F	6	2	13	1	19	1	23	1	31	1	—	—	5	2
	G	5	1	—	—	—	—	23	1	31	1	37	1	5	1
	H	—	—	13	3	18	2	22	2	—	—	—	—	4	2
C	I	4	2	12	1	20	2	—	—	35	1	—	—	4	2
	J	—	—	13	2	—	—	22	3	31	1	37	2	5	2
	K	—	—	13	1	—	—	—	—	—	—	37	1	2	3
	L	—	—	—	—	17	1	21	1	27	5	37	1	4	1
D	M	3	5	15	1	—	—	22	2	32	4	37	3	5	3
	N	4	1	15	6	—	—	—	—	29	3	—	—	3	3
	O	5	7	—	—	19	5	—	—	—	—	—	—	3	5
	P	—	—	12	6	—	—	—	—	27	5	37	1	4	4
E	Q	—	—	12	10	—	—	—	—	30	6	—	—	2	8
	R	6	1	12	1	20	1	22	2	30	2	—	—	5	1
	S	7	3	15	2	—	—	—	—	31	1	—	—	3	2
	T	6	1	—	—	19	1	—	—	27	5	—	—	4	3

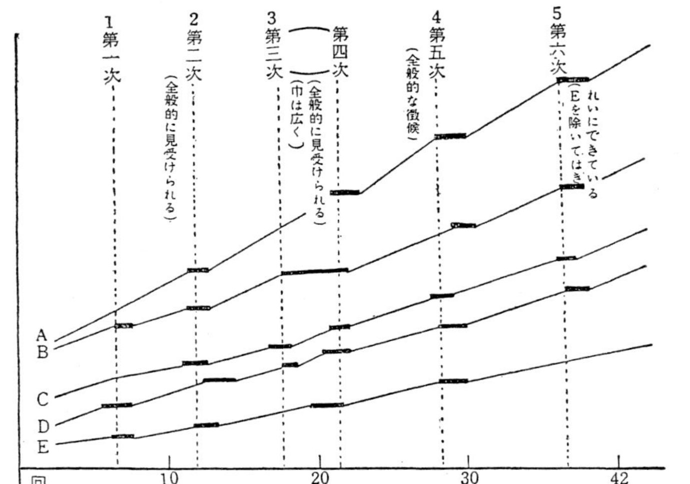

○ (平均停滞回数)

一般に停滞回数は個人別に，知能段階別に，多少の差が見られるが，平均してみると，5回になる。

○ (停滞兆候)

練習曲線上で停滞兆候は平均5回見うけられるが，第一次の停滞兆候は，練習頭初よりだいたい6日目頃に現われる。中には，それより早く3，4回目頃に現われる者もある。これら第一次停滞兆候の現われるのは，概して，知能段階の中以下の者に多い。

第二次の停滞兆候は，11回目から13回目ごろに多く現われる。これは全般的に見られ兆候である。A段階の者にとっては，この時が第一次兆候時になっている。

第三次は19回目から20回目ごろに多く見られ，ここで現われなかった者には，2，3日おくれて，表の第四次兆候時のころに現われてい

る。従って，第三次兆候は17回目～23回目にわたってばらばらに現われていることになる。もちろん，第三・第四次ともに兆候のある児童もある。

第五次兆候は，28回目～31回目までの間に，ほとんどの児童に現われている。これは，前の第二次兆候が11回目～15回目に現われているのと同程度にはっきりしている。

第六次兆候は等しく37日目に現われていて，C以上の子供にはほとんど見られる兆候である。

各次に於ける停滞人数

	1 次	2 次	3次 4次	5 次	6 次
A (4人)	0	3	延べ 5	3	4
B (4人)	2	2	6	3	2
C (4人)	1	3	4	3	3
D (4人)	3	3	2	3	2
E (4人)	3	3	3	4	0
合計	9人/20人	14人/20人	20人/40人	16人/20人	11人/20人
%	45	70	50	80	55

左の表によると，全般的に兆候を示しているのは，第二次（11回目～13回目）第五次（27回目～31回目）及び第六次(37回目）であり，三次と四次は，これをそれぞれ一つの次期と見るには，あまりはっきりはしないが，17回目～23回目にわたって，全体的にみて現われているといえる。

また，第一次はB以下に，第六次はD以上に多く，反対の現象を呈していることがみられる。

○ (停滞期間)

・ 一般に，A・B・C段階の児童よりD・E段階の児童について，期間の開きが個人間で大きい。

・ A・B・C段階の児童では，だいたい1回ないし3回である。D・

E段階の児童にも，その程度のものがかなりいる。つまり，全般的に1回～3回が多いといえよう。

(b) 停滞期と練習効果について

練習効果を判定する条件には色々あると思うが，ここでは，次の二点について，停滞期と関連させて考察した。すなわち，

① 停滞期と永続効果について　　② 停滞期と誤りについて

① 永続効果の点からみて

次の表は，実験終了時の正答及び2週間後，8週間後の正答数を示したものである。一般に，練習後8週間になると，第28回目ないし30回目ごろの成績にもどることがわかる。

4年1組　20名　　**個人別永続効果表**

	実験終了時の正答数	2週間後の正答数	8週間後の正答数	実験28日目の正答数	実験29日目の正答数	実験30日目の正答数
A 1	149	150	136	139	136	134
A 2	117	100	75	82	77	94
A 3	134	136	128	125	125	122
A 4	130	136	127	109	101	113
B 1	92	90	欠席	77	79	89
B 2	(欠のため35回目) 113	欠席	96	97	98	101
B 3	108	欠席	74	81	91	99
B 4	118	116	93	87	99	99
C 1	86	欠席	64	72	71	72
C 2	122	120	99	97	100	99
C 3	108	109	84	90	87	88
C 4	124	134	99	102	108	96
D 1	40	39	40	38	51	48
D 2	95	96	53	71	68	70
D 3	68	77	61	63	70	65
D 4	58	65	55	44	50	40
E 1	22	21	17	20	27	26
E 2	87	82	81	83	32	79
E 3	70	71	46	57	56	53
E 4	64	67	49	58	60	46

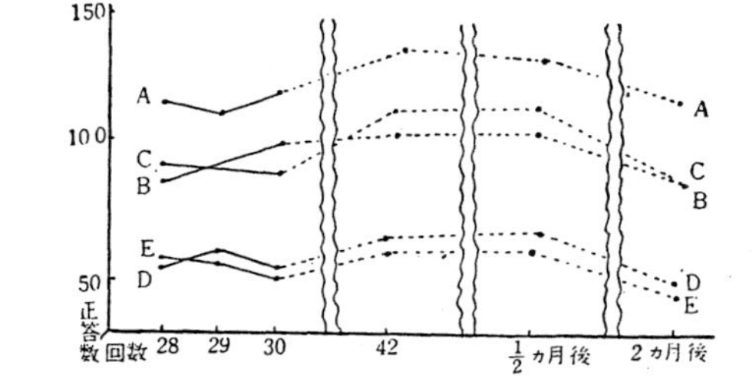

上表を，各知能段階別に平均をとってまとめると，次のようになる。

42回の練習後の正答と停滞期の関係

	2週間後	8週間後	1年後	停滞期 1次	2次	3 4次	5次	6次	実験終了時の書写力	1年後の書写力
A 4人	37*	29*	7*	0*	12*	20*	28*	37*	169	162
B 4人	37	27	13	5	13	21	31	37	164	165
C 4人	38	27	11	4	13	20	31	37	169	174
D 4人	38	21	10	4	15	20	29	37	143	149
E 4人	32	20	13	6	12	20	30	0	130	138

上の表で，＊をつけた各欄の数字は，42回の練習中，何回目の成績に当るかを示す。

12回練習した他の学年のものもあげてみると，次のような状況である。

3年

	2週間後	4週間後	8週間後	1年後
A 9人	11回目	10	10	8
B 12人	10	8	9	8
C 20人	10	9	10	9
D 5人	10	9	9	10
E 3人	9	7	6	7
平均	10	9	9	8

4年

	2週間後	4週間後	5週間後	1年後
A 9人	11回目	9	10	8
B 21人	10	10	9	9
C 22人	10	9	9	7
D 4人	10	9	10	10
E 3人	9	10	7	7
平均	10	9	9	8

5年

	2週間後	4週間後	8週間後	1年後
A 8人	11 回目	10	10	10
B 21人	10	9	8	8
C 22人	7	8	7	6
D 23人	5	7	7	6
E 3人	11	11	12	11
平均	9	9	8	8

6年

	2週間後	4週間後	8週間後	1年後
A 8人	9 回目	8	8	9
B 20人	9	8	8	9
C 10人	5	6	5	4
D 6人	6	5	5	6
E	—	—	—	—

これらの結果から，ほとんどの子どもは，2週間後にはだいたい第6次停滞期まで下り，4週間後には第5次，1年後には第2次の停滞期に下っていることがわかる。特に，A段階の子供たちは，第2次停滞期以前のところまで下っている。

しかし，だいたい10回目から13回目位のところに落着いている。

すなわち，42回も練習しておいても，特別に練習しないで1年もおけば，だいたい第2次停滞期，10回から13回ぐらい続けた成績まで下がってしまう。

しかし，12回の練習である他の学年の場合についてみると，42回の場合ほど大きな低下はみられないようである。

これから考えると，42回も練習することは，永続効果という点ではあまり意味がないといえる。

そこで，何回練習しても，その後適当な練習をしなければ，相当高度の能力を維持することは困難であることがわかったのであるが，この永続され得る能力水準が，十分な程度のものであるかどうか，すなわち，それで実際の学習を能率的に行うことができるか，また，次の学習の基礎として十分役立つか，などについては，別の立場から研究されなければならないであろう。

② 次に停滞期と誤りについて考察してみる。

たとえば，A段階のものについて，平均解答数の曲線とその誤答数の曲線を同じグラフで示すと，次のようである。

A段階の平均解答数及び誤答数

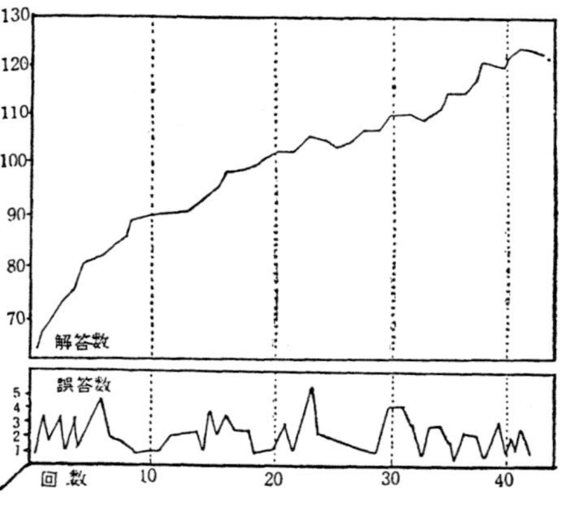

停滞期をきめたものは，次のようになる。

A 段 階 の 停 滞 期

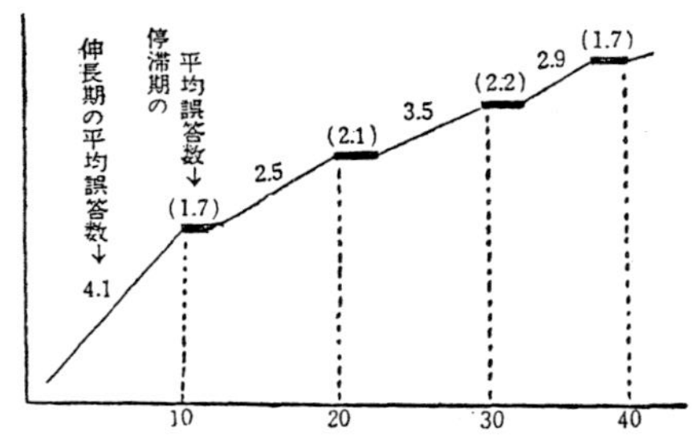

これを各段階別に表にまとめたものが，次の表である。

伸長期と停滞期の誤答数

	一次		二次		三・四次		五次		六次		平均	
	伸	停	伸	停	伸	停	伸	停	伸	停	伸	停
A	—	—	4.1	1.7	2.5	2.1	3.5	2.2	2.9	1.7	3.3	1.9
B	2.4	5.5	3.8	2.1	3.7	3.5	4.9	3.1	4.3	2.4	3.8	3.4
C	1.0	1.5	4.5	3.0	4.2	2.7	3.2	4.0	3.9	5.1	3.4	3.4
D	4.2	2.8	4.9	3.1	6.1	3.6	3.4	3.7	5.7	4.1	4.9	3.3
E	3.6	3.3	3.2	4.9	6.2	5.3	6.3	8.0	—	—	4.8	5.4
平均	2.8	3.3	4.1	3.0	4.5	3.4	4.3	4.2	4.2	3.5	4.0	3.5

伸は伸長期，停は停滞期の誤答数を示す

これを見ると，一般に停滞期には誤答は少くなるような傾向がみられるが，これだけでは，まだはっきりしたことはいえない。

しかし，誤答が少いとすれば，或程度安定性のある時期ともみられることになる。

§3. 本実験から派生した問題とその研究

次の二つのことを中心として，調べてみた。

1. A，B段階の子どもで，解正答数を示す曲線の勾配が学級平均のものより緩やかであるのはどんな子どもか，またD・E段階の子どもで，解正答数を示す曲線の勾配が学級平均より急なのはどんな子どもかについて

この問題については，次の観点から，一人一人について検討してみた。

① 書写能力と勾配との関係　③ 誤答数と勾配との関係

② 性格と勾配との関係　④ 永続効果と勾配との関係

このことについては，二学年より六学年にわたって，各個人についてその考察を試みたが，ここでは，その一例として，第四学年の児童について述べて見よう。

解答曲線の勾配と性格，書写能力，誤答率，永続効果　　第4学年

児童	知能	成績	1回〜12回	勾配	誤答率(%)	永続効果 2	4	8	書写能力	性格
6	A	a	$\frac{43}{44}\sim\frac{44}{48}$	$\frac{-0.36}{0.15}$	4.6 完2回	$\frac{10}{12}$	上	上	144	気弱く，強情，理解力劣る，まじめだが計算がおそい（1番児）
11	A	c	$\frac{31}{32}\sim\frac{41}{41}$	$\frac{0.45}{0.86}$	2.5 6	$\frac{8}{12}$	$\frac{12}{12}$	上	117	ずぼら，仕事は速い，積極的おちつきなく，計算は速い
1	B	c	$\frac{21}{21}\sim\frac{41}{41}$	$\frac{0.87}{0.87}$	0.8 10	$\frac{7}{12}$	上	上	101	明朗活気ある，要領めいている所がある，学習は積極的，思考力すぐれ，計算は正しく速くない（6）
2	B	b	$\frac{27}{28}\sim\frac{37}{38}$	$\frac{0.57}{0.92}$	5.1 4	$\frac{11}{12}$	$\frac{11}{12}$	$\frac{11}{12}$	106	几帳面，内気，まじめに学習する，計算正確，おそい(11)
14	B	c	$\frac{22}{25}\sim\frac{32}{33}$	$\frac{0.55}{0.23}$	6.7 2	$\frac{8}{12}$	$\frac{7}{12}$	$\frac{7}{12}$	129	気弱い，少しだらしがない，注意散慢，理解おそい，思考力劣る
19	B	b	$\frac{22}{23}\sim\frac{30}{31}$	$\frac{0.15}{0.23}$	6.1 2	$\frac{6}{12}$	上	上	117	気力乏しく，仕事はざつ，計算は割に正確，思考力よい
20	B	c	$\frac{19}{19}\sim\frac{26}{26}$	$\frac{0.40}{0.38}$	3.4 5	$\frac{7}{12}$	$\frac{6}{12}$	$\frac{6}{12}$	93	几帳面な所あり，動作にぶい注意散慢，計算おそく誤りが多い
30	B	c	$\frac{29}{31}\sim\frac{32}{40}$	$\frac{0.15}{0.58}$	23.2 0	$\frac{7}{12}$	$\frac{1}{12}$	$\frac{5}{12}$	122	温和，他力的，幼稚，まじめだが理解おそく計算もおそい
41	B	c	$\frac{28}{30}\sim\frac{42}{45}$	$\frac{0.78}{0.87}$	6.1 1	$\frac{12}{12}$	上	上	129	温和，おちつきあり，まじめやや消極的，計算力は普通
9	C	c	$\frac{29}{32}\sim\frac{53}{56}$	$\frac{1.96}{1.76}$	13.0 0	上	$\frac{10}{12}$	$\frac{10}{12}$	146	温順，気力乏しい，動作にぶい，注意散慢，消極的な学習思考力劣る，けいさんおそい
10	C	e	$\frac{9}{14}\sim\frac{18}{25}$	$\frac{1.47}{1.06}$	19.3 0	$\frac{11}{12}$	$\frac{11}{12}$	$\frac{12}{12}$	120	温順，まじめ，理解力非常に劣るためすべてふるわず
13	C	c	$\frac{34}{34}\sim\frac{56}{63}$	$\frac{2.55}{2.72}$	2.9 4	$\frac{9}{12}$	$\frac{9}{12}$	$\frac{11}{12}$	135	明朗活潑，まけずぎらい，積極的に学習し熱意あり，計算割に早い
27	C	c	$\frac{32}{32}\sim\frac{50}{52}$	$\frac{1.37}{1.49}$	1.8 6	$\frac{6}{12}$	$\frac{8}{12}$	$\frac{6}{12}$	145	言語明瞭，明朗，計算力ふつう，特に珠算にすぐれている
28	D	d	$\frac{28}{29}\sim\frac{57}{59}$	$\frac{1.25}{1.70}$	1.4 6	$\frac{12}{12}$	$\frac{12}{12}$	$\frac{12}{12}$	115	温和，内気，まじめ，計算ふつう，思考力劣る
級平均				1.09	7.8 3.1				123	

（註） 1．1回〜12回とある欄の分数は， $\frac{正答数}{解答数}$ を表わす。
2．誤答率欄の「完」というのは「誤答のない回数」
3．永続効果欄の「上」とあるのは，12回目の成績と比べ，上廻っているという意味

各段階別の正答曲線

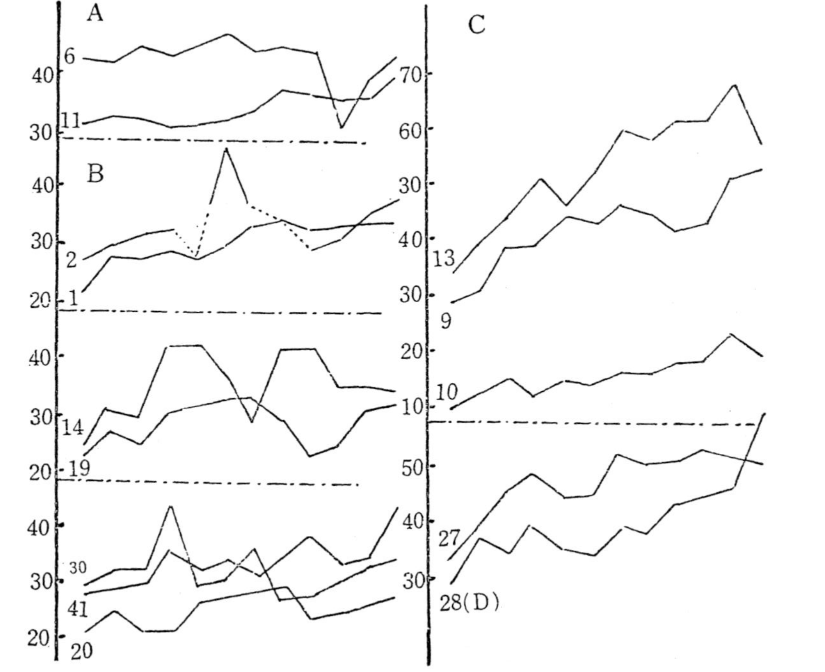

(a) A・B段階で勾配の緩やかな子どもについて

① 書写能力と勾配との関係

書写能力の級の平均では，これと比較すると，6・14・41番の三児は大きい値となっているが，他の六児は小なくなっている。これらは，いずれも勾配が級平均よりも低い子どもであるから，大多数は，書写能力

の低いために，勾配が低くなっているとも考えられる。

しかし，前述の三児については，他の原因を調べてみる必要がある。

② 性格と勾配との関係

図表の曲線を見ると，上下に激しく動揺している者とそうでなく殆んど水平で，進歩の見えない者とがある。動揺は，一般に，前半より後半に於て大きいようである。また，11番，1番の子どものように，比較的安定した曲線を示しているものもある。勾配の低い者の性格も，だいたいこの三つの型にとらえられるようである。

その一は，温和にしてまじめであるが，計算がおそいもの（1・11・14・20・30・41番児）

その二は，明朗にして活気があり，計算も正確であるが，あまり速くないもの（6番児）

その三は，積極的に仕事をし，計算は割合に速いが，早合点をするため誤りが多いもの（2・19番児）

である。人数からは，第一の型に入る者が最も多い。

③ 誤答と勾配との関係

誤答率は，級の平均と比べると，30番児の23.2%のほかは平均より小さい。従って，これらの児童は，割合に正確な計算をするといえる。

勾配が低いのは，仕事がおそいか，意欲に乏しいかなどではないかと思われる。30番児は，温和で他力的な所が多く，仕事はまじめにするが，理解がおそく計算もおそい。

一定時間内という条件を付けられると，心的に動揺を来して，誤りも多くなり，勾配もそれがために，低くなっているものと思われる。

④ 永続効果と勾配との関係

永続効果の面から見ると，2・14・20・30番の四児は50%内外の線ま

で低下しているが，他の児童は100 %をこえて上昇している。

すなわち，6・11・1・19・41番児は，勾配は低かったけれども，練習後も成績はよくなっている。これは，はじめの四児とは，非常に異なる点である。この原因については，理解の面などからも，もっと深く調べてみる必要がある。

(b) C・D段階で勾配の急な子供について

① 書写能力と勾配との関係

級の平均 123 と比べると，10・28番児は低いが，他の三児は高くなっている。従って，9・13番児については，一応書写能力の高いことが勾配を高める原因の一つになっていると考えられる。10・28番児については，書写能力は割合に低いので，他に勾配を高めている原因があるものと考えられる。

② 性格と勾配との関係

これに該当する子どもの性格は，だいたい，二つの型に分かれるようである。

その一は，温和でまじめに仕事をするが，気力に乏しいものである。これは，思考力が劣るが計算力は普通であるといったような型で，9・10・28番児にみられる。

その二は，明朗活潑で仕事に熱意をもち積極的にし，計算力も割合に高い型で，13・27番児にみられる。

書写能力の低いことがわかった10・28番児の両児については，その性格からみて，思考の面では劣るが，まじめに努力することにより，勾配を高めているものと思われる。

③ 誤答数と勾配との関係

誤答率の級の平均 7.8%，12回中の完全解答回数の平均 3.1% の両者

に比較すると，9・10番の両児のみ平均より悪い結果を示している。他の13・27・28番児は誤答も少なく，いつも正確な計算をしている。つまり安定性があり，このことが，勾配を高めているとも考えられる。

9・10番児，特に10番児については，書写能力も低く，誤答も多いようであるから，この面からは，勾配の高い原因はわからない。

④ 永続効果と勾配との関係

永続効果で見ると，27番児は50%まで低下しているが，他の児童は80%ないし 100 %を持続し，勾配も永続効果も高く好ましい結果を示している。

先に問題になった9・10番児については，永続効果の面ではよい結果を示している。これらの子どもは，正確に計算できるようになれば，勾配はさらに高まるものと思われる。27番児については，理解力をつけることが必要と思われる。

以上，四つの観点で考察して来たが，これを他の学年についても考察してみた結果をまとめて見ると，およそ次のようになる

(註) 。$\frac{35}{36}$…正語数／…解答数　。完3回…12回中3回だけ全部正答した
。永続効果　2週，4週，8週後のこと
上…8週間後でも上昇している　$\frac{8}{12}$…12回練習で8回まで下ったこと

第2学年

児童	知能	成績	1回～12回	勾配	誤答率(%)	永続効果 2 4 8	書写能力	性格
2	A	d	$\frac{35}{36}$～$\frac{45}{48}$	$\frac{1.20}{1.05}$	0.4 完3回	上	93	交友関係は円満を欠く，落つきなく根気なし，事実問題などあまり興味をもたない
3	A	b	$\frac{56}{57}$～$\frac{84}{85}$	$\frac{2.32}{2.32}$	0.8 6回	$\frac{8}{12}$	114	気が弱い，人と争いすぐ泣く算数には興味をもちすぎ，計算は正確で速い
5	A	b	$\frac{54}{56}$～$\frac{88}{89}$	$\frac{2.52}{2.45}$	0.4 9回			子供らしく明かるい，落つきがある，算数は余りできる方でないがよく学習する

8	A	d	$\frac{27}{30}$〜$\frac{45}{45}$	$\frac{1.88}{1.30}$	5.0	8回	上	108	内気で授業中は余り発表しない，算数には余り興味なし，長続きしない
10	A	d	$\frac{29}{30}$〜$\frac{54}{56}$	$\frac{1.34}{1.44}$	0.8	6回	$\frac{10}{12}$	100	内気で虚弱，発表あまりせず算数には余り関心なし
11	A	c	$\frac{51}{52}$〜$\frac{67}{67}$	$\frac{1.69}{1.47}$	0.7	7回	$\frac{11}{12}$	105	子供らしく明かるい，おちつきあり，級の仕事など積極的にし，学習は一般によし
13	A	c	$\frac{33}{34}$〜$\frac{32}{33}$	$\frac{0.02}{-0.12}$	1.8	6回	上	104	無口，殆んど口をきいたことなし，算数などはこつこつよく努力してやっている
18	A	c	$\frac{32}{32}$〜$\frac{56}{56}$	$\frac{1.12}{1.50}$	0.6	8回	上	106	内向性，全教科にわたりあまりぱっとしない
24	B	d	$\frac{13}{14}$〜$\frac{27}{27}$	$\frac{1.09}{1.19}$	0.6	10回	上	87	内気，学習に大して関心なしぱっとしない，算数は計算が好き
26	B	d	$\frac{45}{45}$〜$\frac{52}{54}$	$\frac{1.21}{1.19}$	1.1	8回		107	余り発表しない，内気，幼児の感じ，算数は余り好まぬ
28	B	c	$\frac{49}{51}$〜$\frac{69}{69}$	$\frac{2.14}{2.08}$	0.09	7回	上	135	学習には関心をもち，よく努力するが，ぱっとしない
34	C	b	$\frac{22}{23}$〜$\frac{65}{67}$	$\frac{3.56}{3.59}$	0.8	8回	$\frac{10}{12}$	129	おちつきのある明かるい子，算数はすきで大変よく努力する
35	C	b	$\frac{36}{36}$〜$\frac{81}{82}$	$\frac{4.59}{4.73}$	0.8	7回	$\frac{6}{12}$	112	内気 算数はすきでよくやる
37	C	b	$\frac{85}{85}$〜$\frac{122}{125}$	$\frac{3.69}{3.92}$	2.5	1回	$\frac{7}{12}$	175	明朗，計算はすきだがむらがある，稍，注意力に乏しい
38	C	a	$\frac{62}{62}$〜$\frac{140}{140}$	$\frac{6.97}{6.96}$	0.3	9回	$\frac{9}{12}$	212	おちつきのあるよい子，算数はすきで特に事実問題，計算は正しく速い
42	D	d	$\frac{45}{48}$〜$\frac{86}{86}$	$\frac{3.98}{3.98}$	1.7	4回	$\frac{10}{12}$	157	内気で無口，全教科にわたりあまり関心をもたない
級平均				3.30	2.4	6.1回		130.7	

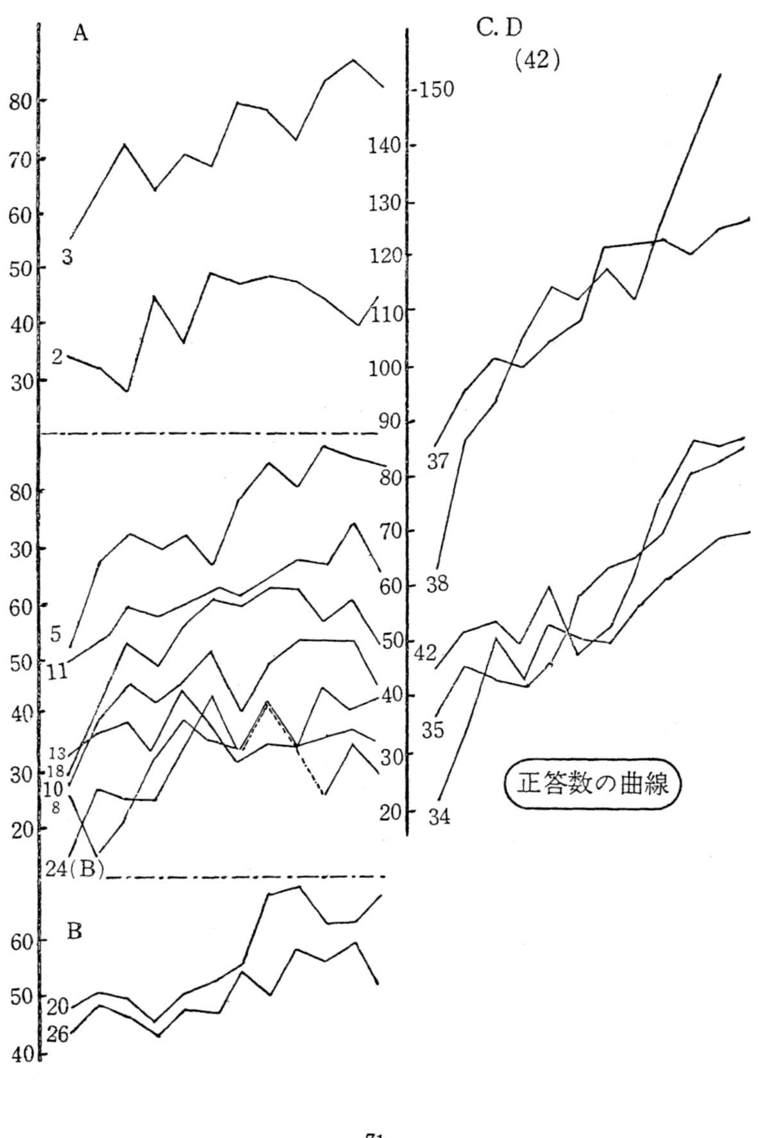

第3学年

児童	知能	成績	1回〜12回	勾配	誤答率(%)		永続効果 2	4	8	書写能力	性格 徳性	劣等感	情緒	信頼
11	B	b	37/37〜41/42	0.17/0.19	1	完9回	—	—	上上	147	−1	−1	−1	+1
13	B	b	23/24〜34/34	1.05/0.88	10	1	7/12	7/12	6/12	137	+1	−2	0	+2
15	B	c	33/33〜43/44	1.11/1.12	3	5	上	4/12	2/12	160	+2	−2	0	+1
16	B	c	39/39〜58/58	0.97/0.95	3	7	12/12	9/12	9/12	141	0	0	0	+2
19	B	c	31/31〜42/44	0.57/0.70	4	3	5/12	2/12	—	156	0	−3	−1	0
22	C	b	24/24〜41/45	1.87/2.05	5	2	6/12	5/12	6/12	156	+2	1	−2	0
25	C	b	58/59〜84/88	2.18/2.57	3	4	11/12	上	上上	211	0	1	0	+1
26	C	b	40/40〜81/81	3.29/3.25	1	7	10/12	10/12	12/12	196	−1	0	0	+2
27	C	b	83/85〜105/105	3.22/3.10	1	6	12/12	10/12	9/12	192	+1	0	−1	+1
28	C	c	48/48〜64/65	1.79/2.09	3	3	6/12	4/12	12/12	183	−1	−3	−2	+2
30	C	c	32/32〜67/68	2.32/2.27	3	3	上	6/12	6/12	175	−2	−2	−2	−2
32	C	c	35/35〜58/63	2.32/2.56	2	8	10/12	9/12	9/12	153	+1	0	−1	+2
39	D	c	23/24〜38/39	1.75/1.93	2	3	8/12	6/12	上	119	0	−1	−1	−2
41	D	c	30/31〜55/56	1.78/1.93	6	2	12/12	12/12	5/12	174	0	−3	−1	+1
42	D	c	31/32〜54/55	2.17/2.26	2	6	10/12	12/12	12/12	163				
43	D	d	25/25〜46/48	1.99/2.02	5	5	10/12	9/12	5/12	143	0	−1	0	+2
46	E	d	44/44〜66/68	2.43/2.57	2	4	7/12	8/12	9/12	181	−1	−2	−1	0
級平均				1.66	3	5.3				155				

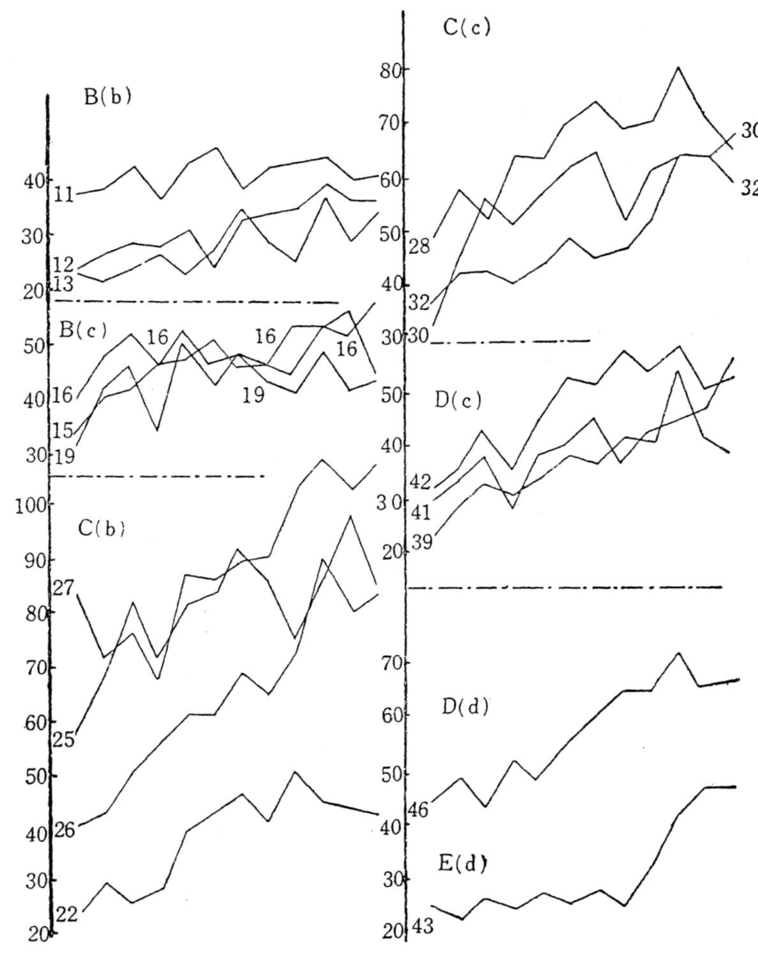

第５学年

児童	知能	成績	1回〜12回	勾配	誤答率(%)	永続効果 2 4 8	書写能力	性　格
11	A	b	$\frac{24}{24}$〜$\frac{44}{47}$	$\frac{0.78}{1.09}$	6.0 完2回	$\frac{11}{12}$ $\frac{12}{12}$	163	温和なれど注意散慢，早合点多いが計算は割合に速い
18	B	c	$\frac{20}{22}$〜$\frac{37}{39}$	$\frac{1.34}{1.24}$	8.7 0回	$\frac{11}{12}$ $\frac{5}{12}$	142	体育を好み，野生的で学習にむらあり，計算は速いが誤答多い
30	B	b	$\frac{21}{21}$〜$\frac{34}{35}$	$\frac{1.48}{1.48}$	4.0 2回	$\frac{8}{12}$ $\frac{4}{12}$	147	温順にして競争心が弱い，計算力は普通
37	B	c	$\frac{8}{8}$〜$\frac{24}{24}$	$\frac{0.87}{0.94}$	4.3 5回	— —	150	活気なく消極的で計算おそい
39	B	d	$\frac{14}{15}$〜$\frac{26}{30}$	$\frac{0.74}{0.87}$	6.0 1回	$\frac{2}{12}$ $\frac{3}{12}$	160	温順なれど注意散慢消極的で理解がおそい，計算も非常におそい
40	B	c	$\frac{26}{26}$〜$\frac{49}{49}$	$\frac{1.48}{1.51}$	2.1 5回	上 上	144	地味で几帳面で真面目な学習をし，珠算を得意とする
43	B	c	$\frac{4}{6}$〜$\frac{28}{30}$	$\frac{1.03}{0.98}$	16.2 0回	上 $\frac{9}{12}$	177	落着きなく，学習に熱意も乏しければ理解力もない，計算おそい
50	B	c	$\frac{9}{11}$〜$\frac{20}{21}$	$\frac{0.76}{0.69}$	4.7 3回	上 10	132	言動緩漫にして内気，口頭の発表が少なく，計算もおそい
10	C	a	$\frac{17}{17}$〜$\frac{64}{64}$	$\frac{3.50}{3.51}$	0.6 10回	— —	137	負けず嫌いな程の努力家で積極的に学習しテストの結果など非常に気にする，計算を得意とする
17	C	c	$\frac{0}{2}$〜$\frac{27}{28}$	$\frac{2.49}{2.26}$	12.7 1回	$\frac{9}{12}$ $\frac{9}{12}$	151	明朗活溌なれど，学習態度も計算力も普通
21	C	c	$\frac{11}{12}$〜$\frac{37}{38}$	$\frac{2.04}{1.96}$	3.0 5回	$\frac{7}{12}$ $\frac{7}{12}$	140	同上
44	C	c	$\frac{0}{10}$〜$\frac{39}{41}$	$\frac{2.63}{2.32}$	5.9 2回	$\frac{8}{12}$ $\frac{9}{12}$	158	温和にして真面目に学習し，計算はおそいが正確である
36	D	c	$\frac{7}{10}$〜$\frac{32}{36}$	$\frac{2.24}{2.26}$	10.4 0回	$\frac{6}{12}$ $\frac{8}{12}$	130	温和にして真面目，計算力は普通
級平均				1.77	7.5 2.7回		146.4	

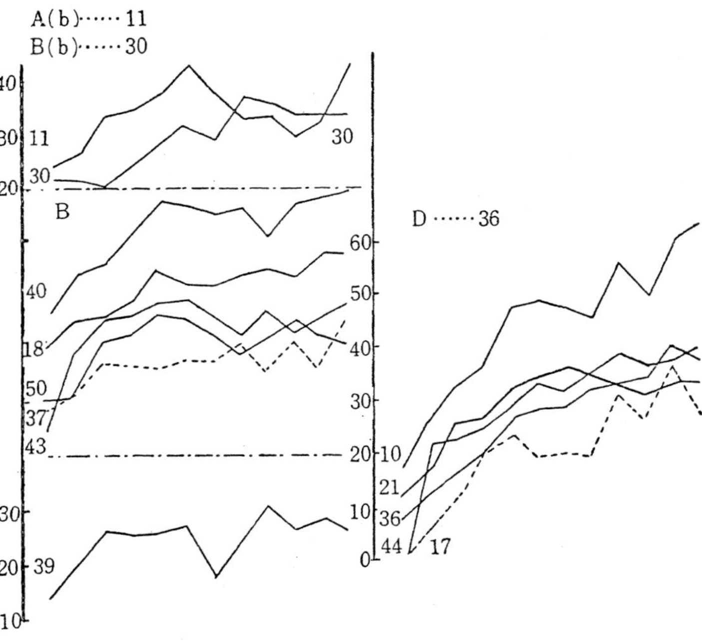

第6学年

児童	知能	成績	1回〜12回	勾配	誤答率(%)	永続効果 2 4 8	書写能力	性　　格
13	B	b	29/30〜40/41	0.68/0.78	2.0 完5回	7/12 7/12 7/12	176	比較的温順，母親がないためのさびしさがある，よく考える
14	A	c	26/27〜47/47	1.64/1.36	4.7 1回	8/12 5/12 8/12	211	不精，一人子の代名詞のような子，学習にむらあり，計算おそく，思考力不足
22	A	a	21/21〜44/45	1.05/0.66	2.0 6回		141	家庭のだらしなさが反映してか非常にだらしない，学習むら，計算おそい
55	B	b	20/23〜43/45	1.79/1.78	7.4 0回	9/12 10/12 11/12	142	不具なためか非常に消極的で学習に非常にむらがある
62	B	b	30/32〜46/49	1.62/1.62	3.7 1回	上 6/12 上/12	267	なまけもの，見栄をはる，算数の成績はすべて悪い
45	D	d	9/11〜44/44	2.71/2.71	2.3 8回	11/12 11/12 9/12	141	非常に内気，動作のろいが，まじめである
60	D	c	18/19〜61/61	3.73/3.73	4.6 6回	9/12 9/12	279	活気はない，すべてに劣るが計算は割合に速い
組平均				2.27	3.0 3.6回		200.3	

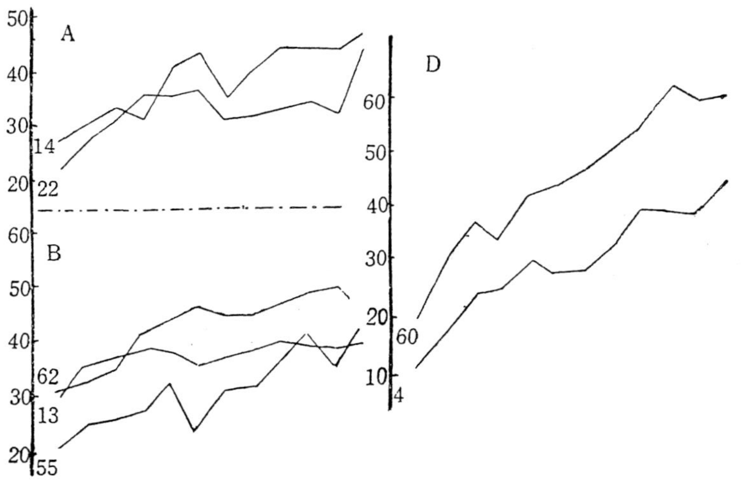

（書写能力と勾配との関係について）

５年生を除いては，だいたい，書写能力の低いものが勾配も緩やかになっている。特に，2，3年生では，かなりはっきりそうしたことが言える。しかし，書写能力の低くても勾配の高いものが一般児（ここで問題にしなかった児童）の中にかなりいるので，書写能力だけから勾配を考えることはできない。

（性格と勾配との関係について）

ＡＢ段階の子供たちは，一般に，消極的で学習も低調なものが多い。

元気がない，内気である，地味である，むらがある，気が弱い，落着きがない，などといった様子がみられ，積極的に自分を作業にうちこもうとしないし，また，そうできない子どもが多いようである。

Ｃ・Ｄ・Ｅ段階の子どもたちは，これとは反対で，極めて積極的である。

中には乱暴であるものもいるが，一般に勝気で，努力型か，あるいは明朗で真面目といった子どもたちが多い。また，自分の成績に対して関心が深い子どもたちでもある。

（誤答数と勾配との関係について）

Ａ・Ｂ段階の子どもの中で，６年生には誤りの多いものが多いが，他は一般に少い。

（永続効果と勾配との関係について）

Ａ・Ｂ段階の子どもたちは，比較的永続力が良く，だいたい普通以上になっている。特に，４年生などはよい。

Ｃ・Ｄ・Ｅ段階の子どもたちは，３年生を除くと，Ａ・Ｂ段階の子どもたちに比べると良くない。

なお，これとは全然別に，他の教師（３年３組）に依頼して，勾配と知能と性格（牛島義之氏の性格テストによる）との関係を一覧表にしてもらった。その結果は，次表のようである。

これをみると，先に述べたことが一応検証できるような気がする。すなわち，勾配の高い子どもの中にはA・B段階のものが多く，性格的にも安定し，勝気な者が多いようである。

これに比べて，勾配の低い者の中にはC・D・E段階のものが多く，性格的にも仕事に熱中できないような子供どもや，のんびりしたもの，おちょうしものなど，いづれも学習に対しては消極的と思われる子どもが多く見受けられる。

勾配と知能及び性格との関係

段階	氏名	知能	方向係数	性格テスト 徳性	劣等感	情緒	信頼	綜合	試価	観察事項
+2 〜 3.27	Y・T	A	5.0	+1	+1	0	+1	+1	上	安定した児童が多く，中にF・Mのように勝気なものもいる。Y・Nは見栄ばるところあり。Y・Tは学習中，稍落着がないが理解はよい
	F・M	B	5.4	+1	+1	+1	+1	+1	上	
	M・M	A	3.4	+1	−1	+1	0	+0.25	中	
	I・M	C	3.3	−1	0	0	+2	+0.25	中	
	Y・N	A	3.3	−1	0	0	−4	−1.25	下	
+1 3.26 〜 2.21	Y・Y	A	3.2	+1	−2	+1	+2	+0.5	中	一般に消極的ではあるが，まじめで，温和な子供が多い。然し，やゝもすれば，もの足りなさを感じ，何か引込思案で，劣等感をもっていて，自信がもてないといった様子が見える。
	K・T	C	3.1	+1	0	−1	+1	+0.25	中	
	M・K	A	3.0	−1	0	+2	+2	+0.75	中	
	O・H	B	2.3	−2	−2	−2	−2	−2.0	要注意	
	M・M	C	2.6	+1	0	−1	+2	+0.5	中	
	K・Y	C	2.6	0	−1	0	+1	0	中	
	K・M	D	2.6	−1	−2	−1	0	−1.0	下	
	N・S	B	2.6	0	−2	−2	+1	−0.75	中	
0 1.66 (平均) 2.20 〜 1.15	M・R	B	2.1	+2	−3	−2	0	−0.75	中	＋1段階の子供たちと同様なところも多分にあるが，身体的な欠陥のあるものが多く，又一般に仕事に熱中したり，そうでなかったりのむらの多い学習をする。H・O，T・H，N・M，K・Mは20分も仕事がつづかないことが，しばしばある。また，T・H，N・Mは見栄坊である。
	S・K	C	2.1	−1	−3	−2	+2	−1.0	下	
	I・Y	D	2.0	0	−1	0	+2	+0.25	中	
	T・M	A	1.9	+1	0	0	−1	−0.25	中	
	M・I	B	1.8	0	0	+1	+1	+0.5	中	
	S・H	B	1.7	−1	−2	−2	+2	−0.75	中	
	T・S	A	1.6	+2	0	+2	0	+1.0	上	
	S・M	C	1.5	+2	−1	0	0	+0.25	中	
	W・Y	A	1.4	0	−1	−1	0	−0.5	中	
	H・O	C	1.3	−1	−2	−2	+1	−1.0	下	
	T・H	B	1.2	−1	−1	−1	−3	−1.75	下	
	N・M	D	1.8	0	−1	−1	−2	−1.0	下	
	H・T	C	1.2	0	0	0	+2	+0.5	中	
	I・H	D	1.9	0	−3	−1	+1	−0.75	中	
	G・S	C	1.8	0	0	0	−3	−0.75	中	
−1 1.14 〜 0.09	K・K	C	1.1	+2	−1	0	+1	+0.5	中	一般に低調な子供たちで，のんびりしているもの，或は一生けん命やっていても能率の上らない子供たちが多い。中には乱暴ではあるが勝気で努力し，明朗で真面目といった子どももいる。K・Yは元気よく，いたずらも多いが一寸叱られるとちぢこまってしまう。T・M' は人にいじわるをしたり，うそをいったりする。
	K・M	D	1.1	−1	−3	−2	+1	−1.25	下	
	H・G	C	0.8	0	0	0	+1	+0.25	中	
	W・K	D	0.8	−1	−2	0	+1	−0.5	中	
	K・Y	C	0.7	0	−3	−1	0	−1.0	下	
	M・K	C	0.7	0	0	−1	0	−0.25	中	
	I・M	D	0.6	0	−1	−2	0	−0.75	中	
	H・H	D	0.6	0	−1	−1	+1	−0.25	中	
	K・Y	D	0.6	−1	−1	−1	+2	−0.25	中	
	S・Y	B	0.2	−1	−1	−1	+1	−0.5	中	
	Y・I	D	0.2	−3	−1	0	+2	−0.5	中	
	O・R	C	0.9	+1	0	0	0	+0.25	中	
	T・S	C	0.8	0	−1	−1	+2	−0.25	中	
	A・Y	D	0.8	0	−1	−1	+2	0	中	
	T・M	C	0.7	+2	+1	0	−3	0	中	
	K・T	E	0.5	−1	−2	0	+1	−0.5	中	
	S・K	C	0.5	0	−2	−1	+2	−0.25	中	
	T・M	B	0.9	+1	−2	0	+2	+0.25	中	
−2 0.08 〜	N・Y	E	−0.3							気が向くとよくやるが，ふだんはいたずらが多く，また，ぼんやりしていることがしばしばある。

B　理解できていても誤りの多い子どもとはどんな子どもか

理解の他に欠けているものがあるとすれば，それはどんなことかについて

ここでは比較的誤答率の高い（５％以上）児童17名について調べて見た。

次の表は，その子どもについての一覧表である。

4年 3組　9名

児童	知能成績	勾配（平均2.56）	書写能力（平均152）	誤答率（4％）
22 T・A	Bc	1.41	150	8
36 Y・H	Cc	2.54	112	6
38 T・S	Cc	1.72	135	8
40 Y・S	Cc	1.53	156	6
42 I・M	Cc	1.56	143	15
44 U・T	Cd	1.56	103	6
48 S・K	Cd	1.99	167	38
49 I・N	Cd	2.33	161	10
57 H・T	Dd	1.61	161	12

3年 3組　8名

児童	知能成績	勾配（平均1.66）	書写能力（平均149）	誤答率（3％）	性格テスト
13 T・m	Bb	0.9	137	10	+0.25 中 +1 −2 0 +2
19 K・Y	Bc	0.7	166	4	−1.000 下 0 −3 0 +1
23 O・R	Cc	0.9	166	17	+0.25 中 +1 0 0 0
29 T・M	Cc	0.7	111	7	0 中 +2 +1 0 −3
33 T・S	Cd	0.8	191	9	−0.25 中 0 −1 −1 +2
34 H・H	Cd	0.6	144	18	−0.25 中 0 −1 −1 +1
35 W・K	Cd	0.8	145	13	−0.50 中 −1 −2 0 +1
36 K・Y	Cd	0.6	136	7	−0.25 中 −1 −1 −1 −2

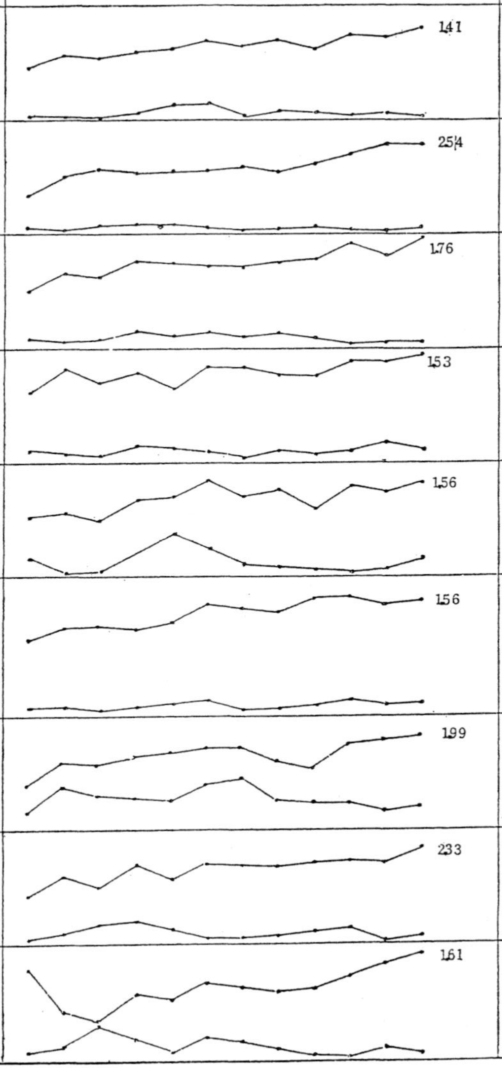

	個人別グラフ（4年3組）	観察事項 S教師
22 T・A	141	気が弱くひっこみ思案，学習はしだいに努力が見られ，算数は＋1か0といった感がある。いわゆる消極性が強い。
36 Y・H	25.4	内気で，女友達が多くあった様な性質で，少し，計算などの点で理解がおそく，じっくり頭に入らなかったり，気おくれがすると0点をとることあり，時々やさしいのを根気よくやると100点をとる。
38 T・S	176	内心は弱いが，外面はいばりんぼうで，乱暴の点あり，学習効果はむらで，標準は0，少しよい時で＋1程度，国語科より理数科は不得手である。
49 Y・S	153	一面勝気であるが，学習効果はむらで＋1か0といった程度，じっくり考える時はよいが，少し気が進まないと，悪い点をとる。ゆう通はきかぬ方。
42 I・M	156	内べんけいの感があり，数学は0か，悪い時は1で，理解はおそい方。運動は好むが，足が不自由のため，運動神経に多少の困難があるようだ。
44 U・T	156	気はやさしく，人のせわを好んでする。同情的な感あり，しかし，気が長く，欲の少ない点で効果は低い，数学に於ては−1か，よくて0より進まず，理解は少しおそい。
48 S・R	199	無口ではっきりした態度を示さない。身体もあまり丈夫な方ではなく，行動は不活発である。まじめに学習しているようであるが，よくわかっていないらしい。
49 T・N	233	生活面はなかなかしっかりした所があるが，学習面は理解困難で，応用がない。身体は健康で運動を好む。子供達の中では女の子によく，男子とは，しょうとつも多少あるような性格，せっかちの所がある。
57 H・T	161	注意散漫で，おしゃべりである。理解はおそく，努力が足りない。成績は全般に低調である。

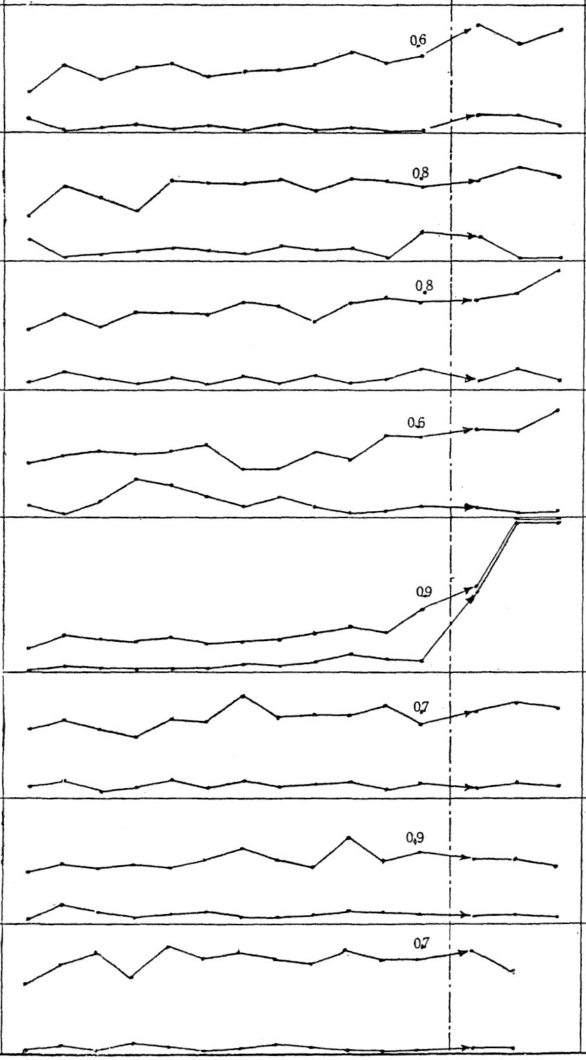

	個人別グラフ（3年3組）	2w 4w 8w	観察事項 S教師
36 K・Y	0.6		のんびりしていて人をいじめたりするが学習意欲は乏しい。理解はおそいが悪がしこい。
35 W・K	0.8		鼻炎でいつも鼻をたらしており，ひどいものである。注意散漫で，大声をあげたり，人を茶化したりして元気はよい。
33 T・S	0.8		内向性強く，本人は云われたことは真面目に，こつこつするが応用がきかない。発表はせず，たよりない。
34 H・H	0.5		耳が遠く，いつもぼんやりしている。一度確実に覚えればまちがえないが，早呑みこみで，そそっかしい。
23 O・R	0.9		不活発型で，体が弱く，体操はせず，社会性に乏しい。然し，休憩時間は元気よく遊び，内向性が強い。
29 T・M	0.7		社会性に乏しく，いじ悪をするので友人に嫌われる。注意散漫型のひどい所があり，又，うそをつきごまかす。
13 T・m	0.9		のんびりしていて，仕事はおそく，発表もよくまとまらない。注意散漫であるが，理解力は相当にある。
19 K・Y	0.7		注意散漫。仕事はあちく，よくしやべる。仕事は又，器用な面もあるがおそい。叱られると，ちぢこまり，かげ日向が強い。

以上の様子を考察して，次のようなことがいえる。

① 知能は普通のものがおおい。

② 算数学習成績は，中以下である。

③ 勾配はゆるやかである。

④ 散漫，消極的で学習意欲に乏しい。

⑤ 書写能力は，だいたい平均に近い。

⑥ 身体的な欠陥のある者が多い。たとえば，3年生のT・M（トラホーム），W・K（鼻炎），K・Y（鼻炎・扁桃腺），H・H（結膜炎），

などである。

上のことがらをまとめてみると，第一に学習に対して極めて消極的であるということである。注意が散漫であるとか，のんびりしているとか，意欲に乏しいとか，気にしないとかいうことが，誤答を多くし，更に勾配をも低めている原因になっているようである。これは，一人一人の現実の状況を見てそういえるのである。したがって，理解ということに対しても，一応やったというだけにすぎないのではないかとみられる。

すなわち，問題を与えれば一応はできるので，教師は理解していると見勝ちであるが，子どもが積極的に意味を知った結果ではないので，本当に理解しているかどうかあやしいわけである。したがって，理解をみるためには，単に形式的に問題ができるというだけでなく，もっとそのうらになるものをみるような工夫が必要なのではないかと考えられる。

この理解の不足が，時間を制限された心理的不安定な場に，誤答となって大きく現われると考えられる。

第二にみられることは，反射的な能力に乏しいことである。この場合では，時間的に多くやろうとして，頭の方が次へ進まないうちに手の方が先にいってバランスを失し，その結果，繰上りを忘れたり，思いつきをやったりする

などの誤りを多くするようになる。このような子どもには，頭の働きに合う位の速度で行わせると，それほどの誤りはないようである。

§4. 研究Ⅰのまとめ

ここで，研究Ⅰのまとめとして，昭和26年度，27年度の研究で一応明らかになったものをまとめて見ると，次のようである。

(a) 一般に誤答率4％未満の者には誤答の類型は認められなかった。

(b) 練習曲線の勾配は，一般に知能段階A・Bに属する子どものものは学級平均より急であり，C段階のものは平均より緩やかである。D・E段階のものについては，はっきりしたことがいえなかった。

(c) 一般に10回目頃までは停滞もなく，上昇率もよい。

(d) 一般に練習4，5回で一回休みの断続的練習でも，連続的練習のものの勾配に比べて，殆んど差はなかった。

(e) 一般に，次のような時には，勾配の上昇が認められる。

① 静粛であった時　② 褒賞された時

③ 4，5回練習して，1回休んだ直後　④ 停滞期の直後

⑤ 適当に緊張するような環境にあった時

また，次のような時には，曲線の下降が認められる。

① やかましかった時　② 身体の調子が悪かった時

③ 落着かなかった時（次に体育があるとか，校外に出かけるとかいう時）

④ 学習環境が変化した時（教師や教室が変わった時）

⑤ 3回の連休があった時　⑥ 教室が大変暗かった時

⑦ しかられた時　⑧ とても冷かった時　⑨ 緊張しすぎた時

(f) 勾配の低い子供は，一般に，学習に対して消極的である。

(g) 誤答の多い子供は，一般に，学習に対して消極的であり，反射的能力に乏しい。

(h) 5分間の練習のうち，作業速度や誤答率について，成績の良いのは，初めの1分間であるが，これを除いては，3分目から4分目の間である。

(i) 停滞期は42回の練習のうち普通5回見られた。

(j) 停滞期は8回～10回毎に周期的にくる。

(k) 停滞期には一般に誤は少いようである。

(l) 停滞期は一般に2回～3回位で解消する。

(m) 永続効果について，12回の練習の場合に，2週間後，4週間後，8週間後の成績を調べて見ると，だいたい，練習10回目頃の成績になる。中には12回目より上昇している者もある。

42回の練習については，練習後1週間ごとの成績は，最終回の成績より毎週下り，1年後には6～13回目の成績に下る。

これらの成績は，停滞期では第2期（10回～13回）の成績に当る。

これから，10回目頃の成績が，永続する能力を考える上の一つの目安となる。

この10回目頃の速度は，たとえば，3位数＋3位数で和が1000以下の問題では，5分間に平均63題できる速さである。

(n) 上記の速さは，練習頭初の速さの約2倍になっている。もちろん，これ以上のものもある。

		（練習中の成績）											（練習後の成績）		
（例）	（練習回数）	1回	2	3	4	5	6	7	8	9	10	11	12	2w	4w	8w
	（作 業 量）	36題	41	34	47	40	50	45	46	49	36	54	57	55	52	56

53÷36≒1.47（倍）

Ⅲ 実験結果の学習指導への利用 （実験研究Ⅱ）

§1. どんな時反復練習に入ってよいか

反復練習は完全に理解をした後に入ることが望ましい。しかし，学級全部の子どもが完全に理解をするということは困難なことである。そこで，実際に，「どの程度わかったら反復練習に入ってよいだろうか」ということが問題になってくる。

ここでは，こうした要求に対して，或程度の根拠をもって，答えることができるようにすることをねらっているわけである。

(1) **実験の計画**

① 28年10月～11月に実施

② 10月始めに予備調査（理解の程度を具体的な問題を出して調査する）を実施

③ 2年生全体に対して実施

④ 加法九々について行う。

⑤ 永続効果は2，4，及び8週間後の3回調べて，比較考察する。

(2) **実験の方法**

① 練習問題は，カードで無作為に選択・配列して作製する。

② 練習時間は5分間に限定する。

③ 練習回数は連続12回（1日1回）

④ 時限は第2校時にする。

⑤ 次のことに注意する。

- 家では練習しない。
- 余り緊張せず，静かにできるようにする。

・反省をさせる。

⑥ できるだけ前年度にわかったことを利用して，効果が上るようにする。

⑦ 結果の処理は，理解の程度毎にまとめ，比較考察する。

実験の要領は，前年度と全く同様にする。

(3) 予備調査

理解の程度を普段の学習について調べるため，診断テストの内容としては，すでに学習したか現在学習しているものの中から選び，その成績を誤答率によって，4つの段階にわけた。

① すうじで　かきましょう。

にじゅうさん（　　）　ひゃくご（　　）

② 239の百のくらいのすうじは（　　）

十のくらいのすうじは（　　）

一のくらいのすうじは（　　）

③ 35えんだけのこして　あとは×をつけなさい。

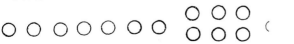

10円 10円 10円 1円 1円 1円 1円

10円 10円 1円 1円 1円

④ みんなで　いくらありますか。

100円 10円 10円 10円 10円

⑤ 1円 1円　（　　）

みんなで　なんまい　ありますか。

（　　）

⑤ みんなで　いくつ　ありますか。

○○○○○○○ ○○○ ○○○　（　　）

⑥ 🏳🏳🏳 ＋ 🏳🏳🏳🏳🏳🏳🏳🏳 ＝ 🏳🏳🏳🏳🏳🏳🏳🏳🏳🏳🏳🏳🏳🏳

これだけのかずをぬりなさい

⑦ りんご　を　きのうときょう　とりました。

みんなでいくつとったでしょう

（　　）

きのう	きょう
🍎🍎🍎🍎🍎	🍎🍎🍎🍎🍎🍎

⑧ いくつ

→（　　）

→（　　）

みんなで→（　　）

⑨ ○○○○ にあといくつ　よせると　14になりますか（　　）

○○○○

⑩ あきらくんと　かずえさんは　あおむしをとりました。

あきらくんは　9ひき，　かずえさんは　4ひき　とりました。

みんなで　なんびき　とりましたか。

⑪

6 ＋5	8 ＋4	7 ＋6	9 ＋4	5 ＋7	9 ＋9	7 ＋5	2 ＋9
8 ＋6	3 ＋8	4 ＋7	6 ＋8	7 ＋4	8 ＋8	6 ＋9	7 ＋8
3 ＋8	9 ＋6	6 ＋6	8 ＋5				

・間違っているものの中でも，教師の普段の観察で，わかっていると断

定できるものは，できたものと見做した。

・採点の結果を，次の４つの段階にまとめた。

誤答率で，

① ４％未満のもの（23名）　②４％～９％のもの（13名）

③ 10％～19％のもの（７名），④ 20％以上のもの（５名）

以上のように定めた理由は，次のようである。

・４％未満ならば，計算でも（前実験の結果から），このような場合でも，理解が殆んど確実であるとみてよい。

・21％以上のものは，理解が殆んどできていないとみられる。

・②，③は，①，④の中間を機械的にわけたものである。

誤答率（４％未満）の者の成績

（註）各欄の上欄は誤答数，下欄は解答数である。永続力の２Ｗ…とあるは，２週間後の成績である。

児童	練習成績 1	2	3	4	5	6	7	8	9	10	11	12	勾配	誤答率%	永続力 2 W	4 W	8 W
1	0	0	0	0	0	0	0	0	0	1	1	1	6.64	0.2	0	0	1
	74	90	108	93	117	129	103	132	148	140	121	158			141	145	141
2	0	0	0	3	1	0	0	1	4	3	2	0	6.64	0.2	6	0	4
	25	35	20	36	54	62	55	68	88	82	92	87			57	36	45
3	3	1	1	0	0	0	0	0	1	0	0	0	7.41	0.5	0	2	3
	81	64	75	76	90	126	95	96	115	131	148	164			132	148	160
4	0	0	1	0	1	1	0	0	1	0	0	0	1.72	0.5	0	0	1
	56	42	58	62	80	80	65	53	54	64	73	84			88	50	79
5	0	0	0	0	0	1		0	1	0	0	1		0.2	0	0	2
	70	77	104	104	146	178		132	168	151	168	163			139	125	133
6	1	0	1	1	0	0	1	1	0	0	1	1	3.10	0.7	0	5	0
	56	52	72	71	86	93	80	94	101	79	82	94			132	003	95
8	0	0	0	0	1	2	1	0	1	1	1	0	8.16	0.5	1	3	2
	56	79	98	94	90	114	80	112	140	126	152	168			132	166	164
9	1	3	1	1	1	1	0	1	0	0	1	0	3.14	1.4	1	1	0
	42	49	49	56	65	62	46	70	67	66	70	84			52	29	66
10	0	0	1	0	0	1	1	1	0	0	0	0	6.72	0.5	8	0	0
	33	32	48	65	53	70	54	66	106	101	102	96			88	92	100
11	2	1	0	3	1	1	0	1	1	0	1	0	5.31	1.1	5	3	1
	56	56	60	71	70	94	67	81	102	105	108	114			82	51	101
12	3	1	2	4	0	1	0	2	2	7	2	0	5.83	2.1	2	1	17
	56	80	79	56	71	90	109	98	107	119	109	126			118	100	131
16	1	1	2	2	1	1	0	4	3	3	4	1	2.06	2.8	3	4	3
	56	51	60	53	70	88	64	77	78	67	61	86			79	47	43
17	7	0	0	3	0	0	0	1	0	0	3	0	6.52	1.4	2	0	1
	52	44	64	58	66	90	84	101	102	114	104	112			121	153	148
18	0	0	0	0	0	0	0	0	0	0	0	0	0.74	0	0	0	0
	15	12	28	27	26	35	24	18	20	25	13	42			31	8	22
19	0	3	2	0	1	3	1	5	8	5	2	1	2.92	3.4	3	3	1
	56	56	64	71	80	90	72	89	84	79	85	92			72	69	81
20	2	0	2	2	0	8	5	4	0	8	2	4	1.43	6.1	9	11	5
	30	27	37	39	44	53	41	45	49	47	45	46			42	42	35
21	8	2	0	0	0	0	0	0	1	1	4	3	1.14	4.2	0		
	45	23	44	32	43	45	47	52	40	35	48	47			44		
22	5	6	5	2	9	3	1	11	5	0	4	5	3.27	8.3	2	1	0
	38	37	49	48	53	59	50	47	56	62	74	98			79	7	57

児童	1	2	3	4	5	6	7	8	9	10	11	12	勾配	誤答率%	2 W	4 W	8 W
23	0	1	1	1	3	1	1	0	0	4	1	0	1.91	1.8	0	2	1
	56	44	64	53	57	66	38	46	86	84	77	56			60	65	74
24	0	3	1	0	0	1	0	0	1	1	2	1	2.56	1.9	1	3	5
	30	31	26	36	42	56	46	44	54	55	54	54			51	56	61
25	0	0	0	0	0	3	0	0	1	1	2	1	2.90	1.2	7	0	3
	17	22	16	18	43	40	34	44	42	45	36	52			50	20	27
34	3	1	1	2	3	5	3	7	4	12	7	0	5.68	7.4	7	3	9
	16	29	45	44	40	55	60	56	56	62	84	98			53	32	41
35	5	5	4	2	2	6	5	9	3	3	3	4	3.12	8.1	5	5	2
	36	25	40	49	59	61	50	58	53	56	72	68			81	66	64
平均	2	1	1	1	1	2	1	2	2	2	2	1	4.01	2.4	3	2	3
	46	46	57	67	57	80	62	73	84	82	86	95			84	73	85

(10%未満)

児童	練習成績												勾配	誤答率%	永続力		
	1	2	3	4	5	6	7	8	9	10	11	12			2 W	4 W	8 W
7	0	0	2	0	0	2	0	0	0	0	0	0	.56	0.4	3	3	3
	38	44	62	61	74	97	85	100	128	132	132	170			158	152	162
13	2	0	2	0	2	0	1	1	1	0	4	3	1.77	3.3	0	0	0
	35	29	32	36	39	46	38	47	41	44	52	51			55	50	42
14	0	0	1	1	0	0	1	1	0	0	1	0	1.65	0.6	2	0	2
	56	56	64	67	61	90	75	58	7	72	70	81			83	55	53
26	0	0	0	0	0	2	2	1	0	0	2	0	1.30	1.6	1	0	1
	27	31	25	33	45	39	36	33	35	46	47	37			27	14	27
27	0	0	1	0	0	/	0	1	0	1	1	0	4.00	1.2	0	1	1
	18	21	34	27	29	/	20	27	34	33	43	52			67	28	53

90

児童	1	2	3	4	5	6	7	8	9	10	11	12	勾配	誤答率%	2 W	4 W	8 W
28	0	0	1	0	0	1	0	0	0	1	0	0	2.03	0.4	1	0	1
	49	37	57	56	60	56	57	56	56	59	56	86			84	71	72
29	1	0	0	0	0	0	0	2	3	2	0	6	5.46	1.6	1	0	1
	56	47	51	41	66	68	65	84	92	114	112	140			109	69	107
30	6	7	2	0	0	1	3	3	3	0	3	3	2.74	4.7	1	4	3
	36	44	44	43	51	69	65	49	56	61	68	72			63	60	58
31	2	0	0	2	4	3	4	6	2	0	1	0	2.81	5.1	1	1	0
	21	21	31	34	40	47	42	43	40	48	51	56			54	36	36
36	1	/	4	0	3	3	5	12	1	1	11	5	3.61	7.6	10	8	7
	30	/	42	50	50	64	46	66	50	47	75	71			70	46	42
37	0	0	/	1	0	0	6	1	1	0	4	2	4.96	3.2	1	/	0
	19	7	/	24	31	54	47	20	39	30	40	56			28	/	11
38	1	2	0	1	0	2	6	1	0	1	0	9	4.91	3.8	0	1	1
	30	27	32	33	49	49	40	53	69	78	61	84			53	17	51
39	1	0	0	0	0	3	0	3	2	4	0	/	5.06	1.3	4	3	2
	17	24	28	31	52	48	45	36	69	69	52	/			70	72	68
平均	1	1	1	0	1	1	2	3	1	1	2	2	3.99	2.7	2	1	3
	33	32	42	41	50	60	51	52	55	64	66	80			71	56	60

(20%未満)

児童	練習成績												勾配	誤答率%	永続力		
	1	2	3	4	5	6	7	8	9	10	11	12			2 W	4 W	8 W
15	3	1	0	1	0	2	1	0	0	0	0	1	1.22	3.4	1	1	/
	18	9	14	24	20	24	31	24	24	22	23	28			34	26	/
32	1	0	0	5	3	2	1	2	4	1	1	3	1.65	6.6	3	4	1
	17	19	21	30	26	36	37	28	28	24	39	42			50	28	40

91

児童	1	2	3	4	5	6	7	8	9	10	11	12	勾配	誤答率%	2W	4W	8W
33	1	1	0	0	1	0	1	1	2	0	1	1	1.18	5.6	3	3	2
	10	11	5	14	10	8	13	10	17	23	14	25			19	9	11
40	5	1	／	1	1	0	5	0	0	1	3	0	2.84	2.80	2	2	1
	34	36	／	41	54	57	53	53	28	70	71	90			92	65	62
46	8	4	11	5	4	1	4	3	1	0	3	1	2.76	5.30	2	／	／
	50	59	72	56	63	74	81	54	72	83	90	85			66	／	／
47	4	5	4	4	2	0	0	0	2	3	1	1	2.04	4.50	／	4	5
	32	35	48	57	38	37	56	51	51	55	62	56			／	69	80
48	1	2	2	0	2	0	1	1	1	1	0	1	−0.51	4.60	1	0	0
	25	26	23	24	22	19	25	22	22	13	19	22			36	25	26
平均	3	2	3	2	2	1	2	1	1	1	1	1	1.74	4.90	2	2	2
	27	28	31	35	34	37	42	35	33	42	46	49			49	37	44

(20%以上)

児童	練習成績 1	2	3	4	5	6	7	8	9	10	11	12	勾配	誤答率%	永続力 2W	4W	8W
41	3	4	9	1	／	5	4	4	0	2	2	4	2.06	7.6	0	0	3
	28	28	45	27	／	62	58	58	45	45	43	58			49	61	67
42	4	2	4	2	0	0	0	0	0	0	0	1	4.61	2.10	0	0	0
	28	20	44	30	78	64	60	82	56	46	91	76			70	42	49
43	4	9	14	8	0	2	3	1	0	2	0	0	2.55	12.6	3	1	7
	14	11	21	12	24	26	29	43	30	31	36	40			35	26	44
44	／	2	4	1	3	0	1	0	0	1	0	0	4.32	1.7	／	2	0
	／	29	41	34	72	58	70	59	84	48	112	105			／	73	76
45	27	9	10	6	8	1	2	0	1	0	4	／	2.85	13.5	／	2	0
	56	29	32	26	56	27	32	30	33	62	／	98			／	47	42

児童	1	2	3	4	5	6	7	8	9	10	11	12	勾配	誤答率%	2W	4W	8W
平均	9	6	8	4	3	2	2	1	0	1	0	2	3.48	7.7	1	1	2
	29	23	27	26	57	45	50	54	50	46	71	75			51	50	56

各グループの平均作業量

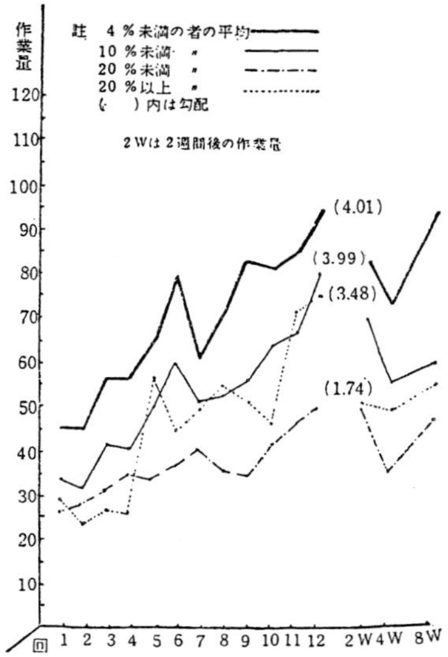

(5) **結果の考察**

この結果を考察するに当り，次のようにいくつかの条件を設定して，その面から考察し，これを綜合判断して，「どのグループのものは練習に入ってよい」ということを決めようと思う。

まづ，前実験の結果，「誤答率４％未満の者は理解していると見てよい」ということから，４％未満のものが示した成績を比較の基準とした。

次に，効果判定の条件を前実験で行ったと同様，次の５つとし，この面から比較考察した。

すなわち，

a 作業量

b 曲線の勾配

c 誤答率（誤答の状態もあわせて）

d 永続効果（正答数でみる）

e 曲線の動揺（作業量並びに誤答）

a，b，c，dを重視して考察を進めた。なお，グループ毎の比較考察だと，いきおい各グループの平均値についての比較がなされるが，それと同時に，「個人」の特色をも考え合わせて考察した。

10%未満の者について（4%末満のものを基準とした場合）

(a) 作業量について

グラフを見てもわかるように，平均に於ては10%未満の方が劣っていることがはっきりしている。

これを個人的に見ると，7番，29番児が4%未満の者の平均より優っているだけで，他はことごとく劣っている。

従って，「作業量は劣っている。」といえる。

※ 7番児は算数の一般学習成績はAで，27番児はBであり，共に積極的な反応を示す子どもである。

(b) 曲線の勾配について

平均を見ると，ほとんど大差はない。

個人的にみても，4%未満の者の平均4.01と同等又はこれ以上の者は10%未満者13名中6名で約半数を占めているので，勾配については「同様である」といえる。

(c) 誤答率について

平均を見ると，4%未満の方は2.4で，10%未満の方は2.7で大差はない。

個人的に見ると，2.4より悪い者は13名中6名で約半数であり，これも前の勾配と同様，ほゞ等しいと見ることができよう。

従って，誤答率においては「同様である」といえよう。

(d) 永続効果について

表1 平均作業量の比較（8回～8週後）

(註)分子は誤答数，分母は解答数を示す。

	8	9	10	11	12	2週後	4週後	8週後
4%未満の者	$\frac{3}{73}$	$\frac{2}{84}$	$\frac{2}{82}$	$\frac{2}{86}$	$\frac{1}{95}$	$\frac{3}{84}$	$\frac{2}{73}$	$\frac{3}{85}$
10%未満の者	$\frac{3}{52}$	$\frac{1}{55}$	$\frac{1}{64}$	$\frac{2}{66}$	$\frac{2}{80}$	$\frac{2}{71}$	$\frac{1}{56}$	$\frac{3}{60}$

上の比較表1から，次のような表2をつくることができる。つまり，2週間後の成績が，練習何回目ごろの成績と大体一致するかを示したものである。たとえば，2週後の正答数は，9回目の正答数に当ることがわかる。

これを見ると，そう大差はないようである。これを個人的にみると，37番児位を除いては，ほとんど，この平均に近くなっている。

4%未満の者についも，2，18，25番児位がむらのある特別な様相を示しているだけで，他の大部分が平均にほとんど一致している。

表2 永続力の比較

	2週後	4週後	8週後
4%未満	9回目	8回目	9回目
10%未満	11回目	9回目	9回目

このことから見て，4%未満のものと10%未満の者との永続効果は大体一致していると見ることができよう。

「永続効果は同様である」といえる。

(e) 曲線の動揺について

まづ，作業量についての曲線の動揺についてみると，

平均値においては，ほとんど差がない。たゞ，7回目が両グループとも下っている。これは他のグループには見られないものである点，注意すべきことがらであるように思われるが，ここでは，はっきりわからない。

個人的にみても，7回目が落ちている子どもが両グループとも多く見受けられる。いづれにしても両グループの者は，同様の曲線状態を示しているということができよう。

誤答数について見ると，平均値では両者とも1～2で，大体似ている。また，12回のうち，後半においてやゝ誤りが多くなっている。個人的にみると，4％未満の方では，23名中19，20，21，22，34，35番児あたりが誤が多く，10％未満の方では，13名中30，31，36，38番児あたりが誤が多くなっている。この人数的な割合も大体似ている。

全般的に見て，「曲線の動揺の状態は似ている」と見ることができよう。

以上，5つの観点からの比較をまとめると，次のようになる。

4％未満の者と比較した10未満の者の成績

観点＼項	成績	備考
作業量	劣っている	算数学習成績の優っている子供はやはり優っている
勾配	同様である	
誤答率	同様である	
永続効果	同様である	
曲線の動揺	同様である	

作業量は劣っているが，他はほとんど一致しているので，「10％未満の子どもは一応練習に入ってよい」といえよう。

作業量がどの程度劣っているかは表を見ればわかるが，5分間で60～70位でき，しかも，その力が8週間後まで永続できれば，実際の学習指導には役に立つ。しかも実際問題として，1題をするのに5秒間位の速度であったら問題はないと思う。しかし，この程度の速度で誤答率は3％未満であるので，前実験の結果と比較して（4％未満ならばよいということ），よいと見ることができる。

20％未満の者について

(a) 作業量について

グループの平均を比較してみると，約$\frac{1}{2}$ぐらいの成績である。

グラフを見てもわかるように，それが平行的に現われている。

これを個人的にみると，20％未満のうち最もよいと思われる40番児は4％未満のグループの平均より下であり，特殊な子どもによって平均が下っているのではなく，やはり全般的な傾向であることがわかる。

「作業量は劣っている，しかもそれは約$\frac{1}{2}$に近い」ということができる。

(b) 勾配について

これも前と同様，極めてよくない。

平均の比較では，4.01に対して1.74で，その差は大きい。

個人的に見ても全般的に低くなっている。たゞ，−0.51というのが1名いるが，これを除いたとしても，4％未満の者より遥かに低調であることがわかる。

「勾配は低い」ということができる。

(c) 誤答率について

平均について見ると，2.4に対して24.0で，悪くなっている。

特に，４％未満の方は練習初めにおいてはよく，後半に於てやゝ悪くなっているのに対して，20％未満のグループの者は，初めは特に悪く，後半はよくなっている点，対しょう的になっている。

これを個人的にみると，７名中５名がこうした状態，つまり，前半悪く後半良くなっている。

従って，誤答率という点では劣っているが，誤答の状態は良くなっているといえる。つまり好ましい方向にあるといえる。

これによって，この20％未満の者は，後半つまり６，７回目ごろから練習の効果が現れはじめたとも考えることができるので，こうしたことからも，練習に入る前に，もう少し誤りに対して，何等か指導を考えておいた方が，12回の練習をもっと効果的にすることができるのではなかろうか。

「誤答率は劣っている」

(d) 永続効果について

平均について比較してみると，次の表のようになる。

永続力の比較

	2週後	4週後	8週後
4％未満	9回目	8回目	9回目
20％未満	11回目	8回目	10回目

これを見ると，やゝ優っているようであるが，個人的に見ていった場合，むしろ同様の成績であると見た方がよさそうだ。

つまり20％未満の方は，人数も少く，特に優っている子どもが（48番児１名）いるため，全体の平均に，ひびいていると考えられるからである。

従って，「永続効果は，同様である」といえる。

(e) 曲線の動揺について

作業量についてみると，４％未満のグループの７回目を除くと，ほゞ同様である。

これを個人的に見てみても同様なことがいえる。

誤答については，先にも述べたように，後半少くなって来ているが，動揺の点から言うと，両者とも大差はないようである。

従って，「曲線の動揺はほゞ同様である」といえよう。

以上，５つの点をまとめて見ると，次の表のようになる。

４％未満の者と比較した20％未満の者の成績

項 / 観点	成績	備考
作業量	大いに劣っている	約$\frac{1}{2}$位である
勾配	低い	
誤答率	劣っている	誤答の傾向はやや良くなっている
永続効果	同様である	
曲線の動揺	同様である	

この表から，反復練習でねらっている大切な面，すなわち，作業量・勾配・誤答率の三点で劣っているので，まだ，反復練習に入る前に，指導をしておいた方が，よいのではないかと思われる。従って，20％未満の者については「未だ反復練習に入らない方がよい」といえよう。

20％以上の者について

(a) 作業量について

平均においても，個人においても劣っている。そして，20％未満の者よりはよく，10％未満の者に近くなっている。

「作業量は劣っている」

(b) 勾配について

4%未満の平均4.01に比べて3.48であるから，かなり接近している。

個人的に見ると，4.01より優っている者が5名中2名である。

全体的に見て，「勾配はやゝ低い」といってよかろう。

(c) 誤答率

平均を見ると，7.7で4%未満の者の平均2.4と比べると，遥かに劣っている。そして10%未満の者の2.7,20%未満の者の4.9と比べても，かけはなれた存在になっている。

このことから見て，a,bにおいて劣っているとはいえ多少接近しているが，この点では近接感を打ちこわしてしまっている。

誤答は前半に於ては非常に多く，漸次減少して，後半に於ては，ずっとよくなり，恒常性を帯びてきている。このことは，前の20%未満の者と同様なことである。つまり，後半に於て反復練習の効果が現われはじめている。これを見ると，明らかに，

「練習に入らない方がよい」といえる。

いづれにしても「誤答率は非常に劣っている」といえる。

(d) 永続効果について

平均について，その比較表を作ってみると，次のようである。

	2週後	4週後	8週後
4%未満	9回目	8回目	9回目
20%以上	8回目	7回目	8回目

これを見ると，やゝ劣っているようである。

個人的に見ても41番児を除くと，大体この平均に近い者たちである。

つまり「永続効果は，やゝ劣っている」といえよう。

(e) 曲線の動揺について

平均については，グラフを見るとわかるように，大へん動揺がはげしく，不安定である。

個人的に見ても上下の動揺がはげしく，それが極端な者が多い。

たとえば，42番児の成績を見ると，30から78になり，46から91になっている。また，45番児についても同様で，56から29へ，26から56，そして27へといったぐあいである。

誤答についても，後半は比較的安定して，4%の者と大差ないが，前半はやはり，むらがあり動揺がはげしい。このことは平均を見るより個人的に見た方が一層よくわかる。

従って，「曲線の動揺は多い」といえよう。

以上5つの点をまとめて見ると次のようになる。

4%未満の者と比較した20以上の者の成績

項 / 観点	成績	備考
作業量	劣っている	
勾配	やや低い	
誤答率	非常に劣っている	
永続効果	やや劣っている	
曲線の動揺	多い	

以上，各グループ毎に比較考察して来たが，これらをまとめて，反復練習に入ってよいかわるいかを，○（入ってよい）と×（入らない方がよい）で示して見ると，次のようになる。

反復練習に入ってよいかどうかのまとめ

4 % 未 満	10 % 未 満	20 % 未 満	20 % 以 上
○	○	×	×
算数成績Aクラスの者	BCのうち学習に消極的なものには特に注意し励ましてやる	反復練習に入るとしても全般に速度より正確さを要求することが大切	同 左

(註) 算数成績とは算数一般についての成績である。
○は入ってよい
×は入らない方がよい

20%未満，及び20%以上の者については，実際問題としては，能力別グループで指導するか，或は，一斉に反復練習を行ったとしても，速度は抜きにして，正しく行わせるよう，注意することが大切であろう。

以上，一応，実験の結果について考察して来たが，他の学級においても，大体上のようなことがいえる。

(6) **誤答頻数表**

なお，練習中の誤答について，各問題の頻数を出してみると，次のようであった。

誤 答 頻 数 表

問題	7 8	8 8	6 7	7 9	8 9	7 6	8 7	6 8	9 8	5 8	7 7	8 6	9 7	3 8	5 7	3 9	8 5	6 9
1回～12回	216	168	166	163	155	152	146	140	118	114	112	109	104	103	102	101	101	98
問題	8 3	4 9	7 5	7 4	9 9	4 7	6 6	8 4	4 8	9 6	9 5	5 9	5 6	6 5	9 4	9 3	9 2	2 9
1回～12回	97	96	91	86	86	83	81	78	77	76	71	65	53	53	48	46	35	21

従って，誤の多い問題について，特に指導し，また，重点的に反復練習させることも考えられる。

§2. どのように反復練習させたらよいか

A 2位数×2位数において（4年生）

(1) どんな方法でどの位反復練習させたらよいか

(a) 練習方法

ここでは，練習方法を外形の上から，4つに別けて比較実験してみた。

すなわち，タイム・リミットとワーク・リミットと，その中間を2つ設けたのである。

第1組　タイム・リミット　正味5分間の練習を連続12回

第2組　タイム・リミット2回／ワーク・リミット1回　を繰返し4回，延べ12回の練習

第3組　タイム・リミット1回／ワーク・リミット2回　を繰返し4回，延べ12回の練習

第4組　ワーク・リミット（1回50題の練習を連続12回）

〔練習方法一覧表〕

○はタイムリミット，●はワークリミット

組＼回	1	2	3	4	5	6	7	8	9	10	11	12	Test	組別・人数
1	○	○	○	○	○	○	○	○	○	○	○	○	○	1組 56
2	○	○	●	○	○	●	○	○	●	○	○	●	○	2組 53
3	●	○	○	●	○	○	●	○	○	●	○	○	○	3組 52
4	●	●	●	●	●	●	●	●	●	●	●	●	○	4組 52

(b) 問題作製

問題の作製は，前にも述べたように，10位と1位の数の組合わせによって，作製・配列し，1回の練習問題を50題とした。

問 題 例

⑨回 4年 組（ ）番 氏 名＿＿＿＿＿＿ (28. 10. 23)

□分

					44×86
					54×25
33×57	19×13	32×29	56×84	42×56	52×15
84×98	79×98	67×14	58×45	88×64	26×91
32×48	28×52	95×68	58×99	92×80	82×71
72×72	66×53	16×72	13×56	43×95	33×93
24×27	98×58	83×59	57×52	37×63	47×10
68×21	79×11	69×49	95×20	80×12	36×78
76×35	76×56	36×17	96×90	19×44	21×64
30×81	48×47	57×76	67×37	40×34	15×61

(c) 結果とその考察

以上四つの異ったる練習方法のうち，どの方法がよかったかについて考察してみる。

練習方法別平均正答，誤答並に時間数

―― 正答数 ‥‥ 誤答数 ---- 時間数 ▨正答 ■誤答 ▤時間

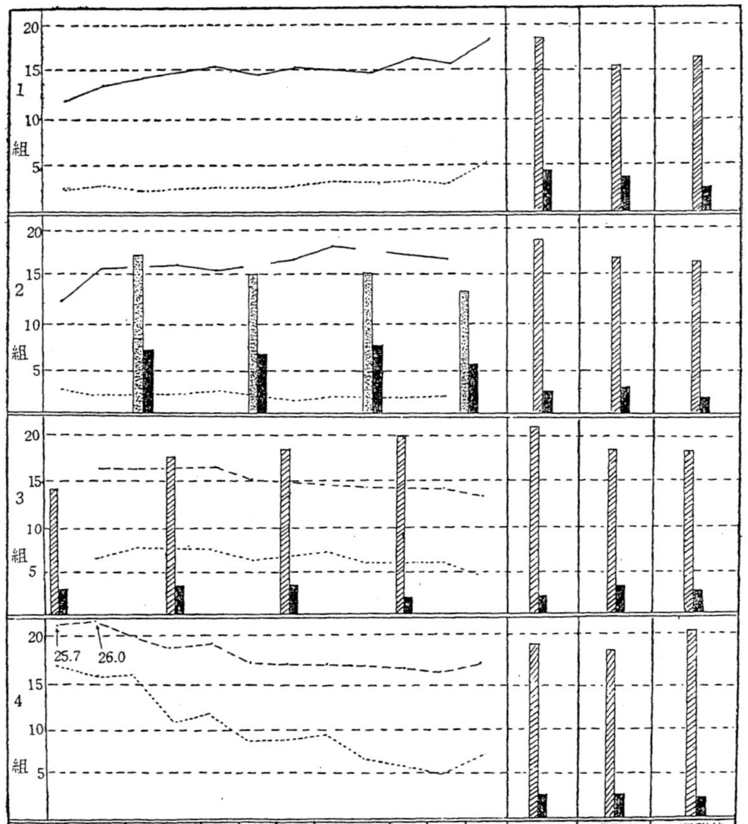

1組 2組 3組 4組

25.7 26.0

時間 / 正答数 / 条件	1回	2	3	4	5	6	7	8	9	10	11	12	テスト	2週間後	4週間後
1	T	T	T	T	T	T	T	T	T	T	T	T	T	T	T
2	T	T	W	T	T	W	T	T	W	T	T	W	T	T	T
3	T	W	W	T	W	W	T	W	W	T	W	W	T	T	T
4	W	W	W	W	W	W	W	W	W	W	W	W	T	T	T

○結果の比較

〔A〕**どの方法がよかったか**

練習の仕方が異るわけであるから，別の結果によって，どれがよいかをきめることもできようが，それだけでは不十分である。そこで，特に4クラスを一度に比較する方法をとらないで，1組と2組，2組と3組，3組と4組というように，順次比較し，最も効果的だった方法は，どれかを考えてみることにした。

| 1組と2組 | 〝三回に一回は，全部練習させた方が，毎回5分ずつ練習するより好ましい〟

平均正答数の経過をみると，最初12.0（12.1）と大体同じであるが，2組の方が勾配がやゝ上回っている。然し，10，11，12回頃になると，2組は殆んど停滞状態を示しているが，1組は更に上昇線を辿っている。一方，平均誤答数の方も同じような傾向がみえ，2組の方が好ましい線を示している。従って，一組の方は正答数が上昇していくにつれて誤答数も増加していく傾向にあるので，三回に一回位は，いろいろな問題を正しく練習してみるといった機会を与えた方が，より好ましい練習の方法であるといえる。

| 2組と3組 | 〝全問題を解答させる機会が三回に一回より，三回に二回の方が効果的である〟

平均正答数の1，4，7，10回のそれを比較してみると，両組とも，大体似た勾配を示しているが，やゝ3組の方が上回っている。一方，誤答数も同じように3組の方がより好ましい曲線を示しており，まだまだ減少していく様相を見せている。従って，2組の正答数が停滞状態を示そうとしているのに反して，3組のそれはまだ上昇する気配を見せている。結局，三回に一回より，三回に二回，即ち，毎日5分ずつ短い時間を練習するより，全問題を正しく，しかも気楽に練習する機会を多く与えた方が，結果としては効果的

106

であったといえる。

| 3組と4組 | 〝過大な問題数を，毎日連続する方法は，余り効果的ではない〟

両組の平均時間数と平均誤答数とを比較すると，3組の曲線は，ゆるやかではあるが，次第に下降している。一方，4組の曲線は，次第に低くなっていることは同じように見られるが，3組の曲線よりは少く，増減の差も激しいようである。しかも，12回目において，3組の曲線が下向する傾向を見せているのに反し，（これは最終回における努力とも見られるが），4組の曲線は，再び増加する傾向を見せている。これらの傾向は，50題を8分乃至25分もかかって，しかも，緊張しながら毎日練習するために起る疲労感，倦怠感から起る現象と思われる。従って，毎日過重な問題数を連続して練習する方法は，結果としては余り効果的ではなかったといえる。

以上，三つの比較によって，結論としては，次のようなことがいえると思う。

- 毎日5分ずつ練習させるとか，全問を練習させるとかいった方法よりも，3回の中，1回もしくは2回は全問を解答させ，他の2回か1回は短い時間にできるだけ速く，練習するといったように，両者を混合させた方法の方が，より効果的である。
- 毎日5分ずつ練習する場合は，心理的，生理的原因により，次第に誤りが多くなってくる。一方，毎日多くの問題を練習し過ぎると，次第に疲れが出てきて，効果的な結果が得られない。

これらは，練習の方法であるが，本実験のみの結果であって，「研究問題3」とあわせ考えてみる必要がある。

〔B〕**どの位，反復練習させたらよいか**

次に，毎日どの位の量を何回位練習させたらよいかについて，考えてみる。

107

5分間の練習においては，最初14〜15題位であるが，12回の練習後に於ては，19〜22題にまで上昇している。時間数でみても，50題の練習では，平均16〜18分から，12〜14分位までに縮まっている。毎日の学習に於て，15分間も反復練習することは，現実の問題として困難であり，その必要もまずなかろうと思われる。また，最も誤りが少なく，解答数も最も大である回数を見ると，各クラスとも10，11，12回頃である。そこで，本実験から考えると，次のような程度の練習量が最も効果的ではないかと考えられる。

二位数×二位数の反復練習においては，

- 1回の量は，最低20題から最高30題ぐらい
- 練習時間は5分程度（ただし，全問を解答させる機会も加える）
- 練習回数は最低10回は必要である。（これは，本校で27年度までに実験した結果と一致する）

なお，永続効果についてみてみると，11月10日（2週間後）11月24日（4週間後）の結果については，

- 11月10日……3，4組は正答数が12回目より上昇しているが，1，2組は，やゝ降下している。
- 11月24日……2組のみ，やゝ降下し，1，3組が前回よりやゝ上昇しているのに反し，4組のそれは，18.0から20.6と，相当の上昇を示している。

(2) **特にどんな問題を反復練習させたらよいか**

ここでは，この練習から，共通な誤りをひろい，それを分析してみることによって，子どもたちがもつ弱点，つまり，特に反復練習を要するものをつかんで見たいと考えたのである。

これは，反復練習の目標である，「どんな場合でも」正しくできるようにするということから見て，4つの場で共通に誤っているような問題は，子どもにとって困難か，或はあやまり易いものであると考えたわけである。

誤算をしている問題を，誤算者の多いもの順にならべると，次のようになる。

表1　どんな問題を共通的に誤っているか

（実験児童数の1割以上が誤算をしている問題と主な誤答例）

○内の数字は人数を示す

区分	問題	正しい計算（誤算者数）	誤答例
40人以上（3題）	47×86	282 / 276 / 4042 (49)	282+376=4022 (5)；288+376=4048 (4)；282+366=3942 (4)
40人以上（3題）	65×24	260 / 130 / 1560 (44)	140+130=1440 (7)；260+130=1560 (3)；240+130=1540 (3)
40人以上（3題）	62×45	310 / 248 / 2790 (40)	400+248=2880 (7)；310+258=2890 (4)；310+288=3160 (3)
30〜39人（8題）	28×68	224 / 168 / 1904 (31)	224+162=1844 (4)；188+168=1864 (5)；224+208=2304 (3)
30〜39人（8題）	46×77	322 / 322 / 3542 (33)	322+304=3362 (3)；322+322=3642 (2)；282+282=3102 (2)
30〜39人（8題）	95×47	655 / 380 / 4455 (32)	695+380=4465 (5)；665+390=4565 (5)；675+380=4475 (3)
30〜39人（8題）	38×72	76 / 266 / 2736 (32)	76+256=2636 (3)；76+276=2836 (2)；286 (2)
30〜39人（8題）	57×25	285 / 114 / 1425 (30)	285+114=1325 (4)；235+114=1375 (4)；285+114=1425 (3)
30〜39人（8題）	94×92	188 / 846 / 8648 (32)	188+168=1848 (2)；188+846=9648 (2)；188+876=8948 (2)

49 × 25	（誤答）	87 × 26	（誤答）
245	245 / 98 / 1325 ③	510	450 / 170 / 2150 ④
98	245 / 98 / 2125 ②	170	510 / 170 / 2100 ③
1225 ㉚	282 / 386 / 4142 ②	2210 ㊴	210 / 170 / 1910 ③

(20～29人(31題))

15 × 21	18 × 39	16 × 91	20 × 66	28 × 38	26 × 45
15	162	16	120	224	130
30	54	144	120	84	104
315 ㉔	702 ㉗	1456 ㉓	1320 ㉑	1064 ㉗	1170 ㉔
2115	693	1450	132	1044	1173

87 × 99	95 × 12	95 × 95	98 × 34	37 × 57	30 × 80
783	190	475	392	295	00
783	95	855	294	185	240
8613 ㉓	1140 ㉑	9025 ㉑	3332 ㉑	2109 ㉙	2400 ㉑
8113	1040	9425	3362	2119	240

25 × 89	36 × 59	79 × 66	34 × 68	46 × 88	47 × 42
225	324	474	272	368	94
240	180	474	204	368	188
2625 ⑳	2124 ㉓	5214 ㉒	2312 ⑳	4038 ㉕	1974 ㉔
2025	2024	4212	2342	4038	1874

43 × 74	57 × 73	64 × 88	66 × 60	65 × 40	75 × 55
344	171	512	3960	2600	375
301	399	512			375
3354 ㉒	4161 ㉑	5632 ㉘	㉑	㉓	4135 ㉕
5954	4175	5522	4260	2800	4070

79 × 44	79 × 16	85 × 33	89 × 68	83 × 62	89 × 31
316	474	255	712	166	89
316	79	255	534	498	267
3476	1264 ㉘	2805 ⑳	6052 ㉒	5146 ⑳	27.59 ㉓
3416	1264	3205	6072	5046	2557

89 × 73
267
623
6497 ㉒
6557

実験人員 213 名の約10%，すなわち20名以上の児童が誤算をしている問題（ただし，毎回 213 名の児童が全問題を解答しているわけではないので，断定は下し得ないが）を，その形の上でまとめてみると，主として，次の四つに分けることができる。

○6，7，8，9の数字の多い問題 （例 47×86　28×68）

○（何十）×（何十）などのように，10の倍数が乗数，または被乗数にある問題（20×66　30×80）

○乗数と被乗数，または乗数の一位と十位とが同じ数字である問題（57×73　28×38）

○数字の似ている問題 （57×73　28×38）

このような形式の問題はいつも誤る傾向をもつか，すなわち，類型となって現われてくるかどうかは疑わしい。なぜならば，前にも述べたように，一応理解したと思われる児童たちであるから，誤算の類型となるようなものは現われてこないのが当然であるわけで，もし出たとすれば，それはその問題を完全に理解しない前に反復練習に入った場合であろう。ところが，このような誤りの傾向が見られたのは，最初に述べたように，種々の変わった条件の下に行わせたために起る心理的,生理的な原因によるものであろう。そこで,理解はしていても,情緒的な動揺などのために誤り易くなるものは,どんなものかを知るために,この誤算問題を内容的に分析したものが,次の表2である。

表 2　同一誤算が4名以上の問題

					79 × 76 534 534 5874
・↓17名 30 × 80 240	・6名 15 × 21 15 210 2115	47 × 86 262 376 4022	95 × 12 190 95 1040	36 × 59 264 180 2064	95 × 12 190 95 1240
・9名 13 × 13 39 13 199	〃 15 20 215	62 × 45 400 248 2880	99 × 92 198 821 8408	62 × 45 310 258 2890	42 × 51 42 30 342
・8名 無　し	64 × 88 452 452 4972	65 × 30 195	・4名 28 × 68 224 162 1844	82 × 28 656 174 2396	70 × 54 280 350 4080
・7名 65 × 24 140 130 1440	・5名 20 × 84 80 16 240	89 × 73 267 613 6397	57 × 25 235 114 1375	38 × 96 228 352 3748	44 × 92 88 406 4148
90 × 50 450	28 × 68 184 168 1864	95 × 47 695 380 4495	83 × 62 166 438 4546	78 × 15 390 78 1070	57 × 25 285 114 1325

表3　誤算の原因別回数

原　因	誤算の例			回数
1. 乗法の繰上りを多くする	17 × 29 163 44 603	36 × 59 334 190 2234	43 × 44 182 172 1902	199
2. 乗法の繰上りが少い	57 × 85 275 456 4835	64 × 88 512 502 5532	79 × 66 464 464 5104	164
3. 乗法の繰上りを忘れる	85 × 26 510 160 2110	94 × 92 188 916 8348	28 × 68 164 168 1844	138
4. 繰上りでないのに繰上げる	21 × 79 199 147 1669	41 × 55 205 225 2455	65 × 21 75 130 1375	38
5. 加法の繰上りを多くする	19 × 87 133 152 1663	38 × 72 76 266 2836	58 × 35 290 174 2130	48
6. 加法の繰上りが少い	83 × 62 166 498 5136	39 × 25 195 78 965	79 × 16 474 79 1064	32
7. 加法の繰上りを忘れる	73 × 88 584 584 6324	56 × 68 448 336 3708	24 × 28 192 48 572	73

原　　因	誤算の例			回数
8. 繰上らないのに繰上げる	47 ×86 282 376 4052	61 ×94 244 549 6734	92 ×89 828 736 8288	52
9. 位取りを誤る	10 ×55 50 50 100	82 ×36 246 82 328	11 ×38 808 303 3838	169
10. 形式的に理解していて運算を誤る	21 ×79 149 187 2019	38 ×72 576 621 6786	61 ×94 364 549 5854	82
11. 数字を見誤ってかける	15 ×21 105 30 405	33 ×79 297 297 3267	57 ×73 285 399 4275	168
12. 数字を見誤って加える	27 ×86 162 216 2326	41 ×55 205 205 2254	63 ×36 378 189 2219	114
13. 10の位数の問題を誤る	89 ×50 89 445 4539	90 ×50 90 455 4640	70 ×13 91	78
14. 加法を乗法として計算する	20 ×66 120 120 1200	46 ×77 322 322 3642	61 ×17 427 61 2437	77

原　　因	誤算の例			回数
15. 乗法を加法とする	11 ×38 89 33 419	34 ×15 70 ε5 420	57 ×25 285 24 525	17
16. 原因不明	74 ×52 2148 25 2198	83 ×14 32 86 892	11 ×38 38 68 718	143

まず，群を抜いて多いのは，「乗法九々における繰上りの誤り」によるものであることがわかる。一般的に，「繰上り」について見ると，どんな形式の問題でも，また，どんな条件の下に練習しても，誤る児童は４～11人いる。従って，「繰上り」についての指導は徹底させておかなければならない。

また，「位取り」についてみると，練習のさせ方によっては誤る者が多いので，一応留意する必要があるといえる。

しかし，上述のような誤り易い点について一応の理解させた後に，誤り易い問題のみを反復練習させればよいかといえば，必ずしもそうではなく，誤りの少なそうな問題も適宜混合しておいて，その中で，意識的に誤り易い問題について，教師が留意してみる必要があると思う。

次に，上のことがらを基にして，モデル問題を掲げてみよう。

表4 (2位数)×(2位数)の計算に現われた九々の誤り

問題	誤答	回	問題	誤答	回	問題	誤答	回	問題	誤答	回
0×0	1	1	2×5	12	2	5×0	5	5	7×5	30	4
0×1	1	6	2×6	14.16.	7	5×1	0	1	7×6	6.21.72.54.	25
0×2	2.5.	4	2×7	12.16.18.	6	5×2	18	2	7×7	21.42.54.48.	20
0×3	3	2	2×8	18	1	5×3	18.	2	7×8	24.38.48.72.	14
0×4	4	1	2×9	3.6.	3	5×4		0	7×9	36.54.64.18.	18
0×5	5	1	3×0	3.6.	2	5×5	20.27.	5	8×0	6.8.15.	3
0×6	6.3.	18	3×1	1	1	5×6	20.35.34	10	8×1	9	2
0×7	7	2	3×2	24	1	5×7	15.20.25.30.	14	8×2	12.21.36.48.	14
0×8	8.4.	5	3×3	3	1	5×8	35.45.48.	6	8×3	12.21.24.48.	23
0×9	9	4	3×4	6.21.	2	5×9	40.54.95.	8	8×4	24.56.64.72.	11
1×0	1.2.	4	3×5	6.35.	2	6×0	6.1.	9	8×5	35.48.	4
1×1	0.5.6.9.	7	3×6	21.24.	2	6×1	0	1	8×6	16.28.42.56.	24
1×2	1.4.	2	3×7	8.12.27.28.	8	6×2	14.16.18.24.	12	8×7	12.36.52.72.	23
1×3	1.8.	5	3×8	9.16.21.	36	6×3	11.12.21.24.	7	8×8	24.42.56.62.	25
1×4	1.5.	5	3×9	21.24.36.77.	7	6×4	12.20.22.42.	23	8×9	27.64.81.32.	9
1×5	1	1	4×0	4	5	6×5	35	1	9×0		0
1×6	0.5.	6	4×1		0	6×6	18.30.32.39.	9	9×1	1.24.	6
1×7	9.8.	2	4×2	4.10.16.	4	6×7	12.24.33.39.	42	9×2	16.27.28.	7
1×8	9.1.	7	4×3	4.21.24.	4	6×8	18.24.42.56.	52	9×3	21.36.63.72.	29
1×9	1.4.7.8.	7	4×4	36	1	6×9	36.58.72.48.	14	9×4	31.42.63.22.	9
2×0	2	3	4×5	26.22.24.	5	7×0	6.7.	3	9×5	40.49.	3
2×1	1.3.8.	4	4×6	12.20.22.23.	49	7×1	1.2.8.	3	9×6	30.45.52.63.	13
2×2	2.6.8.	5	4×7	18.21.21.24.24.	33	7×2	12.16.28.	9	9×7	28.36.42.64.	6
2×3	1.3.8.	3	4×8	16.24.28.36.	10	7×3	12.24.27.28.	9	9×8	32.42.64.75.	14
2×4	2.14.	3	4×9	27.32.63.72.	25	7×4	11.21.24.42.	17	9×9	63.84.89.	5

116

表5 各組の原因別誤計数(練習回目)

(凡例: 斜線 Time / 白 Work)

誤算原因 \ 組	①(1 2 3)	②(1 2 3)	③(1 2 3)	④(1 2 3)
1. 乗法の繰上り・多い・少い・忘れる・と見る	31	33	31	36
2. 加法の繰上り・多い・少い・忘れる・と見る	9	3	2	10
3. 位取りを誤る	2	18	5	8
4. 数字を見(書き)誤り乗ずる	29	40	31	33
5. 数字を見誤り加える	6	2	9	12
6. 10の倍数の問題を誤る	0	7	0	0
7. 加法をする場合乗ずる	3	4	1	4
8. 乗法をする場合加える	1	0	0	0
9. 形式的に理解している	2	2	1	10
10. 九々の誤り	24	8	22	70
11. 原因不明	1	0	0	5

117

表6 繰上り（加，乗法），位取りをどの様に誤っているか（4回目の例）

▨ 5分間の練習で
□ 50題を何分で

問題例 ＼ 組	1 (a)	1 (b)	2 (a)	2 (b)	3 (a)	3 (b)	4 (a)	4 (b)
繰上り （A）乗法4回 加法2回 （a） 99×92：198, 891, 9008 （b） 198, 921, 8408	3人	4	6	4	0	5	1	10
（B） 乗法4回 加法0回 （a） 79×72：158, 553, 5788 （b） 158, 543, 5588	0	4	0	4	0	7	2	2
（C） 乗法加法共に0回 （a） 41×55：205, 205, 5255 （b） 205, 225, 2455	0	2	1	4	1	3	3	5
位取り 22×52：44, 20, 244 ／ 44, 200, 2044 ／ 44, 101, 1054	2		4		1		9	

条　　件

（ ）内の数字は104名中の誤算者数

① 誤り易い乗法九々の組合せ

1×m　1×m　3×7　3×8　4×6　4×7　4×8
4×9　5×6　5×7　5×9　6×7　6×4　6×7

6×8　6×9　7×4　7×6　7×7　7×8　7×9
8×2　8×3　8×4　8×6　8×7　8×8　9×3
9×4　9×6　9×6　9×8

16×91 (16)	34×68 (22)	31×51	43×78 (25)	47×49	47×86
62×45 (17)	68×72	79×16 (23)	89×68 (24)	89×73	95×47

② 0□×0□　□0×□□　□□×□0

20×66 (9)	30×80 (14)	34×60	40×70 (10)	40×87 (13)	50×20
65×40	66×60	70×13	70×50	46×70	60×30 (7)

③ 乗数，被乗数の一位と十位が同じ数

46×77 (24)	36×36 (20)	33×79	46×88 (25)	55×73	64×88 (14)
75×55	79×44 (15)	77×66	85×33	87×99	95×95 (27)

④ 数字の似ている組合せ

17 ×39	25 ×89	28 ×38	28 ×68 (19)	41 ×25	57 ×73 (25)
65 ×24 (16)	37 ×57	85 ×26 (23)	97 ×14	18 ×36 (21)	26 ×47

⑤ 誤りの少いと思われる問題

14 ×75 (19)	25 ×67	25 ×67 (16)	35 ×16	41 ×51	46 ×15
(14) 64 ×32	65 ×21	73 ×35	(26) 83 ×14	(17) 91 ×51	(20) 59 ×52

(1) から(5)までの問題を組合わせた一回の練習問題例

( ) 内の数字は 104 名中の誤算者数

①は前の条件

昭和28年11月13日調査

4年　組　番号(　)　名前＿＿＿＿＿＿ (23.11.18)

時間はきめませんから．一題ずつ見なおしながら計算して下さい。 ／30

⑤ 35 ×16 (6)	④ 25 ×89 (13)	③ 55 ×73 (13)	② 46 ×70 (14)	① 95 ×47 (12)
④ 17 ×39 (6)	③ 87 ×99 (17)	② 50 ×20 (10)	① 68 ×72 (17)	⑤ 25 ×67 (9)

③ 79 ×66 (20)	② 65 ×40 (14)	① 47 ×86 (25)	⑤ 73 ×35 (15)	④ 41 ×25 (7)
② 66 ×60 (9)	① 47 ×49 (20)	⑤ 65 ×21 (6)	④ 37 ×57 (19)	③ 75 ×55 (26)
① 36 ×59 (13)	⑤ 42 ×51 (10)	④ 26 ×47 (19)	③ 33 ×79 (17)	② 34 ×60 (12)
⑤ 46 ×15 (19)	④ 28 ×38 (16)	③ 85 ×33 (10)	② 70 ×10 (10)	① 89 ×73 (21)

B 乗法九九において（3年生）

(1) どんな方法で，どのくらい，反復練習させたらよいか

(a) 実験の主旨

ここでは，27年度までの研究結果である「加法において，十分理解させた後では，毎日5分間（三位数＋三位数の問題で，一日平均63題)，12回の練習でよい」に基いて，

① 「どんな方法で」については，

○練習すべき回数をどのように配分したら最も効果が多いか。

(イ) 問題によって分配を変える必要があるか。

(ロ) 子どもの能力によって分配を変える必要があるか。

② 「どの位」については，

○いつやめさせてよいか。（どの位の問題を，何回ぐらい練習させてよいか）

○加法における研究結果が乗法九九にもあてはまるか。

ということを明らかにしようとしたものである。

(b) 予備調査

① 調査の内容

○かけ算の意味がわかっているか。

○かけ算九九は機械的にどこまでできるか。

○どんな数え方をしているか。

② 調査の結果の利用

○グループの編成

次の基準にしたがって，Aグループ，Bグループを編成した。（かけ算の意味のよくわからないもの，及び，かけ算九九の誤りが全問題の15%以上のものは，この両グループから除いた）

○グループ編成基準とその人数

グループ	項目	基準	実験対象の人数			
			1組	2組	3組	5組
Aグループ	かけ算の意味	はっきりわかっているもの 大体わかっているもの	11人	17人	33人	18人
	かけ算九九	まちがえのないもの 少しまちがえるが大体九九の使えるもの				
Bグループ	かけ算の意味	ややわかっているもの	14人	13人	13人	18人
	かけ算九九	やや九九のまちがえの多いもの				

○練習問題の選定

・九九について

乗法九九の練習であるので，練習時間を5分としないで，一回の練習問

題を30題とし，全問題をやらせることにした。そこで，調査人員（168人）の15%以上の子どもが誤った問題，一般に誤り易いとされている問題を30問一組として，2種類作製した。（配列をちがえて，問題は毎回同じとする）

(イ) 誤りの少かった九九のだんのグループ

2・5・4・8・0のだんより20題，その他より10題，合わせて30題，

(ロ) 誤りの多かった九九のだんのグループ

1・3・6・7・9のだんより20題，その他より10題，合わせて30題。

・書かれた事実問題，それ以外の問題について

A，Bグループから除かれたもの，及び，進んでいるものに応じられるように，この二種類の問題を作製して，あわせ行うようにした。

(c) 実験の計画

① 練習の期間

昭和28年10月20日より11月6日まで

・練習の回数とその分配

月／日／組	10月					10月					11月					練習回数	
	20月	21火	22水	23木	24金	27月	28火	29水	30木	31金	2月	3火	4水	5木	6金	一週	合計
5組	○	○	○	○	○	○	○	○	○	○			○		○	5	12
2組	○	○	○	○		○	○	○	○				○		○	4	10
1組	○		○	○		○		○	○				○		○	3	8
3組	○			○		○			○				○		○	2	6

○印は練習を行う日

② 練習するグループとその練習問題

・A，Bグループの練習問題

組／グループ／問題の種類		1組 A	1組 B	1組 その他	2組 A	2組 B	2組 その他	3組 A	3組 B	3組 その他	5組 A	5組 B	5組 その他
誤りの少かった九九のグループ	0,5,4,8,0 のだん	○	○	○	○	○	○	○	○	○			○
誤の多かった九九のグループ	1,3,6,7,9 のだん	○	○	○	○	○	○	○	○	○	○	○	
書かれた事実問題					○	○		○	○	○	○	○	
それ以外の問題							○	○	○	○			○

○印はその問題を行うグループ

(d) 実験の方法

① 練習する時

算数の普通の授業時間に行うことを原則とし，第二校時または第三校時の初めに使う。

② 練習の問題と時間

○練習問題は種類別に行う。

○練習に要した時間も種類別に記録する。10秒を単位時間とする。

○30問を終えた時間が，45秒ならば単位時間⑤と記入し，練習に要した時間の変化によって，効果を判定する。

③ 注意したことがら

○作業制限であるから，全問題を解くに要した時間（単位時間の数）を，表示板を素速く見て，右上の○の中に記入させる。

○正確にすること，それができたらなるべく速く。

(e) 実験の結果

乗法九九の練習について，各組各グループの進歩の有様を，次の四つの観点でまとめ，研究問題に対する考察をした。

(イ) 練習回数の多少による効果（減少率（勾配mの値に相当する）のちがい。）

(ロ) 練習回数の割合からみた効果のちがい。（期待減少率と実際の減少率との差）

(ハ) 練習総回数を等しくした場合の効果（減少率）のちがい。

(ニ) 一定の速さに到達する状況（到達率）のちがい。

① 「どんな方法で」について

(イ) 練習回数の多少による効果のちがい

・練習回数を異にした場合の減少率の状況（Aグループ）

問題	練習回数	人数	一回目の平均	誤りの平均	最終回の平均	誤りの平均	減少数	減少率
2・だ ・8ん 4・の ・0九 5の九	10 回(2組)	17	8.2	0.9	5.2	0.1	3.0	36.5
	8 回(1〃)	11	10.2	1.9	7.0	0.3	3.2	31.3
	9 回(3〃)	33	10.1	1.1	7.0	0.5	3.1	30.6
3・九 ・1 6の ・だ 7ん ・の 9九	12 回(5組)	18	20.1	8.9	8.9	1.2	11.2	55.7
	10 回(2〃)	17	12.9	1.7	6.0	0.5	6.9	53.4
	8 回(1〃)	11	15.1	2.9	8.4	0.8	6.7	44.3
	6 回(3〃)	32	10.3	1.3	6.8	0.4	3.5	33.8

○一回目の平均とは，かかった単位時間の数の平均である。
○単位時間（10秒）

（減少数は最終回の成績と第一回の成績の差で，減少率は第一回の成績に対する減少数の百分率である）

・練習回数を異にした場合の減少率の状況（Bグループ）

問題	練習回	人数	一回目の平均	誤りの平均	最終回の平均	誤りの平均	減少数	減少率
2・4・5・8・0のだん	10 回（2組）		13.2	1.5	7.2	0.5	6.0	45.4
	8 回（1組）		14.5	3.2	10.3	0.1	4.2	28.9
	6 回（3組）		13.1	2.5	7.2	0.5	5.9	45.0
3・1・6・7・9のだん	12 回（5組）		22.1	3.1	10.1	1.4	12.0	54.0
	10 回（2組）		16.5	3.6	7.8	1.0	8.7	52.5
	8 回（1組）		15.0	4.7	10.3	0.5	4.7	31.3
	6 回（3組）		11.7	3.5	7.9	0.8	3.8	32.5

○一回目の平均とは，かかった単位時間の数の平均である
○単位時間（10秒）

この結果によると，練習回数の多い組ほど減少率が高く，練習効果が多いということになる。

(ロ) 練習回数の割合からみた効果のちがい

しかし，各組は練習回数を異にしているのであるから，練習効果を比較しようと思うならば，このことを考慮しなければならない。このために，練習回数の最も多い組の減少率を，各組の練習回数に比例して減少した値を求め，それと比べてみることにした。（この値を，ここでは，一応，期待減少率とよんだ）たとえば，練習８回の１組の期待減少率は練習10回の２組の80％であることになる。すなわち

１組の期待減少率は，$36.5\times\frac{80}{100}=29.2$

次表の結果によると，それぞれ実際の減少率は期待減少率より高く，練習回数の少ない組の方が練習効果が割合に多いということになる。１・３・６・７・９の段では，１組と３組の減少率はほとんど練習回数に比例している。

各組とも練習間隔も異にしているのであるから，この点について，同じ練習回数に当るところをとって比較してみると，練習間隔の小さい組ほど減少率は高い値を示している。

・実際の減少率と期待減少率の比較

・2, 4, 5, 8, 0 のだん
2組を標準としたとき

組	実際の減少率	期待減少率	差
1 組	31.3	29.2	2.1
3 組	30.6	21.9	8.7

・1, 3, 6, 7, 9 のだん
5組(12)の回組を標準としたとき

組	実際の減少率	期待減少率	差
2 組	53.4	46.41	6.99
1 組	44.3	37.12	7.18
3 組	33.8	27.85	5.95

・到達率の状況

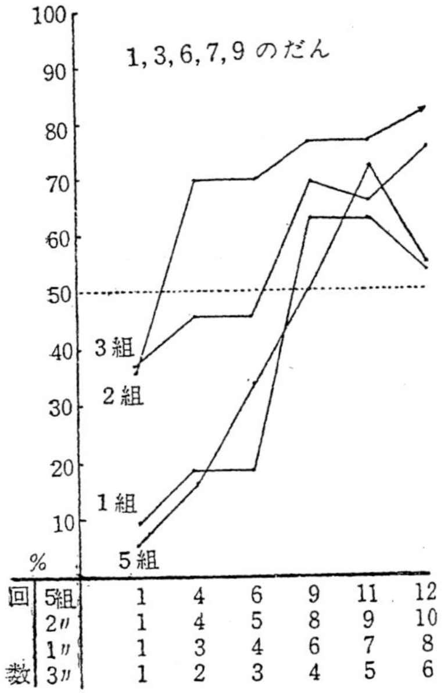

1,3,6,7,9 のだん

回数						
5組	1	4	6	9	11	12
2〃	1	4	5	8	9	10
1〃	1	3	4	6	7	8
3〃	1	2	3	4	5	6

それで，練習回数も多いほどよいというわけでなく，適当な程度の回数，を，間隔を少くしてやった方がよいということがわかる。

(ハ) 一定の速さに到達する状況（到達率）

一定の速さに到達した子どもの状況を調べてみよう。この一定の速さとしては80秒をとった。その理由は，後に述べる調査の結果にもとずくものである。その結果は，次のとおりである。

この結果によると，練習間隔の小さい組は練習の初期において到達率の増加が急であり，練習間隔の大きい組は練

・一定の速さに到達した子ども（到達率）の状況

組	12回の組の回数	人数	2,4,5,8,0,のだん 1	4	6	9	11	12	1,3,6,7,9,のだん 1	4	6	9	11	12
5　組	12回	18人							5.5%	16.7	33.4	50.0	72.3	55
2　組	10回	17人	47.1%	76.1	66.1	88	82.2	94	35.3%	70.5	70.5	76.1	76.1	82.2
1　組	8回	11人	54.5%	36.4	36.4	63.7	54.5	72.7	9.1%	18.2	18.2	63.7	63.7	54.5
3　組	6回	33人	36.4%	51.5	69.5	60.5	72.6	75.8	36.4%	45.4	45.4	69.5	66.6	75.8

・一定の途さ（80秒以内）
・到達率（調査人員に対する到達した子どもの数の百分率）

習の後半において到達率の増加が急である。また，練習10回，8回，6回の組が同じような効果（「練習回数の比による」項の結果参照）を示していることがわかる。このことから，この回数（一週2回合計6回，または一週3回合計8回）あたりの練習が，最も効果があるように考えられる。

② 「どの位の問題を何回やらせるか」について

ここでは，今までの研究結果を参考にしながら，最終回において，

(イ) 百パーセントの正確率であること

(ロ) どの段の九九も速さが等しいか，ちがっても一単位時間（10秒）以内であること

(ハ) （思考過程に要する時間）に（書写に要する時間）を加えたものが（筆答に要する時間）

ということを目標として考察した。

練習の最終回における完全正解者，及び，二つの九九のだんの速さが等しいか，ちがっても10秒以内であったものは，次の表のとおりである。

・完全正解者の状況

問題の種類	学年	調査人員	かかった時間（単位秒） 30	40	50	60	70	80	90	100	110	120	完全正解者の率
2,4,5,8,0 のだんの九九	3	124	8	8	8	15	10	2	5	6	5	1	52.5%
	4	33	0	1	0	11	5	6	2	1	2	2	91%
1,3,6,7,9 のだんの九九	3	124	5	6	13	8	13	4	5	3	4	4	52.5%
	4	33	0	0	0	12	9	3	1	4	0	0	88%
二つの九九のだんの速さが等しいかちがっても10秒以内のもの	3	124	6	7	13	15	7	3	5	2	7	7	53.2%
	4	33	0	0	0	10	5	5	2	1	1	1	75.5%

この結果によると，完全正解であって，かかった時間の最少は30秒程度で，70秒（4年生では80秒）以上になると，この数は急激に減少している。このことは，「書写に要する時間との差は平均20秒内外である」という実験結果をもとにすると，「反射的な速さ」または「よりそれに近い速さ」は1秒ないし2秒ということになり，一般にいわれている速さと一致することを示している。また，70〜80秒を過ぎると完全正解者が急激に減少しており，「時間のかかるほど正確度が落ちる」という傾向がみられる。筆答の場合は，すくなくとも，九々の順序が不同のときでも80秒以内で，二つの九九のだんの速さが等しいか，ちがっても10秒以内になるまで，練習させることが必要である。

○　加法における研究結果があてはまるか

研究①の結果によると，すくなくとも10回〜12回の練習は必要であるということがいえる。

(f) 実験の結果わかったこと

① 〔練習回数の分配について〕

(イ) 練習効果は練習回数の多い組ほどあるが，すくなくとも，10回〜12回ぐらい練習した方がよい。

(ロ) 練習効果は，回数の割合からみた場合には練習間隔の大きいほど，同じ回数をやる場合では間隔の少さい組ほど優れているから，練習間隔は，はじめ小さく，だんだんに大きくした方がよい。たとえば，12回の練習を毎週5・4・3回に分配する。

(ハ) 練習効果は，問題のちがい，子どもの能力によって異なるから，練習回数，練習問題数，及びその分配を変える必要がある。練習すべき問題数は，初め少なく，だんだんに多くした方がよい。たとえば，25・30・40題のようにしていく。

② 〔いつやめさせてよいかについて〕

(イ) 完全正解者の数が，70秒〜80秒を越えると，急減に減少している。書写能力（時間）と解答能力（時間）との差は，平均20秒である。これから，筆答では，九々の順序が不同でも，1問が1秒〜2.5秒ででき，1つの段の九々が80秒以内にできるようになるまで，練習させておくとよいことがわかる。

(ロ) どの段の九九も同じ速さか，ちがっても10秒以内であるようになるまで練習させることが望ましい。

(2) 能力差を認めての反復練習は，どのようにしたらよいか

(a) 実験の主旨

乗法九九を指導する場合，「2の段・3の段というような段によって難しさがちがう」とか，「5の段の指導から入った方がよい」とか，練習回数の分配・練習問題の組合せ，練習の順序などをどうしたらよいか，いろいろと研究すべき問題がある。ここでは，特に，

・能力差を考慮して乗法九九をどのように反復練習させたらよいかについて研究し，それを明らかにしようとした。

(b) 実験の計画（以下研究a参照）

① 能力別グループと練習問題の編成

○ どのようなグループを編成したか。

・ かけ算の意味

・ かけ算九九は機械的にどこまでできるか

について，子どもの能力を調査し，二つのグループを編成した。

〔Aグループ〕

かけ算の意味…………大体わかっているもの

かけ算九九…………大体使えるもの

〔Bグループ〕

かけ算の意味…………やゝわかっているもの

かけ算九九…………やゝまちがえの多いもの

○ どのような問題をどのように組合せたか

「共通的に誤っている問題を特に反復練習させる」という点に着眼した。

・ かけ算九九の誤りについて調査し，調査人員の15%以上が誤っているものを，両グループ共通に練習することにした。

・ 誤りの少かった九九の段は　2・4・5・8・0であり，

・ 誤りの多かった九九の段は　1・3・6・7・9であった。

この結果に基いて，二種類のグループを作製した。

〔縛習問題a〕

誤りの少かった九九の段より20題

誤りの多かった九九の段より10題　合計30題

〔練習問題b〕

誤りの少かった九九の段より10題

誤りの多かった九九の段より20題　合計30題

○ 練習するグループとその練習問題

練習問題は毎回同一であるが，その配列は乱数表によって毎回ちがえた。

Aグループ → 練習問題 b
Bグループ → 練習問題 a
（Aグループ → 練習問題 a，Bグループ → 練習問題 b）

② 実験の期間と方法

〔研究問題 a〕の時の実験方法と同じ

(c) 結果の予想

① Aグループの子どもについて

○ 誤りの多かった九九の段のグループを特に練習する必要がある。

○ 誤りの少かった九九の段のグループはさほど練習しなくともよい。

② Bグループの子どもについて

○ はじめには誤りの少かった九九の段のグループを，次に誤りの多かった九九の段のグループの練習に重点を置いた方がよい。

③ Aグループの子どもが練習問題 b を，Bグループの子どもが練習問題 a をした場合の練習効果はあまりちがわない。

④ Aグループの子どもが練習問題 a を，Bグループの子どもが練習問題 b をした場合の練習効果のちがいは大きい。

(d) 実験の結果

Aグループの成績

問題	練習回数	人数	一回目の平均	誤の平均	最終回の平均	誤の平均	到達率
a	10回（2組）	* 17	8.2	0.9	* 5.2	0.1	94%
	8回（1組）	11	10.2	1.9	7.0	0.3	73%
	6回（3組）	33	10.1	1.1	7.0	0.5	76%
b	12回（5組）	18	20.1	8.9	8.9	1.2	55%
	10回（1組）	17	12.9	1.7	6.0	0.5	82%
	8回（1組）	11	15.1	2.9	8.4	0.8	55%
	6回（3組）	33	10.3	1.3	6.8	0.4	76%

（註） * で示した欄の数値は，単位時間（10秒）を単位にした値である。

Bグループの成績

問題	練習回数	人数	一回目の平均	誤の平均	最終回の平均	誤の平均	到達率
a	10回（2組）	13	* 13.2	1.5	* 7.2	0.5	69%
	8回（1組）	14	14.5	3.2	10.3	0.1	21%
	6回（3組）	13	13.1	2.5	7.2	0.5	62%
b	12回（5組）	8	22.1	3.1	10.1	1.4	37%
	10回（2組）	13	16.5	3.6	7.8	1.0	69%
	8回（1組）	14	15.0	4.7	10.3	0.5	36%
	6回（3組）	13	11.7	3.5	7.9	0.8	54%

（註） * で示した欄の数値は，単位時間（10秒）を単位にした値である。

グループ別練習問題別練習曲線

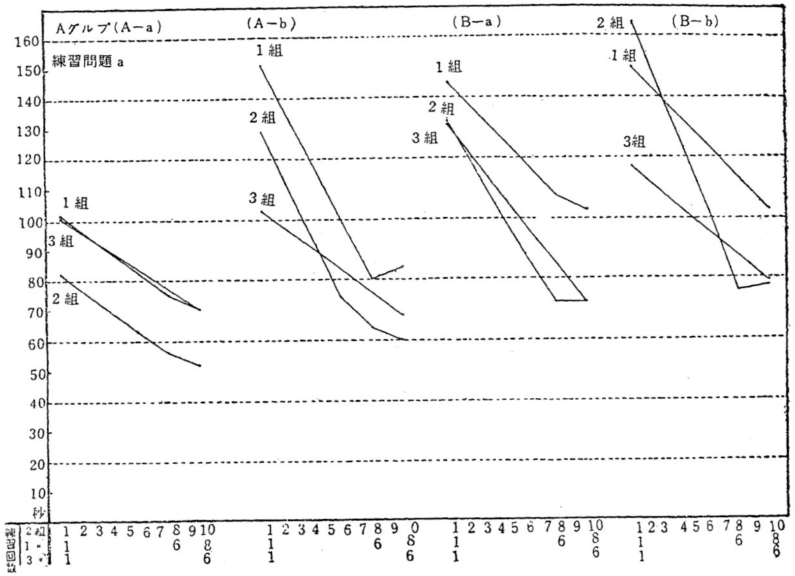

この結果によると,

① 所要時間は,(A－a)・(A－b)・(B－a)・(B－b)の順に少いことを示し,能力のちがい・問題のちがいによって,所要時間にちがいがあることを示している。〔(A－a)は,Aグループのものがaの問題をやった場合を指す。〕

② (A－a)はどの練習回数の組も一応80秒以下に到達してをり,毎週二回合計6回の練習でもよいことを示している。(A－b)は練習回数8回の組が要求される速さにわずかの差で到達していない。

③ (B－a)は(A－b)の場合よりやゝ劣ってはいるが,同様の結果を示している。(B－b)は(B－a)よりさらに劣っている。

(e) 実験の結果本校で一応推定したこと

① 乗法九九では,「誤りの多かった九九の段の練習」というように区別して行うより,或程度その組合せを考えて同時に反復練習させた方がよいのではないか。

② Aグループの子どもには,

・ 誤りの多かった九九の段に重点を置き,誤りの少かった九九の段の練習はさほどしなくてもよい。

・ それで,練習問題aは毎週二回合計6回ぐらい,練習問題bは毎週4回合計10回から12回ぐらいでよいと考えられる。

③ Bグループの子どもには,

・ はじめ誤りの少かった九九の段の練習に重点を置き,しだいに誤りの多かった九九の段の反復練習に移った方がよい。

・ 練習問題aは毎週4回,計10回から12回ぐらい,練習問題bは毎週4回か5回で,計10回から14回ぐらいまでがよい。

Ⅳ 単元学習指導への適用(実験研究Ⅲ)

これは,研究Ⅰ及びⅡで一応明らかになったことを,一つの単元の中に綜合的に実現してみようとしたものである。

この例として,4年生の単元「お店やさん」(2位数×2位数の指導)の指導計画をとり上げて,検討して見ることにした。

A 指導計画に当っての留意点

研究Ⅰ及びⅡで一応わかったこととして,次のことを入れるようにした。

a 一般に,90%以上の子どもが一応理解できるようになったら反復練習に入る。(よくできない子どもについては,個別的に指導する)

b 一般によくできない子どもについては,速度は要求しないで,やっただけは確実にできるようにする。

c 練習は,原則として毎日1回とし,4,5回連続しては,1回休むことにして,12回ぐらい反復練習する。

d 練習は正味5分から10分間位にする。

e タイム・リミットの場合と,ワーク・リミットの場合とを混合して行う。

f 「特に反復練習する必要のあるもの」(研究Ⅱ)については,練習カードを作って行わせる。

g このほか,反復練習の指導において一般に気をつけること,たとえば,

○ 子どもに積極的な態度を持たせる。(自己評価・はげます)

○ 環境条件をよくする。

などについては,十分に気をつける。

B　指導の要領と結果の反省

単元「お店やさん」　13時間　　（教科書は中教出版の「算数の本」使用）

上にあげた留意点を考慮して，次のような指導計画を立てて実施した。

第１時　11月24日（水）

学習問題	指導内容	反　復　練　習 （時間・方法・問題例）	結　果　の　反　省
お店やさんはどんなにして商売をしているか	しいれね うりね}のいみをはっきりつかませる		ここでは主として「問題場面の把握」ということに重点をおいたが，４年生位では，「わかりきっているようなこと」でも具体物を用いたりして学習場面を構成してやることが大切である。
しいれねのお金の計算の仕方はどうしたらよいか	かけられる数がいく桁でも $\begin{array}{r}83\\ \times\ 4\\ \hline\end{array}$のようにできることをわからせる。 $\begin{array}{r}384\\ \times6\\ \hline\end{array}$ $\begin{array}{r}304\\ \times6\\ \hline\end{array}$ $\begin{array}{r}630\\ \times6\\ \hline\end{array}$	83×4 のようなものを３題練習させる。（一斉に） 計算の方を再確認する。（４分間）	前に学習した83×4のような計算が不十分というものが５人位いた。 このことがわかっていないと次に進めないので，机間巡視の時見てやったが３人は未だよくわからなかった。
りんご，みかん，かきのしいれねの合計を一つの式にまとめるにはどうしたらよいか。	考え方をまとめて一つの式に表わすことになれさせる 830×5+360×7+630×9		主としてワーク・リミットで行ったので，よくできたように思われる。
練習をしよう。	590×3 280×6 802×2 ０を含む計算を正しく行わせるよう練習させる。	教科書のＰ57の練習（10分間） 1.　590×3，208×8の様に０を含むものに気をつけさせる。 2.　１問づつていねいに練習し，一斉に確めて行く。 3.　590×3の横のままでもできるように練習する。 ◎　速度は要求しないで１つ１つが正しくできるようにする。	横のままやるのは，下の子どもには少しむづかしいようであったので，縦に行わせた。 かけ算の「いみ」についても合わせて練習した。 ここでは比較的ゆつくり指導でき，子どもも気楽にやった。

第２時　11月25日（木）

練習をしよう。	位数×基数の計算になれる かけ算のいみをしっかりつかむ	1.　（15分間） $\begin{array}{r}837\\ \times\ 7\\ \hline\end{array}$などの計算と合わせて。 ・１はこ 340 円のみかん５はこのねだんは ・まちがっていたらなおしなさい $\begin{array}{r}360\\ \times\ 5\\ \hline 180\end{array}$ $\begin{array}{r}630\\ \times\ 1\\ \hline 5670\end{array}$ $\begin{array}{r}850\\ \times\ 8\\ \hline 6440\end{array}$ $\begin{array}{r}704\\ \times\ 5\\ \hline 370\end{array}$ をまぜて練習を行わせる。	
		2.　（３分間） $\begin{array}{r}823\\ \times\ 7\\ \hline\end{array}$の問題だけについて，タイムリミットで３分間行わせる。この場合第１は正しく，第２に速さを要求し，気楽に行わせるようにする。	時間制限で行うと今まで，できた子どもも，まちがう。 数字の見誤り，くり上りの誤りが多い。
練習したものについて反省しよう。	自己評価ができるようにする。	3.　（10分間） 自分は「どこ」をまちがったか，はっきり，つかませる。数人の子どもに言わせる。やってみる。（個人カードに○とか△とかを記入させる） 4.　（５分間） 365×4　$\begin{array}{r}208\\ \times\ 6\\ \hline\end{array}$の横式，縦式の両方のものを５分間行わせる。 5.　答を合わせ，反省する。	自己評価をこのように個人カードにして，それに○△×をつけるのは大変正直に興味をもって行う。 「家で練習していいですか」の声が大勢からかかる。 （練習カードは予め研究され，子どもたちが，つまづき易い問題を適当に混ぜたものを60枚づつ①〜⑬まで用意しておく，あとに掲げてある）
それではもう一度練習してみよう。（練習カード①）			

第３時　11月26日（金）

１つ25円の人形10こではいくらになるでしょう。	25×10 23×20}などの計算の理解 （23×10は25に０を１つつける 23×20は23×2 に０を１つつける）	1.　前に反復練習したこと，つまり $\begin{array}{r}25\\ \times\ 9\\ \hline\end{array}$ 又は 25×6+25×4 などを思い出させ，それをもとにして考えさせる。 ◎（反復練習したことを問題解決に役立たせる） （25×10＝250　4×10＝40　をいくつか練習（３分間） 特に 10×10　20×10　100×10 を注意する。）	1.　$\begin{array}{r}25\\ \times\ 9\\ \hline 225\\ +25\\ \hline 250\end{array}$　2.　$\begin{array}{r}25\\ \times\ 5\\ \hline 125\\ \times\ 2\\ \hline 250\end{array}$　3.　$\begin{array}{r}25\\ \times\ 8\\ \hline 200\\ 50\\ \hline 250\end{array}$　$\begin{array}{r}25\\ \times\ 2\\ \hline 50\end{array}$ 4.　$\begin{array}{r}25\\ 25\\ \vdots\\ +25\\ \hline 250\end{array}$　⑤　$\begin{array}{r}25\\ \times11\\ \hline 25\\ 25\\ \hline 275\\ -25\\ \hline 250\end{array}$ 等色々出る。
１つ23円のこま20こではいくらになるでしょう。		2.　ワーク・リミットで練習（５分間） 9×10　20×10　8×4×10 5×80　23×40　50×20 3.　お答を合わせ，自分の誤りがどこでつまづいているかを確め個人票に△をつける。 数人に言わせ，共通的な誤りについて，一斉に練習する。（ワーク・リミット練習）	特にまちがえるのは 8×4×10　27×2×10 15×4×10…　50×40… である。自分の誤りについては近頃，すぐ発見出来る様になつた。「あわて」てが一番多い。この点何か指導はないものだろうか。つまり不注意の誤りに対する指導である。
練習カード②をしてみましょう。		4.　カード②をワーク・リミットで，まちがなえい様に，行わせる。（10分間） ◉できない子の個別指導をする。	

第4時　11月27日（土）

売り上げのしまつはどのようにしたらよいでしょう。 （12円×63円）	2位数×2位数の計算ができるようにする。	前に反復練習して得たものを利用してできないか考えさせ，色々と行わせてみる。 ⦿反復練習したことを問題解決に役立たせる。 12×60…$\frac{12\times60+12\times3}{63\times60+63\times2}$ 上のことから　12 ×63 36 72 756　と理解した者が90%位にならなくても適用練習に入りながら個別的に指導し，だんだんとわかるようにする。 この時間では反復練習には入れなかったが，理解を十分にさせておくことが大切であることはいうまでもない。 あとで2・3題教師と一緒に行い自分のわからないところをはっきりつかませることも，次の反復練習の時に役立つ。	12×60＋12×3の方が多かった。

第5時　11月29日（月）

ナイフ1つ35円のものを28こではいくらになるでしょう。 すみ1つ25円のを43こ分のおかねはみんなでいくらになるでしょう。	2位数×2位数の理解を深める。 反復練習によつて，しっかり身につける。	1.　反復練習カード④をワーク・リミットで行わせる（10分間） この時，理解不十分なもの，個別指導を行う。2つでも3つでもよいから，正しくできるようにする。 2.　答を合わせ，いつものように自分でちがったところにしるしをつけ，どうしてちがったか，考える。 3.　大体90%以上の子供はよくわかったので，次に，タイム・リミットで練習する。しかし，まだあぶない者は正しく，やることを第一条件とする。 反復練習カード⑤を5分間，子供には時間は知らせないで，気楽に行わせる。	自己評価は大分よくできるようになった。この頃から家でよく学習してくる者が多くなった。級の約$\frac{2}{3}$位はよく練習し，特に自分の誤ったところをやってくる。こうした時は，ほめてやると，大変，興味をもって，益々，反復練習に積極的になる。 誤りとしては ①部分積の和をちがう ②あわてて 5×9＝45 8×9＝72 ｝を$\frac{54}{27}$と書く。

		⦿あとで認めてするより，1つ1つをしっかり行うようにする。 ◎あとで認める場合は，自分のあぶないと思つたところを行うように習慣づける。	

第6時　11月30日（火）

前の練習でどんな点を誤つたでしょう。 反復練習してみましょう。 カード⑤	かけ算の確め方やまちがいの直し方を理解させる。	1.　自分の弱点を特に反復練習するようにする。 2.　認めは，その弱点について特に行う様に習慣づける。 3.　カード⑤は　93 ×24 364 186 2222　の様なものの真偽判定をし，正しく直おす練習である。 色々の誤り方をこの問題に全部出し，自分の弱点を自認させる手だてにする。又計算自体の反復練習にもなる。ワーク・リミットで約10分間。 4.　お答を合わせ 特にまちがいやすい問題について，皆で練習してみる。 ◎反復練習では固定形式のものをくり返しやすい。そのため，誤りが傾向をもつ様になったり，興味がうすれる様になり勝ちであるから，時々，逆練習をすることも大切であると考えたのでカード⑤を入れた。	「確め」はめんどうだという子供がかなりいるが全部確めさせるのではなく，自分のあぶないと思ったものについて行わせる様習慣づけることが大切である。 又確め方も基数どうしについてやってみるとかする。 子供は大変興味をもって行う。 一般に子供は反復練習は好きである。 しかし計算練習ばかり行っていると，計算本来の目的つまり問題解決の役に立てることを忘れがちになる。

第7時　12月1日（水）

P63の練習をしてみましょう。 （81×42 63×72 のようなもの） 4×253と253×4の答が同じになるわけを考えてみよう。	「確め」についての練習と今までの計算（2位数×2位数）の反復練習をして計算を確実にする。	12題をワーク・リミットで行わせる。 「確め」は必ず行うようにする。 その方法としては ①あぶないと思ったところを ②基数×基数のところ ③概算で まちがいは，けしゴムで消さないで══でけして，なおす。	確めをするのをいやがる傾向があるので，簡単でしかも自分で必要なものだけについて行わせる様習慣づけるために，左の①，②，③の方法をとったが，②が一般的で，A，Bクラス級の子どもは②，③も行う。

みかん1つ6円のものを183こでは，いくらでしょう。 カード⑥を練習してみましょう。		カード⑥　ワーク・リミットで速くやってみる。 5分間 反復練習をする前に必ず2位数×2位数の計算のいみをたしかめ，具体的に行わせる。そのため，36×24にについて，問題を作らせることを行う。	カード⑥は比較的容易なものが多かったので，成績は以前よりずっとよかった。理解不十分者3名位を除いては全部できている。これは，忙しかったこともあるが，ワーク・リミットでしかも「確め」をしっかり行ったせいであると思われる。自分の誤りに対して関心を持つようになった。

第8時　12月3日（金）

きのうの計算で，まだ不十分だったところをやってみよう。 カード⑦ 問題を自分で読んでやってみよう。	1.　もうけ損の意味。 2.　演算の決定練習。 3.　計算の反復練習によって，問題解決の時に役立つようにする。	カード⑦をタイム・リミット（5分間）で行う。しかしあまり競走にならないよう 第1は正確に　第2に速く 特におくれている子どもは個別指導をする。 （4×47　10×10　30×40 2×83　等の練習もワーク・リ 7×40　ミットで行う。） 事実問題についても練習を行う。この場合簡単なものを用意する。 1. 品名／1このしいれね／1このうりね／うつた数／もうけ 電車／103円／130円／30円／？ のように文章でつまづくことがあまりないように 2.　どれが正しいか正しいものに○をつけなさい。 上の様な問題を出して 1.　(130－103)×30 2.　103×30－130 3.　130×30－103×31 4.　130－103	今日は昨日より成績は悪かった。特に 38×74　84×97　66×88　96×45の様に数値の多いものについての誤り，特に繰上りについて，多かった。あとは数字の見誤りが多かった。 4×47等は比較的できるが10×20，30×70等はできることもがちがえる。 計算練習の時，全く機械的になることは望ましいが，それが固定したものになることはよくない。 そこで左のような練習を時々入れるとよい結果がもたらされる。 36×24が問題解決の時つかえるという点でよい。

第9時　12月4日（土）

計算練習をしてみましょう 今日は正しく速くできるように，	適当な速度で正しく計算ができる。 問題解決の時つかえるようにする。	タイム・リミットで行う。5分間。よくできない者は「やっただけは正しくできるように」を強調して行わせる。 昨日の成績と比べて，まちがった人は，今日はまちがえない事を第1に，全部できた人は速くできる	できない子どもは，いつもワークで行わせているのでタイムで行わせる時でも，自分ではワークでやっている。 この頃より急に速度が加わってきた。ただ誤答数は，

練習カード⑧ 事実問題をしてみましょう 今日のところの計算練習をしてみよう。 練習カード⑥		ように，それぞれ反復練習の目標をつかませる（話合いによつて）。 競走心はかりたてないように，いつも自分が相手であることを強調して，前よりもできるようになること。 ワーク・リミットで行う。 簡単な事実問題を含めて行う。 特に0のある計算には注意する。	あまり減っていないのにはがっかりした。 これは問題が前よりややむづかしかったせいでもある。

第10時　12月6日（月）

まとめの練習をしましょう 練習カード⑩ 事実問題3.4.5.6.7をやってみましょう。	2位数×2位数の計算の練習。 式をまとめて書くことになれさせる。 二段階の事実問題について練習する。	ワーク・リミットで行う。(15分間) 自分でむづかしいと思ったところに○をつけておく。 自分がいつも誤つていることをノートする。 事実問題も混入しているので，何を求めているかを，はっきりつかむように，問題を十分読ませる。 何をきいているか，その文の下に――――を入れる。	計算ができても，二段階の問題解決に，それを適用することがなかなかむずかしい。これは他の要素が色々入ってくるからであるが，計算の指導がもっと問題解決に直結する様にしたいものである。

第11時　12月7日（火）

今日は，「自分で練習しなくては，いけないと思うもの」を練習してみましょう では18×13で問題を作つてみよう。 他のものについてもやつてみよう。	2位数×2位数の計算練習。 自分の目標に従つて，それを達成するようにする。	どんなものを練習したらよいか話し合い，いくつかにまとめる。 練習カード⑪は4種類に分れているので，この4種類は前の研究で子どもの弱点をひろいあげて，まとめたもので，大体この4つの範囲内に止まるから，この4つからそれぞたえらばせて練習させる。 時間は10分。 同じもの同志で静かに答を合わせて，ちがったところは，相手の人に2.3問題を出してもらう。 よくできない子供は教師と一緒に行う。 18×13　25×30などでかんたんな問題をつくってみることは，計算力をつくる上からも問題解決をする点からもよいと思って，このようなことをして，18×13の計算も行った。	このことについては前から行つてきたから自分は何を練習しなければならないかは，すぐ，わかった。 4つのカードからえらんで行うことには大変関心をもち積極的であった。 ここの反復練習は大変積極的によくできたように思われた。 友達がつくつた問題を興味深く行った。

第12時　12月8日（水）

P69の⑥⑦⑧の問題をしましょう。	二段階の問題解決に当って式を用いる練習。 演算の決定練習。 ２位数×２位数の反復練習		
今日のところの計算練習をしましょう。 カード⑫		1.　事実問題の文構造を簡単にしたものを用意して練習する。 2.　次に前にもやったように56×52で問題をつくって行う。 3.　カード⑫をタイム・リミットで５分間行う。	この辺の結果を見るともうこた以上練習をつづけても効果があまり上らない様である。こたは前実験からもわかるように停滞期でもあり，又理解不十分な子どもにその誤りが大部分占められているからであろう。不注意の誤りはなかなかなおすことができなかった。

第13時　12月9日（木）

まとめの練習をしましょうカード⑬	２位数×２位数の計算の反復練習。テストによって各自に反省させる。	1.　タイムリミット（５分間）でカード⑬をする。この場合も，第１に正しく，第２に速くを強調する。 2.　この前は自分の「あぶないところ」について話合わせる。確めの方法も話合う。 3.　共通的な問題について，いくつか，一斉に行う。 4.　カード練習に入る。 5.　できた人は，だまって，確めをする。	できない子どもは，指導した時はよくできるが，時がたつと，すぐわすれたりしてしまう。 まして，このようにカードに問題がたくさんならんでいると，心理的な動揺がはげしく，注意が集中できないようである。
今までのグラフ（個人用）について反省してみよう。それでは力だめしをしてみましょう		グラフについて今までの結果を反省する。 誤りはどうか。速さはどうか。 今までの問題を綜合したものをテストとして（別紙）行う。反省する。	速い子どもは，大体作業量でいうと練習初めの２倍から３倍になっている。平均して1.5倍になっている。 （テストの結果については後で述べることにしたい）

〔練　習　カ　ー　ド〕　註　④などとあるのは誤算人数

① 計算練習カード（０を含む２位数×基数）

407×6＝　　320×7＝

603×5＝　　780×3＝

805×9＝　　360×6＝

542×7＝　　337×4＝

129×6　　505×8　　308×6

240×9　　3×776　　6×950

○　１はこ 365 円のみかんはこでいくらですか。

○　１こ 205 円の花びん３こと１たば 150 円のお花３たばではいくらですか。

○　１こ４円のみかんを１人２こずつで 160 人分かいました。いくらはらえばよいでしょう。

② 計算練習問題（乗数の一位が０，繰上り）

④59×50＝　　⓪57×40＝

④93×80＝　　②16×90＝

①82×20＝　　⓪24×50＝

①35×50＝　　①48×50＝

②56×80＝　　②57×20＝

③69×20＝　　②72×20＝

①94×40＝　　①15×50＝

④13×40＝　　⓪28×40＝

②27×40＝　　②26×30＝

①39×30＝　　②22×90＝

③54×90＝　　④35×40＝

③43×40＝　　②48×30＝

③ 計算練習問題（一，十位で繰上り，和が繰上る）

75 ×25 ②	25 ×65 ①	30 ×57 ◎	41 ×57 ①
88 ×55 ③	19 ×62 ③	15 ×35 ②	40 ×35 ②
39 ×62 ⑤	29 ×59 ⑨	31 ×55 ③	45 ×54 ②
49 ×38 ④	22 ×19 ②	23 ×24 ②	34 ×24 ⑤
98 ×82 ⑤	39 ×62 ③	24 ×93 ⑤	26 ×33 ③
12 ×75 ②	93 ×95 ④	54 ×75 ①	99 ×83 ②

④ 計算練習問題（比較的容易なもの）

25 ×92 ③	67 ×22 ②	39 ×11 ②	55 ×47 ④
99 ×38 ⑤	30 ×37 ⑤	78 ×15 ①	65 ×39 ④
50 ×54 ⑤	83 ×22 ②	61 ×17 ③	25 ×16 ⑤
49 ×42 ⑤	82 ×14 ⑤	24 ×22 ④	40 ×30 ◎
38 ×60 ④	11 ×80 ①	30 ×52 ◎	40 ×53 ③
50 ×19 ③	51 ×89 ②	90 ×98 ①	12 ×55 ②

⑤ 計算練習問題（一，十位とも繰上り，和が十百で繰上りするもので比較的容易なもの）

まちがっていたらなおしなさい。

93 × 24 362 186 2222	49 × 48 392 196 588	53 × 36 318 159 1908	59 × 39 531 174 2271	68 × 75 340 4760 5100
74 × 44 296 296 3256	95 × 35 475 2850 3225	85 × 38 680 245 3130	95 × 54 380 455 4930	83 × 64 332 498 5812
19 × 58 152 545 5602	96 × 33 288 288 576	85 × 37 595 255 3145	55 × 55 275 2750 2225	55 × 99 505 505 5555
49 × 49 441 196 2401	33 × 95 205 297 3175	63 × 35 315 189 2205	84 × 25 420 168 2100	62 × 89 548 496 5508
55 × 95 275 505 5325	86 × 83 258 688 7138	99 × 38 297 792 1089	53 × 93 470 265 635	

⑥ 計算練習問題（比較的容易なもの）

10 ×61 ③	11 ×13 ①	10 ×45 ②	53 ×34 ①	41 ×12 ③
27 ×30 ④	23 ×94 ④	42 ×10 ③	17 ×20 ③	29 ×39 5
12 ×55 ①	10 ×61 ⑥	14 ×10 ③	11 ×34 ◎	50 ×35 ②
38 ×60 ⑨	34 ×55 ①	50 ×19 ③	40 ×30 ③	11 ×80 ①
86 ×53 ⑤	55 ×95 ①	51 ×89 ③	24 ×22 ①	

⑦ 計算練習カード（左から一，三行は容易なもの）

48×22 ④	66×68 ⑨	56×22 ③	93×59 ②
36×21 ④	78×77 ③	73×21 ⑤	38×74 ⑩
15×70 ③	92×78 ⑥	99×10 ④	84×97 ⑨
25×16 ④	34×88 ④	99×38 ③	66×79 ④
49×42 ⑤	72×96 ⑤	37×31 ①	96×45 ⑧
82×14 ③	47×65 ⑦	55×47 ③	86×60 ⑤

⑧ 計算練習カード（左から一，三行は困難なもの）

92×67 ④	89×59 ⑤	66×50 ③	34×55 ②
60×46 ⑤	12×55 ④	66×79 ⑦	54×13 ④
78×33 ④	10×61 ④	88×69 ⑥	55×47 ⑧
78×88 ⑧	11×13 ④	47×77 ⑥	25×32 ⑧
74×69 ⑥	15×43 ③	89×77 ⑥	67×22 ⑥
79×44 ⑤	38×60 ③	23×88 ⑤	35×11 ③

⑨ 計算練習問題

56×3＝	67×8＝
7×42＝	167×5＝
280×4＝	6×309＝
72×80＝	47×20＝
76×20＝	30×68＝
10×75＝	93×48＝
60×34＝	55×20＝
96×10＝	38×40＝
24×60＝	66×40＝

○1さつ25円のノート60さつではいくらですか。

○みかん1はこ 560 円でしいれました。
1はこは 112 こ入りです。これを1こ6円でうると，いくらもうかりますか。

⑩ 計算練習問題

98×9	87×6	406×6	237×7
850×9	39×38	78×73	68×83
59×69	63×57	13×82	39×64
48×75	81×42	54×37	29×92

○　1はこ 860 円のりんごを7はこしいれました。いくらですか。

○　1さつ15円のノートを1人に2さつずつ60人分かいました。いくらはらえばよいでしょう。

⑪の１　計算練習カード（数字のにたもの組合わせ）

11 ×15	22 ×22	56 ×65	33 ×79
63 ×36	41 ×55	46 ×77	20 ×66
57 ×73	23 ×32	66 ×33	82 ×28
11 ×11	22 ×52	99 ×92	84 ×84
35 ×55	45 ×54	74 ×47	46 ×66

⑪の２　計算練習カード（繰上りが２回，３回と重なるもの）

47 ×49	57 ×85	85 ×26	21 ×79
36 ×59	64 ×88	94 ×92	41 ×55
29 ×87	83 ×62	56 ×68	82 ×43
39 ×65	38 ×57	28 ×68	66 ×79
92 ×89	49 ×76	84 ×99	34 ×68

⑪の３　計算練習カード（九九の困難なもの組合わせ）

53 ×68	57 ×49	47 ×46	66 ×24
38 ×82	87 ×68	98 ×39	77 ×67
73 ×48	70 ×46	26 ×69	83 ×29
53 ×78	57 ×64	94 ×39	64 ×96
68 ×88	87 ×88	99 ×38	75 ×66

⑪の４　計算練習カード（位取り，特に０を含むもの）

10 ×55	80 ×32	46 ×30	11 ×38
82 ×13	40 ×70	36 ×50	93 ×40
10 ×63	20 ×56	70 ×13	89 ×50
90 ×50	34 ×21	11 ×25	24 ×30
10 ×24	98 ×30	40 ×45	20 ×30

⑫ 計算練習カード（仕上げ，その一）

99 ×57 ①	73 ×21 ③	23 ×94 ④	42 ×10 ③
17 ×20 ②	21 ×56 ③	11 ×13 ②	19 ×46 ⑤
87 ×39 ②	66 ×72 ④	88 ×69 ④	47 ×77 ③
89 ×78 ③	71 ×18 ②	34 ×99 ②	55 ×47 ③
56 ×63 ②	55 ×95 ①	26 ×10 ①	55 ×47 ③
22 ×39 ③	63 ×57 ④	87 ×43 ⑤	49 ×42 ②

⑬ 計算練習カード（仕上げ，その二）

40 ×24 ③	51 ×89 ③	83 ×22 ③	61 ×17 ③
53 ×36 ②	34 ×55 ④	34 ×88 ⑤	72 ×96 ⑥
47 ×65 ⑤	36 ×32 ③	29 ×74 ⑦	55 ×21 ②
40 ×30 ①	91 ×95 ①	55 ×21 ②	40 ×32 ①
97 ×94 ③	24 ×22 ⑤	31 ×89 ③	83 ×22 ②
61 ×17 ④	53 ×36 ①	62 ×27 ⑥	96 ×46 ⑦

〔テ　ス　ト〕

① 次のかけざんをしなさい。

48×8	5×37	125×6	3×924	63×24
3 (3)	2 (2)	2 (3)	3 (3)	11 (4)
21×50	30×60	80×73	67×81	
3 (3)	2 (2)	3(3)	9 (5)	

②

72 × 7	85 × 6	508 × 6	320 × 7	57 ×42
2 (3)	1 (1)	4 (2)	1 (1)	6 (2)
74 ×56	89 ×78	95 ×25		
7 (3)	10 (5)	8 (3)		

③ 1さつ12円でノート35さつしいれました。1さつ14円でうるともうけはみんなでいくらになるでしょう。

16 (5)

④ なしを1こ9円で 100こしいれました。1こ13円で80こ売り，のこりは7円にまけて売りました。いくらそんをしたでしょうか。また，とくしたでしょうか。

23 (5)

註「例」3(3)の(　)の外側の数字は誤算人数，内の数字は，そのうちで理解不十分の者の数である。

この単元の学習は，以上のようにして終ったが，更に前実験で行ったと同様に永続効果をみるために，学習終了2週間後，4週間後，8週間後にテストをして，その結果を前の学習結果と比べてみることにした。

このテストは，次のようにした。

① 指導計画にも述べてあるように，だいたいワーク・リミットを本体として練習をした。

② 練習は，学級の90％位の子どもが全部できた時に，やめている。その間の時間は，だいたい５分から10分である。

③ 理解不十分と見られる者については，反復練習中，個別的に指導していたので，記録はとっていない。ただ，永続効果などのテストは一様に行った。

④ 問題は，先年度の四年生についての研究の結果，「特に練習を要する問題」から作製したカードを用いてある。

はじめは容易な問題を主とし，カードの６，７ぐらいから難かしくなり，12，13では「仕上げ」という意味で，容易なものも困難なものも含めてある。

⑤ 永続効果のテスト問題は，２週間後のテストにはカード⑬を用い，４週間後はカード⑫を，８週間後はカード⑬を用いた。

⑥ テストは教科書にあるテスト問題を印刷したもので，学習直後のテストも，13週間後のテストも同じものを用いた。

結果の考察

［速度］については，だいたいカード⑧ぐらいから急に大きくなって来ている。これは，この表では，はっきり出ていないが，問題がだんだん複雑になり，むずかしくなっているにもかかわらず，時間は短縮されてきている。速いものは４分ぐらいで完全に終り，だいたい５分～６分ぐらいでできている。

これは，前年度の標準よりむしろ良いくらいである。（前年は５分で20題ぐらい）

［誤答数］については，だいたいコンスタントの状態か，あるいはそれより良くなっている者が多い。

これは問題がだんだん，むづかしくなってくることを考え合わせると，質的には向上して来たのではないかと考えられる。

これは，永続効果と合わせ考えることによって，一層その足とりの確かなことがわかる。

【13週間後のテストについて】

13週間後に，学習直後に行ったと同様の問題について，テストをしてみた。その問題と，結果を次にあげて，学習直後のテストと比較してみることにする。

3月8日（火）…学習後13週間目

① つぎのかけ算をしなさい。

	48×8	5×37	125×6	3×924	63×24
わり算	4	4	4	4	2
やらなかった	1	1	1	1	1
理解不十分	2	2	2	2	3
その他	2	2		1	5
計	9	9	7	8	11

	21×50	30×60	80×73	67×81
わり算	2	2	2	2
やらなかった	1	1	1	1
理解不十分	0	0	1	3
その他			0	2
計	3	3	4	7

②

	72×7	85×6	508×6	320×7	57×42
理解不十分	1	1	1	1	1
その他	1	0	4	2	5
計	2	1	5	3	6

```
  74      89      95
×56     ×78     ×25

 1⎫5     3⎫8     1⎫7
 4⎭      5⎭      6⎭
```

③　1さつ12円でノートを35さつしいれました。1さつ14円でうるともうけはみんなでいくらになるでしょう。

誤算者15（うち理解不十分5）

④　なしを1こ9円で100こしいれました。1こ13円で80こ売り，のこりは1こ7円にまけて売りました。いくらそんしたでしょうか。また，とくしたでしょうか。

同　19（同　5）

前のテストの結果と比べると，事実問題ではよくなっている。]

計算問題(1)の問題については，13週間後の方が劣っているが，これは割り算を学習した直後で，数名の者（かけ算は完全にできる者）が，うっかり全部わり算でしてしまった者があるので，この者を除けば，大差はなくなる。

(2)の問題については，ほとんど同じである。

また，前に理解不十分であった者のうち，2名ないし3名は，わかってきたことがわかる。

C　この実験についての反省

①　大体教科書の扱い時間が10時間であったが，それでは不十分と考えたので，13時間で扱ってみた。しかし，これでも，まだ，2時間位不足していると感じた。

②　単に計算の機械的な練習に終らないよう，つまり，いつも問題解決に役立つような態勢にするよう努めたが，まだ，不十分であった。

③　特に，理解不十分の者の指導が徹底しなかった。

④　子どもたちは家庭で大変よく復習したり，練習したりしてくるが，これについての指導も考えなければいけないと思った。

この事はあたり前のようであるが，普段から心掛けることは，児童の学習態度を良いものにする上に大切なことであると思う。

⑤　ただ，8週間後も13週間後も，ほとんど，学習直後の計算力を維持していたことは良かったと考えている。

⑥　反復練習は，やはり，10回（毎日1回の練習で）は必要であろう。

この指導を通じて感じたことは，計算の速度は，結果として要求されるもので，それだけをねらって指導計画を立てていくことはできない。

10回以上の練習では，初めは時間をかけて，ゆっくりとやり，だんだん間隔を大きくして行く。問題の内容としては，混入形式の問題（同一傾向の問題だけ練習するのではなく）をしばしば練習させることが必要である。すなわち，前に練習したもの，或は類似のものなどを混入したり，難易の問題を混入したりしておくことである。

今後の研究

今までは，計算（加法）についての反復練習の研究を，主として，練習曲線を中心に行ってきた。そこで，前にも述べたような反復練習の意義からも，今後はこの結果を日常の学習指導の面へくい込ませることについて，研究をさらにおし進めて行きたい。また，計算のような技能的なものを扱うにしても，問題解決に役立つようにすることを念頭において，問題の内容を検討していくとか，或は，論理的な思考力を伸ばすようなことについての反復練習をもとり上げて行くとか，なども今後の問題である。こうしたこととともに，子どもが自ら練習し，自ら評価して行くような態度を養うように，適切な指導法をも研究して行き度いと考えている。

第 II 部

静岡県湖西町立鷲津小学校

I　はじめに当って――研究した問題とその意義――

鷲津小学校が，文部省の初等教育実験学校として，算数指導における反復練習の問題を課せられたのは，昭和26年3月末で，以来3ヶ年間を経ている。これをまとめるに当って，本校の実験研究がどんな歩みを続けて来たかを述べておきたい。

1　研究題目として本校に提示された問題は，反復練習の指導を効果的にするために，

反復練習をしたとき　どんな練習曲線ができるか

反復練習は　どんなときにやめたらよいか

ということであった。

反復練習させる教材としては，計算，測定などいろいろあるが，本校では計算の基礎である九々をとりあげることにした。したがって，実際には，九九について，反復練習をしたとき，どんな練習曲線ができるか。また，その練習は，どんなときにやめたらよいかということになる。

2　算数科において反復練習が必要であることは，学習指導要領算数科篇の一般目標からも考えることができる。すなわち，一般目標として，次のようなことがらがあげられている。

(1)　生活に起きる問題を，必要に応じて自由自在に解決できる能力を伸ばす。

(2)　数量的処理をとおして，いつも生活をよりよいものにしていこうという態度を身につける。

(3) 数学的な内容について，理解を成立させ，数量を日常生活にうまく使っていくことができるようにする。

(4) 数学的な内容について，そのよさを明らかにする。

この目標を達するためには，学習したことがらを充分に身につけておき，実際の場に，いつでも適用することができるようにしておくことが必要である。しかし，いかに教師が綿密な指導計画をたて，子供の一人一人の能力に応ずるように指導の工夫をしても，子供たちは一度学習しただけで，その学習した技能を維持し続け，必要のある場合にいつでも使えるようになっていることが出来るかというと，これは，実際にはなかなか困難なことである。一度や二度の学習では，半信半疑のままでおる子どもも，多くの中にはできるし，一度はわかっていても，まったく忘れてしまうこともある。また，わかっていても，それを使いこなすだけに身についていない子どももいる。このような子どもは，まだこれから新しいことを生み出すことは困難である。このようなことのないように，習得された技能について，なんらの抵抗なしに，正しくしかも反射的にできるようにしておき，より高次な日常生活ができるように，計画的に指導の手をさしのべておくことが，算数科の目標を達する上に，どうしても必要であると考えられる。

反復練習というと，ただ単に繰り返し練習して機械的に記憶させることと考えやすいが，いつも同じことを繰り返すだけでは，これは犬や猿の調教となんら違うところはなく，子供の生命を失ってしまうおそれが多分にある。しかし，反復練習のねらいが，正しい反応を速く示すことにあるかぎり，子供たちに，ある一定の行為の形式ができるようにならなくてはならない。ここに非常な六ケ敷しさがあるわけである。われわれは，これを反復練習にはいる前の理解を十分調べることによって，不必要なことをさけるとか，個々の子どもの段階に合わせるとか，さらには，これから後の学習の発展に気づ

かせて，よりよい方法はないものかとたえず見つけ出させるだけの精神的な余裕をあたえるようにして，乗り越えることができないかと考えた。これが反復練習の問題をとりあげた裏にあるねらいである。われわれのねらいとする子どもは，型にはまったことだけしかできないような子供であってはならない。どの場合にもうまく適用ができる子どもであり，物に応じて新しいものを生み出したりする子どもでなくてはならない。すなわち，反復練習によって正しく，速く出来るようになるのは，この創造的な思考をはたらかせるのに，その抵抗をなくし，その余ゆうを与えるところに大きなねらいがあると考えたわけである。

反復練習のねらいを上述のように考えたが，次に問題になったことの一つは「理解」ということであった。これについて，理解とは，よくわかるということであり，よくわかるということは，多少時間がかゝっても，間違いなく意味がわかるようになるということである。また，他のいい方をすれば個々の知識が一般化されていて，いろいろな場合に適用が出来るまでに達していることであると一応考えた。従って，一つだけの覚えでは，まだ理解ではなくて，それは一つの経験を得たに過ぎない。その経験と同じ条件をもつ，他の多くの事実に適用できるようになっていることであるとしたのである。

このように，理解を考えるとして，実際に九々を反復練習する以前において，どのようなことを指導しておけばよいかということが，次に問題となったわけである。これについては，指導要領にある理解事項をとりあげることにした。その内容は，個々の指導のところであげることにする。

3　次に問題になったのは「反復練習を効果的にするため」ということであった。これについては，さきのねらいのところでものべたが，次のようなことを考えたのである。

(1) こどもに，ものごとの意味が理解できるようにすることは，相当にほねの折れる仕事である。しかも，こどもは，意味がわからなくても暗記することが割合にじょうずである。このようなことから，従来，とかく意味が理解されることをまたないで，すぐに反復練習するような指導が行われたのであろうと考えられる。たとえば，二位数に基数をかけるには，こんな手続ですればよいと，いったような指導がこれである。このような指導では，こどもは，どうしてこのように計算してよいのか，この計算がどんなところに使われるのかを理解することができない。またどうして，こんなに多くの時間をかけて反復練習するのかも，子どもにはわからない。このような意味から，反復練習にさきだって，反復練習をすることの意味やその必要性について，こどもが充分な理解をもっているようにしなくてはならない。

(2) なんでも，反復練習すればよいというのではなくて，ほんとうにくり返し練習することの必要なものだけに限って，反復練習することが必要である。

また，こどもによっても，誤りやすいところが異なるわけであるから，そのこどもに，特にどんなことについて反復練習すればよいかなどを十分考えてからとりかかる必要がある。

(3) 反復練習は，一般にこどもにとって，あまりおもしろいものであるとはいえない。これをおもしろくするために，こどもの競争心を考慮に入れたり，練習方法を変えたりするなど，工夫することが必要である。

以上のことにじゅうぶん注意して，実験をすゝめることにつとめた。

4 なお，九々の反復練習を実施するに当っては，問題の配列や，問題の数，実施する時期，練習の時間等について慎重に考慮した。また，実験児童

としては，あまり少人数では不確実な結果になると考えて，多数の児童を取り上げた。このために，その処理には，担任教師が多大の労力を費すことになったが，それだけ信頼性の高いものを出すことができたと考えている。

実際の実験研究は，ここで結果をまとめたように簡単に進んだわけではなく，特に，初めにおいては，試行錯誤が多く，計画にも幾多の紆余曲折があった。とにかく，昭和26年度には，九々のうち，加減法についてのみをとりあげて，全職員で実験にとりかかり，一応の見当をつけることができた。それで，昭和27年度には乗法の九々を，昭和28年度には除法の九々をとり入れて，一応全部の九九についての実験研究をすることができたのである。

とにかく，3年間にわたる実験をどうにかやりとげ，ここに一応のまとめをすることができた。この結果を詳細にのべて，広く，御批判を乞う次第であるが，これが算数指導についての実験的研究をしていく上に，また，日常の指導の上に少しでも役立てていただくことが出来れば幸と考える次第である。

昭和 30 年3月
鷺津小学校長　佐　原　照　雄

II 昭和26年度の研究

§1. 研究の概要

研究題目として，次のことをとりあげた。

「加法の意味を理解していることもは，加法九々を反復練習した場合，どんなに上昇するか。また練習曲線の型はどんなになるか。」

反復練習を要するものとしては，指導要領の中にある計算，単位関係，測定，問題解決等いくたの問題が考えられるが，これらの全部に亘っての研究は無理であり，到底できないことである。そこで，しぼりにしぼった結果，加法九々について研究することにした。この主な理由は，加法九々は加法計算の基礎となる技能であり，他の計算を的確に，しかも敏速にするために重要なものであると考えたからである。

このために，次のことがらを実施した。

1 予備調査

(1) いくつかの部分からできているものと考えられる集合数についての数の概念がわかっているかどうか

(2) 位取りの原理がわかっているかどうか

(3) 基数＋基数（繰上りのあるもの）の計算の意味がわかっているかどうか

2 加法の意味の理解についての診断テスト，ならびに，その指導

3 加法九々の反復練習（繰上りあるもの36種を主にして）

§2. 研究の実際

加法九々は，数の概念，位取りの原理，加法の意味の理解の三者がもとになってできる。この三者の理解なくして，加法九々を単に形式的に指導しても，実際に使えるものとはならないから，余り意味がないと考えられる。それで前記の予備調査，診断テスト，並びに指導を行い，さらに，加法の意味の理解について，その深浅を調べ，その結果，上，中，下に分けた。こうして3年生全員210名中より実験児童として55名を選出した。

A 予備調査

(1) **数の概念についての調査問題**

① ○○○と○○○○で□

② ○○○○と８で□

③ ９と□で15

④ ○○○○○ ○ と ○○○○○ ○○○ で□

⑤ □と３で11

⑥ ○○○○○ ○○○ は○○○○と□

⑦ ○○○○○ ○○○○○ ○○ は ○○○○○ ○ と□

⑧ 13は５と□

⑨ 13は□と５

⑩ 17は８と９ですか □
９と９ですか □
７と８ですか □
（よいのに○をつけなさい。）

(2) **同上についての指導**

予備調査の結果10題とも完全なものは，210名中116名で，他は不注意による誤りと思はれるものが大部分であった。例えば，13は5と□においで，□の中に[18]のように書いてしまう。そこで，不注意による誤算児童を集めて，

(a) おはじきを用いて

○○○○○○○○ と ○○○○○○ でいくつですか。

↓ ↓

8円 と 6円 でいくらですか。

8にいくつ加えたら10になるか，また，6にいくつ加えると10になるかを作業に訴えて発見させつつ，正答を求めさせた。

(b) 発問によって

① よせて11になる数は，いろいろありますが，話してみましょう。

② 8にいくつよせると11になりますか。

③ ○○○○○○○○といくつで○○○○○○○○○○○ですか。

④ 11は8よりいくつ多いでしょうか。それでは，11は8といくつですか。

と発問して，口答させたり，次のように書かせたりした。

11は8と3です。

このように，いくつかの事例によって，具体的に理解を得させた。

(3) **位取りの原理についての問題**

① 下のかずを十の位を○で，一の位を△であらわしてかきなさい。

34－□　　23－□

67－□　　51－□

② 下の□の中にかずをかき入れなさい。

[315 は]→ 100 のかたまりが□つ / 10 のかたまりが□つ / 1 が□つ

[504 は]→ 100 のかたまりが□つ / 10 のかたまりが□つ / 1 が□つ

③ 下のお金には，10円さつがなん枚ありますか，□の中にかき入れなさい。

302円　270円　645円　409円　810円

□　□　□　□　□

結果は，下記の通りで，意外に悪かった。

	第一問	第二問	第三問	全問題を通じて
実施児童数	209	209	209	
全正解答児童数	114	124	128	101
誤答のあった児童数	95	83	81	108
誤答者の百分率	45.4%	39.7%	38.7%	51.7%

(4) **同上の指導について**

各問題の誤算児童に対しての指導の一例を述べると，

(a) 第一問に対して

26の中には10がいくつ，1がいくつ，と発問して，わからない児童には，計算棒（又はおはじき）を並べさせ，10の束が（10の山が）いくつあるか，残りがいくつあるかを，動作を通して具体的に指導した。

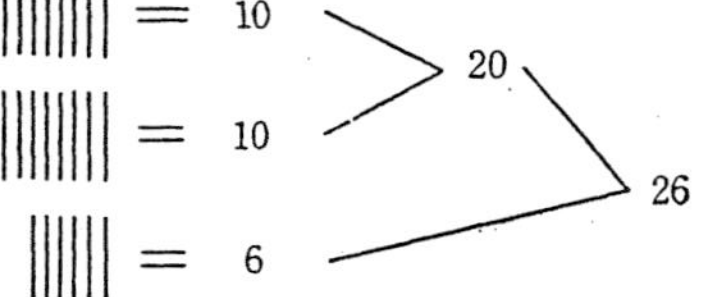

26は10と10と6で，10が2と6である。

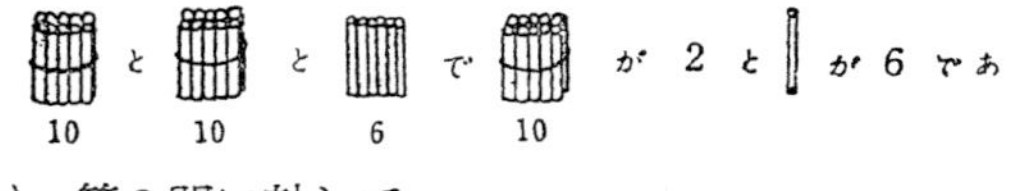

(b) 第2問に対して

着色の5センチ立方の積木を用いて指導した。すなわち，緑色のもの一個で1を表わし，赤色のもの一個で10を，黄色のもの一個で100を表わすことにする。これで，次のように位取りの原理を，いくつかの事例によって具体的に理解させる。

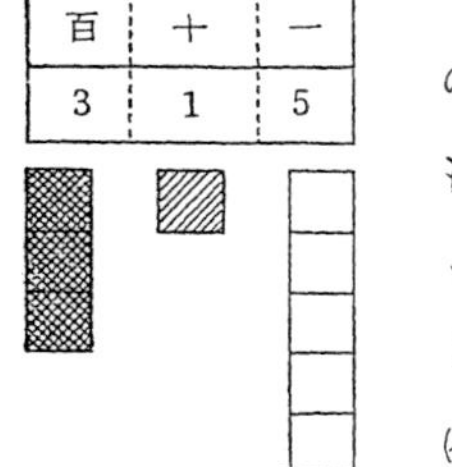

315の中に10がいくつあるかについて

(イ) 黄色，赤色，緑色の積木の示す位をはっきりつかませる。

(緑) (黄) (赤)

① 黄色一個では，赤色がいくつか。赤色一個では，緑色いくつを示すかを確める。

② 黄色一個のかわりに赤色をいくつならべるか。黄色二個では，三個では，と実演させる。

③ それでは，赤色（十の位を指示しながら）一個ありますからみんなで10がいくつになりますか。

このような指導を，他の事例によっても繰返し，二位数ならば十の位の数だけ10があること，三位数ならば，一の位より左二桁の数字の数だけ10があることに気づかせた。この指導は大変に有効であったと，考えている。

(c) 第三問に対しても，第二問の指導と同様に，模造紙幣を用いて具体的な操作によって理解させることができた。

(5) 基数＋基数（繰上りのある36種を主にして）

この予備テストは，時間を制限せずに筆答させ，隔日毎に三回実施した。その結果は，

	第一回	第二回	第三回	全回を通じて
実施児童数	210名	209名	210名	
全正解答者数	181	184	192	164
誤答児童数	29	25	18	46
同上百分率	13.8%	11.9%	8.5%	21.9%

上の表の示すとおりであって，46名のものについての誤算の内容はいろいろであった。その中には，不注意によるものと，二年生当時の学習において誤ったまま覚えてしまったのか，三回とも同じ問題を同じように誤答したものが15名あった。（7＋7＝13，8＋3＝12，4＋7＝10……など）今，参考に三回にわたるその誤答を全部拾ってみると，次のとおりである。

問題	誤答人数	誤答（ ）内はその人数	問題	誤答人数	誤答（ ）内はその人数
9＋2	2	15 18	7＋6	3	11(2) 12
9＋3	0		7＋7	5	13(2) 15(3)
9＋4	4	18 12(3)	7＋8	3	14 16 17
9＋5	3	10 15 19	7＋9	4	11(2) 14(2)
9＋6	2	14(2)	4＋6	0	
9＋7	3	11 17 18	6＋4	1	11
9＋8	4	16(3) 18	5＋5	0	
9＋9	5	14(3) 10 17	2＋4	0	
8＋3	2	12 17	6＋5	2	10 19
8＋4	2	13 14	6＋6	2	11 18
8＋5	2	12 14	6＋7	5	12(2) 14(3)
8＋6	4	12(2) 13 15	6＋8	2	15 16
8＋7	1	13	6＋9	3	11 14(2)
8＋8	4	13 15(2) 17	5＋6	3	10 13 17
8＋9	3	15(2) 16	5＋7	4	11 13 15 16
7＋4	1	16	5＋8	5	12(3) 16 18
7＋5	3	11 16 17	5＋9	3	12 13 19

4＋7	1	12			8＋2	1	11
4＋8	1	13			9＋1	0	
4＋9	4	12(2)	18(2)		3＋7	0	
3＋9	2	11	17		4＋2	0	
3＋8	1	10			3＋4	0	
2＋9	3	10	16	18	7＋3	0	
2＋8	0				4＋3	0	
1＋9	0				4＋4	0	

これでは，今後の算数学習に支障があると考えたので，次の方法によって個別指導をした結果，46名中42名は完全にこの誤りから救うことができた。

(6) **同上の指導について**

(a) 数えたす方法

① 白いコスモスの花が７つ，赤いコスモスが４つさきました。みんなでいくつさいていますか。

② 「白の７つと赤の４つ，みんなで」のことばから，ふえるのであるからよせることに気づかせ，７と○○○○では，「はち」，「く」，「じゅう」，「じゅういち」と，数えさせて，最後の数が，全体の個数をあらわすことを実物で指導した。

(b) 積木を用いて

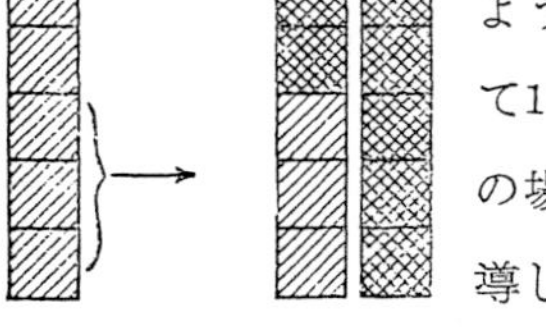

７＋５では，５を３と２に分解し，７と３で図のように10を構成してみせて，のこりの２を確認させて12となることを理解させた。８＋５，９＋５などの場合も，子ども自らにやらせて，その手ぎわを指導し，または，口で発表させながら，計算の方法をやらせてみた。

(c) 抽象数での指導

① 加数を分解してよせる場合

９＋６は，６の中の１だけ先に９によせて，10とし，それに残りの５をよせて15とする。

② 被加数を分解してよせる場合

９＋６は，９を分解して４と５とし，４と６で10，それに残りの５をよせて15とする。

その他，被加数も加数も一度分解してよせていく場合や，加法の途中で減法をとり入れてやる場合の指導もしたが，前述の二つの方法が児童にとってわかり易いものであった。

以上のように，予備調査とその指導をした後，いわゆる「かかれた問題」について，加法の意味の理解とその適用ができるかどうかの診断テストを行い，その処置に当ったのである。

B 理解したかどうかを知るためにどうしたか

理解したということは，よくわかるということであり，多少時間がかかっても，それと同じ類型のものについては，間違いなくできるようになることであると考えている。いわゆる一つ覚えでは，その同じものだけしかできないから，理解したということはできない。それと同じ条件を持つ他の多くの事実に適用できるようになっていなければならないわけである。この理解が確かであるかどうかは，まちがったことの否定ができると共に，その正しくない理由が明確にいえるかどうかなどでわかる。また，あいまいな問題に出会った場合，それに対して明確な判断ができるかどうかでわかるわけである。

このような見地に立って，理解に対するテスト，ならびにその指導に当った。

理解を知るためのテスト問題について実験したのは，加法九九だけについてであったけれども，指導要領の中からの加減計算の必要事項を選び出して，加法の理解問題六種（A，B，C，D，E，F），減法の理解問題六種（a，b，c，d，e，f）を作製した。

（当時の指導要領は，中間発表のものである）

(1) 指導要領よりとりあげた理解事項

① 加法に関して

「具体物や半具体物を用いて，加法で解決できる事実を理解する」と，あって，次のものがあげてある。この一つ一つを一つの型と考えた。

1. ふたつのグループのものをいっしょにして，その個数を知る。（A型の問題）
2. グループのものの個数がいくつかふえたときの総数を知る。（B型の問題）
3. 小さい方の順番とそれとのちがいを知って，他方の順番を知る。（C型の問題）
4. 加法は，小さい方の数とそれとの差がわかっている時に，大きい方の数を求めるのに用いられる。（D型の問題）
5. 加法は，取去った数と残りとを知って，もとの数を求めるときに用いられる。（E型の問題）
6. 加法は，へった順番の数とそれによっておきた結果の順番とを知って，はじめの順番を求めるのに用いられる。（F型の問題）

② 減法に関して

「具体物や半具体物を用いて，減法で解決できる事実を理解する」についても，加法のときと同じように考えた。

1. ふたつのグループについて，個数の差を知る。（a型の問題）
2. 残りを知る。（b型の問題）

3. あといくつたりないかを知る。c型の問題）
4. 順番のちがいを知る。（d型の問題）
5. はじめ同じ個数であったふたつのグループが，ふえたりへったりして，，ちがった数になったときに，その差をふえたり，へったりした部分の差によって知る。（e型の問題）
6. ふたつのグループの数が，同じだけふえたり，へったりした場合に，その差をもとのふたつのグループの個数の差によって知る。（f型の問題）

(2) 問題作製上の留意点

① 用語は指導要領にあるものを用いた。

② 問題は，質問形式をいろいろに変えてだした。

③ 子どもたちの日常生活の経験と遊離しないようにつとめた。

④ 形式的に解答することをさけるために，加法，減法の問題を混合して印刷した。

⑤ まぎらわしい問題，数値のない問題も毎回一問ずつ入れた。

⑥ 読みの抵抗を少なくするためにわかち書きにして，ひら仮名を用い，漢字にはよみがなをつけた。

⑦ 問題は，検定教科書八種類のものをもとにして作った。

(3) 診断テスト実施に当っての留意点

こどもに刺戟を与えないように，特に次のことを話した。

① 今からテストをやりますが，これは，みなさんの成績を調べるものではありません。

② 問題は，大変やさしいものです。おちついて，よく読んで，しっかり考えてやって下さい。

③ 友だちのものを見たり，また，お話をしないで下さい。

④ 全部やってしまったら，もう一度確めをして，まちがいがなかったら裏返して静かにして待っていて下さい。

⑤ 読めない字，わからない字がありましたら，だまって手をあげて下さい。

⑥ いくら考えても，わからないのには，なにも書かないで，そのままにしておいて下さい。

⑦ 文字や，数字はていねいに書いて下さい。では，はじめて下さい。

(4) 診断テスト問題の一例

つぎのもんだいをよくよんで，けいさんして答をかいてください。けいさんのやれないのは，「やれません」とかいて下さい。

どのもんだいも，よせざんのもんだいには○，ひきざんのもんだいには×を，□の中にかいてください。

① （A型の問題） 100 mきょうそうをしています。赤ぐみが28人白ぐみが26人います。みんなでなん人ですか。

② （B型の問題） きのう うんだ卵が，17こ はこにいれてあります。きょう うんだ16こをいれると 卵は ぜんぶで いくつになりますか。

③ （C型の問題） 10月の だいいち月よう日は ついたちです。つぎの日から かぞえて 14日めは だいさん月よう日です。だいさん月よう日は10月のなん日ですか。

④ （D型の問題） すずきくんは ふなを8ひきつりました。まつきくんは すずきくんより 3びきおおくつりました。まつきくんは なんびきつったでしょうか。

⑤ （E型の問題） なしを 56こ はこにいれました。まだ9こ のこっています。はじめのなしのかずはいくつですか。

⑥ （F型の問題） つぎの もんだいをよんで こたえをかいて下さい。

100 mきょうそうを しました。ぼくは なん人かおいこしたので 一等になりました。はじめぼくは なん等でしたか。

・このもんだいは なにがわかっていると 答がでますか。

・答をだすとしたら なにざんでやったらよいでしょうか。

① （a型の問題） いちくみの しゅっせきは48人で にくみの しゅっせきは 53人です。いちくみのしゅっせきは にくみより なん人すくないでしょう。

② （b型の問題） がようしが 50枚ありました。そのうち 32枚つかいました。のこりは なん枚ですか。

③ （c型の問題） きゅうりが 9本あります。となりへ 13本あげたいと 思います。あとなん本あれば よいでしょうか。

④ （d型の問題） かもつ列車が とおりました。せんとうから 12ばんめにハイヤーが，16ばんめにトラックが，のっていました。トラックは，ハイヤーのつぎからかぞえて なんばんめですか。

⑤ （e型の問題） どの本も 76ページあります。太郎くんは10ページ，三郎くんは，20ページよみました。ふたりのよみのこしたページの ちがいは なんページですか。

⑥ （f型の問題） つぎのもんだいをよんで，答をかいてください。

りかのじかんに ばったとりに いきました。正夫くんと よし子さんはふたりとも 正一くんから 3びきずつもらいました。よし子さんは，正夫くんより なんびきおおく もっていますか。

・このもんだいは，なにがわかって いなくては なりませんか。

・答をだすとすれば なにざんでやったらよいでしょうか。

(5) テストの結果の処理はどのようにしたか

①　第一回テストの結果（昭和26年９月14日実施）実験児童の成績を記すと，次の通りである。

児童番号	加			法			減			法		
	A	B	C	D	E	F	a	b	c	d	e	f
1	○	○	○	○	○	△	○	○	○	○	○	○
2	○	○	○	○	○	○	○	○	○	○	△	○
3	○	○	○	○	○	○	○	○	○	○	○	○
4	○	○	○	○	○	○	○	○	○	○	○	○
5	○	○	◬	○	○	○	○	○	レ	◬	○	◬
6	○	○	○	○	○	△	○	○	○	○	○	○
7	○	○	○	○	○	○	レ	◬	レ	○	◬	◬
8	△	△	◬	◬	△	◬	○	○	○	○	◬	◬
9	◬	◬	△	○	◬	◬	△	レ	○	○	◬	◬
10	○	○	◬	○	◬	△	○	○	○	○	○	△
11	○	○	○	○	○	○	○	○	○	○	○	○
12	○	○	○	レ	○	○	○	○	△	○	○	○
13	○	○	○	レ	○	○	○	○	○	○	○	○
14	○	○	○	○	○	○	○	○	○	△	○	○
15	○	○	○	レ	○	○	○	○	○	○	○	○
16	○	○	○	○	○	○	○	○	○	○	○	△
17	○	○	○	レ	○	○	○	○	○	○	○	○
18	○	○	○	無	○	○	○	○	○	無	○	○
19	○	○	○	○	○	○	○	○	△	○	○	○
20	○	○	○	◬	○	○	○	○	○	○	○	○
21	○	○	○	△	○	レ	○	○	○	○	○	○
22	○	○	○	△	○	○	○	○	○	○	△	○
23	○	○	△	○	○	◬	○	○	レ	レ	○	○
24	○	○	○	○	○	○	○	○	レ	レ	○	△
25	○	○	○	レ	レ	△	レ	○	○	○	○	○
26	○	○	○	レ	○	○	○	○	◬	レ	○	○
27	○	○	○	○	○	○	○	○	○	○	○	△
28	○	○	◬	◬	○	◬	○	○	レ	○	○	◬
29	○	○	◬	レ	○	レ	○	○	○	○	○	○
30	○	○	○	○	レ	レ	△	○	レ	レ	◬	レ
31	○	○	◬	レ	○	レ	○	○	レ	レ	○	△
32	○	○	○	レ	レ	○	○	○	△	レ	○	○
33	○	○	○	レ	○	○	△	○	○	○	○	○
34	○	○	○	○	○	○	○	○	○	△	○	△
35	○	レ	◬	○	○	レ	○	○	レ	○	○	△
36	△	○	○	○	レ	○	○	○	○	○	○	△
37	○	○	○	無	○	○	○	○	△	○	○	○
38	○	○	○	レ	○	レ	○	○	レ	△	◬	△
39	○	○	レ	レ	○	◬	○	△	○	○	レ	○
40	○	○	△	レ	○	◬	○	○	レ	○	◬	△
41	○	○	○	レ	レ	レ	○	○	△	レ	△	レ
42	○	○	○	レ	△	○	○	○	○	○	○	△
43	○	○	○	○	レ	○	○	○	◬	○	△	○
44	○	○	○	○	○	レ	○	○	△	○	◬	△
45	○	レ	△	◬	○	◬	○	レ	△	◬	○	◬
46	◬	◬	◬	◬	◬	△	レ	◬	△	レ	◬	◬
47	○	○	○	◬	△	レ	○	○	レ	レ	◬	◬
48	○	○	○	○	○	レ	△	◬	◬	レ	◬	◬
49	◬	○	○	◬	レ	レ	○	○	◬	◬	◬	△
50	○	○	○	○	レ	△	○	△	◬	○	レ	◬
51	○	○	○	レ	○	◬	○	○	◬	レ	レ	◬
52	◬	○	○	◬	○	◬	○	○	○	◬	◬	◬
53	○	○	◬	○	○	◬	○	○	○	◬	◬	レ
54	○	○	◬	◬	○	レ	○	○	△	○	◬	△
55	○	○	○	◬	○	○	○	△	○	○	△	△

（備　考）

レ……答は正しいが，加法の問題を減法に，減法の問題を加法と誤って判断したもの

△……加減の問題の区別はついても，結果が誤っているもの（名数の答を不名数にて答えたものも含む）

◬……でたらめのもの

無……無答のもの

○……正しく答えたもの

②　第一回のテスト後の指導をいかにしたか

1.　◬印の児童の指導に主眼をおいて，個別指導をした。

2.　積木を用いて，基数及び20未満の二位数についての数の概念を得させる。

3.　位取りの原理について指導する。

4.　記号（＋，－，＝）は，いかなる時に用いるかを，具体例について指導する。

5.　記号（＋，－，＝）は，いかなる言葉のかわりに用いるかを実例によって指導する。

③　第二回テストの結果（昭和26年９月26日実施）実施児童の成績は，次の通りであった。

児童番号	加					法	減					法
	A	B	C	D	E	F	a	b	c	d	e	f
1	○	○	○	○	○	○	○	○	レ	○	○	○
2	○	○	○	○	○	○	○	○	○	○	○	○
3	○	○	○	○	○	○	○	○	○	○	○	○
4	○	○	○	○	○	○	○	○	△	○	○	○
5	○	○	○	○	○	○	○	○	○	○	○	○
6	○	○	○	○	○	△	○	○	レ	○	○	○
7	○	◬	△	◬	○	○	レ	△	レ	レ	◬	○
8	○	○	◬	△	△	△	◬	△	◬	レ	レ	△
9	○	△	◬	レ	レ	○	○	○	レ	△	◬	◬
10	○	○	○	△	△	◬	○	○	レ	△	△	△
11	○	○	○	○	○	○	○	○	○	○	○	○
12	○	○	○	○	○	○	○	○	レ	○	○	○
13	○	○	○	○	○	○	○	○	○	△	○	○
14	○	○	○	○	○	○	○	○	○	○	○	○
15	○	○	○	○	○	○	○	○	○	○	○	△
16	○	○	○	○	○	○	○	○	○	○	○	○
17	○	○	○	○	○	○	○	○	△	○	○	○
18	○	○	○	○	○	○	○	○	○	○	△	○
19	○	○	○	○	○	○	○	○	○	○	○	○
20	○	○	○	○	○	○	○	○	△	○	○	○
21	○	○	レ	○	○	○	○	○	○	○	○	△
22	○	○	△	○	○	○	○	○	レ	○	○	○
23	○	○	△	○	○	○	○	○	レ	○	○	○
24	○	○	○	○	○	レ	○	△	○	○	レ	○
25	○	レ	レ	○	○	○	○	○	レ	○	○	△
26	○	○	△	◬	△	○	○	○	○	○	○	△
27	○	○	○	○	○	○	○	○	○	○	○	○
28	○	○	◬	○	○	◬	△	○	レ	○	○	○
29	○	○	○	レ	○	レ	○	○	レ	○	△	○
30	○	○	○	○	レ	◬	レ	○	レ	△	○	◬
31	○	○	○	○	レ	○	○	○	○	○	○	○
32	○	○	レ	○	○	レ	○	○	○	○	○	○
33	○	○	○	○	○	レ	○	○	○	○	△	△
34	○	○	○	○	○	○	○	○	△	○	○	○
35	○	○	レ	◬	レ	○	○	○	○	○	○	○
36	○	○	△	○	レ	○	○	○	△	△	○	○
37	◬	○	○	レ	○	○	○	○	◬	○	△	○
38	○	○	レ	○	○	○	○	○	レ	○	△	○
39	○	○	△	◬	○	○	レ	○	○	○	○	△
40	○	△	○	○	○	○	○	○	○	○	○	△
41	○	○	○	○	レ	○	○	○	△	○	△	○
42	○	○	○	○	△	◬	○	○	○	○	○	○
43	○	○	○	○	△	△	○	○	◬	○	○	△
44	○	○	○	○	○	レ	○	○	レ	○	○	△
45	○	○	◬	◬	レ	○	レ	レ	△	◬	レ	◬
46	○	○	◬	○	△	△	○	○	◬	△	◬	レ
47	○	レ	△	△	○	◬	レ	△	レ	◬	○	◬
48	○	◬	△	△	◬	◬	○	○	△	レ	◬	レ
49	○	○	レ	○	レ	◬	○	レ	レ	◬	◬	△
50	レ	○	レ	無	◬	◬	△	△	レ	△	◬	◬
51	レ	◬	△	○	○	◬	○	○	レ	△	◬	◬
52	○	○	◬	△	△	◬	レ	◬	◬	レ	レ	△
53	○	○	レ	○	○	△	○	△	レ	○	○	△
54	○	○	△	◬	○	△	○	○	◬	○	○	◬

55	○	○	○	△	○	○	○	○	△	○	◬	○

④ 第二回のテスト後の指導をいかにしたか。

1. レ印と△印の児童の指導に主眼をおいて，個別指導及び，グループ別指導をした。

2. 第一回の指導を継続し，A，B，C，D，E，F，及び，a，b，c，d，e，fの各種毎に，誤算児童をグループ別にし，テストの結果について，自己再評価を行わせ，類似の問題について考えさせた。

3. 特に誤算の多いC，D，E，Fや，c，d，e，fの問題については，積木や，おはじきを用いて指導した。たとえば，

(イ) ○○○○○○○○と○○○○○○○ではいくつですか。

8円　と　7円　ではいくらですか。

(ロ) よせて（あわせて）15になる数には，どのようなのがありますか。かいてごらんなさい。

(ハ) 8になにをよせると，15になりますか。

(ニ) 15は8よりいくつ多いでしょうか。

(ホ) それでは，15は8といくつですか。

のように，発問によって，個別指導をした。

⑤ 第三回テストの結果（昭和26年10月5日実施）実験児童の成績は，次の通りであった。

児童番号	加				法		減				法	
	A	B	C	D	E	F	a	b	c	d	e	f
1	○	○	○	○	○	○	○	○	○	○	○	○
2	○	○	○	○	○	○	○	○	○	○	○	○
3	○	○	○	○	○	○	○	○	○	○	○	○

4	○	○	○	○	○	○	○	○	○	○	○	○
5	○	○	レ	○	○	○	○	○	○	○	○	○
6	○	○	○	○	○	○	○	○	○	○	○	○
7	○	△	○	△	△	◬	レ	○	○	◬	レ	レ
8	◬	◬	○	△	◬	○	◬	○	レ	レ	△	○
9	◬	△	◬	◬	△	△	◬	◬	◬	◬	◬	○
10	○	○	○	○	○	レ	○	○	○	△	○	○
11	○	○	○	○	○	○	○	○	○	○	○	○
12	○	○	○	○	○	○	○	○	○	○	○	○
13	○	○	○	○	○	○	○	○	○	○	○	○
14	○	○	○	○	○	○	○	○	○	○	○	○
15	○	○	○	○	○	○	○	○	○	○	○	○
16	○	○	○	○	○	○	○	○	○	○	○	○
17	○	○	○	○	○	○	○	○	○	○	○	○
18	○	○	○	○	○	○	○	○	○	○	○	○
19	○	○	○	○	○	○	○	○	○	○	○	○
20	○	○	○	○	○	○	○	○	○	○	○	○
21	レ	○	○	○	○	○	△	○	○	○	○	○
22	○	○	○	△	○	○	○	○	○	○	△	○
23	○	○	○	レ	○	○	△	○	○	○	○	レ
24	○	○	○	○	○	○	○	○	△	○	○	○
25	△	△	○	○	○	○	レ	△	○	○	○	○
26	○	レ	○	○	○	△	○	○	レ	○	○	○
27	○	○	△	○	○	○	○	○	○	○	△	○
28	○	△	○	△	○	○	○	○	○	○	レ	○
29	レ	○	◬	○	○	○	○	○	○	○	○	△
30	○	○	△	○	○	○	レ	○	○	レ	○	○
31	○	○	○	○	○	○	○	◬	レ	△	レ	○
32	○	○	○	○	○	○	○	○	○	レ	◬	○
33	○	○	○	○	○	○	○	○	○	○	○	○
34	○	○	○	○	○	レ	○	○	○	△	○	△
35	レ	○	○	○	○	◬	○	○	○	○	レ	○
36	○	◬	○	○	○	○	レ	○	△	○	○	○
37	○	○	○	○	○	△	○	○	○	○	△	○
38	レ	○	○	○	○	◬	○	○	△	レ	◬	○
39	レ	○	○	○	○	○	△	○	○	○	△	△

40	○	○	○	○	○	○	△	○	レ	○	○	△
41	○	○	○	○	○	レ	○	◬	○	○	△	△
42	○	○	○	○	○	○	○	○	○	○	○	○
43	○	○	○	○	○	○	レ	○	○	○	△	○
44	○	○	レ	○	○	○	○	○	○	○	△	○
45	レ	○	△	レ	レ	◬	レ	◬	◬	◬	レ	○
46	◬	○	◬	○	レ	○	◬	◬	◬	◬	レ	レ
47	レ	○	◬	△	レ	レ	レ	◬	レ	△	◬	◬
48	○	◬	◬	無	△	レ	◬	レ	無	レ	◬	○
49	○	◬	○	無	レ	○	○	○	無	◬	◬	○
50	レ	○	△	レ	レ	レ	◬	◬	◬	レ	◬	△
51	レ	◬	○	◬	○	○	レ	○	△	◬	◬	◬
52	レ	○	○	レ	○	◬	△	○	△	レ	レ	◬
53	○	○	○	◬	○	レ	△	○	レ	○	△	○
54	○	○	○	△	○	レ	○	○	○	○	○	△
55	○	○	○	レ	◬	○	△	○	○	△	△	○

⑥ 第三回のテスト後の指導をいかにしたか

テスト問題と類似の問題を用いて，レ印，△印，◬印の児童を救うために，各類型毎に誤算児童をあつめ，個別的に従前の方法によって指導すると共に，特に論理的に考えるようにするために，次の発問形式によって指導した。

(イ) この問題には，どんなことが書いてありますか。

(ロ) この問題でわかっていることは，なにとなにですか。

(ハ) この問題は，なにをきいているのですか。

(ニ) どうすれば，答がでますか。

(ホ) どんな答になったら，よいでしょうか。

(ヘ) 答をだしてごらんなさい。

(ト) 答は，それでよいのですか。

このようにして，計算の背後にある原理，原則，計算の意味，働き，及び問題の中にひそむ事実の究明等についての指導に力を注いだのである。

⑦ 第四回テストの結果（昭和26年10月20日実施）実験児童の成績は，次のとおりである。

児童番号	加					法	減					法
	A	B	C	D	E	F	a	b	c	d	e	f
1	○	○	○	○	○	○	○	○	○	○	○	○
2	○	○	○	○	○	○	○	○	○	○	○	○
3	○	○	○	○	○	○	○	○	○	○	○	○
4	○	○	○	○	○	○	○	○	○	○	○	○
5	○	○	○	○	○	○	○	○	○	○	○	○
6	○	○	○	○	○	○	○	○	○	○	○	○
7	○	△	○	◬	△	○	○	○	◬	◬	○	◬
8	○	◬	△	○	◬	○	レ	○	○	◬	○	○
9	○	△	レ	△	○	○	○	○	△	△	△	○
10	○	△	○	○	○	○	△	○	◬	○	○	○
11	○	○	○	○	○	○	○	○	○	○	△	○
12	○	○	○	○	○	○	○	○	○	○	○	○
13	○	○	○	○	○	○	○	○	○	○	○	○
14	○	○	○	○	○	○	○	○	○	○	○	○
15	○	○	○	○	○	○	○	○	○	○	○	○
16	○	○	○	○	○	○	○	○	○	○	○	○
17	○	○	○	○	○	○	○	○	○	○	○	○
18	○	○	○	○	○	○	○	○	○	○	○	○
19	○	○	○	○	○	○	○	○	○	○	○	○
20	○	○	○	○	○	○	○	○	○	○	○	○
21	○	○	○	○	○	○	○	○	○	○	○	○
22	○	○	レ	○	○	○	○	○	○	○	○	○
23	○	○	○	○	○	○	○	○	○	○	○	○
24	○	○	○	○	○	○	○	○	△	○	○	○
25	○	○	○	○	○	○	○	○	○	○	○	○
26	○	○	○	○	○	○	○	○	○	○	○	○
27	○	○	○	○	○	○	○	○	○	○	○	○
28	○	○	○	○	○	○	○	○	○	○	○	○
29	○	○	○	○	○	○	○	○	○	○	○	○
30	○	○	○	○	○	○	○	○	○	○	○	○

31	○	○	○	○	○	○	○	○	○	○	○	○
32	○	○	○	○	○	○	○	○	○	○	○	○
33	○	○	○	○	○	○	○	○	○	○	○	○
34	○	○	○	○	○	○	○	○	○	○	○	○
35	○	○	○	○	○	○	○	○	○	○	○	○
36	○	○	○	○	○	○	○	○	○	○	○	○
37	○	○	○	○	○	○	○	○	○	○	○	○
38	○	○	○	○	○	○	○	○	○	○	○	○
39	○	○	○	○	○	○	○	○	○	○	○	○
40	○	○	○	○	○	○	○	○	○	○	○	○
41	○	○	○	○	○	○	○	○	○	○	○	○
42	○	○	◬	○	○	○	○	○	○	○	○	レ
43	○	○	○	○	○	○	○	○	○	○	○	○
44	○	○	○	○	○	○	○	○	○	○	○	○
45	○	○	△	△	○	○	○	○	レ	○	○	○
46	○	△	○	○	○	◬	○	○	レ	◬	○	レ
47	○	○	○	△	△	○	○	○	○	◬	◬	○
48	◬	○	○	◬	○	○	○	○	○	○	○	○
49	○	◬	○	◬	○	○	○	レ	○	◬	◬	○
50	○	◬	○	◬	○	○	○	○	○	○	○	△
51	○	○	○	○	○	○	レ	○	◬	○	○	○
52	○	○	◬	◬	○	○	○	○	◬	◬	○	レ
53	○	○	○	△	○	○	○	○	○	○	○	○
54	○	○	○	レ	○	○	○	○	◬	◬	○	レ
55	○	○	◬	○	○	○	△	無	無	無	無	無

以上４回の診断テストの結果の集計は，次の表のとおりである。

⑧　第四回のテスト後の指導はいかにしたか。

第三回後の指導と同一方法によって，論理的思考力の養成を目ざして，各児のテストの結果を再評価させ，その誤りについて訂正させた。

加法の意味の理解についての診断テストの集計表（実験児童55名分）

回	加法問題類型	A	B	C	D	E	F	加法 小計	加法 %
1回	正答	49	50	39	26	41	27	232	70.3
	無答	—	—	—	2	—	—	2	0.6
	誤答 レ	—	2	2	15	8	12	39	
	誤答 △	2	1	4	2	3	6	18	
	誤答 ◬	4	2	10	10	3	10	39	
	誤答 計	6	5	16	27	14	28	96	29.1
2回	正答	52	48	32	39	38	34	243	73.6
	無答	—	—	—	1	—	—	1	0.3
	誤答 レ	2	2	7	3	8	5	27	
	誤答 △	—	2	10	6	7	6	31	
	誤答 ◬	1	3	6	6	2	10	28	
	誤答 計	3	7	23	15	17	21	86	26.2
3回	正答	41	44	44	41	45	39	254	77·0
	無答	—	—	—	1	—	—	1	0.3
	誤答 レ	10	2	2	5	5	8	32	
	誤答 △	1	4	4	5	3	5	22	
	誤答 ◬	3	5	5	3	2	3	21	
	誤答 計	14	11	11	13	10	16	75	22.7
4回	正答	54	49	51	45	52	53	304	92.1
	無答	—	—	—	—	—	—	0	
	誤答 レ	—	—	—	1	—	1	2	
	誤答 △	—	3	2	4	2	—	11	
	誤答 ◬	1	3	2	5	1	1	13	
	誤答 計	1	6	4	10	3	2	26	7.9

回	減法問題類型	a	b	c	d	c	f	減法 小計	減法 %
1回	正答	49	47	29	34	31	26	216	65.5
	無答	—	—	—	1	—	—	1	0.3
	誤答 レ	2	1	11	11	4	2	31	
	誤答 △	4	4	9	3	6	6	42	
	誤答 ◬	—	3	6	6	14	11	40	
	誤答 計	6	8	26	20	24	29	113	34.2
2回	正答	46	45	22	39	35	33	220	66.7
	無答	—	—	—	—	—	—	0	
	誤答 レ	6	2	18	4	3	2	35	
	誤答 △	2	7	9	8	9	13	58	
	誤答 ◬	1	1	6	4	8	7	27	
	誤答 計	9	10	33	16	20	22	110	33.3
3回	正答	36	46	38	38	31	38	227	69.0
	無答	—	—	1	—	—	—	1	0.3
	誤答 レ	7	1	7	5	6	6	32	
	誤答 △	7	1	5	6	11	18	38	
	誤答 ◬	5	7	4	6	7	3	32	
	誤答 計	19	9	16	17	24	17	102	30.7
4回	正答	51	53	46	46	49	48	293	89.0
	無答	—	1	1	1	1	1	5	1.5
	誤答 レ	2	1	1	—	—	4	8	
	誤答 △	2	—	2	1	3	1	19	
	誤答 ◬	—	—	5	7	2	1	15	
	誤答 計	4	1	8	8	5	6	32	9.5

備考　第４回の成績が，第３回の成績とくらべて，向上のひらきがよすぎるのは，次の点にあると思われる。

(1)　まぎらわしい質問形式を課さなかったこと
(2)　数値のない問題を課さなかったこと
(3)　指導直後にテストしたこと
(4)　教師が問題をよんでやったこと

C　実験児童の選出

今までは，三年生全員(210名）に対して，診断テストを実施したので，労多くして，その指導も徹底をかいた感があった。4回のテストにもとづいて，各児の成績を詳細に再検討し，本校で次の尺度を作って，理解の深浅を上，中，下の三種にわけた。

(1)　基準尺度

上	中	下
加減法において，最後の3回について，各項目の問題が全部できたもの	加減法に於いて，最後の3回について，各項目の問題の正答数が $^2/_3$ 以上のもの	加減法において，最後の3回の各項目の問題の正答数が $^2/_3$ 以下のもの (註)　中には，同じ項目の問題を全部誤答したものもある

前述の尺度によって分類した結果，

理解（上）と見られたもの……………21名

理解（中）と見られたもの……………47名

理解（下）と見られたもの………… 142名

(2)　実験児童の選び方

(a)　分類された上，中，下の中から次の観点で選んだ。

①　身体的に欠陥のないもの

②　4月以降10月末までに欠席しなかったもの

③　学級担任の負担を考慮して，総数をおよそ一学級の人員になるようにする。

(b)　実験児童の学級別の人員は，次のとおりになった。

実験児童学級別理解別人員

学級		在籍児童数	理解の深浅			計
			上	中	下	
3	A	52	3	6	4	13
3	B	53	4	5	4	13
3	C	53	4	8	3	15
3	D	52	3	7	4	14
合計		210	14	26	15	55

D　反復練習の問題

(1)　問　　題

加法九九の繰上りのあるものを主として（題数は50題）6種類（1号……6号）活版で刷り，各種毎に配列をことにした。この九九は次のとおりである。

①	2＋1＝	⑱	9＋2＝
②	1＋8＝	⑲	7＋8＝
③	6＋4＝	⑳	2＋9＝
④	2＋6＝	㉑	9＋5＝
⑤	4＋9＝	㉒	4＋7＝
⑥	3＋7＝	㉓	8＋9＝
⑦	2＋4＝	㉔	4＋8＝
⑧	5＋1＝	㉕	5＋8＝
⑨	8＋2＝	㉖	9＋9＝
⑩	3＋2＝	㉗	8＋6＝
⑪	1＋3＝	㉘	5＋7＝
⑫	1＋9＝	㉙	8＋8＝
⑬	6＋2＝	㉚	3＋9＝
⑭	2＋5＝	㉛	8＋5＝
⑮	9＋4＝	㉜	6＋7＝
⑯	7＋9＝	㉝	9＋8＝
⑰	6＋5＝	㉞	4＋7＝

㉟	6＋6＝	㊸	7＋6＝
㊱	9＋7＝	㊹	5＋9＝
㊲	3＋8＝	㊺	7＋5＝
㊳	4＋9＝	㊻	8＋7＝
㊴	9＋6＝	㊼	9＋3＝
㊵	6＋8＝	㊽	6＋9＝
㊶	8＋3＝	㊾	5＋6＝
㊷	7＋4＝	㊿	8＋4＝

(2) 配 列 の 方 法

結果の同じものが連続しないように留意した。

(3) 問題提出のしかた

1日1回，30日連続して行った。最初の日だけ，問題のやり方について，できるだけわかり易く説明した。

実施前の紙のおき方，記入のしかた，計算などが気楽にやれるように注意し，自分の力で手速く書くように指導した。

(4) 各種の出し方

月曜日に1号，火曜日に2号，水曜日に3号，木曜日に4号，金曜日に5号，土曜日に6号とした。

(5) 練 習 の 時 期

第1時の始業前に実施した。

(6) 練 習 の 時 間

1回1分間に制限をした。

(7) 練 習 の 方 法

筆答前2分間，フラッシュカードにより練習，ひきつづいてデーターをとるため，前記(6)により筆答させた。

E 反復練習の結果

毎回のテストで解答したものには，誤答はほとんどなかった。

連続30日にわたる反復練習の成績をまとめた結果，次のことがわかった。

(1) 理解している児童は上昇率が高く，理解の浅い児童の上昇は低い

理 解 と 上 昇 率 と の 関 係

理解の深浅 / 上昇率	上	中	下	計
2(mの値)	1人(7.1%)	1人(3.8%)	0人	2人
1.5	1 (7.1%)	2 (7.7%)	0	3人
1.0	8 (57.1%)	8 (30.8%)	2 (13.8%)	18人
0.5	3 (21.4%)	11 (43.3%)	5 (33.3%)	19人
0	1 (7.1%)	4 (15.4%)	8 (53.5%)	13人
計	14 (100%)	26 (100%)	15 (100%)	55人

（mの値の意味については，（2）を参照すること）

上の表に示すように，理解の上の者では，上昇率1.0の者が最も多く8人であり，理解中の者では，上昇率0.5のものが最も多く11人となっている。理解下の者では，上昇率が0であるものが最も多く8人である。このように分布の山が理解の程度とともにだんだんさがっていることがわかる。

(2) 上昇率は次のようにしてきめた

反復練習の結果を，回数をx軸に，素点をy軸にとって表わすと，折れ線グラフができる。このままでは，比較するのに不便であるので，これを，次のような直線で近似して考えることにしたのである。すなわち，

$$y=mx+k$$

mは，この直線のこうばいを表わすわけであるが，このmの値をここでは上昇率と呼ぶことにしたのである。このm及びkを数値から決めるに当っては，最小自乗法を用いた。すなわち，次の連立方程式を解けばよいことがわかっている。

$$\begin{cases} nk+Am=B \\ Ak+Cm=D \end{cases}$$

この方程式で，$A=\sum_i x_i$（回数を表わす数の総和），$B=\sum_i y_i$（素点の総和），$C=\sum_i x_i^2$（回数を表わす数の2乗の総和），$D=\sum_i x_i y_i$（回数を表わす数と，素点の積の総和）であり，nは総回数を表わす。

これを，一つの例で示すと，次のように計算される。

回数 x	点数 y	x^2	xy
1	24	1	24
2	26	4	52
3	26	9	78
4	25	16	120
5	28	25	140
6	28	36	168
7	28	49	196
8	32	64	256
9	35	81	315
10	36	100	360
11	35	121	385
12	32	144	384
13	35	169	455
14	36	196	504
15	35	225	525
16	40	256	640
17	38	289	646
18	41	324	738
19	40	361	760
20	29	400	780
21	44	441	924
22	40	484	880
23	39	529	897
24	41	576	984
25	46	625	1150
26	46	676	1196
27	41	729	1097
28	48	784	1344
29	48	841	1392
30	41	900	1230
計 A＝465	B＝1093	C＝9455	D＝18620

x，y，x^2，xy の合計であるA，B，C，Dの値を次の連立一次方程式に代入する。

n＝30（回数）

$$\begin{cases} nk+Am=B \\ Ak+Cm=D \end{cases}$$

$30k+\ 465m=\ 1093$……(1)

$465k+9455m=18620$……(2)

これを解いて，

$k≒24.870$

$m≒0.746$

F　練習曲線の類型はどうであったか

(1)　曲線の処理

類型の有無をみやすくするために，6日毎の移動平均で，その処理をしてみた。

(2)　類型はどうであったか

(a)　曲線にはいろいろの型が予想される。

(b)　週を単位としてみた特色のある傾向として，次のようなことが見うけられた。

① 毎週同じような傾向を示した者があった。（A型）８名

② 第１週と，第３週は同じような傾向を示し，第２週が第４週と反対の傾向を示した者があった。（B型）３名

③ 第１週と第３週とは同じような傾向を示し，第２週は第４週と同じような傾向を示した者があった。（C型）10名

④ 第１週と第４週とは同じような傾向であり，第２週が第３週と反対の傾向を示した者があった。（D型）24名

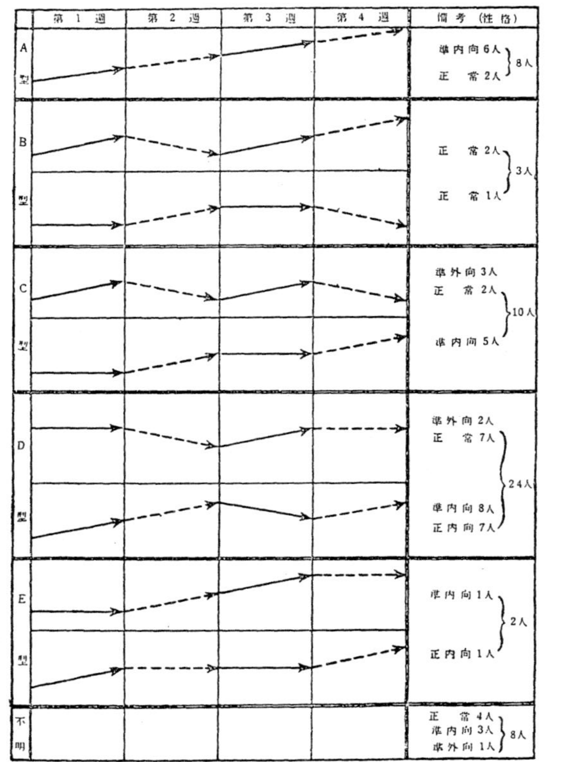

	第１週	第２週	第３週	第４週	備考（性格）
A型					準内向 6人、正　常 2人 } 8人
B型					正　常 2人、正　常 1人 } 3人
C型					準外向 3人、正　常 2人、準内向 5人 } 10人
D型					準外向 2人、正　常 7人、準内向 8人、正内向 7人 } 24人
E型					準内向 1人、正内向 1人 } 2人
不明					正　常 4人、準内向 3人、準外向 1人 } 8人

⑤ 第１週と第４週とは同じような傾向を示し，第２週は第３週と同じような傾向を示した者があった。（E型）２名

⑥ きまった傾向のないもの。（？）８名

これを表に示すと，前ページのとおりである。

はじめは，ほぼ同一の形になるであろうと，予想していたのであるが，結果はいろいろであった。

これにはいくたの条件がからみあっていると考えられるが，本年度はこれを明らかにすることができなかった。

(c) 実験児童について，こまかい変化をみるために，３日毎の移動平均を用いて調べてみた。これについて，次のような型がみられた。

① 凸状型（14名）

はじめ急に上昇したが，しだいにゆるやかになったもの

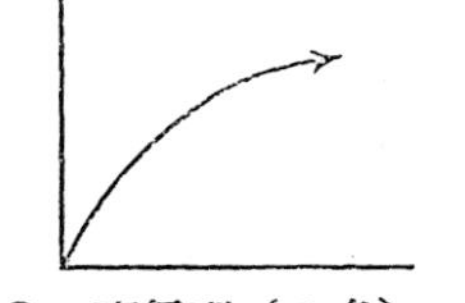

② 直行型（５名）

はじめから終りまで絶えず同様に上昇していったもの

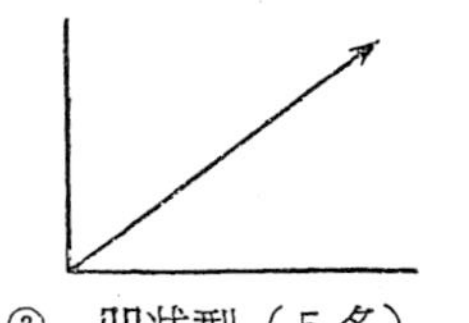

③ 凹状型（５名）

はじめはゆるやかで，15日目頃から急に上昇していったもの

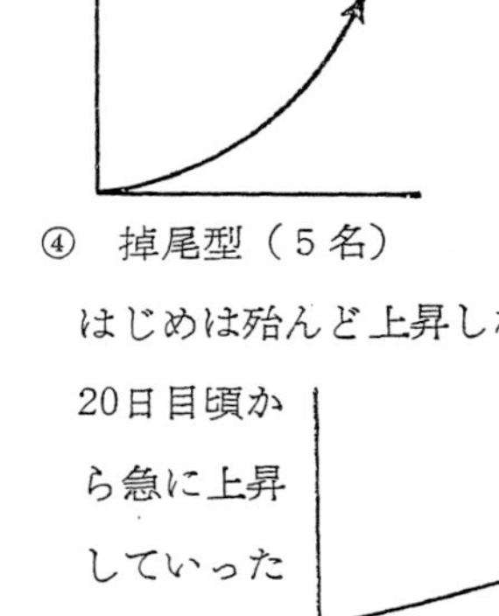

④ 掉尾型（５名）

はじめは殆んど上昇しなくて，20日目頃から急に上昇していったもの

⑤ 中休型（８名）

はじめ急に進歩し，中間は停滞又は下降し更に再び急に上昇したもの

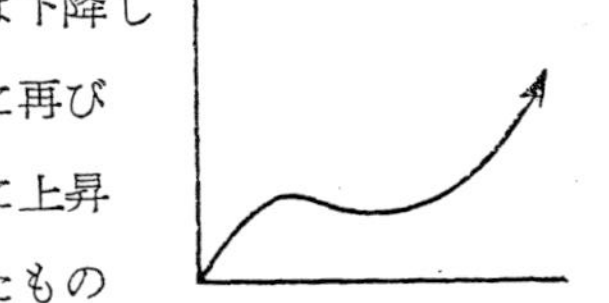

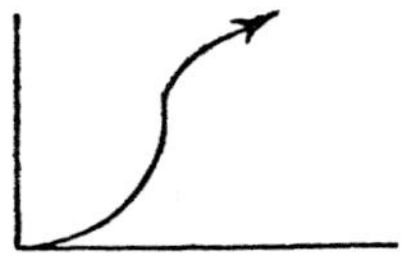

⑥ 停滞型（10名）

はじめから，終りまでじくざくのもの

⑦ 再中休型（４名）

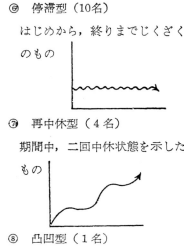

期間中，二回中休状態を示したもの

⑧ 凸凹型（１名）

前半に凹状型を示し，後半に凸状型を示すもの

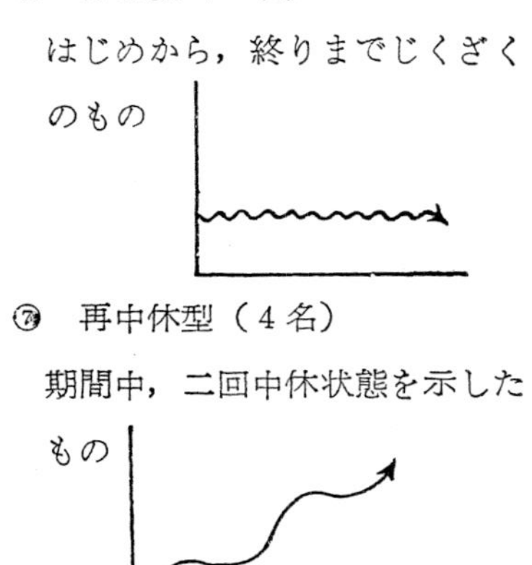

⑨ 中休直行型（２名）

前半に中休型を示し後半に直行型を示したもの

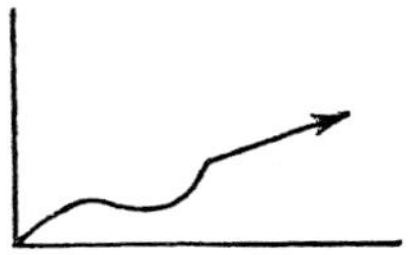

⑩ 凸下降型（１名）

前半において凸状型を示し，後半において下降したもの

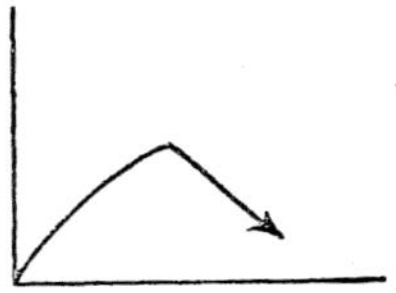

以上練習曲線の型を二つの面から考察した理由は，前者(b)は，１週間毎にその傾向をみようとし，後者(c)は，練習期間全体をとおして，どのような型があらわれるかをみようとしたからである。しかし，練習曲線の類型を考察するには，前者無意味であるように思われた。

(d) 実験児童一覧表（図表による例は198ページ以下にあり）

実験児童番号	理解の深浅	最小自乗法による曲線の処理 m(上昇率)	k	$y=mx+k$ で求めた最終回の値	知能指数	向性指数	週期的類型	全期間をとおしての類型
1	上	0.846	22.340	46.874	132	132	C型	凹
2	上	0.708	22.940	44.230	144	80	A〃	直行
3	上	0.876	24.440	49.844	137	48	E〃	凸
4	上	0.060	22.130	23.930	160	128	D〃	停滞
5	下	0.228	17.283	24.123	128	72	D〃	掉尾
6	中	0.900	27.090	45.690	134	80	C型	凹
7	下	0.143	17.042	21.332	114	84	D〃	停滞
8	下	0.173	14.185	19.375	90	72	E〃	凹凸
9	下	0.580	9.022	26.432	118	124	C〃	凹
10	中	0.534	26.720	42.740	114	96	D〃	直行
11	上	0.576	34.916	49.882	132	84	D〃	凸
12	上	1.088	32.189	49.597	132	84	C〃	凸
13	上	0.695	26.747	46.902	141	100	A〃	直行
14	上	1.198	29.453	49.819	135	92	?〃	凸
15	上	1.453	27.642	49.437	155	92	?〃	凸
16	上	1.260	26.727	46.887	140	92	?〃	凸
17	上	0.874	26.785	49.683	140	92	D〃	再中休
18	上	1.145	35.802	47.252	148	100	?〃	凸
19	上	2.083	29.001	45.685	131	76	?〃	凸
20	上	0.517	39.605	47.677	131	6'	D〃	再中休
21	中	0.746	24.870	47.250	138	72	A〃	凸
22	中	0.169	18.447	23.518	144	80	D〃	停滞
23	中	2.214	33.288	48.786	132	80	?〃	凸
24	中	0.636.	15.942	35.022	138	112	D〃	中休
25	中	0.600	26.200	42.400	145	96	D〃	直行
26	中	0.746	19.837	42.217	120	90	D〃	中休
27	中	0.840	17.797	42.927	134	96	B〃	凹
28	中	0.872	16.266	42.426	131	124	?〃	凸
29	中	0.656	20.677	39.701	132	60	D〃	停滞
30	中	0.633	21.888	40.878	138	96	A〃	中休
31	中	0.613	26.998	45.388	135	84	D〃	中休
32	中	0.929	20.769	42.637	132	108	C〃	凹
33	中	0.815	22.700	47.150	121	88	A〃	直行
34	中	0.807	27.664	49.453	153	84	C〃	中休
35	中	1.370	22.834	49.054	124	100	D〃	中休
36	中	0.819	21.372	45.942	92	64	D〃	再中休
37	中	0.260	30.600	38.400	109	84	D〃	中休
38	中	0.696	18.778	39.658	113	92	D〃	掉尾
39	中	0.188	22.892	28.532	112	84	C〃	中休
40	中	1.292	15.113	48.705	115	124	C〃	凸
41	中	1.704	24.326	49.078	148	68	A〃	再中休

42	中	0.509	41.608	50.770	132	64	D型	停 滞
43	中	1.723	27.050	47.726	137	72	A 〃	凸
44	中	0.726	42.858	48.616	155	84	? 〃	凸
45	下	0.515	19.184	34.097	117	108	B 〃	凸下降
46	下	0.186	15.883	21.463	85	60	D 〃	停 滞
47	下	0.103	10.803	13.893	89	76	B 〃	停 滞
48	下	0.119	17.192	22.562	89	108	B 〃	停 滞
49	下	0.273	14.193	22.384	61	60	D 〃	掉 尾
50	下	0.882	7.795	34.225	63	84	A 〃	掉 尾
51	下	0.489	11.374	26.144	107	92	D 〃	掉 尾
52	下	0.228	10.133	16.973	112	108	D 〃	停 滞
53	下	0.169	18.747	23.817	137	76	C 〃	停 滞
54	下	0.414	24.679	37.099	128	104	D 〃	中休漬行
55	下	0.449	16.133	29.603	129	72	C 〃	中休漬行

§3. 昭和26年度の反省

1 理解について

「これ位のことは，わかっているだろう，できるだろう」，と考えたことが，こどもたちに案外わかっていないということである。わかっているのは，教師がそう思っているだけで，こどもたちではないともいえる。

実際の学習指導において，形式的な計算の方法を知らせるだけでなく，その理解事項をはっきりとつかんでおき，それをこどもによくわからせることが，いかに重要であるかということが痛感させられた。

2 こどもの能力，個人差をしっかりおさえておくこと

理解をしっかり与えるためには，一人一人のこどもについて，その段階をはっきりのみこんでいることが必要である。これをやらないと，救うことのできるこどもも救い得ないままに学習を進展させ，より多くの誤算児童を作ったり，いたずらにこどもに劣等感を抱かせたりする結果となってしまう。

3 反復練習について

さきにも結果を示したように，理解していないものについて，反復練習しても，その効果は，一般に少ないということがわかった。しかもそれをやると，こどもが大変にいやがって，算数がきらいになってしまう傾向がみられた。これでは反復練習をする意味が全くなくなるわけである。

4 今後の研究問題

(1) 検証的実験

昭和26年度の研究の結果は，ただ1年だけのものであるので，次のことについて更に験証してみたい。

(a) 加法や加法計算の意味を理解している児童は，加法九九を反復練習したとき，たしかに上昇率が高いかどうか。

(b) 練習曲線に，さきに，A，B，C……型としてあげたような，1週を週期とするような傾向が見られるかどうか。

(c) 反復練習は，いかなる状態になったときやめたらよいか。また，のぞましい練習の継続期間はどんな程度か。本年は一応30日間やったわけであるが，実際には，どの程度やればよいか。これが練習曲線の上から知ることができないかどうか，ということである。

練習曲線の実際例

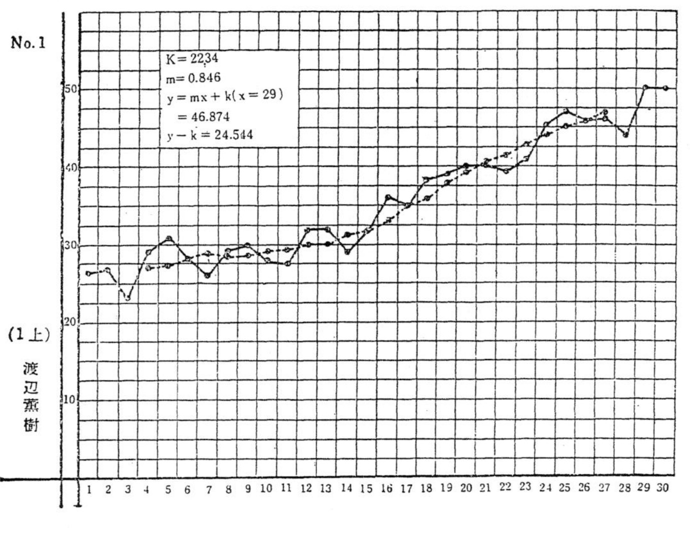

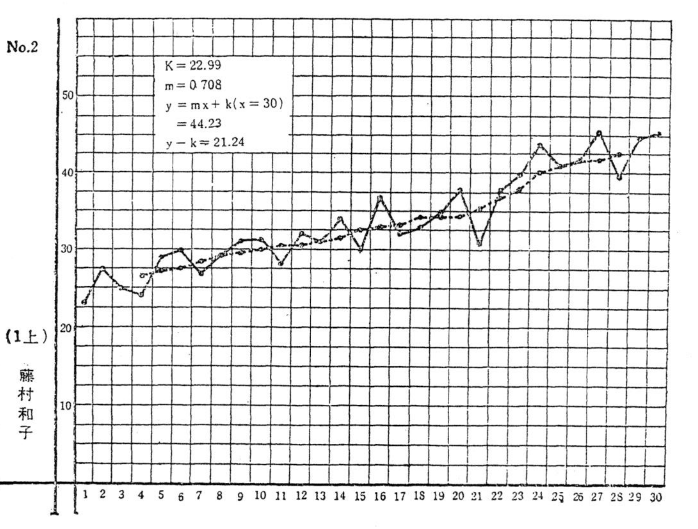

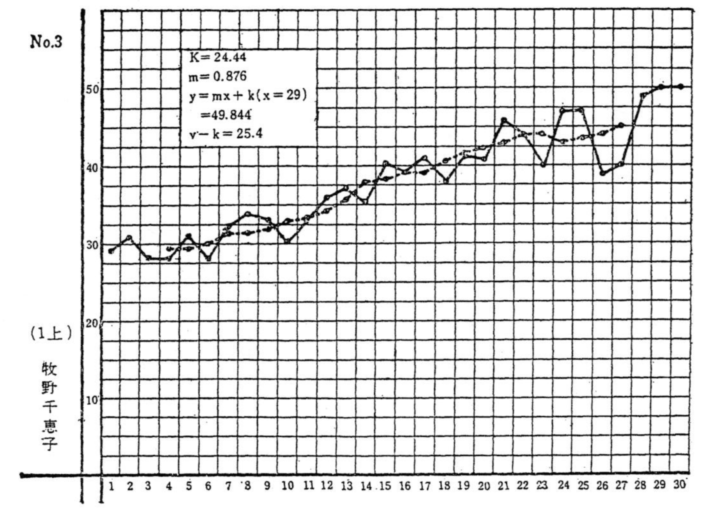

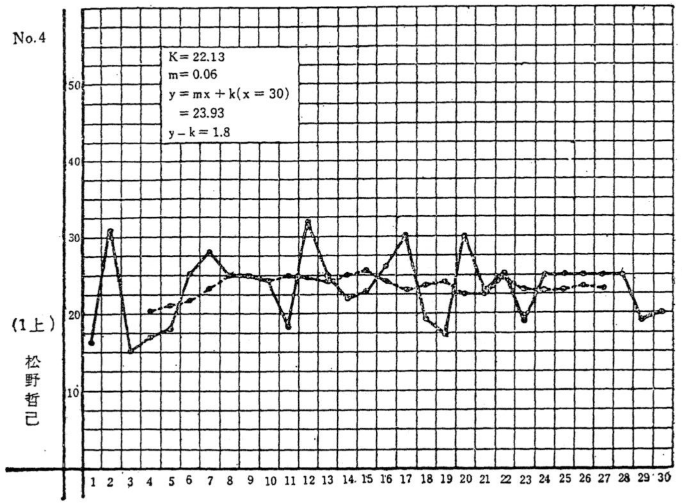

No.4

K=22.13
m=0.06
y=mx+k(x=30)
=23.93
y−k=1.8

(1上)
松野哲己

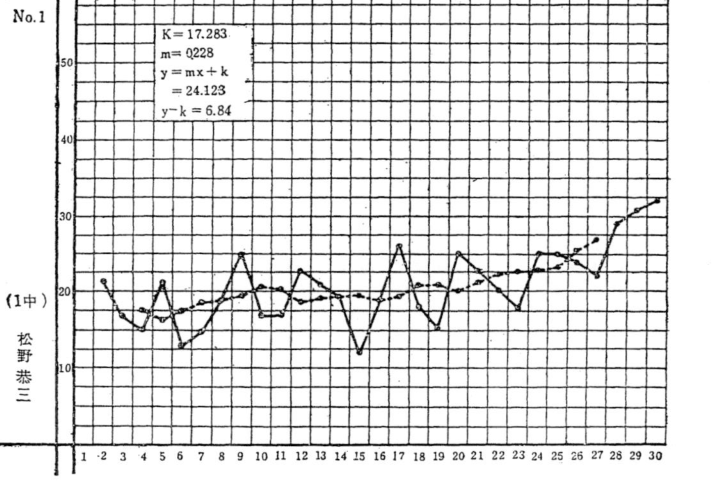

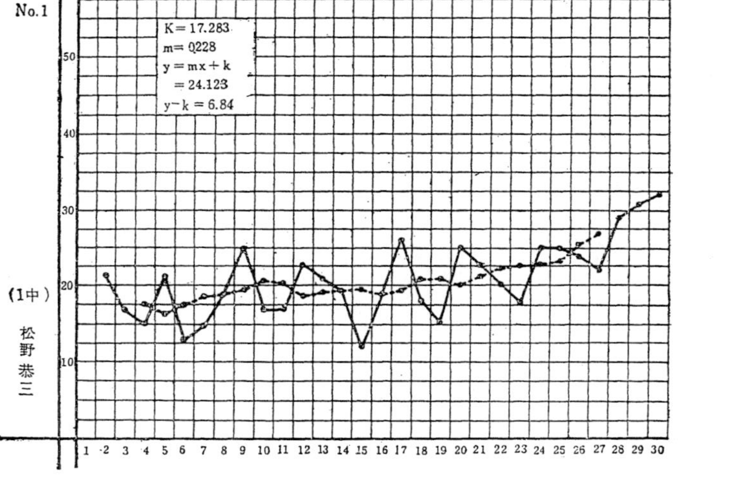

Ⅲ　昭和27年度の研究（その１）

——前年度の検証実験とそれに関連する研究——

§1.　研究問題と研究の概要

A　昭和26年度の結論にもとずく検証実験

(1)　検証する問題

(a)　加法や加法計算の意味を理解しているものは，果して上昇率が高いかどうか

(b)　反復練習したとき，昨年わかったようないろいろの型があるかどうか

(2)　実験研究の方法

昭和26年度に準じて実施した。

(a)　実験児童として３年Ｄ組全員を当てた

(b)　練習の方法

①　フラッシュカードによる練習３分間

②　紙によるテスト（制限時間１回１分間）

(c)　反復練習の問題

①　加法九々36種のものを重複して１回分75問。

はじめ36種類の問題を，50問にして実施したのであるが，練習を重ねるに従って，１分間以内にやってしまう者があり，１分間にどれだけできるか，と言う実験が不可能になったので，繰り上りのないものを含め，１分間にはとうていできないようにして，上昇曲線を出しやすいようにするため，本年は75問にしたのである。

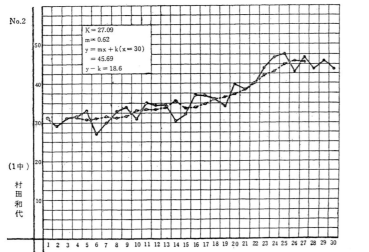

② テストの種類は６種

(d) 練習の回数

１日１回,30日間連続実施

B 昭和27年度に新しくとりあげた研究問題

(1) 本年度の実験でねらったこと

(a) 反復練習は，何時どんな状態になったときにやめたらいいかを明らかにする。

(b) 曲線の類型については，昨年のように，曲線の類型がいろいろあるのでなくて，もっと数少ない型にならないものかどうかを明らかにしたい。

(c) 練習曲線の上昇率と知能指数との間に，なにか関係があるかどうかを明らかにしたい。

(2) この問題についての実験対象児童

(a) 二年生

実　験　児　童（２年）（練習問題及び知能段階別人員）

知能指数	繰上り繰下りなし (50題)		繰上り繰下りあり(100題)	
	加法九九	減法九九	加法九九	減法九九
１４０前後	9	9	8	8
１１０前後	17	16	8	8
８０前後	7	6	8	8
計	33	31	24	24
備考	異る児童		同一の児童	

実験児童を選出するのに，繰上り繰下りのない場合に，加法九々と減法九々とで児童をかえたのは，知能指数の段階をきめて，多数の実験児童を出そうとしたためである。しかし，実験してみると，実験する上においても，整

理する上においても，同一児童の方が都合がよいので，繰上り繰下りのある九九の場合には同一児童にした。

(b) 三年生

実　験　児　童（３年）

知能指数	乗法九九 (100題)
１４０前後	4
１１０前後	4
８０前後	4
計	12

(3) 反復練習の問題

(a) 二年生

① 加法九々，減法九々（繰上り繰下りなし）零のある場合を含めて各50題ずつ

② 加法九々，減法九々（零のある場合を含めて）各100題ずつ

(b) 三年生

乗法九々全部（零のある場合も含めて）100題

(4) 練習の期間

(a) 二年生

	50題		100題	
	加法九九	減法九九	加法九九	減法九九
1	９月15日～ ９月20日(６日)	９月22日～ ９月26日(５日)	１月26日～ １月31日(６日)	２月２日～ ２月７日(６日)
2	９月29日～ 10月４日(６日)	10月６日～ 10月11日(６日)	２月９日～ ２月14日(６日)	２月17日～ ２月21日(５日)
3	10月14日～ 10月18日(５日)	10月20日～ 10月25日(６日)	２月23日～ ２月28日(６日)	３月２日～ ３月７日(６日)
	１か月間放置		〃	
4	12月１日～ 12月６日(６日)	12月８日～ 12月13日(６日)	３月９日～ ３月14日(６日)	３月16日～ ３月21日(６日)

	1か月間放置		1か月間放置	
5	1月12日～1月16日(5日)	1月19日～1月24日(6日)	4月6日～4月11日(6日)	4月13日～4月18日(6日)
	1か月間放置		1か月間放置	
6	2月16日～2月21日(6日)	2月23日～2月28日(6日)	5月4日～5月9日(6日)	5月11日～5月16日(6日)
	1か月間放置		1か月間放置	
7	4月6日～4月11日(6日)	4月13日～4月18日(6日)	6月8日～6月13日(6日)	6月15日～6月20日(6日)

(b) 三年生

三年生の練習は，練習曲線を求めると同時に，止める時期をも見つけようと考え，連続練習とした。

止めてもよいと考えた時期は，個人の能力が最大限に発揮された時と考え，次のような練習をすることにした。すなわち，練習をし，その都度練習曲線を書き，その曲線が水平状態になるか，又は，退歩の状態を示すこと5日間にわたる時は，それ以上の練習は無益と考え，そこで一時中止する。そして，それより一週間おいて再び練習する。その成績が始めの成績より向上するものについては，再び水平又は退歩を示すまで練習する。

このようにして，どうしても進歩しなくなった時が，その個人の極限であると考え，そこで練習をやめることにした。

その後の練習は，個人の維持できる速さはどれだけかを見つけるため，一週間後，それからまた二週間後，一か月後，三か月後，六か月後，一か年後において実施し，その練習時間を調べることにした。

従って，個人によって練習の時期がちがうわけである。

実際は，次の通りである。

児童数＼回数	1回	2回	3回	4回	5回	6回	7回	8回
2名	2月4日～2月17日(12日間)	2月23日～3月16日(18日間)	4月2日～4月18日(15日間)	4月27日	5月6日	5月19日	6月19日	9月2日
1名	2月4日～2月18日(13日間)	2月24日～3月16日(7日間)	4月2日～4月18日(15日間)	4月27日	5月6日	〃	〃	〃
3名	2月4日～3月6日(27日間)	3月13日～3月15日(3日間)	4月2日～4月18日(15日間)	4月27日	5月6日	〃	〃	〃
6名	2月4日～3月17日(36日間)	4月2日～4月11日(9日間)	4月19日～5月2日(12日間)		5月6日	〃	〃	〃

備考　3回の練習で終り，4回以後は間隔をおいた後の時間を取るためのテスト，したがって1回のテストだけで練習はしない。

(4) 練習の方法

(a) 練習にあたって，興味を失わないようにするために，次のようにした。

① 各自の毎日のタイムや，誤答数を票に記入させて，興味をもたせるようにした。

② タイムがよくなった場合には，賞揚した。

③ 進歩のおそいものは，よいものとくらべて，努力させるようにした。

(b) 紙上テストの前に，どのような方法で練習したか。

① フラッシュカードを用い，二年生は三分間，三年生は五分間の練習をした。この場合は，口答または筆答によって，答えさせた。

② フラッシュカードによらないときは，口問口答，口問筆答にしたり，あるいは板書問題を口答させたりした。

(c) 紙上テスト

二年，三年ともに時間に制限なしに筆答させた。

二年は，繰上りのない九々を50題，繰り下りのない九々を50題，繰上りのある九々を100題，繰下りのある九々を100題，三年は，乗法九々を100題というように題数を決め，その問題を全部解答し終る時間を計るようにしたので，前のように一分間というように時間の制限はしない。

§2. 検証実験の結果

A 昭和26年度の検証実験はどのようにしたか

(1) 予備調査はどのようにしたか

次の項目について，昭和26年度同様の問題で調査した。理解していないものについては，昨年の指導に準拠して，その指導にあたった。

(a) いくつかの部分からできているものとしてみる，集合数についての数の概念がわかっているか。

(b) 位取りの原理がわかっているか。

(c) 基数＋基数（繰上りのあるもの）が正しくできるか。

(2) 加法の意味についての理解をどのようにしてたしかめたか

昨年同様に，加法・減法の書かれた問題を混合し，それについての診断テストを五回実施した。誤算児童については，毎回，用語の面と，演算の意味についての指導に重点をおいた。

(a) 診断テストの問題の一例

先に例を出したので，特に，間違いの多いD，E，F，（d，e，f，は略）のみ記す。

D—いもうとのとしは　4つです。おとうとは，いもうとより　3つ年うえです。おとうとは　いくつですか。

E—りんごが　あります。そのうち3こたべました。まだ　5こ　のこっています。はじめ　いくつあったでしょうか。

F—本やさんが　きました。みんなならんで　本をかって　います。5人かって　いったので　9ばんめに　なりました。はじめなんばんだったでしょうか。

（後は略す）

(b) 誤算した問題の傾向について

診断テスト五回の成績をまとめてみると，つまずきの多かったのは，加法では，F，D，C，E，B，A，減法では，c，d，f，e，a，b，の順であった。特に，誤算や無答の多いのは F，D，C，及びc，d，f，の問題であった。これについても，誤算児童の個々に当って，問題をゆっくり読んでやるとか，少し暗示をあたえてやるとかして，正答するようになった。又，テストを実施して感じたことは，数値のない問題は，理解が困難であるということである。答えの書き方がわからないために，無答のものもあった。これらの子供は，口答させると，正しく答えられた。

正答している子供でも，解答の説明をさせると，「数値と数値を加えるか，あるいは，引いてみたら答がでたから書いた。」というような，数値だけを操作して一応の答を出すものも見られた。それゆえ，演算の意味が理解されているか，どうかをしらべるには，答だけみるのではだめで，子供たちの経験しないような数値などによって，テストしてみるようなことも大切であることがわかった。

(c) 誤算した問題についての指導はどのようにしたか

昨年と同じように，個々の子供について，論理的に考える力をのばすように注意して，面接指導をした。その結果，よく理解できるようになったものもいたが，誤答の人員の多いことと，指導の日数が少かったことのために，充分なことはできなかった。

(3) 診断テストの結果はどのようであったか

(a) 成績一覧表（一部の例）

児童番号	テスト回数	問題の類型												理解の深浅
		加法の問題						減法の問題						
		A	B	C	D	E	F	a	b	c	d	e	f	
1	1	○	○	○	○	○	レ	○	○	レ	○	○	○	上
	2	○	○	○	レ	○	○	○	○	△	○	○	○	
	3	○	○	○	○	○	○	○	○	○	○	○	○	
	4	○	○	○	○	○	○	○	○	○	◬	○	○	
	5	○	○	○	○	○	○	○	○	○	○	○	○	
2	1	○	○	○	○	○	○	○	○	○	○	レ	△	上
	2	○	○	○	○	レ	○	○	○	△	レ	○	○	
	3	○	○	○	○	○	○	○	○	○	○	○	○	
	4	○	○	○	○	○	○	○	○	○	○	○	○	
	5	○	○	○	○	○	○	○	○	○	○	○	○	
3	1	○	○	○	○	○	レ	○	○	レ	○	◬	○	上
	2	△	レ	○	○	○	○	○	○	○	レ	○	○	
	3	○	○	○	○	○	○	○	○	○	○	○	○	
	4	○	○	○	○	○	○	○	○	○	○	○	○	
	5	○	○	○	○	○	○	○	○	○	○	○	○	
15	1	○	○	○	○	○	○	○	○	△	○	○	○	中
	2	○	○	○	レ	レ	レ	○	○	レ	レ	○	△	
	3	○	○	○	○	○	○	レ	○	○	○	○	○	
	4	○	○	○	○	○	○	○	レ	レ	レ	○	○	
	5	○	○	○	○	○	○	○	○	○	○	レ	◬	
16	1	○	○	○	○	○	○	○	○	○	○	○	レ	中
	2	○	○	○	レ	○	○	○	○	レ	○	○	レ	
	3	レ	○	○	◬	○	○	○	○	○	○	○	○	
	4	○	○	○	○	○	○	○	○	レ	○	○	○	
	5	○	○	○	○	レ	○	○	○	○	レ	○	○	
17	1	○	○	○	○	○	△	○	○	レ	レ	○	○	中
	2	○	○	○	レ	○	レ	○	○	◬	○	○	レ	
	3	○	○	△	○	○	○	○	○	○	○	○	◬	
	4	○	○	○	○	○	○	○	○	レ	レ	○	○	
	5	○	○	○	○	○	○	○	○	○	○	レ	○	
33	1	○	○	レ	○	○	○	○	○	レ	○	レ	○	下
	2	○	○	レ	○	○	レ	レ	○	○	◬	○	レ	
	3	○	○	○	レ	レ	◬	△	○	○	○	○	レ	
	4	○	○	○	○	○	レ	○	○	○	○	レ	○	
	5	○	○	○	レ	○	○	○	○	○	レ	レ	◬	
34	1	○	○	○	○	○	レ	○	○	レ	○	レ	◬	下
	2	○	○	○	レ	○	◬	○	○	○	○	○	レ	
	3	レ	○	レ	△	レ	◬	レ	レ	○	○	レ	○	
	4	○	レ	レ	レ	○	レ	○	レ	○	レ	○	◬	
	5	○	○	○	○	○	○	○	○	○	◬	○	レ	
35	1	○	○	○	○	○	レ	○	○	レ	○	レ	レ	下
	2	○	○	○	無	○	◬	○	○	○	○	○	◬	
	3	○	レ	○	○	○	○	○	○	○	△	レ	○	
	4	○	レ	レ	○	○	○	○	レ	レ	レ	○	○	
	5	○	○	○	○	○	レ	○	○	◬	○	レ	◬	

総計（各問題についての一覧表二四三人の成績）														
正解答		210	209	166	144	176	141	193	210	127	141	148	131
同上%		86.4	86.0	68.7	59.2	72.4	58.0	75.3	86.4	52.2	58.0	60.9	53.9
誤答数	レ	26	31	66	79	56	74	45	26	90	80	81	66
	△	6	3	7	7	6	3	3	4	8	6	•	5
	◬	1	•	4	7	3	17	2	2	16	14	11	26
	計	33	34	77	93	65	94	50	32	114	100	92	97
	%	13.6	14.0	31.3	38.4	26.8	38.8	24.7	13.2	47.0	41.2	37.9	40.0
無答	総計	•	•	•	6	2	8	•	1	2	2	3	15
	%	•	•	•	2.4	0.8	3.2	•	0.4	0.8	0.8	1.2	6.1

備考　レ，△，◬，無，○印は前年の通りである。

(b)　理解についての深浅をどのようにして判定したか

五回の診断テストの結果を‘詳細に検討し，昨年同様，次の基準によって分けた。

判定基準

上―加減法において，最後の三回について，各項目の問題が全部できたもの

中―同上で，正答数が三分の二以上のもの

下―同上で，正答数が三分の二以下のもの

この基準によって分けた結果は，次のようである。

三年D組49名について

理解上と見られるもの……９人

理解中と見られるもの……11人

理解下と見られるもの……29人

(4)　反復練習をどのようにしたか

(a)　練習の期間　６月18日より７月22日まで

(b)　練習の回数　１日１回日曜日を除き30回

(c)　練習の時期　毎日始業前

(d)　練習の方法　始業前にフラッシュカードにより３分間練習した後，練習問題により紙上テストを１分間実施した。

(e)　練習問題　６種類で各種とも75題

この問題の一例を示すと，次のとおりである。

(１)　1＋9＝	(26)　9＋9＝	(51)　8＋4＝
(２)　6＋2＝	(27)　8＋6＝	(52)　5＋6＝
(３)　2＋5＝	(28)　5＋7＝	(53)　6＋9＝
(４)　9＋4＝	(29)　8＋8＝	(54)　9＋3＝
(５)　7＋9＝	(30)　3＋9＝	(55)　8＋7＝
(６)　6＋5＝	(31)　8＋5＝	(56)　7＋5＝
(７)　9＋2＝	(32)　6＋7＝	(57)　5＋9＝
(８)　7＋8＝	(33)　9＋8＝	(58)　7＋6＝
(９)　2＋9＝	(34)　4＋7＝	(59)　6＋8＝
(10)　9＋5＝	(35)　6＋6＝	(60)　8＋3＝
(11)　7＋7＝	(36)　9＋7＝	(61)　7＋4＝
(12)　4＋8＝	(37)　3＋8＝	(62)　5＋8＝
(13)　8＋9＝	(38)　4＋9＝	(63)　8＋9＝
(14)　5＋8＝	(39)　9＋6＝	(64)　4＋8＝
(15)　7＋4＝	(40)　2＋1＝	(65)　7＋7＝
(16)　8＋3＝	(41)　1＋8＝	(66)　9＋5＝
(17)　6＋8＝	(42)　6＋4＝	(67)　2＋9＝
(18)　7＋6＝	(43)　2＋6＝	(68)　8＋7＝
(19)　5＋9＝	(44)　4＋9＝	(69)　9＋2＝
(20)　7＋5＝	(45)　3＋7＝	(70)　6＋5＝
(21)　8＋7＝	(46)　2＋4＝	(71)　7＋9＝
(22)　9＋3＝	(47)　5＋1＝	(72)　9＋4＝
(23)　6＋9＝	(48)　8＋2＝	(73)　2＋5＝
(24)　5＋6＝	(49)　3＋2＝	(74)　6＋2＝
(25)　8＋4＝	(50)　1＋3＝	(75)　4＋7＝

(5)　反復練習の結果，こどもの成績はどのように進歩したか

昨年と同様，最小自乗法によって，練習曲線の上昇率を算出した。また，曲線の型については，三日毎の移動平均によって処理した結果について調べた。その結果は，次の表のとおりである。

実験児童一覧表

児童番号	理解の深浅	最小自乗法による曲線の処理 m	k	y＝mx＋k	知能 指数	知能 段階	向性 指数	向性 段階	連続30日間の練習曲線の類型	週期的傾向
1	上	0.762	34.660	57.520	112	平均知上	55	準外向	凸状型	C型
2	上	0.654	32.002	51.622	146	上知	53	正常	再中休型	C〃
3	上	0.438	29.814	42.954	142	上知	51	正常	停滞型	D〃
4	上	0.249	14.678	22.148	134	上知	48	正常	停滞型	C〃
5	上	0.841	34.831	60.061	127	平均知上	55	準外向	直行型	D〃
6	上	0.632	28.431	47.391	106	平均知	60	準外向	再中休型	B〃
7	上	0.257	14.357	22.067	158	最上知	37	準内向	停滞型	E〃
8	上	0.717	31.307	52.817	151	最上知	65	正外向	再中休型	C〃
9	上	0.548	29.318	45.708	134	上知	60	準外向	停滞型	E〃
10	中	0.666	36.777	56.757	82	平均知下	55	準外向	凸状型	A〃
11	中	0.285	31.187	39.737	112	平均知上	48	正常	直行型	D〃
12	中	0.620	21.898	40.498	137	上知	51	正常	直行型	D〃
13	中	0.382	39.543	51.003	130	平均知上	62	準外向	直行型	A〃
14	中	0.353	21.920	32.510	151	最上知	51	正常	凸凹型	D〃
15	中	0.705	24.772	45.922	99	平均知	62	準外向	直行型	A〃
16	中	0.274	18.686	26.902	126	平均知上	47	正常	停滞型	C〃
17	中	0.976	35.726	65.006	132	上知	51	正常	再中休型	C〃
18	中	0.368	19.796	30.836	127	平均知上	60	準外向	停滞型	D〃
19	中	1.113	21.115	54.505	122	平均知上	53	正常	直行型	A〃
20	中	0.672	29.723	49.883	137	上知	68	正外向	直行型	E〃
21	下	0.403	22.800	34.890	77	平均知下	40	準内向	停滞型	A〃
22	下	0.572	37.000	54.163	91	平均知	45	正常	直行型	C〃
23	下	0.247	13.740	21.150	109	平均知	50	正常	凸凹型	F〃
24	下	0.691	16.263	36.883	127	平均知上	57	準外向	直行型	D〃
25	下	0.586	14.517	32.097	121	平均知上	36	準内向	直行型	D〃
26	下	0.286	19.567	28.147	127	平均知上	48	正常	停滞型	E〃
27	下	0.451	15.443	28.973	64	下知	44	準内向	凸凹型	D〃
28	下	0.455	21.877	35.527	145	上知	55	準外向	凸凹型	A〃
29	下	0.725	12.850	34.600	83	平均知下	45	正常	凹状型	E〃
30	下	0.375	14.556	25.806	105	平均知	46	正常	停滞型	E〃
31	下	0.336	21.038	31.118	134	上知	41	準内向	停滞型	F〃
32	下	0.297	13.931	22.841	126	平均知上	46	正常	停滞型	E〃
33	下	0.747	29.686	62.096	119	平均知上	49	正常	直行型	B〃
34	下	0.415	17.269	29.719	154	最上知	51	正常	凸凹型	A〃
35	下	0.004	19.446	19.566	98	平均知	53	正常	停滞型	E〃
36	下	0.107	20.045	23.255	93	平均知	47	正常	停滞型	E〃
37	下	0.247	8.039	15.449	98	平均知	61	準外向	停滞型	B〃
38	下	0.401	6.980	19.010	83	平均知下	61	準外向	停滞型	C〃
39	下	0.266	42.111	50.091	152	最上知	60	準外向	停滞型	F〃
40	下	0.446	24.887	38.267	104	平均知	60	準外向	凸凹型	A〃
41	下				142	上知	55	準外向		
42	下	0.146	14.743	19.123	145	上知	59	準外向	停滞型	E〃
43	下	0.261	30.345	38.175	163	最上知	62	準外向	停滞型	E〃
44	下	0.770	12.798	35.898	102	平均知	50	正常	直行型	C〃
45	下	0.629	32.184	51.054	132	上知	51	正常	凸凹型	C〃
46	下	0.347	15.421	25.831	134	上知	60	準外向	凸凹型	D〃
47	下	0.649	22.569	42.038	145	上知	45	正常	凸凹型	D〃
48	下	0.446	20.426	33.806	135	上知	53	正常	停滞型	E〃
49	下	0.713	11.630	33.020	123	平均知上	52	正常	直行型	A〃

次に，理解の深浅と上昇率との関係を示すと，次のようになった。

上昇率(m) ＼ 理解の深浅	上	中	下	計
2.0				
1.5				
1.0	3	3		6
0.5	4	6	18	28
0.0	2	2	10	14
計	9	11	28	48

この表をみると，理解の各段階とも，上昇率0.5のものが最も多数を示し

ている。したがって，理解の上のものが高いとは必ずしもいえない。

B　曲線の類型についてはどうであったか

(1)　曲線の類型を，次にのべる基準によってきめた

(a)　凸状型

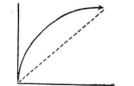

移動平均によって，出した曲線が，初点と終点を結ぶ直線（これを初終点線という）に対して，上方のみにある場合がある。

終点ー初点＝10点以上の差

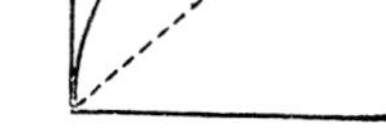

(b)　直行型

初終点線からのずれが上下二点の場合　終点ー初点＝10点以上

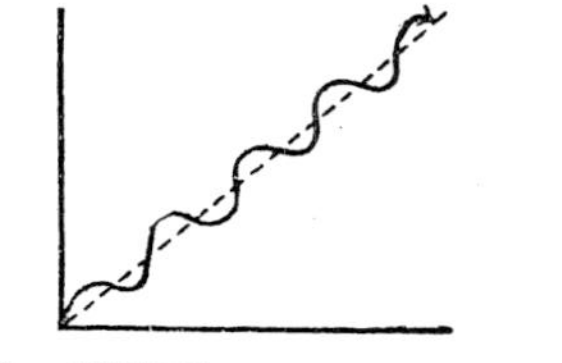

(c)　凹状型

初終点線に対して，曲線が下方のみにある場合

終点ー初点＝10点以上

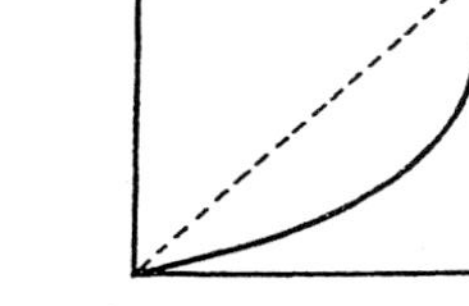

(d)　掉尾型

初終点に対して，曲線が下方のみにあって，後半において急に上昇している場合

終点ー初点＝10点以上

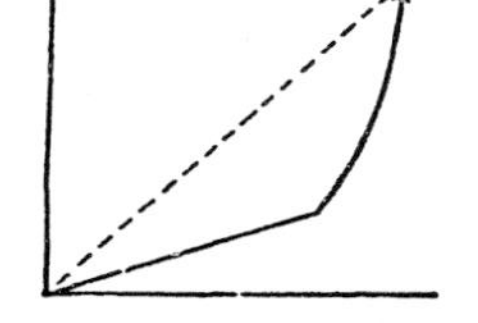

(e)　中休型

初終点線に対し，曲線がほゞ上下同型になっており，中間において停滞又は後退している場合　終点ー初点＝10点以上

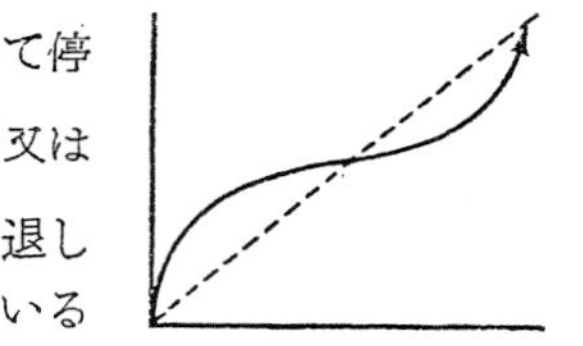

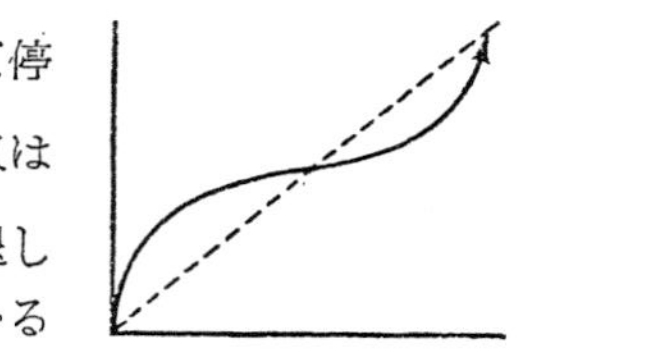

(f)　停滞型

直行型であって，特に，初点と終点の差が２点以下の場合

終点ー初点＝２点以下

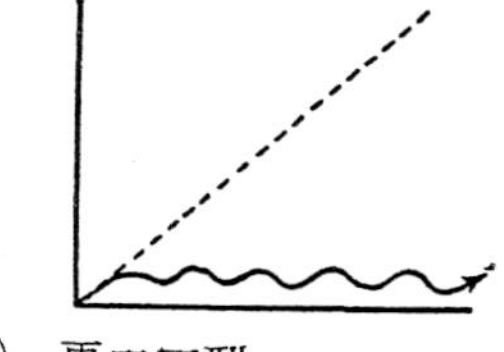

(g)　再中休型

中休型を二回繰返す場合

終点ー初点＝10点以上

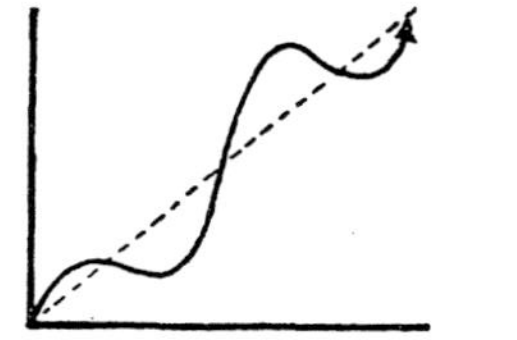

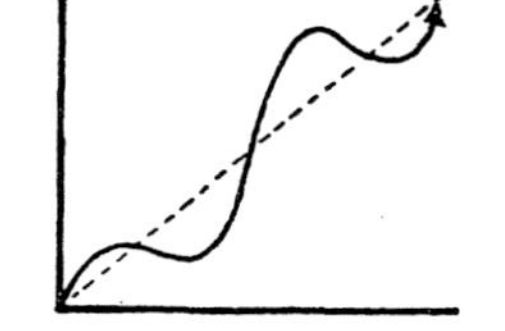

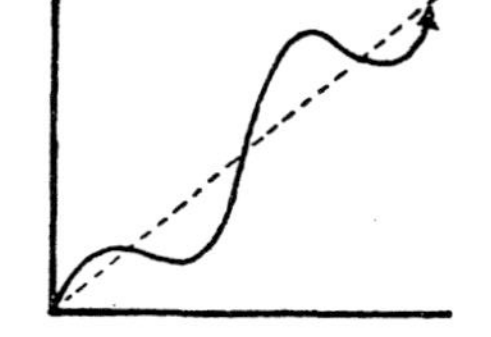

(h)　凹凸型

前半が凹型であり，後半が凸型で，中間において停滞又は後退していない場合　終点ー初点＝10点以上

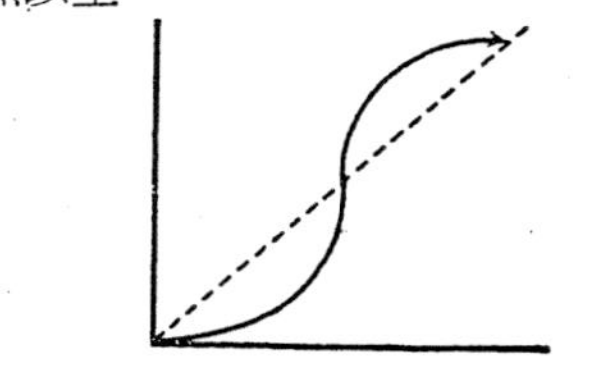

(i)　凸凹型

hとは逆のもの

(j)　中休直行型

前半中休型を示し，後半直行型を示す場合

終点ー初点＝10点以上

(k)　凸下降型

前半凸状型を示すが，後半において下降する場合

(2)　週を単位とする傾向について

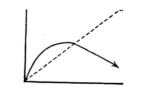

これについては，昨年とほぼ同様な傾向がみられた。

(a) 毎週同じような傾向を示したもの　A型　10名

(b) 第一週と，第三週は同じような傾向を示し，第二週が第四週と反対の傾向を示したもの　B型　3名

(c) 第一週と第三週は同じような傾向を示し，第二週と第四週が同じような傾向を示したもの　C型　10名

(d) 第一週と第四週は同じような傾向を示し，第二週は第三週と反対の傾向を示したもの　D型　11名

(e) 第一週と第四週は同じような傾向を示し，第二週と第三週が同じような傾向を示したもの　E型　11名

(f) 第一週は第四週と反対の傾向を示し，第二週も第三週と反対の傾向を示したもの　F型　3名

(3) **昭和26年度との比較**

昭和26年度実験児童　55名　(太字で示す，人数を%で表わす)

昭和27年度　〃　48名　(数字で示す，人数を%で表わす)

曲線の類型 ＼ 性格段階	凸状型	直行型	凹状型	掉尾型	中休型	停滞型	再中休型	凹凸型	凸凹型	中休直行型	凸下降型	計
超外向	—	—	—	—	—	—	—	—	—	—	—	—
正外向	—	2.1	—	—	—	—	2.1	—	—	—	—	4.2
準外向	3.6 4.2	8.3	3.6	—	1.8	1.8 14.6	2.1	—	6.2	—	—	10.9 35.4
正常	12.7	7.3 14.6	3.6 2.1	3.6	3.6	5.5 18.7	1.8 4.2	—	10.4	1.8	1.8	41.8 50.0
準内向	7.3	1.8 2.1	1.8	3.6	7.3	5.5 6.2	1.8	—	1.8 2.1	1.8	—	32.8 10.4
正内向	1.8	—	—	1.8	1.8	5.5	3.6	—	—	—	—	14.5
超内向	—	—	—	—	—	—	—	—	—	—	—	—
26年度計 27年度計	25.5 4.2	9.1 27.1	9.1 2.1	9.1 0	14.5 0	18.1 39.6	7.3 8.3	0 0	1.8 18.7	3.6 0	1.8 0	100 100

曲線の類型 ＼ 知能段階	凸状型	直行型	凹状型	掉尾型	中休型	停滞型	再中休型	凹凸型	凸凹型	中休直行型	凹下降型	計
最上知	3.6				1.8	1.8 6.2	2.1		4.2			7.3 13.5
上知	20.0	5.5 4.2	7.3		5.5	7.4 13.5	5.5 4.2		8.3			50.9 29.2
平均知上	1.8 2.1	3.6 16.7	1.8	3.6	5.5	3.6 8.3				3.6	1.8	25.5 27.1
平均知		6.2		1.8	1.8	8.3	1.8 2.1		4.2			5.5 20.8
平均下	2.1		2.1			5.5 4.2			1.8			7.3 8.4
下知				3.6					4.1			2.6 4.1
最下知												
26年度計 27年度計	25.5 4.2	9.1 27.1	9.1 2.1	9.1 0	14.5 0	18.1 39.6	7.3 8.3	0 0	1.8 18.7	3.6 0	1.8 0	100. 100.

(4) **類型について考えられること**

各種の型ができたのは，長期にわたる継続練習のために起きる精神的な倦怠感や，肉体的な支障などによる影響が現われることによるものと考えられる。また一方，無理に曲線の型を見つけようと考えたからではなかろうかということも考えてみる必要があるようである。すなわち，実際には，数多くの型があるのではなくて，個々にみればその形状に差異ができるにしても，練習の期間や方法を研究することによって，もっと基本的ないくつかの型にまとめることができるのではないかということである。

このような立場から曲線の類型について考察する場合には，こどもの性格とか，知能とか，曲線の型に影響すると思われるような要素をとらえて，もっと研究してみる必要があると思う。

知能指数と曲線の型には，前記（５）の実験児童一覧表をまとめた次の表によってもわかるように，同じ知能段階のものでも，各種の型に分布されているし，また，同じ型の中に，各層の知能段階のものが包含されているから，

両者の間に密接な関係があるとは思われない。

知能指数	知能段階 ＼ 曲線の類型	凸状型	直行型	凹状型	掉尾型	中休型	停滞型	再中休型	凹凸型	凸凹型	中休直行型	凸下降型	計
150 以上	最上知	—	—	—	—	—	3	1	—	2	—	—	6
131～150	上知	—	2	—	—	—	6	2	—	4	—	—	14
111～130	平均知上	1	8	—	—	—	4	—	—	—	—	—	13
91～110	平均知	—	3	—	—	—	4	1	—	2	—	—	10
71～90	平均知下	1	—	1	—	—	2	—	—	—	—	—	4
51～70	下知	—	—	—	—	—	—	—	—	1	—	—	1
50 以下	最下知	—	—	—	—	—	—	—	·	—	—	—	0
計		2	13	1	0	0	19	4	0	9	0	0	48

ただ，本表で考えられることは，30日間も連続練習すると，停滞型と，直行型が多いということがわかる程度である。

§3. 検証実験の結論

1　昭和27年度三年D組の検証実験において,「加法の意味を理解しているものは，加法九々を反復練習した場合に上昇率が高い」という昨年度の一応の結論とは，ちがった結果になった。前に述べた(5)の「理解の深浅と上昇率との関係」の表を見るとわかるように，理解上，中，下とも，分布の山が同じ上昇率 0.5 のところにある。したがって，昨年度の実験が立証されたとはいえない。

ただ，理解を知るための診断テストの結果，理解下と考えられるこどもの上昇率が低いということはいえる。

この本年度の検証実験の結果が，昨年度の結果とずれを生じた理由として考えられる点は，次のようなことである。

(1)　検証実験のための対象児童が少人数であったこと（昨年55名，本年49名で，昨年の55名は，総数 210 名中より本校の層化の基準に照して選出したこどもであったが，本年の49名は1学級全員である）

(2)　昨年度の実験の時期より本年度の方が三ヵ月程早かったこと

(3)　本校の診断テストの成績によって，理解の深浅を上，中，下，にわけたのであるが，これに妥当性をかく点があったのではないかということ

(4)　反復練習の期間が，連続30回の長期にわたる点に問題があるのではなかろうかということ

2　曲線の類型や，週期的傾向について，昨年と同様な類型のものがあることは一応みとめることができる。しかし，これについてはさきにのべたように，曲線の型とこどもの性格などとの関連についての究明をした上で，もっと確実なものにする必要がある。したがって，まだ，決定的なものとは考えられない。

Ⅳ　昭和27年度の研究（その２）

§1.　研　究　問　題

1　反復練習したとき，どんな曲線ができるか

(1)　ある特定の型にまとまるのではなかろうか（二年・三年）

(2)　曲線の上昇率は知能指数と関係があるか（三年）

2　練習曲線からみて，いつやめたらよいかを明らかにすることができないか

(1)　どんな状態になった時やめてよいか（二年・三年）

(2)　のぞましい継続期間はどの位か（二年・三年）

3　例外とみられる子供はどんな子供か

(1)　変化の特に多いこども（二年・三年）

(2)　特に進歩しないこども（二年・三年）

上にのべた問題に対しては，一応次のような予想をもって，実験研究をはじめたわけである。

A　曲線の類型は，主として凸状型になるのではないか。

B　曲線の上昇率については，知能指数になんらかの関係があるのではないか。

C　やめてよい状態は，練習曲線が水平になって，しかも，それが継続さ

れる場合と考えてよいのではないか。

D　やめてよい時期（あるいはのぞましい練習継続期間）は，個人的特質によってことなるであろうが，一応３週間～４週間とみてよいのではないか。

§2.　練習問題と研究の方法

この実験のために用いた問題は，次のとおりである。

A　２年生の問題

(1)　加法九九（繰上りなし，零のある場合を含む）

６種類で，各種類とも50題提出

①　6＋1＝	⑭　3＋4＝	㉗　1＋4＝	㊵　7＋2＝
②　3＋1＝	⑮　5＋4＝	㉘　3＋7＝	㊶　3＋6＝
③　6＋4＝	⑯　2＋1＝	㉙　4＋6＝	㊷　1＋8＝
④　2＋8＝	⑰　3＋3＝	㉚　4＋0＝	㊸　1＋5＝
⑤　1＋1＝	⑱　1＋7＝	㉛　2＋5＝	㊹　2＋7＝
⑥　2＋4＝	⑲　4＋4＝	㉜　3＋5＝	㊺　2＋2＝
⑦　5＋5＝	⑳　8＋1＝	㉝　0＋7＝	㊻　7＋1＝
⑧　4＋5＝	㉑　1＋3＝	㉞　7＋3＝	㊼　2＋3＝
⑨　0＋8＝	㉒　9＋1＝	㉟　6＋3＝	㊽　0＋5＝
⑩　4＋3＝	㉓　5＋3＝	㊱　6＋2＝	㊾　4＋1＝
⑪　1＋6＝	㉔　3＋2＝	㊲　4＋2＝	㊿　8＋2＝
⑫　2＋0＝	㉕　5＋2＝	㊳　4＋2＝	
⑬　1＋9＝	㉖　1＋2＝	㊴　5＋1＝	

(2)　減法九九（繰下りなし，零のある場合を含む）

６種類で，各種類とも50題提出

①　7－0＝	④　10－8＝	⑦　9－5＝	⑩　8－5＝
②　10－1＝	⑤　9－2＝	⑧　6－5＝	⑪　5－1＝
③　3－2＝	⑥　9－8＝	⑨　3－1＝	⑫　10－7＝

⑬ 10－2＝　㉓ 8－1＝　㉝ 10－4＝　㊸ 9－3＝
⑭ 6－3＝　㉔ 9－7＝　㉞ 9－4＝　㊹ 5－2＝
⑮ 4－3＝　㉕ 7－2＝　㉟ 8－6＝　㊺ 6－2＝
⑯ 8－3＝　㉖ 5－3＝　㊱ 8－2＝　㊻ 8－7＝
⑰ 7－4＝　㉗ 10－3＝　㊲ 9－6＝　㊼ 9－0＝
⑱ 9－1＝　㉘ 4－2＝　㊳ 10－9＝　㊽ 4－1＝
⑲ 8－4＝　㉙ 10－5＝　㊴ 6－4＝　㊾ 7－1＝
⑳ 6－1＝　㉚ 5－4＝　㊵ 10－6＝　㊿ 3－0＝
㉑ 0－0＝　㉛ 7－5＝　㊶ 2－1＝
㉒ 7－6＝　㉜ 4－0＝　㊷ 7－3＝

(3) 加法九九全部（0のある場合を含む）

6種類で，各種類とも100題提出

① 8＋5＝　㉒ 4＋5＝　㊸ 1＋5＝　(64) 2＋0＝
② 5＋9＝　㉓ 3＋2＝　㊹ 9＋9＝　(65) 2＋1＝
③ 4＋6＝　㉔ 4＋0＝　㊺ 1＋6＝　(66) 5＋7＝
④ 3＋8＝　㉕ 8＋8＝　㊻ 6＋8＝　(67) 9＋5＝
⑤ 8＋0＝　㉖ 5＋8＝　㊼ 7＋5＝　(68) 2＋6＝
⑥ 0＋7＝　㉗ 8＋6＝　㊽ 3＋7＝　(69) 7＋3＝
⑦ 2＋4＝　㉘ 7＋4＝　㊾ 2＋5＝　(70) 0＋3＝
⑧ 5＋0＝　㉙ 3＋9＝　㊿ 1＋2＝　(71) 0＋4＝
⑨ 4＋1＝　㉚ 5＋2＝　(51) 8＋1＝　(72) 6＋4＝
⑩ 1＋1＝　㉛ 1＋9＝　(52) 8＋3＝　(73) 2＋5＝
⑪ 9＋2＝　㉜ 0＋8＝　(53) 7＋1＝　(74) 6＋1＝
⑫ 3＋1＝　㉝ 4＋3＝　(54) 7＋7＝　(75) 2＋2＝
⑬ 6＋6＝　㉞ 1＋8＝　(55) 1＋7＝　(76) 7＋8＝
⑭ 3＋0＝　㉟ 1＋3＝　(56) 6＋9＝　(77) 9＋4＝
⑮ 0＋1＝　㊱ 9＋7＝　(57) 4＋9＝　(78) 9＋3＝
⑯ 1＋0＝　㊲ 4＋7＝　(58) 9＋0＝　(79) 2＋7＝
⑰ 3＋4＝　㊳ 9＋8＝　(59) 6＋3＝　(80) 0＋5＝
⑱ 7＋6＝　㊴ 2＋3＝　(60) 5＋3＝　(81) 2＋6＝
⑲ 8＋9＝　㊵ 4＋2＝　(61) 6＋2＝　(82) 8＋2＝
⑳ 7＋9＝　㊶ 0＋5＝　(62) 8＋2＝　(83) 1＋4＝
㉑ 7＋2＝　㊷ 6＋0＝　(63) 2＋9＝　(84) 5＋4＝

(86) 8＋7＝　(90) 5＋1＝　(94) 3＋3＝　(98) 6＋5＝
(87) 6＋7＝　(91) 0＋2＝　(95) 0＋0＝　(99) 4＋8＝
(88) 0＋6＝　(92) 9＋1＝　(96) 9＋6＝　(100) 7＋6＝
(89) 8＋4＝　(93) 4＋4＝　(97) 5＋6＝

(4) 減法九九全部（0のある場合を含む）

6種類で，各種類とも100題提出

① 13－9＝　㉖ 6－1＝　(51) 14－9＝　(76) 7－5＝
② 5－1＝　㉗ 12－4＝　(52) 5－4＝　(77) 10－9＝
③ 12－5＝　㉘ 10－1＝　(53) 16－7＝　(78) 8－8＝
④ 9－9＝　㉙ 8－0＝　(54) 7－1＝　(79) 10－5＝
⑤ 8－5＝　㉚ 8－6＝　(55) 11－4＝　(80) 5－0＝
⑥ 6－3＝　㉛ 16－9＝　(56) 8－7＝　(81) 13－4＝
⑦ 12－8＝　㉜ 8－1＝　(57) 11－8＝　(82) 1－1＝
⑧ 7－6＝　㉝ 13－8＝　(58) 7－2＝　(83) 13－7＝
⑨ 9－4＝　㉞ 5－5＝　(59) 8－3＝　(84) 4－3＝
⑩ 6－0＝　㉟ 16－8＝　(60) 3－0＝　(85) 11－6＝
⑪ 15－7＝　㊱ 8－5＝　(61) 17－9＝　(86) 7－3＝
⑫ 7－7＝　㊲ 10－3＝　(62) 6－6＝　(87) 9－2＝
⑬ 14－8＝　㊳ 12－9＝　(63) 14－6＝　(88) 12－6＝
⑭ 9－1＝　㊴ 1－0＝　(64) 6－5＝　(89) 7－0＝
⑮ 15－8＝　㊵ 12－6＝　(65) 11－9＝　(90) 8－2＝
⑯ 5－2＝　㊶ 13－5＝　(66) 6－4＝　(91) 17－8＝
⑰ 7－4＝　㊷ 0－0＝　(67) 14－7＝　(92) 3－2＝
⑱ 10－2＝　㊸ 12－7＝　(68) 11－2＝　(93) 15－6＝
⑲ 8－7＝　㊹ 5－3＝　(69) 10－6＝　(94) 4－4＝
⑳ 7－3＝　㊺ 11－5＝　(70) 9－5＝　(95) 13－6＝
㉑ 10－4＝　㊻ 3－1＝　(71) 14－5＝　(96) 2－1＝
㉒ 3－3＝　㊼ 15－9＝　(72) 4－2＝　(97) 10－8＝
㉓ 12－3＝　㊽ 9－6＝　(73) 11－3＝　(98) 6－2＝
㉔ 9－8＝　㊾ 9－0＝　(74) 8－4＝　(99) 2－0＝
㉕ 11－7＝　㊿ 10－7＝　(75) 18－9＝　(100) 9－3＝

B 3年生の問題

乗法九九全部（0のある場合を含む）

6種類で，各種類とも100題提出

① 4×9＝	㉖ 9×0＝	(51) 6×5＝	(76) 5×7＝
② 7×7＝	㉗ 1×8＝	(52) 2×1＝	(77) 9×3＝
③ 2×5＝	㉘ 1×3＝	(53) 8×9＝	(78) 4×3＝
④ 3×7＝	㉙ 8×7＝	(54) 9×7＝	(79) 4×0＝
⑤ 0×7＝	㉚ 3×4＝	(55) 6×0＝	(80) 2×6＝
⑥ 2×1＝	㉛ 0×1＝	(56) 3×6＝	(81) 4×6＝
⑦ 7×2＝	㉜ 2×3＝	(57) 9×4＝	(82) 9×9＝
⑧ 8×5＝	㉝ 8×3＝	(58) 9×8＝	(83) 7×6＝
⑨ 4×5＝	㉞ 2×4＝	(59) 0×4＝	(84) 2×8＝
⑩ 0×9＝	㉟ 1×6＝	(60) 4×1＝	(85) 3×0＝
⑪ 3×1＝	㊱ 8×0＝	(61) 5×0＝	(86) 7×4＝
⑫ 6×3＝	㊲ 6×2＝	(62) 8×2＝	(87) 3×9＝
⑬ 3×8＝	㊳ 1×1＝	(63) 4×2＝	(88) 8×4＝
⑭ 7×1＝	㊴ 5×1＝	(64) 6×8＝	(89) 9×6＝
⑮ 1×0＝	㊵ 0×2＝	(65) 7×3＝	(90) 7×8＝
⑯ 4×7＝	㊶ 9×5＝	(66) 0×6＝	(91) 0×7＝
⑰ 1×5＝	㊷ 6×1＝	(67) 5×5＝	(92) 5×2＝
⑱ 4×8＝	㊸ 5×8＝	(68) 6×7＝	(93) 6×9＝
⑲ 9×2＝	㊹ 1×9＝	(69) 8×6＝	(94) 8×1＝
⑳ 5×4＝	㊺ 7×0＝	(70) 4×4＝	(95) 1×2＝
㉑ 5×3＝	㊻ 2×2＝	(71) 0×5＝	(96) 2×0＝
㉒ 1×7＝	㊼ 7×9＝	(72) 3×5＝	(97) 6×6＝
㉓ 3×2＝	㊽ 2×9＝	(73) 6×4＝	(98) 1×4＝
㉔ 7×5＝	㊾ 2×7＝	(74) 3×3＝	(99) 8×8＝
㉕ 5×6＝	㊿ 0×3＝	(75) 5×9＝	(100) 0×8＝

実験の方法としては，次のようにした。

まず，いかなる指導をしたのち反復練習に入ったかについて

(1) **2年生の場合**

(a) 数の合成分解の理解

フラッシュカード並びにサイコロ，貼布板等を使って，繰り返し指導する。

合成とは，二つの数の和として一つの数を考えること。

分解とは，或数を二つの数の和として考えること。

以上を具体物にそくして，理解させる。

(b) よせるという意味並びにひくという意味の理解

本校で作製した12項目の中より選んだ問題を実施し，児童が理解したかどうかを見る。

(c) たしかめることができるか。

計算に自信をもたせるためには，いつも結果をたしかめるように導くことが大切で，この意味から験算は計算におけるしつけとして大切なものである。

よせ算でも，ひき算でも，最も初歩的な験算の方法は，もう一度やってみることである。あらためて書かなくても，計算をいちいち当ってみるだけでも，誤を発見することができる。

(d) 記号・用語の理解

「＋」「－」「＝」

① 記号「＋」はよせ算を示すもので，「と」あるいは「よせる」「より大きい」のかわりに用いられること

② 記号「－」はひき算をすることを示すもので，「とる」「ひく」「より小さい」のかわりに用いる。

③ 記号「＝」は，加法の場合も，減法の場合も，計算の結果を示すもので，「は」「になる」「である」のかわりに用いられる。

用　語

「よせるかず」「もとのかず」「たすかず」「よせざん」「は」

「もとのかず」「ひくかず」「ひきざん」「……ひく」「＝……は」

(e) 実際の場において，たし算・ひき算がうまく活用されるか。

(f) 指導内容と時間

① わなげあそび（３時間）

（４・６を中心に調べる）

② たま入れ（４時間）

（６・７を中心に調べる，＝，＋，－の意義）

③ カード遊び（２時間）

（４・５・６・７の数についての加減の練習）

④ コリント遊び（３時間）

（８・９を中心にして調べる，たしかめる）

⑤ お店ごっこ（３時間）

（10を中心にして調べる）

⑥ かずあて（３時間）

（10までのよせ算・ひき算の練習）

(2) ３年生の場合

乗法九々の指導にさきだって，三学年担任の打合せた計画についてのべる。

(a) 乗法九々指導の根本的態度

① （基数）＋（基数），（何十）＋（基数），（何十何）＋（基数）がなんの抵抗もなくできるようにしておく。

② 二つとび，三つとび，四つとび，五つとびのかぞえ方の指導をしておく。

③ 乗法九々の指導に入るには，具体的で，児童にとって経験のある，しかも，加法では余り容易でない問題をとりあげて，同数累加の生活から倍の観念を得させるようにする。

たとえば，具体物を用いて，

５ ＋ ５ ＋ ５ ＋ ５ ＋ ５ ＋ ５＝30

５×６＝３とかく

５の６倍は　というのであることを教え，「ごろくさんじゅう」ととなえ，これを覚えておけば便利であることをわからせる。

① 同数累加の考えに，倍の観念がわからなければ，乗法九々は成立しないから，特に倍の観念を養う。

たとえば，　５＋５＝10　５×２

５＋５＋５＝15　５×３

５＋５＋５…………５＝45　５×９

のように，５が何回加えてあるか，加える回数が一回ますごとに，答は５だけましていることに気づかせる。このようにして倍の観念を明らかにする。

② 乗法の意味を理解させ，乗法の結果を覚えるために，九々が確実に構成されるように指導していく。　５＋５＋５＋５＋５

(5)　(10)　(15)　(20)　(25)

グループの数　１　２　３　４　５

これで，５がひとつで５，ふたつで10，みっつで15……というように，乗法の意味を明確にし，５個ずつのグループがいくつかある場合，それを速く数えるために乗法を用いると，日常生活に便利であることを指導し，唱え方や「九々」という言葉を教えて，九々の構成を確実にさせる。

③ 乗数として「０」を用いるときは，その「０」がなんであるか，（グループがないことを示す）を確実に指導する。

④ 交換の法則は，乗法九々の指導の過程中，児童が途中で気づいても，一通り学習したところで，特に取りあげて指導していく。

⑤ 記号 =，× の指導をよくする

⑥ 用語の指導

かけられるかず（グループの個数をあらわす）

かけるかず（グループの数をあらわす）

⑦ どんな児童の生活の場をとりあげて指導していくか

5の段…はがきの値段

2の段…二列にならんでいる人数

4の段…いくつかの柿を四つ切りにしたときの数をもとめる。

6の段…半ダース入れのコップ，ハンカチを数える。

8の段…8枚はめのガラス戸のガラスの枚数をかぞえる。

3の段…おはじき遊び

7の段…何週間かの日数をかぞえる。

9の段…野球チームの人数，画用紙を九つに切ったときの枚数

1と0の段…点取り遊び

一人といえども落伍者をつくらないようにする。

§3. 反復練習の結果

A 曲線の処理はどのようにしたか

1. 曲線の類型のきめ方や上昇率などは前年度と同じにした。
2. 知能指数と上昇率との関係は，相関係数によってみた。

B どのように進歩していったか

(1) 2年生の場合

加法一週間 減法〃 加法〃 減法〃 加法〃 減法〃 中断一か月 加法一週間 減法〃 中断一か月 加法一週間 減法〃 中断一か月

加法一週間 減法〃 中断一か月 加法一週間 減法〃 中断三か月

上で示したように，継続練習をさせたわけである。

そのうち，加法・減法を交互に一週間ずつ練習した。すなわち，加法のみ三週間連続すると減法の練習ができないので，加法一週間練習すれば減法一週間練習するというように，一週間ずつ交互にして，加法三週間減法三週間練習したら，一か月中断し，更に一週間練習するというようにした。

この結果，各こどもの成績を一覧表で示すと，次の通りである。

a 加法九九（繰上りなし）50題の場合

次表のK，mは33ページの方程式で求めた値である。練習の中断期間については，1回，2回，3回は連続三週間練習し，4回は一か月中断後一週間練習し，5回は更に一か月中断後一週間練習したものである。

児童番号	性別	知能指数	最小自乗法による処理の結果	各練習期の成績							第三回目との比較			
				連続三週間における			1か月後	1か月後	1か月後	1か月後	第四回目	第五回目	第六回目	第七回目
				第一週	第二週	第三週								
				1回	2回	3回	4回	5回	6回	7回				
1	女	159	K	209秒	147秒	93秒	106秒	86秒	68秒	54秒	+	—	—	—
			m	−18.4	−10.8	−0.4	−2.2	−0.9	−0.9	−0.8				
2	男	149	K	153	90	101	83	70	49	37	—	—	—	—
			m	−4.1	+1.5	−4.2	−0.9	−1.1	+1.9	+0.8				
3	女	148	K	124	85	80	68	56	53	欠	—	—	—	欠
			m	−5.4	−1.1	−2.2	−2.2	+0.7	+0.1	欠				
4	女	143	K	235	143	130	100	103	76	38	—	—	—	—
			m	−16.8	−7.0	−3.5	−3.6	−5.3	−4.4	−1.8				
5	男	142	K	320	179	173	150	140	108	85	—	—	—	—
			m	−25.8	−6.6	−1.8	+8.5	−3.0	−2.1	−2.8				

児童番号	性別	知能指数		1回	2回	3回	4回	5回	6回	7回	第四回目	第五回目	第六回目	第七回目
6	男	141	K	443	252	197	247	138	欠	88	+	−	欠	−
			m	−39.7	−18.5	−0.4	−11.9	+11.4	欠	+11.7				
7	女	137	K	240	149	165	102	87	57	63	−	−	−	−
			m	−14.9	−7.1	−13.6	−5.0	−1.9	−0.2	−2.4				
8	男	137	K	160	113	116	85	101	63	45	−	−	−	−
			m	−9.0	−1.4	−8.3	+1.2	−3.5	+1.0	−2.9				
9	男	132	K	265	181	158	173	141	109	83	+	−	−	−
			m	−16.1	−4.9	−6.1	−7.4	−3.7	−4.3	+0.3				
10	男	130	K	109	107	92	70	72	54	57	−	−	−	−
			m	−0.4	−4.0	−3.4	−1.6	−1.2	+2.9	−0.9				
11	女	130	K	248	187	118	99	121	109	73	−	+	−	−
			m	−20.8	−17.9	−2.6	−1.2	+2.2	−6.1	+0.3				
12	男	129	K	162	122	136	101	161	76	53	−	+	−	−
			m	−7.3	−4.9	−11.3	−1.5	−16.6	+0.9	+0.4				
13	女	128	K	96	72	77	57	66	49	30	−	−	−	−
			m	−3.3	−0.4	−2.7	−0.9	−3.4	−1.0	−0.4				
14	男	127	K	152	155	90	76	70	58	46	−	−	−	−
			m	−3.8	−11.0	−0.9	+0.3	+1.0	+1.4	+1.0				
15	男	125	K	128	92	89	82	欠	50	54	−	欠	−	−
			m	−6.1	−1.4	−4.7	−3.3	欠	+1.0	−0.5				
16	男	125	K	252	182	108	137	173	140	83		+	+	−
			m	−16.6	−10.6	+3.4	−4.4	−10.5	−11.0	−2.5				
17	男	122	K	169	152	149	140	130	97	87	−	−	−	−
			m	−7.6	−5.7	−2.5	−10.2	+1.2	−3.4	−0.6				
18	男	121	K	160	152	74	88	69	62	106	+	−	−	+
			m	−6.2	−12.0	+4.7	−3.3	+4.6	+0.7	−8.0				
19	女	121	K	177	113	97	78	95	68	43	−	−	−	−
			m	−10.9	−5.0	−4.0	−0.9	−3.0	−1.9	−1.4				
20	男	121	K	155	235	199	138	142	100	92	−	−	−	−
			m	−14.4	−19.6	−10.6	−7.6	−8.0	−1.4	−4.1				
21	女	115	K	122	72	59	60	58	48	37	−	−	−	−
			m	−8.5	−2.7	−0.6	−3.5	−3.9	−2.4	−0.3				
22	女	112	K	205	120	121	83	64	58	59	−	−	−	−
			m	−16.3	−4.1	−6.6	−3.4	+2.9	−0.8	−3.0				
23	男	106	K	310	118	113	115	123	82	69	−	+	−	−
			m	−34.3	+0.4	−4.6	−7.5	−3.5	−3.6	−2.8				
24	女	100	K	160	122	86	105	110	78	51	+	+	−	−
			m	−5.9	−5.1	+2.2	−6.4	−8.1	−2.5	+0.7				
25	男	90	K	307	184	157	179	171	131	120	+	+	−	−
			m	−15.9	−6.2	+2.4	−4.9	−2.0	−6.3	−0.1				
26	女	95	K	301	152	96	89	80	61	69	−	−	−	−
			m	−31.2	−8.1	+2.5	−2.2	0	+0.4	−2.4				
27	男	88	K	340	208	108	188	153	164	121	+	+	+	+
			m	−25.3	−19.3	+6.6	−6.9	+9.5	−12.8	−7.1				
28	女	87	K	160	102	114	100	105	57	104	−	−	−	−
			m	−9.9	−4.5	−6.2	−6.5	−5.1	+0.5	−11.3				
29	男	87	K	133	96	86	68	欠	67	53	−	欠	−	−
			m	−9.1	+2.9	−2.2	−2.6	欠	−3.8	−1.2				
30	男	86	K	250	132	123	93	97	66	56	−	−	−	−
			m	−16.1	−6.0	−9.1	−4.8	−3.9	−1.6	−1.0				

児童番号	性別	知能指数		1回	2回	3回	4回	5回	6回	7回	第四回目	第五回目	第六回目	第七回目
31	男	86	K	242	133	137	112	126	87	91	−	−	−	−
			m	−17.8	−2.5	−8.9	−2.4	−8.4	−3.0	−14.6				
32	男	82	K	204	156	143	159	欠	111	75	+	欠	−	−
			m	−7.5	−3.6	−0.6	−7.3	欠	−8.2	+4.3				
33	女	79	K	249	202	150	150	欠	97	60	−	欠	−	−
			m	−16.3	−14.6	−6.2	−11.6	欠	−6.1	−2.1				
34	女	79	K	230	175	164	124	94	60	59	−	−	−	−
			m	−17.8	−13.7	−10.5	−5.5	−2.0	−0.3	−1.6				
第３回，即ち連続３週間練習後とくらべて後退したもの							9人	7人	2人	2人	9/34	7/30	2/32	2/33

（備考） (1) −は，第三回目と比較して後退していないもの

(2) +は，第三回目と比較して後退したもの

(3) 欠は，欠席したもの

b 減法九九（繰下りなし）50題の場合

児童番号	性別	知能指数	最小自乗法による処理の結果	各練習期の成績 連続３週間における 第一週 1回	第二週 2回	第三週 3回	1か月後 4回	1か月後 5回	1か月後 6回	1か月後 7回	等三回目との比較 第四回目	第五回目	第六回目	第七回目
1	女	159	K	168	167	116	158	106	52	84	+	−	−	−
			m	+4.2	−12.6	−1.2	−9.2	−3.7	−5.2	−5.1				
2	女	148	K	165	137	107	124	79	62	欠	+	−	−	欠
			m	+3.0	−5.4	−2.9	−9.4	−3.0	−2.5	欠				
3	男	146	K	167	138	114	106	欠	83	50	−	欠	−	−
			m	−8.9	−8.5	0	−3.4	欠	+3.4	+1.2				
4	女	146	K	238	143	137	128	134	84	84	−	−	−	−
			m	−16.1	−3.0	−7.2	−8.6	−6.6	−1.4	−4.5				
5	男	143	K	134	80	65	58	60	52	42	−	−	−	−
			m	−8.9	−2.8	−2.3	−2.5	−3.1	−2.1	−1.9				
6	男	137	K	256	155	198	欠	159	109	欠	欠	−	−	欠
			m	−9.5	+3.9	−6.9	欠	+1.2	+0.3	欠				
7	女	137	K	369	188	143	120	128	82	69	−	−	−	−
			m	−40.2	−9.7	−1.5	−4.9	−8.1	−3.5	−3.1				
8	女	135	K	323	223	173	180	140	84	93	−	−	−	−
			m	−16.8	−9.1	−1.9	−11.4	−4.2	+0.26	−3.3				
9	男	134	K	289	230	186	185	145	119	113	−	−	−	−
			m	−10.9	−8.8	−5.0	−10.9	−2.2	−1.5	−4.3				
10	女	130	K	184	169	140	119	100	94	77	−	−	−	−
			m	−8.9	−12.9	−1.4	−6.8	−3.1	−3.5	−2.8				
11	男	120	K	97	92	61	45	53	46	36	−	−	−	−
			m	0	−8.0	−1.9	−1.5	−1.5	+0.85	+0.5				

12	男	118	K m	331 −4.6	213 −8.0	205 −3.1	200 −13.4	152 −9.4	83 −1.7	79 −0.4	−	−	−	−
13	女	115	K m	89 −1.2	72 −2.4	68 −2.1	67 −3.5	52 −1.3	45 −1.2	41 +0.6	−	−	−	−
14	女	114	K m	270 −11.8	198 −11.0	170 +0.3	204 −16.3	140 −4.4	89 −1.1	91 −1.0	+	−	−	−
15	女	114	K m	216 −16.54	142 −9.2	93 +0.9	121 −7.4	90 −0.6	69 −0.2	90 −7.0	+	−	−	−
16	女	113	K m	210 −10.9	153 −8.5	105 +4.5	128 −7.3	113 −2.6	83 −5.0	66 +0.2	+	+	−	−
17	男	112	K m	156 −4.4	132 −5.1	91 +2.8	76 −0.3	72 −1.6	66 −2.9	63 +0.4	−	−	−	−
18	男	107	K m	303 −24.1	136 −2.9	130 −6.2	99 +0.1	122 −3.9	99 −5.3	83 −4.7	−	−	−	−
19	男	106	K m	172 −12.8	126 −5.4	95 +7.5	113 −3.1	132 −6.9	90 −3.2	67 −1.1	+	+	−	−
20	女	105	K m	252 −16.0	184 −14.4	131 −7.8	102 −5.6	137 −11.7	85 −3.6	74 −5.9	−	+	−	−
21	男	100	K m	267 −18.3	173 −9.9	135 −3.7	130 −5.5	118 −10.7	70 −0.02	78 −5.2	−	−	−	−
22	女	99	K m	440 −29.5	261 −17.6	198 +3.4	184 −10.4	146 +0.6	108 −4.08	100 −3.3	−	−	−	−
23	女	93	K m	500 −59.6	234 −7.6	234 −4.5	228 −12.5	222 −13.6	114 −1.8	79 −0.9	−	−	−	−
24	女	92	K m	278 −17.3	160 −8.8	155 −1.0	122 +1.4	140 −4.5	105 −1.9	110 −6.3	−	−	−	−
25	男	91	K m	562 −56.2	200 +0.38	235 −12.3	256 −19.1	204 −11.7	110 −1.0	97 −2.1	+	−	−	−
26	男	90	K m	244 −11.6	162 −1.7	141 +0.9	188 −11.4	189 −11.9	97 −2.2	73 −3.0	+	+	−	−
27	女	85	K m	238 −13.8	184 −15.2	154 −4.8	129 −6.9	106 −5.0	70 +1.1	76 −3.9	−	−	−	−
28	女	85	K m	407 −38.6	218 −11.6	163 +0.3	189 −10.0	160 −7.8	109 −3.7	100 −1.7	+	−	−	−
29	女	83	K m	308 −10.2	192 −8.8	157 −5.2	144 −4.1	122 −4.1	98 −3.7	86 −1.4	−	−	−	−
30	女	83	K m	125 −1.3	115 −4.0	110 −1.6	110 −5.2	100 −4.8	63 −17.3	51 −1.2	−	−	−	−
31	男	82	K m	378 −22.4	216 −15.4	188 −2·7	186 −7.7	182 −10.4	106 −1.47	欠 欠	−	−	−	欠
第三回，即ち連続三週間練習後とくらべて後退したもの							9	3	0	0	9/31	3/30	0/31	0/28

c　加法九九全部（100題）の場合

児童番号	性別	知能指数	最小自乗法による処理の結果	各練習期の成績 連続3週間における 第一週 1回	第二週 2回	第三週 3回	1か月後 4回	1か月後 5回	1か月後 6回	第三回目との比較 第四回目	第五回目	第六回目
1	女	148	K m	266 −22.2	187 −15.9	103 −0.7	92 +0.9	欠 欠	欠 欠	−	欠	欠
2	男	146	K m	292 −20.1	189 −11.7	169 −10·7	118 −0.9	104 +0.4	124 −2.2	−	−	−
3	男	143	K m	191 −10.5	134 −2.8	111 −0.64	85 +0.6	104 −2.2	90 −1.6	−	−	−
4	女	143	K m	554 +0.1	214 −7.5	134 +3.17	121 −1.4	108 +2.5	138 −7.5	−	−	+
5	男	141	K m	625 −43.1	515 −43.0	289 −5.1	293 −9.6	274 −5.1	欠 欠	−	−	欠
6	女	135	K m	336 −12.5	290 −14.6	198 −6.6	158 +3.6	167 +0.8	166 −3.1	−	−	−
7	男	130	K m	200 −9.8	187 −22.2	120 −3.6	112 −1.4	120 −2.1	109 −2.8	−	−	−
8	男	121	K m	389 −26.6	335 −19.4	184 −2.26	180 −4.8	165 +0.1	172 −9.0	−	−	−
9	女	115	K m	180 −12.4	129 −5.0	99 −0.67	100 −2.8	90 +0.4	98 −1.2	−	−	−
10	男	115	K m	495 −16.3	460 −28.2	307 −16.1	270 −4.8	239 +2.4	278 −17.6	−	−	−
11	女	114	K m	239 −10.8	192 −6.2	152 −0.7	143 −4.1	129 +0.6	144 −1.3	−	−	−
12	女	114	K m	402 −20.6	270 −12.0	200 −2.52	200 −6.4	180 −1.6	146 +0.1	−	−	−
13	女	113	K m	327 −21.2	217 −15.0	172 −7.8	133 −8.6	123 +2.2	132 0	−	−	−
14	女	112	K m	225 −8.4	190 −10.3	137 −4.0	147 −6.0	113 +1.1	107 0	+	−	−
15	男	112	K m	188 −7.5	219 −16.5	125 −0.64	106 −2.2	129 −2.3	124 −3.5	−	+	−
16	女	89	K m	334 −17.3	238 −8.4	190 +2.0	152 −0.2	130 +2.4	130 −2.1	−	−	−
17	男	88	K m	302 −10.3	320 −23.6	246 −12.3	181 −1.8	179 +6.0	186 −5.1	−	−	−
18	男	86	K m	325 −8.6	286 −6.4	253 −12.1	195 −7.7	172 −5.6	204 −14.1	−	−	−
19	男	84	K m	208 −6.8	208 −18.9	134 −3.79	106 −2.2	106 −0.7	90 +3.8	−	−	−
20	女	83	K m	306 −6.1	266 −12.0	230 −9.7	189 −6.7	126 −3.3	176 −5.5	−	−	−
21	女	83	K m	245 −8.7	188 −6.6	140 −2.7	134 −2.3	152 −6.9	103 +3.2	−	−	−

22	女	83	K m	442 −28.4	408 −36.7	231 −4.11	209 −5.1	193 −6.1	155 +4.8	−	−	−
23	男	82	K m	359 +0.2	307 −15.5	177 −0.65	209 −10.3	126 −1.4	欠 欠	+	−	欠
24	男	82	K m	390 −12.5	295 −12.0	221 −8.7	193 −2.9	欠 欠	欠 欠	−	欠	欠
第三回，即ち連続三週間練習後とくらべて後退したもの							2	1	1	$\frac{1}{24}$	$\frac{1}{23}$	$\frac{1}{22}$

d　減法九九全部（100題）の場合

児童番号	性別	知能指数	最小自乗法による処理の結果	各練習期の成績						第三回目との比較		
				連続3週間における			1か月後	1か月後	1か月後	第四回目	第五回目	第六回目
				第一週	第二週	第三週						
				1回	2回	3回	4回	5回	6回			
1	女	148	K m	334 −17.2	216 −5.4	150 +5.4	160 −5.5	欠 欠	欠 欠	+	欠	欠
2	男	146	K m	324 −16.7	271 −21.0	162 −3.9	155 −7.2	142 −4.0	141 −5.7	−	−	−
3	男	143	K m	267 −15.6	160 −2.9	140 −5.8	106 −0.35	120 −4.3	102 −3.8	−	−	−
4	女	143	K m	381 −27.4	248 −11.1	203 −10.3	162 −7.0	160 −0.38	135 −2.0	−	−	−
5	男	141	K m	749 −46.4	530 −18.5	517 −25.7	459 −35.9	603 −34.8	467 −35.8	−	+	−
6	女	135	K m	364 −11.9	272 −10.4	180 +6.9	229 −7.9	192 −4.5	180 −1.2	+	+	−
7	男	130	K m	260 −20.8	140 +1.5	132 −2.2	130 −0.67	159 −9.9	111 −0.8	−	+	−
8	男	121	K m	513 −19.3	480 −36.0	269 −5.4	293 −13.0	304 −13.6	203 +0.5	+	+	−
9	女	115	K m	201 −70.6	140 −6.8	117 −4.0	82 +0.2	115 −2.4	110 −6.2	−	−	−
10	男	115	K m	539 −13.3	471 −21.0	440 −24.7	374 −16.2	394 −2.46	314 −15.1	−	−	−
11	女	114	K m	360 −10.0	221 −5.3	170 +3.1	166 −5.3	170 −1.0	197 −11.7	−	−	+
12	女	114	K m	486 −36.8	267 −8.5	217 −2.9	212 −10.2	198 −3.4	146 +5.2	−	−	−
13	女	113	K m	420 −45.0	210 −5.4	171 −5.7	148 −5.5	197 −5.8	144 −0.1	−	+	−
14	女	112	K m	366 −29.0	256 −8.4	224 −8.8	193 −5.4	196 −9.8	155 −3.3	−	−	−
15	男	112	K m	408 −38.3	246 −14.3	175 −5.7	144 −3.7	192 −9.8	135 −5.4	−	+	−

16	女	89	K m	355 −16.8	284 −12.0	258 −18.1	177 −1.25	179 −16.9	137 −2.2	−	−	−
17	男	88	K m	520 −13.0	335 −11.7	328 −21.1	240 −8.2	264 −13.5	204 −7.5	−	−	−
18	男	86	K m	580 −42.8	525 −50.2	315 −16.2	205 −1.5	221 −5.8	180 −4.0	−	−	−
19	男	84	K m	413 −36.7	196 −0.4	196 −11.2	140 −2.58	179 −8.6	158 −13.1	−	−	−
20	女	83	K m	449 −30.0	302 −12.3	228 −6.4	183 −2.4	220 −2.0	180 −1.1	−	−	−
21	女	83	K m	345 −23.6	204 −11.7	135 −1.0	133 −2.1	122 −0.73	121 −1.4	−	−	−
22	女	83	K m	560 −39.8	364 − 3.1	439 −24.4	321 −17.2	264 −31.7	302 −23.2	−	−	−
23	男	82	K m	654 −41.1	457 −37.7	355 −19.6	268 −12.5	263 −7.3	235 −14.4	−	−	−
24	男	82	K m	543 −35.5	305 −6.9	267 −4.1	277 −13.8	欠 欠	欠 欠	+	欠	欠
第三回，即ち連続三週間練習後とくらべて後退したもの							3	6	1	$\frac{3}{24}$	$\frac{6}{23}$	$\frac{1}{22}$

(2)　３年生の場合

実験児童番号	知能段階	第一回実験連続36日間最終時	14日間中止	第二回実験の始めの時間	第一回後の進歩	第二回後の進歩
1	上	86秒		90秒	+	
3	上	128		114	−	
6	中	160		170	+	
7	中	121		130	+	
10	下	125		125	0	
11	下	139		169	+	

実験児童番号	知能段階	第一回実験12日間の終り	6日間中止	第二回実験18日間 始め	第二回実験18日間 終り		第三回実験の始め	第一回後の進歩	第二回後の進歩
2	上	155秒		137秒	117秒		132	−	＋
4	上	184		157	139		133	−	−

		第一回実験13日間の終り	6日間中止	第二回実験18日間 始め	終り				
8	中	141秒		135	101		107	−	+
		第一回実験27日間の終り	6日間中止	第二回実験3日間 始め	終り				
5	中	102秒		97	94		100	−	+
9	下	101		105	101		102	−	+
12	下	106		118	118		120	+	+

註 ① 進歩（＋）は時間が増した，即ち，遅くなったもの
② 進歩（－）は時間が減した，即ち，速くなったもの
③ 上記の日数は日曜を除く

C どのような進歩のあとを示したか

反復練習の結果を，実験児童100名（二年88名，三年12名）について調査してみたところ，次の三種類にわけられた。

仮称	理想型		普通型		不定型	
曲線のようす	中断後は中断前にくらべて，少しも退歩しないで，ずんずん進歩し続けて直線状態に近づくもの		中断後は中断直前より少し退歩を示すが，その後ずんずん進歩し続けて直線状態に近づくもの		きわめて急激な進歩と退歩を繰返し，直線状態に近づかないもの	
二年生	$\frac{45}{112}$	40 %	$\frac{46}{112}$	41 %	$\frac{21}{112}$	19 %
三年生	$\frac{9}{12}$	75 %	$\frac{3}{12}$	25 %	$\frac{0}{12}$	0 %

観察による子供の性格	○まじめで，根気のいい子供 ○しっかりやろうとしている子供 ○従順で，口数の少ない子供 ○受入れ態勢のよい子供	○短気な子供 ○あきやすい子供 ○子供のおせっかいをする ○反抗心の強い子供

（備考） 別表に示した曲線グラフで，Ⅰは理想型，Ⅱは普通型は，Ⅲ不定型を示す。

D 曲線の類型はどのようであったか

継続して反復練習した練習曲線を三日毎の移動平均で処理し，その結果を一括してみると，実験児童全部が凸状型を示していると見られる。しかし，その状況が異っており，初めほど曲がり具合が急であり，終りに近ずく程ゆるやかになって直線に近くなっている。

E 練習を中断した場合は，どのようであったか

後に述べる特殊の児童以外は，中断後１週間あるいは１ケ月，更に１ケ月放置しておいて，逆もどりしなかった。

また，予想に反して，中断前よりも著しい進歩を示していた。

F 知能指数と上昇率との関係はどのようであったか

知能指数と曲線の上昇率とに相関々係があるかを調べるために，ピアスン氏偏差積法により，次のようにして相関係数を算出した。

知能指数	上昇率	x	y	x^2	y^2	xy
142	3.054	+29	−1.046	841	1.094	−30.33
142	2.365	+28	−1.735	784	3.010	−48.58
139	3.489	+26	−0.611	676	0.374	−15.88
142	4.802	+29	+0.702	841	0.493	+20.36
110	3.844	− 3	−0.256	9	0.066	+0.77
110	6.093	− 3	+1.993	9	3.972	−5.98

111	5.414	−2	+1.044	4	1.086	−2.09
112	3.140	−1	−0.960	1	0.921	+0.96
88	4.527	−25	+0.427	625	0.182	−10.65
87	3.131	−26	−0.969	676	0.939	+25.18
85	6.455	−28	+2.355	784	5.546	−65.94
83	3.153	−30	−0.947	900	0.897	+28.41
113	4.100	−6	−0.003	6150	18.580	−103.76

$$r=\frac{\frac{\Sigma xy}{N}-C_1C_2}{\sqrt{\left(\frac{\Sigma x^2}{N}-C_1^2\right)\left(\frac{\Sigma y^2}{N}-C_2^2\right)}}=\frac{\frac{103.76}{12}-0.5\times0.00025}{\sqrt{\left(\frac{6150}{12}-0.25\right)\left(\frac{18.580}{12}-0.0000000625\right)}}$$

$$=0.3068$$

$$P.Er=0.6745\frac{1-r^2}{\sqrt{N}}=0.6745\frac{1-(-0.3068)^2}{\sqrt{12}}=0.1762$$

注 $C_1=\frac{\Sigma x}{N}=\frac{-6}{12}=-0.5$

$C_2=\frac{\Sigma y}{N}=\frac{-0.003}{12}=-0.00025$

0.6745 は蓋然偏差PEの常数

相関係数は，r＞3P．E_r である時に信頼できるとみられる。然るに，以上の計算によると，0.306＜3×0.176 であるから，此の相関係数は全く信頼できないといえる。すなわち，知能指数と曲線の上昇率との間には，相関々係はないといわざるを得ない。

このことは，知能指数上の者，中の者，下の者を別々に計算しても，同じ結果が得られた。それ故，知能指数と曲線の上昇率とは関係がないと考えてよい。

次に知能指数と作業の上昇率との相関々係はどうか。

作業量が知能指数に関係がありはしないかと考えたので，作業量も調査し，その上昇率と知能指数との相関々係を算出した。

（作業量とは，児童が一分間に書き得る数字（基数）の数である。この数

字を書く能力を調べたのは，九々の答を，口答させた場合と，筆答させた場合に口答の方が筆答の時より1割以上速くできる事から，筆答テストに於ては，書写能力が大きい程，速くできるものと考えたからである）

知能指数	作業上昇率	x	y	x^2	y^2	xy
142	1.430	+29	+0.510	841	0.26	+14.79
141	1.014	+28	+0.094	784	0.01	+2.63
139	0.742	+26	−0.718	678	0.03	−4.63
142	0.277	+29	−0.643	841	0.41	−18.65
110	1.455	−3	+0.535	9	0.29	−1.61
110	1.313	−3	+0.393	9	0.15	−1.18
111	0.954	−2	+0.034	4	0.001	−0.07
112	1.030	−1	+0.110	1	0.01	−0.11
88	0.012	−25	−0.908	625	0.82	+22.70
87	0.012	−26	−0.908	676	0.82	+23.61
85	1.399	−28	+0.479	784	0.23	−13.41
83	1.396	−30	+0.476	900	0.23	−14.28
113	0.920	−6	−0.006	6150	3.261	+9.79

一分間に書く数字の数は，練習するに従って多くなる。（作業上昇率とは，この上昇の割合を，最小自乗法に依って求めたものである）

$$r=\frac{\frac{9.79}{12}-0.5\times0.0005}{\sqrt{\left(\frac{6150}{12}-(0.5)^2\right)\left(\frac{3.261}{12}-(0.0005)^2\right)}}=0.0632$$

$$P.Er=.6745\frac{1-r^2}{\sqrt{N}}=.6745\frac{1-(0.0632)^2}{\sqrt{12}}=0.1922$$

これについても，r＜3P.Er であるから，知能指数と作業上昇率との間に相関々係はないとみられる。

次に作業上昇率と曲線の上昇率との相関々係はどうか。

（作業上昇率の大きい者は，解答時間も少くなると考えられるから，練習曲線も上昇するものと考えられる。そこで，作業上昇率と曲線の上昇率との相関々係を求めたのである）

実験児童全員の結果は，次の通りである。

作業上昇率	曲線の上昇率	x	y	x^2	y^2	xy
1.430	3.054	+0.510	−1.046	0.26	1.094	−0.533
1.014	2.365	+0.094	−1.735	0.01	3.010	−0.163
0.742	3.489	−0.178	−0.611	0.03	0.374	+0.109
0.277	4.802	−0.643	+0.702	0.41	0.493	−0.451
1.455	3.844	+0.535	−0.256	0.29	0.066	−0.137
1.313	6.093	+0.393	+1.993	0.15	3.972	+0.783
0.954	5.144	+0.034	+1.044	0.001	1.086	+0.035
1.030	3.140	+0.110	−0.969	0.01	0.921	−0.106
0.012	4.537	−0.908	+2.355	0.82	0.182	−0.388
0.012	3.131	−0.908	−0.969	0.82	0.939	+0.880
1.399	6.455	+0.479	+2.355	0.23	5.546	+1.128
1.396	3.253	+0.476	−0.947	0.23	0.897	−0.451
0.920	4.100	−0.006	−0.003	3.261	18.580	+0.706

$$r=\frac{\frac{0.706}{12}-0.0005\times0.00025}{\sqrt{\left\{\frac{3.261}{12}-(0.0005)^2\right\}\left\{\frac{18.580}{12}-(0.00025)^2\right\}}}=0.0755$$

$$\mathrm{P.Er}=\frac{1-r^2}{\sqrt{N}}=\frac{0.6745\times\{1-(0.0755)^2\}}{\sqrt{12}}=0.1936$$

以上の計算においても r＜3P. Er であるから，作業上昇率と曲線の上昇率とは相関々係なしと断定せざるを得ない。また知能指数上の者，中の者，下の者と，各グループに分けて計算した結果も，同様に， r＜3P. Er であったので，作業上昇率と曲線の上昇率とは相関々係なしと断定した。

次に，作業量と解答時間との相関々係はどうか。

作業量が大きい（数字を書くのが速い）者は当然短時間に多くの数字を書き得るから，解答時間も速くなるであろう。

そこで，実験児童一人について，作業量と解答時間（問題を解答し終る時間）の関係について考察してみた。

（表は略す）

240

r＝−0.732　　P. Er＝0.070

此の結果では，r＞3P. Erであるので，相当の相関々係があるとみてよい。すなわち，作業量が多いもの程解答時間が少いということが言える。

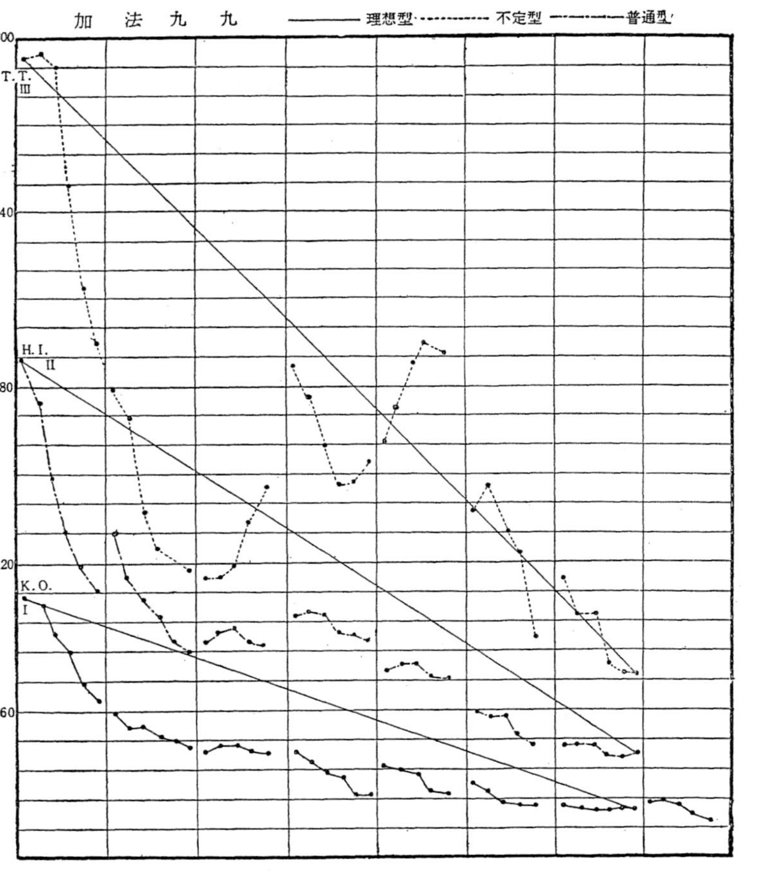

241

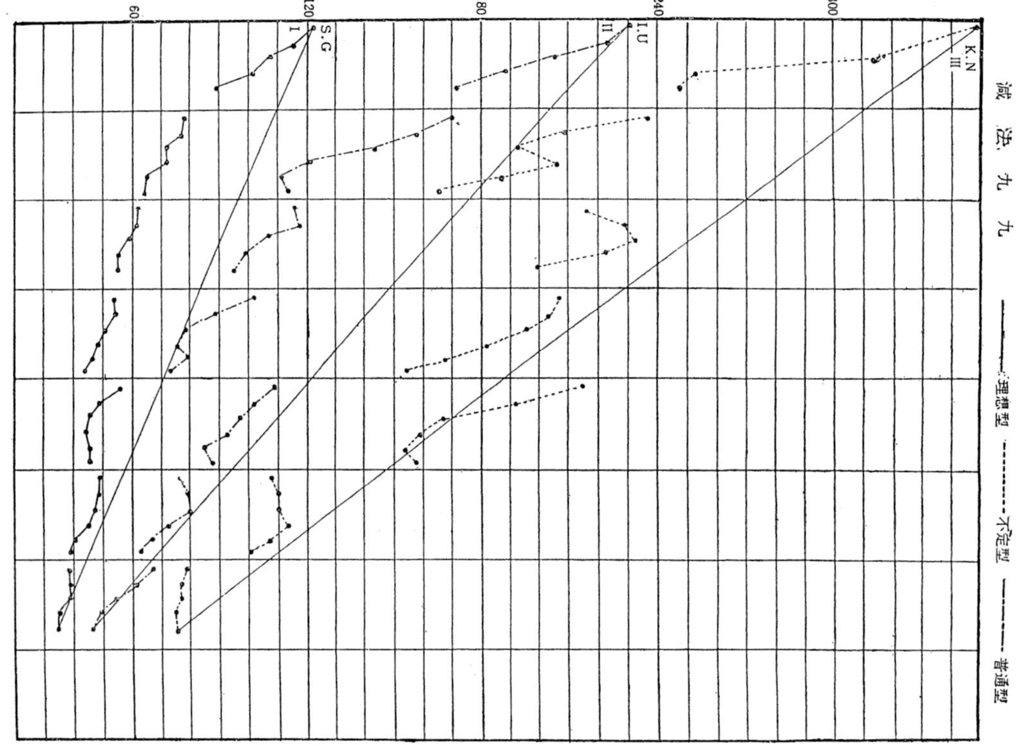
減法九九
理想型
不定型
普通型
60
120
180
240
300
S.G
I
I.U
II
K.N
III

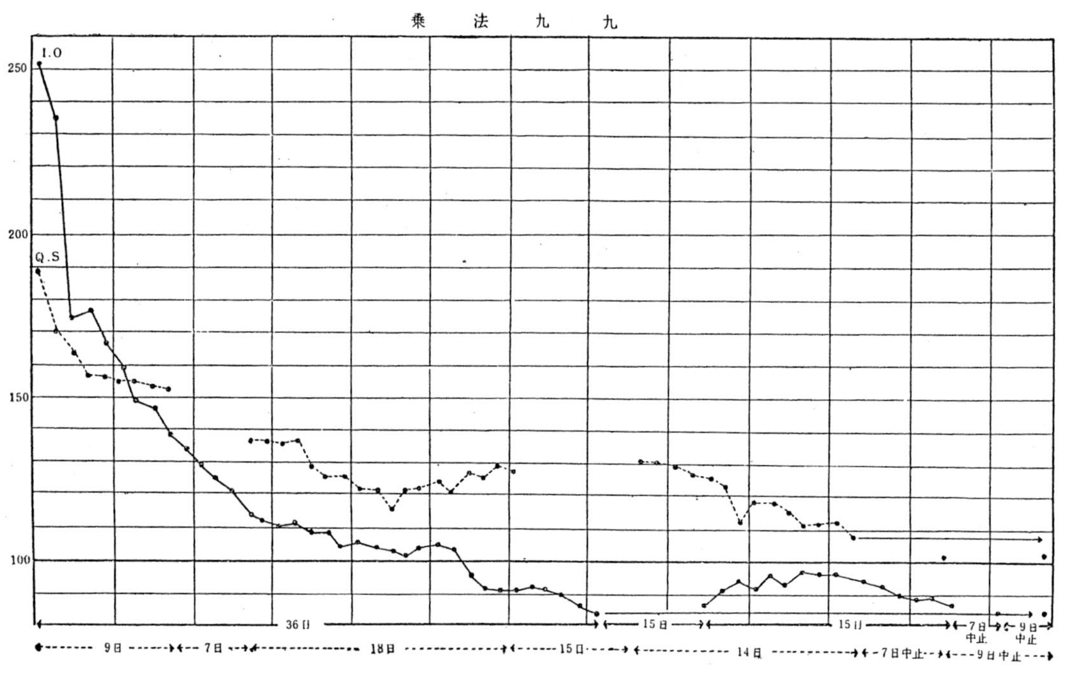
乗法九九
I.O
Q.S
250
200
150
100
36日
15日
15日
7日
中止
9日
中止
9日
7日
18日
15日
14日
7日中止
9日中止

§4. いつやめたらよいか

(1) 中断してよいと思われる時期をどのようにきめたか

中断してよいと考えられる時期は，練習曲線の上昇が，停滞または退歩の状態を示した時と考え，次のようにした。

(a) 二年生の場合

第三回目（一週間ずつ練習した，その第三週間目）の練習曲線について，その上昇率が，0または＋である場合。

（退歩が＋で表わされるのは，所要時間を計り，その練習曲線について最小自乗法に依り，上昇率を求めたからである。したがって，進歩は－で表わされる。）

(b) 三年生の場合

① 練習の結果，時間が短縮されなくなり，それが5日間続いた場合

② 前日より後退した結果を示すことが5日間続いた場合

以上のように決めたわけは，進歩しないと言うことは，その時までに個人の力が最大限に発揮されているか，疲労のあまりやる意志がなくなったか，身体的障碍などによりできなくなったか，いづれかであると考えられる。こんな時に練習するのは無益である。従って，或期間（本校では一週間）静養させ，平常にもどし，然る後，伸びる者は伸ばしてやる。上昇を示した者も同様に考えた。

(2) 中断後の状況はどのようであったか

(a) 二年生の場合

中断後の成績と中断直前の成績と比較し，中断後に於て退歩した人数の百分率を求めると，次の通りである。

中断後後退した人数の割合

中断状況＼加減法九九	繰上り繰下りなし50題		九九全部100題	
	加法九九	減法九九	加法九九	減法九九
中断一か月後	$\frac{9}{34}$ (26.4%)	$\frac{9}{31}$ (29%)	$\frac{2}{24}$ (8.3%)	$\frac{3}{24}$ (12.5%)
中断二か月後	$\frac{7}{30}$ (23.3%)	$\frac{3}{30}$ (10%)	$\frac{1}{23}$ (4.3%)	$\frac{6}{23}$ (26%)
中断三か月後	$\frac{2}{32}$ (6.2%)	$\frac{0}{31}$ (0%)	$\frac{1}{22}$ (4.5%)	$\frac{1}{22}$ (4.5%)
中断四か月後	$\frac{2}{33}$ (6%)	$\frac{0}{28}$ (0%)		

(3) やめてよいと思はれる時期

上の表からわかるように，3週間～4週間の練習をすれば，中断後，退歩するものがきわめて少数であることがわかる。従って，この見地から判断するかぎり，無理な速度を要求しなければ，反復練習は3週間～4週間でよいということができる。

§5. その他

(1) 順調に進歩していくこどもはどんなこどもか

この点から，個々の子供の練習曲線を調べた結果，次のようなことが目についた。

① 根気のよいこども

② 自分からつとめてやろうとするこども

③ 態度のまじめなこども

④ 意志の強いこども

⑤　すなおで，受入れ態勢のよいこども

⑥　考える力がなくても，よく順応するこども

(2)　特殊なこどもはどんなこどもか

(a)　上り，下りの変化の激しいこども

①　注意が散漫で，仕事に集中できないこども

②　友だちのおせっかいをするこども

③　依頼心が強く，あきやすいこども

④　せせこましく，いたずらをするこども

(b)　逆もどりするこども

たとえば，Hと言うこどもは，最初293秒であったものが，2週間の練習で111秒にまで進歩したのに，第3週では，115秒，115秒，119秒，134秒，146秒と，毎回逆もどりし，更に，第4週は中断したので，187秒と下り，それからやや進歩し154秒となったが，第5週では再び下り，160秒，173秒，160秒，173秒，188秒と逆もどりした。これは極端であるが，これに類するような結果を示したものである。

それは，

①　むら気で，真剣さの足りない子供

②　反抗心の強いこども

③　注意力の集中できないこども

(3)　こどもの性格について，気のついたこと

(a)　よく理解しているとみられる子供にも，余り進歩の成績がよくないものがある。これは，自主性の強いこどもに多く，形式的なものに対して反感をいだく結果ではないかと考えられる。

(b)　(a)と反対に，よく理解していないとみられる子供でも，ぐんぐんのびていくこどもがある。これは，受入れ態勢のよいこどもで，従順性にとんでいるものに多い。こういう子供は，きまりきったことしかできない子供であって，創造的な面にかけている場合が多い。

(c)　まじめで，根気よくやるこどもや，特に，理解してやろうと努力していくこどもは，順調に進歩していくようである。

§6.　昭和27年度の実験の結論と反省

昭和27年度の実験研究は，いろいろの点から，前年度よりも気楽にできた。

1　理解しているものは，上昇率が高いという昭和26年度の結論にもとづく検証実験は，前年度と同じ結果にならなかった。これについては，一学級の人員についてでなくて，三年生全員で実施してみる必要があると思う。

2　曲線の類型について

二年生の加法並びに減法九九，三年生の乗法九九についての，長期にわたる断続した実験結果から考察すると，昭和26年度の実験と同上の検証実験に見られたような数多くの類型を示すものではなく，始めに予想したように，凸状の一つの型になるのではないかとみられる。

曲線の類型が数多く表われたのは，練習の継続期間が長すぎたことにも原因があると思われる。

本年の三年生の結果からわかるように，スランプ状態になった時は，中断するなどして，練習のさせ方を研究する必要がある。

また，機械的な反復練習を興味をもってやるようにすることについて，もっと研究する必要があると思う。

3　いつやめたらよいかについて

個々によって，僅かの相違はあるにしても，よく理解しているこどもは，3週間～4週間の反復練習（隔週にしても，連続にしても）によって著しい

進歩を示し，その進歩した技能が，中断後1ケ月～4ケ月経過した後でも，前よりも進歩していることはあっても，退歩していることはきわめて少ないということがわかった。これからみると，無理な速さを要求しない限り，反復練習は3週間～4週間で中止してよいとみられる。これは，本年度の大きな収穫である。

4　曲線の上昇率と知能指数とについて調べたが，本年の結果では無関係であるとみられる。

以上のことから，今後に残る問題として，次のことを研究してみたい。

①　曲線の類型を子供の性格と関連づけて考え，実際の学習指導に役立たせやすいようにする。

②　果して，3週間～4週間の反復練習で進歩した技能が，中断しても退歩しないかどうかを，更にたしかめてみる必要がある。

③　曲線の上昇率と知能指数とは無関係であるかどうかについて，検証してみる必要がある。

§7.　参　考　資　料

本年度，二年の児童について加減法の九九の反復練習を実施した。その結果と，最小自乗法によって処理して前と同様の上昇率を求めたのであるがこれを参考資料として附記する。

A　処理した目的

1　K（基点）の低いもの程，その上昇率は高く，Kが高いもの程上昇率が低いとみられたので，そこに何か示唆を与えられるものはないかと考えた。（このKは，近似した直線と縦軸との交点の値である。）

B　加法九九の反復練習から得たもの

1　実施した児童数　　34名

2　練習方法及びその問題

下の問題を全部やり終る時間を，個人個人に調査した。（連続3週間）

加　　法

(1)	6＋1＝	(26)	1＋2＝
(2)	3＋1＝	(27)	1＋4＝
(3)	6＋4＝	(28)	3＋7＝
(4)	2＋8＝	(29)	4＋6＝
(5)	1＋1＝	(30)	4＋0＝
(6)	2＋4＝	(31)	2＋5＝
(7)	5＋5＝	(32)	3＋5＝
(8)	4＋5＝	(33)	0＋7＝
(9)	0＋8＝	(34)	7＋3＝
(10)	4＋3＝	(35)	6＋3＝
(11)	1＋6＝	(36)	6＋2＝
(12)	2＋0＝	(37)	2＋6＝
(13)	1＋9＝	(38)	4＋2＝
(14)	3＋4＝	(39)	5＋4＝
(15)	5＋4＝	(40)	7＋2＝
(16)	2＋1＝	(41)	3＋6＝
(17)	3＋3＝	(42)	1＋8＝
(18)	1＋7＝	(43)	1＋5＝
(19)	4＋4＝	(44)	2＋7＝
(20)	8＋1＝	(45)	2＋2＝
(21)	1＋3＝	(46)	7＋1＝
(22)	9＋1＝	(47)	2＋3＝
(23)	5＋3＝	(48)	0＋5＝
(24)	3＋2＝	(49)	4＋1＝
(25)	5＋2＝	(50)	8＋2＝

3　処理の方法

①　Kを30秒ごとに区切って人員をまとめた表中nはその区間の人数であ

る。

② 表中のKは，n人の平均の値である。

③ 表中のmは，n人の平均の値である。

4 なお，第三週目のときは当地で祭典があり，学校の運動会も催されたので，注意が乱れた。これが上昇率に関係があったと思われる。

C 減法九九の反復練習から得たもの

1 実施した児童数　　32名

2 練習方法及びその問題

方法は加法九九と同じ

減　法

(1) 7－0＝
(2) 10－1＝
(3) 3－2＝
(4) 10－8＝
(5) 9－5＝
(6) 9－8＝
(7) 9－5＝
(8) 6－5＝
(9) 3－1＝
(10) 8－5＝
(11) 5－1＝
(12) 10－7＝
(13) 10－2＝
(14) 6－3＝
(15) 4－3＝
(16) 8－3＝
(17) 7－4＝
(18) 9－1＝
(19) 8－4＝
(20) 6－1＝
(21) 0－0＝
(22) 7－6＝
(23) 8－1＝
(24) 9－7＝
(25) 7－2＝
(26) 5－3＝
(27) 10－3＝
(28) 4－2＝
(29) 10－5＝
(30) 5－4＝
(31) 7－5＝
(32) 4－0＝
(33) 10－4＝
(34) 9－4＝
(35) 8－6＝
(36) 8－2＝
(37) 9－6＝
(38) 10－7＝
(39) 6－4＝
(40) 10－6＝
(41) 2－1＝
(42) 7－3＝
(43) 9－3＝
(44) 5－2＝
(45) 6－2＝
(46) 8－7＝
(47) 9－0＝
(48) 4－1＝
(49) 7－1＝
(50) 3－0＝

3 処理の方法

加法九九の場合と同じ

4 減法九九も加法九九と同時期に行ったので，第三週目の時は同じ環境にあって，児童の注意力はみだれた。

D 図表によって考えられること

1 Kの低いもの程，たしかに上昇率は高い。従って，このような子供は反復練習をさせて，充分にできるこどもにしておかないと，後の学習に支障ができて学習の効果をあげることができないから，基礎となる九九についでは反復練習をKの低いもの程行う必要が認められる。

2 Kの高いものの上昇率の低いのは，理解させるための学習またはその練習でよくできるようになっているものと考られた。

3 最初の一週間の上昇はいずれも大きいが，それでやめては固定化はできない。第三週目に行くとだんだん水平に近づいてくる。

4 加法九九は，連続3週間練習した後約一ヵ月を経て一週間行ったものを表示してあるが，Kの低いものは減退度が大きく，Kの高いもののうちには，前の得点より最初からよいものがある。

5 同種の問題での反復練習は，3週間位でよいのではないかと考えた。

6 減退度をなくするため，及び，より高次な位置にまで進めるためには，一ヵ月位づつ休んで練習させた方がよいではないだろうかと考えた。

加法九九反復練習（二年）

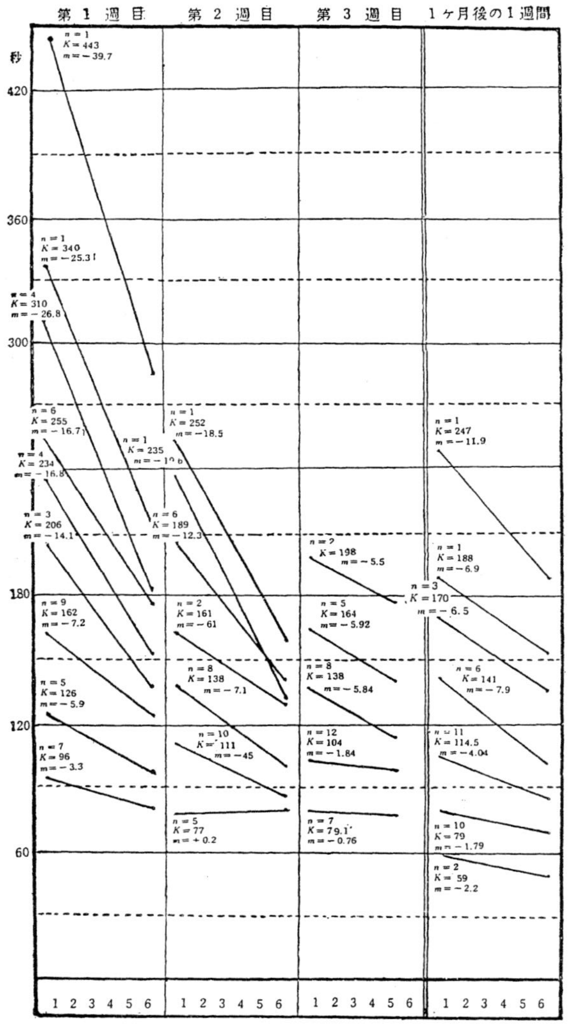

第 1 週目　第 2 週目　第 3 週目　1ヶ月後の1週間

秒
420
360
300
180
120
60

n = 1 K = 443 m = −39.7
n = 1 K = 340 m = −25.31
n = 4 K = 310 m = −26.8
n = 6 K = 255 m = −16.7
n = 4 K = 234 m = −16.8
n = 3 K = 206 m = −14.1
n = 9 K = 162 m = −7.2
n = 5 K = 126 m = −5.9
n = 7 K = 96 m = −3.3
n = 1 K = 235 m = −19.6
n = 1 K = 252 m = −18.5
n = 6 K = 189 m = −12.3
n = 2 K = 161 m = −61
n = 8 K = 138 m = −7.1
n = 10 K = 111 m = −45
n = 5 K = 77 m = + 0.2
n = ? K = 198 m = −5.5
n = 5 K = 164 m = −5.92
n = 8 K = 138 m = −5.84
n = 12 K = 104 m = −1.84
n = 7 K = 79.1 m = −0.76
n = 1 K = 247 m = −11.9
n = 1 K = 188 m = −6.9
n = 3 K = 170 m = −6.5
n = 6 K = 141 m = −7.9
n = 11 K = 114.5 m = −4.04
n = 10 K = 79 m = −1.79
n = 2 K = 59 m = −2.2

1 2 3 4 5 6　1 2 3 4 5 6　1 2 3 4 5 6　1 2 3 4 5 6

252

減法九九反復練習（二年）

第 1 週目　第 2 週目　第 3 週目

秒
540
480
420
360
300
240
180
120
60

n = 1 K = 550 m = −56.3
n = 1 K = 500 m = −59.6
n = 1 K = 440 m = −29.5
n = 2 K = 393 m = −30.5
n = 2 K = 388 m = −37.8
n = 1 K = 331 m = −14.6
n = 3 K = 311 m = −17.1
n = 4 K = 289 m = −14.0
n = 3 K = 254 m = −12.4
n = 2 K = 284 m = −16.4
n = 2 K = 199 m = −8.9
n = 6 K = 164 m = −6.9
n = 1 K = 134 m = −8.9
n = 2 K = 93 m = + 0.6
n = 1 K = 261 m = −17.6
n = 7 K = 225 m = −10.8
n = 8 K = 191 m = −9.8
n = 7 K = 163 m = −7.3
n = 7 K = 126 m = −5.7
n = 2 K = 102 m = −6
n = 2 K = 76 m = −2.6
n = 2 K = 235 m = −8.65
n = 4 K = 194 m = −4.425
n = 7 K = 167 m = −1.27
n = 6 K = 136 m = −4.25
n = 9 K = 105 m = + 1.0
n = ? K = 65 m = −2

1 2 3 4 5 6　1 2 3 4 5 6　1 2 3 4 5 6

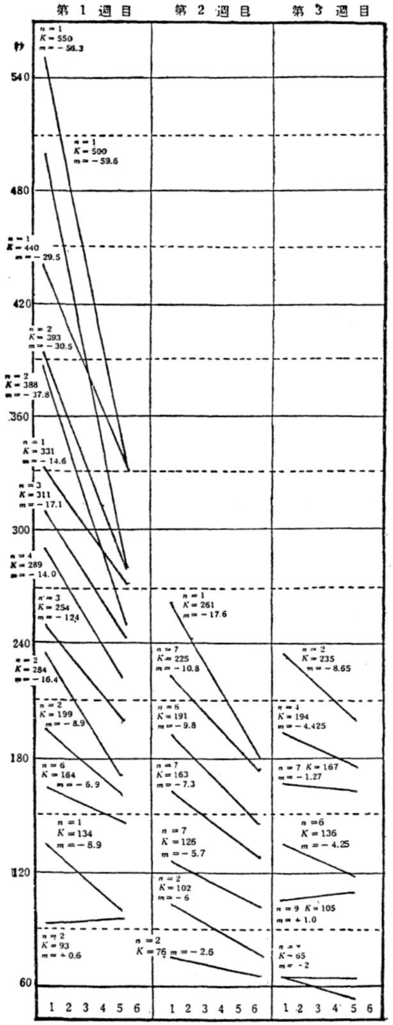

253

V　昭和28年度の研究

昭和28年度の研究は，前年度の結果にもとづいて，次のように考えた。

§1.　研　究　問　題

1　加減乗除の九九を連続3週間反復練習し，その後，1ヵ月毎に1週間反復練習した場合の練習曲線は，どのようであるか。

2　練習曲線の型は，子供の性格とどんな関係があるか。

昭和27年度に知能指数と練習曲線との関係をしらべたが，知能指数の高いものは，必ずしも，上昇率が高いことにはならなかったので，知能指数と練習曲線とは関係がないと考えた。

そこで，性格と関係があるのではないかと考え，前年度に一応性格との関係を調べるには調べたが，はっきりとした結果を出すに至らなかったので，主として，性格と練習曲線との関係をしらべることにしたわけである。

1の問題については，前年度の検証という意味で調べるわけである。すなわち，3～4週間の練習で一応やめてよいという結果になっているので，これで果してよいかどうかをみるわけである。3週間連続して，後1ヵ月間中断する。そこで1週間練習して，また，1ヵ間中断する。中断後1週間練習する。このようにして，曲線がなだらかになるかどうかをしらべるわけである。これは，実際の学習指導の場合に，適用しやすいやり方を予想して考えたことである。

これについて，本年度は，内容としては，加法・減法・乗法の外に，除法

九九を加えて実験してみることにした。

§2.　研　究　の　経　過

A　計　　　画

(1)　本年度は，2・3・4年の全児童について実施した

2年は加減法（繰上り，繰下りのあるもの，および繰上り繰下りのないもの）九々，3年は乗法九九，4年は除法九九について行った。

しかし，全児童についてまとめるのは，色々の点で，手数がかかるので，各学級から代表児童6名を選出して，その児童についての資料をとった。

(2)反復練習の期間については，次の表で示したとおりである

学年	九九の種類	連続3週間の反復練習の期間	1ヵ月後の時期	2ヵ月後の時期	3ヵ月後の時期	4ヵ月後の時期
2年	繰上りのない加法九九	9.21～10.9	11.30～12.5	1.18～1.23	2.22～2.27	
〃	繰下りのない減法九九	10.12～10.31	12.7～12.12	1.25～1.30	3.1～1.6	
〃	繰上りのある加法九九	1.18～2.6	4.19～4.24			
〃	繰下りのある減法九九	2.8～2.27	4.26～5.1			
3年	乗法九九	11.30～12.19	1.18～1.23	2.16～2.20	4.19～4.24	
4年	除法九九	9.14～10.3	11.9～11.14	12.14～12.19	1.18～1.23	2.16～2.20

(3)　児童選出の方法

(a)　担任教師の観察にもとづいて，児童の性格を次のような三段階に分けた。

①　性格から見てAとしたもの

＊まじめで根気のよい子供

＊しっかりやろうとしている子供

＊受入れ態勢のよい子供

＊従順で口数の少い子供

② 性格から見てBとしたもの

＊AとCの中間の性格を持った子供

③ 性格から見てCとしたもの

＊あき易い子供

＊反抗心の強い子供

＊級友のおせっかいをする子供

＊短気な子供

以上のように，ただ教師の観察による性格だけでなく，性格テストとして田中寛一・山本稔共著の新制向性検査用紙を用いて調べた。この性格テストは，P 268 の一覧表で教師の観察による性格や知能指数と比較してみた。

(b) 九九理解の程度

加減九々については，先年度と同様，数の概念及び加法の意味について指導し，理解についての診断テストの結果，各項目の $^2/_3$ 以上できたものを選んだ。

乗除九九については，乗除法の意味及び用語についての理解の程度を口答並に板書で調べた。

なお，乗除法の診断テスト問題を作製し，その理解程度をもみた。

(c) 児童の選出は，各学級より性格Aのもの２名，性格Bのもの２名，性格Cのもの２名計６名とした。（実験は全児童に行い，タイムをとったが，曲線を見るのは，代表のものだけにした）

(4) 練 習 問 題

加法九九（繰上りのないもの）50題

① 6＋1＝　② 3＋1＝　③ 6＋4＝

④ 2＋8＝
⑤ 1＋1＝
⑥ 2＋4＝
⑦ 5＋5＝
⑧ 4＋5＝
⑨ 0＋8＝
⑩ 4＋3＝
⑪ 1＋6＝
⑫ 2＋0＝
⑬ 1＋9＝
⑭ 3＋4＝
⑮ 5＋4＝
⑯ 2＋1＝
⑰ 3＋3＝
⑱ 1＋7＝
⑲ 4＋4＝
⑳ 8＋1＝
㉑ 1＋3＝
㉒ 9＋1＝
㉓ 5＋3＝
㉔ 3＋2＝
㉕ 5＋2＝
㉖ 1＋2＝
㉗ 1＋4＝
㉘ 3＋7＝
㉙ 4＋6＝
㉚ 4＋0＝
㉛ 2＋5＝
㉜ 3＋5＝
㉝ 0＋7＝
㉞ 7＋3＝
㉟ 6＋3＝
㊱ 6＋2＝
㊲ 2＋4＝
㊳ 5＋1＝
㊴ 2＋6＝
㊵ 7＋2＝
㊶ 3＋6＝
㊷ 1＋8＝
㊸ 1＋5＝
㊹ 2＋7＝
㊺ 2＋2＝
㊻ 7＋1＝
㊼ 2＋3＝
㊽ 0＋5＝
㊾ 4＋1＝
㊿ 8＋2＝

減法（繰下りのないもの）50題

① 7－0＝
② 10－2＝
③ 3－2＝
④ 10－8＝
⑤ 9－2＝
⑥ 9－8＝
⑦ 6－5＝
⑧ 9－5＝
⑨ 3－1＝
⑩ 8－5＝
⑪ 5－1＝
⑫ 10－7＝
⑬ 6－3＝
⑭ 10－2＝
⑮ 4－3＝
⑯ 8－3＝
⑰ 7－4＝
⑱ 9－1＝
⑲ 8－4＝
⑳ 6－1＝
㉑ 0－0＝
㉒ 7－6＝
㉓ 8－1＝
㉔ 9－7＝
㉕ 7－2＝
㉖ 5－3＝
㉗ 10－3＝
㉘ 4－2＝
㉙ 10－5＝
㉚ 5－4＝
㉛ 7－5＝
㉜ 4－0＝
㉝ 10－4＝
㉞ 9－4＝
㉟ 8－6＝
㊱ 9－6＝
㊲ 8－2＝
㊳ 10－9＝
㊴ 6－4＝
㊵ 10－6＝
㊶ 2－1＝
㊷ 7－3＝
㊸ 9－3＝
㊹ 5－2＝
㊺ 6－2＝
㊻ 8－7＝
㊼ 9－0＝
㊽ 4－1＝
㊾ 7－1＝
㊿ 3－0＝

加法九九（繰上りのあるもの）50題

① 8＋5＝	⑱ 7＋4＝	㉟ 7＋5＝
② 6＋9＝	⑲ 9＋5＝	㊱ 5＋8＝
③ 7＋8＝	⑳ 7＋6＝	㊲ 7＋9＝
④ 5＋7＝	㉑ 8＋9＝	㊳ 2＋9＝
⑤ 8＋6＝	㉒ 6＋7＝	㊴ 9＋5＝
⑥ 5＋8＝	㉓ 9＋7＝	㊵ 7＋6＝
⑦ 9＋3＝	㉔ 4＋8＝	㊶ 9＋4＝
⑧ 4＋9＝	㉕ 7＋8＝	㊷ 8＋9＝
⑨ 3＋8＝	㉖ 9＋9＝	㊸ 6＋6＝
⑩ 7＋7＝	㉗ 4＋9＝	㊹ 9＋8＝
⑪ 3＋9＝	㉘ 6＋7＝	㊺ 5＋6＝
⑫ 4＋7＝	㉙ 8＋8＝	㊻ 9＋3＝
⑬ 9＋7＝	㉚ 8＋7＝	㊼ 8＋6＝
⑭ 2＋9＝	㉛ 4＋7＝	㊽ 9＋6＝
⑮ 6＋5＝	㉜ 6＋9＝	㊾ 7＋7＝
⑯ 9＋4＝	㉝ 8＋3＝	㊿ 6＋8＝
⑰ 8＋4＝	㉞ 5＋9＝	

減法九九（繰下りのあるもの）50題

① 13－8＝	⑮ 13－7＝	㉙ 12－4＝	㊸ 11－3＝	㊻ 11－7＝
② 15－7＝	⑯ 15－6＝	㉚ 11－2＝	㊹ 16－8＝	㊼ 17－8＝
③ 12－3＝	⑰ 12－6＝	㉛ 13－6＝	㊺ 12－8＝	㊽ 12－8＝
④ 14－6＝	⑱ 11－6＝	㉜ 14－9＝	㊾ 15－7＝	
⑤ 11－4＝	⑲ 13－9＝	㉝ 12－8＝	㊿ 18－9＝	
⑥ 12－9＝	⑳ 17－9＝	㉞ 11－6＝		
⑦ 13－4＝	㉑ 11－7＝	㉟ 14－5＝		
⑧ 14－8＝	㉒ 13－7＝	㊱ 13－5＝		
⑨ 11－9＝	㉓ 14－9＝	㊲ 12－7＝		
⑩ 16－8＝	㉔ 11－5＝	㊳ 11＝8＝		
⑪ 13－5＝	㉕ 16－9＝	㊴ 15－9＝		
⑫ 12－7＝	㉖ 15－6＝	㊵ 14－6＝		
⑬ 15－8＝	㉗ 13－9＝	㊶ 12－6＝		
⑭ 11－3＝	㉘ 14－7＝	㊷ 16－7＝		

繰上りのある加法九九，繰下りのある減法九九は，前年度は100題であった。その100題の中には，繰上りのある加法九九についていうならば，繰上りのない加法九九の問題もまざっていた。即ち，繰上りのある問題と繰上りのない問題とで100題になっていた。そこで，本年度は，繰上りのあるもの36種を含めて50題とした。繰下りのあるものも同様50題とした。50題としたのは採点の都合上である。

乗法九九 100題

① 1×9＝	㉑ 7×0＝	㊶ 4×9＝	(61) 8×1＝
② 5×8＝	㉒ 8×2＝	㊷ 7×7＝	(62) 6×9＝
③ 6×1＝	㉓ 4×2＝	㊸ 2×5＝	(63) 3×0＝
④ 9×5＝	㉔ 6×8＝	㊹ 5×0＝	(64) 5×2＝
⑤ 2×2＝	㉕ 7×3＝	㊺ 7×3＝	(65) 7×8＝
⑥ 9×0＝	㉖ 0×3＝	㊻ 2×1＝	(66) 9×6＝
⑦ 7×9＝	㉗ 5×5＝	㊼ 7×2＝	(67) 8×4＝
⑧ 2×9＝	㉘ 6×7＝	㊽ 8×5＝	(68) 0×7＝
⑨ 2×7＝	㉙ 8×6＝	㊾ 0×5＝	(69) 3×9＝
⑩ 6×5＝	㉚ 4×4＝	㊿ 3×1＝	(70) 7×4＝
⑪ 2×1＝	㉛ 6×0＝	(51) 6×3＝	(71) 2×8＝
⑫ 0×1＝	㉜ 3×5＝	(52) 3×8＝	(72) 7×6＝
⑬ 8×9＝	㉝ 6×4＝	(53) 4×0＝	(73) 2×0＝
⑭ 7×9＝	㉞ 3×3＝	(54) 7×1＝	(74) 9×9＝
⑮ 3×6＝	㉟ 5×9＝	(55) 4×7＝	(75) 6×4＝
⑯ 9×4＝	㊱ 0×4＝	(56) 1×5＝	(76) 1×2＝
⑰ 8×0＝	㊲ 5×7＝	(57) 0×6＝	(77) 0×8＝
⑱ 9×8＝	㊳ 9×3＝	(58) 4×8＝	(78) 6×6＝
⑲ 4×1＝	㊴ 3×4＝	(59) 9×2＝	(79) 1×4＝
⑳ 0×2＝	㊵ 2×6＝	(60) 4×5＝	(80) 8×8＝

(81) 5 × 1 =	(86) 0 × 0 =	(91) 8 × 7 =	(96) 0 × 9 =
(82) 1 × 1 =	(87) 8 × 3 =	(92) 1 × 3 =	(97) 3 × 2 =
(83) 6 × 2 =	(88) 2 × 3 =	(93) 1 × 8 =	(98) 5 × 3 =
(84) 1 × 6 =	(89) 3 × 4 =	(94) 5 × 6 =	(99) 1 × 7 =
(85) 2 × 4 =	(90) 1 × 0 =	(95) 7 × 5 =	(100) 5 × 4 =

除法九九 100 題

(1) 54 ÷ 6 =	(26) 7 ÷ 7 =	(51) 63 ÷ 9 =	(76) 42 ÷ 6 =
(2) 21 ÷ 7 =	(27) 30 ÷ 6 =	(52) 56 ÷ 7 =	(77) 14 ÷ 2 =
(3) 24 ÷ 4 =	(28) 0 ÷ 7 =	(53) 0 ÷ 9 =	(78) 24 ÷ 3 =
(4) 27 ÷ 9 =	(29) 15 ÷ 3 =	(54) 40 ÷ 5 =	(79) 10 ÷ 5 =
(5) 30 ÷ 5 =	(30) 12 ÷ 3 =	(55) 9 ÷ 3 =	(80) 42 ÷ 7 =
(6) 56 ÷ 8 =	(31) 16 ÷ 2 =	(56) 48 ÷ 6 =	(81) 28 ÷ 7 =
(7) 5 ÷ 1 =	(32) 18 ÷ 9 =	(57) 49 ÷ 7 =	(82) 2 ÷ 1 =
(8) 35 ÷ 7 =	(33) 36 ÷ 4 =	(58) 4 ÷ 1 =	(83) 0 ÷ 4 =
(9) 48 ÷ 8 =	(34) 12 ÷ 4 =	(59) 14 ÷ 7 =	(84) 56 ÷ 8 =
(10) 27 ÷ 9 =	(35) 24 ÷ 6 =	(60) 45 ÷ 9 =	(85) 12 ÷ 6 =
(11) 25 ÷ 5 =	(36) 4 ÷ 4 =	(61) 63 ÷ 7 =	(86) 8 ÷ 8 =
(12) 6 ÷ 6 =	(37) 2 ÷ 2 =	(62) 20 ÷ 4 =	(87) 28 ÷ 4 =
(13) 54 ÷ 6 =	(38) 6 ÷ 2 =	(63) 0 ÷ 2 =	(88) 16 ÷ 8 =
(14) 18 ÷ 2 =	(39) 40 ÷ 8 =	(64) 36 ÷ 9 =	(89) 72 ÷ 9 =
(15) 20 ÷ 5 =	(40) 24 ÷ 4 =	(65) 0 ÷ 8 =	(90) 32 ÷ 4 =
(16) 42 ÷ 6 =	(41) 18 ÷ 3 =	(66) 21 ÷ 7 =	(91) 36 ÷ 4 =
(17) 45 ÷ 5 =	(42) 36 ÷ 6 =	(67) 72 ÷ 8 =	(92) 72 ÷ 9 =
(18) 0 ÷ 5 =	(43) 9 ÷ 1 =	(68) 7 ÷ 1 =	(93) 6 ÷ 3 =
(19) 18 ÷ 6 =	(44) 21 ÷ 3 =	(69) 6 ÷ 1 =	(94) 15 ÷ 5 =
(20) 9 ÷ 9 =	(45) 24 ÷ 8 =	(70) 48 ÷ 8 =	(95) 1 ÷ 1 =
(21) 63 ÷ 9 =	(46) 0 ÷ 1 =	(71) 4 ÷ 2 =	(96) 81 ÷ 9 =
(22) 3 ÷ 1 =	(47) 16 ÷ 4 =	(72) 8 ÷ 2 =	(97) 72 ÷ 8 =
(23) 63 ÷ 7 =	(48) 8 ÷ 2 =	(73) 3 ÷ 3 =	(98) 0 ÷ 6 =
(24) 0 ÷ 3 =	(49) 10 ÷ 2 =	(74) 48 ÷ 6 =	(99) 32 ÷ 8 =
(25) 24 ÷ 8 =	(50) 8 ÷ 1 =	(75) 35 ÷ 5 =	(100) 64 ÷ 8 =

加・減・乗・除それぞれについて，6種類作製した。その6種類を月曜日

に1種類，火曜日に他の種類というふうに毎日種類をかえて，1週間に6種類を実施した。6種類にしたのは毎日同じ問題をやっていたのでは，児童が暗記してしまうと考えたからである。

(5)　**練　習　方　法**

今年はペーパーテストだけで実施した。すなわち，昨年のように，テストの前にフラッシュカードを用いたり，口問口答によったりする練習はしなかった。

それは，理解の時間並びに練習の時間に，フラッシュカードや口問口答による練習をしたので，実験の時間にはやらなかった。

時限は，主として第一時に行った。（ストップウオッチの関係で，二時限に行ったこともあった）

B　実験前の指導をどうしたか

26年度及び27年度と同様の方法でやった。ただ問題の内容については変えた。問題の内容は，26年度及び27年度に実施して困難と思われる点を訂正し，疑問と思われる個所をなおし，児童にやらせた。

乗法の理解については，27年度と同様の方法で実施し，処理したので，次に除法の理解についてのべる。

(a)　除法の意味について

＊逆九九ができるかどうか。

乗法九九がよくできれば，自然に逆九九もできるようになるはずである。逆九九も乗法九九と同様に反射的にできるようにさせる。

＊分数の観念がはっきりしているか。

$\frac{2}{3}$は，全体を3つにわけた2つぶんを表わす割合を示すものであるが，これは，また2÷3の結果を表わす数でもあ

る。このように，分数が割算と関連をもっている。

分数教材は小数教材とならんで指導困難なものとされているので，二・三年の頃より，個々にわたっての指導を良くしたい。

＊累減の観念

除法は累減と結びついている。

筆算形式に入ると，減法が必要になってくる。特に，繰下りに誤のない様にしたい。

(b) 記号・用語について

除法についての記号や用語を，正しく使えるようになっているかどうか。

① 記号「÷」とは「……ずつに分ける」「……に同じように分ける」「わる」の意味を示す場合に正しく使えるか。

② 記号「＝」とは「になる」「である」「は」の意味で，除法の結果を表わす場合に正しく使えるか。

③ 次の用語を正しく使えるか。

1. わられるかず　2. わるかず　3. わりざん

(c) 除法の意味の理解について

「りんごが18こあります。2こずつにわけると，いく山できるでしょう」

＊ 2 ×□＝18は，かける数がわからない場合を表わす。

＊ 2 ×□＝18には，どんな九九を使うとよいか。

＊ 2 ×□＝18は，18を二つずつの組に分けると，いくつできるかという関係を表わす。

「おはじきが，14こあります。これを二人に同じようにわけると，一人いくつずつに分けられますか。」

＊□× 2 ＝14は，かけられる数がわからない場合を表わす。

＊□× 2 ＝14では，どんな九九を使うとよいか。

＊□× 2 ＝14は，14を二つに分けると，その一つはいくらになるかという関係を表わす。

＊五・四・八ずつに分けたり，五・四・八等分したりする場合についての理解

＊三・六・七・九の場合についての理解

＊ 7 ×□＝28，□× 7 ＝28は，同じ計算であらわれることの理解

この計算を28÷ 7 とかく。

乗除法の理解についての診断テスト問題（一例）

① まさお君は，夏まつりに，40円つかいました。その中で　むだづかいは　18円でした。むだづかいをしなかったら，いくらですんだでしょうか。(B)

② 42から　7が　なんかい　ひけますか。いちばん　かんたんな　しきでかくと　どうかいたらよいか□。こたえは　いくつですか……□。(D)

③ 長さ63ｃｍのテープを　同じ長さに　9つ切りに　したいのです。1本どれだけに　切れば　よいですか。(F)

しき＿＿＿＿＿＿答＿＿＿＿＿

④ ボールなげをしました。まん中の8点のところに　0回，つぎの4点のところに　6回，つぎの0点のところに　4回，あわせて　10回なげました。みんなで　なん点ですか。(H)

しゅるい	かいすう	てんすう
8　てん	0　かい	
4　てん	6　かい	
0　てん	4　かい	

＿＿＿＿＿てん

⑤ $\frac{2}{3}$は　わりざんで　かくと，どのようにかいたらよいですか。(J)

やり方＿＿＿＿＿＿

⑥ にいさんのちょ金は，弟より18円多いそうです。弟のちょ金は 今6円です。にいさんのちょ金は いくらですか。

どのやり方が よいですか。よいのに○をつけてください。

	たしざん
	ひきざん
	かけざん
	わりざん

(A)

⑦ 9＋9＋9＋9＋9 のかわりに，もっとかんたんに わかりやすくかいて下さい。

しき＿＿＿＿＿＿＿答＿＿＿＿＿＿ (C)

⑧ 正男君が，「ぼくはお金を 35円もっています」というと，昌由君が「ぼくは君のもっているお金の 5倍もっている」といいました。昌由君はいくらお金をもっていますか。下のよいのに○をつけて下さい。 (E)

昌由君の方が多いというから	35＋5＝40	昌由君は 40円です	
5倍というから	35÷5＝7	7円です	
5倍というから	35×5＝175	175円です	

⑨ ほたるかごが，14あります。ほたるが28ひきいます。このほたるを7つの ほたるかごに わけると 1つのかごに なんびきずつですか。

しき＿＿＿＿＿＿＿答＿＿＿＿＿＿ (G)

⑩ あさがおのなえが 24本 あります。先生が3組と 4組と 5組の三つの組に おなじように わけました。ひと組は なん本ずつになるでしょう。 (I)

以上の10題は，乗除の問題だけでなく，加減を加えてある。書かれた問題

の理解程度を知るためのものである。

上の問題で，( )内の記号は，次のものを表わす。

A…加法 B…減法 C…累加 D…同数累減 E…何倍かを求める F…部分を知る G…部分の個数を知る H…乗法で間違い易くまぎらわしいもの I…除法でまちがい易くまぎらわしいもの J…分数と乗除法の関係

C 資料の処理とその結果

曲線の類型を判定するために，前年度と同じように，三回毎の移動平均を用い，また，直線で近似したときの上昇率を求めるために，最小自乗法を用いた。

さきにあげた性格の分類に応じて，Aのグラフ，Bのグラフ，Cのグラフの三つにまとめた。

(a) 如何なる曲線を描いたか。

＊曲線の型は，前年度のような考え方で分類したが，今年度は，次の五つのものにまとめてみた。

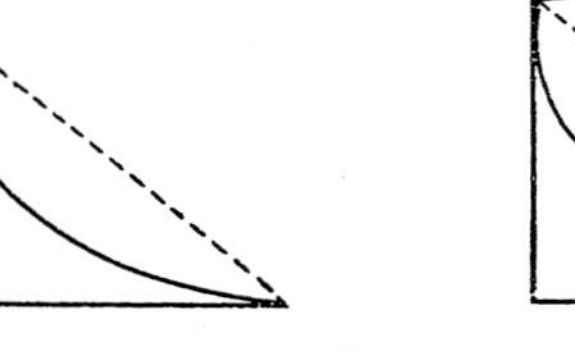

凸 型 曲がり具合の大きいのと小さいのと色々あるが，これらを含めて考える

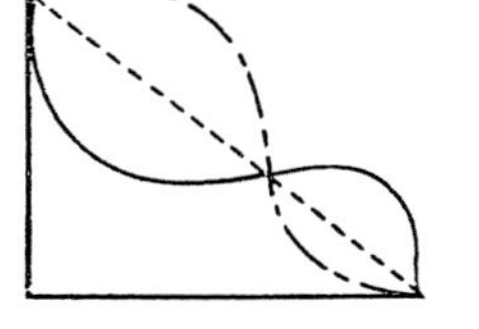

凸凹型・凹凸型 この二つを一つにまとめる

凸型（二段） 凸型が二段に出来たもの

ジグザグ型

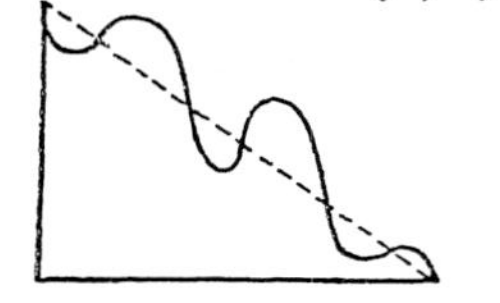

凹　型

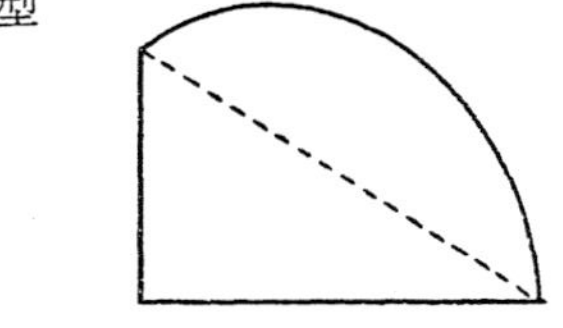

昨年度は色々の型があらわれたが，本年度は移動平均により型を見た。型のはっきりしないのは，移動平均を二回繰り返したりして見た。結局移動平均で表われたのは，上図の五つの型である。

先年度と異なった理由は，先年度は知能指数を対象としたのに対して，本年度は性格を対象としたので違いがありわしないかと考えた。

型の分類を表示すると，次のようになる。

曲　線　の　型

学年	九　九	類型 凸型(1段)	凸型(2段)	凸凹型	ジグザグ型	凹型	計
2年	加法(繰上りなし)	11	1	3	3	—	18
〃	減法(繰下りなし)	8	4	4	2	—	18
〃	加法(繰上りあり)	12	4	2	—	—	18
〃	減法(繰下りあり)	13	4	1	—	—	18
3年	乗法	12	5	2	2	3	24
4年	除法	20	2	2	—	—	24
全体に対する割合		$\frac{76}{120}$	$\frac{20}{120}$	$\frac{14}{120}$	$\frac{7}{120}$	$\frac{3}{120}$	120
百分率		63.3%	16.7%	11.7%	5.8%	2.5%	

上の表でわかるように，２年加減法，３年乗法，４年除法を通じて，凸状型が最も多いことがわかった。

80%がこの型に属するもので，最も正常に進む型であると考えられる。

すなわち，練習の初期において，急激な進歩を示し，各人の技能の極限に

近くなる程進歩がおそくなるから，凸状型となるとみられる。

凸凹型を示すものが，11.7%であるが，これは途中において，身体的に変動があったか，または気分的に変化があったか，あるいはまた，生活環境が順当でないものが，この型の中に含まれるのではないだろうかと思われる。

ジグザグ型は5.8%を示しているが，性格のＣ型のものが含まれることから考えると，落着きのない，注意の集中のできないものがこれに含まれる。しかし，進歩は遅いが，何回か繰返すうちに向上する。指導も加わるから。

凹型は，2.5%を示しているが，これは乗法のみに表われていることから考えて，乗法九九の理解のテストを誤っているためであって，理解の不充分なものが，この型に入るものではないかと考えられる。

以上から考えると，よく理解しているものの練習曲線は，凸状型が多いことがわかった。

(b)　性格と曲線の型について

各学年のグラフは別表の通りであるが，このグラフから見ると，Ａの性格とＢの性格のものは，大体，同じ類型を示していることがわかる。

特に，Ａの性格のものは，最後の週にまとまっている。

Ｂの性格のものも，はじめは個人差によって，はば広く離れているが，最後の週にはまとまっている。

Ｃの性格の者は，一定の規則で曲線を描かないで，殆んどジグザグ型である。

(c)　いつやめたらよいかについて

＊中断後の状況は，次の表で示したような結果となった。

乗　法　九　九

次表のｋは基点，ｍは上昇率を示す。練習の中断期間については，１回・２回・３回は連続３週間練習し，４回は１ヵ月中断後１週間練習し，５回は更

に1か月中断後1週間練習したものである。

児童番号	知能指数	知能段階	観察の性格	向性指数	向性段階	最の小処自理乗結法果	練習の中断期間 1回	1週間 2回	2週間 3回	1か月 4回	1か月 5回	第4回目	第5回目	
1	137	上知	A	78	やや内向	K m	243 −11.8	218 − 9.8	178 − 3.0	168 − 1.0	198 −12.5	−	+	
2	95	平均知	A	78	やや内向	K m	163 − 6.8	149 − 1.6	156 − 5.9	136 − 1.5	134 − 4.1	−	−	
3	146	上知	A	—	—	K m	145 − 2.9	160 + 1.6	141 − 0.3	182 − 7.4	160 − 5.0	−	−	
4	115	平均知上	A	—	—	K m	150 − 6.2	104 − 2.1	102 − 3.1	114 − 3.4	95 + 7.5	+	−	
5	130	平均知上	A	97	やや外向	K m	197 − 6.9	143 − 1.4	153 − 4.2	140 − 2.5	144 − 4.3	−	−	
6	140	上知	A	93	普通	K m	141 − 5.6	114 − 3.1	99 − 2.1	91 + 1.2	102 − 2.8	−	+	
7	137	上知	A	99	やや外向	K m	215 −13.5	160 − 3.0	120 + 4.7	136 − 1.6	120 + 2.0	+	−	
8	100	平均知	A	78	やや内向	K m	164 − 8.9	130 − 4.2	117 − 1.9	105 + 2.3	114 − 0.2	−	−	
9	112	平均知上	B	78	やや内向	K m	130 − 5.8	94 − 0.3	89 − 0.1	98 + 0.1	98 − 2.0	+	+	
10	113	平均知上	B	101	やや外向	K m	125 − 2.7	115 − 3.0	109 − 2.6	115 − 1.7	112 − 3.3	+	+	
11	—	—	B	—	—	K m	163 − 4.7	152 − 4.6	133 − 4.8	130 − 6.6	129 − 1.5	−	−	
12	133	上知	B	—	—	K m	131 + 1.3	125 + 0.9	118 − 2.5	136 − 1.6	117 + 3.5	+	−	
13	120	平均知上	B	94	やや外向	K m	317 −25.6	183 − 7.1	145 − 2.5	144 − 1.7	139 0	−	−	
14	86	平均知下	B	85	普通	K m	151 − 6.0	125 − 1.1	124 − 2.4	112 +10.3	120 − 1.0	−	−	
15	125	平均知上	B	96	普通	K m	205 −12.7	166 − 6.1	133 − 1.3	173 − 9.1	145 − 5.3	+	+	
16	85	平均知下	B	90	普通	K m	498 −59.8	192 − 1.2	178 − 6.1	158 − 1.6	138 − 4.0	−	−	
17	147	上知	C	108	外向	K m	132 − 4.9	101 − 1.1	99 − 1.4	119 − 4.9	98 − 1.4	+	−	
18	132	上知	C	99	やや外向	K m	273 − 7.5	245 − 5.4	219 − 1.5	244 − 3.7	239 − 2.3	+	+	
19	140	上知	C	—	—	K m	155 − 5.0	155 − 1.3	123 − 1.6	111 + 6.1	110 +15.5	−	−	
20	121	平均知上	C	—	—	K m	135 + 6.6	154 + 6.5	166 − 5.4	166 − 4.1	134 + 9.0	0	−	
21	112	平均知上	C	78	やや内向	K m	312 −20.6	206 − 8.2	159 − 6.3	133 − 0.4	134 − 1.9	−	−	
22	121	平均知上	C	103	やや外向	K m	376 −18.8	108 − 1.3	159 − 1.8	223 − 1.5	206 −11.7	+	+	
23	106	平均知	C	78	やや内向	K m	232 −14.3	181 − 6.4	137 + 1.2	132 + 0.9	204 −13.8	−	+	
24	60	平均知上	C	79	やや内向	K m	198 − 5.7	186 − 6.0	159 − 3.7	145 − 2.4	151 − 7.1	−	−	
備考	第3回即ち，連続3週間練習後とくらべて，後退したもの									8	8	8/24	8/24	

除法九九

児童番号	知能指数	知能段階	観察の性格	向性指数	向性段階	最の小処自理乗法	練習の中断期間 1回	1週間 2回	1週間 3回	1か月 4回	1か月 5回	1か月 6回	1か月 7回	第4回目	第5回目	第6回目	第7回目
1	61	平均知上	A	156	超外向	K m	251 −11.6	— —	179 − 3.0	186 − 7.4	— —	181 − 9.5	133 − 3.0	+		+	−
2	52	平均知	A	128	準外向	K m	180 −10.1	130 + 0.1	88 + 1.8	124 − 7.4	111 − 3.9	124 − 8.7	83 − 2.3	+	+	+	−
3	53	平均知	A	72	準内向	K m	352 −38.2	181 −15.0	120 − 2.6	152 − 6.7	133 − 5.1	139 − 7.4	110 − 3.6	+	+	+	−
4	60	平均知上	A	104	正常	K m	332 −23.5	193 − 9.5	167 − 9.8	177 −10.7	143 − 6.9	126 − 5.2	105 − 2.5	+	−	−	−
5	53	平均知	A	84	準内向	K m	212 −11.3	153 − 9.2	93 + 1.1	162 − 8.6	107 − 2.1	91 −0.13	99 − 5.0	+	+	−	+
6	59	平均知上	A	88	準内向	K m	328 −31.4	157 − 6.0	128 − 3.2	142 − 7.5	104 − 3.5	95 −0.73	86 − 2.1	+	−	−	−
7	44	平均知上	A	120	準外向	K m	158 −17.4	67 + 1.0	76 − 3.1	125 −11.4	73 − 1.7	83 − 3.7	79 − 5.2	+	−	+	+
8	51	平均知	A	112	準外向	K m	140 −16.3	77 − 0.8	84 − 3.3	142 −11.0	140 −12.1	82 − 1.5	— —	+	+	−	
9	48	平均知	B	136	正外向	K m	247 + 3.1	256 − 7.8	217 − 0.8	245 − 7.9	313 −25.6	225 −11.0	123 + 0.4	+	+	+	−
10	63	平均知上	B	136	正外向	K m	268 −16.2	209 −18.2	165 − 0.2	161 − 9.4	203 −15.6	120 − 4.6	121 − 7.3	−	+	−	+
11	57	平均知上	B	104	正常	K m	543 −14.1	351 −29.0	265 −16.8	262 −15.0	180 − 5.6	200 −12.5	173 − 8.3	−	−	−	−
12	57	平均知上	B	76	準内向	K m	462 −52.9	191 − 3.0	156 − 1.0	220 −15.0	188 −12.8	168 − 7.8	154 − 7.6	+	+	+	−
13	58	平均知上	B	124	準外向	K m	553 −18.4	152 − 5.9	120 − 0.3	172 − 9.2	134 − 5.8	133 − 3.6	134 − 4.9	+	+	+	+
14	51	平均知	B	72	準内向	K m	483 −31.5	315 −22.9	218 − 7.1	284 −15.5	219 −14.0	221 −17.7	192 − 9.8	+	+	+	−
15	56	平均知上	B	104	正常	K m	388 −52.8	145 − 1.8	111 − 3.1	165 −14.1	165 −11.2	112 − 4.1	128 − 9.3	+	+	+	+
16	40	平均知下	B	108	正常	K m	201 −25.9	70 + 5.2	96 − 5.1	172 −16.4	127 − 9.6	93 − 5.0	89 − 4.6	+	+	−	−

17	41	平均知下	C	144	正外向	K m	536 −23.4	387 −28.5	305 −16.8	246 −0.85	153 −11.2	128 − 6.2	205 + 0.3	−	−	−	−
18	45	平均知	C	88	準内向	K m	250 −16.2	160 −11.2	113 − 1.4	143 − 6.1	147 − 7.4	105 − 2.9	86 − 1.1	+	+	−	−
19	60	平均知上	C	108	正常	K m	652 −60.6	301 −19.5	201 − 6.0	374 −41.7	187 − 8.2	179 − 4.7	164 − 9.0	+	−	−	−
20	54	平均知	C	88	準内向	K m	348 −22.4	213 −15.0	158 −11.0	206 − 1.7	173 − 7.9	181 + 3.8	189 −13.8	+	+	+	+
21	46	平均知	C	148	正外向	K m	492 −52.5	230 −15.5	421 −63.5	260 −18.7	231 −13.1	223 − 9.6	150 − 8.0	−	−	−	−
22	47	平均知	C	100	正常	K m	381 −21.9	273 −15.2	213 + 4.8	282 −18.5	224 −14.1	166 − 7.1	140 − 6.0	+	+	−	−
23	49	平均知	C	−	−	K m	272 −29.3	130 − 8.9	96 + 2.9	139 − 9.4	200 +19.1	145 −12.0	88 − 2.0	+	+	+	−
24	49	平均知	C	64	正内向	K m	315 −30.9	159 − 8.9	202 −26.0	216 −14.1	171 −11.4	127 − 8.6	140 − 4.8	+	−	−	−
備考	第三回，即ち，3週間連続練習とくらべて退歩したもの									20	15	11	5	$\frac{20}{24}$	$\frac{15}{23}$	$\frac{11}{24}$	$\frac{5}{24}$

この表から，中断後退歩した人数を拾ってみると，次のような結果になっている。

中断後退歩した人数（　）内は百分率

学年	九　九	中断1か月後	中断2か月後	中断3か月後	中断4か月後
2年	加　法（繰上りなし）	$\frac{11}{18}$(61.1%)	$\frac{6}{18}$(33.3%)	$\frac{2}{18}$(11.1%)	
〃	減　法（繰下りなし）	$\frac{11}{18}$(61.1%)	$\frac{4}{18}$(22.2%)	$\frac{3}{18}$(16.6%)	
3年	乗　法	$\frac{8}{24}$(33.3%)	$\frac{8}{24}$(33.3%)	$\frac{4}{24}$(16.6%)	
4年	除　法	$\frac{20}{24}$(83.3%)	$\frac{15}{23}$(65.2%)	$\frac{11}{24}$(45.8%)	$\frac{5}{24}$(20.8%)

この表からみると，加減乗除を通して中断後退歩した人数は，練習を重ねれば重ねるほど，へっている。すなわち，練習すれば退歩する人数が少くなっていることがわかる。

次に，昨年度実験した2年生の児童に，本年4月より引続いて，加減九九を実験した結果を表示する。（分母は実施人数，分子は退歩した人数）

加法（繰上りなし）50題の場合

児童番号	性別	知能指数	類型	観察の性格	最小自乗法の処理結果	練習の中断期間 3回	7回	1か月 8回	1か月 9回	3回との比較 第7回目	第8回目	第9回目
1	男	125	凸凹型	内　向	K m	89.9 − 4.7	54 − 0.5	52 − 1.8	37 − 0.7	−	−	−
2	女	115	凸状型	準外向	K m	59 − 0.6	37 − 0.3	40 − 1,8	39 + 0.8	−	−	−
3	女	128	直行型	内　向	K m	77.5 − 2.7	30 − 0.4	53 − 3.7	45 − 7.7	−	−	−
4	男	130	直行型	正　常	K m	92 − 3.4	57 − 0.9	56 − 2.1	54 − 1.3	−	−	−
5	男	127	中休型	外　向	K m	90 − 0.9	46 + 1.0	95 − 4.7	67 − 3.5	−	+	−
6	男	87	凸凹型	準外向	K m	86.2 − 2.2	53 − 1.2	49 − 3,0	61 − 3.3	−	−	−
7	男	149	凸凹型	内　向	K m	101.8 − 4.2	37 + 0.7	42 + 0.1	48 − 1.8	−	−	−
8	男	122	停滞型	外　向	K m	149.1 − 2.5	87 − 0.6	96 − 4.3	87 −0.08	−	−	−
9	女	87	凸凹型	内　向	K m	114.6 − 6.2	104 −11.3	66 − 1.9	53 + 6.7	−	−	−
10	女	100	直行型	内　向	K m	86.6 + 2.2	51.0 + 0.7	56 − 0.8	58 − 2.3	−	−	−
11	男	137	直行型	準外向	K m	116 − 8.3	45 − 2.9	57 − 2.6	59 − 2.5	−	−	−
12	男	129	凸凹型	準外向	K m	136 −11.3	53 + 0.4	54 + 0.3	63 − 0.4	−	−	−
13	男	121	直行型	正　常	K m	74 + 4.7	106 − 8.0	60 − 2.9	54 + 2.6	+	−	−
14	女	121	凸状型	外　向	K m	97 − 4.0	43 − 1.4	48 − 1.1	54 −1.95	−	−	−
15	女	159	凸状型	内　向	K m	93 − 0.4	54 − 0.8	59 − 1.9	63 − 1,6	−	−	−
16	男	82	凸凹型	内　向	K m	143 − 0.6	75 − 4.3	69 − 2.2	62 − 3.2	−	−	−
17	男	86	凸凹型	内　向	K m	137 − 8.9	91 −14,6	49 + 1.9	63 − 7.1	−	−	−
18	女	79	凸状型	内　向	K m	150 − 6.2	60 − 2.1	60 − 1,7	59 − 1.3	−	−	−
19	男	86	凸状型	正　常	K m	123 − 7.1	56 − 1.0	48 + 0.1	56 − 1.1	−	−	−
20	男	132	凸凹型	正　常	K m	158 − 6.1	83 + 0.3	90 − 3.1	86 − 1.7	−	−	−
21	女	130	直行型	正　常	K m	118 − 2.6	73 + 0.3	85 − 5.9	63 − 0.7	−	−	−
22	女	143	凸状型	正　常	K m	130 − 3.5	38 − 1.8	44 0	46 − 7.1	−	−	−

23	女	79	中休型	内向	K m	164 −10.5	59 − 1.6	59 + 0.3	64 − 0.6	−	−	−
24	女	112	凸状型	外向	K m	121 − 6.6	59 − 3.0	45 − 0,6	44 − 2.5	−	−	−
25	女	125	凸状型	内向	K m	108 + 3.4	83 − 2.5	76 − 1.8	76 − 1.5	−	−	−
26	男	121	中休型	外向	K m	199 −10.6	92 − 4.1	51 + 1.6	60 − 2.2	−	−	−
27	女	137	凸凹型	外向	K m	165 −13.6	63 − 2.4	68 − 5.3	69 − 6.6	−	−	−
28	男	96	凸状型	準外向	K m	157 + 2.4	120 − 0.1	83 + 5.1	99 − 2.0	−	−	−
29	男	88	凸状型	準外向	K m	108 + 6.6	121 − 7.1	106 − 4.1	104 −14.5	+	−	−
30	女	95	凸状型	内向	K m	96 + 2.5	69 − 2.4	61 − 2.4	62 +1.17	−	−	−
31	男	106	凸状型	外向	K m	113 − 4,6	69 − 2.8	62 − 1.8	62 −1.14	−	−	−
32	男	142	凸状型	正常	K m	173 − 1.8	85 − 2.8	73 − 0.8	77 − 2.2	−	−	−
33	男	141	凸状型	内向	K m	197 − 0.4	88 +11.7	95 − 0.3	108 − 4.1	−	−	−
備考	第3回，即ち，3週間練習後とくらべて退歩したもの						2	0	0	$\frac{2}{33}$	$\frac{0}{33}$	$\frac{0}{33}$

この表から，退歩した人員を拾うと，次の表のようになる。

(分母は実施人数，分子は退歩した人数を示す。分母の違いは欠席のあつたため)

中断後退歩した人数（　）内は百分率

加減九九＼時期	繰上りなし	繰下りなし 50題	繰上りある	繰下りある 100題
	加法九九	減法九九	加法九九	減法九九
中断1か月後(四週)	$\frac{7}{34}$(20.6%)	$\frac{1}{31}$ (3.2%)	$\frac{3}{24}$(12.5%)	$\frac{4}{24}$(16.7%)
2か月後(五週)	$\frac{10}{34}$(29.4%)	$\frac{3}{31}$ (9.6%)	$\frac{1}{22}$ (4.5%)	$\frac{6}{22}$(27.2%)
3か月後(六週)	$\frac{1}{34}$ (2.9%)	$\frac{1}{31}$ (3.2%)	$\frac{1}{21}$ (4.8%)	$\frac{1}{22}$(4.5%)
4か月後(七週)	$\frac{2}{33}$ (6.1%)	$\frac{0}{29}$ (0)	$\frac{0}{22}$ (0)	$\frac{3}{23}$(13.6%)
5か月後(八週)	$\frac{0}{33}$ (0)	$\frac{0}{29}$ (0)		
6か月後(九週)	$\frac{0}{33}$ (0)	$\frac{0}{29}$ (0)		

この結果からみると，3週間連続練習しておけば，退歩する人数は減少する一方であるということがわかる。したがって，3週間練習しておけば，やめても能力は低下しないということが検証されたことになる。

(d)　順調に進歩している子供はどんな子供か

＊練習曲線が，凸型に順調になだらかになっている者の性格をひろいあげて見ると，性格のA・Bの部類にはいっている者が多い。

これらは，二・三・四年を綜合してみると，真面目で，努力家で，態度が良く，物事を几帳面になし，持続性のある，落着いているような子供である。

(e)　特殊な子供はどんな子供か

＊練習曲線のジグザグ型の子供をひろいあげて，その性格を見ると，性格Cの部類にはいった者が多い。その子供の二・三・四年を綜合してみると，落着きのない，級友のおせっかいをする，多弁，注意散漫な，無頓着のものなどである。

D　反　　省

(1)　本年度の実験研究を通して，感じたことをあげてみると，次のようである。

(a)　2年について

＊九九の速くできるこどもは，どんな計算をやらせても，正確でしかも速いことがわかった。

＊実験児童以外の児童でも，算数に興味をもち，特に，計算問題においては，喜んで学習するようになった。

＊繰上り・下りのない加減九九を徹底的に指導したので，繰上り・下りのある九九に困難を感じなかった。

たとえば，繰上りのある九九は，繰上りのない九九を基礎としているので，繰上りのない九九が手早やにできれば，繰上りのある九九は気楽にできるようになる。

(b) 3年について

＊乗法の練習が，徹底していたので，除法の指導が楽であった。

＊実験指導の結果，乗法や除法の計算練習が速くできるようになった。

劣等児とみられる子どもも，楽にいえるようになった。

劣等児も反復練習によって，反射的に覚えるようになり，特にできない子供は特別指導をした。

＊季節によって，タイムにちがいがあった。それは，入梅，遠足，体育大会，音楽会などに影響された。

(c) 4年について

＊除法で商の発見が，障碍なくできろようになった。

日常生活の書かれた問題についても，困難なくできるようにしたい。

＊3・4年を通じて，練習を始める時期を，理解の上・中・下によって，区別して始めるようにしてみたいと思う。

(2) 昭和27年度及び28年度における乗法九九の練習効果の減退率について

前年度の結果では，知能指数と練習曲線とには，相関関係がないということになった。これについて，さらに検討するために，次のようなことを調べてみた。

はじめに，各々の子供に応じて，練習曲線がなだらかになって，もうこれ以上進歩しないという極限に近いと思われる所まで練習した後，その直後——1週間後——2週間後——1か月後——2か月後——3か月後というふうに紙上テストを行い，その減退度を調べた。

その結果は，次の表の通りである。

中止後の所要時間

	氏　名	中止時のタイム	1週間後のタイム 前回との差	2週間後のタイム 中止時（前回）の差	1か月後のタイム 中止時（前回）の差	2か月後のタイム 中止時（前回）の差	3か月後のタイム 中止時（前回の差）	備　考
(上)	I・O	81秒	85秒 −4	97秒 −10(−6)	99秒 −18(−8)	111秒 −30(−12)	116秒 −35(−5)	
	R・S	107	103 +4	101 +6(+2)	123 −16(−22)	127 −20(−4)	109 −2(+18)	
	M・I	98	93 +5	95 +3(−2)	99 −1(−4)	118 −20(−19)	121 −23(−3)	
	S・A	89	114 −25	123 −34(−9)	123 −34(0)	155 −16(−32)	127 −38(+28)	
	中止時と3ケ月後との差の平均						−22秒	
(中)	T・T	85	81 +4	84 +1(−3)	87 −2(−3)	107 −15(−13)	130 −45(−30)	
	K・M	151	154 −3	142 +9(+12)	167 −16(−25)	180 −29(−13)	142 +9(+38)	例外児童
	K・S	93	105 −12	100 −7(+5)	107 −14(−7)	107 −14(0)	138 −45(−31)	非常にむら気な子
	Y・S	82	86 −4	85 −3(+1)	84 −2(+1)	97 −15(−13)	144 −62(−47)	
	中止時と3ケ月後との差の平均						−36秒	
(下)	M・K	90	92 −2	90 0(+2)	103 −13(−13)	157 −67(−54)	162 −72(−5)	
	S・Y	91	97 −6	104 −13(−7)	107 −16(3)	107 −16(0)	182 −91(−75)	
	U・S	120	117 +3	117 +3(0)	134 −14(−17)	218 −98(−14)	212 −92(+6)	
	T・S	97	100 −3	89 +8(−11)	108 −6(−14)	118 −21(−15)	158 −61(−40)	
	中止時と3ケ月後との差の平均						−79	

減退度とは，別表のグラフをみればわかる通り，練習を極限に近い所まで行い，そこで練習を中断し，その後1週間・2週間・1か月・2か月・3か月後に1回だけペーパーテストを行い，中断時からどのくらい減退したかを表わしたものである。

この結果，考えられることは，3か月後にいたって中止時からの減退度が，

＊知能上の者は−35秒・−2秒・−23秒・−38秒となり，

＊知能中の者は－45秒・＋９秒・－45秒・－62秒となり，

＊知能下の者は，－72秒・－91秒・－92秒・－61秒となっている。

これから，上の者は減退度が最も少く，下の者は最も大きいといえる。

この実験結果から，上・中の者は極限に近い所まで練習しておけば，後は練習しなくても，ほとんど減退しないといえる。しかし，下の者は，練習中止後もなお，或期間練習が必要ではないかとみられる。

この結果，知能との関係は，このような点にみられることがわかった。

§3. 昭和28年度の実験の結論と今後の問題

1　曲線の類型について

よく理解しているものの練習曲線は凸状型のものが多いと考えられる。

2　いつやめたらよいかについて

よく理解している子供は，３週間連続して反復練習をすれば，子供の個々に応じた速度で，九九が適確にできるようになると考えられる。

なお，その後１ヵ月後・２ヵ月後と期間をおいて１週間ずつ反復練習をすれば，能力は減退するようなことはないといえる。

今後の問題としては

(a)　今までの結論について，全学年による検証実験をすること。

(b)　実際の学習指導において，これをどのように応用するかということである。

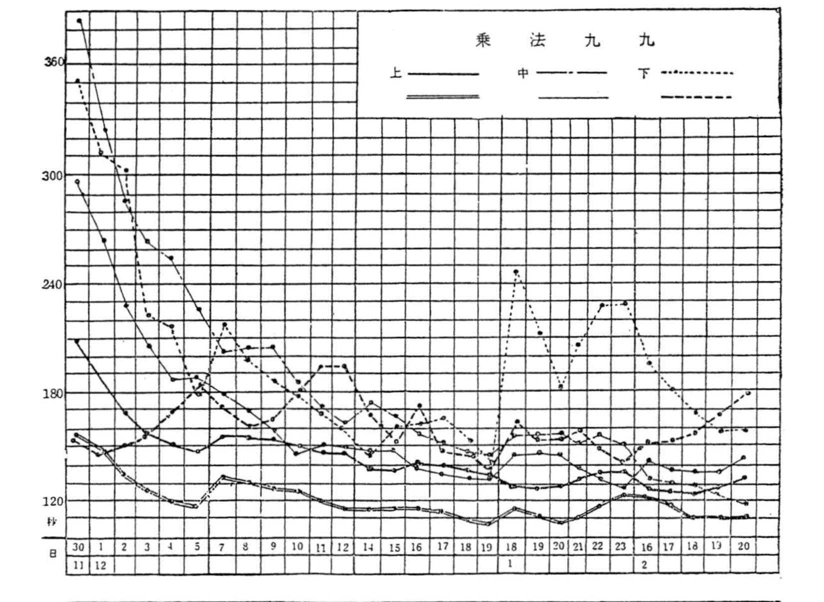

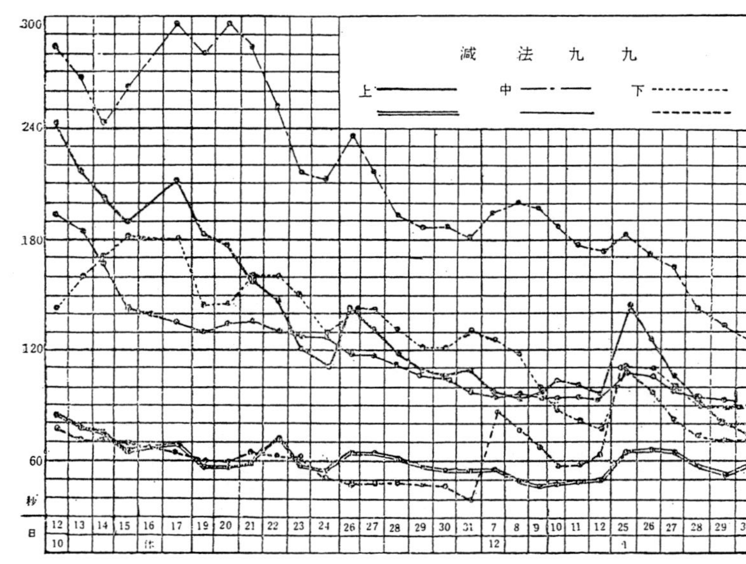

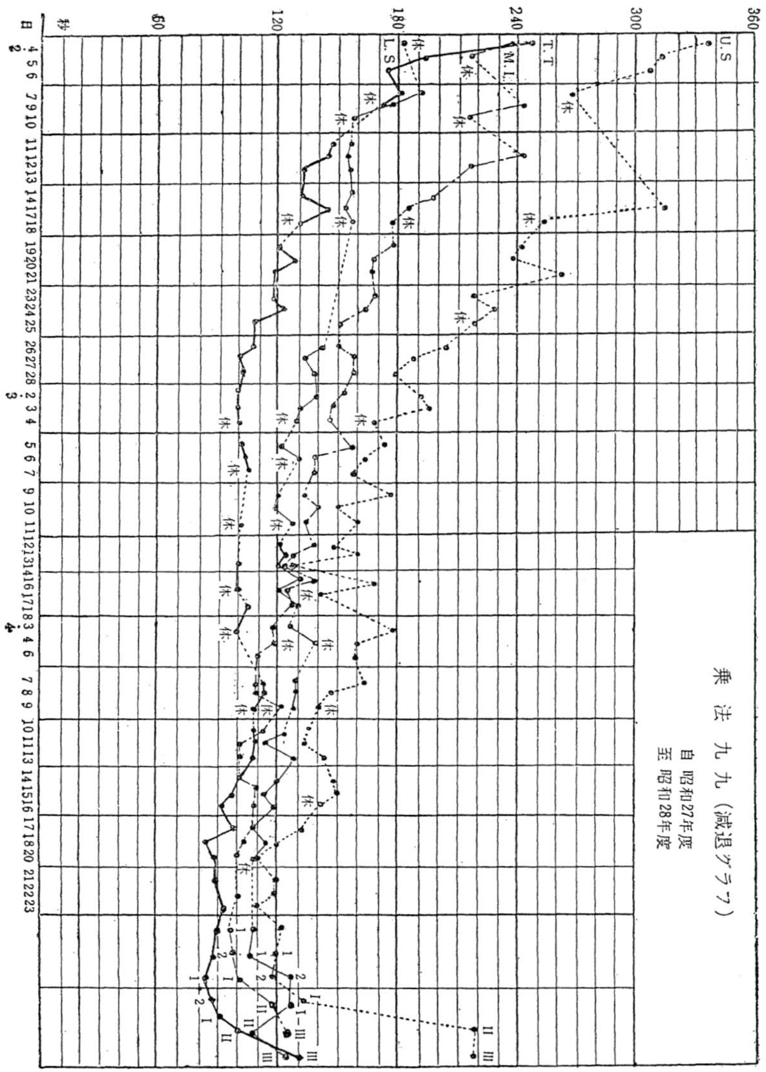
乗法九九(減退グラフ)
自 昭和27年度
至 昭和28年度
秒
60
120
180
240
300
360
U.S
T.T
M.L
L.S
日
休

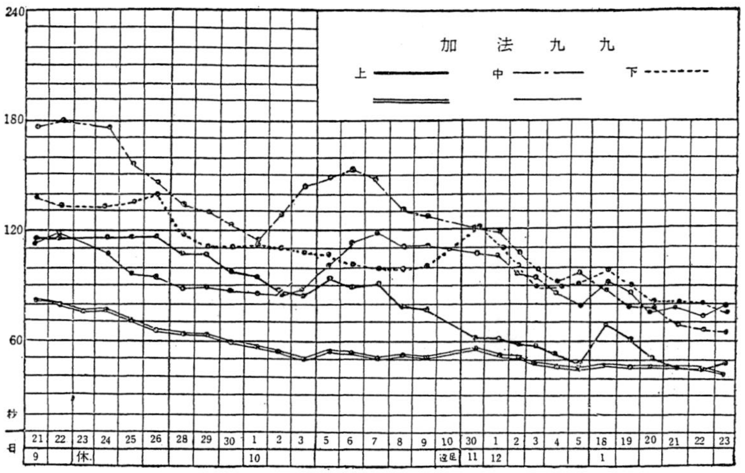
加 法 九 九
上
中
下
240
180
120
60
秒
日
休

VI　実験研究の終りに当って

「よく理解している子供は，３週間連続して反復練習すれば，子供の個々に応じた速度で九九が確実にできるようになる。

その後，１ヵ月後，２ヵ月後と期間をおいて１週間づつ反復練習すれば，その能力が減退するようなことはない」

これは，今までの研究で得られた一応の結論である。昭和29年度は，この結論にもとづいて，子供の個々に応じた速度で固定化ができ，しかも，それが生活の場において，問題解決に充分に活用できるものとなるかを，学校全体の児童に適用して，実証することを試みた。このための研究を，次のように実施した。

九九の種類	学年	連続３週間反復練習する	固定化するための反復練習		
			第１回（連続1週間）	第２回（連続1週間）	第３回（連続1週間）
基数と基数で，和が10以下の加法（０を含む）	２年	９月中	11月上旬	12月上旬	１月中
10以下の数から基数を引く減法（０を含む）	２年	10月中	11月下旬	１月中旬	２月下旬
基数と基数で，和が二位数となる加法	２年～３年	１月中	３月上旬	（３年）４月中旬	（３年）５月下旬
二位数から基数を引いて差が基数となる減法	２年～３年	２月中	（３年）４月上旬	（３年）５月上旬	（３年）６月中旬
乗法九九（０のある場合を含む）	３年	11月～12月	１月中旬	２月中旬	３月中旬
除法九九（０のある場合を含む）	４年	４月～５月	６月中旬	７月中旬	９月中旬

備　考

(1)　連続３週間の反復練習を始める時期を表示したものである。実際には，各項目に相応する理解のテストにおいて，満足すべき評価がなされた時からはじめるべきである。したがって，個々別々に反復練習をさせる場合においては，理解されたと認められた時から，はじめるべきである。

(2)　もし，学級全体一斉に反復練習をさせる場合においては，その前に理解のテストにおいて，満足すべき評価のできるまで，学級児童の個々の指導をなすべきである。

上表によって，４年以下の児童に反復練習をした結果については，今までの結果と比較するだけ適確な統計を得るところまでいっていない。しかし，次のような点について，指導の効果がみられる。

A　計算の面において

1　数の合成分解が反射的にできるから，例えば，７＋○＝10，10－６＝○などの補数関係が正しく，速くできる。それで，後の指導が楽である。

2　基数と基数を加えて，二位数となる場合，又は，二位数から基数を引いて基数となる場合に，10以下の合成分解が身についておれば，理解が容易である。

たとえば，$\begin{array}{r}7\\+\ 6\\\hline\end{array}$，$\begin{array}{r}13\\-\ 7\\\hline\end{array}$ の場合に，７＋３＝10，10－３＝７の補数関係がよく理解されていたので，理解も計算も速かった。

3　もとの数，よせる数，ひく数の関係を速く見いだし，その説明がよくできる。それで，

$\begin{array}{r}\square\\+\ 6\\\hline 11\end{array}$　$\begin{array}{r}6\\+\square\\\hline 11\end{array}$　$\begin{array}{r}\square\\+\ 6\\\hline 13\end{array}$　$\begin{array}{r}13\\-\square\\\hline 6\end{array}$

の指導には相当の努力を要するものと予期したが，実際は，たやすくてすんだ。

4　二位数に二位数を加えて繰上らない場合，二位数から二位数を引いて繰下りのない場合，ほとんど全児童が直ちに確答したので，指導時数も短縮された。

5　二位数に基数を加えて，一位の数が繰上る場合は，繰上った１を十位に加えることの操作を指導したのみで，おくれている子ども苦痛なくできるようになった。

6　二位数と二位数を加えて繰上る場合の学習には，殆んど指導しなくて

も，子どもはどしどし進んで学習を進めた。(遅れた子どもでも，繰り上ったを十位に加えることを，忘れない注意をしただけで，演算の指導ができた)

7　計算に融通性をもち，考える態度ができ，書かれた問題もよくできるようになった。

たとえば，「バスにお客さんが20人のっていました。7人おりました。まだ，なん人のっていますか」の場合なども，簡便な計算法を見いだし，しかも，その説明ができるようになった。

B　日常生活の場で算数を用いることについて

1　学校において，いくつかのグループに分れるときなど，人数を速く数えた。

学級文庫の貸出しの残本とか，画用紙，ノートの使用数やその残りとかをうまく数えたりすることがみられる。

2　家庭においても買物のお使いや，自分の小づかい銭の支出などで，つり銭の計算が確実になったということが報告されている。

なお，この実験研究の報告を終るに当って，殊に，このような実験研究をなされる方々のために，私たちの研究を通してわかった二，三のことがらを書き添えて参考にしたい。

まず，教育者は，常に子供を忘れてはならないということである。これは，当然のことであるが，特に，実験的研究をしようという場合には，子供を離れてはそれがなり立たないのである。理論は，結果の見通しをつける上に非常に重要であるが，その結果は子どもの反応を忠実にとらえてはじめて得られるものである。精神的にも，肉体的にも，常によく子供を見つめていること

とがたいせつである。そうでないと，表面はよく見えても，核心のないからの卵であることが，往々にしてできるのである。

よい研究の成果をおさめるためには，教師その人が，常に厳しい自己批判と，謙虚な態度で結果の検討と計画の反省をすることが必要である。また，

学習指導に当っては，次のようなことに気を付けることが必要であると考えた。

1　学習指導の重点をよく考え，指導目標を確かに把握し，子供のもつ問題を，その目標から考えて，背後から解決達成させてやるようにする。

2　個々の子供の伸びてきた過程に目をつけ，共によろこび励まし合いつつ，日一日と伸びていくように，その意慾を培うことにつとめる。

3　児童が喜んで学習するような場を作り上げるようにつとめる。

4　書かれた問題の学習を通して，一人一人の子供が自分で加減乗除の方法を選択していけるようにし，実際の場に適用できる能力ある子供を作り上げるように指導する。

5　反復練習の指導については，

①　根気よくやること

どの教材についても教師の根気は必要であるが，特に反復練習においては根気の強さがなければ成功しない。

②　指導計画を綿密にすること

継続練習が必要とされているので，指導案を細かにたて，無駄な練習をしないようにし，また，適切な時期に指導の手を入れ，誤りを繰り返さないようにすることが必要である。

③　反復練習は長期にわたって行われるので，その間に行事などで，中断され易い。一旦，中断すると，継続するためには，相当な教師の根気と熱意とが，とくに必要である。

④ 反復練習の時期は，早くても，遅くても，効果は減退する。よく時期を考えて，指導しなくてはならない。

⑤ 興味を失はないようにする。

どの教材でも，児童が興味を失はないことは必要であるが，特に反復練習は単調になり易いから，その配慮は充分なされなければならない。

この研究報告でおわかりのように，この研究の結果として得られたことは，まだ，今後の研究にまつ面が非常におおい。これについて，今後とも日常の学習指導を通して研究をおし進めていくつもりである。しかし，この研究を通して，発揮されてた職員の協力と指導についての自信は，最も貴重なものであると考えている。これは，今後の研究に，また，日々の指導に，非常に大きな力となって発揮されることを確信している。

初等教育研究資料第X集
算数実験学校の研究報告
(6)

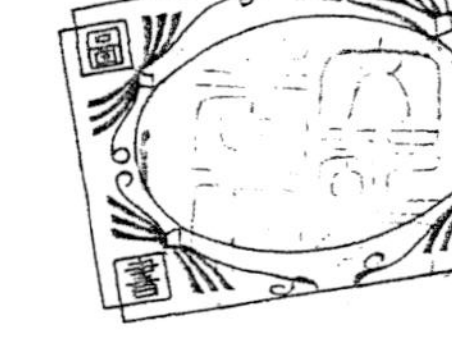

MEJ 2380

昭和30年10月1日 印刷
昭和30年10月5日 発行

著作権所有 文部省

東京都中央区入船町3の3
発行者 藤原政雄

東京都板橋区板橋町8の1952
印刷所 新興印刷製本株式会社

東京都中央区入船町3の3
発行所 明治図書出版株式会社
電話築地867.4351.4970 振替東京 151318

定価 223円

文部省著作図書

学習指導要領一般編 A5・三四円
小中高校の各教科の学習指導要領の基準書である。

小学校学習指導要領 体育科編 A5・六二円
体育指導の目標・学習内容・指導と管理・施設と用具。

小学校における家庭生活指導の手びき A5・一〇〇円
幼稚園から六年までの家庭生活指導の具体的ありかた。

小学校学習指導書 国語科編 A5・一九一円
学習指導を効果的・合理的に早く目標に到達する方法。

中学校 高等学校 学習指導法 国語科編 A5・一八八円
学習指導要領を具体化して実際に役立つ指針書である。

理科実験における事故の防止 A5・六七円
問題解決を写真版・図版多数を入れて解説した待望の書。

小学校学習指導書 各A5判
理科編Ⅰ・上巻 一一〇円「自然の変化」
理科編Ⅰ・中巻 一五二円「機械と道具のはたらき」
理科編Ⅰ・下巻 一四八円「天体の動き・健康な生活・自然の保護と利用」
小学校理科で学習するときに必要な実験・観察・飼育・栽培・製作等を中心として、その観察なり、飼育なりの方法を写真版と図版を豊富に入れて解説した学習指導書。

理科教育の施設・設備の状現 A5・八五円
現有の全国的実態を解明した各校の指針となる唯一の書。

児童生徒の漢字を書く能力とその基準 A5・二一五円
漢字の指導計画を立てるための効果判定に無二の資料書。

国語の慣用語 B6・四五円

ローマ字問題資料集 B6・五三円

漢字の学年配当 B6・七四円

法令用語の改善 B6・二一円

国語問題問答 第3集 B6・二〇円

外来語の書き表わし方 B6・一七円

児童生徒のかなの読み書き能力 A5・四一円
かなの指導上注意すべき点を具体的にのべた指導書。

明治図書刊

文部省著作図書

問題児指導の実際 A5・二一〇円
全国的実践記録を教育学的・医学的に指導した実際書。

小学校の合奏 A4・一巻一四七円 二巻二〇六円
器楽合奏曲と、その解説で、標準的な器楽教材集。

新しい特別教室 B5・三八〇円
新教育の学習指導に即応した理想的な特別教室とは……。

小学校における学習の指導と評価 A5・三一円
児童の成長と発達を助ける方法や材料はどう活用するか。

身体虚弱児童生徒の健康指導の手びき A5・六八円
認識・理解と、その指導の実際を効果的にする最良の書。

算数実験学校の研究報告 各巻A5判
一巻・価 七〇円
「誤算についての研究」「問題解決に当り子どものつまづく点とその理由」「学業不振児の計算指導」の成果をまとめたもの。
二巻・価 七七円
三巻・価一二八円
「誤算についての研究」を更に発展継続せしめたもの。
四巻・価一四四円
全国の協力校をつのって行った実験指導の成果をまとめたもの。
五巻価一九一円
六巻価二二三円
文部省が、算数学習指導上、特に注意を要する問題を、指定実験学校で研究させたうち、特に優秀な成果を得た実践記録を資料として解説したもの。

幼稚園のための指導書 音楽リズム B5・一二八円
音楽的経験を与え美しい心情を養うように編集した。

問題青少年の理解と指導 A5・一三七円
混沌たる社会下の青少年の犯行心理とその対策の書。

中学校 高等学校 学習指導要領 社会科編Ⅱ A5・四七円
中・高の一般社会科と中学校の日本史について叙述した。

中学校 高等学校 学習指導法 音楽科器楽合奏編 A5・二五〇円
指導を計画し、実践する基本問題を平易に解明した。

高等学校学習指導法 芸能科書道編 A5・一八一円
目標達成・指導計画の進め方等の実践方法を例示した。

明治図書刊

明治図書出版株式会社

定価　223円

初等教育研究資料第XI集

国　語
実験学校の研究報告

(1)

文　部　省

国語実験学校の研究報告

(1)

(1955年度)

文　部　省

まえがき

この研究報告は，昭和29年度における文部省初等教育実験学校として指定した，東京都大田区立久原小学校と神奈川県高座郡御所見小学校の2校の研究結果の一部を収録したものである。両校には，「最少の時間と努力で，かたかなの習得率を高めるには，どのように指導するのが有効か」という課題で実験研究を依頼したが，本書にはその実験結果のうち，「もし1年でかたかなを学習させるとしたら，どういう方法でかたかなを提出し，どういう方法で指導するのがいちばん有効か」ということに関して研究した結果を収録した。

かなの学習指導に関する実験研究は，昭和27年と同28年の2か年にわたって，神奈川県串川村中央小学校ほか2校に依頼して研究を続けてきた結果，「ひらがな」「かたかな」の学習指導に関して，それぞれ成果を収めてきた。昭和29年度における実験研究は，それらの研究成果をもとにした上で，特に「かたかな」の学習指導に関して，最も効果的な方法を追究しようと意図したものである。

昭和29年度の実験で「ひらがな」の学習指導に関する問題を取り上げなかったのは，前年度までの研究で，ひらがなの学習指導に関してはほぼ問題点を明らかにすることができたことと，文部省の実験学校以外にも，この問題については，熱心に研究が進められていて，有効な指導法がいろいろと発表されてきているので，これ以上研究を続ける必要を認めなかったためである。

これに反して，かたかなの読み書き能力に関しては，昭和27年3月に文部省が関東1都6県の児童生徒に対して行った，「かなの読み書き能力に関する調査」の結果を見ても，必ずしも満足すべき状態にないし，指導のしかたに関しても，1字1字の習得率を高めることはできるが，かたかなの使用法に習熟させる指導法に関して，まだ問題が残されているために，昭和29年度においても引き続き取り上げることにした。

かたかな学習の方法に関しては，一般学識経験者の間からもさまざまな意見が提出されている。それらの意見は次の三つに大別されると思う。

(1) 現行の方法でよいとするもの。すなわち現行指導要領に示されているように，1年生でひらがなと少数の漢字を学習させた後に，2年生になってから，ミルクとかパンなどかたかなで書くことになっている語いをかたかなで提出して学習させ，かたかな五十音図などを利用して，3年生までに完全に習得させるのがよいと考えるもの。

(2) 1年生でひらがなと少数の漢字を習得させるほか，パンとかミルクなど，かたかなで書くことになっていることばに限って1年生からかたかなで提出して，それを学習させるのがよいと考えるもの。

(3) 現行指導要領に示されているかなの学習に関する方法とは逆に，かたかなを先に学習させ，それをじゅうぶんに習得した後にひらがなの学習をさせるほうがよいとするもの。

以上の三つの行き方のうち，(1)の趣旨にそって有効な指導法をくふうすることに関しては，文部省においても昭和27年度以来，実験を続けてきている。(3)に関して実験を行うには，国語教科書だけでなく，各教科の教科書をすべてかたかなに書き直し，児童の言語環境もすべてかたかな学習に有利なように設定しなければならないが，現状ではそうした実験をするのは非常に困難である。したがって，かたかなから先に学習させてみる実験は行わないことにした。⑵の方法は現行指導要領に示されているかなの学習法を部分的に修正したものである。現行の方法によれば，１年生で「おるがん」とか「みるく」というふうにひらがなで学習させ，２年生になるとすぐ「オルガン」とか「ミルク」というふうにかたかなで学習させなおさなければならないので，この点が問題になるが，この方法はその点を救うことのできる方法であると考えられている。

しかし１年生でひらがな・かたかな・漢字の３種の文字を提出することにより，児童が負担過重にならないかどうか，一応習得できても，ひらがな・かたかな・漢字の３種の文字を混用するようなことが起らないかどうか，文字はどうやら学習できたが，総合的な国語の学力はかえって低下したというような現象が起らないかどうか，ということなどに問題があるが，昭和29年度の実験は，１年生に関しては特にこの点に困難があるかどうかを考慮しながら実験研究をしたものである。

２校の実験に関するかぎり，以上に列挙したような困難点は見られなかった。したがって，両校で行った実験指導の方法と同じような方法で指導するかぎり，１年生においてかたかなの一部を学習させることは，さしつかえないことになる。しかし，そのことは２年生からかたかなを学習させている現行の方法に対して，１年生からかたかなの一部を学習させるほうがよいということについて，なんら積極的な支持を与えるものでないことに注意しなければならない。また実験にあたった２校の教師の指導力が優秀であったことも考慮のうちに入れて，この問題は慎重に考えられなければならない。

なお，この報告書の読み方について一言すると，この書の重点は指導の経

過を述べたところにあるので，かたかなの習得率その他の数字は，指導の経過を知る上の一つの手がかりにすぎない。したがって１年生における「かたかな」の指導の経過とその反省について述べてある部分は，２年生もしくは３年生においてかたかなを指導する場合の参考としても，大いに役だつものであることを信じている。

最後に昭和29年度の実験研究を開始するにあたっていろいろと助言してくださった，教育評論家 石黒　修，お茶の水女子大学付属小学校教諭 大橋富貴子，東京都指導主事 倉沢栄吉，国立国語研究所員 輿水　実，東京都渋谷区立大向小学校教諭 小塚芳夫，東京都大田区立東糀谷小学校教諭 佐々木定夫，東京学芸大学講師 続木敏郎の諸氏および，この困難な実験研究に努力された東京都久原小学校，神奈川県御所見小学校の職員各位に対しては，厚く感謝の意を表したいと思う。

昭和30年7月15日

文部事務官　木　藤　才　蔵

目　　　次

目　　次

第 1 部

かなの学習指導に関する実験研究の概要

I　かなの学習指導に関するこれまでの実験研究

1　昭和27年度の実験研究

(1)　実験研究のねらい

文部省初等中等教育局で，かなの学習指導に関する実験を開始したのは，昭和27年のことである。この年に実験校として，

東京都杉並区　杉並第七小学校（大都市）

茨城県笠間町　笠間小学校（地方都市）

神奈川県津久井郡串川村　中央小学校（農村）

の3校を指定し，1年生で「ひらがな」の読み書きができ，2年生と3年生で「かたかな」の読み書きができることを目標にしている小学校学習指導要領　国語科編の趣旨に従って，「ひらがな」と「かたかな」の読み書き能力を高めるには，どのように指導したらよいかということを目的にして実験が開始された。

(2)　実験研究の結果と残された問題

この実験において，「ひらがな」と「かたかな」の読み書き能力を高めるのに有効な各種の指導技術が，それぞれの学校においてくふうされた。

それらの指導技術を使いこなして少し努力すれば，遅れたごく少数のこどもを除いて，「かたかな」「ひらがな」ともに完全に習得させるのは，それほど困難でないことがはっきりしてきた。しかし「かたかな」の学習に関しては，その1字1字の読み書き能力がじゅうぶんについても，作文などでミルクとかパンとかを「かたかな」で書くべきことばだと判断して書くことは

なかなかむずかしいということも明らかにされた。

この傾向は農村地区において特にいちじるしかったが，この「かたかな」の使用法に習熟させるのには，どのような方法が有効かということに関しては，次年度の研究課題として残されることになった。

2 昭和28年度の実験研究

(1) 実験研究のねらい

実験校は前年度の3校が継続して実験にあたることになり，実験課題も前年どおりで，効果的な指導法について，なおいっそうの研究を続けることになった。このほか「かたかなの使用を習熟させる方法の一つとして，『かたかな』で書く習わしになっていることばに限って，1年生の初めから語として『かたかな』で学習させてみたらどういう結果が出るかということ」が，課題の1つとして付け加えられることになった。

(2) 実験研究の経過

この実験に主としてあたったのは，神奈川県の中央小学校であるが，この学校は純農村地区の学校で，「かたかな」の学習には非常に不利な環境にあった。一例をあげると，1年生の10月中に「かたかな」の清音・濁音・半濁音を合わせて71文字と，よう音キャ，ニュ，チョの3を加えた74のそれぞれの読みの能力調査を事前調査として試みたところ，平均して 11.34% しか読めていない。これは昭和29年度の文部省実験学校である東京都久原小学校の1年生が，入学当初の4月の調査で，前記の74文字のうち，よう音，3を除いた71文字が平均して22% 読めており，1年生の終了時には，平均して70% 読めているのに比較して，たいへんな相違だということができる。

この実験では，第1回には11月末の題材「うんどうかい」の中に，リレー，ドン，ピー，マイク，ラジオの5単語をそう入して指導し，その直後に習得状況の調査をしたが，読みの平均は 89.8%，書きの平均は 35.77% であった。なお，このときの方法について一言すると，既習単語をカードにしるして個人別に読ませ，1字でも読めないものは全部読めないことにした。書く場合には教師が読み，いっせいにプリントの ▭ の中に書き入れさせた。また第1回に限って，絵をプリントに入れて書くことの助けとした。

第2回は12月初旬の題材「えんそく」の中に，ポケット，ザクザク，マッチ，クレヨン，カラカラ，カサコソ，ヒューヒュー，の7単語をそう入して指導し，指導後習得状況の調査を行った。調査方法は第1回のときと同様であるが，その成績は読みの平均 83.96%，書きの平均 26.09% であった。

第3回は3月中旬の題材「もうすぐ2年生」の中に，ランドセル，ハンカチ，セーター，スリッパ，ボタン，ポチ，ベルの7単語をそう入して指導し指導後習得状況を調査したが，読みの平均 95.33%，書きの平均 70.37% であった。

この3回にわたる指導と指導結果の調査を照し合わせてみて，次のことがわかった。

○この地区において第1学年の2学期のごく末の時期，すなわち11月末から12月にかけて，12単語ぐらいを少しずつ指導するならば，一応それらの単語が読めるようになるということ。しかし語として書くことはまだ困難だということ。

○第1学年の終りの時期，すなわち3月に，7つぐらいの単語を指導した場合には，読みだけでなく書くほうにおいても相当の成績をあげることができるということ。

なお，1年生の最終日に清音・濁音・半濁音，の71文字および，よう音，キャ，ニュ，チョの３を加えた74文字の１字読みの調査を行ったが，その結果は平均して46.02％の成績で，10月の実態よりは35％上昇していた。74文字のうち指導した文字は，清音24，濁音５，半濁音３，計32文字である。

（３） 残された問題

この実験を違った方法で行った笠間小学校および杉並第七小学校の指導経過と比較してみた結果，次のことが今後の課題として残されることになった。

1　かたかなの学習に関しては，特に都会と農村で学習の条件が異なっている。したがって実験をする以上，いちばん条件のよい地区と悪い地区にそれぞれ実験校を選び，なるべく同一の指導計画のもとに実験を行って，その結果を比較，対照してみる必要があること。

2　地区によって，習得の差がいちじるしいように，指導する教師の指導のしかたの違いによって，習得の成績も非常に違ってくる。したがって実験研究のためには，用意した項目のもとに指導記録をとって，学習成績と照し合わせてみる必要があるということ。

3「かたかな」の１字１字を学習させるにせよ，その使用法に習熟させるにせよ，時間をかけ努力を重ねれば，じゅうぶんに効果を上げることはそれほど困難なことではない。したがって指導時間の上でも，また指導および学習に要する労力の上でも，普通の状態でらくにできる方法を見つけ出すことを目的にして，実験研究を進める必要があるということ。

4　指導法としては，パンとかミルクとかを１語として学習させ，あとでそれぞれの文字に分解させる方法のほかに，かたかなの１字１字を学習させてそのあとで語いを構成する方法も考えてみる必要があるということ。

II　昭和29年度における実験研究経過の概要

1　実験研究のねらい

昭和29年度における「かたかな」の学習指導に関する実験は，前記の問題点を考慮した上で，１年生の「かたかな」指導に重点をおき，東京都内と純農村地区から１校ずつ選び，この２校の実験を比較対照しながら研究を進めることになった。そして特に第１学年においては，

(1)「かたかな」指導を開始する時期はいつごろがよいか。

(2)「かたかな」語いはどんな資料を用いて，どのような順序と方法で指導するのがよいか。

の二点に注意しながら，「最少の努力と時間で効果を上げることのできる指導のしかたに，どのようなものがあるか。」を明らかにすることになった。

2　実験指導計画の概要

実験研究の経過の概要を示すと次のとおりである。（１年生の分だけ，以下同じ）

（１） かなの読み書き能力に関する事前調査（昭和29年４月）

かなの学習指導に関する実験を行う前に，両校の児童が「ひらがな」と「かたかな」に関して，どの程度読み書きできるかということに関して調査した。調査方法は，文部省が昭和27年３月，関東一円の小・中学校65校，お

よそ16,000名について実施した調査方法と同じ方法で行った。

(2) 実験開始

ひらがなは従来どおり学習させ，かたかなは6月からパンとかミルクなど一般に「かたかな」で書くことになっている語いを中心にして，学習させることにした。ただし御所見小学校のDコースに限り，9月から指導を開始した。

(3) 国語標準学力検査

実験学校における一般国語学力および国語の諸能力について調査し，実験校が他の学校に対してどの程度の国語学力を有するか，その学校およびその学級の国語の諸能力が，どのような状態で伸びてきているかについて見ようとした。この検査は12月に行った。

(4) かなの読み書き能力に関する調査

昭和30年3月，前年度の4月に行ったのと同じ方法で，「ひらがな」「かたかな」の読み書き能力の調査を行った。4月の調査結果と比較対照してみて，1年間実験指導を試みた結果が，かなの1字1字の読み書き能力にどのような影響を与えたかをはっきりさせようとした。

なお，実験指導の経過について，詳しくは両校の報告を参照されたい。

3 実験方法の概略

実験学級は，教科書を中心にして，教科書に出てくるかたかな語いの順に指導していくコースと，教科書以外の資料を中心にして，習得できやすいよ

うにかたかな語いを配列して提出するコースとに分け，前者をさらに二分して，読み書きともに指導するコースと，読みだけ指導するコースとに分けた。読み書きともに指導するコースに対して，読みだけ指導するコースを設けた理由は，1年生でかたかなを提出するのに，読みを念入りに指導するだけにとどめた場合，どの程度の成績を上げることができるかを見ようとしたのである。

読み書きともに指導するコースは，2コースを設定したが，そのうち1コースは，擬声語・擬音語に限って提出の時期を遅らせて1月以降3月までの間にまとめて出すことにした。こうしたコースを設定した理由は第1に，パンとかミルクなどの外来語は，はじめから「かたかな」で読み書きさせ，かたかなで書くべきものだという意識をしっかりうえつけておいたほうが指導に便利ではないかということ。

第2に，擬声語や擬音語の中には，ギャーギャー，ミュンミュン，というように，表記のしかたにむずかしいものが多いから，あとにまわして指導したほうが習得させやすいのではないかということ。

第3に，擬音語・擬声語に属するものは，外来語と違って1年の後期，もしくは2年程度でも，一括して指導すれば，かたかなで書くことになっている語いであることが，すぐ判別できるのではないかということなどである。

次に教科書以外の資料を中心にして学習させるコースは，久原小学校に限って2コースを設定し，その一つは1語として教えていくのに対して，他の一つは1字1字を中心にして教えていくことにした。これは，文字と語をひとまとまりのものとして，徹底的に教えていく行き方に対して，1字1字を中心にして教えていく方法の効果を検討してみたのである。

かたかな指導の時期に関しては，御所見小学校に限って6月から始める学級と，9月から始める学級に分けて実験した。

以上のコースは，すべてひらがなの学習と並行してかたかなを学習させるコースであるが，このほかに，かたかなの学習をさせないで，ひらがなだけ学習させるコースを設け，両者を比較対象して，結果的にどちらがよいかを調べてみることも必要であろうが，この方法は次の理由で行わなかった。

(1) いくつかの学級のうち，ある学級にはかたかなを学習させ，ある学級にはかたかなを学習させない場合，かたかなを学習させない学級の児童も，かたかなの学習をさせている学級の児童の影響を受けて，自然にかたかなを学習するようになることが予想されること。したがって，こうしたコースを設けても，全然かたかなを学習しない場合の状態をつかみにくいこと。

(2) 事前調査の第2学年の学習成果を見れば，その学校において1年生でかたかなの学習をさせない児童が，2年生の初めにどのようなかたかなの読み書き能力をもっているかが推測できること。

Ⅲ 昭和29年度における実験研究の結果

1 両実験学校のかたかな学習に関する環境の相違と実験の結果

実験学校として，設定した東京都の久原小学校と神奈川県の御所見小学校の間には，国語の学習環境の上で非常な差がある。かなの学習に関してみても，1年生が入学したばかりの4月の事前調査で，久原小学校ではひらがなの71文字の62%が読め，39%が書けているのに，御所見小学校では読みは34%，書きは7%にすぎず，かたかなについては久原小学校では2年になっ

たばかりの4月初めに，すなわち，かたかなの学習を全然開始しないときにすでに読み70%，書き36%であるのに対して，御所見小学校では同じ時の調査で読み24%，書き8%という状態であった。

したがって，実験コースは両校でほぼ同じものを設定したけれども，年間に提出する語いの数，提出の時期に関しては相当違えざるを得なかった。すなわち久原小学校では年間を通じてかたかな71文字のうちA・B・Cコースは57字，D・Eコースは59字を指導したのに対して，御所見小学校では，A・B・C・Dの4コースを通して35文字を指導し，年度末の習得調査でかたかな71文字の読みは久原小学校では96%に対し，御所見小学校では83%，書きは久原では84%，御所見では63%の成績を示している。これは両校の実力の差というよりは大都市地区と純農村地区のかたかな学習能力の差を示すものであり，両校は実験研究を開始する出発点においてすでに大きな開きを示していたことは，先にふれたとおりである。

しかもこの実験をもってただちに，大都市地区と農村地区における1年生のかなの習得能力の一般を示すものとはなしがたいであろう。それは，実験学校に指定されたという条件，指導者の能力の優秀さということが大きく働いているからである。

2 実験結果の見方に関する二，三の留意点

さらに二，三注意すべきことをしるしておくと，久原小学校のごときは，年間50のかたかな語いを学習し，その習得状況調査においても非常によい成績を示しているけれども，各コースの実験指導担当者の反省によれば，提出した「かたかな」語いが，多すぎたということ，特に「かたかな」語いを提出しはじめた時期においては，そのために相当の無理をしたということが

述べられている。しかし久原小学校でかたかな語いを多く出しすぎながら，よい成績を収めたということは，実験指導にあたっている職員の意気ごみや技術の優秀さによるところが大きかったためであろう。

次にかたかな指導を開始すべき時期についてであるが，御所見小学校では6月と9月の二つの指導開始時期のうち，9月に始めたDコースが非常にぐあいのよかったことがはっきりしているし，久原小学校の場合も6月から始めて，よい成績をあげるためには，やはり相当の困難にうちかたねばならなかったことが反省されているから，いずれの場合にも指導開始の時期はもっと遅らせたほうがよいことが結果として示されている。このことに関して，ひらがなの習得状況に照し合わせてみて，かたかなの指導を開始する時期を判定しようとする神奈川県御所見小学校の研究は，よい示唆を与えることになろう。

3 両校の実験研究の結果一致した点

両校の実験研究の結果，一致していえることをあげると，次のとおりである。

(1) かたかな語いの提出のしかたや指導法にくふうをこらし，地域の実態に応じて，指導開始の時期，指導する語いの量，指導する字数を考慮すれば，1年生で「かたかな」の一部を学習させることは必ずしも困難ではない。

(2) かたかなを，まず，語を構成するひとまとまりのものとして教え，1字1字に分解して教える時期は，ずっと遅らせるのがよいか，1語として教えたあとですぐ1字1字に分解して指導する方法がよいか，かたかなの1字1

字を先に教えてあとでそれを語いに構成する方法がよいか，この三つの方法のうちどれがいちばん効果的かは，結論づけることができなかった。

(3) かたかな語いを提示する場合には

イ 児童の生活語の中から

ロ 単純な文字構成のものから

ハ 書きやすい文字で構成されたものから

ニ 清音で構成されているものから

先に提出し，次のような語いはあとまわしにするのが望ましい。

イ 促音や，よう音の交じったもの

ロ 長音記号を伴うもの

ハ 文字数の多いもの

(4) かたかな指導を開始する時期については，ひらがなをひととおり学習したあとで始めるのがぐあいがよい，と反省されている。

(5) 指導の方法に関して二，三の注目すべき点をあげると，

イ 指導する以上は読み書きともに指導するほうがよい。

ロ 漢字やひらがなの字形と似た字を指導して混乱を起す傾向がみえた時には，似ている字を相互に関連させながら指導し，その異同をしっかり認識させて，相互の間に混乱を起さないように留意する必要がある。

ハ かたかな語いの学習に限らないが，興味づけ印象づけて指導することの重要性が確認された。

ニ かたかな語いを提出するには，プリント・カードなどに比べて，教科書で出すのがいちばん効果的であった。

なお，擬声語や擬音語をあとまわしにして，外来語だけを先に学習させる方法は，久原小学校では結果がよくなかったが，御所見小学校では結果がよかった。これは久原小学校では，学習すべき擬声語・擬音語が全部で26語で，それを同校のBコースでは1月から3月までの間にまとめて出したため他のコースの倍近くの語いを学習しなければならなかった。それに比べて，御所見小学校では学習すべき擬声語・擬音語の総数は14語いにすぎず，それを同様のBコースで1月から3月の間に集中的に提出しても，たいした負担にはならなかったためであろう。しかし，この方法がよいか悪いか，この実験では，はっきりした結論は出てこなかった。

昭和29年度の実験でわかったことは以上のとおりであるが，これはあくまで2校の実験結果にすぎないので，条件の似たような農村地区や大都会地区の学校で，これと同じような実験を行ってみても，指導法，教師の技術，児童の学習環境，その他のわずかな違いで同一の結果が出るとはかぎらないと思う。また2校の実験の結果，

かたかな語いの提出のしかたや指導法にくふうをこらし，地域の実状に応じて，指導開始の時期，指導する語いの量，指導する字数を考慮すれば，1年生で「かたかな」の1部を学習させることは必ずしも困難ではない，ということがいえるとしても，そのことがただちに，1年生でかたかなを学習させたほうがよいということにはならないことに注意すべきである。したがって現在のように，2年生から学習させるのがよいか，あるいは1年生から少しずつ学習させたほうがよいかということに関しては，もっと総合的な見地に立って判断されなければならないと思う。

Ⅳ 昭和29年度における第2学年以上の「かたかな」学習に関する実験研究のあらまし

最後に2年以上の実験について少しく述べておくと，最少の時間と努力でかたかなを学習させるのには，どういう方法がよいかということを明らかにする目的で実験を進めたが，実験の課題は，大きくいって二つに分けることができる。第1には，かたかな語いの提出のしかたに関することで，かたかな語いを少しずつ出していくのがよいか，まとめて提出したほうがよいか，という問題，第2に指導のしかたに関することで，かたかな語いを提出すると同時に，読み書きともに指導することと，提出のさいには読みだけ指導して，書くことは集中しておもなものだけ指導することとは，どのような得失があるかということである。その研究の経過およびその結果については，この報告書にはのせないことにした。そのだいたいは，昭和29年度「文部省 初等教育実験学校 研究発表要項」にしるしてある。

第 2 部

東京都大田区久原小学校の実験研究

I　実験研究の概略

1　実験の目的

もし1年でかたかなを学習させるとしたら，どういう方法で提出し，どういう指導をするのがいちばん有効か。

2　提出語いについて

○A・B・Cコース

教科書は，日本書籍改訂版「たろう　はなこ　こくごのほん」「あかいとり　一ねん中」「ゆうやけ　一ねん下」を使用。

外来語，外国の地名・人名・擬声・擬音語の多く出てくる10月を集中指導期と定めた。

Bコースだけは，擬声・擬音語を1月以降に出す。そして2月を集中指導期とした。

語い数50語，清音・濁音・半濁音を合わせたかたかな71字のうち，ヒ，ワ，ヲ，ギ，グ，ザ，ズ，ゼ，ゾ，ヂ，ヅ，デ，ブ，ベ，の14文字を除いた57文字が，完全に習得できるようにした。

○D・Eコース

実態に即して，比較的やさしい語いから，順に選んで提出することに努めた。学校行事・家庭生活・学校生活の中に出てくる語いを選び，また理科の教科書の中などからも選んだ。またA・B・Cコースの提出語いも，時期を違えて提出した。

1か年を通じて50語い，かたかな71文字のうち，ヒ，ヲ，ギ，グ，ザ，ズ，ゼ，ゾ，ヂ，ヅ，デ，ブの12文字を除いた9文字が，完全に習得できるようにした。（別表 かたかな指導計画案参照）

3 かたかな指導計画案

コース	要項	6月	7月	9月	10月	11月	12月	1月	2月	3月	備考		
Aコース 教科書中心読み書きとも	外来語 外国の地名・人名	ポチ		カード オルガン アメリカ	トンネル ニュース ミルク ページ ガム キャラメル ヌガー	ビスケット バッジ エプロン	クリスマス モール カルタ	セーラー	サラダ ソース ノート レントゲン	テープ ナイフ	24語	50	一年一組 海東
	擬声音	チョンチョン カアカア	パア ドン ピカピカ		ピイ シュッシュッ ゴウ ガタントン ガアガア ガアン ボウ コトン ポッポッ	パラッ パラパラ パチパチ ゴウゴウ		ポン	ピチャピチャ フウフウ エヘン フン ウフフ アハハ	ホウホケキョ	26語		
Bコース 教科書中心読み書きとも	外来語 外国の地名・人名	ポチ		カード オルガン アメリカ	トンネル ニュース ミルク ページ ガム キャラメル ヌガー	ビスケット バッジ エプロン	クリスマス モール カルタ	セーラー	サラダ ソース ノート レントゲン	テープ ナイフ	24語	50	一年五組 早川
	擬声音							ポン コトン カアカア フウフウ フン ウフフ アハハ エヘン チョンチョン シュッシュッ	ピチャピチャ ピカピカ ピイ パア パラパラ パチパチ パラッ ポッポッ	ガタントン ガアガア ガアン ドン ボウ ゴウゴウ ホウホケキョ ゴウ	26語		
Cコース 教科書中心読みだけ	外来語 外国の地名・人名	ポチ		カード オルガン アメリカ	トンネル ニュース ミルク ページ ガム キャラメル ヌガー	ビスケット バッジ エプロン	クリスマス モール カルタ	セーラー	サラダ ソース ノート レントゲン	テープ ナイフ	24語	50	一年二組 手島
	擬声音	チョンチョン カアカア	パア ドン ピカピカ		ピイ シュッシュッ ゴウ ガタントン ガアガア ガアン ボウ コトン ポッポッ	パラッ パラパラ パチパチ ゴウゴウ		ポン	ピチャピチャ フウフウ エヘン フン ウフフ アハハ	ホウホケキョ	26語		
Dコース 教科書以外の資料中心（習得のやさしい単語から教えていく）	外来語 外国の地名・人名	ボール ベッド	ミルク パン チフス	コスモス ポスト	スプーン レース ミシン リレー カンガルー ライオン トンネル アメリカ カルタ	ナイフ クリスマス ポチ レントゲン	ページ エプロン ビスケット カード	バッジ サラダ ガム ソース	セーラー テープ ノート モール ヌガー	キャラメル ニュース	34語	50	一年四組 三枝
	擬声音			コトン	ワン フウフウ エヘン アハハ	ポン パラッ パラパラ パチパチ	ゴウゴウ カアカア	ドン	ピカピカ	ピチャピチャ ホウホケキョ チョンチョン	16語		
Eコース 教科書以外の資料中心（文字から先に教えていく）	外来語 外国の地名・人名	ボール ベッド	ミルク パン チフス	コスモス ポスト	スプーン レース ミシン リレー カンガルー ライオン トンネル アメリカ カルタ	ナイフ クリスマス ポチ レントゲン	ページ エプロン ビスケット カード	バッジ サラダ ガム ソース	セーラー テープ ノート モール ヌガー	キャラメル ニュース	34語	50	一年三組 西山
	擬声音			コトン	ワン フウフウ エヘン アハハ	ポン パラッ パラパラ パチパチ	ゴウゴウ カアカア	ドン	ピカピカ	ピチャピチャ ホウホケキョ チョンチョン	16語		

4 第1学年家庭環境調査

○職業別で見ると，大多数が会社員で，それも会社の重役が多くみられる。住宅街に点在する自宅商が次に多く，農業を営む人々も地主が多く，生活は豊かである。ある一部の地区に工場地があり，自宅工もかなりの数を示している。その一帯に自由労務者の家庭が点在する。

特殊の例として，大学教授・アナウンサー・芸能人等もみられ，職種が多方面にわたっているのは，この地区の特色ともいえる。

○学歴，保護者の学歴をみると大学卒と，高小卒がほぼ一致して多く，全体の三分の二以上が中卒以上の学歴を持っている。

○児童の保育歴をみると57パーセントが幼稚園ならびに保育園を経ている。家庭は教育にきわめて熱心である。

第1学年家庭環境調査表　　(昭和30年4月1日)

職業＼区分	Aコース	Bコース	Cコース	Dコース	Eコース	計
農業	2	1	1			4
運輸業	1					1
自宅商	2	5	4	4	1	16
自宅工	6	3	2	3		14
行商露天商			1			1
自由労務	4		3	3		10
工員	2	5	2	4	7	20
公務員	2	5	5	3	2	17
学校職員	1	1				2
会社員	28	27	31	33	33	152
その他	3	2	1	2	3	11
無職	1	2	2		4	9
学歴 大学卒	15	15	13	12	17	72
学歴 高専卒	8	5	9	14	5	41
学歴 中学卒	15	19	11	10	15	70
学歴 高小卒	14	12	19	16	13	74
保育歴 幼稚園	26	22	30	33	20	131
保育歴 保育園	5	2	3	1	3	14
保育歴 無	21	27	19	18	27	112
在籍	52	51	52	52	50	257

5 かたかな・ひらがなの読み書き能力調査

昭和29年4月26日，27日に行ったかたかな・ひらがな読み書き能力に関する事前調査の結果を示すと，次のとおりである。

○ 1年のかたかなの読み書き正答率表

読み・書き＼音別・時期	(1) 清音 4月	(1) 清音 3月	(2) 濁音 4月	(2) 濁音 3月	(3) 半濁音 4月	(3) 半濁音 3月	(1)+(2)+(3)の平均 4月	(1)+(2)+(3)の平均 3月
読み	22	95	22	95	22	97	22	96
書き	4	86	3	81	2	86	3	84

○ 1年のひらがな読み書き正答率表

読み・書き＼音別・時期	(1) 清音 4月	(1) 清音 3月	(2) 濁音 4月	(2) 濁音 3月	(3) 半濁音 4月	(3) 半濁音 3月	(1)+(2)+(3)の平均 4月	(1)+(2)+(3)の平均 3月
読み	75	99	63	99	48	98	62	99
書き	58	98	37	96	23	91	39	95

II 実験研究の経過と結果の反省

Aコースの実験研究（1年1組）

1 実験の意図

教科書中心に外来語，外国の地名・人名，擬声・擬音語の読み書きの指導を行い，最少の時間と努力でかたかな語いの習得率を高める方法を見つける。

(注)

	読む	書く
◎ 習得度が非常によかった	100%	88%以上
○ ややよいと普通	92%	87% 86%
× 悪かった	なし	86%以下

指導の概略一覧表

提出順番号	調査番号	提出語い	指導時期	提出ひん度	指導時間	何から選んだか							提出方法							指導方法						結果	
						教科書				其の他																	
						国語	社会	理科	算数	行事	学校生活	家庭生活	板書	カード	教科書	話合い	実物を見せて	音を聞かせて	略画によって	板書して読ませる	ノートに書かせる	プリントで練習させる	カルタによって練習させる	歌の中に取り入れる	遊び中に取り入れる	読む	書く
			月		分																						
1	21	ポ チ	6	22	40	○									○					○	○					◎	◎
2	31	チョンチョン	6	1	22	○							○		○					○	○					○	○
3	22	カアカア	6	1	22	○							○		○					○	○					◎	◎
4	29	ピカピカ	7	1	10	○									○	○				○	○					◎	◎
5	11	ド ン	7	1	5	○									○	○				○	○					◎	◎
6	39	パ ア	7	1	5	○									○	○				○	○					◎	◎
7	6	カード	9	2	5	○									○	○				○	○					◎	○
8	50	オルガン	9	1	5	○								○	○		○			○	○				○	◎	◎
9	1	アメリカ	9	5	10	○									○	○				○	○					◎	◎
10	41	ピ イ	10	3	9	○							○					○		○	○					◎	◎
11	44	シュッシュッ	10	3	9	○												○		○						○	×
12	40	ポッポッ	10	3	9	○									○					○						◎	×
13	46	ガタントン	10	2	9	○									○					○	○					◎	◎
14	20	トンネル	10	3	7	○									○					○	○					◎	○
15	48	ガアガア	10	1	7	○									○					○	○					◎	◎
16	49	ゴ ウ	10	2	7	○									○			○		○	○					◎	◎
17	43	ガアン	10	4	8	○												○		○	○					◎	○
18	45	ボ ウ	10	1	8	○												○		○	○					◎	◎
19	30	ニュース	10	1	12					○				○							○					○	×
20	2	ミルク	10	1	12						○					○					○					◎	◎
21	28	ページ	10	1	12	○									○					○						○	×
22	23	ガ ム	10	1	10							○					○				○					◎	○
23	32	キャラメル	10	1	10							○					○				○					◎	×
24	7	ヌガー	10	1	10							○					○			○	○					◎	○
25	10	コトン	10	9	5	○									○						○					◎	◎
26	27	ビスケット	11	3	10	○									○						○					◎	○
27	26	パラッ	11	1	5	○									○						○					◎	○
28	19	パラパラ	11	1	5	○									○						○					◎	◎
29	36	パチパチ	11	1	5	○									○						○					◎	◎
30	16	ゴウゴウ	11	1	5	○									○						○					◎	◎
31	38	バッジ	11	2	5	○									○						○					○	×
32	18	エプロン	11	1	5	○									○						○					◎	○
33	25	カルタ	11	7	5	○									○						○					◎	◎
34	17	クリスマス	12	1	5					○					○						○					○	◎
35	8	モール	12	1	5					○					○						○					○	○
36	35	ポ ン	1	3	10	○									○						○					◎	◎
37	3	セーラー	1	1	7							○			○						○					◎	○
38	37	ピチャピチャ	1	1	5	○									○						○					◎	○
39	15	フウフウ	1	1	5	○									○						○					◎	○
40	9	サラダ	1	1	10							○			○						○					○	○
41	4	ソース	1	1	10							○			○						○					○	○
42	33	ノート	2	1	7						○				○						○					○	◎
43	34	エヘン	2	2	5	○									○						○					◎	◎
44	42	フ ン	2	1	5	○									○						○					◎	○
45	47	ウフフ	2	1	5	○									○						○					○	◎
46	14	アハハ	2	1	5	○									○						○					○	○
47	13	レントゲン	2	1	5						○				○						○					◎	○
48	12	テープ	3	1	5					○					○						○					◎	×
49	5	ナイフ	3	1	5						○				○						○					◎	○
50	24	ホウホケキョ	3	2	5	○									○										○	○	○

2 実験指導の概略

(1) 指導の時期

入門期指導の終った6月14日から翌年3月までに50語いを指導する。かたかな71文字のうち，前記14文字を除いた57文字を習得させる。

教科書の提出語いの関係で，10月を集中指導期とする。

(2) 指導語いについて

○選び方　教科書の中から外来語，外国の地名・人名，擬声・擬音語を選びさらに不足を補うため，教科書のさし絵や，学校生活に関係の深い語い，家庭生活で身近な食糧品・衣料品などの語いを加えた。

○提出順序は，各題材において教科書に提出される順に指導した。

○方法としては，児童の第一印象を重視し，美しい実物を見せたり，たのしく実際の音を聞かせたり，おもしろい話など用意して語いを提出した。そして正しい筆順でノートに視写させた。劇的動作なども加えて，正しい発音で話をさせ，その中に語いをくり返し練習させた。

○使用した教材・教具，実物の菓子，幻燈・テープレコーダー・擬音用レコード・楽器・掛図・絵本等。教具としては，教師用の大帳面，文字に分解できる語いカード，手紙用ポスト等である。

○指導方法は，前にも述べたとおりであって，別にこと新しいことはないが一度習ったことは，機会をとらえてはそれを使用させ，話させ，応用させることに努めた。たとえば，友人どうしで手紙のやりとりをさせたり，らく書き黒板を設けるなど，児童たちのドリル面にはかなりくふうをこらした。

3 実験の結果

(1) 各時期における指導法とその成果

○第1期（6月から7月）

文字に慣れさせるために提出語いを少なくして，発音練習，劇化した話合い，遊戯化した板書練習などをさせた。そのため「ポチ」「チョンチョン」「カアカア」「ピカピカ」「ドン」「パア」のうち，「チョンチョン」を除いて全語いの習得度は非常によかった。チョンチョンはやや悪かったが，これはよう音の語いのためであると思う。

○第2期（9月から12月）

集中指導期でもあった。語意識がでてきて72%の児童が外来語，外国の地名・人名，擬声・擬音語が見分けられるようになった。そこで「カード」「オルガン」「アメリカ」「ピイ」「シュッシュッ」「ポッポッ」「ガタントン」「トンネル」「ガアガア」「ゴウ」「ガアン」「ボウ」「ニュース」「ミルク」「ページ」「ガム」「キャラメル」「ヌガー」「コトン」「ビスケット」「パラッ」「パラパラ」「パチパチ」「ゴウゴウ」「バッジ」「エプロン」「カルタ」「クリスマス」「モール」（29語い）というように，たくさんの語いを提出した。

まず正確な字形のとり方や，筆順の指導をした。また似ている字を集めさせたり，「シとツ」「ウとラ」「ヌとス」「アとマ」「チとケ」などの似ているところと，その識別のしかたについて指導した。その結果はよう音・促音のはいっている語いと，長音記号のはいっている語い以外は習得率がよかった。

○第3期（1月から3月）

習得語いも多くなったので，ドリルさせる時期とした。機会のあるごとに教師用の大帳面で，短時間読ませたり，板書させたりした。この期には，「ボン」「セーラー」「ピチャピチャ」「フウフウ」「サラダ」「ソース」「ノート」「エヘン」「フン」「ウフフ」「アハハ」「レントゲン」「テープ」「ナイフ」「ホウホケキョ」などを提出した。

第 3 期の末に既習文字を整理する意味で，ひらがな五十音と対照させながら，かたかな五十音図を書かせた。この指導の結果，かなりの成果を得た。

(2) 語いの種類と難易度

提出語いを四つの型に分けてみると，

○「コトン」のようにやさしい字体の文字によって組み立てられた擬音語い。これは提出ひん度もぐあいよく，3日にわたって教科書にしかもおもしろいお話の中に出されていたので，中間，3月末の両調査とも習得率 100% に近かった。

○次に「ポチ」のように，比較的むずかしい字体の文字によって組み立てられた語い。これは提出ひん度が実に 22 回に及んでいたので，100% の習得率を得た。

○それに反して「ヌガー」のごときはヌのようにむずかしい字体の文字と，長音記号によって組み立てられているので，こどもたちの最も親しい菓子の名であるのに最下位を示した。

○いちばん問題を残したのは，擬音語いの「シュッシュッ」である。これはよう音と促音がともに前後して出てくるのと，「シとツ」のように，区別のむずかしい文字によって組み立てられているので，習得率は最も悪かった。

(3) 特にむずかしい語いの指導とその結果

先に四つの型を述べたが，次にいくつかの指導例との結果を述べたい。

○「ノート」。文字の形の変化に乏しいものが集った語い。語いとして提出し，指導したあとで分解し，1字1字のカードに切り離して，組み立て遊びをさせた。結果は読む 94%，書く 90% の習得率を得た。

○「ホウホケキョ」。これは前の分解組立式の方法で，読む 98% と，書く 82% の習得率を得た。

○「バッジ」。促音と二様に書ける文字ジ，(ヂ) を持つ外来語の語い。「ッ」を小さく書くこと，「ヂ」との区別について指導したが，書く方が劣った。

○「ニュース」。こどもの生活に関心度の低い語い。しかもよう音と長音記号のあるものなので，よう音の正しい発音と，小さく書く書き方，長音記号等について指導したが，これも書くほうが劣った。

○「キャラメル」。最もこどもたちの目にふれるこの語いも，書くとなると「キャメル」といったまちがいが多かった。長い語いには，このような脱落による誤りが多いようである。

○「ポッポッ」(汽車の進行音) のような促音の聞えにくい語いは，「ポツポツ」と発音することによって指導したので，いく分効果が得られた。しかし書く段になると結果は悪かった。

○「ページ」「テープ」は同じような型の語いであったが，提出ひん度数も少なかったせいもあろうが，書くほう 70% 程度の習得率しか得られなかった。

(4) 使用した教材・教具の効果

実物提示，実感を出す擬声・擬音のレコード，楽器などは，児童の印象に強く残ってたいへん効果があった。

また，教師用の大帳面は語いカードのかわりとなり，指導の記録ともなって大きな効果があった。

（5） 1，2，3 期調査データーについて

2期に指導した語いは，3期には別に指導をしなかったが，習得率が自然に上昇している。

「読み」で習得率が向上しない語いがあるのは，1，2名の遅進児のためであるということができる。

全般的にいって，習得率は良好で，ただ語いの中に一部の不正確な文字があるものや，脱字による不完全さが見いだされる程度であった。

（6） 提出語いの数や語いの長さについて

提出語いの数は習得度からいって，適当であったと考えられる。字数の多い語いは，同じことばのくり返しの語いが多いにかかわらず，習得率が他の語いより悪いことから考え，研究を要する問題であると思う。

（7） Aコースの問題点

提出ひん度の非常に多い語いと，反対に少ない語いがあるが，

ひん度数が多くなければ，習得が困難である語いは何か。

ひん度に関係なく，提出の時期や方法によって，どこまで習得が高められるものか。

読みに比べて，書きの習得率が悪いが，これをもっと高める方法はないものだろうか。

など，多くの問題が今後に残されていると思う。

（8） Aコースにおいて効果の上った指導法

「コトン」（擬音語い）の指導の例

三びきの子ぶたが，橋の上を通り過ぎる音が，印象的に表わされている。

最初の小さい子ぶたのときはコトン，コトン

次の中ぐらいの子ぶたのときはコトン，コトン，コトン

一番大きい子ぶたのときはコトン，コトン，コトン，コトン

と書かれているが，その教材が三つの話に分れていたので，音と子ぶたの大きさとの関係などを話し合ったり，字体の特徴などをおもしろく話したり，何度もノートに書かせたりしながら，3日にわたって指導した。そのため調査の結果 92% の習得率を得た。第2回目の調査では 100% に向上している。

（9） Aコースの実験の反省

それぞれの語いの難易度について，もう少し早くデーターが得られていたら，提出上の注意や指導法について研究し，もっと効果的に指導計画をたてることができたと思う。

Bコースの実験研究　（1年5組）

指導の概略一覧表

テスト番号	指導語い（提出順）	提出時期	ひんど	指導時間	語いの選び方 教科書 国	社	算	理	行事	学校生活	家庭生活	提出方法 板書	カード	絵カード	教科書	話合い	実物	実音	略画	動作	指導方法 板書読	そら書	ノート	プリント	カード	短文	結果 読み	書き
		月		分																								
21	ポ　チ	6	22	45	○							○									○	○	○	○	○	○	◎	◎
6	カ ー ド	9	2	5	○							○									○		○		○	○	◎	◎
50	オ ル ガ ン	9	1	10	○												○				○	○	○	○	○		◎	◎
1	ア メ リ カ	9	5	12	○											○					○	○	○	○	○	○	◎	◎
20	ト ン ネ ル	10	3	10	○										○						○	○	○	○	○		◎	○
28	ペ ー ジ	10	1	5	○							○									○				○		◎	×
2	ミ ル ク	10	1	15						○						○					○	○		○	○	○	◎	◎
30	ニ ュ ー ス	10	1	5						○						○					○				○		◎	×
23	ガ　ム	10	1	10							○					○					○	○	○	○	○		◎	◎
7	ヌ ガ ー	10	1	5							○					○					○		○		○		×	×
32	キ ャ ラ メ ル	10	1	10							○						○				○	○	○	○	○		◎	○
27	ビ ス ケ ッ ト	11	3	14	○												○				○		○		○		○	○
38	バ ッ ジ	11	2	7	○												○				○		○		○		○	×
18	エ プ ロ ン	11	1	8	○												○				○	○	○	○	○		◎	○
25	カ ル タ	12	6	10	○												○				○	○	○	○	○		◎	◎
17	ク リ ス マ ス	12	1	5					○							○					○	○	○	○	○		◎	◎
8	モ ー ル	12	1	5					○								○				○				○		○	○
35	ボ　ン	1	3	8	○													○			○		○		○	○	◎	◎
3	セ ー ラ ー	1	1	7							○						○				○				○		○	×
22	カ ア カ ア	1	3	5	○											○					○		○		○	○	◎	◎
10	コ ト ン	1	9	10	○													○			○	○	○	○	○	○	○	◎
42	フ ヽ ン	1	1	5	○											○					○		○		○		○	◎
15	フ ウ フ ウ	1	1	5	○													○			○				○	○	×	○
47	ウ フ フ	1	1	5	○											○					○	○	○	○	○		○	○
14	ア ハ ハ	1	1	5	○											○					○	○		○	○	○	◎	○
34	エ ヘ ン	1	2	5	○											○					○				○	○	◎	◎
31	チョンチョン	1	3	15	○															○	○				○	○	◎	○
44	シュッシュッ	1	6	15	○							○									○		○		○		×	×
37	ピチャピチャ	2	1	8	○							○									○		○		○	○	○	×
29	ピ カ ピ カ	2	1	7	○														○		○		○		○	○	◎	◎
9	サ ラ ダ	2	1	10							○					○					○		○	○	○		○	×
4	ソ ー ス	2	1	10							○					○					○		○		○		×	○
41	ピ イ	2	3	7	○													○			○		○		○	○	○	○
33	ノ ー ト	2	1	7						○							○				○		○	○	○		○	◎
19	パ ラ パ ラ	2	2	8	○										○						○		○		○	○	◎	○
26	パ ラ ッ	2	1	5	○							○									○		○		○	○	○	○
36	パ チ パ チ	2	1	5	○													○			○		○		○	○	◎	○
39	パ ア	2	1	5	○								○								○		○		○	○	◎	○
40	ポ ッ ポ ッ	2	8	10	○							○									○		○		○	○	○	○
13	レントゲン	2	1	5						○						○					○		○		○		○	○
46	ガタントン	3	4	9												○					○		○		○		○	◎
48	ガ ア ガ ア	3	4	8	○											○					○				○	○	◎	◎
16	ゴ ウ ゴ ウ	3	9	10	○							○									○		○		○	○	○	○
49	ゴ ウ	3	1	7	○											○					○				○		○	○
12	テ ー プ	3	1	5	○				○								○				○			○	○		×	×
5	ナ イ フ	3	1	5						○							○				○		○		○		○	×
11	ド ン	3	1	5	○								○								○		○		○	○	◎	◎
24	ホウホケキョ	3	2	8	○										○						○		○	○	○		○	×
45	ボ ウ	3	1	8	○											○					○		○		○		○	×
43	ガ ア ン	3	4	8	○											○					○		○		○		◎	◎

1　実験の意図

Bコースでは，教科書を中心にして，各題材ごとにかたかな語いを提出し，読みと書きの指導を行うが，12月までは外来語等の語いだけ，1月から擬声・擬音の語いをおもに指導し，どの程度習得できるかを実験する。

2　実験指導の概略

月	指導語い 外来語等	指導語い 擬声・擬音	1. 語いの選び方　2. 提出の方法　3. 指導の方法　4. 指導上の留意点　5. 教材・教具
6	ポテ		1. 教科書本文中 2. 板書（赤チョークで書く） 3. 板書読み，そら書き，ノート書き，プリント練習，口頭作文。 4. 筆順，わん曲する「ノ」「ノ」「ヽ」ができない。 5.「チ」の絵カード。「ポチ」語いカード。プリント。
9	カード オルガン アメリカ		1. 教科書本文中 2. 板書（カード）実物を示す（オルガン）話合い。（アメリカ） 3. 板書読み，文中の語いさがし，ノートに書く。 4. ひらがなと混同しやすい字がある。長音記号の指導。 「ド」「オ」「ル」「メ」「ア」のそら書き。 5. カード遊びの絵カード。「ル」「ア」「メ」の絵カード。 各語いカード。「オルガン」「アメリカ」の練習プリント。
10	トンネル ページ ミルク ニュース ガム ヌガー キャラメル		1. 本文中（トンネル，ページ）学校生活（ミルク，ニュース）家庭生活から。 2. 話合いをおもに提出。 3. 板書読み，フラッシュカード読み，プリントで練習，ノートに書く。 4. 長音記号の指導（のばす字）。「ト」「ネ」「ニュ」「ス」「ミ」「ク」「ジ」「ム」「ラ」「ヌ」は新出文字。 よう音の指導（小さく板書，カード） 5.「ネ」「ク」「ユ」「ム」「ヌ」の絵カード。各語いカード。 いろいろなキャラメルの箱。包装紙。「トンネル」「ミルク」「ガム」の練習プリント。

11	ビスケット バッジ エプロン		1. 教科書本文中。 2. 実物を見せる。 3. 語いの意味を話し合う。板書読み，カードで練習。ノートに書く。 4.「ツ」「シ」の筆順に混乱がある。「バッジ」の発音。 「ビ」「ケ」「ツ」「エ」「プ」「ロ」は新出文字。 5.「エプロン」の練習プリント，各語いカード。
12	カルタ クリスマス トリー モール		1. 文中（カルタ）行事（クリスマス，トリー，モール） 2. 実物を見せる。 3. 板書読み，カード練習。プリント（クリスマス，カルタ） 4.「タ」「マ」「モ」は新出文字。トリーの発音。 5.「カルタ」「クリスマス」の練習プリント，各語いカード。
1	セーラー	ポン カアカア コトン フン フウフウ ウフフ アハハン エヘン チョンチョン シュッシュッ	1. 本文中，清音の擬声・擬音語いをおもに選ぶ。よう音語い。 2. 話合い，音を聞かせる。 3. 板書読み，字を読まないで音のようにいわせる。動作しながら音を読む。短文を作る。 4. 音もかたかなで書くこと。（黄チョーク使用） 「セ」「コ」「フ」「ハ」「ヘ」「ヨ」「ウ」は新出文字。 5.「コトン」「アハハ」「ウフフ」の練習プリント。各語いカード。擬音レコード。
2	サラダ ソース ノート レントゲン	ピチャピチャ ピカピカ ピイ パラパラ パラッ パチパチ パア ポッポッ	1. 家庭生活（サラダ，ソース）学校生活（ノート，レントゲン）本文中，半濁音の擬声・擬音を選ぶ。促音語い。 2. 話合い，板書，カード，音を聞かせる。 3. 板書読み，カード読み，ノートに書く，短文を書く，音集め。 4.「ザ」「ダ」「ソ」「ノ」「レ」「ゲ」「ピ」「イ」「パ」は新出文字，促音（読まない字）の指導。 5.「サラダ」「ノート」の練習プリント。各語いカード。擬音レコード。
3	ナイフ テープ	ガタントン ガアガア ゴウゴウ ゴウ ドン ホウホケキョ ボウ ガアン	1. 文中，学校生活（ナイフ）行事（テープ）おもに濁音語いを選ぶ。 2. 実物，汽車のいろいろな音。舟の出る音の話合い。 3. 板書読み，カード読み，音のようにいわせる。短文を書く。いろいろな音集め。 4.「ホウホケキョ」は長くてよう音を含んでいる。 「ゴ」「ボ」「ナ」「テ」は新出文字。 5.「ナイフ」「ホウホケキョ」の練習プリント。各語いカード。
	チフス トリー		話合い，読みだけ。 テストには，はいっていない。

3 実験の結果

(1) 各時期における指導法とその成果

第1期(6月から12月)

外来語，外国の地名等の語いを18語指導。ひらがなとの混同を避けるため，板書は赤チョークを使用する。実物を見せたり，板書したり，カードを見せて，読ませたり，書いたりというように，目からの指導をおもにする。フラッシュカードは機会あるごとに読ませた。したがって見る回数の多かった「ポチ」「オルガン」「キャラメル」「アメリカ」「カード」「トンネル」「エプロン」等はよかったが，見る機会の少なかった「ヌガー」「モール」「ニュース」「トリー」「ページ」は，習得率が悪かった。しかし「カルタ」「クリスマス」「ミルク」のように生活経験上親しみが深く，文字の構成もむずかしくないものは，カードだけでもかなりの習得率を示した。

第2期(1月から3月)

擬声・擬音の語い27語いを提出する。外来語は7語指導する。かたかなの語意識を広げ，外来語と区別させるため，擬声・擬音は黄チョークで板書する。耳からの指導をおもにする。実際の音を聞いて書いたり，1字ずつ読まないで音のようにいわせたり，動作をしながら発音させたり，短文を作ったり，また，それを聞いて書かせる。2期になると，児童の身体的，心理的発達が目だち，また，1期でかたかなにも慣れてくるので，学習意欲は上がり，習得度もよかった。短文を書くことが多かったため，書きの習得は擬声・擬音が比較的よかった。全期を通じて，語いの分解はしていない。

(2) 語いの種類や難易度による指導法のくふう

むずかしい語いは，よう音・促音・長音記号を含むもの，文字数の多い語い，発音の困難なものなのであるが，よう音語いは，「キャキュキョの歌」を使って楽しみながら覚えさせた。読むときは「キヤでなくキャ」，書くときは「小さい字」と注意させた。促音語いは，発音の場合の舌の位置に注意させ，書くときは「読まない字」がはいることを指導する。またカードは「ツ」だけを○で囲んで作り，「読まない字」に注意させた。長音記号は「のばす字」と指導する。ときには「ニュース」といいながら長音記号で書いてみたりさせた。擬声・擬音はくり返しによって文字数が多くなるので，カードは「ピカ」「パチ」などというように作ってみて，「ピカピカ」といいながらカードを動かして読ませてみた。「ガタントン」「ホウホケキョ」「レントゲン」「ビスケット」「キャラメル」など文字の多いものは，カードも少し長目に作ってみた。「ヌガー」「テープ」「セーラー」「モール」「バッジ」など，比較的身近でない語いは，たびたびカードを目に触れさせ，また発音も正しくはっきりできるように指導した。

(3) 特にむずかしい語いの指導法とその結果

「シュッシュッ」「ホウホケキョ」「チョンチョン」「ピチャピチャ」「ビスケット」などは，カード読みの機会を多くし，正しく発音させたり，書く回数も多くしたが，よい結果が得られなかった。「チョンチョン」はからだを動かしながら読ませたらたいへん興味をもち，習得度調査でも，読みの習得率はよかった。しかし書きでは，やはりよう音の理解が悪いことが示されている。長音記号を含む語いでは，どこに長音記号を入れるかがわからなくて，「ヌーガ」「ニーュス」「セラー」「モルー」などになっていた。

(4) 使用した教材・教具

○各語いカード(四つ切画用紙縦半切)外来語は朱書き，擬声・擬音は墨書きとする。

○形のとりにくい字の絵カード(横半切)新出文字の指導にも効果的であった。

○実物(絵はがき，実感を出す擬声・擬音のレコード。楽器等)

(5) 各時期の調査データーと指導法との関係

1期に指導した語いは，2期では別に指導していないのに，習得率は上昇している。ことに書きについては約 50% も上昇しているが，これは指導法の関係もあるが，児童の書く能力の発達にもよるものと思われる。読みについてはカード読みをよくやった外来語がよく，書きでは短文作りなどで書くことの多かった擬声・擬音がよかった。2期に指導した外来語の読み書きが，ともにあまりよくないのは，擬声・擬音に主力をおいたためである。

よく読めた語いは，「ポチ」「カルタ」「ミルク」「キャラメル」「アメリカ」「カード」「オルガン」「ガアガア」「カアカア」「ガアン」「ポン」「ドン」「ガム」など印象が強かったり，生活経験上親しみが深かったり，ひらがなに似た字で始まる語いなどである。おもしろいのは「ニュース」「チョンチョン」がよいことで，これは「ニュ」とか「チョ」が発音上おもしろく感じたためと思われる。

読みの悪かったのは「ヌガー」「シュッシュッ」「ホウホケキョ」「テープ」「セーラー」「レントゲン」「フウフウ」等，かたかな特有の字体のはいっているものや，文字構成が長かったり，むずかしかったり，ドリルの機会が少なかったりした語いである。

よく書けたのは，「ポチ」「カルタ」「カード」「クリスマス」「カアカ

ア」「ガアガア」「オルガン」「ガン」「ドン」「ガタントン」「コトン」「ミルク」「エヘン」などで，清音・濁音・半濁音による差はない。よう音・促音を含まない語いがよい。

悪かった語いは，「シュッシュッ」「ニュース」「ホウホケキョ」「フウフウ」「テープ」「ナイフ」「セーラー」「ソース」「レントゲン」「ピチャピチャ」「ポッポッ」「パラッ」「バッジ」など，促音・長音のあるものや，構成文字の多い語いである。かたかな特有の文字を含む語いもよくない。

1期ではひらがなや，漢字との混用がみられたが，2期ではほとんどなくなっている。

(6) 提出語いの数，語いの長さ，難易度による指導法の反省

語いの数は多すぎる。前半18語でちょうどよかったと思うが，後半は34語で，時間が少なく，とおりいっぺんの指導で終ってしまって，ドリルがじゅうぶんできなかった。特に能力の低い児童にとっては，負担が重かったようである。語いの長さは2字から4字ぐらいで構成されている語いが適当のようである。ただし擬声・擬音の場合は，くり返しが多いので，音の状態が連想されて習得が容易であるためか，6字ぐらいのものでも，6字ぐらいまで割合によく習得されている。

習得に抵抗が多い語いは，よう音・促音・長音記号を含むものであり，清音と半濁音の別による習得度の違いは，はっきりとは認められない。提出の方法としては，かなり「かたかな」を習得してから，表記上むずかしい語いを提出するほうがよい。2期では清音・半濁音・濁音を含む語いの順にまとめて指導したが，大きな差は認められなかった。

(7) Bコースにおける問題点

擬声・擬音をあとから出す場合，その方法と時期をよく考慮すること。教科書中心では出せないので，教科書と離れた指導になってしまうことも問題になると思う。

(8) 反　省

○その時期の児童の発達段階にふさわしい語いを選んで指導することが，たいせつであると思う。

○かたかな特有の文字を含む語いはじゅうぶんにドリルさせねばならぬ。

○語いを分解させなかったので「モール」の「モ」といわなくては思い出せない児童がいた。

○長音の表記法が，外来語と擬声・擬音で一定していなかった。これは教科書編集上の問題であると思う。

○習得の悪い児童が，読みで３人，書きで８人いる。

○ひらがなとの混同はあまりみられない。

○擬声・擬音語をあとから出すのは，その中にむずかしいと仮定されている半濁音・よう音・促音などが多く含まれているためであると考えられるが，文字調査からみると，半濁音は清音と大差なく読み書きしているので，「ポン」「パア」「ピイ」などのように，短く簡単な構成の語いや，言いやすいものは，初めから出してもよいと思う。パピプペポのような破裂音は，案外発音をおもしろがり，目に触れる機会も多いと思うので，書くときの表記の指導さえじゅうぶんに行えばよいのではないかと思う。

○習得した語いは，日記・短文等にかなり使われるようになり，絵本や広告等のかたかなが読めるようになった。今後は，外来語・擬声・擬音語等をかたかなで書くことに慣れさせたい。

○かたかなの早期指導は，時期と方法をよく考えて行えば可能のようである。

Cコースの実験研究（１年２組）

1　実験意図

○教科書を中心に，外来語，外国の地名・人名，擬声・擬音の読みだけの指導をして，かたかな語いの習得率を高める。

○身近なかたかなの読みがわかる。

2　実験指導の概略

(1) 指導の時期

６月入門期指導の終ったころから，翌年３月までに50語いを指導した。10月を集中指導期とした。

指導の概略一覧表 （Cコース）

番号	提出語い	指導時期（月）	提出ひん度	指導時間（分）	何から選んだか 教科書 国	何から選んだか 教科書 社	何から選んだか 教科書 理	何から選んだか 行事	何から選んだか 学校生活	何から選んだか 家庭生活	提出方法 板書	提出方法 カード	提出方法 教科書	提出方法 話合い	提出方法 実物	指導方法 板書して読ませる	指導方法 ノートに書かせる	指導方法 させるプリントで練習	指導方法 カルタを作らせる	指導方法 カードで指導する	結果 書く	結果 読む
1	アメリカ	9	5	10	○									○		○				○	○	○
2	ミルク	10	1	10					○					○		○				○	○	◎
3	セーラー	1	1	5						○				○		○				○	×	○
4	ソース	2	1	3	○					○			○			○				○	○	◎
5	ナイフ	3	1	3					○			○				○				○	○	○
6	カード	9	2	5	○										○	○				○	◎	◎
7	ヌガー	10	1	10				○		○					○	○				○	×	○
8	モール	12	1	8											○	○				○	○	○
9	サラダ	2	1	5						○	○					○				○	○	×
10	コトン	10	9	5	○								○			○				○	◎	◎
11	ドン	7	1	5	○									○		○				○	◎	◎
12	テープ	3	1	5				○			○					○				○	○	○
13	レントゲン	2	1	8					○					○		○				○	○	○
14	アハハ	2	1	5	○							○				○				○	○	◎
15	フウフウ	2	1	5	○							○				○				○	◎	◎
16	ゴウゴウ	11	1	8	○								○			○				○	○	○
17	クリスマス	12	1	5				○						○		○				○	○	○
18	エプロン	11	1	5	○						○					○				○	○	○
19	パラパラ	11	1	5	○						○					○				○	○	○
20	トンネル	10	3	7	○									○		○				○	○	×
21	ポチ	6	22	10	○								○			○				○	○	◎
22	カアカア	6	1	8	○									○		○				○	○	○
23	ガム	10	1	8						○					○	○				○	○	○
24	ホウホケキョ	3	2	8	○								○			○				○	○	×
25	カルタ	12	7	5	○							○				○				○	○	○
26	パラッ	11	1	5	○							○				○				○	×	×
27	ビスケット	11	3	8	○										○	○				○	×	○
28	ページ	10	1	10								○				○				○	○	×
29	ピカピカ	7	1	8	○						○					○				○	○	○
30	ニュース	10	1	15					○					○		○				○	×	×
31	チョンチョン	6	1	12	○						○					○				○	×	○
32	キャラメル	10	1	10						○					○	○				○	○	◎
33	ノート	2	1	5					○			○				○				○	◎	◎
34	エヘン	2	2	5	○							○				○				○	◎	◎
35	ポン	1	3	5	○							○				○				○	○	◎
36	パチパチ	11	1	5	○						○					○				○	○	×
37	ピチャピチャ	2	1	10	○						○					○				○	×	×
38	バッジ	11	2	5	○						○					○				○	×	○
39	パア	7	1	5	○									○		○				○	○	○
40	ポッポッ	10	3	10	○						○					○				○	×	×
41	ピイ	10	3	5	○						○					○				○	○	○
42	フン	2	1	5	○							○				○				○	◎	◎
43	ガアン	10	4	10	○									○		○				○	○	○
44	シュッシュッ	10	3	10	○						○					○				○	×	×
45	ボウ	10	1	5	○									○		○				○	○	○
46	ガタントン	10	2	8	○							○				○				○	○	○
47	ウフフ	2	1	5	○							○				○				○	○	◎
48	ガアガア	10	1	7	○							○				○				○	○	○
49	ゴウ	10	2	5	○						○					○				○	○	○
50	オルガン	9	1	5	○										○	○				○	○	◎

（２） **指導語い（選び方，提出の順序，方法，教材・教具など）**

○選び方は，教科書中心の実験コースであるので，教科書中の外来語，外国の地名・人名，擬声・擬音語等を摘出し，それに若干の行事に関係がある語いや，学校生活に関係の深い，身近な食料品などの語いを加えた。

○提出順序は各題材において，教科書に提示された外来語，外国の地名・人名，擬声・擬音語等を取り上げ，そのつど指導した。

○方法としては，読みだけのコースであるので，特によく文字に慣れさせるため，カードや文書により幾度も読ませた。（ドリルさせる）また，その語いについての実物を見せたり，実際に動作をやらせたり，生活経験の話合いをやらせたりして，文字を書かなくても，カードや板書によって印象づけることができるようにした。

○使用した教材・教具では，特にくふうしたものはなく，教科書・絵本・カード・絵はがき・擬音効果用レコード・擬音笛・楽器・掛図，その他その語いの実物などである。

（３） **指導の概略**

月	提出語い		指導事項
	外来語，外国の地名・人名	擬声・擬音	
6	ポチ	カアカア チョンチョン	1. 教科書のさし絵を見せる。 2. からす，すずめの絵とカードを結びつけて読ませる。動作化してみる。
7		ピカピカ ドン パア	1. 経験の話合いにより指導する。 2. 板書して，まちがいやすい字に気づかせる。
9	カード オルガン アメリカ		1. 長音記号を発音と結びつけて指導する。 2. 清音・濁音・半濁音をひらがなと関連的に指導する。 3. 絵はがきを見て話合いをする。
10	トンネル ニュース ミルク ページ ガム キャラメル ヌガー	ピイ シュッシュッ ゴウゴウ ガタントン ガアガア ガアン ボウン コトン ポッポッ	1. 実物を見せて板書し，印象づけをする。 2. 教科書のさし絵により，話合いをし，カードでドリルする。 3. よう音・促音の指導をする。 4. 集中指導をする。 5. 楽器や擬音レコード等を聞かせる。 6. 身のまわりのかたかな語いについて注意を向けさせる。 7. 音はかたかなで書かせることに気付かせる。 8. 発音，アクセント，抑揚に注意させる。 9. 絵本や映画により指導する。
11	ビスケット バッジ エプロン	パラッ パラパラ パチパチ ゴウ	1. 字形の似ている文字の相異をはっきりさせるように指導する。 2. 短文を作らせてみる。
12	クリスマス モール カルタ		1. 行事と関連させてクリスマスの語いを指導する。 2. 実物をみせて板書により指導する。
1	セーラー	ポン	1. かたかな語い集めをしてみる。 2. 絵本や雑誌などから，かたかな語いを拾ってみる。
2	サラダ ソース ノート レントゲン	ピチャピチャ フウフウ エヘン フン ウフフ，アハハ	1. フウフウのフは，ウフフのフであるというように注意する。 2. 動作をやらせたりしてみる。 3. まとめとしてカードにより練習をする。
3	テープ ナイフ	ホウホケキョ	1. 擬音の笛を吹いて聞かせる。 2. 今までのドリルに重点をおく。

（４） **指導方法について**

○計画の不備から，特別に体系的な指導法を考えないで実験を進めた。前記の指導の経過は，実際に指導したままのものである。

○かたかな指導の体系を自分なりに一応整理してみると，

イ　入学前の家庭環境の違いから，児童によってかたかなに対する知識は多少異なる。そこで，６月の入門期指導が終るころの指導としては，まず文字に親しませること。次に「ひらがな」と「かたかな」との差異について気付かせること。

ロ　だんだん「かたかな」文字に慣れさせ，字形や，書き方に注意させながら，機会あるたびに指導し，正確に習得させていく。

ハ　次に10月ごろ，集中的に指導して，よく練習させる。そして「かたかな」が自由に使用できるようにしだいに指導していく。

3　実験の結果

(1)　各時期における指導法とその成果

イ　第1段階ではまず文字によく慣れさせるため，絵とカードを使って話合いをしながら，発音練習などをする。教科書のさし絵や，掛図などを使用して語いに親しませる。（実物・動作化・話合い）

ロ　第2段階では，正確に文字を理解させるため，字形の似ている文字や，筆順等に注意させて，板書，カード，文字板などで指導する。

ハ　第3段階では，よくドリルさせるため，文字集めをしたり，ことば集めをしたりして，身近にあるかたかな語いに注意を向けさせる。語いとして読んだり，書いたりする。日記や作文などに使用することができるまで指導する。

以上のような計画で指導したが，提出ひん度が少なくドリルが足りなかったため，また，読みだけの指導で文字に対する印象がうすいので，効果があがらなかった。

(2)　語いの種類や難易度による指導法のくふう

○外来語，地名・人名等は実物を見せたり，さし絵・絵はがきなどにより，話合いをさせて指導する。

○擬声・擬音語等は，実際に音を聞かせたり，レコードの使用や，擬音笛，経験の話合いなどにより，発音に注意させながら指導する。

○よう音・促音は，ひらがなと対比して関連的に指導する。

○長音記号のあるものは，発音と結びつけて指導する。

(3)　特にむずかしい語いの指導法と結果

○よう音・促音等のある語いは，ひらがなと比較させて指導したが，書かない指導であったので，たとえば「シュッシュッ」「ニュース」「バッジ」「ポッポッ」「ページ」などは「シ」と「ツ」の区別がむずかしいらしく，結果は悪かった。

(4)　使用した教材・教具とその効果

フラッシュカード・絵・絵はがき・掛図・絵本・擬音レコード・楽器・擬音笛，その語いの実物等を使用したが，特に読みだけで指導をするコースであるので，文字を正確に認知させる必要から，直接目に触れさせ，耳に聞かせて，強く印象づけるようにしたが，これは多少の効果があったと思う。

(5)　調査データーと指導法との関係

○12月末の調査においては，読み・書きとも，結果がたいへん悪かったが，語いとして指導し，文字に分解して確認させなかったので，そのためであると考えられる。1月以降は，練習に重点をおき，身近なかたかな語いを集めるなどの，集中的な指導により，3月の習得状況の調査においては，読み書きとも一応進歩している。

○なお，一部の遅進児が，ある文字について未習得であるので，100% になることはなかなかむずかしく，個別指導がなされなければならないと考える。

（6） 提出語いの数，語いの長さ，難易度についての考察

構成文字の多い語いや，よう音・促音のある語いは，文字に分解して指導したほうが，理解がよいと考えられる。よう音・促音等は，ひらがなとの関連から自然に習得したもので，他の文字に比べ，読みの習得率は悪く，抵抗が多い語いであると考えられる。

（7） Cコースにおける問題点

○読みだけの指導であったので，児童の文字に対する関心がうすく，指導効果があがらなかった。

○教科書中心で提出したため，児童の身近な語いでない場合もあり，習得を妨げているようである。習得のやさしい，生活経験の中に多く出てくる語いからはいったほうがよいと思われる。

○読みだけであると，あまり変化のある指導法がとりにくい。

（8） 指導法について

これといって効果的な指導法はなかったが，1月以降，文字に対する正確な理解を与えるために，お店しらべ，新聞・本などのかたかな語い集めをやってみたが，少し効果があったようである。

（9） 反　省

○語い数が少し多すぎたように思われる。

○五十音図表と結びつけて指導したら，もっと効果があがったのではないかと思う。

○習得の悪い児童の指導を，どうしたらよいかという問題が残されていると思う。

○指導法としては，読み・書き両方で指導したほうがよいと思われる。

○集中指導をすることは，効果があると思う。

○ひらがなの習得が一応できたあとで，かたかなの指導をすることは，そうむずかしいものではないと思う。

○語いの提出順序については，

イ　文字数の少ないものからしだいに多いものへ。

ロ　生活経験の豊かな親しみやすい語いから先に提出。

ハ　よう音・促音のあまりない語いから提出し，しだいにそのような語いを提出していく。

Dコースの実験研究 (1年4組)

指導の概略一覧表

番号	提出語い	提出時期	提出ひん度	指導時間	何から選んだか				提出方法						指導方法					結果	
					教科書(国)	行事	学校生活	家庭生活	板書	カード	教科書	略画	実物	話合い	板書して読ませる	ノートに書かせる	プリントで練習させる	カルタを作らせる	カードで指導する	読む	書く
		月		分																	
1	アメリカ	10	1	7	○									○	○	○			○	◎	○
2	ミルク	7	2	15			○							○	○	○			○	◎	○
3	セーラー	1	1	10	○									○	○	○			○	◎	○
4	ソース	2	1	10				○						○	○	○			○	◎	◎
5	ナイフ	11	1	5			○							○	○	○			○	◎	◎
6	カード	12	1	3	○									○	○	○			○	◎	◎
7	ヌガー	2	1	10			○							○	○	○			○	◎	○
8	モール	2	1	10		○								○	○	○			○	◎	◎
9	サラダ	1	1	10										○	○	○			○	◎	◎
10	コトン	9	1	10	○									○	○	○			○	◎	◎
11	ドン	1	1	10	○									○	○	○			○	◎	◎
12	テープ	2	1	10			○							○	○	○			○	◎	◎
13	レントゲン	11	1	7			○							○	○	○			○	◎	○
14	アハハ	10	1	10	○									○	○	○			○	◎	◎
15	フウフウ	10	1	7	○									○	○	○			○	◎	◎
16	ゴウゴウ	12	1	5	○									○	○	○			○	◎	◎
17	クリスマス	11	1	5		○								○	○	○			○	◎	◎
18	エプロン	12	1	7	○									○	○	○			○	◎	○
19	パラパラ	11	1	5	○									○	○	○			○	◎	◎
20	トンネル	10	1	10	○									○	○	○			○	◎	○

番号	提出語い	提出時期	提出ひん度	指導時間	教科書(国)	行事	学校生活	家庭生活	板書	カード	教科書	略画	実物	話合い	板書して読ませる	ノートに書かせる	プリントで練習させる	カルタを作らせる	カードで指導する	読む	書く
21	ポチ	11	1	5	○									○	○	○			○	◎	◎
22	カアカア	12	1	3	○									○	○	○			○	◎	○
23	ガム	1	1	10				○						○	○	○			○	◎	◎
24	ホウホケキョ	3	1	10	○									○	○	○			○	◎	○
25	カルタ	10	1	7	○									○	○	○			○	◎	○
26	パラッ	11	1	3	○									○	○	○			○	◎	○
27	ビスケット	12	1	7	○									○	○	○			○	◎	○
28	ページ	12	1	7			○							○	○	○			○	◎	○
29	ピカピカ	2	1	10	○									○	○	○			○	◎	◎
30	ニュース	3	1	10				○						○	○	○			○	◎	◎
31	チョンチョン	3	1	10	○									○	○	○			○	○	◎
32	キャラメル	3	1	10				○						○	○	○			○	◎	○
33	ノート	2	1	10			○							○	○	○			○	◎	◎
34	エヘン	10	1	10	○									○	○	○			○	◎	◎
35	ポン	11	1	3	○									○	○	○			○	◎	◎
36	パチパチ	11	1	5	○									○	○	○			○	◎	◎
37	ピチャピチャ	3	1	10	○									○	○	○			○	◎	○
38	バッジ	1	1	10	○									○	○	○			○	◎	○
39	ベッド	6	2	30	○									○	○	○			○	◎	○
40	スプーンレース	10	1	10			○							○	○				○	◎	○
41	ポスト	9	1	10	○									○	○	○			○	◎	○
42	ワン	10	1	5	○									○	○	○			○	◎	◎
43	コスモス	9	1	13	○									○	○	○			○	◎	◎
44	ライオン	10	1	10		○								○	○	○			○	◎	○
45	リレー	10	1	7		○								○	○	○			○	◎	◎
46	カンガルー	10	1	10		○								○	○				○	◎	◎
47	パン	7	2	10			○							○	○	○			○	◎	◎
48	ミシン	10	1	15				○						○	○	○			○	◎	○
49	チンス	7	2	15			○							○	○	○			○	◎	○
50	ボール	6	2	20	○									○	○	○			○	◎	○

1 実験の意図

国語教科書における語いの提出順によらず，身近な外来語，擬声・擬音語を語いとして与え，後にこれを文字に分解して習得させる。

2 実験指導の概略

月	提出語い 外来語・地名	擬声・擬音	音の種類	方法
6	ボール ベッド			○国語教科書のさし絵により，話合いをさせ，その中から語いを抽出する。 ○実物提示 ○語いカード使用 ○読み方，書き方，話し方の指導
7	ミルク パン チフス		清音中心	○話合いの中から語いを抽出 ○文字に分解する指導をはじめる。
9	コスモス ポスト	コトンコトン		○実物提示 ○略画提示 ○さし絵提示
10	リレー スプーンレース（読みだけ） ミシン ライオン カンガルー（読みだけ） トンネル アメリカ カルタ	ワン フウフウ エヘン アハハ		○語いカード提示（教師用，児童用）教師用カードは朱書き。 ○板書（かたかなは黄色） ○読み方指導，発音に注意させる。 ○カードによるひと目読みの指導と練習。 ○書き方指導，とめ，はねの指導，類似の文字との区別。
11	ナイフ クリスマス ポチ レントゲン	ポン パラパラ パラッ パチパチ	半濁音中心	○語いを文字に分解 ○分解した文字でことばを作る。 ○短文指導（話し方，書き方）
12	ページ エプロン カード ビスケット	カアカア ゴウゴウ	濁音中心	
1	バッジ ガム サラダ セーラー	ドン		○教師用カードを墨書きとする。 ○グループ（等質学習）
2	ソース テープ ノート モール ヌガー	ピカピカ	長音中心	○長音の読み方（発音の指導） ○動物の鳴き声や物音（長音）を書かせたり，読んだりする。
3	キャラメル ニュース	ピチャピチャ チョンチョン ホウホケキョ	よう音中心	○文字カードで五十音表作成 ○よう音の読み方（発音指導）動物の鳴き声や物音（よう音）を書かせたり，読んだりする。 ○アイウエオの歌のよう音の部を歌ったり，書かせたりする。

3 実験の結果

（1） 各時期における指導法とその成果

○第 1 期

語いについては，前表にしるしたとおりの順を追って指導を進めた。文字の分解は9月から始めた。10月の半ばより児童は積極的に学習を進めるようになった。

○第 2 期

読みについての抵抗が少なくなった。フラッシュカードによる読み，分解した文字によることば作り，児童用カードの利用，グループ学習等の指導の結果，濁音・よう音でも，割合らくに読むことができるようである。グループ学習は時間数が少ないため，治療集団的な意味においては思うほどの成果はあげられなかった。

この期の終りごろ文字カードにより五十音表を作成させたが，未提出文字が児童によって指摘されたほどで，整理の意味で効果があったと思われる。

全期を通じ，語いを分解し，文字によって他の語いを作る作業は，児童の学習意欲を増し，語いを豊かにし，文字を覚えさせるのに役だった。

(2) 語いの指導や難易度による指導法のくふう

○発音上の困難な「ベッド」「バッジ」「チフス」は，はっきり発音させることと，語いカードをたびたび目に触れさせるようにした。

○よう音の語については，「アイウエオの歌」のよう音の部を用いて混乱をさけるようにした。

○「ヌガー」「テープ」「セーラー」「モール」「バッジ」等の比較的身近でない語いは，実物をたびたび見せることにした。

(3) 使用した教材・教具

○かたかなの板書は黄チョークで区別した。

○カード，教師用の四つ切画用紙縦半切の大きさで，12月まで（第1期）ひらがなとの混乱を避けるため朱書きした。1月（第2期）からは，ひらがなや漢字と同じく墨書きとする。

児童用は1字の大きさ2cm 平方の語いカードを指導のつど児童に与えて，これを常に持たせる。語いカードは一度分解するとその語いの印象が薄くなるので，2期には分解用のものと，語いとしてとっておくものと，同じものを二とおり与えた。これらのカードはよく利用され効果的であった。

(4) 1，2期の調査データーと指導法との関係

○読みについては，1期の低調さに比べ，2期ではほとんどが95％以上となっている。これはひん度数との関係があると思うが，1期にはカードを分解するたびに，語いとしての印象が薄れていったのに反し，2期では前述の二とおりのカードを与えたので，たびたび語いに触れることができたためと思われる。「ユ」「ヨ」の文字の習得調査の際の結果が良くないのは，これらの文字がよう音として「ニュ」「チョ」のように提出されているせいであろう。

○書きについては，語いを分解して文字を習得しているので，語いが完全に書けないということはなく，脱字や，不完全な文字が1字ぐらいはあってもだいたい書けているようである。

時期的に早く提出された語いで，発音上困難なもの，比較的身近でなかった語いは，習得率が悪いようである。

「チョンチョン」は読みより書きのほうが習得率がよいが，これは一目読みでは，まちがって「チャンチャン」と読む児童も，書くときには考えながら1字1字書くので，この結果になったのではないかと思われる。

2期で書きが100％の語いは「パン」「コトンコトン」「エヘン」「ドン」「テープ」「ノート」「ピカピカ」などであり，きわめて身近な語いや，文字としての提出ひん度の高いもので，印象が強く，興味深く学習された語いが，じゅうぶんに習得されているようである。比較的習得度が悪かったのは「ミシン」「バッジ」「ベッド」「チフス」「スプーンレース」「ビチャビ

チャ」「ホウホケキョ」などであり，その原因としては発音上の困難からくると思われる誤り，

「バッジ」⟶「バチン」「バージ」

「ベッド」⟶「ベード」　6%

「チフス」⟶「チブス」　10%

よう音の表記が困難なため，「チャ」⟶「キャ」「チョ」。文字の不正確による誤り，「ミ」⟶「彡」22%，「ホ」⟶「木」。「ボ」⟶「木°」

読み書きとも，1期には語い数が多くドリル面が少なかったのに比べ，2期にはドリル的な面が多かった。

(5) 提出語い数，語いの長さ，難易度による指導法の反省

語い数は多すぎた感がある。特に1期では時間に制約されて，理解がじゅうぶんできないうちに，新しい語いを提出しなければならないときが多かった。しかし，2期にはいってからは抵抗が少なくなったためか，だいたい順調に指導することができた。初期には語い数を少なくして，これを文字に分解して，新しい語いを構成する。そしてしだいに多くの語いを提出するようにしていけば，もっと能率的に効果があげられるのではないだろうか。

語いの長さは，名詞の場合は短いほうがよいと思われるが，擬声・擬音語の場合は，くり返して提出されるほうが，その状態が連想されて習得に役だつのではないかと思われる。「ワンワン」「パチパチ」「ピカピカ」などがその例である。

(6) 読ませる指導と書かせる指導について

読みと書きとは同一時間内に指導されるのがよいと思われる。書くときには黙読しているわけであるから，このときには読むこともなされている。た

だ同じ語いを何度も書くばかりでなく，短文を作らせたり，提出した文中に語いをはめ込ませたりする方法がよいと思う。なお書き方の第1次指導の際に，筆順，字形等を綿密に指導しなければならないと思う。

(7) Dコースにおける問題点

○教科書を使用しないので，語いの提出方法は，効果的に印象づけられるようにしなければならないので，かなりくふうが必要である。

○なるべく多くの機会に，語いを文字に書いて目に触れさせるようにすることが必要である。

○興味ある学習方法をとること。

○語いの分解の時期。

このコースの場合，ひらがな五十音（清音）が習得されたと思われる9月から分解して，ひらがなとの混同を避けた。またしばらくの間，語いとして与えておいて，かたかなの特徴らしいものを会得させたいと思った。

(8) 効果の上がった指導法

○語いの印象づけがよかったと思われる場合，たとえば，季節的な語いを取り上げたときや，実物を提示したりするとき，その取り上げ方にくふうをした場合，効果があがった。

○異質グループの対抗で，板書による書き方競争をやらせ，全児童に板書させて，正答数により順位を決める方法も効果があった。

○ことば作り，児童用文字カードにより各児童が作る。

○グルーピング（治療集団指導）

○ことば作り教師用カード（文字）を何人かに1枚ずつ持たせ，うまくことばになるように並ばせる。

（9） 反　省

○語いの種類の選択については慎重を期すべきであった。（身近な語いとか，清・濁・長・よう音等によって提出順序や方法をくふうすべきだったと思う。）

○語い数が多かった。特に１期においては，少なくすべきだったと思う。

○提出方法を限定しすぎたきらいがある。

○児童に二とおりのカードを持たせたことは効果的であった。

○ひらがなとの混同はあまり見られなかった。

○グルーピング（治療集団指導）の際，A，B，C のうち，C の児童に対する指導がじゅうぶんでなかった。

○２期になって，他校から転校してきた児童は，割合抵抗が少なく習得している。

○長音の表記法について打合せがじゅうぶんでなかった。

Ｅコースの実験研究（1年3組）

指導の概略一覧表

番号	提出語い	提出時期	提出ひん度	指導時間	何から選んだか				提出方法					指導方法			結果	
					教科書	行事	学校生活	家庭生活	板書	カード	教科書	話合い	実物	板書して	ノートに	プリント	読む	書く
1	アメリカ	月 10	1	分 7	○							○		○	○		○	◎
2	ミルク	7	1	15			○			○				○	○		○	○
3	セーラー	2	1	5	○				○			○		○	○		○	○
4	ソース	1	1	5				○		○		○		○	○		○	◎
5	ナイフ	11	1	5			○					○		○	○		○	○
6	カード	12	1	3	○								○	○	○		○	◎
7	ヌガール	2	1	5				○	○			○		○	○		○	○
8	モール	2	1	5			○						○	○	○		○	○
9	サラダン	1	1	5			○					○		○	○		○	○
10	コトン	9	1	10	○							○		○	○		○	○
11	ドン	1	1	3	○							○		○	○		◎	◎
12	テープ	2	1	5			○						○	○	○		○	○
13	レントゲン	11	1	7		○						○		○	○		×	○
14	アハハ	10	1	5	○							○		○	○		×	○
15	フウフウ	10	1	7	○							○		○	○		○	○
16	ゴウゴウ	12	1	5	○							○		○	○		×	○
17	クリスマス	11	1	5		○						○		○	○		◎	○
18	エプロン	12	1	7	○							○		○	○		×	○
19	パラパラ	11	1	5	○							○		○	○		○	○
20	トンネル	10	1	10	○							○		○	○		○	○
21	ポチ	11	1	5	○							○		○	○		○	○
22	カアカア	12	1	3	○							○		○	○		○	◎
23	ガム	1	1	3				○				○		○	○		○	◎
24	ホウホケキョ	3	1	7	○						○			○	○		○	○
25	カルタ	10	1	7	○	○						○		○	○		○	○
26	パラッ	11	1	3	○							○		○	○		×	○
27	ビスケット	12	1	5				○				○		○	○		○	○
28	ページ	12	1	7			○							○	○		×	○
29	ピカピカ	2	1	3	○							○		○	○		○	○
30	ニュース	3	1	7										○	○		×	◎
31	チョンチョン	3	1	5	○							○		○	○		×	○
32	キャラメル	3	1	5				○				○		○	○		○	○
33	ノート	2	1	3			○						○	○	○		○	○
34	エヘン	10	1	5	○							○		○	○		×	○
35	ポン	11	1	3	○							○		○	○		○	×
36	パチパチ	11	1	5	○							○		○	○		○	○
37	ピチャピチャ	3	1	7	○							○		○	○		×	○
38	バッジ	1	2	6	○								○	○	○		○	○
39	ベッド	6	2	30	○							○		○	○		○	◎
40	スプーンレース	10	1	10		○						○		○	○		×	○
41	ポスト	9	1	10	○							○		○	○		○	○
42	ワン	10	1	5	○							○		○	○		×	○
43	コスモス	9	1	13		○						○		○	○		○	◎
44	ライオン	10	1	10		○						○	○	○	○		○	○
45	リレー	10	1	7		○						○	○	○	○		○	○
46	カンガルー	10	1	10		○						○	○	○	○		×	◎
47	パン	7	1	10			○			○				○	○		○	◎
48	ミシン	10	1	15				○				○		○	○		○	○
49	チフス	7	1	15		○						○		○	○		○	○
50	ボール	6	2	21	○								○	○	○		○	○

不完全総数	2～4	5～13	14～20	不完全総数	0	1～4	5～6
書　く	◎	○	×	読　む	◎	○	×

1 実験の意図

国語教科書における語いの提出順によらず，外来語，外国の地名，擬声語・擬音の語いを，児童の身近なものから選び，読み・書きの指導をする。その場合，文字から先に教え，それを語いに構成していく方法をとる。

2 実験指導の概略

(1) 指導の時期

入門期の終った6月から翌年の3月までに指導する。

(2) 指導語い

○語いの選び方

教科書中で当然かたかなで書くべき語いも含め，行事，学校生活などから選んだ。提出の順序や語いは，ほぼA・B・Cコースと同じであるが，変っているのは，語いの提出順である。他のコースが教科書に即した提出順であるのに対して，Eコースは習得しやすいだろうと思われる語いの順に配列して提出した。最初に清音のみ，次に半濁音のある語い，次に濁音のある語い，次に促音のある語い，次に長音記号を使用する語い，最後によう音のある語いの順である。しかし，これはあくまでも基準であって，実際には行事等に支配されて，多少の変動があった。

○提出の方法

指導期間中平均して，かたかなに触れるように，計画的に取り扱いの日を配当した。教科書，その他，児童の目に触れるところには，提出すべき語いがないことが多いので，話合いの中にその語いを出し板書する。文字から先に指導するのであるから，語いを構成する字をばらばらに板書し，読む練習，

書く練習をする。次に語いとして組み立てて，読み，書きの練習をする。

○使用した教材・教具，教師用の語いカード，児童用の語いカード。これは1字ずつ分解できるようにしておく。だいたいの字を知ったころに，「ア」「イ」「ウ」「エ」「オ」のように，五十音を1字ずつのカードにしておいて，それを使用して学習させる。1字ずつの字を練習するプリント・ノートなども使用した。

(3) 指導方法

時期的にはっきり分けられないが，大別して3期に分けてみた。

○1期，入門期後のごく初歩的な指導。

6，7，9月にわたり基礎的な指導を行った。かたかなについての意識を強め，ひらがなとの混用を避けることに留意した。

○2期，習得させる時期。

10月，11月，語い数も多く提出し，既習の文字を，語いとは関係なく練習。

○3期，整理して正しく習得させる時期。

12，1，2，3月，1字ずつのカードを使用する。五十音図表も使用する。

指導方法の一覧表

月	提出語い	指導法
6	ベッド ボール	絵を見ての話合いで提出する。ひらがなと違うことを認識させるために並べて書いたりした。「ベ」「ッ」「ド」と1字ずつの指導。 語いとしての練習もくり返す。「ボール」も同様。「ッ」促音，長音記号の指導，濁点の指導も行う。
7	チフス パン ミルク	「ツ」「ン」の差に注意させる。「フ」と「ス」が似ていることと，その違いについて指導する。半濁音についての指導も行う。
9	コスモス コトン ポスト	

10	トンネル ライオン アメリカ カルタ ミシン ワン アハハ エヘン フウフウ カンガルー	10月から語いに関係なく，文字として練習する。 「ネ」がむずかしい。 「メ」が「ナ」になりやすい。 「ミシン」が字形がとれず苦労した。 「ワ」「ウ」指導時期が近かったので，混乱してしまった。 五十音図の順に1字ずつの練習をする。
11	パチパチ パラパラ レントゲン パラッ クリスマス ポチ ナイフ ポン	
12	ページ エプロン ゴウゴウ カアカア カード ビスケット	◦ 1字ずつのカードの使用。 ◦五十音図表も使用。
1	ソース ガム サラダ バッジ ドン	1字ずつのカードでカルタ遊びをした。 濁点に注意。 ◦五十音図表を使用。
2	ヌガー モール ノート テープ セーラー ピカピカ	◦長音記号に留意した。 ◦ 1字ずつのカードによる指導。 ◦五十音図表も使用。
3	ニュース キャラメル チョンチョン ホウホケキョ ピチャピチャ	◦よう音の指導。 ◦ひらがなの方でも取り扱った。 ◦五十音図表も使用。

3 実験の結果

(1) 各時期における指導法とその成果

○入門期の取り扱いである6月ごろは，かたかなの意識を与え，ひらがなと

の混用や，あとで出てくる漢字との混用を避けさせようとした。このねらいは，ほとんどの児童に徹底したようであった。板書を多くし，何回も同じ語いを練習した。字形を正しく認識させることに留意した。9月になって習得した字数も多くなったので，語いに関係なく，文字として1字ずつの練習を始めた。文字を与えて，児童自身に語いを作らせたりもした。新しい語いに構成しなおすことに児童は強い興味を持ったようである。

○10月の中旬になると，「ア」「イ」「ウ」「エ」「オ」「カ」と，ほぼ五十音の順に練習をするようになった。似かよった字を見いだし，比較するようにもなった。11月にはいるとずっとらくになり，大多数の児童が字をほとんど読めるようになっていた。書く能力は別として，新しい語いを提出してもすぐ読み，発展して別の語いを作ろうとするようになった。12月には1字ずつのカードを児童に渡し，語を作らせたりした。既習文字だけを五十音図表のように書き，それを読む練習をした。1月は濁点に留意し，2月は長音記号，3月にはよう音に留意した。「キャ」「キュ」「キョ」「チャ」「チュ」「チョ」と練習した。しだいにカードは使用しなくなり，板書にたよっていった。ノートに書く練習は常に行い，語いとしてのカードは11月まで使用し，12月になってからは1字ずつのカードを使用した。語いとしてより，1字ずつの指導に重点をおいていった。

(2) 語いの種類や難易度による指導法のくふう

名詞の場合は提出しやすく，また児童にとっても家庭などで目に触れているものが多いので，習得が容易であるが，擬声語・擬音語などの場合には，目に触れる機会も少ない上に，印象が薄くなりやすいので，提出法に困った。習得率のよいのは，構成文字の字体がやさしく短い語いや，その語いが多く日常の話の中に出てきて使用されているとか，あるいは目に触れやすく印象的なものの習得率がよいということが考えられるので，その語いの興味づけや，印象づけにくふうをこらした。「ホウホケキョ」「チョンチョン」

「ピチャピチャ」などは「キャキュキョ」「チャチュチョ」の練習からはいっていった。「キャ」を読むことはできるが，いざ書くときになると「ャ」を小さく書くことを忘れてしまうようである。長音記号の使用や促音の使用のときなど，チョークの色を変えてみたり，誤って書いて発見させたりしたが，効果は思わしくなかった。1字ずつに分解して指導したので，字そのものは書くことができるが，語いとして正しく表記できるかどうかに問題があるようである。

(3) 特にむずかしい語いの指導法とその結果

むずかしい語いは，児童の生活に縁遠いものや，表記の複雑なもの，となるようである。「ニュース」などは読めるが書けない。長音記号が正しく使用できないのである。発音しながら書かせてみたが，すこしは効果があったかもしれない。

(4) 使用した教材・教具とその効果

教師用,児童用の語いカードは，読む練習のときにはよいが，書く能力を養うにはたびたび板書したほうがよいようだ。書く場合プリントを使用したが，現在強く反省しているのは,「文字」にこだわりすぎて1字ずつの練習のみに終り，語いとしてプリントを用意したことがなかったことだ。そのために，プリントの効果は半減したように思う。板書は，注意が集中して小さな誤りまで発見させるのに役だった。筆順の間接的指導にもなったと思っている。

(5) 調査データーと指導法との関係

第1回（12月）の調査では，語いにおける不完全な人員が，読みは1名から21名の間に分布し，書きは7名から32名の間に分布したのに対して，第2回（3月）の結果を見ると，読みでは，100%読めた語いが11語，誤答1名の語いが24語，2名だった語いが9語と範囲が非常に限られてきた。書きのほうも，2名しか誤答がなかった語いもあり，習得率はかなり向上している

ようである。前に指導した語いは，ふたたび取り上げなかったのに，第2回調査では習得率が上がっている。語いとして練習しなくても，字としてくり返し練習していたので，このような結果になったのであろう。

第1回には，混用や不正確による誤答が多かったが，今回はそれらの誤りは少なく，脱字によるものが多い。字としての練習をしたので知っている字を書いたためであろう。

(6) 提出語い数，語いの長さ，難易度について

どこまで完全さを要求するかによって，語い数は左右されよう。読みのほうは，あまり問題がないとしても，書きのほうで「ページ」「アハハ」「エプロン」「ピチャピチャ」「ベッド」「カンガルー」が34名しか完全に書けなかったとなると，問題であろう。しかし，あとの16名もその語を講成する字の1字か2字が書けなかったり，長音記号やよう音の書き方が誤ったための誤答もあるので,語いを手段として文字を習得さすのであるなら,今度の五十語の提出数もさして無理ではなかったと思われる。が，語いの習得の完全さを要求するのなら，少し多すぎたかもしれない。語いの長さをみると，だいたい短いほうがよい。しかし「パラッ」をみると，はたして短いから習得率がよいとは言いかねる。語いの長さよりも，単純か複雑かによるのではないか。清音のみの語い，たとえば「アメリカ」「コスモス」「ミルク」とか児童が常に口にする語い，「カード」「モール」などで，基本的にかたかなについて練習し，その後に濁音・長音記号のあるもの，促音・よう音を含む語いに移っていくのが妥当だと思う。児童は表記に困難を感じるようであるが，ていねいに説明して書かせると書けるのである。だから練習度をふやせばもっと習得率が上がるということも考えられる。

(7) 読ませる指導と書かせる指導について

特に読ませるだけを目的にして指導したり，書かすだけを目的にして指導したことはなく，両方を同時に行ってきた。しかし読めても書けないという

傾向が強く出てしまった。

(8) Eコースの問題点

1字ずつの指導であったため，語いとしての習得があまりよくなかった。指導していてさして困った点もなく，特別な努力もせず，児童も負担をあまり感ずることなく，習得したようであった。

(9) 指導法について

だいたい一定した指導法で，初めから終りまできたので，特に適切な指導法というものはなかったが，長音記号のあるもの，よう音のあるもの，と集中して指導したので，効果的であり，能率的であった。また，1字ずつのものを構成して新しい語いを生み出していく学習は，児童に強い興味をもたせた点で効果があったと思う。

(10) 実験についての反省

「文字から先に習得する」ということに重点をおきすぎて，語いとしての指導がおろそかになってしまった。語いカードは持たせたけれども，1字ずつに切り離してしまったので，1度提出した語いを2度，3度と取り扱うことをしなかったので，ますます語いとしての習得が悪くなってしまったようである。こちらから提出しないかぎり，ほとんど目に触れない語い「アハハ」「フウフウ」「ゴウゴウ」「ワン」などは習得率が悪かった。指導方法をもっと印象的にするとともに，ひん度もふやすべきであったと思う。

Ⅲ かたかな習得状況調査

第1回の調査

1 調査の目的と方法

(1) 調査の目的

6月14日から，12月24日まで指導したかたかな語いの読み書きを，各コース別に調査し，その習得状況を見て以後の指導の資料とする。

(2) 調査の方法

イ A・B・Cコース提出語い37語，D・Eコース34語，指導順でなく無系統に並べて番号をつける。

ロ 実施にあたって次の打合せをする。

(イ) 途中転入者，長期欠席者を除く。

(ロ) 読むほうの調査では，

○各1名ずつ行う。問題を他人に話さないように児童に注意する。

○どんな傾向が見られたかを記録する。

○児童が読めれば次に進む。

○1分間提出しても読めない場合は，次に進む。

○欠席児童は翌日行う。

○各コースごとに50名とする。

(ハ) 書く方の調査

○管理の便宜上男女別に行う。

○他人の書くところが見えないようにくふうする。

○1年生であるから指導したときの要領で，特に懇切ていねいに問題の説明と語いの説明をして，聞き落しのないようにする。擬声・擬音語はそのときの模様なども話す。

○問題の提示が行われてから，書き終るまでの時間を1分間として，さらに30秒の間をおく。

○欠席児童は翌日行う。

○コースごとに50名とする。

○この調査は1回50分以内で終了するように心がける。

以上の申し合わせの上，実施することにした。

2 調査の結果

A コース （読む） 29年12月調査

番号	提出語い	指導時期	提出ひん度	指導時間	完全総数	不完全 混用状況 1 2 3 4 5 6 7 計	不完全 不正確よりきたもの 1 2 3 4 5 6 7 計	不完全 脱字によるもの 1 2 3 4 5 6 7 計	総計	備考
		月		分						
1	ビスケット	11	3	10	46				4	
2	ゴウ	10	2	7	46				4	
3	カアカア	6	1	22	49				1	
4	ポチ	6	22	40	49				1	
5	パア	7	1	5	46				4	パン
6	ページ	10	1	12	42				8	
7	シュッシュッ	10	3	9	40				10	
8	ミルク	10	1	12	40				10	
9	ドン	7	1	5	47				3	
10	トンネル	10	3	7	46				4	
11	バッジ	11	2	5	45				5	
12	トリー	12	1	5	46				4	
13	ボウ	10	1	8	40				10	ゴウ，ポウ
14	オルガン	9	1	5	46				4	
15	ピカピカ	7	1	10	44				6	
16	カルタ	11	7	5	48				2	
17	ポッポッ	10	3	9	42				8	ポポ，ポチポチ
18	クリスマス	12	1	5	46				4	
19	パラパラ	11	1	5	42				8	
20	チョンチョン	6	1	22	38				12	チンチン
21	エプロン	11	1	5	48				2	
22	ガタントン	10	2	9	46				4	
23	アメリカ	9	5	10	48				2	
24	パチパチ	11	1	5	47				3	
25	ヌガー	10	1	10	44				6	スガー
26	コトン	10	9	5	46				4	
27	パラッ	11	1	5	43				7	
28	ガアガア	10	1	7	48				2	
29	ガアン	10	4	8	47				3	
30	モール	12	1	5	42				8	モル，モルー
31	ゴウゴウ	11	1	5	45				5	
32	ニュース	10	1	12	43				7	
33	ガム	10	1	10	47				3	ガマ
34	キャラメル	10	1	10	49				1	
35	ピイ	10	3	9	46				4	
36	カード	9	2	5	45				5	
37	パッ	12	1	5	38				12	パチ

A コース (書く) 29年12月調査

番号	提出語い	指導時期	提出ひん度	指導時間	完全総数	不完全 混用状況 1 2 3 4 5 6 7 計	不完全 不正確よりきたもの 1 2 3 4 5 6 7 計	不完全 脱字によるもの 1 2 3 4 5 6 7 計	総計	備考
		月		分	人	人 人 人	人 人 人 人 人 人	人 人 人 人 人	人	
1	ビスケット	11	3	10	32		5 3 1	1 3 7 3	18	ビスナベット ビ チ. シ. ビスケトウ
2	ゴウ	10	2	7	36		3 5	1 3	14	ゴゴ. 五ウ. ゴー. ㄷ゛ウ.
3	カアカア	6	1	22	37	2	3 3	6 1 6	13	マ. カムカム
4	ポチ	6	22	40	41		2 1	1	9	ホ. ケ
5	パア	7	1	5	33		3 8	2	17	パー. パム パマ. パム
6	ページ	10	1	12	20		4 6 3	2 6 8	30	プイジ. ペジー バージ. ペエジ. ヘーツ
7	シュッシュッ	10	3	9	12		2 2 5 2 5		38	シュウシュウ
8	ミルク	10	1	12	25	2	4 2 4	2 2 6	25	川ルタ. 川ルク ミルタ.
9	ドン	7	1	5	38		1 2	1 1	12	シソ
10	トンネル	10	3	7	24		1 5 1	1 1 3 3	26	ホネル
11	バッジ	11	2	5	31		1 5 2	1 4 3	19	バシジ. ビ. ケ バーチ. シ
12	トリー	12	1	5	34		3 9	1 3	16	トリイ. トーリ
13	ボウ	10	1	8	30		2 3	2	20	ボン. ボオ ボウ.
14	オルガン	9	1	5	37		2 1	3 1 1 1	13	シネ
15	ピカピカ	7	1	10	31		6 8	2 2	19	パカパカ. プカプカ. ヒカヒカ
16	カルタ	11	7	5	34	1	1 1	2 6	16	ル. カルク
17	ポッポッ	10	3	9	33		5 5	4 3 4	17	ウ. ポ. ポ
18	クリスマス	12	1	5	37	1	2 1 1	2 1 5 2	13	クルスマス タルスマス
19	パラパラ	11	1	5	34		2 5 2 4	6 1 6	16	ウ. パラパウ. ハラハラ パエパエ. パラパラ
20	チョンチョン	6	1	22	25		2 2 1 2 1 1	1 4 2 3	25	ナヨン. E.
21	エプロン	11	1	5	30		1 4 2	5 5 5	20	エプルン. エプオン エブロン.
22	ガタントン	10	2	9	35		1 2	4 1 1	15	カクントン ゴクントン
23	アメリカ	9	5	10	35		3	4 5	15	マメリカ
24	パチパチ	11	1	5	35		2 5 2 5	1 1 1 2	15	パナパナ. パチパチ パッパッ
25	ヌガー	10	1	10	25		5	7 1 1	25	ムガー. ヌガー
26	コトン	10	9	5	46		1		4	コ
27	パラッ	11	1	5	32		2 6 7	4 3	18	パウッツ. パラツ. パロツ. パッラ.
28	ガアガー	10	1	7	35		5 4	4 1 3	15	ガガ. ムマ. ガーガー.
29	ガアン	10	4	8	26		10 5	6 1	14	ガンー. ガラン ガーン
30	モール	12	1	5	29	1	2 9 6	4 2	21	チル. モウル. モ モルー モオル. モルウ
31	ゴウゴウ	11	1	5	31		2 6 1 6	2 1 2	19	ユ. ゴゴ. ウ ゴオゴオ
32	ニュース	10	1	12	16		3 10 2	5 4 6	34	ニースー. ニュウス ニーアス. ニュスー
33	ガム	10	1	10	37		3	4	13	ガス
34	キャラメル	10	1	10	27	5 6	1	3 4 1	23	キアラメル. カヤメル キヤロメル.
35	ピイ	10	3	9	21		4 10	1 4	29	ト. T. ー. ヒ. ピオ.
36	カド	9	2	5	24		15 6	5 4	26	カアド. カート カドー. カアード
37	パッ	12	1	5	35		1 6	1 2	15	パー. ツ.

備考 ◦1 2 3……7 の番号は語いを構成する文字の順位を示す。
◦らんの中の数字は人数

1	2	3	4	5	6	7	8	9	計
ビ	ス	ケ	ッ	ト					
		5	3	1					

Bコース (読む) 29年12月調査

番号	提出語い	指導時期	提出ひん度	指導時間	完全総数	不完全 混用状況 1 2 3 4 5 6 7 計	不完全 不正確よりきたもの 1 2 3 4 5 6 7 計	不完全 脱字によるもの 1 2 3 4 5 6 7 計	総計	備考
1	ビスケット	月 11	3	分 14	人 42				人 8	
2	ゴウ				28				22	
3	カアカア				37				13	
4	ポチ	6	22	45	50				0	
5	パア				37				13	
6	ページ	10	1	5	35				15	
7	シュッシュッ				9				41	
8	ミルク	10	1	15	45				5	
9	ドン				37				13	
10	トンネル	10	3	10	40				10	
11	バッジ	11	2	7	40				10	
12	トリー	12	1	5	35				15	トーリ
13	ボウ				25				25	
14	オルガン	9	1	10	45				5	
15	ピカピカ				32				18	ポカ
16	カルタ	11	7	5	45				5	
17	ポッポッ				36				14	
18	クリスマス	12	1	5	45				5	
19	パラパラ				31				19	パル
20	チョンチョン				13				37	
21	エプロン	11	1	8	42				8	
22	ガタントン				39				11	
23	アメリカ	9	5	12	44				6	
24	パチパチ				32				18	ポチ
25	ヌガー	10	1	5	29				21	ヌーガ
26	コトン				35				15	
27	パラッ				33				17	パルッ
28	ガアガア				41				9	
29	ガアン				40				10	
30	モール	12	1	5	25				25	
31	ゴウゴウ				28				22	
32	ニュース	10	1	5	34				16	
33	ガム	10	1	10	42				8	
34	キャラメル	10	1	10	45				5	
35	ビイ				26				24	
36	カード	9	2	5	42				8	
37	パッ				34				16	
備考	完全読み 6人									

B コース （書く） 29年12月調査

番号	提出語い	指導時期	提出ひん度	指導時間	完全総数	不完全：混用状況 1 2 3 4 5 6 7 計	不完全：不正確よりきたもの 1 2 3 4 5 6 7 計	不完全：脱字によるもの 1 2 3 4 5 6 7 計	総計	備考
1	ビスケット	月 11	3	分 14	人 5	人人人人人人 1 1 1 1	人人人人人人 3 3 6 7 1	人人人人人人 8 2 18 15 10	人 45	ゼ.ン.ケ.オ.ツ
2	ゴウ				8	3 3	3 6	4 4	42	ウ.ビーゴ.
3	カアカア				26	3 3 3 3	1 2 1 2	9 9	24	ー.ガ.マ.
4	ポチ	6	22	45	27		1 8	1 3	23	ズ.ホ.ザケ.チ千.手
5	パア				13	1 1	5	8 1	37	ー.ア.カマ
6	ページ	10	1	5	10		1 3 3	8 8 8	40	パージ.イ.ペエジ
7	シュッシュッ				0	2 2 2 2 2 2	3 4 8 7 8 6	1 1 1	50	川.ウ.
8	ミルク	10	1	15	19	1 1 1	9 2 6	2 2 8	31	彡三彡タ
9	ドン				22	2 4	3	2 2	28	ト
10	トンネル	10	3	10	21	1	1 1 10 4	3 2 8 3	29	ネ.イ.ネ.トンネロ
11	バッジ	11	2	7	16		3 8 8	1 3 5	34	シ.ジ.ヅ.チ.バシジ
12	トリー	12	1	5	0		12 2 3	13 14	50	ツリー.シリー.スリー
13	ボオ				5	2 2	2 6	4 3	45	ー.ホ.ぽ.う
14	オルガン	9	1	10	25	1 1 1	9 4 1 3	5 3 1 3	25	ト木.オ.ア.オルガル ホロガン
15	ピカピカ				14	3 3 2 2	4 3	14 1 15 1	36	ヒ
16	カルタ	11	7	5	30	4 2 2	4 2	2 5 5	20	カロタ.ク
17	ポッポッ				5	5 4 3 3	1 14 3 11	2 2 4 3	45	ズッシ.シ
18	クリスマス	12	1	5	29	2 2 1 1 1	1 1 1	2 1 5 7 5	21	ル.タ.
19	パラパラ				8	4 3 4 3	2 2	5 7 5 7	42	う
20	チョンチョン				2	1 1 1 1 1 1	1 5 4 3 4 4	10 11 4 11 10 1	48	E
21	エプロン	11	1	8	23	1	1 2 3 1	6 7 7 2	27	エプルン.エプロン.ソ
22	ガタントン				20		1 4 3 2 3	5 1 4 1	30	カ.ガ.ク.イ.ソ.ン
23	アメリカ	9	5	12	31	2	3 1	5 7	19	マ
24	パチパチ				13	1 1	1 1 2	10 4 10 4	37	ア.ケ.
25	ヌガー	10	1	5	12		4 1 5	12 3 8	38	ヌーガ.ム.ムーガ.ア
26	コトン				17	2 1 1	7 1 2	7 3 2	33	こ.子.イ.ソ
27	パラッ				5		3 3	7 8 13	45	シ.ウ.
28	ガアガア				26	1 1	1 9 2 9	5 1 5	24	ガーア.マー.か
29	ガアン				11		3 23 18	4 5	31	ガーン.ア.ガン
30	モール	12	1	5	6	1 1	5 13 2	15 9	44	モオル.モーロ ホ.ウ 子
31	ゴウゴウ				10	2 2 2 2	2 5 3 6	2 4 2 4	40	ビ.ゴオ ウ
32	ニュース	10	1	5	6		7 8 5	11 13 14 5	44	ウ.ニーユス.ウ
33	ガム	10	1	10	13	2 1	3 10	1 18	37	か.マ.ガヌ
34	キャラメル	10	1	10	13	5 9 2 1	2 2 2 5 2	1 3 9 7 2	37	キヤ.ラ ス メ ロ.P.
35	ピイ				5		3 4	2 2	45	ビ.ー.ト
36	カード	9	2	5	21	1	15 3	2 5	29	カアド.ト.カ
37	パッ				5		14	5 2	45	ア.ーレ.

Cコース (読む) 29年12月調査

番号	提出語い	指導時期	提出ひん度	指導時間	完全総数	不完全 混用状況 1 2 3 4 5 6 7 計	不正確よりきたもの 1 2 3 4 5 6 7 計	脱字によるもの 1 2 3 4 5 6 7 計	総計	備考
1	ビスケット	月 11	3	分 8	人 32				人 18	ビケット
2	ゴウ	10	2	5	41				9	
3	カアカア	6	1	8	39				11	
4	ポチ	6	22	10	43				7	
5	パア	7	1	5	37				13	
6	ページ	10	1	10	27				23	
7	シュッシュッ	10	3	10	26				24	
8	ミルク	10	1	10	36				14	
9	ドン	7	1	5	34				16	
10	トンネル	10	3	7	33				17	
11	バッジ	11	2	5	35				15	バッチ
12	トリー	12	1	5	37				13	
13	ボウ	10	1	5	32				18	
14	オルガン	9	1	5	34				16	
15	ピカピカ	7	1	8	35				15	
16	カルタ	11	7	5	41				9	
17	ポッポッ	10	3	10	30				20	
18	クリスマス	12	1	5	40				10	
19	パラパラ	11	1	5	28				22	
20	チョンチョン	6	1	12	30				20	
21	エプロン	11	1	5	30				20	
22	ガタントン	10	2	8	27				23	
23	アメリカ	9	5	10	36				14	
24	パチパチ	11	1	5	32				18	
25	ヌガー	10	1	10	28				22	
26	コトン	10	9	5	35				15	
28	パラッ	11	1	5	30				20	
27	ガアガア	10	1	7	36				14	
29	ガアン	10	4	10	28				22	
30	モール	12	1	8	28				22	モルー
31	ゴウゴウ	11	1	8	41				9	
32	ニュース	10	1	15	25				25	ヌース
33	ガム	10	1	8	32				18	
34	キャラメル	10	1	10	44				6	キャメル
35	ピイ	10	3	5	34				16	
36	カード	9	2	5	30				20	
37	パッ	12	1	5	29				21	パ
備考	習得率平均 66.4%									

C コース (書く) 29年12月調査

番号	提出語い	指導時期	提出ひん度	指導時間	完全総数	不完全 混用状況 1 2 3 4 5 6 7 計	不完全 不正確よりきたもの 1 2 3 4 5 6 7 計	不完全 脱字によるもの 1 2 3 4 5 6 7 計	総計	備考
				分	人	人 人 人 人 人 人	人 人 人 人 人 人	人 人 人 人 人 人	人	
1	ビスケット	11	3	8	5		1 2 7 3	7 7 16 10 6	45	ヌ川イ
2	ゴウ	10	2	5	12		5 3	1 14	38	ビラワ匚オ
3	カアカア	6	1	8	15	2 3	6 3 6	5 7 6 9	35	刀マ
4	ポチ	6	22	10	9		1 5	11	41	ケ廾千
5	パア	7	1	5	13		3	3 6	37	刀
6	ページ	10	1	10	1	1 1 1 1 1 1	1 5 3	2 0 4	49	ペエジ ヅエトシ
7	シュッシュッ	10	3	10	0		3 2 3 4 4 3	4 5 3 5 6 4	50	ジ ヾ
8	ミルク	10	1	10	8		1 1 2 1	6 3 4	42	ハ
9	ドン	7	1	5	13		1 3	2 1	37	ソシ
10	トンネル	10	3	7	5		1 2 4	2 5 13 11	45	ネシネ儿メネルﾞ
11	バッジ	11	2	5	3		1 3 8	4 5 10	47	ヅチヂシ
12	トリー	12	1	5	13	1 1 1	3 5 4	2 4 6	37	イ人トー
13	ボウ	10	1	5	13		1 2	4 4	37	シラ
14	オルガン	9	1	5	8	2	6 1 3	4 12 6 5	42	大
15	ピカピカ	7	1	8	18	1 1 1	1	5 1 6 2	32	
16	カルタ	11	7	5	8	1 1 1	3 2 3	1 16 17	42	タシ ルタ
17	ポッポッ	10	3	10	11	3 2	3 3 1 3 1	3 5 4 5 2	39	シルﾞ
18	クリスマス	12	1	5	11	1 1 1 1	1	10 7 6 13 6	39	アソ
19	パラパラ	11	1	5	8		2 1 2	1 12 7 12	42	
20	チョンチョン	6	1	12	4		2 5 3 3 5 2	5 6 2 6 6 4	46	千E手シ
21	エプロン	11	1	5	2			9 11 15 7	48	
22	ガタントン	10	2	8	6		1 3 3 3 2	2 18 8 10 9	44	オソタﾞシ
23	アメリカ	9	5	10	10	5	4 2	8 17 9 3	40	マ七
24	パチパチ	11	1	5	8	1 1	1 5 1 4	3 11 6 10	42	ケ手パチ
25	ヌガー	10	1	10	5	2	5 1 6	13 2 1	45	ア
26	コトン	10	9	5	15	1	4 1 3	5 4	35	ンイ于コ
27	パラッ	11	1	5	5	1	2 1 4	1 13 10	45	シ
28	ガアガア	10	1	7	12	6 7	1 8 8	8 1 7	38	カマヤ
29	ガアン	10	4	10	12	5 1 2	2 6 1	8 8	38	ガーンカソ
30	モール	12	1	8	5	2 1	3 7 2	8 4 7	45	オルモウル
31	ゴウゴウ	11	1	8	13		2 3 2 2	2 10 4 11	37	五五 ビ子ﾞ
32	ニュース	10	1	15	2		1 2 1	6 4 4 1	48	ヌー ニウスウ
33	ガム	10	1	8	3	3	2 2	22	47	ム
34	キャラメル	10	1	10	5	2 2	1 1 2 1	1 8 16 15 15	45	キ
35	ビイ	10	3	5	9		1 4	2 2	41	ピー
36	カード	9	2	5	16	2	6 4	7 10	34	イﾞカアド
37	パッ	12	1	5	9	1 2	1 7	2 7	41	シ ペ

備考	平均 16.9%

D コース (読む) 29年12月調査

番号	提出語い	指導時期	提出ひん度	指導時間	完全総数	不完全 混用状況 1 2 3 4 6 5 7 計	不正確よりくるもの 1 2 3 4 5 6 7 計	脱字によるもの 1 2 3 4 5 6 7 計	総計	備考
1	パチパチ	月 11	1	分 5	人 44				人 6	
2	コスモス	9	1	13	45				5	
3	ページ	12	1	7	44				6	
4	チフス	7	1	15	41				9	
5	トンネル	10	1	10	44				6	
6	キリン	10	1	10	50				0	
7	エプロン	12	1	7	44				6	
8	カンガルー	10	1	10	48				2	
9	パラパラ	11	1	5	46				4	
10	スケーヤダンス	10	1	10	41				9	スプーンレース1名
11	レントゲン	11	1	7	39				11	
12	コトン	9	1	10	43				7	
13	ベッド	6	2	30	45				5	
14	ライオン	10	1	10	41				9	
15	アメリカ	10	1	7	41				9	
16	ポスト	1	1	10	43				7	
17	リレー	10	1	7	43				7	
18	カルタ	10	1	7	44				6	
19	ゴウゴウ	12	1	5	45				5	
20	ミシン	10	1	15	48				2	ミルク 2名
21	ボール	6	2	20	44				6	
22	ビスケット	12	1	7	38				12	
23	パラッ	11	1	3	42				8	
24	クリスマス	11	1	5	45				5	
25	ポチ	11	1	5	42				8	
26	カアカア	12	1	3	46				4	
27	ワン	10	1	5	35				15	
28	ナイフ	11	1	5	36				14	
29	ポン	11	1	3	44				6	
30	カード	12	1	3	46				4	
31	パン	7	1	10	48				2	
32	フウフウ	10	1	7	38				12	
33	スプーンレース	10	1	10	40				10	
34	ミルク	7	1	15	45				5	

D コース （書く） 29年12月調査

番号	提出語い	指導時期	提出ひん度	指導時間	完全総数	不完全 混用状況 1 2 3 4 5 6 7 計	不完全 不正確よりくるもの 1 2 3 4 5 6 7 計	不完全 脱字によるもの 1 2 3 4 5 6 7 計	総計	備考
1	パチパチ	月 11	1	分 5	人 28	3 2	3 9 7 10	1 1	人 22	ケ.サ.チ.サ.チ
2	コスモス	9	1	13	34	5	4 7 4 7	1 1 1	16	子.ヒ.
3	ページ	12	1	7	24	1	2 8 12	2 6	26	ツプツ゛エイシ ツ゛ジ
4	チフス	7	1	15	27	4 3 3	3 8 3	1 6 2	23	プケ゛プ
5	トンネル	10	1	10	30	1 1	2 3 5 5	7 3	20	イえリ
6	キリン	10	1	10	35	4 2 1	4 3 5	1 1 1	15	ワシワキ
7	エプロン	12	1	7	26		4 3 5 5	3 2 6	24	土ヲソン
8	カンガルー	10	1	10	23	2 1	2 4 4 16 15	2 2 2	27	ルンガール ソ
9	パラパラ	11	1	5	36		2 4 2 4		14	
10	スケーヤダンス	10	1	10	22	1	5 11 12 9 8 7 5	4 3 1 4 3 2	28	サ.チンソイ
11	レントゲン	11	1	7	22		6 2 1 6 4	7 1 2 6	28	ケケ゛ソ
12	コトンコトン	9	1	10	34		2 2 7	1	16	シソユイ
13	ベッド	6	2	30	17		2 24 6	1 2	33	シシトシト. ベド トツ゛.ベナ
14	ライオン	10	1	10	30	1 1 1	3 4 4 5	1 4 5 1	20	ナシト ソ
15	アメリカ	10	1	7	26	1 2	4 5 1 2	7 11	24	メセメナ
16	ポスト	1	1	10	35		6 3 3	3	15	ホ・ナ
17	リレー	10	1	7	26		1 15 15	3 2	24	リレイ.リーエ マ
18	カルタ	10	1	7	33	3 1 1	3 4 5	3 2	17	クラカルタ ロ
19	ゴウゴウ	12	1	5	34	1 1	4 7 4 7	2 2	16	ゴち ちゴ
20	ミシン	10	1	15	18	2	8 13 4	2 6	32	ミスレツッジ川ミ
21	ボール	6	2	20	29	1	4 5 5	4 2	21	ウロウ ポ
22	ビスケット	12	1	7	11		3 3 4 24 2	8 1 7 2	39	ミ.シイシストサシツ
23	パラッ	11	1	3	14	1	2 5 23	1 3 5	36	パツラツ パーラツ シ1
24	クリスマス	11	1	5	32		7 4 5 6 4	1 2	18	スタタ
25	ポチ	11	1	5	28		7 7	2 2	22	パケチ
26	カアカア	12	1	3	25	1 1 1	3 18 3 17		25	カーカー.マーーマ 1マ
27	ワン	10	1	5	22	1	11 3	6	28	ウン ハンフウク
28	ナイフ	11	1	5	24		5 3 8	2 1 5	26	プケ ナイス
29	ポン	11	1	3	28		7 8	2	22	ンポ ソポ ンソ
30	カード	12	1	3	34		6 2	1 2 1	16	アカアド
31	パン	7	1	10	36		1 4	3 1	14	ソン
32	フウフウ	10	1	7	23		7 4 8 4	1 2 2 2	27	ウプコプ
33	スプーンレース	10	1	10	8		4 5 15 16 17 17 10	5 1 1 5 6 3	42	ニース.レイス.エス.イエス イース.イス ヌ ルース ソ
34	ミルク	7	1	15	31		4 6 4	2 3 3	19	ラ ミレー ミ

Eコース　(読む)　29年12月調査

番号	提出語い	指導時期	提出ひん度	指導時間	完全総数	不完全 混用状況 1 2 3 4 5 6 7 計	不完全 不正確よりくるもの 1 2 3 4 5 6 7 計	不完全 脱字によるもの 1 2 3 4 5 6 7 計	総計	備考
		月		分	人				人	
1	パチパチ	11	1	5	47				3	
2	コスモス	9	1	13	49				1	
3	ページ	12	1	7	36				14	
4	チフス	7	1	15	44				6	
5	トンネル	10	1	10	42				8	
6	キリン	10	1	10	49				1	
7	エプロン	12	1	7	44				6	
8	カンガルー	10	1	10	49				1	
9	パラパラ	11	1	5	47				3	
10	スケーヤダンス	10	1	10	43				7	
11	レントゲン	11	1	7	47				3	
12	コトン	9	1	10	49				1	
13	ベッド	6	2	30	48				2	
14	ライオン	10	1	10	45				5	
15	アメリカ	10	1	7	46				4	
16	ポスト	9	1	10	42				8	
17	リレー	10	1	7	41				9	
18	カルタ	10	1	7	46				4	
19	ゴウゴウ	12	1	5	47				3	
20	ミシン	10	1	15	46				4	ミルク
21	ボール	6	2	21	43				7	
22	ビスケット	12	1	5	42				8	
23	パラッ	11	1	3	46				4	
24	クリスマス	11	1	5	46				4	
25	ポチ	11	1	5	39				11	
26	カアカア	12	1	3	47				3	
27	ワン	10	1	5	29				21	クン
28	ナイフ	11	1	5	40				10	
29	ボン	11	1	3	37				13	パン
30	カード	12	1	3	47				3	カルタ
31	パン	7	1	10	47				3	
32	フウフウ	10	1	7	41				9	
33	スプーンレース	10	1	10	43				7	
34	ミルク	7	1	15	48				2	
備考	完全児童数　21名									

Eコース (書く) 29年12月調査

番号	提出語い	指導時期	提出ひん度	指導時間	完全総数	不完全 混用状況 1 2 3 4 5 6 7 計	不完全 不正確よりくるもの 1 2 3 4 5 6 7 計	不完全 脱字によるもの 1 2 3 4 5 6 7 計	総計	備考
		月		分	人	人 人 人 人 人 人 人	人 人 人 人 人 人 人	人 人 人 人 人 人 人	人	
1	パ チ パ チ	11	1	5	35	1 1 1 1	1	2 1 2	15	
2	コ ス モ ス	9	1	13	43	1 1 1 1	2		7	モ
3	ペ ー ジ	12	1	7	23	1 1	2 3 10	2 7	27	ペェーヂ
4	チ フ ス	7	1	15	32		3	1 9 4	18	チ
5	ト ン ネ ル	10	1	10	24	1 1 1 1	2 2 7 4	9 7	26	トレネロネ
6	キ リ ン	10	1	10	42	1 2 1	4		8	レシ
7	エ プ ロ ン	12	1	7	21	2 1	2 1 1	6 7 7 3	29	ヘプロン ネルソ
8	カンガルー	10	1	10	19	1 1 2 1	り 4 18 8	1 2	31	カンガールガァーウ
9	パ ラ パ ラ	11	1	5	35	1 1 1 1		1 1 2	15	
10	スケーヤダンス	10	1	10	27		7 8 6 6 6 4	1 1 6 4 4	23	チエ
11	レントゲン	11	1	7	20	1 2	5 2 1 5 2	6 1 5 2	30	げん．レン デントゲン
12	コ ト ン	9	1	10	41		2 0 2	1 1	9	子レソ
13	ベ ッ ド	6	2	30	26	1	3 11 4	1 1 2	24	ッ ベードヘ
14	ラ イ オ ン	10	1	10	33	1 1 1 2	1 3 3	3 3 3	17	ホ ライヨン
15	ア メ リ カ	10	1	7	28	1 1 2 1	1 5	8 4 3	22	ナマヤ
16	ポ ス ト	9	1	10	21	1	8	13 1 2	29	モスト ブオト トスト
17	リ レ ー	10	1	7	20	1 1	2 11 9	5 5	30	リー．リーレ リレエ．ーエ
18	カ ル タ	10	1	7	33	2 1	4 1	4 3	17	ラ．オ．タ
19	ゴ ウ ゴ ウ	12	1	5	33	1 1	2 3 2 3	7	17	ゴユ ゴユ ゴン ゴン
20	ミ シ ン	10	1	15	26	1 2 1	3 6 5	4 4	24	ツ．レ．ソ．シ．
21	ボ ー ル	6	2	21	25	1 1	3 1 3	7 2	25	ホ ボーロ ハ ル
22	ビスケット	12	1	5	20	3 1 1	4 2 11	9 2 4 5 3	30	B゙ ギスケット ビスケート
23	パ ラ ッ	11	1	3	25		1 2 9	2 3 5	25	シ．ツ
24	クリスマス	11	1	5	3)	3 4 1 4 2	1 2	2・ 6 2	20	ㄷ
25	ポ チ	11	1	5	25	1 1	1 6	4	25	チポホ
26	カ ア カ ア	12	1	3	37	2 2	6 6	2 2	13	カオコヤ
27	ワ ン	10	1	5	19	2 1	3	16	31	フン
28	ナ イ フ	11	1	5	27	2 4 2	1 2 1	8 2 6	23	
29	ポ ン	11	1	3	25	5 2	5 1	9	25	
30	カ ー ド	12	1	3	39	1	4	1 3	11	
31	パ ン	7	1	10	35	2	6 2	5	15	シ．ンソ
32	フ ウ フ ウ	10	1	7	30		7 3 7 3	2 1 2 1	20	プウ
33	スプーンレース	10	1	10	18	1 2 2 1	2 7 8 8 5 6 3	1 10 6 5 10 11 10	32	レエス．スープンレイス ノプ． すウ
34	ミ ル ク	7	1	15	30	1 2 4	3 2 2	3 2 3	20	ラ

第2回の調査

昭和29年度に学習させた「かたかな」語い五十語についての調査で，調査の方法は，第1回の調査とだいたい同じ。

各コース別習得度表（読む）（第2回，30年3月調査）（習得率の高い順に整理）

	Aコース		Bコース		Cコース		Dコース		Eコース	
	語い	習得率	語い	習得率	語い	習得率	語い	習得率	語い	習得率
読む	アメリカ	% 100	ポチ	% 100	ミルク	% 100	アメリカ	% 100	アメリカ	% 100
	ミルク	100	ニュース	100	アハハ	100	ミルク	1.0	ソース	100
	セーラー	100	キャラメル	100	ポチ	100	セーラー	100	カード	100
	ナイフ	100	アメリカ	98	キャラメル	100	ソース	100	ドン	100
	カード	100	ミルク	98	オルガン	100	ナイフ	100	カアカア	100
	コトン	100	カード	98	エプロン	98	モール	100	ガム	100
	ドン	100	カアカア	98	ノート	98	コトン	100	ニュース	100
	テープ	100	オルガン	98	エヘン	98	ドン	100	ベッド	100
	レントゲン	100	ガム	96	ポン	98	アハハ	100	コスモス	100
	フウフウ	100	ベージ	96	フン	98	フウフウ	100	カンガルー	100
	ゴウゴウ	100	ボン	96	アメリカ	96	ゴウゴウ	100	パン	100
	エプロン	100	ガアン	96	ナイフ	96	クリスマス	100	ミルク	98
	パラパラ	100	ガアガア	96	コトン	96	エプロン	100	セーラー	98
	トンネル	100	ドン	94	フウフウ	96	トンネル	100	ナイフ	98
	ポチ	100	エプロン	94	ガアガア	96	ポチ	100	ヌガー	98
	カアカア	100	トンネル	94	セーラー	94	カアカア	100	モール	98
	ガム	100	カルタ	94	モール	94	ガム	100	サラダ	98
	カルタ	100	ピカピカ	94	レントゲン	94	ホウホケキョ	100	コトン	98
	パラッ	100	エヘン	94	ゴウゴウ	94	カルタ	100	レントゲン	98
	ビスケット	100	クリスマス	92	カアカア	94	パラッ	100	アハハ	98
	ピカピカ	100	ビスケット	92	ガム	94	ベージ	100	ゴウゴウ	98
	キャラメル	100	パチパチ	92	バッジ	94	ピカピカ	100	クリスマス	98
	エヘン	100	パッジ	92	ピイ	94	ニュース	100	バラバラ	98
	ポン	100	ガア	92	ウフフ	94	ノート	100	トンネル	98
	パチパチ	100	バタントン	92	ゴウ	94	エヘン	100	ホウホケキョ	98
	ピチャピチャ	100	ゴウ	92	ソース	92	ポン	100	カルタ	98
	パア	100	モール	90	テープ	92	パチパチ	100	パラッ	98
	ボッボッ	100	サラダ	90	クリスマス	92	○ポスト	100	キャラメル	98
	ピイ	100	ゴウゴウ	90	パラパラ	92	○ワン	100	ノート	98
	フン	100	パラパラ	90	ホウホケキョ	92	○コスモス	100	パチパチ	98
	ガアン	100	ウフフ	90	カルタ	92	○ライオン	100	バッジ	98
	ボウ	100	コトン	88	パア	92	○カンガルー	100	スプーンレース	98
	ガタントン	100	アハハ	88	カード	90	○パン	100	ライオン	98
	ガアガア	100	パラッ	88	ヌガー	90	○ボール	100	リレー	98
	ゴウ	100	ピチャピチャ	88	ドン	90	サラダ	98	ボール	98
	オルガン	100	フン	88	ビスケット	90	テープ	98	テープ	96
	アハハ	98	ボウ	88	ピカピカ	90	パラパラ	98	フウフウ	96
	ホウホケキョ	98	チョンチョン	86	ボウ	90	ビスケット	98	エプロン	96
	ニュース	98	ピイ	86	ガタントン	90	キャラメル	98	ビスケット	96
	チョンチョン	98	セーラー	84	サラダ	88	ピチャピチャ	98	ページ	96
	バッジ	98	ナイフ	84	トンネル	88	バッジ	98	ピカピカ	96
	ウフフ	98	レントゲン	84	ニュース	88	○リレー	98	エヘン	96
	ページ	98	ホウホケキョ	84	チョンチョン	88	○ミシン	98	ポスト	96
	ソース	96	ノート	84	ピチャピチャ	88	カード	96	ミシン	96
	モール	96	ボッボッ	84	ガアン	88	ヌガー	96	ピチャピチャ	94
	サラダ	96	ヌガー	82	パラッ	86	レントゲン	96	チフス	94
	クリスマス	96	フウフウ	82	ページ	82	○ベッド	96	ポチ	92
	シュッシュッ	96	ソース	80	パチパチ	82	○スプーンレース	96	チョンチョン	92
	ノート	94	テープ	80	シュッシュッ	82	○チフス	96	ワン	92
	ヌガー	62	シュッシュッ	78	ボッボッ	80	チョンチョン	94	ポン	88
習得率平均		99%		93%		93%		98%		96%
中間		90%		71%		66%		94%		88%
3月末		99%		93%		93%		98%		96%

各コース別習得度表（書く）（第2回，30年3月調査）（習得率の高い順に整理）

	Aコース 語い	習得率	Bコース 語い	習得率	Cコース 語い	習得率	Dコース 語い	習得率	Eコース 語い	習得率
書	ポチ	100%	ポチ	94%	エヘン	80%	コトン	100%	ドン	96%
	コトン	98	カアカア	90	コトン	78	ドン	100	カアカア	96
	ドン	98	カード	86	ノート	78	テープ	100	クリスマス	92
	エヘン	96	コトン	84	カード	74	ノート	100	カード	90
	ガアガア	96	ドン	84	フン	74	エヘン	100	モール	90
	オルガン	94	カルタ	84	ドン	72	パン	100	トンネル	90
	パラパラ	92	ノート	84	フウフウ	70	ピカピカ	100	カルタ	90
	ウフフ	92	エヘン	84	ポン	70	ソース	98	ノート	90
	ゴウゴウ	90	ガタントン	84	ウフフ	70	カード	98	ベッド	90
	カアカア	90	ガアガア	84	ガタントン	68	ゴウゴウ	98	ソース	88
	ノート	90	アメリカ	82	エプロン	66	ガム	98	テープ	86
	ボウ	90	ポン	82	ポチ	66	カルタ	98	コスモス	86
	ガタントン	90	フン	82	レントゲン	64	チョンチョン	98	アメリカ	84
	アメリカ	88	ガアン	82	ゴウゴウ	64	リレー	98	ミルク	84
	ミルク	88	ミルク	80	ガム	64	カンガルー	98	セーラー	84
	クリスマス	88	ガム	80	パラパラ	62	モール	96	ナイフ	84
	カルタ	88	ピカピカ	80	ピカピカ	62	サラダ	96	ヌガー	84
	ピカピカ	88	モール	78	オルガン	62	アハハ	96	バッジ	84
	ポン	88	クリスマス	78	アメリカ	60	フウフウ	96	ミシン	84
	パチパチ	88	オルガン	78	カルタ	60	クリスマス	96	コトン	82
	パア	88	パチパチ	76	ボウ	60	パラパラ	96	ビスケット	32
	ピイ	88	アハハ	74	ソース	58	ポチ	96	ライオン	82
	ゴウ	88	ゴウゴウ	74	モール	58	ニュース	96	パン	82
	カード	86	パラパラ	74	アハハ	58	ポン	96	ポン	80
	レントゲン	86	トンネル	74	ガアン	58	パチパチ	96	ポスト	80
く	フウフウ	86	キャラメル	74	ゴウ	58	コスモス	96	リレー	80
	トンネル	86	ピイ	74	パチパチ	56	ヌガー	94	ボール	80
	ガアン	86	ウフフ	74	ガアガア	56	パラッ	94	フウフウ	78
	アハハ	84	エプロン	72	テープ	54	ビスケット	94	ポチ	78
	フン	84	チョンチョン	72	カアカア	54	キャラメル	94	ガム	78
	セーラー	82	パア	72	キャラメル	54	ワン	94	ピカピカ	78
	ナイフ	82	ポッポッ	72	ナイフ	52	アメリカ	92	キャラメル	78
	モール	82	ゴウ	72	クリスマス	52	セーラー	92	サラダ	76
	サラダ	82	レントゲン	7.	ホウホケキョ	52	ナイフ	92	パラパラ	76
	エプロン	82	フウフウ	70	ピイ	52	レントゲン	92	ホウホケキョ	76
	ガム	82	パラッ	70	ミルク	50	エプロン	92	パチパチ	76
	ホウホケキョ	82	ビスケット	70	セーラー	50	カアカア	92	チフス	74
	ソース	80	ソース	68	サラダ	50	ミルク	90	レントゲン	72
	チョンチョン	80	ニュース	68	トンネル	50	トンネル	90	チョンチョン	72
	ヌガー	78	ページ	66	パア	50	ページ	90	ワン	72
	パラッ	78	セーラー	64	ニュース	48	ポスト	90	ゴウゴウ	72
	ビスケット	78	ナイフ	64	チョンチョン	48	ライオン	90	エヘン	70
	ピチャピチャ	78	ピチャピチャ	64	ピチャピチャ	46	ボール	90	アハハ	68
	キャラメル	76	ボウ	64	ヌガー	42	ホウホケキョ	88	エプロン	68
	ポッポッ	74	ヌガー	62	ビスケット	42	ピチャピチャ	88	ページ	68
	ページ	72	サラダ	58	ポッポッ	40	ベッド	86	ピチャピチャ	68
	テープ	70	バッジ	58	パラッ	38	スプーンレース	86	スプーンレース	68
	バッジ	70	テープ	56	シュッシュッ	38	チフス	86	カンガルー	68
	ニュース	66	ホウホケキョ	56	ページ	36	バッジ	84	ニュース	62
	シュッシュッ	58	シュッシュッ	46	バッジ	24	ミシン	82	パラッ	60
習得率平均		85%		74%		42%		94%		81%
中間		62%		28%		17%		53%		68%
3月末		85%		74%		42%		94%		81%

各コース別習得度表（文字）（30年3月調査）かっこ内は学習させない文字の習得率

	Aコース		Bコース		Cコース		Dコース		Eコース	
清音	98	89	89	80	95	95	97	97	98	89
濁音	98	83	89	74	96	73	96	95	98	83
半濁音	100	88	96	81	98	84	97	97	96	81
平均	99	87	89	78	96	78	97	96	97	85
学習させない文字平均	(93%)	(78%)	(83%)	(67%)	(92%)	(67%)	(94%)	(88%)	(96%)	(82%)
学習させた文字平均	99%	90%	91%	81%	95%	77%	97%	97%	98%	86%

文字	Aコース		Bコース		Cコース		Dコース		Eコース	
	読む	書く	読む	書く	読む	書く	読む	書く	読む	書く
	%	%	%	%	%	%	%	%	%	%
ア	100	94	96	90	94	80	98	98	100	98
イ	100	94	90	80	94	66	96	96	100	94
ウ	100	93	86	78	100	72	94	98	94	82
エ	100	96	92	88	98	90	98	98	96	86
オ	100	98	98	90	98	90	96	100	100	98
カ	100	96	100	98	100	90	98	98	100	100
キ	100	86	100	98	100	94	98	96	100	98
ク	99	93	92	88	100	80	96	98	94	88
ケ	99	89	88	90	94	76	96	98	100	88
コ	100	98	92	86	98	74	98	98	100	98
サ	96	88	90	64	98	68	100	96	100	86
シ	96	74	80	72	84	70	92	98	98	96
ス	99	93	90	90	98	66	98	96	100	94
セ	100	90	88	77	98	68	98	100	98	98
ソ	99	86	82	66	90	68	96	98	92	80
タ	100	94	90	90	90	82	98	98	98	90
チ	99	91	94	80	94	70	98	98	100	92
ツ	99	79	84	74	80	80	92	94	92	88
テ	100	78	86	58	84	74	98	98	98	92
ト	100	93	92	90	86	84	98	98	100	88
ナ	100	88	84	80	100	68	98	94	98	92
ニ	100	90	96	86	94	66	98	98	100	86
ヌ	92	90	80	70	98	68	96	98	96	86
ネ	100	94	82	64	96	60	94	92	96	72
ノ	94	92	88	82	98	74	98	98	98	98
ハ	100	91	90	90	98	94	96	100	100	95
ヒ	(100)	(80)	(86)	(72)	(92)	(68)	(94)	(98)	(98)	(88)
フ	100	91	90	88	96	90	98	98	98	94
ヘ	100	98	98	86	96	78	98	96	100	86
ホ	98	92	92	72	96	72	98	98	100	80

文字	Aコース		Bコース		Cコース		Dコース		Eコース	
	書く	読む	書く	読む	書く	読む	書く	読む	書く	読む
	%	%	%	%	%	%	%	%	%	%
マ	96	92	86	78	86	70	94	98	96	96
ミ	100	92	98	88	100	70	98	98	100	98
ム	100	82	88	78	92	74	98	98	98	78
メ	100	88	92	72	96	70	98	98	96	78
モ	98	88	88	78	98	82	98	96	98	94
ヤ	100	86	100	80	98	92	100	98	100	98
ユ	97	78	78	78	80	48	88	96	96	78
ヨ	98	90	84	74	94	70	88	98	100	90
ラ	100	90	88	84	90	70	98	98	98	88
リ	100	98	100	86	98	88	98	98	100	98
ル	100	93	92	90	98	82	98	98	98	94
レ	100	94	86	82	96	84	98	94	94	94
ロ	100	88	84	72	98	70	94	96	96	84
ワ	(84)	(78)	(60)	(56)	(80)	(54)	98	94	92	68
ヲ	(80)	(74)	(72)	(72)	(68)	(48)	(90)	(96)	(92)	(84)
ン	100	96	96	90	98	82	98	98	98	98
ガ	100	94	100	84	98	82	98	96	100	94
ギ	(100)	(92)	(100)	(76)	(98)	(84)	(98)	(98)	(100)	(90)
グ	(96)	(88)	(90)	(80)	(94)	(68)	(96)	(96)	(92)	(74)
ゲ	100	90	86	80	94	78	96	94	100	80
ゴ	100	94	90	90	100	82	98	98	100	88
ザ	(100)	(80)	88)	(62)	(94)	(68)	(92)	(92)	(100)	(74)
ジ	98	82	86	66	94	66	94	98	100	76
ズ	(96)	(78)	(90)	(78)	(100)	(78)	(96)	(98)	(100)	(88)
ゼ	(96)	(84)	(84)	(66)	(100)	(78)	(98)	(94)	(92)	(88)
ゾ	(80)	(60)	(80)	(50)	(88)	(58)	(94)	(96)	(94)	(64)
ダ	100	86	90	82	98	76	98	98	98	90
ヂ	(100)	(72)	(86)	(58)	(93)	(70)	(96)	(92)	(100)	(88)
ヅ	(80)	(70)	(70)	(56)	(98)	(64)	(84)	(88)	(94)	(78)
デ	(96)	(78)	(80)	(50)	(92)	(56)	(94)	(96)	(99)	(84)
ド	100	95	96	84	98	78	98	100	100	90
バ	100	90	96	90	98	84	98	90	100	84
ビ	100	94	92	80	96	82	98	98	100	89
ブ	(88)	(70)	(84)	(68)	(90)	(68)	(94)	(90)	(96)	(84)
ベ	(100)	(94)	(98)	(84)	(98)	(76)	98	98	100	92
ボ	100	92	96	76	98	70	98	92	96	76
パ	100	92	100	90	98	90	98	94	98	88
ピ	100	91	92	82	100	78	98	96	94	86
プ	100	89	86	76	94	74	98	92	96	80
ペ	98	82	98	76	96	86	96	94	96	82
ポ	100	90	100	82	100	92	96	94	96	80

Ⅳ 基礎調査

1 家庭環境調査（保護者の職業別一覧表）

○全校1256名，昭和29年度の調査（家庭数は950）

職種	1 農業	2 林業	3 水産業	4 鉱業	5 運輸業	6 自宅商	7 自宅工	8 行露天商商	9 自由労務	10 工員	11 公務員	12 学校職員	13 会社員	14 その他	15 無職	合計
人数	23	0	1	0	18	75	69	3	38	99	86	19	693	69	63	1256

2 国語標準学力検査

（1） 調査の目的

○実験の対象となった本校児童の国語学力の実態を知るとともに，かなの学習指導に力を入れることによって，学力にかたよりが出てこないかどうかを調査する。

（2） 実施期日→昭和29年12月14日

（3） 実施学年→第1学年（250名）　第2学年（192名）全員

（4） 実施方法→検査者は担任。全校いっせいに行う。計時のため，補助者を各学級に1名置く。実施要領は田中教育研究所の実施要領に従って行った。

（5） 結果の処理

イ　採点だけ行い，あとは田中教育研究所に依頼して集計した。その整理と

結果の検討は国語部で行った。

ロ　段階のつけ方

学力偏差値	75以上	74～65	64～55	54～45	44～35	34～25	24以下
理論上の%	1	6	24	38	24	6	1
評価段階	秀		優	良	可	不可	
	＋2		＋1	0	－1	－2	

（6） 国語新標準学力検査の内容

イ　第1学年（イ用紙）

問題一　（聞く力）　　問題五　（語法の力）
問題二　（読む力→絵を見て字を読む）　　問題六　（書く力）
問題三　（書く力）　　問題七　（話す力）
問題四　（読む力）　　問題八　（作る力）

ロ　第2学年（ロ用紙）

問題一　（聞く力）　　問題五　（読む力）
問題二　（書く力）　　問題六　（作る力）
問題三　（読む力）　　問題七　（話す力）
問題四　（語法の力）　　問題八　（作る力）

（7） 第1学年国語学力検査の結果

イ　総括成績（学力偏差値分布状況）

評価区分	人数	%
＋2　(65以上)	74	28
＋1　(55～64)	95	37
0　(45～54)	54	21
－1　(35～44)	29	11
－2　(34以下)	8	3

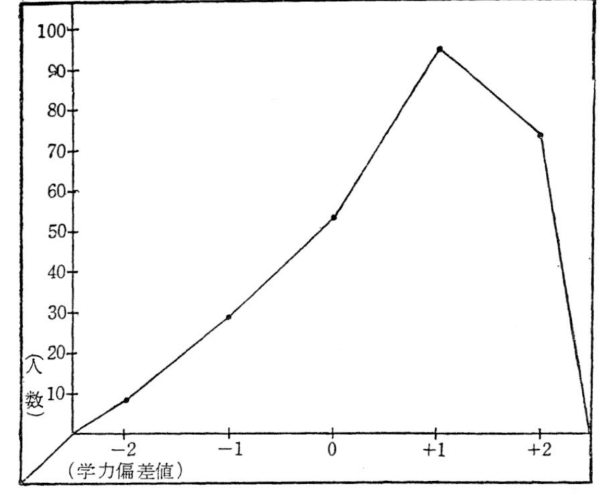

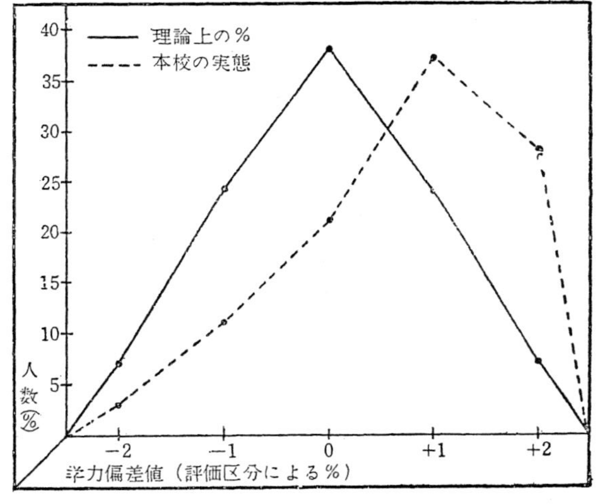

ロ　問題別正答数

問題一（聞く力）

	人　数	正答 %
全部できたもの	127	51
1 ば ん ぼ し	161	64
2 ば ん ぼ し	150	60
3 ば ん ぼ し	145	58

問題二（読む力）

—絵を見て字を読む—

	人　数	正答 %
全部読めたもの	66	26
あ　し	229	92
か　に	232	93
は な び	223	89
や か ん	221	88
ら じ お	223	89
へ　び	221	88
ば け つ	218	87
え ん ぴ つ	220	88
ほ　ん	218	87
め が ね	202	81
ま　り	198	79
さ　る	182	73
パ イ プ	122	49
う ち わ	136	54
た ま ご	125	50
な し の み	99	40
三 り ん し ゃ	98	39
キ ャ ベ ツ	83	33

問題三（書く力）

—絵を見て（　）の中に字を書く—

	人 数	正答 %
全 部 書 け た も の	2	1
く　(も)	220	88
(い)　ぬ	233	93
(う)　ま	217	87
で ん (し) (ゃ)	195	78
(げ)　た	209	84
ひ (よ) こ	218	87
(ど) び ん	58	23
(り) ん ご	189	76
(ち)ょ う ち ん	142	57
(こ)(う)(も)(り)がさ	33	13
か　(き)	108	43
て(っ)(き)(ょ)(う)	41	16
ろ う (そ) (く)	44	18
ちゅう(り)(っ)(ぷ)	23	9
(ち) (ゃ) わ ん	8	3
(ら) っ ぱ	17	7

問題四（読む力）

	人　数	正答 %
全部読めたもの	0	0
こ　い	100	40
とのさまがえる	95	38
おたまじゃくし	83	33
め だ か	48	19

問題五（語法の力）

	人 数	正答 %
全部できたもの	4	2
(1) 〜へ	206	82
(2) 〜を	219	88
(3) ほえました	210	84
(4) 〜と	180	72
(5) てっています	126	50
(6) 〜から	132	53
(7) ざあざあ	111	44
(8) 〜が	98	39
(9) ばさっと	51	20
(10) 〜を	25	10
(11) 〜が	20	8
(12) ひらひら	32	13
(13) 〜に	15	6
(14) ふいています	9	4

問題六（書く力）

		人 数	正答%
全部できたもの		66	22
(1)	全部できたもの	161	64
	一	203	81
	二	207	83
	三	214	86
	四	206	82
	五	202	81
	六	194	77
	七	190	76
	八	165	66
(2)	全部できたもの	146	58
	九	176	70
	十	147	59

(3)	全部できたもの	109	44
	山	150	60
	上	134	54
	日	113	45
(4)	全部できたもの	79	32
	川	105	42
	中	79	32

問題七（話す力）

―話のすじを絵で読み取る―

	人 数	正答 %
全部できたもの	75	30
(1)	113	45
(2)	115	46
(3)	130	52
(4)	90	36

問題八（作る力）

		人 数	正答%
全部できたもの		3	1
(1)	全部できたもの	51	20
	さらさら	163	65
	ぶるんぶるん	122	49
	そよそよ	76	30
	ぴよぴよ	79	32
(2)	全部できたもの	11	4
	いそいで	37	15
	はやく	17	7
	つめたい	6	2
	たのしそうに	4	2

（8） 第2学年国語学力検査の結果

イ　総合成績（学力偏差値分布状況）

評価区分	人数	%
+2(65以上)	83	43
+1(55〜64)	64	33
0 (45〜54)	35	18
−1(35〜44)	10	5
−2(34以下)	0	0

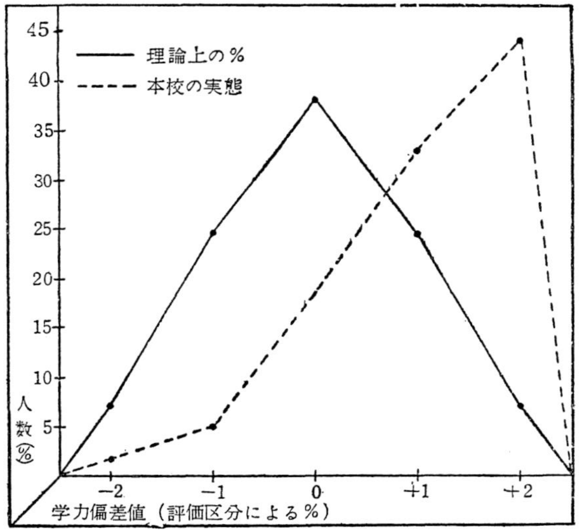

——— 理論上の%
- - - - 本校の実態
人数(%)
学力偏差値（評価区分による%）

ロ　それぞれの問題の成績

問題一（聞く力）

	人 数	正答 %
全部できたもの	84	44
(4) ドイツ	162	84
(7) ジャム	170	89
(9) チョコレート	164	85
(11) ココア	180	94
(12) おや牛	151	79

問題二（書く力）

	人 数	正答 %
全部書けたもの	0	0
雨	186	95
花	189	98
考	4	2
秋	143	74
草	175	91
虫	85	44
父	112	58
母	143	74
兄	30	16
妹	13	7

問題三（読む力）

	人 数	正答 %
全部読めたもの	34	18
(1) ロ ホ	60	31
(2) ハ ヘ	102	53

問題四（語法の力）

	人 数	正答 %
全部できたもの	100	52
(1) おきのどく	181	94
(2) ～が	183	95
(3) ～へ	165	86
(4) ～を	169	88
(5) たいくつ	147	77

問題五（読む力）

	人 数	正答 %
全部読めたもの	1	1
教 室	140	73
野 原	151	78
世 界	126	65
文 庫	112	58
日 記	131	68
学 級	96	50
全 部	41	21
太 陽	139	72
写 真	58	30
委 員	63	33

問題六（作る力）

	人 数	正答 %
全部できたもの	116	56
(1) さらさら	177	92
(2) はっきり	136	72
(3) さんせい	139	72
(4) ぴゅうぴゅう	153	80
(5) すらすら	137	72

問題七（話す力）

	人 数	正答 %
全部できたもの	137	71
(1) ただいま	178	93
(2) おめでとうございます	176	92
(3) よくいらっしゃいました	155	81
(4) さようなら	182	95

問題八（作る力）

	人 数	正答 %
全部できたもの	42	22
(1) 大いそぎで	149	78
(2) がっかりしました	106	55
(3) やっと	151	79
(4) きゅうに	135	70
(5) ほっとしました	86	45

Ｖ「ひらがな」「かたかな」の読み書き能力調査

１　調査の概略

（１）　調査の目的

この調査は，小学校の児童が「ひらがな」と「かたかな」をどれぐらい習得しているかを調査する目的で行われた。関東１都６県の33校の調査と，同一の基準・方法で行ったものであり，これによって本校の今後のかなの指導法の研究の資料をうることを目的としている。

（２）　調査の対象

イ　ひらがな読み書き能力調査——１，２，３年全員

ロ　かたかな読み書き能力調査——全学年全員

（３）　調査の日時

イ　ひらがな調査——第１回　29年４月26日

第２回　30年３月17日

ロ　かたかな調査——第１回　29年４月27日

第２回　30年３月18日

2　ひらがなの読み書き能力の調査

第１次調査の結果表（％）

昭和29年４月調査

読・書別		読む力									書く力								
学年		一年			二年			三年			一年			二年			三年		
人数		235（名）			172			154			235			172			154		
文字	正誤	正	誤	無	正	誤	無	正	誤	無	正	誤	無	正	誤	無	正	誤	無
1	は	75	2	23	100	0	0	100	0	0	53	5	42	97	1	2	100	0	0
2	お	81	1	18	99	0	1	100	0	0	64	8	28	96	3	1	99	1	0
3	る	75	4	21	99	0	1	100	0	0	55	2	43	98	1	1	100	0	0
4	つ	76	1	23	99	0	1	100	0	0	63	2	35	99	0	1	100	0	0
5	て	79	1	20	99	0	1	100	0	0	59	2	39	99	0	1	100	0	0
6	や	76	1	23	99	0	1	100	0	0	57	12	31	98	1	1	97	3	0
7	さ	65	9	26	99	0	1	100	0	0	59	4	37	98	1	1	100	0	0
8	ろ	70	4	26	99	0	1	100	0	0	58	3	39	98	1	1	98	2	0
9	ま	80	1	19	99	0	1	100	0	0	71	2	27	97	2	1	98	2	0
10	ぬ	61	13	26	99	0	1	100	0	0	32	10	58	97	2	1	99	1	0
11	そ	67	1	32	99	0	1	100	0	0	37	4	59	97	1	2	100	0	0
12	し	80	2	18	100	0	0	100	0	0	68	4	28	98	1	1	100	0	0
13	え	75	3	22	99	0	1	100	0	0	52	2	46	95	4	1	91	9	0
14	の	80	1	19	99	0	1	100	0	0	65	3	32	99	0	1	100	0	0
15	い	81	1	18	100	0	0	100	0	0	66	2	32	99	0	1	99	1	0
16	あ	78	3	19	99	0	1	100	0	0	67	6	37	98	1	1	99	1	0
17	ひ	75	2	23	99	0	1	100	0	0	55	9	36	98	1	1	99	1	0
18	り	74	3	23	99	0	1	100	0	0	54	4	42	98	1	1	99	1	0
19	れ	69	3	28	99	0	1	100	0	0	27	9	64	98	1	1	99	1	0
20	こ	81	2	17	99	0	1	100	0	0	70	1	29	98	1	1	99	1	0
21	み	79	1	20	99	0	1	100	0	0	59	5	36	98	1	1	99	1	0
22	と	80	1	19	100	0	0	100	0	0	56	4	40	98	2	0	100	0	0
23	ち	75	4	21	99	0	1	100	0	0	61	4	35	99	0	1	99	1	0
24	た	83	2	15	99	0	1	100	0	0	64	5	31	99	0	1	100	0	0
25	ら	68	3	29	99	0	1	100	0	0	47	6	47	98	1	1	97	3	0
26	ふ	74	2	24	99	0	1	100	0	0	32	13	55	90	9	1	81	19	0
27	め	73	1	26	99	0	1	100	0	0	44	6	50	98	2	0	96	3	1
28	ほ	64	4	32	99	0	1	100	0	0	34	13	53	95	4	1	97	3	0
29	わ	68	2	30	99	0	1	100	0	0	43	5	52	94	5	1	100	0	0
30	な	77	2	21	99	0	1	100	0	0	49	6	45	93	5	2	99	1	0
31	ん	82	1	17	99	0	1	100	0	0	58	7	35	93	5	2	99	1	0
32	よ	77	1	22	99	0	1	100	0	0	57	4	39	95	3	2	99	1	0
33	け	76	1	23	99	0	1	100	0	0	54	4	42	97	2	1	98	2	0

読・書別		読	む		力					
学年		一	年		二	年		三	年	
人数		235(名)			172			154		
文字 \ 正誤		正	誤	無	正	誤	無	正	誤	無
34	む	66	1	33	99	0	1	100	0	0
35	ゆ	75	1	24	99	0	1	100	0	0
36	す	77	3	20	99	1	0	100	0	0
37	に	74	1	25	100	0	0	100	0	0
38	を	69	1	30	99	1	0	100	0	0
39	ね	66	3	31	98	1	1	100	0	0
40	せ	74	1	25	100	0	0	100	0	0
41	う	78	1	21	99	0	1	100	0	0
42	も	74	1	25	99	0	1	100	0	0
43	き	75	1	24	99	0	1	100	0	0
44	へ	70	4	26	99	0	1	99	1	0
45	く	77	1	22	99	0	1	100	0	0
46	か	83	2	15	99	0	1	100	0	0
47	だ	66	8	26	95	4	1	99	1	0
48	び	58	7	35	97	2	1	99	1	0
49	が	66	7	27	98	1	1	100	0	0
50	じ	68	3	29	98	1	1	100	0	0
51	ず	65	4	31	99	0	1	100	0	0
52	べ	60	3	37	99	0	1	99	1	0
53	ぐ	66	2	32	99	0	1	100	0	0
54	ぜ	73	3	24	99	0	1	100	0	0
55	ど	66	3	31	99	0	1	100	0	0
56	ば	63	6	31	99	0	1	100	0	0
57	ご	63	6	31	99	0	1	100	0	0
58	ざ	57	9	34	98	1	1	100	0	0
59	ち	54	6	40	98	1	1	100	0	0
60	ぶ	62	6	32	99	0	1	100	0	0
61	ぎ	65	4	31	98	1	1	100	0	0
62	づ	67	1	32	98	0	2	100	0	0
63	で	65	6	29	99	0	1	100	0	0
64	ぽ	55	6	39	99	0	1	99	0	1
65	げ	65	5	30	99	0	1	100	0	0
66	ぞ	59	6	35	99	0	1	100	0	0
67	ぱ	47	13	40	98	1	1	98	2	0
68	ぼ	49	3	48	95	2	3	98	1	1
69	ぴ	52	10	38	98	0	2	100	0	0
70	ぺ	46	11	43	99	0	1	99	1	0
71	ぷ	48	9	43	96	2	2	100	0	0

書		く			力			
一	年		二	年		三	年	
235			172			154		
正	誤	無	正	誤	無	正	誤	無
28	13	59	96	3	1	97	2	1
39	10	51	96	2	2	99	0	1
60	2	38	98	1	1	100	0	0
56	3	41	98	1	1	100	0	0
24	28	48	86	13	1	93	7	0
37	4	59	95	2	3	99	1	0
42	9	49	99	0	1	97	3	0
62	1	37	99	0	1	99	1	0
58	2	40	97	2	1	97	3	0
60	6	34	98	1	1	100	0	0
43	1	56	89	9	2	98	2	0
67	8	35	97	2	1	99	1	0
64	4	32	87	12	1	100	0	0
47	6	47	98	1	1	99	1	0
35	3	62	97	2	1	94	5	1
51	8	41	97	2	1	97	3	0
47	4	49	97	1	2	99	0	1
38	8	54	81	17	2	92	7	1
35	3	62	96	1	3	98	2	0
37	11	52	97	2	1	96	3	1
35	7	58	95	4	1	98	2	0
48	6	46	97	2	1	97	2	1
38	6	56	97	2	1	96	3	1
46	3	51	97	1	2	99	0	1
35	4	61	93	4	3	97	2	1
19	28	53	47	47	6	75	12	13
26	8	66	86	12	2	75	25	0
38	7	55	96	2	2	98	2	0
28	22	50	50	47	3	84	12	4
45	4	51	95	4	1	97	2	1
26	10	64	94	5	1	94	5	1
33	6	61	91	5	4	98	2	0
21	7	72	94	3	3	95	3	2
29	3	68	89	7	4	94	5	1
17	13	70	90	6	4	92	7	1
28	8	64	95	4	1	95	5	0
22	9	69	88	6	6	94	4	2
17	11	12	81	15	4	73	24	3

第２次調査の結果表

昭和30年３月調査

能力区分		読む力									書く力								
学年		一年			二年			三年			一年			二年			三年		
人数		２５０名			１８７名			１６０名			２５０名			１８７名			１６０名		
文字	正誤	正	誤	無	正	誤	無	正	誤	無	正	誤	無	正	誤	無	正	誤	無
1	は	100	0	0	100	0	0	100	0	0	100	0	0	99	1	0	100	0	0
2	お	100	0	0	100	0	0	100	0	0	99	1	0	100	0	0	99	1	0
3	る	98	1	1	100	0	0	100	0	0	98	1	1	99	1	0	100	0	0
4	つ	99	1	0	100	0	0	100	0	0	100	0	0	100	0	0	100	0	0
5	て	99	1	0	100	0	0	99	1	0	100	0	0	100	0	0	100	0	0
6	や	100	0	0	100	0	0	99	1	0	100	0	0	97	3	0	100	0	0
7	さ	99	0	1	100	0	0	100	0	0	99	1	0	98	2	0	100	0	0
8	ろ	98	1	1	100	0	0	100	0	0	99	1	0	97	3	0	99	1	0
9	ま	99	0	1	100	0	0	100	0	0	99	0	1	100	0	0	100	0	0
10	ぬ	96	3	1	100	0	0	100	0	0	96	1	3	98	2	0	100	0	0
11	そ	99	0	1	100	0	0	100	0	0	96	2	2	99	1	0	100	0	0
12	し	100	0	0	100	0	0	100	0	0	98	1	1	99	1	0	99	1	0
13	え	100	0	0	100	0	0	100	0	0	97	1	2	99	0	0	99	0	1
14	の	99	0	1	100	0	0	100	0	0	98	1	1	98	2	0	99	0	1
15	い	100	0	0	100	0	0	100	0	0	99	0	1	99	1	0	99	0	1
16	あ	99	0	1	100	0	0	100	0	0	98	1	1	100	0	0	100	0	0
17	ひ	99	0	1	100	0	0	99	1	0	98	1	1	100	0	0	100	0	0
18	り	99	0	1	100	0	0	100	0	0	99	1	0	100	0	0	100	0	0
19	れ	98	1	1	100	0	0	99	0	1	97	1	2	98	2	0	99	0	1
20	こ	99	0	1	100	0	0	100	0	0	98	1	1	100	0	0	100	0	0
21	み	99	0	1	100	0	0	100	0	0	99	0	1	100	0	0	99	0	1
22	と	99	0	1	100	0	0	99	0	1	98	1	1	99	1	0	99	0	1
23	ち	99	0	1	100	0	0	100	0	0	97	1	2	100	0	0	99	0	1
24	た	99	0	1	100	0	0	100	0	0	98	1	1	99	1	0	99	0	1
25	ら	99	0	1	100	0	0	100	0	0	96	1	3	98	2	0	99	0	1
26	ふ	100	0	0	100	0	0	99	1	0	94	2	4	97	3	0	98	1	1
27	め	99	0	1	100	0	0	100	0	0	96	2	2	99	1	0	99	0	1
28	ほ	98	1	1	100	0	0	100	0	0	96	2	2	98	2	0	100	0	0
29	わ	99	0	1	100	0	0	100	0	0	98	1	1	99	1	0	99	0	1
30	な	99	0	1	100	0	0	100	0	0	99	0	1	100	0	0	99	0	1
31	ん	99	0	1	100	0	0	100	0	0	97	1	2	99	1	0	99	0	1
32	よ	100	0	0	100	0	0	100	0	0	98	0	2	100	0	0	99	1	0
33	け	99	0	1	100	0	0	99	0	1	99	0	1	99	1	0	99	0	1
34	む	99	0	1	100	0	0	100	0	0	95	1	4	97	2	1	99	1	0
35	ゆ	99	0	1	100	0	0	100	0	0	98	1	1	99	1	0	100	0	0

能力区分		読む力									書く力								
学年		一年			二年			三年			一年			二年			三年		
人数		250名			187名			160名			250名			187名			160名		
文字	正誤	正	誤	無	正	誤	無	正	誤	無	正	誤	無	正	誤	無	正	誤	無
36	す	100	0	0	100	0	0	100	0	0	98	1	1	99	1	0	97	0	1
37	に	100	0	0	100	0	0	100	0	0	97	2	1	100	0	0	100	0	0
38	お	99	0	1	100	0	0	100	0	0	98	1	1	98	2	0	99	1	0
39	ね	99	0	1	100	0	0	99	0	1	97	1	2	99	1	0	99	0	1
40	せ	99	0	1	100	0	0	99	0	1	98	1	1	98	2	0	98	1	1
41	う	99	0	1	100	0	0	99	0	1	98	1	1	99	1	0	99	0	1
42	も	99	0	1	100	0	0	99	1	0	99	0	1	98	2	0	100	0	0
43	き	99	0	1	100	0	0	99	0	1	98	1	1	99	1	0	100	0	0
44	へ	99	1	0	100	0	0	99	1	0	96	2	2	98	1	1	98	1	1
45	く	99	0	1	100	0	0	100	0	0	98	1	1	99	1	0	99	0	1
46	か	100	0	0	100	0	0	100	0	0	98	1	1	99	1	0	99	0	1
47	だ	98	1	1	100	0	0	99	0	1	96	2	2	100	0	0	99	0	1
48	び	98	1	1	100	0	0	99	0	1	96	2	2	99	1	0	98	0	2
49	が	99	0	1	100	0	0	100	0	0	98	1	1	99	1	0	100	0	0
50	じ	99	0	1	100	0	0	99	1	0	97	1	2	98	2	0	100	0	0
51	ず	98	1	1	100	0	0	100	0	0	96	2	2	98	2	0	97	2	1
52	べ	98	1	1	99	0	1	99	0	1	97	1	2	99	0	1	97	2	1
53	ぐ	98	1	1	100	0	0	99	0	1	96	2	2	100	0	0	97	1	2
54	ぜ	98	1	1	100	0	0	99	0	1	95	3	2	99	1	0	97	1	2
55	ど	99	0	1	100	0	0	99	0	1	94	2	4	99	0	1	98	0	2
56	ば	99	0	1	100	0	0	99	0	1	96	2	2	99	1	0	97	1	2
57	ご	99	0	1	100	0	0	99	1	0	97	2	1	100	0	0	98	1	1
58	ざ	99	0	1	100	0	0	99	0	1	96	2	2	97	3	0	99	0	1
59	ぢ	98	1	1	99	0	1	99	0	1	96	2	2	95	5	0	96	1	3
60	ぶ	98	1	1	100	0	0	100	0	0	93	3	4	96	4	0	97	1	2
61	ぎ	99	0	1	100	0	0	99	0	1	97	1	2	99	1	0	97	1	2
62	づ	99	0	1	100	0	0	99	0	1	95	2	3	92	7	1	93	5	2
63	で	99	0	1	100	0	0	99	0	1	99	0	1	99	1	0	97	1	2
64	ぼ	99	0	1	100	0	0	99	1	0	94	2	4	98	1	1	98	1	1
65	げ	99	0	1	100	0	0	99	0	1	95	2	3	98	2	0	98	0	2
66	ぞ	98	1	1	100	0	0	99	0	1	94	1	5	98	1	1	98	0	2
67	ぱ	96	3	1	99	0	1	99	0	1	93	2	5	97	2	1	99	0	1
68	ぽ	98	1	1	99	0	1	99	0	1	89	3	8	97	2	1	97	2	1
69	ぴ	99	0	1	98	1	1	99	0	1	94	1	5	94	5	1	97	2	1
70	ぺ	98	1	1	98	1	1	99	0	1	93	2	5	98	1	1	97	2	1
71	ぷ	98	1	1	98	1	1	99	0	1	90	5	5	92	7	1	97	2	1

3 かたかなの読み書き能力調査

かたかなを書く能力に関する第1次調査の結果表（%）

調査の結果表は3年生まで掲げることにした。　　（昭和29年4月調査）

学年		一年			二年			三年		
人数		235名			172名			154名		
文字	正誤	正	誤	無	正	誤	無	正	誤	無
1	ハ	8	2	90	59	2	39	95	5	0
2	オ	8	2	90	58	6	36	93	5	3
3	ル	2	2	96	36	8	56	93	4	3
4	ツ	1	2	97	30	16	54	79	11	10
5	テ	1	1	98	42	5	53	77	9	14
6	ヤ	9	4	87	30	8	62	93	5	2
7	サ	2	2	96	31	3	66	75	11	14
8	ロ	1	1	98	37	2	61	86	3	11
9	マ	4	1	95	41	3	56	87	5	8
10	ヌ	1	2	97	19	2	79	69	9	22
11	ソ	1	1	98	21	8	71	68	7	25
12	シ	2	4	94	37	11	52	75	15	10
13	エ	4	1	95	25	6	69	67	11	22
14	ノ	2	2	96	49	2	49	88	4	8
15	イ	6	2	92	53	5	42	93	2	5
16	ア	5	3	92	48	9	43	87	10	3
17	ヒ	1	1	98	39	6	55	79	5	16
18	リ	6	1	93	53	2	45	96	3	1
19	レ	1	1	98	31	6	62	85	4	11
20	コ	11	4	85	48	5	47	88	5	7
21	ミ	3	1	96	40	13	47	72	12	16
22	ト	6	1	93	47	5	48	87	4	9
23	チ	1	1	98	27	5	68	82	7	11
24	タ	4	2	94	44	2	54	88	3	9
25	ラ	4	1	95	43	1	56	87	3	10
26	フ	2	1	97	27	3	70	83	3	14
27	メ	1	1	98	20	5	75	71	9	20
28	ホ	1	2	97	23	2	75	81	4	15
29	ワ	2	4	94	13	5	82	66	5	29
30	ナ	2	4	94	42	3	55	85	5	10
31	ン	3	2	95	45	14	41	82	9	9
32	ヨ	3	1	96	36	2	62	78	2	20
33	ケ	1	2	97	25	9	66	74	5	21
34	ム	1	1	98	29	2	69	77	3	20
35	ユ	1	1	98	26	2	72	70	5	25

（昭和29年4月調査）

学年		一年			二年			三年		
人数		235名			172名			154名		
文字	正誤	正	誤	無	正	誤	無	正	誤	無
36	ス	4	2	94	30	3	67	86	2	12
37	ニ	3	1	96	39	2	59	88	2	10
38	オ	1	4	95	15	15	70	55	13	32
39	ネ	1	1	98	16	5	79	62	9	29
40	セ	1	1	98	16	5	79	61	20	19
41	ウ	1	1	98	23	9	58	76	8	16
42	モ	3	1	96	23	8	69	70	18	12
43	キ	11	2	87	74	3	12	95	2	3
44	ヘ	1	0	99	33	1	66	94	2	4
45	ク	3	3	94	30	8	62	83	5	12
46	カ	16	2	82	77	3	20	99	0	1
47	ダ	2	2	96	38	4	58	91	3	6
48	ビ	1	0	99	40	2	58	77	9	14
49	ガ	9	1	90	54	12	34	90	8	2
50	ジ	1	3	96	25	6	69	68	15	17
51	ズ	2	4	94	27	10	63	79	11	10
52	ベ	1	1	98	32	2	66	92	2	6
53	グ	1	0	99	30	4	66	88	5	7
54	ゼ	1	1	98	20	9	71	63	23	14
55	ド	3	1	96	51	3	46	89	3	8
56	バ	4	0	96	44	1	55	87	2	11
57	ゴ	4	1	95	44	5	51	90	7	3
58	ザ	1	1	98	25	8	67	75	13	12
59	デ	1	1	98	8	23	69	51	25	24
60	ブ	4	1	95	23	5	72	88	3	9
61	ギ	12	2	86	59	5	36	92	5	3
62	ヅ	1	1	98	9	20	71	49	26	25
63	デ	1	1	98	31	3	66	72	9	19
64	ボ	1	1	98	28	2	70	84	4	12
65	ゲ	1	1	98	28	3	69	72	5	23
66	ゾ	7	1	92	16	8	76	66	16	18
67	パ	1	0	99	61	2	30	88	9	3
68	ポ	3	0	97	31	5	65	81	8	11
69	ピ	2	0	98	47	3	50	86	5	9
70	ペ	2	0	98	38	2	60	86	5	9
71	プ	1	1	98	28	4	68	83	4	8

かたかなを書く能力に関する第２次調査の結果表　(%)

調査の結果表は３年生まで掲げることにした。　(昭和30年３月調査)

学年		一年			二年			三年		
人数		250名			187名			160名		
文字	正誤	正	誤	無	正	誤	無	正	誤	無
1	ハ	96	1	3	99	1	0	99	1	0
2	オ	95	1	4	98	1	1	99	0	1
3	ル	92	1	7	99	0	1	97	2	1
4	ツ	84	5	11	92	8	0	94	5	1
5	テ	81	4	15	98	1	1	97	2	1
6	ヤ	93	2	5	97	3	0	98	1	1
7	サ	80	2	18	97	3	0	96	1	3
8	ロ	81	1	18	97	1	2	98	0	2
9	マ	86	4	10	93	2	1	97	1	2
10	ヌ	81	4	15	86	5	9	93	4	3
11	ソ	80	4	16	96	2	2	93	3	4
12	シ	84	3	13	96	3	1	93	5	2
13	エ	90	1	9	96	1	3	94	2	4
14	ノ	88	2	10	99	1	0	97	0	3
15	イ	86	2	12	100	0	0	98	1	1
16	ア	92	3	5	95	4	1	98	1	1
17	ヒ	81	3	16	97	2	1	97	1	2
18	リ	92	1	7	97	3	0	98	1	1
19	レ	89	1	10	97	0	3	96	2	2
20	コ	91	3	6	99	0	1	99	0	1
21	ミ	86	5	9	95	4	1	93	4	3
22	ト	91	1	8	99	0	1	98	1	1
23	チ	86	1	13	95	3	2	97	1	2
24	タ	91	2	7	98	1	1	96	2	2
25	ラ	85	2	13	98	1	1	95	2	3
26	フ	93	2	5	99	0	1	93	4	3
27	メ	80	4	16	95	3	2	95	1	4
28	ホ	83	2	15	98	0	2	95	1	4
29	ワ	70	5	25	93	4	3	90	5	5
30	ナ	85	1	14	98	1	1	96	1	3
31	ソ	92	2	6	99	1	0	97	1	2
32	ヨ	85	3	12	98	1	1	92	4	4
33	ケ	87	2	11	96	2	2	91	5	4
34	ム	84	2	14	97	1	2	94	3	3
35	ユ	79	3	18	93	2	5	93	4	3

(昭和30年３月調査)

学年		一年			二年			三年		
人数		250名			187名			160名		
文字	正誤	正	誤	無	正	誤	無	正	誤	無
36	ス	86	3	11	98	1	1	98	1	1
37	ニ	85	1	14	97	1	2	95	1	4
38	ヲ	73	2	25	92	6	2	91	4	5
39	ネ	73	7	20	89	3	8	88	4	8
40	セ	83	5	12	92	6	2	88	7	5
41	ウ	84	3	13	98	1	1	93	4	3
42	モ	88	4	8	87	13	0	84	13	3
43	キ	97	1	2	98	1	1	97	1	2
44	ヘ	88	3	9	98	2	0	96	1	3
45	ク	89	3	8	97	2	1	95	1	4
46	カ	97	2	1	100	0	0	97	2	1
47	ダ	90	2	8	99	0	1	96	0	4
48	ビ	87	4	9	96	4	0	95	1	4
49	ガ	90	3	7	96	4	0	97	1	2
50	ジ	77	7	16	94	4	2	96	2	2
51	ズ	84	3	13	94	4	2	91	5	4
52	ベ	89	4	7	98	1	1	96	2	2
53	グ	82	5	13	97	1	2	94	2	4
54	ゼ	80	4	16	89	8	3	91	5	4
55	ド	89	2	9	98	1	1	94	1	5
56	バ	86	2	12	98	1	1	94	2	4
57	ゴ	91	1	8	99	0	1	97	1	2
58	ザ	75	5	20	94	4	2	94	2	4
59	ヂ	75	5	20	86	11	3	85	8	7
60	ブ	73	4	23	98	2	0	96	0	4
61	ギ	88	3	9	99	1	0	96	1	3
62	ヅ	69	10	21	83	15	2	76	17	7
63	デ	72	4	24	85	3	2	93	2	5
64	ボ	79	3	18	96	2	2	95	1	4
65	ゲ	83	2	15	96	2	2	94	2	4
66	ゾ	64	5	31	96	2	2	88	5	7
67	パ	91	2	7	97	2	1	95	3	2
68	ポ	89	2	9	97	1	2	93	3	4
69	ピ	83	2	15	97	2	1	94	4	2
70	ペ	86	2	12	99	1	0	93	3	4
71	プ	80	3	17	96	3	1	93	3	4

かたかなを書く能力に関する第1次調査の結果の考察

(1) 第1学年(235名)

イ おもな誤りの例

かな	誤%	おもな誤り	かな	誤%	おもな誤り	かな	誤%	おもな誤り
ア	3	ヲ マ	ノ	2	エ	グ	0	
イ	2	ト ハ	ハ	2		ゲ	1	ケ゛
ウ	1	ぅ ラ	ヒ	1		ゴ	1	ビ ゴ
エ	1		フ	1		ザ	1	ヅ ヒ
オ	2	才 木	ヘ	0		ジ	3	ヅ
カ	2	ヤ	ホ	2		ズ	4	ベ ツ
キ	2	チ	マ	1		ゼ	1	ヅす
ク	3	コ く	ミ	1	ミ	ゾ	1	ジ
ケ	2		ム	1	マ	ダ	2	ダ グ
コ	4	ㄷ	メ	1	ナ	ヂ	1	ジ
サ	2	ン	モ	1	モ	ヅ	1	ズ
シ	4	ツ シ	ヤ	4	ヤヤヤヤ	デ	1	
ス	2		ユ	1	ユ	ド	1	ヒト ト
セ	1	ウ	ヨ	1		バ	0	
ソ	1		ラ	1		ビ	0	
タ	2	タ 9	リ	1	り	ブ	1	ヮ
チ	1	チ	ル	2		ベ	1	へ
ツ	2	シ	レ	1	ル	ボ	1	ゴ゛ヒ
テ	1		ロ	1	マ	パ	0	ハ
ト	1	トイ	ワ	4	ク	ピ	0	
ナ	4	セ	ヲ	4	オユ゛ゴ゛	プ	1	グ
ニ	1		ン	2	シンツシ	ペ	0	
ヌ	2		ガ	1		ポ	0	
ネ	1	ネ	ギ	2	キ ギ			

ロ 誤りの多い順序

順位	番号	文字	実数	百分率	順位	番号	文字	実数	百分率	順位	番号	文字	実数	百分率
1	6	ヤ	11	4	13	14	ノ	6	2	25	36	ス	5	2
2	38	ヲ	11	4	14	24	タ	6	2	26	46	カ	5	2
3	20	コ	10	4	15	43	キ	6	2	27	47	ダ	5	2
4	30	ナ	10	4	16	62	ヅ	6	2	28	11	ソ	4	1
5	12	シ	9	4	17	4	ツ	5	2	29	21	ミ	4	1
6	51	ズ	9	4	18	7	サ	5	2	30	22	ト	4	1
7	16	ア	7	3	19	10	ヌ	5	2	31	35	ユ	4	1
8	45	ク	7	3	20	15	イ	5	2	32	59	デ	4	1
9	50	ジ	7	3	21	28	ホ	5	2	33	17	ヒ	3	1
10	1	ハ	6	2	22	29	ワ	5	2	34	18	リ	3	1
11	2	オ	6	2	23	31	ン	5	2	35	19	レ	3	1
12	3	ル	6	2	24	33	ケ	5	2					

ハ 本調査に現れた学年的傾向

(イ) 字体の正確な認知や，正しい筆順についての知識，練習などの不足から起る誤答が多いようである。

(ロ) 左右を反対に書く傾向が誤答の中に多く見られる。

(ハ) ひらがなとの混同が割合に多く見られる。

(ニ) 濁点，半濁点の位置が不正確である。

(ホ) 類似した字体の文字の識別がふじゅうぶんである。

ニ 所見および反省

(イ) 字体および筆順・濁点・半濁点の打ち方などを正しく書かせるような指導が必要であると思う。

(ロ) 字体の類似しているものを，はっきり識別できるような能力をつけていきたい。

（２） **第２学年**（172名）

（第１学年の調査結果の参考として，第２学年の調査結果も掲げることにした）

イ　おもな誤りの例（誤字の下は人数）

かな	誤%	おもな誤り	かな	誤%	おもな誤り
ア	9	リケマヒイウハアマア 2 1 5 1 1 1 1 1 1 1	ヌ		
イ	5	人アヒヌ 3 2 1 1	ネ	5	テネヲオ 1 6 1 1
ウ	9	モウサラもワう 3 1 1 2 2 1 1	ノ		
エ	6	ヘノ士土う 2 2 1 1 1	ハ		
オ	6	大ホオ 6 1 1	ヒ	6	ピリユビ日ウリ゛ワ 1 2 1 1 1 1 1 1
カ			フ		
キ			ヘ		
ク	8	カウワスク 1 1 6 1 1	ホ		
ケ	9	ゖユケKム 3 1 1 1 2	マ		
コ	5	子レヨに 2 1 2 2	ミ	13	ツ彡三ミシユ 1 11 2 3 1 1
サ			ム		
シ	11	ツシサエヒジレノ 7 1 1 3 3 2 2 1	メ	5	ホメナフ 1 4 3 1
ス			モ	8	キチモラキモ 2 3 2 1 1 1
セ	5	セウサモせ 2 3 2 1 1	ヤ	8	ヤカアコヤ
ソ	8	レリフシンツソ 2 1 1 2 1 2 1	ユ		
タ			ヨ		
チ	5	ナチイタチ 2 3 1 1 1	ラ		
ツ	16	シテワシ 15 1 1 1	リ		
テ	5	チヤチチチ 1 2 2 1 1	ル	8	ハJLJルシンソロ 3 4 1 1 1 1 1 1
ト	5	イど人ミ 1 1 3 1	レ	6	ミソルエコレJ 1 1 1 1 1 1 2
ナ			ロ		
ニ			ワ	5	ク ね ナ ハ 2 1 2 2

かな	誤%	おもな誤り	かな	誤%	おもな誤り
ヲ	15	オモヲをモトタネユゴヲ 7 1 1 1 1 1 1 1 1 7 2	ヂ	23	ジヅブザゲッギ 23 6 3 1 1 1 1
ン	14	ソんシヨソケ 10 2 1 1 1 2	ヅ	20	ズブチジワ゛ズ 24 4 1 2 1 1
ガ			デ		
ギ			ド		
グ			バ		
ゲ			ビ		
ゴ			ブ	5	ゲジプブ 5 1 1 1
ザ	8	ガビゼブゼサバ 1 1 1 1 1 1 1	ベ		
ジ	6	ツ゛ピズヅじヂ 1 1 1 5 1 1	ボ		
ズ	10	ヅベズスジッ 8 2 2 1 1 1	パ		
ゼ	9	ドセザセビワ゛せ 4 3 2 1 2 2 1	ピ		
ゾ	8	パソヅゲぞゾヂジ 2 3 1 1 1 1 1 1	プ		
ダ			ペ		
			ポ		

ロ　誤りの多い文字の順序

順位	番号	文字	実数	百分率	順位	番号	文字	実数	百分率	順位	番号	文字	実数	百分率
1	59	ヂ	38	23	13	54	ゼ	15	9	25	50	ジ	11	6
2	62	ヅ	34	20	14	3	ル	13	8	26	5	テ	8	5
3	4	ツ	27	16	15	6	ヤ	14	8	27	15	イ	8	5
4	38	ヲ	26	15	16	11	ソ	12	8	28	20	コ	8	5
5	31	ン	24	14	17	42	モ	13	8	29	22	ト	9	5
6	21	ミ	22	13	18	45	ク	12	8	30	23	チ	8	5
7	49	ガ	18	12	19	58	ザ	14	8	31	27	メ	9	5
8	12	シ	17	11	20	66	ゾ	13	8	32	29	ワ	9	5
9	51	ズ	16	10	21	2	オ	10	6	33	39	ネ	8	5
10	16	ア	15	9	22	13	エ	10	6	34	40	セ	9	5
11	33	ケ	15	9	23	17	ヒ	10	6	35	50	ブ	8	5
12	41	ウ	15	9	24	19	ン	11	6					

ハ　本調査に現れた学年的傾向

(イ)　「ヲ」は語いとして使わないので書けない。

(ロ)　「シ」と「ツ」，「ン」と「ソ」の混用や筆順の不正確が多い。

(ハ)　「ネ」は字体がむずかしいので書けていない。

(ニ)　「パ」「キ」「リ」「へ」「ヤ」は字形上，環境上，習得が容易である。

(ホ)　「ます」をずらして書いたための誤答が見られる。

ニ　所見および反省

(イ)　字形および筆順が不正確な点を直していきたい。

(ロ)　漢字と混用（ハ，ロ）が見られるので，はっきり区別するように指導していきたい。

（第3学年以上の調査結果は略す）

（3）　6学年（1～6）**共通の傾向**（書くこと）

イ　濁音，半濁音が全般的に書けていない。

ロ　混同しやすい文字（字体・音・漢字・ひらがな）との識別がふじゅうぶんのようである。

ハ　字体，筆順が不正確であり，書き方が一般に乱暴である。

ニ　誤答率は，高学年に行くほど，かえって多くなっている。これは既習教材のかたかなが少なかったためと，低学年のとき，ほとんどかたかなの学習が行われていなかったことを意味し，1，2年がよいのは系統的指導が行われ始めていたからである。

（次ページの表参照）

6学年（1～6）共通の書くことの誤答傾向

∘数字は誤答の%

∘（　）の中の数字はその学年での順位

文字	番号	書くこと 1年	2年	3年	4年	5年	6年
ヅ	62	(16) 2%	(2) 20%	(1) 26%	(2) 55%	(1) 50%	(1) 41%
ヂ	59	(32) 1	(1) 23	(2) 25	(1) 65	( ) 7	(2) 29
ゼ	54	( ) 1	(13) 9	(3) 23	(4) 23	(6) 35	(9) 6
ヲ	38	(2) 4	(4) 15	(10) 13	(3) 26	(3) 46	(5) 12
ジ	50	(9) 3	(25) 6	(7) 15	(8) 13	(31) 14	(8) 7
ズ	51	(6) 4	(9) 10	(15) 11	(6) 16	(16) 23	(3) 17
ツ	4	(17) 2	(3) 16	(12) 11	(7) 15	(19) 21	(6) 9
シ	12	(5) 4	(8) 11	(8) 15	(11) 11	(24) 18	(11) 5
セ	40	( ) 1	(34) 5	(4) 20	(5) 21	(5) 36	(14) 5
ミ	21	(29) 1	(6) 13	(11) 12	(10) 12	(15) 23	(4) 12
ヌ	10	(19) 2	( ) 2	(18) 9	( ) 5	(2) 46	(10) 6
ゾ	66	( ) 1	(20) 8	(6) 16	(14) 9	(13) 24	(7) 7

かたかなを読む能力に関する第1次調査の結果表

(調査の結果表は3年生まで掲げることにした)

学年		1年			2年			3年		
人数		235名			172名			154名		
文字	正誤	正	誤	無	正	誤	無	正	誤	無
1	ハ	27	1	72	75	2	23	99	1	0
2	オ	28	1	71	78	1	21	97	0	3
3	ル	19	1	80	59	3	38	94	3	3
4	ツ	12	9	79	46	16	38	82	10	8
5	テ	12	2	86	61	5	34	95	2	3
6	ヤ	49	1	50	96	0	4	100	0	0
7	サ	23	20	57	73	5	22	97	3	0
8	ロ	17	3	80	70	4	26	98	0	2
9	マ	23	4	73	72	3	25	97	0	3
10	ヌ	7	8	85	31	13	56	82	8	10
11	ソ	9	11	80	49	24	27	89	6	5
12	シ	14	3	83	57	5	38	88	6	6
13	エ	20	1	79	65	1	34	92	3	5
14	ノ	21	3	76	82	1	17	97	0	3
15	イ	25	2	73	75	3	22	97	0	3
16	ア	20	1	79	65	2	33	95	4	1
17	ヒ	18	3	79	69	1	30	93	2	5
18	リ	57	1	42	88	0	12	100	0	0
19	レ	14	9	77	60	5	35	93	3	4
20	コ	31	1	68	78	1	21	99	1	0
21	ミ	26	3	71	85	0	15	96	1	3
22	ト	20	2	78	73	1	26	98	0	2
23	テ	16	3	81	65	9	28	97	0	3
24	タ	20	2	78	65	4	31	97	0	3
25	ラ	22	14	64	69	7	24	97	1	2
26	フ	15	4	81	50	6	44	95	0	5
27	メ	16	1	83	61	2	37	97	0	3
28	ホ	19	5	76	72	6	22	99	0	1
29	ワ	10	1	89	38	8	54	84	8	8
30	ナ	15	2	83	61	0	39	95	2	3
31	ソ	21	1	78	71	3	26	93	4	3
32	ヨ	17	1	82	73	2	25	93	2	5
33	ケ	16	1	83	67	0	33	97	1	2
34	ム	14	1	85	55	4	41	95	1	4
35	ユ	12	2	86	48	5	47	87	5	8

(昭和29年4月調査)

学年		1年			2年			3年		
人数		235名			172名			154名		
文字	正誤	正	誤	無	正	誤	無	正	誤	無
36	ス	26	3	71	73	3	24	99	0	1
37	ニ	32	2	66	87	0	13	97	1	2
38	ヲ	6	1	93	35	0	65	75	7	22
39	ネ	13	8	79	50	1	49	94	1	5
40	セ	27	5	78	63	1	36	95	2	3
41	ウ	17	1	82	61	1	38	94	2	4
42	モ	18	1	81	60	0	40	97	0	3
43	キ	50	0	50	95	0	5	100	0	0
44	ヘ	49	2	49	90	0	10	100	0	0
45	ク	25	2	73	65	4	31	96	1	3
46	カ	63	1	36	88	1	11	100	0	0
47	ダ	19	2	79	68	3	29	97	0	3
48	ビ	20	4	76	70	3	27	95	0	5
49	ガ	50	2	48	81	0	19	99	0	1
50	ジ	15	3	82	65	1	34	92	3	5
51	ズ	21	1	78	67	1	32	99	0	1
52	ベ	41	2	57	88	0	12	99	1	0
53	グ	20	1	79	63	1	36	90	6	4
54	ゼ	25	3	72	60	1	39	93	3	4
55	ド	19	1	80	77	0	23	99	0	1
56	バ	23	1	76	78	1	21	99	0	1
57	ゴ	31	1	68	76	0	24	99	0	1
58	ザ	17	10	73	62	11	27	96	3	1
59	デ	13	1	86	58	2	40	97	0	3
60	ブ	18	3	79	49	2	49	95	0	5
61	ギ	44	1	55	91	0	9	100	0	0
62	ヅ	8	4	88	34	16	50	70	23	7
63	デ	11	1	88	56	3	41	95	2	3
64	ボ	16	1	83	73	1	26	98	0	2
65	ゲ	13	1	86	59	0	41	95	1	4
66	ゾ	8	2	90	41	4	55	87	8	5
67	パ	23	4	73	82	1	17	98	1	1
68	ポ	19	3	78	77	1	22	97	3	0
69	ピ	20	1	79	77	1	22	95	2	3
70	ペ	30	5	65	91	1	8	99	0	1
71	プ	17	2	81	55	4	41	95	3	2

かたかなを読む能力に関する第２次調査の結果表

（調査の結果は３年生まで掲げることにした）

学年		1年			2年			3年		
人数		250名			187名			160名		
文字	正誤	正	誤	無	正	誤	無	正	誤	無
1	ハ	96	1	3	100	0	0	98	1	1
2	オ	98	1	1	100	0	0	99	0	1
3	ル	96	1	3	100	0	0	98	0	2
4	ツ	89	7	4	99	1	0	98	1	1
5	テ	95	0	5	100	0	0	99	0	1
6	ヤ	99	1	0	100	0	0	99	0	1
7	サ	97	1	2	99	1	0	98	1	1
8	ロ	94	3	3	99	1	0	99	0	1
9	マ	91	5	4	99	1	0	98	1	1
10	ヌ	93	3	4	97	2	1	96	2	2
11	ソ	92	4	4	99	1	0	95	1	4
12	シ	90	5	5	98	1	1	96	[illegible]	3
13	エ	97	1	2	100	0	0	98	1	1
14	ノ	96	2	2	100	0	0	99	0	1
15	イ	96	1	3	100	0	0	99	0	1
16	ア	97	1	2	100	0	0	99	0	1
17	ヒ	94	2	4	100	0	0	98	0	2
18	リ	99	0	1	100	0	0	99	0	1
19	レ	94	2	4	98	2	1	98	0	2
20	コ	97	1	2	100	0	0	99	0	1
21	ミ	99	0	1	100	0	0	99	0	1
22	ト	97	0	3	100	0	0	99	0	1
23	チ	97	2	1	100	0	0	98	1	1
24	タ	95	1	4	99	1	0	98	0	2
25	ラ	95	1	4	100	0	0	99	0	1
26	フ	95	1	4	98	2	0	99	0	1
27	メ	96	1	3	98	1	1	99	0	1
28	ホ	97	1	2	100	0	0	98	0	2
29	ワ	84	5	11	97	2	1	96	2	2
30	ナ	95	1	4	99	0	1	99	0	1
31	ン	98	0	2	100	0	0	97	1	2
32	ヨ	93	3	4	100	0	0	99	0	1
33	ケ	95	1	4	100	0	0	98	0	2
34	ム	94	2	4	99	1	0	99	0	1
35	ユ	88	6	6	98	1	1	96	1	3

（昭和30年３月調査）

学年		1年			2年			3年		
人数		250名			187名			160名		
文字	正誤	正	誤	無	正	誤	無	正	誤	無
36	ス	97	0	3	99	0	1	99	0	1
37	ニ	98	1	1	100	0	0	99	0	1
38	ヲ	82	2	16	96	1	3	94	2	4
39	ネ	93	2	5	98	1	1	97	1	2
40	セ	96	1	3	99	1	0	99	0	1
41	ウ	94	1	5	98	1	1	97	1	2
42	モ	96	0	4	100	0	0	98	1	1
43	キ	99	0	1	100	0	0	99	0	1
44	ヘ	98	1	1	99	1	0	98	1	1
45	ク	96	1	3	100	0	0	99	0	1
46	カ	99	0	1	100	0	0	99	0	1
47	ダ	96	1	3	100	0	0	99	0	1
48	ビ	96	1	3	99	1	0	98	0	2
49	ガ	99	0	1	100	0	0	99	0	1
50	ジ	94	1	5	98	2	0	98	0	2
51	ズ	97	0	3	99	0	1	99	0	1
52	ベ	99	0	1	98	1	1	99	0	1
53	グ	94	1	5	99	1	0	98	1	1
54	ゼ	95	1	4	98	1	1	97	1	2
55	ド	98	0	2	100	0	0	99	0	1
56	バ	98	1	1	100	0	0	99	0	1
57	ゴ	97	1	2	100	0	0	98	1	1
58	ザ	95	1	4	99	1	0	99	0	1
59	デ	95	1	4	98	1	1	99	0	1
60	ブ	91	2	7	98	1	1	99	0	1
61	ギ	99	0	1	100	0	0	99	0	1
62	ヅ	87	5	8	89	8	3	95	2	3
63	デ	93	2	5	100	0	0	98	1	1
64	ボ	98	1	1	99	1	0	99	0	1
65	ゲ	95	1	4	98	1	1	99	0	1
66	ゾ	89	1	10	98	1	1	95	1	4
67	パ	99	0	1	99	0	1	100	0	0
68	ポ	98	1	1	99	1	0	99	0	1
69	ピ	97	1	2	98	1	1	99	0	[illegible]
70	ペ	97	2	1	100	0	0	99	0	1
71	プ	95	0	5	99	0	1	99	0	1

かたかなを読む能力に関する第1次調査の結果の考察

(1) 第1学年 (235名)

イ　おもな誤りの例

かな	誤%	おもな誤り	かな	誤%	おもな誤り
ア	1	マ	ヌ	8	スンタドムトメ
イ	2	ンミト	ネ	8	エホヤセイヒ
ウ	1	ワリ	ノ	3	(1)（イチ）イシヨ
エ	1	ユウェ(上)	ハ	1	イヘゴ
オ	1	スヨマ	ヒ	3	セヨゼピド
カ	1	ケ	フ	4	ツウテレ
キ	0		ヘ	2	クベリ
ク	2	タリカノ	ホ	5	キオ
ケ	1	ソセ	マ	4	ムアエツクテ
コ	1	ユ	ミ	3	(三)（サン）サコ
サ	20	セソケクゼミ	ム	1	マク
シ	3	ツンコジ	メ	1	サ
ス	3	ヌヨエトオ	モ	1	ヒ
セ	5	サヤカ(七)（シチ）ゼ	ヤ	1	セマオソ
ソ	11	ンリコツウ	ユ	2	エキ
タ	2	クハ	ヨ	1	キ
チ	3	エユケホボ	ラ	14	ウフン
ツ	9	シメヅンアウリ	リ	1	イコ
テ	2	ケチ	ル	1	レイハジ
ト	2	イヨ	レ	9	ルシヒ
ナ	2	(十)（ジュウ）サオメ	ロ	3	(口)（クチ）ユスヒセク
ニ	2	コジシイ	ワ	1	ウクツ

かな	誤%	おもな誤り	かな	誤%	おもな誤り
ヲ	1	ゾエヨラウヤイ	ヅ	4	ジゾケ
ン	1	ソウ	デ	1	ジゲツヂギ
ガ	2	カケ	ド	1	ゾヨ
ギ	1	キ	バ	1	イハ
グ	1	ゴクトノ	ビ	4	ドゴゲゼ
ゲ	1	ケヂオ	ブ	3	キウヅレ
ゴ	1	コミ	ベ	2	クペヘデ
ザ	10	ゼセ	ボ	1	ゾギオ
ジ	3	ヅリ	パ	4	ペピボ
ズ	1	スヘデ	ピ	1	ト
ゼ	3	セビザコダ	プ	2	レフクウ
ゾ	8	ジリンヅケ	ペ	5	クヘパベ
ダ	2	タガグ	ポ	3	ホ
ヂ	1	デイギ			

ロ　誤りの多い順序

順位	番号	文字	実数	百分率	順位	番号	文字	実数	百分率	順位	番号	文字	実数	百分率
1	7	サ	48	20	13	9	マ	10	4	25	54	ゼ	7	3
2	25	ラ	32	14	14	62	ヅ	10	4	26	60	ブ	7	3
3	11	ソ	26	11	15	67	パ	10	4	27	68	ポ	7	3
4	58	ザ	24	10	16	26	フ	9	4	28	5	テ	6	2
5	4	ツ	20	9	17	17	ヒ	8	3	29	44	ヘ	6	2
6	19	レ	19	9	18	21	ミ	8	3	30	15	イ	5	2
7	10	ヌ	18	8	19	8	ロ	7	3	31	22	ト	5	2
8	39	ネ	18	8	20	12	シ	7	3	32	24	タ	5	2
9	28	ホ	12	5	21	14	ノ	7	3	33	30	ナ	5	2
10	40	セ	12	5	22	23	チ	7	3	34	35	ユ	5	2
11	70	ペ	12	5	23	36	ス	7	3	35	37	ニ	5	2
12	48	ビ	11	4	24	50	ジ	7	3					

ハ 本調査に現れた学年的傾向

(イ) 五十音の順番を連想して次の文字を読んでいるような傾向が多く見られた。

(ロ) 字形の似ているものとの混同

。「ワとク」 。「ラとウ」 。「トとイ」 。「ツとシ」 。「コとユ」

。「ソとリ」

(ハ) ひらがなとの混同

。「サとせ」 。「ネとえ」 。「レとし」

(ニ) 漢字との混同

。「ロとくち」 。「ナとじゅう」

ニ 所見および反省

(イ) かたかなを語いとして習得しているので，文字として提出された場合，記憶を確かめる方法として五十音図を連想するのであると思う。そこで，児童にとっては，五十音図の一行が一つの語いとしての意味をもってくるのだと思う。また一面から考えると，家庭で教えられるような場合，五十音図によって習得がなされている傾向が多いということができると思う。

(ロ) 字形や筆順についての正確な知識が乏しいために起った誤りが多いようであるから，提出ひん度を多くし，正確に記憶できるような方法を研究して指導を進めていきたいと思う。

(ハ) 語いとしてのかたかなの習得がひととおり終ったならば，文字に分解して，字体の正確な理解をはかることが，混同を避けるために必要であると思う。

（2） 第2学年（172名）

（第1学年の調査結果の参考として，第2学年の調査結果も掲げることにした）

イ おもな誤りの例（文字の右下の数字は人数）

かな	誤%	おもな誤り	かな	誤%	おもな誤り
ア	2	マ$_1$ ヤ$_1$	ニ		
イ	3	ケ$_1$ ト$_4$	ヌ	14	マ$_{18}$ メ$_5$ フ$_1$ ア$_1$
ウ			ネ		
エ			ノ		
オ			ハ	3	ハチ$_3$ ハト$_1$ テ$_1$
カ			ヒ		
キ			フ	6	ツ$_2$ ラ$_2$ ワ$_1$
ク	5	タ$_2$	ヘ		
ケ			ホ	6	パ$_1$
コ			マ	3	ア$_5$ ム$_2$
サ	5	セ$_9$	ミ		
シ	6	ソ$_1$ ン$_1$	ム	4	マ$_4$ ア$_1$ ワ$_1$ フ$_1$
ス	2	ツ$_1$ ト$_1$ バ$_1$ エ$_1$	メ	2	ナ$_2$ ア$_1$
セ			モ		
ソ	25	ン$_{35}$ ス$_1$	ヤ		
タ	4	ク$_3$	ユ	5	エ$_5$ ヨ$_1$ ミ$_1$
チ	8	テ$_8$ ロ$_1$ イ$_1$	ヨ	1	コ$_1$ ゴ$_1$
ツ	16	シ$_{19}$ ソ$_4$ ン$_2$	ラ	8	ウ$_6$ ツ$_1$ ユ$_1$
テ	5	チ$_2$ ケ$_2$ ツ$_1$	リ		
ト			ル	3	レ$_3$ イ$_1$
ナ			レ	6	シ$_5$ ル$_1$ ラ$_1$

かな	誤%	おもな誤り	かな	誤%	おもな誤り
ロ	6	クチ$_7$ コ$_1$	ヂ	3	デ$_4$ ゲ$_1$
ワ	8	ン$_1$ ラ$_1$ フ$_1$ ウ$_2$ ク$_2$ ケ$_1$ イ$_1$	ヅ	16	ジ$_{17}$ ゾ$_5$
ヲ			デ	2	ジ$_2$ ゲ$_2$
ン	3	ソ$_2$ シ$_2$	ド		
ガ			バ		
ギ			ビ	3	ド$_3$ ビ$_1$
グ			ブ	2	ズ$_2$ ベ$_1$
ゲ			ベ		
ゴ			ボ		
ザ	11	ゼ$_{14}$ セ$_1$ ビ$_1$ ジャ$_1$	パ		
ジ			ピ		
ズ			プ	4	フ$_1$ ボ$_3$
ゼ			ペ		
ゾ	3	ジ$_2$ ズ$_1$ ジョ$_1$ ゼ$_1$ ヅ$_1$	ポ		
ダ	3	グ$_4$ ド$_1$			

ロ　誤りの多い順序

順位	番号	文字	実数	百分率	順位	番号	文字	実数	百分率
1	11	ソ	43	25	10	28	ホ	11	6
2	4	ツ	28	16	11	19	レ	11	6
3	62	ヅ	27	16	12	12	シ	10	6
4	10	ヌ	24	14	13	8	ロ	10	6
5	58	ザ	19	11	14	5	テ	9	5
6	29	ワ	13	8	15	7	サ	9	5
7	23	チ	14	8	16	35	ユ	9	5
8	25	ラ	13	8	17	45	ク	8	5
9	26	フ	11	6	18	24	タ	7	4

ハ　本調査に現れた学年的傾向

(イ) 発音の不完全な児童

(ロ) 「ソ」「ツ」等，字形の似ている文字の区別が判然としないようである。

(ハ) 漢字との混同が見られる。（ロをクチ，ハをハチと読む）

(ニ) 擬音・擬声音であるためか，濁音・半濁音が清音よりもよく読めている。

(ホ) ひらがなの字形と字形の似ているものは読める。（キ，へ，ヤ，リ等）

ニ　所見および反省

(イ) 字形の不正確な記憶が見られる。

(ロ) 筆順・字体・運筆の正確な指導が必要である。

(ハ) 発音があいまいな児童が多いので，正しい発音の習慣をつけていくようにしたい。

（第３学年以上の調査結果は略す）

（３） ６学年共通（1～6）の読むことの誤答傾向

○数字は誤答の％

○（　）の中の数字はその学年での順位

		読むこと					
文字	番号	1年	2年	3年	4年	5年	6年
ヅ	62	(14) 4%	(3) 16%	(1) 23%	(1) 21%	(1) 23%	(1) 7%
ヲ	38	( ) 1	( ) 0	(6) 7	(4) 12	(2) 15	(2) 5
ヌ	10	(7) 8	(4) 14	(3) 8	(7) 6	(3) 8	(3) 4

文字	番号	1 年	2 年	3 年	4 年	5 年	6 年
ツ	4	(5) 9%	(2) 16%	(2) 10%	(3) 13%	(7) 4%	(4) 2%
ソ	11	(3) 11	(1) 25	(8) 6	(5) 8	(8) 4	(10) 1
ゾ	66	( ) 2	(20) 3	(5) 8	(9) 3	(5) 6	(6) 2
ン	31	( ) 1	(25) 3	(11) 4	(2) 14	(4) 6	( ) 0
ワ	29	( ) 1	(6) 8	(4) 8	(6) 8	(10) 4	(5) 2
ユ	35	(34) 2	(15) 5	(10) 5	(8) 4	(11) 4	(7) 2
シ	12	(20) 3	(13) 6	(9) 6	(11) 3	(12) 3	(9) 1

6学年共通の傾向（読むこと）

イ　字体，筆順，運筆についての理解のしかたが不正確であるための誤りが多い。

ロ　発音が正しくない児童が一般に多い。

ハ　まぎらわしい発音を正しく言い分けることについての指導が不足している。

ニ　清音・濁音・半濁音の正しい識別ができない者が多い。

ホ　かたかなで表記しない文字（例　ヲ）ができていない。

ヘ　既習教科書中に出てこなかったための誤りの傾向は，全体的に見られる。

VI　実験結果の総合的考察

1　かたかなの音別正答率（数字は%）

（A）かたかな読みの正答率

音別	学年／時期	1	2	3	4	5	6
(1) 清音	4月	22	67	94	95	97	99
	3月	95	99	98	98	98	100
(2) 濁音	4月	22	66	95	95	98	99
	3月	95	99	98	98	98	100
(3) 半濁音	4月	22	76	97	98	99	99
	3月	97	99	99	99	99	100
(1)+(2)+(3)の平均	4月	22	70	95	96	98	99
	3月	96	99	98	98	98	100

（B）かたかな書きの正答率

音別	学年／時期	1	2	3	4	5	6
(1) 清音	4月	4	36	80	81	84	94
	3月	86	96	95	89	93	97
(2) 濁音	4月	3	32	78	78	84	90
	3月	81	95	93	85	93	96
(3) 半濁音	4月	2	41	86	88	88	98
	3月	86	97	94	90	96	97
(1)+(2)+(3)の平均	4月	3	36	81	82	85	94
	3月	84	96	94	88	94	97

(1)　全体的にいって，清・濁・半濁の音別による習得率の差異は，ほとんど認められない。

(2)　「読み」については，1学年のうちにだいたい完成に近づくことが可能であり，「書き」については，2学年で完成することができる。

(3)　2年以上の向上率が少なくほとんど横ばい状態を示しているのは，一部の特殊児童の習得率が向上しないためである。

2 ひらがなの読み書きの正答率（数字は％）

音別	区分	読み			書き		
	学年	1	2	3	1	2	3
(1) 清音	4月	75	99	100	58	96	99
	3月	99	100	100	98	99	99
(2) 濁音	4月	63	98	100	37	100	100
	3月	99	100	99	96	98	98
(3) 半濁音	4月	48	97	99	23	89	90
	3月	98	99	99	91	96	97
(1)+(2)+(3)の平均	4月	62	98	100	39	96	96
	3月	99	99	99	95	98	98

(1) ひらがなの読み書きは，1学年で完成することができる。

(2) 「読み」と「書き」の習得率の差はかたかなより少ない。

(3) 音別による習得率の差はほとんど認められない。

3 かたかな・ひらがなの習得率対照表（数字は％）（3月のみ）

かな ＼ 区分・学年	読み 1	読み 2	読み 3	書き 1	書き 2	書き 3
ひらがな習得率平均	99	99	99	95	98	98
かたかな習得率平均	96	99	98	84	96	94

(1) ひらがなの習得率のほうが読み・書きともよい。

(2) ひらがなとかたかなを同時に指導しても，ほとんど変らない習得度を期待することができる。

(3) 1学年のかたかなを書く力は，他と比べて特に低調である。書く指導に重点がおかれなければならないことを示している。

4 かたかなの指導コースについての考察

(イ) かたかなの読み書き習得率対照表（数字は％）

区分 ＼ コース・指導計画	A	B	C	D	E
	教科書中心読み書きともに指導する	教科書中心読み書きとも，ただし擬声・擬音は1月以降にまとめて出す	教科書中心読みだけの指導	教科書以外の資料中心習得のやさしい単語から教えていく	教科書以外の資料中心文字から先に教えていく
読み	◎4月当初の学年平均習得率 22%				
（3月）	97.9	89.4	94.6	96.3	97.7
書き	◎4月当初 3%				
（3月）	87.9	78.3	74.9	96.4	87.7
読み書きの平均	92.9	83.9	84.7	96.4	92.7
順位	2	5	4	1	3

(ロ) かたかな語い習得率対照表(数字は％)

時期 ＼ コース		A	B	C	D	E
読み	12月	90	71	66	94	88
	3月	99	93	93	98	96
書き	12月	62	28	17	53	68
	3月	85	74	42	94	81
読み書き平均	3月	92	84	68	96	89
順位	3月	2	4	5	1	3

(1) 一応順位をつけ，最も適切な指導法と思われるものを選んでみたが，これはデーターの上からのみいえることであり，学級児童のレベル，現場の指導法，教材，教具の使い方などに大きな影響があるので，必ずしも決定的なものとはいえない。

(2) Dコースは，文字・語いともに習得率がいちばんよく，やさしい語から順に指導するという方法は効果的であるといえる。

(3) Aコースは両表ともに2番になっており，その場で読み書きを指導していくという方法も，妥当なものであると思われる。

(4) Eコースは文字から先に教えていったのであるが，両方ともに3番になっており，この方法も一応の効果があることがわかる。

ただし，このコースが3番であるということは，必ずしも文字に分解して教えなくてもよいということの証左ともなるといえる。

(5) Cコースのように読みだけの指導では，読み書きともに，習得度を高めることができないということがはっきりした。読みと書きの能力には相関性があることがわかる。

5 語いの習得の難易度についての考察

語いの音別習得状況（各コース習得の平均）（数字は%）

- ◦ 2種以上の音のはいっている語いは，児童の誤答の多かった音をもとにして，重複しないように分けてある。
- ◦「シュッシュッ」だけは，よう音・促音の両方に入れてある。
- ◦はつ音は重複して，全体から拾ってある。

清音			濁音			半濁音		
語い	読み	書き	語い	読み	書き	語い	読み	書き
アメリカ	99	81	ドン	97	90	エプロン	98	76
ミルク	99	78	レントゲン	94	79	パラパラ	96	80
ナイフ	96	75	ゴウゴウ	96	80	ポチ	98	87
フウフウ	95	80	ガム	98	80	ピカピカ	95	82
コトン	96	88	ガアン	95	75	ポン	96	80
トンネル	96	78	ボウ	93	71	パチパチ	94	78
カアカア	98	84	ガタントン	94	81	パア	95	70
カルタ	97	84	ガアガア	97	79	ピイ	93	71
エヘン	98	86	ゴウ	95	78	ポスト	98	85
フン	95	80	オルガン	99	78	パン	100	91

清音			濁音			半濁音		
語い	読み	書き	語い	読み	書き	語い	読み	書き
アハハ	97	76	サラダ	98	86			
ウフフ	94	73						
ワン	96	83						
クリスマス	96	83						
コスモス	100	91						
ライオン	99	86						
ミシン	97	83						
テフス	95	80						
平均	97	82	平均	96	80	平均	96	80

よう音			促音			長音		
語い	読み	書き	語い	読み	書き	語い	読み	書き
キャラメル	99	75	パラッ	94	72	セーラー	95	74
ピチャピチャ	94	69	ビスケット	95	75	カード	97	87
ホウホケキョ	96	71	ポッポッ	88	62	テープ	93	60
チョンチョン	92	74	バッジ	96	64	ニュース	97	68
◉シュッシュッ	85	47	◉シュッシュッ	85	47	ページ	94	72
			ベッド	98	88	ソース	93	85
						モール	96	86
						ノート	95	88
						ヌガー	92	80
						カンガルー	100	83
						ボール	99	85
						リレー	98	89
						スプーンレース	97	77
平均	93	67	平均	93	68	平均	96	80

（1）抵抗の少ない順序

順位	1	2	3	4	5	6	7
音別	清音	はつ音 読み 96 書き 82	濁音	半濁音	長音	促音	よう音

(2) 抵抗の少ない語い

イ　清音のみの短い語い。　ロ　生活環境によく出てくるもの。　ハ　字体がやさしいもの。

(3) 所　　見

イ　以上示したように，音別による難易度の差は，清・濁・半濁・はつ音の間には，ほとんど認められず，促・よう・長音の語いは児童の抵抗が大きいことがはっきり認められる。

ロ　ただし，促・よう音のはいった語いでも，生活的に身近かなものや，提出ひん度の多かったものは，割合によくできているので，決定的に断定するのは早計であろう。

ハ　以上のことから，やさしい語いから指導していく方法がよいことがわかる。

6　かたかな文字の誤答傾向一覧表（書く）

◎は多い。　○はいくらかある。　×は少ない。

番号	誤答	例	1年	2年	3年	4年	5年	6年
1	漢字とかなの混同	ハと八 ホと木	×	◎	◎	○	×	×
2	左右の混同	オとオ ミと彡	◎	◎	◎	○	×	×
3	漢字の書体の影響	ルとル アとア	×	◎	◎	○	○	○
4	類似字形の混同	シとツ ンとソ	◎	◎	◎	◎	○	○
5	同じ発音による誤り	ズとヅ ジとヂ	◎	◎	◎	◎	◎	◎
6	発音が似ているため	ウとン ズとジ	○	◎	○	○	○	○
7	ひらがなとの混同	セとせ カとか	○	◎	○	○	○	○
8	濁音・半濁音・清音の混同	キとギ ヘとペ	○	○	○	○	×	×
9	不正確な記憶	ヲ.モ.	◎	◎	◎	◎	◎	○
10	助詞使用の不正確	ワとハ エとヘ	◎	◎	◎	◎	◎	◎
11	調査者の発音を聞きちがえたため		◎	○	○	○	×	×
12	発音どおりに書く	ウォ ウン	×	×	×	×	○	○
13	無答		◎	◎	○	×	×	×

第 3 部

神奈川県高座郡御所見小学校の実験研究

I 実験研究の概略

1 実験の目的

もし1年でかたかなを学習させるとしたら，どういう方法で提出し，どういう指導をするのがいちばん有効か。

2 実験方法の概略

(1) 実験コースは，A・B・C・D の4コースとする。

(2) A・B・C・D ともに同じ語いを指導する。（25語い）

(3) 語いの出し方は，だいたいにおいて題材ごとに均等にする。そのために，他教科の教科書または生活環境に近いかたかな語いを適宜に補っていく。

(4) 4月，9月，12月，3月にかたかな文字71字の読み，書き調査を行う。

(5) 指導した語いについて，12月末と3月末に読み書きの調査を行う。

(6) 指導の時期は，6月から始めるコースと9月から始めるコースに分けて実験する。

(7) 読み，書きともに指導するコースと，読ませるだけで書く指導をしないコースとに分けて実験する。

各コースにおける実験指導は次のような方法で行った。

Aコース

教科書中心に読み，書きともに指導する。指導は6月から始める。初めから外来語・擬声・擬音語を提出して指導する。

Bコース

教科書中心に読み，書きともに指導する。指導は6月から外来語だけを提

出。1月から外来語のほか擬音・擬声語を加えて指導する。

Cコース

教科書中心に読みだけを指導する。指導は6月から外来語・擬音・擬声語をともに提出して指導する。

Dコース

教科書中心に読み，書きともに指導する。指導は9月から外来語・擬音・擬声語をともに提出。ただしかたかなの習得を中心にその提出の順序をくふうする。

（注） 使用教科書は学校図書株式会社発行の「一ねんせいのこくご」

3 かたかなの指導計画表

コース	取材	種別＼指導の月	6 月	7月	9 月	10月	11月	12月	1 月	2 月	3 月	
Aコース（宮治級）	教科書	外来語	トンネル			ポスト	バス	ボール		ライオン ペリカン		読み書き
	教科書	擬音擬声	メーメー ガーガー グーグー		ドン	ザクザク	ゴーゴー		アハハハハ チリチリ ポリポリ チューチュー	ドブン	ホーホケキョ チッチッ	
	教科書以外	外来語	パン		バトン リレー	ガム	トラック					
	教科書以外	擬音擬声				モーモー						
B	教	外来語	トンネル			ポスト	バス	ボール		ライオン ペリカン		読

コース	取材	種別	6月	7月	9月	10月	11月	12月	1月	2月	3月	
コース(金子級)	教科書	擬擬 音声							アハハハハ チリチリ ポリポリ チューチュー	ドブン	ホーホケキョ チッチッ	み
	教科書以外	外来語	パン		バドン リレー	ガム	トラック					書
		擬擬 音声							ドン	メーメー ガーガー グーグー モーモー	ザクザク ゴーゴー	き
Cコース(長谷川級)	教科書	外来語	トンネル			ポスト	バス	ボール		ライオン ペリカン		読
		擬擬 音声	メーメー ガーガー グーグー		ドン	ザクザク	ゴーゴー		アハハハハ チリチリ ポリポリ チューチュー	ドブン	ホーホケキョ チッチッ	み
	教科書以外	外来語	パン		バトン リレー	ガム	トラック					だ
		擬擬 音声				モーモー						け
Dコース(三沢級)	教科書	外来語				ポスト	バス	ボール		ライオン ペリカン		読
		擬擬 音声			ドン	ザクザク	ゴーゴー		アハハハハ チリチリ ポリポリ チューチュー	ドブン	ホーホケキョ チッチッ	み
	教科書以外	外来語			バトン リレー		トラック パン ガム	トンネル				書
		擬擬 音声						モーモー		メーメー ガーガー グーグー		き

4　3月末までに指導したかたかな文字の表

○印 12月末までの指導文字
△印 1月～3月までの指導文字

• A，Cコース

△ア	△カ	サ	タ	ナ	△ハ	マ	ヤ	○ラ	ワ	○ン	○ガ	○ザ	ダ	○バ	○パ
△イ	△キ	シ	△チ	ニ	ヒ	ミ		○リ			ギ	ジ	ヂ	ビ	ピ
ウ	○ク	○ス	○ツ	ヌ	フ	○ム	△ユ	○ル			○グ	ズ	ヅ	△ブ	プ
エ	△ケ	セ	テ	○ネ	ヘ	○メ		○レ			ゲ	ゼ	デ	ベ	△ペ
△オ	コ	ソ	○ト	ノ	△ホ	○モ	△ヨ	ロ	ヲ		○ゴ	ゾ	○ド	○ボ	○ポ

○＝22　△＝13

• Bコース

△ア	△カ	サ	タ	ナ	△ハ	マ	ヤ	○ラ	ワ	○ン	○ガ	△ザ	ダ	○バ	○パ
△イ	△キ	シ	△チ	ニ	ヒ	ミ		○リ			ギ	ジ	ヂ	ビ	ピ
ウ	○ク	○ス	○ツ	ヌ	フ	○ム	△ユ	○ル			△グ	ズ	ヅ	△ブ	プ
エ	△ケ	セ	テ	○ネ	ヘ	△メ		○レ			ゲ	ゼ	デ	ベ	△ペ
△オ	コ	ソ	○ト	ノ	△ホ	△モ	△ヨ	ロ	ヲ		△ゴ	ゾ	△ド	○ボ	○ポ

○＝16　△＝19

• Dコース

△ア	△カ	サ	タ	ナ	△ハ	マ	ヤ	○ラ	ワ	○ン	○ガ	○ザ	ダ	○バ	○パ
△イ	△キ	シ	△チ	ニ	ヒ	ミ		○リ			ギ	ジ	ヂ	ビ	ピ
ウ	○ク	○ス	○ツ	ヌ	フ	○ム	△ユ	○ル			△グ	ズ	ヅ	△ブ	プ
エ	△ケ	セ	テ	○ネ	ヘ	△メ		○レ			ゲ	ゼ	デ	ベ	△ペ
△オ	コ	ソ	○ト	ノ	△ホ	○モ	△ヨ	ロ	ヲ		○ゴ	ゾ	○ド	○ボ	○ポ

○＝20　△＝15

II　指導のしかたに関する一覧表と3月末における習得状況調査表

1　まえがき

(1)　各コースごとに，指導のしかた一覧表と3月末における習得状況一覧表を掲げ，両者を比較対照することによって，それぞれの「かたかな」語いがどのような方法で提出され，どのように指導され，その結果どのような習得の成果を示しているかを一覧することができるようにした。

(2)　なお，3月末における習得状況の調査は次のような方法を行った。

イ　習得した単語の読みの調査は，個人調査法による。

ロ　習得した単語の書くことの調査は，団体調査法による。

ハ　調査した語いは前掲の25語いである。

(3)　習得状況調査表の見方

イ　「提出語い」の上部番号は語い形成の文字の順位を表わす。「1字1字を完全に読んだ数」の項の数字も同じ。「トンネル」の項の2は「ン」3は「ネ」4は「ル」。

ロ　指導時間の単位は分で表わす。

ハ　「指導」の「ひん度」の漢数字は指導の機会を示し，算用数字は指導の延べ度数を示す。また15aとしるしてある場合の下のaは，教科書を利用して主として自宅で学習できる機会を示す。15bとしるしてある場合のbは，カード・掲示・板書などで提出してあるため，学習の機会があることを示す。

ニ　「評価」の項の「完全」は，読み書きの正答人員を示し，「不完全」は誤答と無答の人員を示す。

なお，「読み誤った場合のおもな例」「書き誤った場合のおもな例」の項には，不完全の項の人員の内訳が出ている。

2　Aコース

(i)　指導のしかたに関する一覧表

読みの指導に関する表

提出番号	題材	提出語い	提出のよりどころ				指導				最初の印象づけ					他教科との連関	どれだけ提示しておいたか(数字は日数)			児童の興味の度合い
			板書	カード	プリント	教科書	月	時間	ひん度 機会	ひん度 延数	実物	生活経験	カード	板書	教科書		カード	文字板	黒板	
1	えんそく	トンネル		○			6〜7	8分	四	20	○					社会	35			○
2	えんそく	グーグー		○			7	6	二	15	○						35			○
3	えんそく	ガーガー		○			7	4	二	10	○						35			○
4	えんそく	メーメー		○			7	6	二	15	○						35			○
5	えんそく	パン			○		7.10	7	四	20			○				180			○
6	うんどうかい	ドン				○	9	4	二	10			○			体育			6	○
7	うんどうかい	リレー			○		10	6	三	15			○			体育			6	△
8	うんどうかい	バトン			○		10	6	三	5			○			体育			6	△
9	ゆうびんごっこ	ポスト				○	10	10	五	35				○			2			○
10	おじさんのうち	ザクザク				○	10	6	二	10				○			2			○
11	えんそく	ガム			○		11	3	三	15	○					社会		1		◎
12	えんそく	モーモー		○			12	3	一	5		○				社会				○
13	のりもの	バス				○	11	10	四	30					○	社会	7			○
14	のりもの	ゴーゴー				○	11	5	二	15					○		7			○
15	のりもの	トラック			○		12	2	一	5				○		図工				○
16	子りすのボール	ボール				○	11	6	四	15					○	体育	4			○
17	ねこのすず	チューチュー				○	1	8	七	20		○					5			○
18	ねこのすず	ポリポリ				○	1	6	五	20				○			5			○
19	ねこのすず	チリチリ				○	1	5	五	15		○					5			○
20	大ゆき小ゆき	アハハハハ				○	1	5	二	10		○								◎
21	きんのおの	ドブン				○	2	5	四	15			○				2			○
22	どうぶつえん	ライオン				○	2	6	三	10					○	図工				○
23	どうぶつえん	ペリカン				○	2	6	三	10					○	図工				○
24	はるがくる	チッチッ				○	3	4	四	15					○					○
25	はるがくる	ホーホケキョ				○	3	7	六	20					○	音楽				○

書きの指導に関する表

提出番号	題材	提出語い	提出のよりどころ 板書	カード	プリント	教科書	指導 月	時間	ひん度 機会	延数	最初の印象づけ 実物	生活経験	カード	板書	教科書	他教科との連関	どれだけ提示しておいたか(数字は日数) カード	文字板	黒板	児童の興味の度合い
1	えんそく	トンネル		○			6–7	8分	四	15			○			社会	35			◎
2	えんそく	グーグー		○			7	3	一	5				○			35			◎
3	えんそく	ガーガー		○			7	3	一	5				○			35			◎
4	えんそく	メーメー		○			7	3	一	5				○			35			◎
5	えんそく	パン			○		7.10	6	三	10			○				180			○
6	うんどうかい	ドン				○	9	4	二	7				○		体育			6	○
7	うんどうかい	リレー			○		10	5	二	10				○		体育			6	△
8	うんどうかい	バトン			○		10	3	二	10				○		体育			6	△
9	ゆうびんごっこ	ポスト				○	10	10	五	30				○			2			○
10	おじさんのうち	ザクザク				○	10	5	二	10				○			2			○
11	えんそく	ガム			○		12	4	二	10			○			社会		1		○
12	えんそく	モーモー		○			12	3	一	5		○				社会				○
13	のりもの	バス				○	11	7	三	15				○		社会	7			○
14	のりもの	ゴーゴー				○	11	3	一	6				○			7			○
15	のりもの	トラック			○		12	3	一	6				○		図工				△
16	子りすのボール	ボール				○	12	3	一	6				○		体育	4			○
17	ねこのすず	チューチュー				○	1	8	三	15				○			5			○
18	ねこのすず	ポリポリ				○	1	5	二	10				○			5			○
19	ねこのすず	チリチリ				○	1	5	二	10				○			5			○
20	大ゆき小ゆき	アハハハハ				○	1	5	二	15		○								◎
21	きんのおの	ドブン				○	2	2	三	15				○			2			△
22	どうぶつえん	ライオン				○	2	7	三	15				○		図工				○
23	どうぶつえん	ペリカン				○	2	6	二	10				○		図工				○
24	はるがくる	チッチッ				○	3	6	二	10				○						○
25	はるがくる	ホーホケキョ				○	3	8	三	15				○		音楽				○

（2） 習得状況調査表

読みの習得状況調査表

番号	提出語い 1	2	3	4	5	6	指導 月	時間	ひん度 機会	延数	評価 完全	不完全	1字1字を完全に読んだ数 1	2	3	4	5	6	読みあやまった場合のおもな例
1	ト	ン	ネ	ル			6–7	8	四	20b	42	0	42	42	42	42			
2	グ	ー	グ	ー			7	5	二	15b	40	2	40	40	40	40			メーメー②
3	ガ	ー	ガ	ー			7	4	二	10b	42	0	42	42	42	42			
4	メ	ー	メ	ー			7	6	二	15b	42	0	42	42	42	42			
5	パ	ン					7.10	7	四	20	41	1	41	42					パだけ読めない子①
6	ド	ン					9	4	二	10a	41	1	41	42					ドだけ読めない子①
7	リ	レ	ー				10	6	三	15b	39	3	42	39	39				レーが読めない子③
8	バ	ト	ン				10	6	三	15b	39	3	39	42	42				バが読めない子③
9	ポ	ス	ト				10	10	五	35a	42	0	42	42	42				
10	ザ	ク	ザ	ク			10	6	二	10a	40	2	40	40	40	40			欠②
11	ガ	ム					11	3	三	15	42	0	42	42					
12	モ	ー	モ	ー			12	3	一	5	40	2	40	40	40	40			欠②
13	バ	ス					11	10	四	30a	40	2	40	42					バが読めない子②
14	ゴ	ー	ゴ	ー			11	5	二	15a	40	2	40	40	40	40			欠②
15	ト	ラ	ッ	ク			12	2	一	5	40	2	42	40	40	40			ドだけ読める子②
16	ボ	ー	ル				11	6	四	15a	38	4	38	38	39				ルだけ読める子①　欠②
17	チ	ュ	ー	チ	ュ		1	8	七	20a	41	1	41	41	41	41	41	41	欠①
18	ポ	リ	ポ	リ			1	6	五	20a	42	0	42	42	42	42			
19	チ	リ	チ	リ			1	5	五	15a	42	0	42	42	42	42			
20	ア	ハ	ハ	ハ	ハ		1	5	二	10a	41	1	41	42	42	42	42		アだけ読めない子①
21	ド	ブ	ン				2	5	四	15a	40	2	40	40	42				ンだけ読める子②
22	ラ	イ	オ	ン			2	6	三	10a	40	2	40	40	40	42			ンだけ読める子②
23	ペ	リ	カ	ン			2	6	三	10a	41	1	41	42	41	42			リ，ンの読める子①
24	チ	ッ	チ	ッ			3	4	四	15a	41	1	42	41	42	41			チが読める子①
25	ホ	ー	ホ	ケ	キ	ョ	3	7	六	20a	41	1	41	41	41	41	41	41	欠①

書きの習得状況調査表

番号	提出語い 1	2	3	4	5	6	指導 月	時間	ひん度 機会	延数	評価 完全	不完全	1字1字を完全に書いた数 1	2	3	4	5	6	書きあやまった場合のおもな例
1	ト	ン	ネ	ル			6–7	8	四	15a	36	6	42	42	40	38			トンネ丶①　トンネる②　トンネ①　トンネル②
2	グ	ー	グ	ー			7	3	一	5a	36	6	36	36	36	36			ダーダー①　ターター①　欠④
3	ガ	ー	ガ	ー			7	3	一	5	37	5	37	37	37	37			が一が一①　があがあ①　欠③
4	メ	ー	メ	ー			7	3	一	5	38	4	38	38	38	38			ㇵーㇵー①　めえめえ①　目目目目①　欠①
5	パ	ン					7.10	6	三	10a	41	1	41	42					バン①
6	ド	ン					9	4	二	7a	40	2	40	40					欠②
7	リ	レ	ー				10	5	二	10a	29	13	38	32	29				リレエ①　リーれ①　リレ丿レ①　リーグー①　リーレ①　リレグ①　りれえ①　リ②　欠①
8	バ	ト	ン				10	3	二	10a	37	5	37	37	37				欠⑤
9	ポ	ス	ト				10	10	五	30a	41	1	42	41	41				ポ①
10	ザ	ク	ザ	ク			10	5	二	10a	33	9	38	35	38	34			ザーザー①ザタザタ②ぜウぜウ①ザクザサ　①ザクザタ①　欠③
11	ガ	ム					12	4	二	10a	39	3	39	39					欠③
12	モ	ー	モ	ー			12	3	一	5a	37	5	39	39	39	37			モーモ①　もーもー②　モモモ①　もも①
13	バ	ス					11	7	三	15a	38	4	38	38					欠④
14	ゴ	ー	ゴ	ー			11	3	一	6a	37	5	37	37	37	37			欠⑤
15	ト	ラ	ッ	ク			12	3	一	6a	30	12	40	35	31	34			トッラク②　トラ②　ト②　欠③　トラッタ①トラク①トランク①
16	ボ	ー	ル				12	3	一	6a	31	11	36	31	34				ボオル①　ボワル①　ポール①　ボルー①　ボ①　ボを丿l①　欠⑤
17	チ	ュ	ー	チ	ュ	ー	1	8	三	15a	37	5	39	37	37	37	37	37	チーユチーユ①　チーチーチー①　欠③
18	ポ	リ	ポ	リ			1	5	二	10a	42	0	42	42	42	42			
19	チ	リ	チ	リ			1	5	二	10a	38	4	39	41	38	41			チリちリ①　手リ手リ①　手リ手リ①　欠①
20	ア	ハ	ハ	ハ	ハ		1	5	二	15a	38	4	38	41	41	41	41		ハの書けた子③　欠①
21	ド	ブ	ン				2	5	三	15a	38	4	41	38	40				ドグン①　ドフン①　ド①　欠①
22	ラ	イ	オ	ン			2	7	三	15a	35	7	40	38	36	39			ライ木ン②　ラ①　ラいオン①　ライよン①
23	ペ	リ	カ	ン			2	6	二	10a	38	4	39	39	38	39			ペリかソ①　欠③
24	チ	ッ	チ	ッ			3	6	二	10a	39	3	40	39	40	39			チ〻チ〻①　欠②
25	ホ	ー	ホ	ケ	キ	ョ	3	8	三	15a	35	7	40	38	38	39	38	39	ホーホケキE①　ホーふケヨ①　ホッホッーヨ①　ホーケキョ①　ホケキョ①　欠②

3　Bコース

（1）　指導のしかたに関する一覧表

読みの指導に関する表

提出番号	題材	提出語い	提出のよりどころ 板書	カード	プリント	教科書	指導 月	時間	ひん度 機会	延数	最初の印象づけ 実物	生活経験	カード	板書	教科書	他教科との連関	どれだけ提示しておいたか（数字は日数） カード	文字板	黒板	児童の興味の度合い
1	えんそく	トンネル		◎		○	6	9分	三	20			○			社会	60			◎
2	どうぶつえん	グーグー			○		2	6	二	15		○					15			○
3	どうぶつえん	ガーガー			○		2	4	二	10		○					5			○
4	どうぶつえん	メーメー			○		2	4	二	15		○					5			○
5	えんそく	パン			○		7–11	5	二	10		○					5			◎
6	どうぶつえん	ドン		○			1	4	二	15	○							20		◎
7	うんどうかい	リレー			○		9	4	三	10		○				体育		80		○
8	うんどうかい	バトン			○		9	4	三	10	○					体育		80		○
9	ゆうびんごっこ	ポスト				○	10–2	8	五	35					○		120			○
10	いねかり	ザクザク			○		3	6	三	15		○					5			○
11	えんそく	ガム			○		11	4	三	15	○					社会		10		◎
12	どうぶつえん	モーモー			○		2	3	二	10		○				理科	5			○
13	のりもの	バス				○	11	6	四	25					○	図工		40		○
14	のりもの	ゴーゴー			○		3	4	四	15		○					5			○
15	のりもの	トラック		○			11	6	二	10		○				図工		40		○
16	子りすのボール	ボール				○	12	6	四	15					○	体育	5			○
17	ねこのすず	チューチュー				○	1	8	八	20					○			30		△
18	ねこのすず	ポリポリ				○	1	5	八	20					○		7			○
19	ねこのすず	チリチリ				○	1	6	七	15					○			10		○
20	大ゆき小ゆき	アハハハハ				○	1	5	五	15		○					20			○
21	きんのおの	ドブン				○	2	5	八	15					○		10			○
22	どうぶつえん	ライオン				○	2	5	四	15					○		5			○
23	どうぶつえん	ペリカン				○	2	4	四	15					○		5			○
24	はるがくる	チッチッ				○	3	3	四	10					○		7			△
25	はるがくる	ホーホケキョ		○		◎	3	7	六	20		○				音楽		20		◎

書きの指導に関する表

提出番号	題材	提出語い	提出のよりどころ 板書	カード	プリント	教科書	指導 月	時間	ひん度 機会	延数	最初の印象づけ 実物	生活経験	カード	板書	教科書	他教科との連関	どれだけ提示しておいたか（数字は枚数） カード	文字板	黒板	児童の興味の度合い
1	えんそく	トンネル		◎		○	6	8分	三	15				○		社会	60			○
2	どうぶつえん	グーグー			○		2	4	三	15			○				15			◎
3	どうぶつえん	ガーガー			○		2	3	二	15		○					5			◎
4	どうぶつえん	メーメー			○		2	3	二	15		○					5			◎
5	えんそく	パン			○		7−11	4	三	10				○			5			◎
6	どうぶつえん	ドン		○			1	3	二	10			○					20		○
7	うんどうかい	リレー			○		9	4	二	10				○		体育		80		△
8	うんどうかい	バトン			○		9	3	二	10				○		体育		80		○
9	ゆうびんごっこ	ポスト				○	10−2	8	五	30				○			120			△
10	いねかり	ザクザク			○		3	5	二	10				○			5			○
11	えんそく	ガム			○		11	5	二	10				○		社会		10		○
12	どうぶつえん	モーモー			○		2	5	三	15		○				理科				○
13	のりもの	バス		○		○	11	5	四	20			○			図工	5	40		◎
14	のりもの	ゴーゴー			○		3	3	二	15			○							○
15	のりもの	トラック		○			11	5	二	10				○		図工	5	40		○
16	子りすのボール	ボール				○	12	5	三	20				○		体育	5			○
17	ねこのすず	チューチュー				○	1	7	四	20				○				30		△
18	ねこのすず	ポリポリ				○	1	5	三	15			○				7			○
19	ねこのすず	チリチリ				○	1	5	四	15				○				10		○
20	大ゆき小ゆき	アハハハハ				○	1	5	四	15		○					20			◎
21	きんのおの	ドブン				○	2	4	三	15				○			10			○
22	どうぶつえん	ライオン				○	2	6	二	15				○			5			○
23	どうぶつえん	ペリカン				○	2	5	二	10			○				5			○
24	はるがくる	チッチッ				○	3	5	二	15				○			7			○
25	はるがくる	ホーホケキョ		○		◎	3	8	三	20		○				音楽		20		△

（２）　習得状況調査表

読みの習得状況調査表

番号	提出語い 1	2	3	4	5	6	指導 月	時間	ひん度 機会	延数	評価 完全	不完全	1字1字を完全に読んだ数 1	2	3	4	5	6	読みあやまった場合のおもな例
1	ト	ン	ネ	ル			6	9	三	20b	42	0	42	42	42	42			
2	グ	ー	グ	ー			2	6	二	15b	41	1	41	41	41	41			欠①
3	ガ	ー	ガ	ー			2	4	二	10b	42	0	42	42	42	42			
4	メ	ー	メ	ー			2	4	二	15b	41	1	41	41	41	41			欠①
5	パ	ン					7−11	5	二	10b	42	0	42	42					
6	ド	ン					1	4	二	15a	42	0	42	42					
7	リ	レ	ー				9	4	三	10b	42	0	42	42	42				
8	バ	ト	ン				9	4	三	10b	42	0	42	42	42				
9	ポ	ス	ト				10−2	8	五	35a	42	0	42	42	42				
10	ザ	ク	ザ	ク			3	6	三	15a	40	2	40	41	40	41			欠②
11	ガ	ム					11	4	三	15	42	0	42	42					
12	モ	ー	モ	ー			2	3	二	10	42	0	42	42	42	42			
13	バ	ス					11	6	四	25a	42	0	42	42					
14	ゴ	ー	ゴ	ー			3	4	四	15a	41	1	41	41	41	41			欠①
15	ト	ラ	ッ	ク			11	6	二	10b	42	0	42	42	42	42			
16	ボ	ー	ル				12	6	四	15a	40	2	40	42	42				欠②
17	チ	ュ	ー	チ	ュ	ー	1	8	八	20a	42	0	42	42	42	42	42		
18	ポ	リ	ポ	リ			1	5	八	20a	42	0	42	42	42	42			
19	チ	リ	チ	リ			1	6	七	15a	41	1	41	42	41	42			欠①
20	ア	ハ	ハ	ハ	ハ		1	5	五	15a	42	0	42	42	42	42	42		
21	ド	ブ	ン				2	5	八	15a	41	1	42	41	42				欠①
22	ラ	イ	オ	ン			2	5	四	15a	41	1	42	41	41	42			欠①
23	ペ	リ	カ	ン			2	4	四	15a	42	0	42	42	42	42			
24	チ	ッ	チ	ッ			3	3	四	10a	41	1	41	41	41	41			欠①
25	ホ	ー	ホ	ケ	キ	ョ	3	7	六	20a	42	0	42	42	42	42	42	42	

書きの習得状況調査表

番号	提出語い	指導 月	時間	ひん度 機会	ひん度 延数	評価 完全	評価 不完全	1字1字を完全に書いた数 1	2	3	4	5	6	書きあやまった場合の おもな例
1	トンネル	6	8	三	15a	37	5	42	42	37	40			トンネル③トンスン①トン①
2	グーグー	2	4	三	15a	41	1	41	41	41	41			上ー上ー①
3	ガーガー	2	3	二	15	42	0	42	42	42	42			
4	メーメー	2	3	二	15a	41	1	41	41	41	41			欠①
5	パン	7-11	4	三	10a	41	1	41	41					ハヽ①
6	ドン	1	3	二	10a	41	1	41	41					欠①
7	リレー	9	4	二	10a	36	6	39	39	39				リー①リーー①リれ①欠③
8	バトン	9	3	二	10a	40	2	40	40	40				欠②
9	ポスト	10-2	7	五	30a	40	2	40	41	41				ぱスト①欠①
10	ザクザク	3	5	二	10a	39	3	40	40	40	40			ぜクぜク①ザーザー①欠①
11	ガム	11	5	二	10a	41	1	41	42					カム①
12	モーモー	2	5	三	15a	39	3	39	39	39	39			欠③
13	バス	11	5	四	20a	40	2	40	41					ばス①欠①
14	ゴーゴー	3	3	二	15a	40	2	40	41	40	41			5ー5ー①欠①
15	トラック	11	5	二	10a	39	3	42	41	39	41			トラク①トイック①トラ①
16	ボール	12	5	三	20a	38	4	39	38	40				ボオル①ぼール①ボをル①欠①
17	チューチュー	1	7	四	20a	40	2	41	40	40	41	40	40	チーチーチー①欠①
18	ポリポリ	1	5	三	15a	40	2	40	40	40	40			欠②
19	チリチリ	1	5	四	15a	41	1	41	41	41	41			欠①
20	アハハハハ	1	5	四	15a	42	0	42	42	42	42	42		
21	ドブン	2	4	三	15a	40	2	41	40	41				フン①ドぶん①
22	ライオン	2	6	二	15a	41	1	41	41	41	41			ワいよん①
23	ペリカン	2	5	二	10a	41	1	41	41	41	41			欠①
24	チッチッ	3	5	二	15a	41	1	42	41	42	41			チーチー①
25	ホーホケキョ	3	8	三	20a	37	5	40	40	40	41	39	41	ポホケキョ①ポーポケキョ①ホホケキョ①ホーホケヨ①ホッーホッー①

4 Cコース

(1) 指導のしかたに関する一覧表

読みの指導に関する表

提出番号	題材	提出語い	提出のよりどころ 板書	カード	プリント	教科書	指導 月	時間	ひん度 機会	ひん度 延数	最初の印象づけ 実物	生活経験	カード	板書	教科書	他教科との連関	どれだけ提示しておいたか(数字は日数) カード	文字板	黒板	児童の興味の度合い
1	えんそく	トンネル		○			6	分 5	二	30	○					社会	40			○
2	えんそく	グーグー		○			6-7	2	二	15	○						40			○
3	えんそく	ガーガー		○			6-7	2	二	15	○						40			○
4	えんそく	メーメー		○			6-7	2	二	15	○						40			○
5	えんそく	パン			○		7.10	6	四	25			○				10			○
6	うんどうかい	ドン				○	9.10	5	三	20			○			体育			6	○
7	うんどうかい	リレー			○		10	10	四	25			○			体育			6	△
8	うんどうかい	バトン			○		10	10	四	25			○			体育			6	△
9	ゆうびんごっこ	ポスト				○	10.3	7	四	20				○			120			○
10	おじさんのうち	ザクザク				○	10	5	三	20				○					8	○
11	えんそく	ガム			○		11	3	三	15	○					社会		2		◎
12	えんそく	モーモー		○			12	3	四	15				○		社会			2	△
13	のりもの	バス				○	11	10	五	30					○	社会	7			○
14	のりもの	ゴーゴー				○	11	5	四	20					○		7			○
15	のりもの	トラック			○		12	3	四	24			○			図工			15	○
16	子りすのボール	ボール				○	11	3	五	20					○	体育	7			○
17	ねこのすず	チューチュー				○	1	7	六	30					○		5			○
18	ねこのすず	ポリポリ				○	1	7	六	30					○		5			○
19	ねこのすず	チリチリ				○	1	7	六	20	○						5			○
20	大ゆき小ゆき	アハハハハ				○	1	5	四	20					○		6			◎
21	きんのすず	ドブン				○	2	5	八	40					○		2			○
22	どうぶつえん	ライオン				○	2	2	三	15					○	図工	6			○
23	どうぶつえん	ペリカン				○	2	2	三	15					○	図工	6			○
24	はるがくる	チッチッ				○	3	3	四	20				○			10			○
25	はるがくる	ホーホケキョ				○	3	3	四	20				○		音楽				△

（2）　習得状況調査表

読みの習得状況調査表

番号	提出語い 1	2	3	4	5	6	指導 月	時間	ひん度 機会	延数	評価 完全	不完全	1字1字を完全に読んだ数 1	2	3	4	5	6	読みあやまった場合のおもな例
1	ト	ン	ネ	ル			ε	5	二	30b	34	8	36	36	34	34			トン① トンル① 欠⑥
2	グ	ー	グ	ー			6-7	2	二	15b	37	5	36	36	36	36			ゴーゴー① 欠④
3	ガ	ー	ガ	ー			6-7	2	二	15b	42	0	42	42	42	42			
4	メ	ー	メ	ー			6-7	2	二	15b	40	2	40	40	40	40			欠②
5	パ	ン					7. 10	6	四	25b	42	0	42	42					
6	ド	ン					9. 10	5	三	20a. b	42	0	42	42					
7	リ	レ	ー				10	10	四	25b	38	4	38	38					欠④
8	バ	ト	ン				10	10	四	25a. b	41	1	41	41	41				欠①
9	ポ	ス	ト				10. 3	7	四	20a. b	42	0	42	42	42				
10	ザ	ク	ザ	ク			10	5	三	20a. b	39	3	39	39	39	39			欠③
11	ガ	ム					11	3	三	15b	41	1	41	41					欠①
12	モ	ー	モ	ー			1	3	四	15b	36	6	36	36	36				欠⑥
13	バ	ス					11	10	五	30a. b	40	2	40	40					欠②
14	ゴ	ー	ゴ	ー			11	5	四	20a. b	38	4	38	38	38	38			欠③ グーグー①
15	ト	ラ	ッ	ク			11.12	3	四	24b	35	7	36	36	35	35			欠⑤ トラ① ドン①
16	ボ	ー	ル				11	3	五	20a. b	34	8	34	34	34				欠⑧
17	チ	ュ	ー	チ	ュ	ー	1	5	八	30a. b	34	8	37	34	34	37	34	34	欠③ チだけ③ チッチッ① チリチリ①
18	ポ	リ	ポ	リ			1	5	八	25a. b	42	0	42	42	42	42			
19	チ	リ	チ	リ			1	5	七	25a. b	38	4	39	39	39	39			欠② チだけ① リだけ①
20	ア	ハ	ハ	ハ	ハ		1	4	四	20a. b	40	2	40	40	40	40	40		欠②
21	ド	ブ	ン				2	6	五	20a. b	38	4	38	38	38				欠④
22	ラ	イ	オ	ン			2	5	五	20a. b	41	1	41	41	41	41			欠②
23	ペ	リ	カ	ン			2	5	五	20a. b	42	0	42	42	42	42			
24	チ	ッ	チ	ッ			3	4	四	20a. b	34	8	37	34	37	34			チリチリ① 欠④ チだけ③
25	ホ	ー	ホ	ケ	キ	ョ	3	5	四	20a. b	35	7	35	35	35	35	35	35	欠⑦

書きの習得状況調査表

番号	提出語い 1	2	3	4	5	6	指導 月	時間	ひん度 機会	延数	評価 完全	不完全	1字1字を完全に書いた数 1	2	3	4	5	6	書きあやまった場合のおもな例
1	ト	ン	ネ	ル							19	22	35	33	21	24			トン⑪ 平がなと混同③ 欠③ 平がなで書く② トンネホ① トンル① トントソ①
2	グ	ー	グ	ー							21	20	21	20	21	20			ぐーぐー③ グウグウ① ゴーゴー① ドードト① グウグウ② 欠⑫
3	ガ	ー	ガ	ー							33	8	36	33	36	33			ガろガろ① ガアガア④ ぐーぐー① 欠②
4	メ	ー	メ	ー							32	9	33	32	33	32			めーめー ①めろめろ① 目えめえ① メエメエ③ ㄨーㄨー③
5	パ	ン									36	5	37	37					パソ① ペン① バン② 欠①
6	ド	ン									34	7	34	35					とん① 用ド① トん① 欠④
7	リ	レ	ー								13	28	27	18	16				リレエ④ リ⑥ リーレ③ リルー① 欠⑩ 平がなと混同④
8	バ	ト	ン								35	6	37	38	37				バトソ① トンだけ② 平がなと混同③
9	ポ	ス	ト								38	3	38	41	40				ぽスト① パスト① トスト①
10	ザ	ク	ザ	ク							23	18	24	26	24	26			げとぜの混同⑤平がなで書いた② ザタザタ① ザーザー① クだけ
11	ガ	ム									27	14	37	37					ガウ① ガだけ⑩ ム{マ① ヌ① チ①}
12	モ	ー	モ	ー							23	18	34	33	34	33			平がなと混同⑥ もーもー② 欠⑩
13	バ	ス									37	4	39	39					トス① バだけ① ばす① 欠①
14	ゴ	ー	ゴ	ー							30	11	34	30	32	30			゛ㄈー゛ㄈー③ゴウゴウ①ごうごう① ブーブー① 欠⑤
15	ト	ラ	ッ	ク							26	15	32	28	28	28			トシラク② 平がなと混同⑧ 欠⑤
16	ボ	ー	ル								24	17	27	25	25				平がな② ボホボ① バール① 平がなと混同④ 欠⑨
17	チ	ュ	ー	チ	ュ	ー					9	32	13	11	9	10	10	9	チだけできた⑨ チの混同{マ① ナ① 牛①} 欠⑰
18	ポ	リ	ポ	リ							33	8	33	33	33	33			ホリホリ① 欠⑦
19	チ	リ	チ	リ							23	18	24	28	24	28			チのあやまり{午①チ①もーもー① ケ② チュチチチ①} 欠⑫
20	ア	ハ	ハ	ハ	ハ						26	15	26	28	28	28	28		ムハハハハ① ははははは① 了ハハハ① 欠⑫
21	ド	ブ	ン								36	5	40	37	39				ドブソ① ドーン① ドツン① どぶん① ドスン①
22	ラ	イ	オ	ン							32	9	39	37	34	38			ライだけできた④ ラーオン① ラくをン① ラトオン① ラトオン②
23	ペ	リ	カ	ン							17	24	18	19	19	18			ペリカツ① パリカン① 欠㉒
24	チ	ッ	チ	ッ							17	24	40	38	40	38			欠⑫ チーチー① チチチチ① チシチシ③ モヨモヨ① チコチコ③ チとケのあやまり③
25	ホ	ー	ホ	ケ	キ	ョ					17	24	24	24	24	17	19	20	ホだけ⑤ケとチのあやまり③欠⑰ 位置のあやまり④

5　Dコース

（1）　指導のしかたに関する一覧表

読みの指導に関する表

提出番号	題材	提出語い	提出のよりどころ 板書	カード	プリント	教科書	指導 月	ひん度 時間	機会	延数	最初の印象づけ 実物	生活経験	カード	板書	教科書	他教科との連関	どれだけ提示しておいたか（数字は日数） カード	文字板	黒板	児童の興味の度合い
1	えんそく	トンネル		○			11-12	5分	三	10		○				社会				○
2	どうぶつえん	グーグー	○				2	6	三	15			○				7			○
3	どうぶつえん	ガーガー	○				2	4	二	8			○				7			○
4	どうぶつえん	メーメー	○				2	4	二	8			○				7			◎
5	えんそく	パン			○		11	3	三	10	○					社会		7		◎
6	うんどうかい	ドン				○	9	5	五	35		○				体育	30		5	○
7	うんどうかい	リレー			○		9-10	6	七	40		○				体育			5	○
8	うんどうかい	バトン			○		9-10	7	七	40	○					体育			5	○
9	ゆうびんごっこ	ポスト				○	10.12.3	12	三	75	○					図工	20			◎
10	おじさんのうち	ザクザク				○	10	4	四	20		○					90			◎
11	えんそく	ガム			○		11	3	三	10	○					社会		7		○
12	えんそく	モーモー		○			11-12	2	二	5		○				社会				◎
13	のりもの	バス				○	11	5	六	35	○					社会		30		◎
14	のりもの	ゴーゴー				○	11	3	七	15		○					10			○
15	のりもの	トラック			○		11	3	三	10	○								2	○
16	子りすのボール	ボール				○	11-12	2	三	10	○					体育				○
17	ねこのすず	チューチュー				○	1	8	一〇	25		○					3			○
18	ねこのすず	ポリポリ				○	1	5	一〇	20		○					2			○
19	ねこのすず	チリチリ				○	1	5	一〇	20	○						2			○
20	大ゆき小ゆき	アハハハハ				○	1-2	5	一〇	25		○					7			◎
21	きんのおの	ドブン				○	2	4	八	20				○					10	△
22	どうぶつえん	ライオン				○	2	5	五	15					○	図工				○
23	どうぶつえん	ペリカン				○	2	4	五	13					○	図工				○
24	はるがくる	チッチッ				○	3	3	五	15		○				音楽				△
25	はるがくる	ホーホケキョ				○	3	5	七	20		○				音楽				○

書きの指導に関する表

提出番号	題材	提出語い	提出のよりどころ 板書	カード	プリント	教科書	指導 月	ひん度 時間	機会	延数	最初の印象づけ 実物	生活経験	カード	板書	教科書	他教科との連関	どれだけ提示しておいたか（数字は日数） カード	文字板	黒板	児童の興味の度合い
1	えんそく	トンネル		○			11-12	3分	一	3		○				社会				○
2	どうぶつえん	グーグー	○				2	4	三	6			○				7			◎
3	どうぶつえん	ガーガー	○				2	4	二	10			○				7			◎
4	どうぶつえん	メーメー	○				2	5	二	10			○				7			◎
5	えんそく	パン			○		11	3	一	5	○					社会		7		◎
6	うんどうかい	ドン				○	9	5	三	10		○				体育	30		5	○
7	うんどうかい	リレー			○		9-10	6	四	12		○				体育			5	○
8	うんどうかい	バトン			○		9-10	6	四	12	○					体育			5	○
9	ゆうびんごっこ	ポスト				○	10.12.3	6	四	13	○					図工	20			◎
10	おじさんのうち	ザクザク				○	10	5	二	5				○			90			△
11	えんそく	ガム			○		11	5	二	10	○					社会		7		○
12	えんそく	モーモー		○			11-12	3	一	5		○				社会				◎
13	のりもの	バス				○	11	5	五	10	○					社会		30		◎
14	のりもの	ゴーゴー				○	11	3	一	5				○			10			○
15	のりもの	トラック			○		11	5	二	10	○								2	△
16	子りすのボール	ボール				○	11-12	3	二	5	○					体育				○
17	ねこのすず	チューチュー				○	1	8	五	15				○			3			△
18	ねこのすず	ポリポリ				○	1	6	三	10		○					2			○
19	ねこのすず	チリチリ				○	1	5	五	12	○						2			○
20	大ゆき小ゆき	アハハハハ				○	1-2	5	五	10		○					7			◎
21	きんのおの	ドブン				○	2	4	二	8			○				10			△
22	どうぶつえん	ライオン				○	2	5	三	12					○	図工				○
23	どうぶつえん	ペリカン				○	2	5	二	10					○	図工				○
24	はるがくる	チッチッ				○	3	5	二	8				○		音楽				△
25	はるがくる	ホーホケキョ				○	3	8	三	12				○		音楽				○

（2） 習得状況調査一覧表

読みの習得状況調査表

番号	提出語い 1	2	3	4	5	6	指導 月	時間	ひん度 機会	延数	評価 完全	不完全	1字1字を完全に読んだ数 1	2	3	4	5	6	読みあやまった場合のおもな例
1	ト	ン	ネ	ル			11-12	5	三	10	41	0	41	41	41	41			
2	グ	ー	グ	ー			2	6	三	15b	41	0	41	41	41	41			
3	ガ	ー	ガ	ー			2	4	二	8	41	0	41	41	41	41			
4	メ	ー	メ	ー			2	4	二	8	41	0	41	41	41	41			
5	パ	ン					11	3	三	10	41	0	41	41					
6	ド	ン					9	5	五	35a	41	0	41	41					
7	リ	レ	ー				9-10	6	七	40b	41	0	41	41	41				
8	バ	ト	ン				9-10	7	七	40b	41	0	41	41	41				
9	ポ	ス	ト				10.12.3	12	三	75a	41	0	41	41	41				
10	ザ	ク	ザ	ク			10	4	四	20a	41	0	41	41	41	41			
11	ガ	ム					11	3	三	10	41	0	41	41					
12	モ	ー	モ	ー			11-12	2	二	5	41	0	41	41	41	41			
13	バ	ス					11	5	六	35a	41	0	41	41					バトン①あったがすぐに訂正
14	ゴ	ー	ゴ	ー			11	3	七	15a	41	0	41	41	41	41			
15	ト	ラ	ッ	ク			11	3	三	10	41	0	41	41	41	41			
16	ボ	ー	ル				11-12	2	三	10a	41	0	41	41	41				
17	チ	ュ	ー	チ	ュ	ー	1	8	一〇	25a	41	0	41	41	41	41	41	41	
18	ポ	リ	ポ	リ			1	5	一〇	20a	41	0	41	41	41	41			
19	チ	リ	チ	リ			1	5	一〇	20a	41	0	41	41	41	41			
20	ア	ハ	ハ	ハ	ハ		1-2	5	一〇	25ab	41	0	41	41	41	41	41		
21	ド	ブ	ン				2	4	八	20a	41	0	41	41	41				
22	ラ	イ	オ	ン			2	5	五	15a	41	0	41	41	41	41			
23	ペ	リ	カ	ン			2	4	五	13a	41	0	41	41	41	41			
24	チ	ッ	チ	ッ			3	3	五	15a	41	0	41	41	41	41			チッチッ③あれどすぐに訂正
25	ホ	ー	ホ	ケ	キ	ョ	3	5	七	20a	41	0	41	41	41	41	41	41	

書きの習得状況調査表

番号	提出語い 1	2	3	4	5	6	指導 月	時間	ひん度 機会	延数	評価 完全	不完全	1字1字を完全に書いた数 1	2	3	4	5	6	書きあやまった場合のおもな例
1	ト	ン	ネ	ル			11-12	3	一	3a	34	7	41	41	35	36			トン下ル① トンシ① トンネる① トンル① トンボ① トン① トンネラ①
2	グ	ー	グ	ー			2	4	三	6a	41	0	41	41	41	41			
3	ガ	ー	ガ	ー			2	4	二	10	41	0	41	41	41	41			
4	メ	ー	メ	ー			2	5	二	10	40	1	40	41	40	41			メーメー（鏡文字）①
5	パ	ン					11	3	一	5a	40	1	40	41					ムン①
6	ド	ン					9	5	三	10a	39	2	39	41					よン① ン①
7	リ	レ	ー				9-10	6	四	12a	36	5	41	36	39				リフー③ リーレ① リー①
8	バ	ト	ン				9-10	6	四	12a	41	0	41	41	41				
9	ポ	ス	ト				10.12.3	6	四	13a	41	0	41	41	41				
10	ザ	ク	ザ	ク			10	5	二	5a	36	5	36	40	36	40			ゼクゼク④ なし①
11	ガ	ム					11	5	二	10a	35	6	41	35					ガ⑥
12	モ	ー	モ	ー			11-12	3	一	5a	41	0	41	41	41	41			
13	バ	ス					11	5	五	10a	41	0	41	41					
14	ゴ	ー	ゴ	ー			11	3	一	5a	40	1	40	41	40	41			グーグー①
15	ト	ラ	ッ	ク			11	5	二	10a	36	5	41	39	36	37			トラ② トラク① トツく① トっらく①
16	ボ	ー	ル				11-12	3	二	5a	36	5	41	41	36				ボー③ ボーボ① ボー七①
17	チ	ュ	ー	チ	ュ	ー	1	8	五	15a	35	6	39	36	36	36	35	36	チツチツ②チユチユチユ① チヨーチヨー①ちゆうー① なし①
18	ポ	リ	ポ	リ			1	6	三	10a	41	0	41	41	41	41			
19	チ	リ	チ	リ			1	5	五	12a	41	0	41	41	41	41			
20	ア	ハ	ハ	ハ	ハ		1-2	5	五	10a	41	0	41	41	41	41	41		
21	ド	ブ	ン				2	4	二	8a	40	1	41	40	41				ドぶン①
22	ラ	イ	オ	ン			2	5	三	12a	38	3	39	39	38	40			ラオン① フイワン① らんよん①
23	ペ	リ	カ	ン			2	5	二	10a	41	0	41	41	41	41			
24	チ	ッ	チ	ッ			3	5	二	8a	38	3	39	38	39	38			チチ① ことりっ① なし①
25	ホ	ー	ホ	ケ	キ	ョ	3	8	三	12a	38	3	41	41	41	38	40	41	ホーホキよョ① ホーホきョ① ホーホユキョ①

6　3月末における各コース習得率一覧表

番号	指導語い ＼ 習得率	読み Aコース	読み Bコース	読み Cコース	読み Dコース	書き Aコース	書き Bコース	書き Cコース	書き Dコース
1	トンネル	100	100	79	100	86	88	45	83
2	グーグー	95	98	86	100	86	98	50	100
3	ガーガー	100	100	100	100	88	100	79	100
4	メーメー	100	98	95	100	90	98	76	93
5	パン	79	100	93	100	97	98	86	98
6	ドン	97	100	100	100	95	98	81	95
7	リレー	93	100	88	100	59	85	31	88
8	バトン	93	100	95	100	88	95	83	100
9	ポスト	100	100	100	100	97	95	90	100
10	ザクザク	95	95	91	100	79	93	55	88
11	ガム	100	100	95	100	95	98	65	85
12	モーモー	95	100	94	100	88	93	79	100
13	バス	95	100	93	100	90	95	88	100
14	ゴーゴー	95	98	88	100	88	95	74	98
15	トラック	95	100	81	100	71	93	62	88
16	ボール	90	95	79	100	74	90	57	88
17	チューチュー	98	100	79	100	88	95	21	85
18	ポリポリ	100	100	100	100	100	95	88	100
19	チリチリ	100	98	88	100	91	98	54	100
20	アハハハハ	98	100	93	100	91	100	61	100
21	ドブン	95	98	88	100	91	95	84	98
22	ライオン	95	98	98	100	83	98	74	93
23	ペリカン	98	100	100	100	91	98	40	100
24	チッチッ	98	98	79	100	93	98	40	93
25	ホーホケキョ	98	100	81	100	83	88	40	93
平均		97%	99%	90%	100%	88%	95%	64%	95%

III　かたかな71文字の読み書き能力に関する調査表

かたかな71文字の読み書き能力に関する調査は，４月，９月，12月，３月の４回にわたって行った。４月はかたかなの指導を全然行っていない時期の調査であり，３月は25のかたかな語いを指導したあとの調査である。９月，12月の２回はその中間における調査である。

1　１字１字の習得率

（その一）

番号	文字	コース	読み(%) 4月	読み(%) 9月	読み(%) 12月	読み(%) 3月	書き(%) 4月	書き(%) 9月	書き(%) 12月	書き(%) 3月
1	○ハ	A	5	45	79	95	2	57	79	86
		B	5	24	90	100	5	71	90	93
		C	2	21	63	86	0	23	44	74
		D	7	24	73	100	0	24	75	98
2	○オ	A	10	31	57	93	0	19	33	76
		B	2	24	52	100	0	14	30	90
		C	5	16	51	86	0	14	37	70
		D	10	15	56	95	2	5	36	88
3	○ル	A	7	79	95	95	0	71	90	79
		B	5	100	100	100	2	67	98	98
		C	0	30	67	81	0	16	58	65
		D	5	17	95	100	2	7	95	93
4	○ツ	A	22	14	71	83	0	2	71	79
		B	5	14	88	98	0	5	95	100
		C	0	7	23	63	0	0	14	40
		D	5	5	70	95	0	2	88	88
5	テ	A	2	12	45	71	2	12	21	26
		B	2	12	20	57	0	2	19	31
		C	5	7	30	56	0	0	7	16
		D	2	10	36	73	0	2	15	36

番号	文字	コース	読み(%) 4月	読み(%) 9月	読み(%) 12月	読み(%) 3月	書き(%) 4月	書き(%) 9月	書き(%) 12月	書き(%) 3月
6	ヤ	A	7	76	76	98	2	7	40	76
		B	7	52	93	100	2	12	48	69
		C	14	33	67	93	0	9	40	44
		D	20	59	95	100	0	12	60	60
7	サ	A	7	26	62	81	0	7	48	64
		B	5	24	52	93	0	12	38	86
		C	2	19	56	79	0	9	40	40
		D	10	22	80	93	2	7	78	75
8	ロ	A	7	21	45	55	2	5	33	45
		B	2	7	19	45	0	2	12	31
		C	5	9	30	49	2	2	26	26
		D	2	12	41	75	0	17	29	43
9	マ	A	2	14	48	69	2	5	36	57
		B	2	10	17	76	2	10	20	74
		C	5	7	37	60	0	9	26	51
		D	10	20	36	78	0	12	27	73
10	ヌ	A	2	5	31	60	0	2	14	38
		B	2	2	19	38	0	0	14	29
		C	0	0	26	49	0	5	5	23
		D	5	7	27	60	0	2	12	29

（その二）

番号	文字	コース	読み(%) 4月	9月	12月	3月	書き(%) 4月	9月	12月	3月
11	ソ	A	5	12	36	60	0	2	17	40
		B	2	5	19	31	0	0	14	38
		C	0	0	33	40	0	0	30	26
		D	2	2	36	60	0	0	17	33
12	シ	A	5	7	36	55	0	7	29	40
		B	2	10	26	52	0	2	26	43
		C	2	7	35	54	0	15	14	33
		D	0	7	41	65	0	12	29	53
13	エ	A	7	14	38	60	2	12	26	40
		B	5	12	36	79	2	10	40	50
		C	5	28	42	70	0	12	33	49
		D	5	17	20	68	2	10	20	51
14	ノ	A	5	31	50	60	2	14	43	48
		B	5	12	33	74	0	17	29	60
		C	2	19	42	74	0	2	37	56
		D	10	22	63	90	0	10	60	70
15	○イ	A	7	24	48	88	2	7	31	69
		B	5	12	48	98	2	7	26	96
		C	9	23	47	91	0	7	21	51
		D	5	24	53	93	2	12	22	88
16	○ア	A	7	21	50	90	2	14	38	74
		B	5	12	50	100	0	2	40	90
		C	9	28	51	91	0	21	40	77
		D	2	27	51	100	0	12	31	95
17	ヒ	A	5	17	45	71	0	5	36	43
		B	2	7	33	79	2	2	20	38
		C	2	9	42	60	0	0	37	30
		D	2	20	46	78	0	2	22	51
18	○リ	A	10	95	95	100	5	40	88	90
		B	14	83	100	100	2	36	86	90
		C	21	72	100	100	2	7	54	77
		D	56	100	100	100	0	65	98	98

番号	文字	コース	読み(%) 4月	9月	12月	3月	書き(%) 4月	9月	12月	3月
19	○レ	A	5	19	69	90	2	5	64	71
		B	2	10	95	98	0	2	86	88
		C	2	7	67	58	0	0	26	44
		D	2	15	98	100	0	5	78	75
20	コ	A	5	33	74	90	2	17	74	69
		B	2	20	50	90	0	14	30	67
		C	7	16	70	81	0	23	35	49
		D	5	36	100	100	0	17	68	93
21	ミ	A	7	24	50	76	0	7	21	50
		B	2	19	67	95	2	17	50	62
		C	9	33	56	81	0	12	33	33
		D	15	27	56	90	0	20	33	56
22	○ト	A	5	98	98	100	0	79	98	93
		B	5	100	100	100	0	76	98	93
		C	7	49	89	100	0	14	77	88
		D	10	36	100	100	0	39	93	93
23	○チ	A	5	10	48	98	2	2	12	83
		B	5	5	17	100	0	0	7	90
		C	0	14	23	93	0	0	7	56
		D	0	5	20	100	0	0	7	88
24	タ	A	5	17	40	71	0	7	17	45
		B	2	10	19	55	0	2	14	45
		C	5	7	49	72	0	5	54	33
		D	12	12	36	75	0	46	33	49
25	○ラ	A	5	17	71	98	2	5	62	88
		B	5	10	100	100	5	7	88	90
		C	5	14	56	81	0	0	14	81
		D	7	20	90	100	0	2	83	90
26	フ	A	2	10	64	76	2	2	26	38
		B	2	7	30	79	0	5	29	40
		C	0	5	23	65	0	2	9	26
		D	2	15	39	80	0	17	22	88

（その三）

番号	文字	コース	読み(%) 4月	9月	12月	3月	書き(%) 4月	9月	12月	3月
27	○メ	A	7	79	93	98	2	67	79	83
		B	5	14	29	98	2	7	14	88
		C	2	5	95	98	0	7	60	67
		D	2	15	51	98	0	2	7	80
28	○ホ	A	5	14	50	100	0	5	50	76
		B	2	14	67	100	0	0	30	81
		C	0	7	49	88	0	2	28	77
		D	5	20	73	95	0	2	60	88
29	ワ	A	2	10	24	55	2	5	14	33
		B	2	2	20	52	0	0	14	33
		C	0	2	12	40	0	0	0	14
		D	0	0	20	51	0	0	10	20
30	ナ	A	2	7	38	57	2	2	21	38
		B	2	7	14	57	0	5	17	48
		C	0	2	14	51	0	2	9	21
		D	0	2	22	65	0	2	15	41
31	○ソ	A	5	93	95	100	2	74	88	98
		B	5	100	100	100	0	81	100	100
		C	0	44	89	100	0	19	67	93
		D	0	20	100	100	0	17	90	98
32	○ヨ	A	2	21	43	90	0	12	29	90
		B	2	14	29	95	0	2	19	88
		C	5	21	42	67	0	7	26	47
		D	5	7	41	88	2	7	17	59
33	○ケ	A	2	12	38	90	0	5	24	83
		B	2	10	24	95	0	2	12	88
		C	2	7	26	54	0	0	7	28
		D	0	7	43	90	0	0	10	88
34	○ム	A	2	10	98	100	0	7	98	86
		B	2	7	98	100	0	0	100	100
		C	0	2	49	86	0	0	40	60
		D	0	7	95	98	0	2	88	88

番号	文字	コース	読み(%) 4月	9月	12月	3月	書き(%) 4月	9月	12月	3月
35	○ユ	A	2	7	40	83	0	10	12	76
		B	2	10	24	93	0	0	12	86
		C	0	7	30	56	0	2	19	21
		D	2	12	31	93	0	10	15	70
36	○ス	A	5	21	86	95	2	14	79	79
		B	10	19	98	98	0	2	86	98
		C	2	19	79	93	0	9	49	49
		D	7	31	98	100	2	24	90	98
37	ニ	A	5	12	57	95	5	5	17	57
		B	2	14	60	90	2	5	14	57
		C	9	44	67	84	0	2	26	26
		D	7	27	88	100	0	12	53	68
38	ヲ	A	2	10	33	60	0	10	14	36
		B	0	5	20	38	0	5	17	36
		C	0	5	16	28	0	0	14	19
		D	2	2	27	56	0	0	10	27
39	○ネ	A	5	81	86	100	0	62	79	93
		B	2	100	100	100	0	55	86	88
		C	2	21	63	72	0	0	28	37
		D	2	15	93	100	0	0	80	78
40	セ	A	5	12	57	71	2	7	29	29
		B	5	36	52	83	2	7	36	50
		C	5	23	54	77	0	0	19	26
		D	5	24	68	85	0	2	24	51
41	ウ	A	5	21	43	67	0	10	21	43
		B	2	2	43	76	0	0	19	48
		C	5	7	51	70	0	0	23	40
		D	0	17	41	85	0	0	15	51
42	○モ	A	2	7	90	100	0	7	88	88
		B	2	7	14	95	0	0	30	95
		C	5	7	23	72	0	19	44	74
		D	2	7	100	100	0	2	83	95

(その四)

番号	文字	コース	読み(%) 4月	9月	12月	3月	書き(%) 4月	9月	12月	3月
43	○キ	A	7	74	74	98	7	24	57	88
		B	10	60	93	98	6	36	62	83
		C	14	65	100	100	0	5	47	67
		D	15	78	100	100	0	22	75	95
44	ヘ	A	52	79	86	100	14	36	55	79
		B	10	69	98	100	2	10	40	86
		C	14	72	93	98	0	7	16	47
		D	41	90	100	100	0	53	83	90
45	○ク	A	5	57	69	98	2	31	71	83
		B	2	10	93	98	0	0	90	92
		C	0	9	67	95	0	7	40	60
		D	2	15	98	100	0	5	98	80
46	○カ	A	5	76	86	98	2	52	62	86
		B	10	45	98	100	0	17	64	83
		C	19	70	95	100	2	21	72	84
		D	5	98	100	100	0	51	98	95
47	ダ	A	5	14	38	67	0	5	17	40
		B	2	10	20	52	0	5	14	38
		C	2	5	30	63	0	2	30	49
		D	7	20	49	80	0	7	12	46
48	ビ	A	5	19	43	69	0	5	21	40
		B	2	14	30	74	0	0	19	52
		C	2	14	33	60	0	0	9	26
		D	2	15	51	78	0	2	20	43
49	○ガ	A	7	88	88	100	2	43	83	90
		B	10	43	100	100	2	10	86	93
		C	9	67	97	100	0	9	58	84
		D	7	88	98	98	0	22	85	90
50	ジ	A	2	10	38	62	0	10	19	31
		B	2	7	17	48	0	0	17	38
		C	0	7	30	60	0	0	7	28
		D	0	10	46	78	0	2	24	43
51	ズ	A	5	26	60	79	0	5	45	48
		B	4	14	69	88	0	0	20	57
		C	0	21	51	77	0	7	42	60
		D	7	22	85	95	0	15	65	78
52	ベ	A	40	79	88	98	7	31	50	76
		B	12	40	90	100	2	7	26	76
		C	9	33	95	98	0	0	21	40
		D	24	51	93	100	0	36	70	85
53	○グ	A	7	81	81	95	0	43	69	83
		B	2	7	52	98	0	0	17	88
		C	0	16	72	91	0	5	47	60
		D	2	15	90	98	0	0	53	75
54	ゼ	A	5	17	62	74	2	4	26	36
		B	7	29	57	86	2	5	30	52
		C	7	30	63	81	0	5	21	21
		D	2	20	70	83	0	5	20	43
55	○ド	A	5	67	95	98	0	45	79	95
		B	5	57	98	100	0	10	67	88
		C	7	47	86	98	0	12	65	88
		D	7	27	100	100	0	41	90	95
56	○バ	A	2	43	90	98	0	19	62	86
		B	5	20	95	100	0	17	76	93
		C	2	28	93	98	0	9	51	84
		D	2	41	98	98	0	49	90	98
57	○ゴ	A	2	24	93	95	2	12	76	93
		B	2	14	45	95	0	0	33	88
		C	2	30	79	100	0	2	44	77
		D	2	43	100	100	0	12	93	93
58	○ザ	A	2	21	90	95	0	5	74	88
		B	2	17	50	98	0	2	29	81
		C	0	14	67	93	0	0	49	54
		D	5	22	98	100	0	0	83	78

(その五)

番号	文字	コース	読み(%) 4月	9月	12月	3月	書き(%) 4月	9月	12月	3月
59	ヂ	A	2	7	24	79	0	0	7	21
		B	2	2	19	83	0	0	5	52
		C	0	5	23	51	0	0	2	23
		D	0	5	20	83	0	2	2	53
60	○ブ	A	2	14	36	93	0	2	19	79
		B	2	17	24	98	0	5	19	69
		C	0	7	28	70	0	0	7	58
		D	0	20	51	85	0	5	22	88
61	ギ	A	5	83	67	95	5	21	43	76
		B	5	40	95	95	0	12	43	79
		C	9	58	95	97	0	7	51	56
		D	7	70	98	98	0	17	60	85
62	ヅ	A	2	12	40	60	0	5	5	24
		B	2	5	26	50	0	0	12	19
		C	0	5	16	37	0	0	16	42
		D	0	2	43	65	0	2	5	83
63	デ	A	2	10	36	57	0	2	19	17
		B	2	7	20	52	0	0	10	29
		C	7	12	30	44	0	0	7	9
		D	0	10	33	70	0	2	7	36
64	○ボ	A	2	10	83	95	0	5	55	79
		B	2	10	90	95	0	0	71	84
		C	0	4	60	77	0	2	54	51
		D	5	20	100	98	0	2	78	80
65	ゲ	A	2	10	38	79	0	2	17	60
		B	2	5	26	69	0	0	19	57
		C	0	5	23	54	0	0	5	26
		D	0	7	33	80	0	0	5	73
66	ゾ	A	2	10	21	79	0	5	14	31
		B	2	5	17	50	0	0	12	36
		C	0	2	23	44	0	0	14	26
		D	0	2	29	53	0	0	7	31
67	○パ	A	2	98	98	100	0	83	90	95
		B	5	100	100	100	5	67	95	90
		C	2	51	100	100	0	16	74	79
		D	2	15	95	98	0	27	80	98
68	○ポ	A	2	21	93	100	0	2	81	95
		B	2	12	98	100	0	0	95	83
		C	0	12	100	100	0	0	65	77
		D	5	15	100	100	0	2	88	95
69	ピ	A	2	26	45	83	0	7	19	43
		B	2	10	40	81	2	2	17	43
		C	2	12	42	72	0	0	14	30
		D	2	22	51	80	0	2	20	75
70	○ペ	A	29	52	79	98	7	21	40	90
		B	7	29	79	98	2	5	26	67
		C	9	37	81	95	0	0	19	51
		D	7	31	98	98	0	41	75	93
71	プ	A	2	14	40	86	0	2	17	50
		B	2	5	26	86	2	5	17	48
		C	0	28	42	84	0	0	7	30
		D	2	12	59	80	0	0	17	68

2　71文字の平均習得率

○の数字は調査の月までに指導した文字数

読み書き／調査の月／コース	読み 4月	読み 9月	読み 12月	読み 3月	書き 4月	書き 9月	書き 12月	書き 3月
A コース	6%	⑧ 32%	㉒ 61%	㉟ 84%	2%	⑧ 17%	㉒ 45%	㉟ 65%
B コース	4%	⑤ 23%	⑯ 55%	㉟ 84%	1%	⑤ 11%	⑯ 39%	㉟ 68%
C コース	4%	⑧ 20%	㉒ 54%	㉟ 76%	0%	5%	26%	48%
D コース	6%	23%	⑳ 67%	㉟ 89%	0%	12%	⑳ 48%	㉟ 72%

・成績順位は，D，B，A，C である。

3　指導した文字と，指導しない文字の習得率

○　指導した35文字の習得率を示すと平均して次のとおりである。

コース／読み書き	読み	書き
A コース	93%	85%
B コース	98%	87%
C コース	87%	65%
D コース	98%	89%

○　指導しない36文字の習得率は平均して次のとおりである。

コース／読み書き	読み	書き
A コース	73%	45%
B コース	71%	50%
C コース	65%	33%
D コース	79%	53%

4　指導した文字の内訳およびそれに対する所見

指導した35文字の習得状況（読み）

コース／区分	100%～90%	89%～80%	79%～70%	69%～60%	59%～50%	49%以下
Aコース	ト，ン，ネ，ル，グ，ガ，メ，パ，ド，リ，バ，レ，ポ，ス，ザ，ク，ム，オ，モ，ゴ，ラ，ボ，チ，ア，ハ，ブ，ペ，カ，ホ，ケ，キ，ヨ	ツ，ユ，イ				
Bコース	ト，ン，ネ，ル，グ，ガ，メ，パ，ド，リ，バ，レ，ポ，ス，ザ，ク，ム，モ，ゴ，ラ，ツ，ボ，チ，ユ，ア，ハ，ブ，イ，オ，ペ，カ，ホ，ケ，キ，ヨ					
Cコース	ト，ン，グ，ガ，ポ，メ，パ，ド，リ，バ，ス，ザ，ク，ゴ，チ，ア，イ，ペ，カ，キ	ル，ム，ラ，ハ，オ，ホ	ネ，モ，ボ，ブ	ツ，ヨ	レ，ユ，ケ	
Dコース	ト，ン，ネ，ル，ガ，メ，パ，ド，レ，グ，リ，バ，ポ，ス，ザ，ク，ム，モ，ゴ，ラ，ツ，ボ，チ，ユ，ア，ハ，イ，オ，ペ，カ，ホ，ケ，キ	ブ，ヨ				

指導した35文字の習得状況（書き）

コース／区分	100%～90%	89%～80%	79%～70%	69%～60%	59%～50%	49%以下
Aコース	ト，ン，ネ，ガ，パ，ド，リ，ポ，ゴ，ペ，ヨ	グ，メ，バ，ザ，ク，ム，モ，ラ，チ，ハ，カ，ケ，キ	ル，レ，ス，ツ，ボ，ユ，ア，ブ，オ，ホ	イ		
Bコース	ト，ン，ル，ガ，パ，リ，バ，ス，モ，ラ，ツ，チ，ア，ハ，イ，オ	ネ，グ，メ，ド，ポ，ザ，ム，ゴ，ユ，カ，ホ，ケ，キ，ヨ，ボ	レ，ク	ブ，ペ		
Cコース	ト，ン	ガ，ド，バ，ラ，カ	パ，リ，ポ，モ，ゴ，ア，ハ，オ，ホ	ル，グ，メ，ス，ク，ム，キ	ザ，ボ，チ，ブ，イ，ペ	ネ，レ，ツ，ユ，ケ，ヨ
Dコース	ト，ン，ル，ガ，パ，ド，リ，バ，ポ，ス，モ，ゴ，ラ，ア，ハ，ペ，カ，キ	メ，ク，ム，ツ，ボ，チ，ブ，イ，オ，ホ，ケ	ネ，グ，レ，ザ，ユ	ヨ		

(1)　ひん度と習得率は大きな関係をもっている。提出した語い数と文字習得との関係を見ると，ンは提出語い7語で読みの平均100%，書きの平均96%で最もよい結果を示し，トは提出語い4語で読み100%，書き94%，リも提出語い4語で読み100%，書き89%と，ひん度の多少が習得率に大きくひびいている。

(2)　練習の度数と指導法とを比較すると，練習させることよりも提出の方法，ことに最初の印象づけをどのようにするかが習得率に大きくひびいてきているようである。

(3)　促音，よう音に使用された文字は，習得率が悪い。特にCコースにおいては顕著である。（ツ，ュ，ョ等）

(4)　かたむきのある文字，部分関係のむずかしい文字，鏡文字になりやすい字は，習得率が悪い。

ア—ア マ　　イ—ㄑ イ

ケ—ケ　　ネ—ネ ネ ネ ネ

ヨ—E　　モ—モ

レ—L　　オ—オ オ

メ—メ　　レ—J

(5)　教科書による扱いと，教科書以外からの扱いとを比較すると，読み書きともに教科書による指導がよい。

5　指導しないが習得率50%以上の文字，およびそれらの文字が習得率のよかったと思われる理由

指導しないが習得率50%以上の文字に関する表

	区分% / コース	100%～90%	89%～80%	79%～70%	69%～60%	59%～50%
読み	Aコース	ヤ，コ，ニ へ，ベ，ギ	サ，ピ，プ	テ，ヒ，ミ タ，フ，ズ ゼ，ゲ，ゾ	マ，ヌ，ソ，エ ノ，ウ，ダ，ビ ジ，ヅ	テ，ロ，シ ワ，ナ，デ
	Bコース	ヤ，サ，コ ミ，ニ，ヘ ベ，ギ	セ，ズ，ゼ デ，ピ，プ	マ，エ，ノ ヒ，フ，ウ ビ	ゲ	シ，タ，ワ ナ，ダ，ヅ デ，ゾ
	Cコース	ヤ，ヘ，ペ ギ	コ，ミ，ニ ゼ，プ	サ，エ，ノ タ，セ，ウ ズ，ピ	マ，ヒ，フ ダ，ビ，ジ	シ，ナ，デ ゲ
	Dコース	ヤ，サ，ノ，コ ミ，ニ，ヘ.ズ ベ，ギ	フ，セ，ウ ダ，ゼ，デ ゲ，ピ，プ	テ，ロ，マ ヒ，タ，ビ ジ，デ	ヌ，ソ，シ エ，ナ，ヅ	テ，ワ，ヲ ゾ
書き	Aコース			ヤ，ヘ，ベ ギ	サ，コ，ゲ	マ，ミ，ニ プ
	Bコース		サ，ヘ	マ，ベ，ギ	ヤ，ノ，コ ミ	エ，ニ，セ ビ，ズ，ゼ デ
	Cコース				ズ	マ，ノ，ギ
	Dコース	コ，ヘ	フ，ベ，ギ ヅ	サ，マ，ノ ズ，ゲ，ピ	ヤ，ニ，プ	シ，エ，ヒ ミ，セ，ウ デ

指導しないが習得率のよかった理由と思われるものは次のとおりである。

（1）　**ひらがなと字形が似ているもの**

やーヤ，へーヘ，べーベ，せーセ，うーウ

（２）　漢字との関連が深いもの

二ー ニ，三ー ミ，タータ，ロー ロ

（３）　清音，濁音，半濁音の関係で理解したもの

ヘベペ　　ハバパ　　コゴ　　チヂ　　ケゲ　　キギ

（４）　既習の文字と似ているために，習得したもの

アーマ，メーナ，クーワ，ツーシ，シーソ

（５）　環境で習得したもの

ノ……（ノート）　　ピ……（ピアノ）　五十音表，看板，広告，読書，兄姉をはじめ家庭での指導

6　１字ずつ書かせた場合の誤答の傾向調査

（１）　漢字との混同

テー手　　ヒー日，火　　ター田　　キー木　　コー子　　デー出

ダー[illegible]　　ゴー五

（２）　左右を反対に書いたもの

ルー[illegible]　　メー[illegible]　　サー[illegible]

ヨー[illegible]　　モー[illegible]　　ター[illegible]

ザー[illegible]　　デー[illegible]

イー[illegible]　　ノー[illegible]

（３）　ひらがなとの混同

カーか，モーも，セーせ，ヤーや，リーり

（４）　点画の不正確なもの

キー[illegible]　　トー[illegible]　　ツー[illegible]

マー[illegible]　　ミー[illegible]　　ネー[illegible]

ヲー[illegible]　　ゾー[illegible]　　クー[illegible]

チー[illegible]　　セー[illegible]　　ルー[illegible]

ユー[illegible]

7　１字として読み書き能力の調査をした場合と，１語として読み書き能力の調査をした場合の習得率の比較対照表

１字として読んだ場合と，語いとして読んだ場合の文字習得率の比較（％）

文字	語い	Aコース	Bコース	Cコース	Dコース
ト	１字のト	100	100	100	100
	トンネルのト	100	100	86	100
	バトンのト	100	100	98	100
	ポストのト	100	100	100	100
	トラックのト	100	100	86	100
ン	１字のン	100	100	100	100
	トンネルのン	100	100	86	100
	パンのン	100	100	95	100
	バトンのン	100	100	98	100
	ドンのン	100	100	100	100
	ペリカンのン	100	100	100	100
	ライオンのン	100	100	98	100
	ドブンのン	100	100	90	100

文字	語い	Aコース	Bコース	Cコース	Dコース
ネ	１字のネ	95	100	72	100
	トンネルのネ	100	100	81	100
ル	１字のル	93	100	81	100
	トンネルのル	95	100	91	100
	ボールのル	95	100	81	100
グ	１字のグ	100	98	91	98
	グーグーのグ	100	98	86	100
ガ	１字のガ	100	100	100	98
	ガーガーのガ	98	100	100	100
	ガムのガ	100	100	98	100
メ	１字のメ	100	98	98	98
	メーメーのメ	98	98	95	100

文字	語い	Aコース	Bコース	Cコース	Dコース
パ	1字のパ	98	100	100	98
	パンのパ	98	100	95	100
ド	1字のド	95	100	98	100
	ドンのド	100	100	100	100
	ドブンのド	100	100	90	100
リ	1字のリ	100	100	100	100
	ポリポリのリ	100	100	100	100
	ペリカンのリ	100	100	100	100
	チリチリのリ	100	100	93	100
	リレーのリ	100	100	90	100
バ	1字のバ	98	100	98	98
	バトンのバ	93	100	98	100
	バスのバ	95	100	95	100
レ	1字のレ	91	98	58	100
	リレーのレ	93	100	90	100
ボ	1字のボ	100	100	100	100
	ボストのボ	100	100	100	100
	ボリボリのボ	100	100	100	100
ス	1字のス	95	98	93	100
	ボストのス	100	100	100	100
	バスのス	100	100	95	100
ザ	1字のザ	95	98	93	100
	ザクザクのザ	95	95	93	100
ク	1字のク	98	98	95	100
	ザクザクのク	95	98	93	100
	トラックのク	95	100	83	100
ム	1字のム	100	100	86	98
	ガムのム	100	100	98	100
モ	1字のモ	100	95	72	100
	モーモーのモ	95	100	86	100
ゴ	1字のゴ	95	95	100	100
	ゴーゴーのゴ	95	98	90	100
ラ	1字のラ	98	100	81	100
	トラックのラ	95	100	86	100
	ライオンのラ	95	100	98	100
ツ	1字のツ	83	98	63	95
	トラックのッ	95	100	83	100
	チッチッのッ	98	98	81	100
ボ	1字のボ	95	95	77	98
	ボールのボ	90	93	81	100
チ	1字のチ	98	100	93	100
	チューチューのチ	98	100	88	100
	チリチリのチ	100	98	93	100
	チッチッのチ	100	98	88	100
ユ	1字のユ	83	93	56	93
	チューチューのュ	98	100	81	100
ア	1字のア	90	100	91	100
	アハハハのア	98	100	95	100
ハ	1字のハ	95	100	86	100
	アハハハのハ	100	100	95	100
ブ	1字のブ	93	98	70	85
	ドブンのブ	95	98	90	100
イ	1字のイ	88	98	91	93
	ライオンのイ	95	98	98	100
オ	1字のオ	93	100	86	95
	ライオンのオ	95	98	98	100

— 171 —

文字	語い	Aコース	Bコース	Cコース	Dコース
ペ	1字のペ	98	98	95	98
	ペリカンのペ	98	100	100	100
カ	1字のカ	98	100	100	100
	ペリカンのカ	98	100	100	100
ホ	1字のホ	100	100	88	95
	ホーホケキョのホ	98	100	83	100
ケ	1字のケ	90	100	54	90
	ホーホケキョのケ	98	100	83	100
キ	1字のキ	98	100	100	100
	ホーホケキョのキ	98	100	83	100
ョ	1字のョ	90	95	67	88
	ホーホケキョのョ	98	100	83	100

1字として書いた場合と語いとして書いた場合の文字習得率の比較（%）

文字	語い	Aコース	Bコース	Cコース	Dコース
ト	1字のト	98	98	88	93
	トンネルのト	100	100	83	100
	バトンのト	88	95	90	100
	ボストのト	98	98	95	100
	トラックのト	93	100	74	100
ン	1字のン	98	95	93	98
	トンネルのン	100	100	77	100
	パンのン	100	98	88	100
	バトンのン	88	95	88	100
	ドンのン	95	98	83	100
	ペリカンのン	93	98	42	100
	ライオンのン	93	98	90	98
	ドブンのン	95	98	93	100
ネ	1字のネ	93	88	37	78
	トンネルのネ	95	88	49	85
ル	1字のル	79	98	65	93
	トンネルのル	90	95	56	88
	ボールのル	81	95	58	88
グ	1字のグ	83	88	60	75
	グーグーのグ	86	98	49	100
ガ	1字のガ	90	93	84	90
	ガーガーのガ	88	100	86	100
	ガムのガ	93	98	88	100
メ	1字のメ	83	88	67	80
	メーメーのメ	90	98	77	98
パ	1字のパ	95	90	79	98
	パンのパ	98	98	88	98
ド	1字のド	95	88	88	95
	ドンのド	95	98	81	95
	ドブンのド	98	98	95	100
リ	1字のリ	90	90	77	98
	ポリポリのリ	100	95	77	100
	ペリカンのリ	93	98	44	100
	チリチリのリ	98	98	65	100
	リレーのリ	90	93	63	100

— 172 —

文字	語い	Aコース	Bコース	Cコース	Dコース
バ	1字のバ	86	93	84	98
	バトンのバ	88	95	88	100
	バスのバ	90	95	88	100
レ	1字のレ	71	74	44	75
	リレーのレ	76	93	42	88
ポ	1字のポ	95	83	77	95
	ポストのポ	100	95	90	100
	ポリポリのポ	100	95	77	100
ス	1字のス	79	98	69	98
	ポストのス	98	98	98	100
	バスのス	90	98	93	100
ザ	1字のザ	88	81	54	78
	ザクザクのザ	90	95	56	88
ク	1字のク	83	76	60	80
	ザクザクのク	83	95	60	98
	トラックのク	79	98	65	90
ム	1字のム	86	86	60	88
	ガムのム	93	100	63	100
モ	1字のモ	88	95	74	95
	モーモーのモ	93	93	77	100
ゴ	1字のゴ	93	88	77	95
	ゴーゴーのゴ	88	95	72	98
ラ	1字のラ	88	90	81	90
	トラックのラ	83	98	65	95
	ライオンのラ	95	98	93	95
ツ	1字のツ	79	100	40	88
	トラックのッ	74	93	65	88
	チッチッのッ	93	98	90	93
ボ	1字のボ	79	84	51	80
	ボールのボ	86	93	63	100

文字	語い	Aコース	Bコース	Cコース	Dコース
チ	1字のチ	83	90	56	88
	チューチューのチ	93	98	30	88
	チリチリのチ	90	98	56	100
	チッチッのチ	95	100	95	95
ユ	1字のユ	76	86	21	70
	チューチューのュ	88	95	23	85
ア	1字のア	74	90	77	95
	アハハハハのア	90	100	60	100
ハ	1字のハ	86	93	74	98
	アハハハハのハ	98	100	65	100
ブ	1字のブ	79	69	58	88
	ドブンのブ	90	95	88	98
イ	1字のイ	64	90	51	88
	ライオンのイ	90	98	88	95
オ	1字のオ	76	90	70	88
	ライオンのオ	86	98	81	93
ペ	1字のペ	91	67	51	93
	ペリカンのペ	93	98	42	100
カ	1字のカ	86	83	84	98
	ペリカンのカ	90	98	44	100
ホ	1字のホ	76	81	77	88
	ホーホケキョのホ	95	95	56	100
ケ	1字のケ	83	88	28	88
	ホーホケキョのケ	93	98	40	93
キ	1字のキ	88	83	67	95
	ホーホケキョのキ	90	93	44	88
ョ	1字のョ	90	88	47	65
	ホーホケキョのョ	93	98	47	100

IV　その他の調査表

1　12月以前に学習した16語いの定着度に関する表

12月以前に学習した16語いが，その後どのように定着しているかに関して，16語いに関する12月末の調査と３月中の調査を比較対照して掲げると次のようになる。

コース	読み		%
A	16語	12月平均	93
	16語	３月平均	96
B	9語	12月平均	99
	9語	３月平均	100
C	16語	12月平均	81
	16語	３月平均	91
D	13語	12月平均	99
	13語	３月平均	100

コース	書き		%
A	16語	12月平均	80
	16語	３月平均	86
B	9語	12月平均	85
	9語	３月平均	93
C	16語	12月平均	50
	16語	３月平均	69
D	13語	12月平均	80
	13語	３月平均	93

内訳は下の表のとおり。

12月末と３月末との習得率の比較

番号	指導語い＼習得率	読み Aコース 12月	読み Aコース 3月	読み Bコース 12月	読み Bコース 3月	読み Cコース 12月	読み Cコース 3月	読み Dコース 12月	読み Dコース 3月	書き Aコース 12月	書き Aコース 3月	書き Bコース 12月	書き Bコース 3月	書き Cコース 12月	書き Cコース 3月	書き Dコース 12月	書き Dコース 3月
1	トンネル	95	100	100	100	76	79	95	100	83	83	86	88	32	45	64	83
2	パン	100	97	100	100	98	93	98	100	88	97	97	98	61	86	79	98
3	リレー	81	93	100	100	90	88	100	100	71	69	60	85	29	31	77	88
4	バトン	90	93	100	100	83	95	100	100	83	88	90	95	66	83	81	100
5	ポスト	100	100	93	100	83	100	100	100	83	97	88	95	44	90	98	100
6	ガム	95	100	100	100	88	95	98	100	93	95	90	98	46	65	77	85
7	バス	90	95	97	100	81	93	100	100	81	90	93	95	56	88	95	100
8	トラック	81	95	97	100	74	81	98	100	64	71	83	93	49	62	70	88
9	ボール	81	90	86	95	86	79	100	100	71	74	81	90	51	57	79	88
10	ドン	95	97			88	100	98	100	83	95			61	81	81	95
11	ザクザク	95	95			90	91	100	100	69	79			49	55	68	88
12	モーモー	95	95			43	94	98	100	79	88			32	79	79	100
13	ゴーゴー	93	95			83	88	100	100	81	88			51	74	98	98
14	グーグー	95	95			67	86			74	86			44	50		
15	ガーガー	100	100			83	100			83	88			61	79		
16	メーメー	97	100			95	95			90	90			63	76		

すなわち，各コースとも忘却度はまったく見られない。その理由としては，

(1)　かたかなに対する関心が深いこと。

(2)　ポスト以外は復習させない語いであるが，教科書その他ノートなどを利用して家庭で学習した結果が上昇線になって現れてきたことなどが考えられる。

2　優秀児と遅進児の習得状況に関する表

優秀児の習得状況（かたかな71文字）

順位	氏名	性別	知能段階	国語学力（だんかい）	三読月字末数	三書月字末数	習得状況 読み 4月	9月	12月	3月	書き 4月	9月	12月	3月	どのような方法で習得したか
1	K. H	男	0	+1	71	71	3	70	71	71	0	38	66	71	母が熱心でよく指導する
2	T. M	女	0	0	71	61	12	40	71	71	0	39	60	61	
3	I. M	男	+1	+2	71	65	14	58	71	71	0	15	56	65	
4	K. H	男	+1	+2	71	71	0	55	71	71	0	21	69	71	ノートの五十音表で覚えた（ひらがなとの照合）
5	T. A	男	+2	+1	70	70	6	35	63	70	0	19	49	70	
6	H. N	男	+1	+2	71	71	70	71	71	71	19	33	63	71	入学前にかるた遊びで覚えた
7	M. M	男	+1	+1	70	60	4	15	51	70	0	24	41	60	つみ木で遊びながら覚えた
8	T. J	男	+1	0	71	62	14	22	26	71	0	5	17	62	レッテル集めの手伝いで覚えた
9	M. K	女	+2	+2	71	64	10	13	48	71	0	13	37	64	絵本がすきでそれから覚えた（まんが）
10	H. N	男	0	+2	71	67	71	71	71	71	8	23	62	67	
11	T. Y	男	+1	+2	71	68	3	41	71	71	3	15	60	68	兄，姉の影響で覚えた
12	S. Y	女	+1	+2	71	69	0	51	68	71	0	24	58	69	

遅進児の習得状況

順位	氏名	性別	知能段階	国語学力	三読月字末数	三書月字末数	習得状況 読み 4月	9月	12月	3月	書き 4月	9月	12月	3月	ひらがな状況 読み 4月	9月	12月	3月	書き 4月	9月	12月	3月
1	T.　M	男	−2	−2	17	4	0	4	10	17	0	1	9	4	0	1	17	29	0	3	9	14
2	S.　T	男	−2	−1	21	7	0	3	8	21	0	1	3	7	0	1	24	60	0	0	6	38
3	H.　Y	男	−2	−1	34	18	0	2	13	34	0	1	3	18	0	50	62	71	0	12	20	63
4	Y.　S	女	−2	−2	43	35	0	4	16	43	0	1	15	35	0	52	69	71	0	16	44	66
5	S.　M	女	−2	−1	41	30	0	9	20	41	0	4	13	30	3	50	63	71	0	18	33	68
6	K.　I	女	0	−1	32	28	0	2	18	32	0	0	16	28	4	36	71	71	7	27	59	68
7	H.　K	男	0	0	40	24	0	4	27	40	0	0	10	24	0	45	71	71	0	30	54	63
8	T.　M	女	−2	−1	40	18	1	8	27	40	0	0	18	18	4	55	71	71	0	48	55	62
9	M.　N	男	+1	0	58	32	0	4	29	58	0	0	13	32	2	31	71	71	0	1	42	60
10	J.　T	男	−1	−1	54	36	0	4	29	54	0	0	20	36	2	26	71	71	0	19	63	66

3　かたかな指導の始期に関する調査表

かたかな指導の初期におけるひらがな習得状況調査表と，かたかな習得調査表を対照してみると，この地域では１年生のいつごろからかたかなの指導を始めたらよいか，だいたいの見当をつけることができる。また，各コースの構成メンバーの習得段階の分配表を見ると，遅進児の多いA，Cコースはひらがなの習得前に「かたかな」が提出されることになり，30%〜50%の児童には負担が重い。Dコースは９月から始めるのでA，Cコースに比べて扱いやすい。Bコースは６月から始めるが，12月までに外来語９語いを学習させればよいので，擬声・擬音語を含めて16語いを習得させなければならないA，Cコースに比べると障害は少ない。

かたかな指導初期におけるひらがな習得段階分配表

	区分・文字数 / コース	0〜9	10〜19	20〜29	30〜39	40〜49	50〜59	60〜69	70〜71		無理	無理なし
ひらがな読み	Aコース（6月）	人5	人3	人1	人C	人6	人7	人14	人6	A	%36	%64
	Bコース（6月）	1	0	2	1	4	4	20	10	B	19	81
	Cコース（6月）	4	7	6	2	4	5	8	5	C	56	44
	Dコース（9月）	0	0	1	3	1	1	18	17	D	12	88
ひらがな書き	Aコース（6月）	5	4	6	1	2	7	13	4	A	43	57
	Bコース（6月）	2	2	5	3	2	10	14	4	B	33	67
	Cコース（6月）	3	5	6	5	6	8	6	2	C	61	39
	Dコース（9月）	1	1	2	1	3	5	14	14	D	20	80
		かたかな指導に無理がある ←					→ 無理がない					

かたかな指導初期におけるひらがなの習得状況調査表（１年）

コース ＼ 読み書き	読み			書き		
Aコース（６月中旬）	清 85	濁 64	半 31	清 68	濁 46	半 24
	76%			61%		
Bコース（６月中旬）	清 90	濁 68	半 28	清 81	濁 54	半 27
	79%			69%		
Cコース（６月中旬）	清 82	濁 63	半 34	清 67	濁 35	半 22
	73%			54%		
Dコース（９月上旬）	清 96	濁 85	半 49	清 88	濁 77	半 44
	90%			83%		

かたかな習得者の分布状態に関する表

文字 区分 / コース	3月末における読み（数字は人数）								3月末における書き（数字は人数）							
	0〜9	10〜19	20〜29	30〜39	40〜49	50〜59	60〜69	70〜71	0〜9	10〜19	20〜29	30〜39	40〜49	50〜59	60〜69	70〜71
Aコース	0	1	2	3	7	6	7	16	2	2	2	8	10	6	9	3
Bコース	0	0	1	1	4	12	14	10	0	1	2	11	10	7	7	4
Cコース	0	2	4	2	5	7	13	10	4	6	9	8	6	5	5	0
Dコース	0	0	0	1	5	5	11	19	0	1	3	6	6	12	10	3

４　学習したかたかな語いに関する習得状況調査の正答点数分布表

コース / 点数	指導した25語いの点数別正答者（%）読み				25語いの点数別正答者（%）書き			
	Aコース	Bコース	Cコース	Dコース	Aコース	Bコース	Cコース	Dコース
0点								
1								
2							2	
3							2	
4					2			
5							2	
6			2		2		2	
7								
8							7	
9						2	2	
10							2	
11					2		7	
12			2		2		2	
13			6				2	
14	2				2		5	
15			2				7	5
16	2		2		2	5	5	
17	2		2					
18		2					5	
19					7	2	2	2
20					2		5	
21			2		7	2		5
22	2	2	6			5	19	10
23			2		10		5	2
24	2		2			5		10
25	90	96	72	100	62	79	12	66

5 国語標準学力検査・知能検査結果表

各コース別知能検査結果表（低学年用 田中B式）（%）

コース＼知能段階	最優	優	中の上	中	中の下	劣	最劣
Aコース			14	33	33	17	3
Bコース			15	29	41	15	
Cコース		5	12	36	38	9	
Dコース		7	19	52	17	5	

各コース別国語標準学力検査結果表（田中教育研究所）（%）

コース＼学力段階	最優	優	中の上	中	中の下	劣	最劣
Aコース		5	16	36	38	5	
Bコース		7	14	48	29	2	
Cコース		5	23	21	49	2	
Dコース		5	29	49	17		

V 実際指導の例

1 Aコースにおける指導例

第1時 トンネル ……学図 国語教科書上 38ページ（6月中旬）

さし絵の話合いから

師「まことさんたちは何を見ているのかしら……」

児「先生，てっきょう。」

児「がっこうです。」

〃「むこうの高い山。」

〃「トンネル。」

〃「先生，汽車が出てくる所だよ。」

〃「先生，ぼくたちも遠足のとき，トンネルをくぐったね。」

〃「あんな短いのトンネルじゃないね。」

楽しかった遠足，そしてトンネルという教科書のさし絵から話がはずみ，「おもう間もなくトンネルの……」と歌が出る。

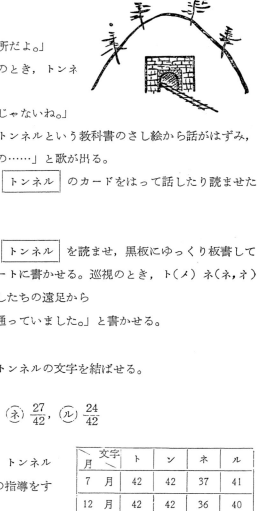

すばやく黒板に絵をかき トンネル のカードをはって話したり読ませたりする。

第2時

フラッシュカードにして トンネル を読ませ，黒板にゆっくり板書して1字1字を分解しながらノートに書かせる。巡視のとき，ト(メ) ネ(ネ，ネ)を訂正する。ついでわたくしたちの遠足から

「トンネルの上を，電車が通っていました。」と書かせる。

第3時

ワークブックにより絵とトンネルの文字を結ばせる。

第4時

テストする。正答者 $\frac{24}{42}$，㋧ $\frac{27}{42}$，(ル) $\frac{24}{42}$

第5時

フラッシュカードにより，トンネルの練習をし，ネ，ルの書きの指導をする。

その結果は右の表のとおりである。

月＼文字	ト	ン	ネ	ル
7 月	42	42	37	41
12 月	42	42	36	40
3 月	42	42	40	38

2　Bコースにおける指導例

指導例　一

トンネル（教科書によって指導）

まず，ひらがなを指導したときと同様，具体物（さし絵）に結びつける。

教科書のさし絵のトンネルを見ながら自分が汽車や自動車にゆられてトンネルをくぐったときの事をいろいろ思い出させる。

「先生，ぼくがくぐったとき，ゴーと急に大きな音で，ぼくびっくりしちゃったよ。」

「ぼくが通ったトンネルずい分長かったよ。」

「煙がはいってきたから，いそいでにいちゃんが窓をしめたよ。」

「なかなか明るい所へ出なかったよ。」

などと口々に話し合った。みんなはどっちのトンネルを通ったのかしらと

| ト　ン　ネ　ル |

| トンネル | のカードを提示した。

「ぼくは長いトンネルだったよ。」

「わたしのは，とても短いトンネルだったわ。」

各自にどちらの トンネル かを話させ，カード により多くの目を向けさせた。

掲示物の中から「トンネル」の絵をさがして | トンネル | のカードをはりつけさせる。それを1か月ぐらい掲示しておいた。

トンネルの文字指導にはいって，　ト　ン　ネ　ル　とゆっくり板書し筆順にふれながら

ト----ト ト
ン----ン ン ン　（画数が不足しないように）
ネ----ネ ネ
ル----ハ ル

にならないように，ノートにトンネルの略画を書かせ，文字を5回書かせた。

トンネル，トンネル，トンネル
トンネル，トンネル

カードおよび板書の文字を使い，あわせて特に書き誤りやすい文字，ネ，ル，を1字ずつ読ませ確認させた。

教科書の「とんねる」を「トンネル」と訂正させた。

読み書きとも徹底したころ，（第3時扱い）フラッシュ板で | トンネル | | ば　す | | トンねる |……等7枚ぐらいのカードの中から「トンネル」を見分けさせた。

トンネルを指導して1週間後のテストの結果（習得の実態のは握のため）

42名中　正答者　38名，誤答者　4名

誤りの点は

ネ----ネ ネ
ル----ハ レ

この誤った児童には，さらにカードを読ませ，誤った箇所を指導し読ませるとともに，空書きさせた。

12月末の結果を見ると，字形がむずかしいためか，あるいは文字の習得が不徹底であったためか，やはりこの箇所の誤りが多かった。

指導例　二

◎パン（補充教材によって指導した語い）

帰校のとき［パ　ン］のカードを見せ，「どこかにこういう字があるのよ。見つけましょう。」といっておいた。

翌日の朝

「先生，小林さんにね『５円のパンあります』って書いてあったよ。」

「ぼくたべたよ。あんパンでね，小さいけど，たくさんあんこがはいってたよ。」

「先生，しのだやに『ミヤベーカリーのおいしいおいしいパンあります』って書いてあったよ。ぼくパンの上に書いてあった『かんじ』がわからなかったけど，おねえちゃんにおそわったの，べという字はやさしい字だよ。」と得意顔になってK児はみんなの前で話した。

パンと大きく板書した。導入はスムースにかつ能率的にできた。

みんなのたべたい「パン」の名まえをいってくださいね。と

［くりいむパン］［あんパン］［めろんパン］［ちょこれいとパン］

［じゃむパン］………など

手ばやくカードに受けとめた。

このカードを児童に配って，児童が受取ったカードのパンについて話させた。

「ちょこれいとパンは，ぐるぐるまわっていておもしろい。」

「じゃむパンはきらいです。」とか

パンの文字を板書し

パ……ペ，ハ゜にならないように。

ン……トンネルのンと同じ文字であるということにふれ，既習文字のため軽く扱った。

パの指導のとき

ハ……゜がつかなかったら，

バ……゛がついたら，

と軽くふれながら板書した。

ノートに５回書かせた。パン，パン，パン，パン，パン

字形も簡単であるし，全児童に徹底した。

フラッシュ板で前記のカードを速く……パンであるかをつかませ，全児童に読む場を与えた。

４日後，テストをし，結果として

42名中　正答者　40名，誤答者　２名

誤りの点は

パ……ペ　誤った児童には訂正させた。

11月25日に秋の遠足をし「ガム」の補充教材として，

えんそく
えんそく
うれしいな
ガムをもったり
パンをもったり
えんそく
えんそく
うれしいな

のプリントを与えた。パンについては何の障害も感じなかったので，ひらがな同様に取り扱った。

12月末のテストの結果をみるとよく徹底した事がわかるが，その理由としては，

(1)　身近なものから取材したので，導入がうまくいった。

(2)　ひん度が2回にわたったこと。

(3)　字形が簡単であったこと，などが考えられる。

3　Cコースにおける実際例

(1)　まず，かたかなについては，学校で指導する以外には，家庭では絶対に指導されないよう協力方をお願いした。

(2)　かたかなの文字に対しては，漢字以上にむずかしい文字として児童は興味をもった。

(3)　漢字以上に興味をもって学習したのに，結果において習得率は低かった。

教科書の中で扱った語いは，ポスト・バス・ボール・ザクザク・ゴーゴーの5語。

ポスト・バス・ボールは教師用の大ノートを使用し，絵と文字，文字と具体物を掲げて目にふれるひん度を多くし，効果をあげることに努力した。

ザクザク・ドン・ゴーゴーなどは，語いの活用をはかりながら読みに慣れさせるよう，口頭作文を作ってかたかな語いを扱った。

指導例　一

「今日はゴーゴー音のするものを考えてみましょうね。」

きしゃの音，ひこうきの音，川の水の音，精米所の音など口々に発表させる。

「そう，たくさん知っていますね，ではそのお話をゴーゴーを使ってしてみましょう。」

「ぼくが箱根で見た滝は，ゴーゴー音をたてていました。」

「平塚へ行くときに，鉄橋の上を汽車がゴーゴー渡りました。」

「大雨が降ったとき，川の水がいっぱいで，ゴーゴー音がして流れていた。」

「夜中にひこうきがゴーゴー通りました。」

これらの文では，ゴーゴーという語をよく使いこなしているので，全児童にも読ませた。

「こんどは，このことばを使って短いお話を考えてみましょう。」と語いカード「ザクザク」を示す。

「ぼくは，ごはんにお茶をかけて ザクザク たべるのが好き。」この類が，非常に多かった。

「畑をうなうとザクザク音がする。」

「しゃべるで砂を掘るとザクザク音がします。」

生活経験を通しての発表は豊富にあり，活用も効果があったと思う。

教科書を中心にして，教科書以外のもので扱ったかたかな語いは，

トンネル・グーグー・ガーガー・メーメー・パン・ガム・バトン・リレー・ドン・トラック・モーモーなどであるが，これらの語いの指導法は，

(1)　プリントで指導する。

(2)　カードを活用する。

(3)　具体物と文字とを結びつけて読ませる。

(4)　学習用紙を使用する。

(5)　背面，前面の黒板または側面の掲示板等を利用して，文字が目にふれる機会を多くするなどの方法で指導したものである。

4 Dコースにおける指導例

指導例 一

第1図（9月中旬-—下旬）

運動会を題材にして，ドン・バトン・リレーを提出した。

ドンの指導

運動会に取材して教科書の　ようい どん に ドン をはりつけて提出。

親しみやすく，調子のよい文章であるから，児童はすぐに暗記してしまった。教科書ではひん度1であるため，運動会のかけっこの話合いから，黒板へ話を写してみた。

かけっこ　かけっこ　よういドン
しろかて　あかかて
がんばれ　がんばれ　よういドン

自然の発声で擬音らしく読ませる。1字としては分解しない。

○ドンと書かせる。直線での構成が児童には難点がある。

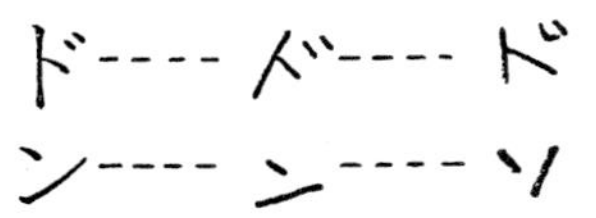

ド---- ド---- ド
ン---- ン---- ン

○ひらがなと，かたかなに関する文字の意識について調べてみたら，41人のうち30人は，「どん」はやさしい字で，「ドン」はむずかしい字（漢字）と答えた。41人のうち3人（男1，女2）が「ドン」を「かたかな」だと答えた。なお男1は，ドンは何かの音だから，音はかたかなで書くんだと，おかあさんから教わったと答えた。

○児童の意気ごみについていえば，漢字と同じように新しくできた文字，これから教わる文字というので，児童の意気ごみが違う。一つにはひらがなをマスターした自信からきたのかもしれない。

「書いてきなさい。」といわないで，指導のあくる日ノートを調べたら，41人のうち32人が「ドン」をノート1ページに大きく書いてきた。

○家庭の父兄の声を二，三しるしてみると，「漢字も出てくるし，かたかなも出てくるし，これからは忙しくても，こどものめんどうはみてやらなければなりませんね。」「ノートの裏表紙のかたかな五十音が書きたくて書いているのですが，書かせてはいけませんか。」「今まであまり見なかった積み木のひらがなの裏にある「かたかな」をひっくり返しては，よく見ています。」

○父兄に対しては，

「かたかなは特別に教えてはいけない。神経を使ってはいけない。」と注意した。

○その結果，目に余る詰め込みは全然見られなかったが，前記の例にもあるように，多少の関心は避けることができなかった。

リレー・バトンの指導

9月25日に運動会が終ったので，楽しい運動会の反省として，プリント学習リレーを取り扱う。

○バトンは，実物で提示する。

「これを持って5年がかけたね。」

「先生，ぼくのにいちゃん赤で，リレー1着」

「わたしのねえさんね，はじめ赤で1等だったけれど，ころんでびりになったの，いつもリレーはだめだってにいさんが笑っていたよ。」

○「リレー」は「ディレー」や「じれー」にならないように発音を正しなが

ら，「リレー」の文字を導き，黒板に「バトン」「リレー」と板書して，話の中に「バトン」や「リレー」が出てくると，「バトン」「リレー」を指示して，ことばと文字とを結びつける。

プリントは家庭に持たせず，教室に保管しておく。

リレ［ー］……長音記号について

児童に聞いてみると，ひっぱるしるし，のばすしるし，と答えたものが41人中32人いた。

書かせるときには，次のような点について特に指導した。

リ------り-------- ひらがなのように丸くならないこと

ソ------リ-------- かたむきに気をつけること

レ------」 L---- はねること

バ------バ------- はねないこと

ベ-------------- くっつきすぎないこと

|------/ ------ まがらないこと

」------------- はねないこと

指導例　二

第3回（10月下旬）

［ポストの指導］

教科書に「ポスト」をはりつけて提示した。

分解提示の方法をとり，ポ　ス　ト と1字ずつ認知させたが70％理解できた。

他教科との関連としては，図工の粘土細工でポストを作った。

ポストと浮彫する。児童はすばらしい腕前を示す，遅進児も優秀児もない。目を輝かせて作業した。

その結果，読み書きとも100％の習得成績を示した。

指導例　三

第4回（11月）

ゴーゴー・バス・トラックの3語を提出した。

提示の方法としては，「ゴーゴー」「バス」は教科書へはりつけて出し，「トラック」は「バス」と関連して提示し，後にプリントにした。

［ゴーゴーの指導］

自動車はブーブー，自転車はチンチン，汽車はゴーゴーと話しながら板書する。長音記号のくり返しのために読みは速い。

教科書のひん度は1回であるが，児童の最も興味ある汽車の音のためか，理解は速い。書かせるとき，筆順指導をていねいにしてみた。ゆっくりと石文字で　というふうに。

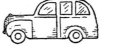

［バスの指導］

第1学期の遠足のとき，ばすの図画をかき，それに［バ　ス］とカードで示しておいたので，ほとんどの児童が読めた。

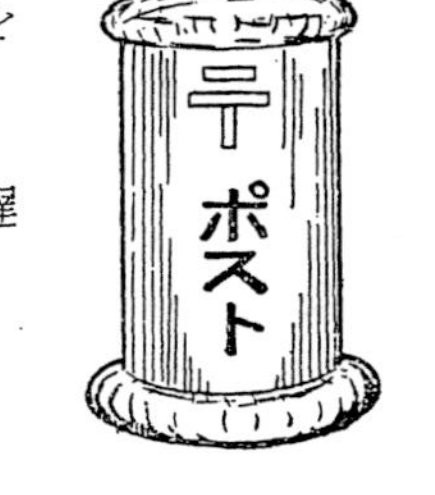

バス……ノートに絵をかき，クレヨンで大きくバスと書かせる。

ハ………はねない。

ハ………あまりがんばらない。

ス………形を正しく書かせる。

「次の日，あおい大きなバスにのりました。」と聴写させた。

正答……$\frac{36}{41}$　バ……$\frac{3}{41}$　ヌ……$\frac{4}{41}$　ス……$\frac{3}{41}$

ひらがなで「ばす」と書いたものは1名もなかった。しかし，次の日に助詞への指導のために「やくばへ　いって　きます」と書かせると，やく[バ]…2名でてきた。（上の部に属する児童1，中の部に属する児童1）

トラックの指導

指示の方法はまず，トラックの絵をかかせてトラックの文字を写させる。

体育の時間に警笛を鳴らして農協のトラックが校門前で向きをかえた。白菜，ねぎ大根，にんじん，のあざやかな色が見える。そばでトラックをよく見た上で，運動場へまるくすわってトラックの絵をかく。の字だけ石文字で構成させ，までできる児童は続けさせた。ツが形がとれにくいが，他は割合よくできた。完全$\frac{33}{41}$。

VI　指導者の所見と反省

1　10月中旬における所見と反省

10月26日現在の段階で1年生へかたかな指導は無理かどうかについて，各指導者の所見と反省をまとめてみると，次のようになる。

（1）　**Aコース**（6月から指導，外来語・擬音・擬声語ともに読み書き）

無理とは思えない。児童は興味を持っている。

ただし，限られた時間内でかたかなが割り込んで負担が重くなったためにひらがな未習得の児童がおきざりにされてしまうというおそれがある。

（2）　**Bコース**（6月から外来語だけ読み書き）

無理ではない。教えてから1週間ぐらいたってテストした場合，37人ぐらいは完全に書ける。

完全に書けないものは，点画が抜けているもの　ネ　ネ

鏡文字になるもの，　レ……J　ル……JL

位置関係のとれないもの，　バス……バス　ス　などである。

（3）　**Cコース**（6月から外来語・擬音・擬声語……読みだけ）

理解に困難である。それは読ませるだけで書かせないために，徹底しないものがあるのではないか。級の構成メンバーのレベルが低いのも一因であろう。読ませるだけでは，とかく評価するのにも困難が出てくる。

ドン・バトン・パンなど文字数で判定している傾向がある。

（4）　**Dコース**（9月から外来語・擬音・擬声語……読み書き）

無理ではない。児童はかたかなが出てくると，むずかしい字だといってはりきっている。

リズミカルなものが多いので，読むことは速いが，なじみやすく，親しみやすいわりに，定着性はどうか案じられる。

うそ読みしたり，最初の文字だけで判読したりすることがあるので，注意

したい。書かせる場合は直線での構成がむずかしい。まっすぐに正しい画をとらせたい。

2　3月末における所見と反省

(1)　Aコース（6月から指導，外来語・擬音・擬声語ともに読み書き）

無理とは思えない。児童も興味をもっており，特に優秀児は興味が深い。

10月の所見でひらがな未習得の児童がおきざりにされてしまわないかと心配したが，2名の学習不能児を除いては，ひらがなも習得できて一応安心した。

しかし，この級の児童に，一律に6月からのかたかな指導は，相当無理があるのではないかと考えさせられた。

(2)　Bコース（6月から外来語，1月から擬音・擬声語を加える読み書き）

無理ではない。児童も興味をもっているので能率的な学習ができた。

提出語いが6月〜12月まで9語い，1月から3月までに16語いであったために，指導の時期としてはA，Cコースよりも初めの提示が少なく，ひらがなとの混同も少なくてよかったのであるが，1月から語い数が急にふえたので，児童には少なからず負担が感じられた。しかし結果から見れば，習得状況は良好であった。これは新出語いであっても，文字そのものは既習のものであったためかもしれない。語いの提示の方法は，教科書によるものがいちばん扱いよく，徹底したように思われた。

(3)　Cコース（6月から外来語・擬音・擬声語……読みだけ）

理解させるのに困難が感じられた。これは読ませるだけで書かせない指導

法の弱点の現れではないかと思われる。

半濁音よりも濁音の習得が悪く，ことに拗音・よう音に強く現れている。チューのュとか，トラックのッとか，ケキョのョなど習得できない。しかし2月の声を聞いてからは，興味が出て力強さが出てきた。読むことはよくなったが，書く面はあまり感心しない。

(4)　Dコース（9月から外来語・擬音・擬声語ともに読み書き）

無理ではない。かたかなはむずかしい字で，漢字と同じ種類の字であると考えていたためか，「モーモーをモ大モ大，ゴーゴーを五ー五ー」とするような漢字との混同が12月末において若干あったが，3月末にはほとんど姿を消した。

指導の弱点であったトンネルは，書く点に難があったが，前後関係でよく読めている。

読むことと書くことの関係については，読みにおいてはそれほど問題はないが，書くことにおいては障害関係となるものを発見して，その点から指導文字のウェイトを変えていきたい。

ザとゼの違いを確認させ，ザの濁音の位置と長短，かたむきの識別などをさせたい。

ネ……複雑な形のものは分解してしっかり指導する。

ひん度と習得率はつよい関係をもっているが，練習の度数と指導法とを比較すると，練習よりも提示の方法が習得率に大きくひびいてきている。ポストゴーゴー

教科書による扱いと教科書以外からの扱いとの違いは，読み書きともに教科書がよい。ひん度，興味の持続，家庭学習の影響もあろうが，指導にも無理がない。

ひらがなとの混用は，パん，ポすト，バす，など遅進児に少し見られる。がその他は，ほとんど完全である。しかし優秀児の作文は意図的にかたかなを使用しようとする悪風が，12月にはいって出てきた。

たとえば，タマゴ，トサカ，コケシ，コウモリガサなど。自分の氏名をかたかなで表記するのは11月がいちばん流行し，12月，１月は漢字に移行してきた。

VII　実験研究の結果に関する総合所見

１　指導開始の時期

ひらがなの習得過程が定着の段階にきたときに，指導することが望ましい。

本校の実験結果についていえば，６月から指導を始めたＡ，Ｃコースよりも，９月から始めたＤコースのほうが調子がよかった。

２　かたかなの提出のしかた

(1)　かたかな学習のための資料は，教科書を中心にするのがやはりよい結果を示すように思われる。

(2)　提示する語いは，身近なしかも親しみやすい語いで，特徴のある語形をもったもの，具体物と直結できるものなどが習得しやすかった。

(3)　提出語い数は１か月に４語い，週１語いぐらいが適当ではないかと思う。

(4)　新しい語いの中に，既習文字がはいっていると指導しやすいから，その点にくふうをこらして提出すること。

３　指導方法

(1)　読ませるだけより，読み書きともにし，作業を通し，運動を通して，習得させることが望ましい。

(2)　指導は興味づけ，印象づけてすること，ことに最初の印象づけを重視すること。また語いを孤立させないで，文脈・語脈の中にうまく入れていくことが必要である。

(3)　１語い１回の指導取扱の時間は，３分から５分ぐらいがよいようである。

(4)　なるべく教便物を活用し，多方面から指導し語いとしての定着と一文字としての定着に努力すること。

(5)　直線での構成は正確に指導すること。

(6)　漢字指導とかたかな指導，ひらがな指導とかたかな指導は，なるべく関連づけて，混乱を起さないで，しかも習得の効果をあげること。

(7)　ひらがなとかたかなの表記，特に長音記号「ー」「う」の使い分けができるようにすること。

(8)　ひらがなと同様，表音文字であることを深く理解して指導にあたること。

初等教育研究資料第XI集
国語実験学校の研究報告
(1)

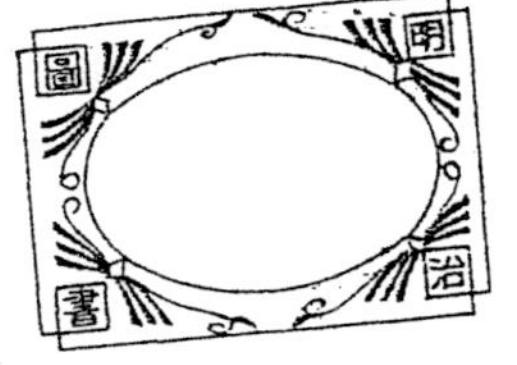

MEJ 2384

昭和31年2月1日 印刷
昭和31年2月10日 発行

定価 94円

著作権所有 文部省

東京都中央区入船町3の3
発行者 藤原政雄

東京都台東区上根岸72
印刷所 第一印刷東京工場

発行所 東京都中央区入船町3の3
明治図書出版株式会社
電話築地867,4351,4970振替東京151318

明治図書出版株式会社

定価 94円

MEJ 2386

初等教育研究資料第XII集

読解のつまずきとその指導

(I)

文部省

読解のつまずきと
その指導

(I)

文部省

第 1 部

ま　え　が　き

ここにまとめられたものは，国語科学習における読解の問題を中心として，学習指導上にどのような問題点があるかをさぐりだし，これを検討することによって，より確かな読解指導に役だてようとねらったものである。

第1部は，文部省初等教育課において，児童の読解のつまずきをさぐり，そこから指導上の問題点を検討した，読解調査の報告である。

第2部は，第1部において検討された問題を解決するために，現場において，どのように指導したらよいかを実験学校に移して，実証的に実験研究を進めた第2年次までの報告である。第1部，第2部を通して，検討されていることは，次にしるす4点である。

1. 児童は，どのような心理過程を経て，読解を進めていくか。
2. 読解のどのような過程に，どのようなつまずきが見られるか。
3. その原因は，どのようなところにあるか。
4. そのようなつまずきに陥らないためには，どのような点に留意して指導を進めたらよいか。

なお，第1部に報告されている調査の実施については，当時調査係であった，松本順之氏（東京水産大学助教授）と，初等教育課の沖山光事務官が，また答案の採点，集計，結果の処理，報告書の執筆等については，沖山事務官がこれにあたった。

第2部に報告される実験研究にあたったのは，栃木県日光市立清滝小学校で，第1部に報告された見通しが一応ついた昭和28年5月から，現在なお実験研究を続行中である。

昭和30年10月

第1部　　目　　次

第2部　目　次

1. 調査のねらい

この調査によって，検討しようとしたことは，次に掲げる事がらである。

1. 文中の漢字の読み
2. 文中の語句の理解
3. 内容として
   a. 書かれている事がらの理解
   b. 前後関係から読みとっていく，事がらの理解
   c. 前後関係から，多少の判断力を伴っていく事がらの理解
   d. 文の筋の理解
   e. 文の主題の理解
4. 以上の各項に関する，つまずきと，その原因

なお一文の読解に際して，漢字の読みや，語句の理解の能力が，内容の理解にどのような関係にあるかも見たかったのであるが，それは，限られた労力という条件に制約されて今回は手が及ばなかった。

したがって，この調査においては，上に掲げた，漢字・語句・内容に関する誤答の分析から，つまずきの共通的な要因をさぐり出すことをねらった。つまずきの要因の中には，かなりの強さで，児童の性格やその生活環境，教師の指導方法などがからんでくるものと予想されるのであるが，これらの要因は答案の上からは分析することは不可能といわなければならない。後に記す要因の分析の中に，生活環境や教師の指導方法ということに触れるところがあるが，それらは答案面からの推察の程度に止まらざるを得ない。

これらの解釈上の不備な点を補う意味において，第２部の実験学校における同一調査の分析をここに合わせて，１冊にまとめた。

2. 調査した期日・学校・児童数

(1) この調査は，予備調査を昭和26年12月に実施し，その結果に検討を加えて，昭和27年２月下旬から３月上旬にかけて行い，その学年の修了時の学力において，これらの能力を見ようとした。

(2) 調査を依頼した学校は各県の教育委員会とも連絡して，東北・関東・近畿・中国・四国の５地区にまたがり，次の10校とした。

岩手県東磐井郡　門崎小学校
群馬県利根郡　南小学校
〃　前橋市　敷島小学校
静岡県志太郡　東川根小学校
〃　榛原郡　白羽小学校
滋賀県伊香郡　南富永小学校
〃　野洲郡　勝部小学校
鳥取県東伯郡　泊小学校
香川県三豊郡　財田上小学校
〃　高松市　四番丁小学校

調査は以上10校のいずれの学校でも，第１学年から第６学年まで実施した。調査の対象となった児童数は第１表のとおりである。

（第１表）　調査した児童数

性＼学年	Ⅰ	Ⅱ	Ⅲ	Ⅳ	Ⅴ	Ⅵ	計
男	219	241	229	225	204	218	1336
女	214	222	219	228	225	216	1324
計	433	463	448	453	429	434	2660

3. 調査のしかた

各学年別におよそ70語からなる文章を与えて，その文中における漢字の読み，語句の理解，内容の理解の3部面について調査した。

各学年別に与えられる文章の難易の度が，それぞれの学年に適するものであるかどうかの判定は，にわかには断定できないが，この調査にあたっては，文部省国語教科書の各学年執筆者の作品から，それぞれの学年に執筆した作品の程度になるべく近いもので，多くの児童にとって，未知のものを選んだ。未知の作品と思われるものを選んだのは，調査されるどの児童にとっても，難易の度あいをできるだけ平均化しようとしたためである。同時に，地区によって児童の生活経験により，難易の度がないようにという点も考慮に入れた。つまり，都市の児童にも，農村の児童にも内容的に特殊なかたよりがないものをと心がけた。

文中に含まれる漢字については，文部省刊行の「児童生徒の漢字を書く能力とその基準」によって，それぞれの学年に無理のないものを選んだ。

文章はその全文を，問題用紙とは別に印刷し，調査中必要に応じて，いつでも読み返せるようにして与えた。

（第2表）　語い数その他

学年＼項	語い	漢字	黙読回数	作者・出典
Ⅰ	70	19	1.6	矢沢邦彦「さざぶね」
Ⅱ	83	21	2.4	尋常小学読本巻四「きつねとのぎく」
Ⅲ	64	14	2.8	栗原一登「けしゴム」
Ⅳ	75	30	3.9	矢沢邦彦「その後のひわの子」
Ⅴ	74	29	3.5	内田清之助「わたり鳥」
Ⅵ	67	28	6.0	矢沢邦彦「ひろわれたひな鳥」

問題の配列は，漢字・語句・内容の順にし，それぞれの問題とも，原則として文中に出てくる順にこれをたずねることにした。

与えられた文章は5分間黙読して，その後1問ごとに解答を求める形式をとった。

第2表は，各学年別の語い数，漢字の数，5分間における黙読平均回数などを示したものである。

調査に用いた文章および問題，実施の手びき等は，次のとおりである。

読解力調査の手びき

(一) 調査の目的

1. この調査では，漢字が読めるか，読めないか，意味のわからない語句があるかないか，そのほか，文の表現法などが，児童の読解にどんなに影響するかのあらましを明らかにしたいのです。

(二) 調査の方法

1. この調査のために，児童に特別に指導したり，学習させたりしないようにしてください。そういうことがあると調査が役にたたなくなります。
2. 第1学年から第6学年まで，どの学年も1学級ずつ調査していただくのですが，成績の低い児童があっても，除かないようにしてください。そういう児童の成績が，研究のために，とりわけ役だつばあいが多いと思います。
3. 児童に与える文は，学年ごとに違うのですが，どの学年でも児童は，最初に，与えられた文を読んで，つぎに，読んだ文についていろいろたずねてあることに答えるのですから，このことを理解させてから，文を読ませてください。
4. 文を読ませる前に，どの調査用紙にも，学校名，学年，組，男女，氏名，調査年月日を記入させてください。男女別は，男子ならば，男を○で囲むようにして印をつけさせてください。
5. 読ませる文は，5分間黙読させてください。このばあい，児童の読めない漢字があっても（教科書に出たことのない漢字もあるかもしれません）意味のわからない語句があっても，いっさい指導しないのです。児童の質問も受けないようにしてください。

後に，問いに答えるために，児童が随時この文を幾度も読みかえすことはかまいません。したがって，調査がすむまで，文は児童の座右に置かせてください。

6. 文を5分間黙読させて，すぐに問題にはいるのですが，第1問は漢字に読みがなをつける問題です。どの学年でも，

（　）　　　（　）
赤とんぼ。　　秋のそら。

を，あらかじめ板書しておいて，児童に読ませて，かっこの中に「あか」「あき」を先生が書きこんでみせて，これによって，答えかたをわからせてください。

7. 第2問以下は選択法になっていますから，答えるには，正しい答の上の番号を○で囲むのです。どの学年でも，

「そらが　すんで　いる」とは，そらが　どうなって　いる　ことですか。

1. くもって　いる。
2. よく　はれて　いる。
3. とりが　とんで　いる。

を，あらかじめ板書しておいて，先生が読んでやって，「よく　はれて　いる。」が正答であることを，児童に考えさせ，答えさせて，2を○で囲んでみせ，答えかたをわからせてください。

8. 第2問以下は，問も答も先生が読んでやってください。このばあい答を暗示するような説明はいっさいしないことです。

9. 時間の制限はありません。第1問に対して，ほぼ全部の児童が答えてし

まったとき，第2問に移り，以下同じように進めてください。

10. 第2問のところで，前の文を読みかえして答えていいことを注意し，第3問以下でも，必要に応じて同じ注意をくりかえしてください。

11. つぎの問題に進んでからは，前の問題に対する答がまちがっていたと気づいても，訂正させないようにしてください。

12. 児童が相談したり，隣の人の答を見たりして，答えることのないように注意してください。

第　一　学　年

子どもたちは，じぶんで　こしらえた，一ばん　いいと　おもう　ささぶねを　一つずつ　もって，いけの　どての　上に　ならびました。

あさい　いけの　水が，すぐ　あしの　ところまで　きています。

そよ風が，もりの　ほうから　ふいて　きて，子どもたちの　あたまをこして，水の上に　小さな　なみを　たてて　すうっと　ふいて　とおります。

みんなは，ささぶねを　水の　上に　はなしました。

そよ風が　そよそよと　ふきつけるので，ふねは　なみに　おくられて四そう　ならんで　うまく　はしります。

どうしたのか，一ろうさんの　ふねが，くるくると　まわりはじめました。

五ろうちゃん，花子さん，とみ子さんの　三人の　ふねは，そろって　ずんずんと　すすんで　いきます。いけの　まん中まで　いきました。

読解力調査用紙

（昭和　年　月　日調査）

学校　第1学年　組　おとこ・おんな（なまえ）

□べつの　かみの　ぶんを　よんで，これから　あとに　たずねて　ある

ことに　こたえなさい。

(1)　つぎの（　）の　なかに　かんじの　よみがなを　かきなさい。

（　）一ばん　いい。　（　）一つずつ　もって。　いけの（　）水。

（　）そよ風。　（　）子ども。　どての（　）上。　（　）小さな　なみ。

（　）五ろうちゃん。　（　）花子さん。　（　）四そう　ならんで。　いけの（　）まん中。

(2)　「ささぶね」と　いうのは，つぎの　どの　ことばと　おなじですか。

1．さっさと　はしる　いぬ。

2．ささの　はで　つくった　ふね。

3．きで　つくった　ふね。

(3)　「そよかぜ」と　いうのは，つぎの　どの　ことばと　おなじですか。

1．そっと　ふく　かぜ。

2．つよく　ふく　かぜ。

3．そっと　ふる　あめ。

(4)　「そよそよと　ふきつける」の　「そよそよ」と　いうのは，つぎの　どの　ことばと　おなじですか。

1．しずかに　そっと。

2．のろのろと　ゆっくり。

3．ぐんぐん　つよく。

(5)　「なみに　おくられて」と　いうのは，つぎの　どの　ことばと　おなじですか。

1．なみと　なかよしに　なって。

2．かぜが　つよく　なって。

3．なみに　おされて。

(6)　「四そう」と　いうのは，なにを　かぞえる　とき　つかいますか。

1．ひとを　かぞえる　とき。

2．ふねを　かぞえる　とき。

3．かきや　みかんを　かぞえる　とき。

(7)　「すすんで　いきます」と　いうのは，つぎの　どの　ことばと　おなじですか。

1．さきの　ほうへ　いきます。

2．こっちへ　きます。

3．すんでから　いきます。

(8)　こどもたちは　みんなで　なんにん　いますか。

1．ふたり。

2．さんにん。

3．よにん。

(9)　ささぶねを　ひとりが　ひとつずつ　こしらえたのですか。ひとりが　いくつも　こしらえたのですか。

1．ひとりが　ひとつずつ　こしらえた。

2．ひとりが　いくつも　こしらえた。

3．みんな　とみこさんが　こしらえた。

(10)　いけには　なぜ　ちいさい　なみが　たって　いたのですか。

1．さかなが　およいで　いたから。

2．かぜが　つよく　ふいて　いたから。

3．かぜが　そっと　ふいて　いたから。

(11)　こどもたちは，ささぶねを　もって，どこに　ならびましたか。

1. いけの　どての　うえ。

2. がっこうの　にわ。

3. かわの　みずの　なか。

⑿ みずの　うえに　はなした　ささぶねは，はじめの　うちは，みんな　どう　なりました。

1. ならんで　はしった。

2. ばらばらに　なって　はしった。

3. ひっくりかえった。

⒀ うまく　はしらなかったのは，だれの　ふねでしたか。

1. ごろうちゃん。

2. いちろうさん。

3. とみこさん。

⒁ さんにんの　ふねは　どこまで　はしりましたか。

1. かぜの　ない　ところまで。

2. いけの　はしまで。

3. いけの　まんなかまで。

⒂ この　おはなしを　はじめから　おわりまで　よんで　みて，なんの　おはなしが　かいて　あると　おもいましたか。

1. こどもたちが，どての　うえに　ならんで　あそんだ。

2. こどもたちが，ささぶねを，いけに　うかして　あそんだ。

3. がっこうで，ふねを　こしらえて　あそんだ。

第　二　学　年

さむい　北風が　ふいて，野原の　草や　花は，たいてい　かれて　しまいました。草の　かげで　ないて　いた　虫も　しんで　しまったのか，も

う　なく　声も　きこえません。

一ぴきの　きつねが，かれのこって　いる　野ぎくを　みつけて，

「きくさん，きくさん。こう　さむく　なっては　おこまりでしょう。あなたの　なかまは，たいてい　かれて　しまったようですね。ほんとうに　お気のどくな　ことです。」

と　いいました。野ぎくは，

「いいえ，わたくしたちは，かれたように　みえても　ねは　生きています。土の　中で　しずかに　らい年の　春を　まって　いるのです。春に　なって　だんだん　あたたかに　なると，かれた　あとから　また　めを　ふき出して，そのうちに　きれいな　花を　さかせて　みせます。ことしは，もう　これで　すみました。らい年，また　お目にかかりましょう。」

と　こたえました。

読 解 力 調 査 用 紙

（昭和　　年　　月　　日調査）

学校　第2学年　　組　おとこ・おんな（なまえ）

□べつの　かみの　ぶんを　よんで，これから　あとに　たずねて　ある　ことに　こたえなさい。

(1) つぎの（　　）の　なかに　かんじの　よみがなを　かきなさい。

さむい　北風（　　）。　野原（　　）。　草（　　）や　花（　　）。　ないて　いた　虫（　　）。

なく（　　）　声（　　）。　野ぎく。　お気（　　）のどく。　生きて（　　）　います。

土（　　）の　中（　　）。　らい年（　　）の　春（　　）。　めを　ふき出（　　）す。　お目（　　）に

かかる。

(2)　「もう　なく　こえも　きこえません」と　いうのは，なにが　どう　なった　ことですか。

1.　とりが　なかなく　なって　しずかに　なった。
2.　さむく　なったので　むしが　なかなく　なった。
3.　むしが　ほかへ　とんで　いって　しまった。
4.　さむく　なったので　かえるが　なかなく　なった。

(3)　「のぎく」と　いうのは　なんですか。

1.　のはらなどに　さく　ちいさな　きく。
2.　けだものが　たべる　きの　み。
3.　のはらで　かれて　いる　くさ。
4.　にわに　うえて　ある　きれいな　きく。

(4)　「かれのこる」と　いうのは，どんな　ことですか。

1.　かれた　くさの　はが　のこって　いる。
2.　きれいな　はなが　さいて　いる。
3.　かれても　らいねん　また　さく。
4.　かれないで　まだ　のこって　いる。

(5)　「めを　ふきだす」と　いうのは　どんな　ことですか。

1.　あさに　なったので　とりが　めを　さます。
2.　つちの　なかから　げんきよく　めをだす。
3.　としが　よって　めが　わるく　なる。
4.　かぜが　くさの　めに　ごみを　ふきつける。

(6)　「おめに　かかる」と　いうのは　どう　する　ことですか。

1.　つきに　くもが　かかる　こと。
2.　ともだちと　あう　こと。

3.　らいねん　はなを　さかせる　こと。
4.　さむくて　ひどいめに　あう　こと。

(7)　このはなしは，だれと　だれが　はなして　いますか。

1.　むしと　きたかぜ。
2.　のぎくと　きつね。
3.　きつねと　むし。
4.　のぎくと　きたかぜ。

(8)　この　はなしは，どこで　はなしあって　いるのですか。

1.　きょうしつ。
2.　うちの　なか。
3.　もりの　なか。
4.　のはら。

(9)　この　はなしは，いちねんの　いつごろ　はなしあったのでしょう。

1.　なつの　はじめ。
2.　はるの　はじめ。
3.　あきの　おわり。
4.　ふゆの　おわり。

(10)　どんな　ことを　はなしあって　いますか。

1.　のぎくの　なかまが　かれて　きのどくだ。
2.　きたかぜが　ふくように　なって　さむい。
3.　むしも　なかなく　なって　さびしい。
4.　やっぱり　きつねが　いちばん　つよい。

(11)　くさの　かげに　ないて　いた　むしと　いうのは，どんな　むしですか。

1.　きりぎりすや　こおろぎ。

2. ありと　みみず。

3. ちょうちょ。

4. かえる。

⑿ きつねの　ことばの　なかに　「あなたの　なかま」と　いう　ことばが　あります。だれの　ことを　いったのでしょう。

1. のはら。
2. きたかぜ。
3. のぎく。
4. むし。

⒀ あきに　なると　くさの　はの　かれるのを，きつねは　どう　おもって　いたのでしょう。

1. きつねよりも　よわい。
2. きたかぜが　くさの　はを　からして　しまった。
3. くさが　かれて　さびしい。
4. くさが　かれて　しんで　しまった。

⒁ かれたように　みえる　のぎくが，はるに　なって　めを　ふきだすのは，どこが　いきて　いるからですか。

1. くき。
2. ね。
3. はな。
4. はっぱ。

⒂ 「らいねん　また　おめに　かかりましょう」と　いうのは　らいねんのぎくが　どうなると　いうのですか。

1. らいねん　また　はなしを　する。
2. らいねん　また　はなを　さかせる。

3. らいねん　また　めを　だす。
4. らいねん　また　かれる。

⒃ 「ことしは　もう　すみました」と　いうのは　のぎくが　どう　なったと　いうのでしょう。

1. はなを　さかせる　しごとが　すんだ。
2. おともだちが　みんな　しんで　しまった。
3. いつまでも　はなを　さかせて　いる。
4. きつねとの　はなしは　もう　すんだ。

第三学年

「どうだ，いいだろう。」
「なあんだ，まつの木だけじゃないか。」
「まつの木だけ……。おい，よく見てくれ。雲や鳥も書いてあるんだぜ。」
「ふん，へんなかっこうしたすずめだね……。」
「ちがうよ，とんびだよ，これ……。」
「とんびなんか，どこにも飛んでいないじゃないか……。」
「だって，見たんだよ，きのう……。」
「へえ，じゃあ……それ，きのうの写生か……。」
「あら，きのうの写生って，そんなものあるの……。」
「あわてものの三ちゃんだけにあるのさ……。」
「きのうの写生だってあるよ。……でも，へんかな，うまく書けたんだけど……。」
「うまいもんか，すずめみたいなとんびなんて，いやしないよ。」
「じゃあ，きみのを見せてよ。」
「ぼくは，とんびなんか書いてないよ。」

「うまいなあ，良(りょう)ちゃんは……。」

「そうでもないよ。」

「でも，ぼくよりうまいや。」

読解力調査用紙

（昭和　　年　　月　　日調査）

学校第３学年　　組　おとこ・おんな（なまえ）

□べつの　かみの　ぶんを　よんで，これから　あとに　たずねて　あることに　こたえなさい。

(1)　つぎの（　　）の　なかに　かんじの　よみがなを　かきなさい。

（　　）　　（　　）　　（　　）（　　）（　　）
まつの木。　よく見てくれ。　雲　や　鳥　も　書　いてある。

（　　）　　（　　）（　　）
どこにも飛んでいない。　きのうの写生。　三ちゃん。

(2)　はなしあって　いる　おとこの　こは，だれと　だれですか。

1.　さんねんの　こどもたち。
2.　たろうちゃんと　いちろうちゃん。
3.　さんちゃんと　りょうちゃん。
4.　りょうちゃんと　はなこ。

(3)　まつのきや　くもや　とりを　かいたのは　だれですか。

1.　さんちゃん。
2.　りょうちゃん。
3.　はなこ。
4.　おとこの　こ。

(4)　さんちゃんが　とんびを　みたのは　いつですか。

1.　ゆうがた。
2.　おひるまえ。
3.　きょう。
4.　きのう。

(5)　さんちゃんは　ともだちから　どんな　ふうに　おもわれて　いるこどもですか。

1.　ずがが　うまい。
2.　からだが　よわい。
3.　あわてもの。
4.　おしゃべり。

(6)　「きのうの　しゃせいって　そんな　もの　あるの」と　いって　いるのは　だれですか。

1.　さんちゃん。
2.　おんなの　こ。
3.　りょうちゃん。
4.　おとこの　こ。

(7)　「でも　へんかな」となぜ　さんちゃんは　いいだしたのでしょう。

1.　きのう　じぶんで　いっしんに　かいた　しゃせいだから。
2.　きのう　みたのでは　きょうの　しゃせいに　ならないから。
3.　へんだと　いわれて　くやしいから。
4.　とんびが　すずめの　ようだから。

(8)　「ぼくは　とんびなんか……」と　いって　いるのは　だれですか。

1.　おんなの　こ。
2.　おとこの　こ。
3.　さんちゃん。

4. りょうちゃん。

(9) さんちゃんは　えが　じょうずだと　おもいますか。

1. あまり　じょうずでは　ない。
2. ずがが　すきだ。
3. じょうず　らしい。
4. たいへん　じょうずだ。

(10) 「そうでもないよ」と　いって　いるのは，どんな　きもちで　いって　いるのでしょう。

1. ほめられて　うれしいと　おもったから。
2. そう　いわないと　いばって　いる　ように　おもわれるから。
3. じぶんは　ずがが　へただと　おもって　いるから。
4. じぶんの　しゃせいを　みせたくないと　おもったから。

(11) これは　なんの　ことに　ついて　はなしあって　いるのですか。

1. とんびと　すずめの　こと。
2. きのうの　しゃせいの　こと。
3. さんちゃんの　しゃせいの　こと。
4. おとこの　こと　おんなの　この　こと。

第四学年

山から町へかけて，かなり下り坂です。子どもたちは，いっしょうけんめいにかけだしました。

むねはわくわくするし，あせは，せなかに，ひたいに，どんどん流れだして，息がつまりそうです。

町に近づくと，町のようすは高い所でながめたように，はっきりとはしな

くなりました。くろぐろしたけむりが，風にあおられて，西から東の方へずんずんと飛び，空もにわかにくもってきました。お寺や，消防隊(しょうぼうたい)でならすはんしょうの音が，ガンガンガンガンとなりひびきます。

ともかく三ちゃんは，自分の家に飛びこんで行きました。しかし，家はぶじでした。おかあさんが，たんすやこうりのものを，土蔵(どぞう)にかたづけていました。

「土蔵へ入れたら，だいじょうぶなんですか。」

「さあ，今まで二ども火事にあって，やけのこったのだから，だいじょうぶと，みなさんもおっしゃるのよ。」

読解力調査用紙

（昭和　　年　　月　　日調査）

学校　第4学年　　組　おとこ・おんな（なまえ）

□べつの　かみの　ぶんを　よんで，これから　あとに　たずねて　あることに　こたえなさい。

(1) つぎの（　）の　なかに　かんじの　よみがなを　かきなさい。

山から町へ。　下り坂。　子どもたち。　どんどん流れだす。　息がつまりそう。まちに近づく。　高い所。　風にあおられ。　西から東の方へ飛ぶ。　空もにわかにくもって。お寺や消防隊(しょうぼうたい)。　はんしょうの音。　三ちゃん。　自分の家にとびこんで行きました。　土蔵(どぞう)へ入れたら，だいじょうぶ。　今まで三ども火事にあって。

(2) 「いきが　つまりそう」というのは，どんな　ことですか。

1．かぜが　ふくので　いきが　よく　できる　こと。

2．しんぞうが　どきどき　する　こと。

3．あせが　めに　はいって　いたい　こと。

4．いきが　できなく　なりそうな　こと。

(3) 「くろぐろした」とは，ここでは　どんな　ことですか。

1．けむりで　かおが　くろく　なった　こと。

2．けむりが　まっくろい　こと。

3．きしゃが　はしって　いる　こと。

4．そらが　くもって　いる　こと。

(4) 「かぜに　あおられ」と　いうのは，どんな　ことですか。

1．かぜを　ひいて　せきが　でる。

2．かぜに　ふきとばされる。

3．かぜに　ふかれて　あおく　なる。

4．うちわで　あおいで　かぜを　だす。

(5) 「にわかに」と　いうのは，どういう　ことですか。

1．だんだんに。

2．いくども。

3．きゅうに。

4．ゆっくりと。

(6) 「いえは　ぶじでした」と　いうのは，ここでは　いえが　どうだったと　いうのですか。

1．いえには　だれも　いなかった。

2．いえは　もえて　いた。

3．いえは　もえて　いなかった。

4．いえの　ものは　けがを　しなかった。

(7) 「たんす」は　どんな　ときに　つかいますか。

1．ほんを　いれて　おく。

2．おこめを　いれて　おく。

3．しなものを　よそに　おくる　とき　つかう。

4．だいじな　きものなどを　いれて　おく。

(8) 「こうり」は　なにに　つかいますか。

1．きもの　などを　いれて　おく。

2．びょうきの　とき　つかう。

3．おべんとうを　いれる。

4．かじの　とき　つかう。

(9) 「どぞう」と　いうのは　なんですか。

1．ほらあな。

2．くら。

3．ものおきごや。

4．ふね。

(10) 「やけのこる」とは　どういう　ことですか。

1．すっかり　やけてしまう　こと。

2．ゆうがた　そらの　くもが　あかく　なる　こと。

3．やけないで　すむこと。

4．とおくから　かじが　みえる　こと。

(11) こどもたちは　たかい　ところから　まちをみて，どんな　ことがわかったのでしょう。

1．ひを　たいて　いる　こと。

2．はんしょうが　なって　いる　こと。

3．むねが　わくわく　する　こと。

4．かじだと　いう　こと。

(12) こどもたちの　いえは　どこに　あったと　おもいますか。

1．まちの　なか。

2．さかを　おりた　ところ。

3．すこし　はなれた　ところ。

4．やまの　うえ。

(13) こどもたちは　どうして　むねが　わくわく　したのですか。

1．じぶんの　うちが　もえると　おもったから。

2．あせが　どんどん　ながれて　きたから。

3．いっしょうけんめい　にげだしたから。

4．くろぐろと　した　けむりを　みたから。

(14) あせが　どんどん　ながれだしたのは，どうしてですか。

1．うちが　やけたと　おもったから。

2．うんどうを　したから。

3．いっしょうけんめい　かけおりたから。

4．ひが　もえて　いて　あつかったから。

(15) まちの　ようすが，まちに　ちかづくと，どうして　はっきり　しなくなったのですか。

1．はんしょうが　ガンガン　なって　いたから。

2．とおくを　みわたす　ことが　できなく　なったから。

3．くろぐろと　した　けむりが　たって　いたから。

4．まちは　たかい　ところに　あったから。

(16) まちでは　かぜが　どちらから　どちらへ　ふいて　いましたか。

1．たかい　ところから　ひくい　ところへ。

2．きたから　みなみへ。

3．にしから　ひがしへ。

4．みぎの　ほうから　ひだりの　ほうへ。

(17) まちに　ちかづくと，まちの　そらは　どんなでしたか。

1．けむりで　くもって　きた。

2．ひが　てって　きた。

3．かぜが　ふいて　いた。

4．くもが　きれいだった。

(18) さんちゃんの　いえは　どんなでしたか。

1．すこし　やけただけだった。

2．やけて　どぞうだけ　のこって　いた。

3．くろい　けむりが　でて　いた。

4．やけないで　ぶじだった。

(19) おかあさんは　なぜ　たんすや　こうりを，どぞうに　かたづけていたのですか。

1．たんすや　こうりが　じゃまだったから。

2．どぞうに　いれれば　やけないと　おもったから。

3．かたづければ　ぬすまれると　おもったから。

4．いろいろな　ものを　やいて　しまったから。

(20) この　ぶんは，ぜんたいを　まとめて　いうと，どんな　ことが　かいて　あるのですか。

1．やまから　まちへ　かけては　かなり　くだりざかだった。

2．さんちゃんの　いえは　やけなかった。

3．まちが　かじに　なったので　いそいで　かえって　きた。

4．くろぐろした　けむりが　かぜに　あおられて　いた。

第五学年

つばめたちが，わたくしたちの前から，すがたを消すのは，かれらにとっては，なにもいま急にはじまったことではない。しかし，それにはじめて気のついた人間は，急につばめが，いなくなったと感じるのだ。

そうして，かれらはいったいどこへ行ってしまったのだろうと考える。このことは，むかしからたいへん不思議なことだとされていた。

「つばめは，冬になると，かれ木のほらあなにかくれて，冬をこすのだ。」と，広くいわれ，信じられていた。そうして，それを今でも信じている人もある。そこで，わたくしは旅行のたびに，地方の老人などが，そういうことをどう思っているかを，注意して聞いてみると，結局はうやむやになるのであった。事実を見たという人は，一度もあらわれない。

読解力調査用紙

（昭和　　年　　月　　日調査）

学校　第５学年　　組　おとこ・おんな（なまえ）

□べつの　かみの　ぶんを　よんで，これから　あとに　たずねて　ある　ことに　こたえなさい。

(1) つぎの（　　）の　なかに　かんじの　よみがなを　かきなさい。

わたくしたちの前からすがたを消す。　急にはじまったこと。　はじめて気のついた人間。いなくなったと感じるのだ。どこへ行ってしまっただろうと考える。　不思議なこと。冬になるとかれ木のあなにかくれて。　広くいわれ信じられていた。　今でもしんじている人。

旅行のたびに。地方の老人。　どう思っているか。注意して聞いてみる。　結局はうやむやになる。　事実を見たというひと。一度もあらわれない。

(2) 「すがたを　けす」とは，どうなる　ことですか。

1. くもが　はれて　とおくの　やまが　みえるように　なる　こと。
2. ひが　くれて　あたりが　みえなく　なる　こと。
3. しらない　うちに　どこかへ　いって　しまう　こと。
4. いたずらがきを　けすこと。

(3) 「ほらあな」とは，どんな　ところですか。

1. いたに　あけた　あな。
2. なかの　ひろい　おおきな　あな。
3. てつどうの　トンネル。
4. ふゆの　あいだ　つばめたちが　すむ　ところ。

(4) 「ふゆを　こす」とは，どう　する　ことですか。

1. あたたかく　なるまで　じっと　して　いる。
2. ふゆの　あいだ　いなく　なる。
3. ふゆを　ぶじに　おわる。
4. はるに　なると　あたたかく　なる。

(5) 「しんじられて　いた」とは，どうなって　いた　ことですか。

1. そうに　ちがいないと　おもわれて　いた。
2. なんだか　おかしいと　おもわれて　いた。
3. はなしあって　いた。
4. うわさを　して　いた。

(6) 「ちほうの　ろうじん」とは，だれの　ことですか。

1. ほうぼうの　ほらあな。

2. いなかに　すんで　いる　としより。

3. ほうぼう　あるきまわる　つばめ。

4. いろいろの　ことを　しっている　おじいさん。

(7)　「うやむやに　なる」とは，どうなる　ことですか。

1. むちゃくちゃに　なる。

2. ほんとうだと　いう　ことが　わかる。

3. うそだと　いう　ことが　わかる。

4. ほんとだか　どうだか　わからなくなる。

(8)　「じじつを　みた」とは，なにを　みた　ことですか。

1. ふゆの　あいだ　つばめが　ほらあなに　いる　こと。

2. はるに　なると　つばめが　やって　くる　こと。

3. ふゆの　あいだ　つばめは　ほらあなに　いない　こと。

4. はるに　なると　はなが　さく　こと。

(9)　「あらわれない」とは，ここでは　どういう　ことですか。

1. はなれない。

2. ゆるさない。

3. いない。

4. わすれない。

(10)　「かれらに　とっては……」の「かれら」と　いうのは，なにを　さして　いるのですか。

1. つばめたち。

2. りょこう　して　いる　ひとたち。

3. わたくしたち。

4. としよりの　ひとたち。

(11)　「それに　はじめて　きの　ついた……」の「それに」と　いうのは，なにを　さして　いるのですか。

1. つばめが　きの　ほらあなに　かくれて　いる　こと。

2. ふしぎな　こと。

3. つばめたちが　いなくなった　こと。

4. きゅうに　きが　ついた　こと。

(12)　「かれらは　いったい　どこへ　いって　しまっただろうと　かんがえる」と　いうのは，だれが　そう　かんがえるのですか。

1. きの　ほらあなを　じっさいに　みた　ひとたち。

2. つばめが　いなくなったのに　きが　ついた　ひとたち。

3. どこかへ　いって　しまう　つばめ。

4. いなかの　おじいさんや　おばあさん。

(13)　「この　ことは　むかしから　ふしぎに　されて　いた」と　いう，「このこと」と　いうのは，なにを　さして　いますか。

1. はるに　なると　あたたかく　なる　こと。

2. つばめが　どこかへ　いって　しまう　こと。

3. うやむやに　なって　しまう　こと。

4. はるに　なると　つばめが　くる　こと。

(14)　むかしの　ひとは，ふゆに　なると　つばめは　どう　すると　おもって　いましたか。

1. しんで　しまう。

2. あたたかい　くにに　いって　しまう。

3. つちの　なかに　はいって　ねて　いる。

4. かれきの　ほらあなで　ふゆを　すごす。

(15)　「そういう　ことを　どう　おもって　いるか」の「そう　いう　こ

と」と　いうのは，なにを　さして　いるのですか。

1．かれきの　ほらあなは，ふゆでも　あたたかい　こと。

2．つばめは　ふゆに　なると，かれきの　ほらあなに　はいる　こと。

3．ふゆに　なっても　すずめが　いる　こと。

4．つばめが　どこかへ　いって　しまう　こと。

⒃　この　ぶんを　かいた　ひとは，りょこうの　たびに　つばめの　ことを　だれに　たずねましたか。

1．つばめの　ことを　よく　しって　いる　ひと。

2．がっこうの　こどもたち。

3．そこに　いる　としよりの　ひとたち。

4．ほらあなを　みた　ひとたち。

⒄　あきに　なると，つばめは　どこへ　いくのでしょう。

1．みなみの　ほうの　あたたかい　くに。

2．ゆきが　たくさん　ふらない　ところ。

3．きたの　ほうの　さむい　くに。

4．きの　ほらあなの　なか。

⒅　このぶんは，つばめに　ついて　なにを　かいて　いるのですか。

1．つばめの　ことを　しらべると，いろいろ　おもしろい　ことが　ある。

2．いなかの　としよりの　ひとたちは，つばめの　ことを　よく　しって　いる。

3．ふゆに　なると，つばめは　どこへ　いって　しまうのだろう。

4．つばめは，かれきの　ほらあなで，ふゆを　こすと　おもって　いる　ひとが　ある。

第　六　学　年

人に自由があるとおり，鳥にもけだものにも，天からあたえられた自由がある。この自由こそ，それぞれの生きものにとって，生命ともいうべき第一のたからである。その自由を，自分だけが愛することは，だれでも知っているが，ほかの人の自由や，ほかのものの自由は，ともすれば平気でふみつける。これは，この世の中で最大の罪である。いつもこんなふうに話すのであった。

父は，ただ話すだけでなかった。子供たちが，その自由をふみにじるようなことをすると，少しもみのがさなかった。兄の福一が，そのためにさんざんにしかられたことがある。

読 解 力 調 査 用 紙

（昭和　　年　　月　　日調査）

学校　第6学年　　組　おとこ・おんな（なまえ）

□べつの　かみの　ぶんを　よんで，これから　あとに　たずねて　ある　ことに　こたえなさい。

⑴　つぎの（　　）のなかに　かんじの　よみがなを　かきなさい。

（　）人に（　）自由がある。（　）鳥にも（　）天からあたえられた。（　）生きもの。（　）生命ともいうべき（　）第一のたから。（　）自分だけが（　）愛する。だれでも（　）知っている。（　）平気でふみつける。（　）世の（　）中で（　）最大の（　）罪。（　）父は（　）話すだけでなかった。（　）子供たち。（　）少しもみのがさない。（　）兄の（　）福一。

(2) 「せいめいとも　いうべき　だいいちの　たから」と　いうのは，つぎの　どの　ことばと　おなじですか。

1. いのちは　だいじな　たからもの。
2. いちばん　だいじな　もの。
3. あまり　だいじでない　もの。
4. いきて　いる　ときの　いちばんの　たからもの。

(3) 「じゆうを　あいする」と　いうのは，つぎの　どの　ことばと　おなじですか。

1. じゆうを　そまつにする。
2. じぶんの　ちからで　じゆうに　くらす。
3. じゆうを　たいせつ　にする。
4. じぶんの　したい　ことを　じゆうに　する。

(4) 「じゆうを　ふみつける」と　いうのは，「じゆう」を　どう　することですか。

1. じゆうを　よく　まもる。
2. じぶんの　じゆうを　たいせつに　する。
3. じゆうを　みつけて　あるく。
4. ほかの　ものの　じゆうを　ゆるさない。

(5) 「さいだいの　つみ」と　いうのは，つぎの　どの　ことばと　おなじですか。

1. おおきな　つみ。
2. いちばん　わるい　こと。
3. いちばん　りっぱな　こと。
4. いきて　いる　こと。

(6) 「じゆうを　ふみにじる」と　いうのは，じゆうを　どう　するこ

とですか。

1. じゆうを　たいせつに　する。
2. ほかの　ものを　じゆうに　させて　おかない。
3. じゆうを　ふみかためる。
4. ほかの　ものを　じゆうに　させて　おく。

(7) 「みのがさなかった」と　いうのは，ここでは　なにを　どう　したと　いう　ことですか。

1. じゆうを　まもらないと　ゆるさなかった。
2. さかなを　とるのが　じょうずで　にがさなかった。
3. みのと　かさを　もって　いなかった。
4. じゆうを　まもらなくても　へいきだった。

(8) 「この　じゆうこそ　それぞれの　いきものに　とって……」と　ある「この」は，なにを　さして　いますか。

1. いちばん　たいせつな　いのち。
2. ひとの　もって　いる　じゆう。
3. てんから　ふって　くる　あめ。
4. てんから　さずけられた　じゆう。

(9) 「ほかの　ひとの　じゆうや，ほかの　ものの　じゆう」と　ある「ほかの　もの」とは，ここでは　なにを　さして　いますか。

1. がっこうの　せいと。
2. つくえや　ほんばこ。
3. とりや　けだもの。
4. ほかの　くにの　ひと。

(10) たいていの　ひとは　じぶんの　じゆうは，どう　すると　いうのですか。

1. たいせつに　する。

2. そまつに　する。

3. かまわない。

4. ゆるさない。

(11) たいていの　ひとは，ほかの　ひとの　じゆうは　どう　すると　いうのですか。

1. はなしあう。

2. よく　まもる。

3. そまつに　する。

4. たいせつに　する。

(12) ほかの　ひとの　じゆうや　ほかの　ものの　じゆうを，どう　しなければ　いけないと　いうのですか。

1. そまつに　する。

2. ふみつける。

3. たいせつに　する。

4. すてておく。

(13) 「これは　この　よのなかで　さいだいの　つみである」の「これ」は，なにを　さして　いますか。

1. とりや　けだものにも　じゆうが　ある。

2. みんなが　じゆうを　あいする。

3. ほかの　ひとや　じぶんの　じゆうを　あいする。

4. ほかの　ひとや　ほかの　ものの　じゆうを　ふみつける。

(14) 「いつも　こんな　ふうに　はなすので　あった…」と　あるのは，だれが　はなすと　いうのですか。

1. ち　ち。

2. あ　に。

3. わたくし。

4. めいめい。

(15) 「すこしも　みのがさなかった」と　いう　ことばで，ちちの　どんな　きもちが　わかりますか。

1. がんこもので　よく　おこる。

2. じゆうと　いう　ことを　よく　はなす。

3. じゆうを　こころから　たいせつだと　おもって　いる。

4. ひとの　せわを　するのが　すきで　ある。

(16) 「あにの　ふくいちが　そのために……」と　ある「そのために」と　いうのは，なにを　さして　いますか。

1. すこしも　みのがさなかった。

2. ほかの　ものの　じゆうを　ふみつけた。

3. ほかのものの　じゆうを　たいせつに　した。

4. よその　こどもと　けんか　した。

(17) 「ふくいち」は，だれの　あにですか。

1. こどもたち。

2. ち　ち。

3. この　ぶんを　かいた　ひと。

4. ちちに　しかられた　こども。

4. 調査の結果

文章読解の能力は，いろいろな角度から考えることができ，その角度によって分析の方法も異なってくるが，この調査においては，

1. 文中の漢字が読める
2. 文中の語句の意味がわかる
3. 文の内容がわかる

の三つのおおまかな角度から考えることにした。

それぞれの正答率を示したものが第3表および第1図である。第1図は第3表を図表化したものである。いずれの図表の中にも，第3学年の語句の正答率を欠いているが，これは，第3学年の文章中には，いわゆる難語句といわれるものは1語もなく，したがって語句に関する問題はテストから除いた事情によるものである。

（第3表）　漢字・語句・内容

項＼学年	I	II	III	IV	V	VI
漢　字	58	78	82	84	81	90
語　句	59	52	／	73	53	51
内　容	56	61	53	64	60	65

（第1図）　漢字・語句・内容

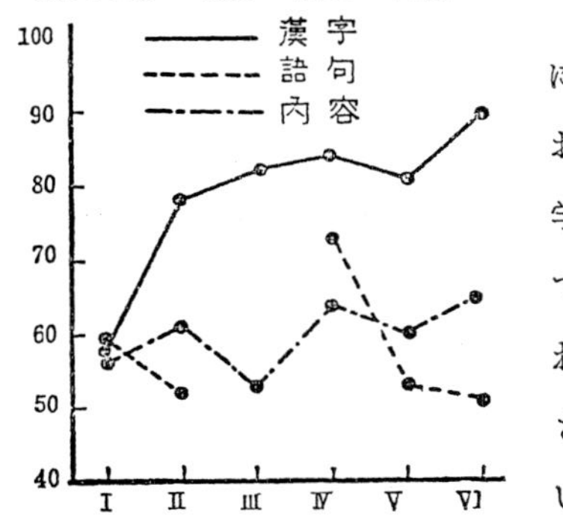

(1) 第3表および第1図によってみるに，調査に用いられた文章そのものは，おおまかにいって，漢字・語句・内容とも各学年50％を下るものはない。この点から見て，おおまかにいってそれぞれの学年にそれほど理解困難な文章ではなく，問題点をさぐる上からは手ごろのものであったともいえよう。

(2) 漢字・語句・内容三者の正答のつりあいを見ると，第1学年だけがバ

ランスがとれている。これは，読解の能力を，漢字・語句・内容とおおまかに見た場合，その能力が正常な姿にあるともいえるであろう。

(3) 第2学年以上においては，漢字そのものについては，第1学年よりも第2学年が20％も急上昇していることが目だっているが，語句・内容に関する理解度が，これに伴って伸びていない。

このことは，この調査に使われた文の読解に関しては，第2学年以上において，漢字の読みは，あまり困難ではなく，むしろ，それに比べて語句と内容の理解にいろいろ分析すべき問題が含まれていることを示していると解すべきで，文の読解一般にこのことをおし及ぼして解釈することには無理がある。

5. 各学年別にみた調査結果

（1） 第1学年のつまずきの実態

（イ） 漢字の読みについて

この学年の漢字の読みに関する平均正答率は68%強である。男女別にみれば，男子58%弱，女子59%弱となって，男女の差はほとんどないといってよい。

（第2図） 問題別正答率 （第1学年）

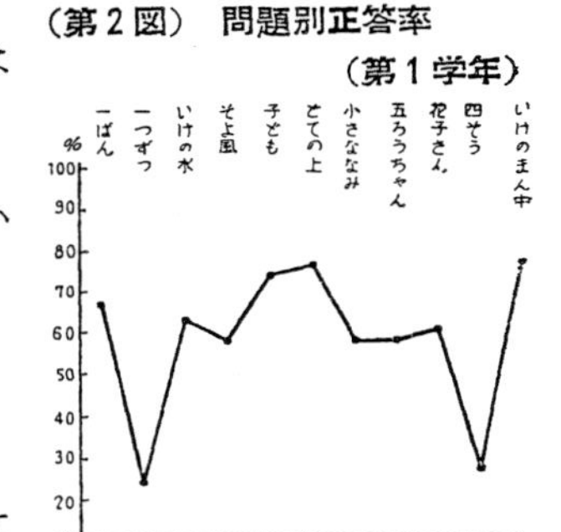

問題別に正答率をみたのが，第2図である。

これについてみると，「一つずつ」「四そう」が目だって低い。その他の漢字の読みについては，50%以下に落ちているものは見あたらない。

正答率の低い「一つずつ」「四そう」が，どのように読み誤られているかを検討してみると，「いちつずつ」と誤ったものが誤答の中の39%，「ひとつつずつ」「1つずつ」としたものが，おのおの6%ずつになっている。もっとも，後者の「ひとつつずつ」「1つずつ」は，表記上の誤りともみられるから，これの誤答としては，「いちつずつ」だけを問題とするのが妥当かも知れない。

「四そう」については，「しそう」と誤ったものが一ばん多くて，30%を占めている。もっとも，この「しそう」を誤答ときめてしまうことには，多少の無理がある。その他「よそう」が12%，「4そう」が9%，「しいそう」が6%となっている。

これらの読み誤りの傾向から，漢字の読みにおける学習指導上留意すべき

点が，いくつかあげられると思うが，それに関しては第6章で述べることにしたい。

（ロ） 語句の理解について

語句・内容の理解に関する問題は三つの選択肢を提出して，これに答えさせる形式をとった。第1問は漢字の読みに関する問題である。

（第3図） 語句に関する正答率

（問題）(2) さきぶねと いうのは (3) そよかぜと いうのは (4) そよそよと いうのは (5) なみに おくられて いうのは (6) 四そうと いうのは (7) すすんで いきます いうのは

語句に関する問題は，第2問から第7問までの6問題である。これの難易の度を示したものが第3図である。この6問題の中で，正答率が50%以下になっているのは，第7問だけである。第7問の正答率は49%であるから，そう低いものではない。

語句に関する問題全般を通じて，調査を受けた児童の半数が，どの問題にも解答しているのであるから，児童の生活経験から遊離している語句は一つもないとみてもよいのではなかろうか。

第4表は，各問題別に，どの選択肢に，どれだけのものが答えているかを示したものである。

（第4表） 選択肢別

問＼肢	1	2	3	無
(2)	7	(81)	9	4
(3)	(63)	26	8	4
(4)	(58)	17	23	3
(5)	28	15	(55)	3
(6)	13	(65)	20	3
(7)	(49)	15	34	3

（ ）は正答を示す

この表によって語句に関する6問題の中で，つまずきの目だつものとして，さきに述べた第7問のほかに，第3問，第4問，第5問，第6問が見いだされる。

これについて，どのように誤っているかをみるために，問やその選択肢を次に掲げてみよう。選択

肢中の○印は正答を示したものである。

(3)　「そよかぜ」と　いうのは，つぎの　どの　ことばと　おなじですか。

①　そっと　ふく　かぜ (63%)

2.　つよく　ふくかぜ (26%)

(4)　「そよそよと　ふきつける」の「そよそよ」と　いうのは，つぎの　どの　ことばと　おなじですか。

①　しずかに　そっと (58%)

2.　のろのろと　ゆっくり (17%)

3.　ぐんぐん　つよく (23%)

(5)　「なみに　おくられて」と　いうのは，つぎの　どの　ことばと　おなじですか。

1.　なみと　なかよしに　なって (28%)

2.　かぜが　つよく　なって (15%)

③　なみに　おされて (55%)

(6)　「四そう」と　いうのは，なにを　かぞえる　とき　つかいますか。

1.　ひとを　かぞえる　とき (13%)

②　ふねを　かぞえる　とき (65%)

3.　かきや　みかんを　かぞえる　とき (20%)

(7)　「すすんで　いきます」と　いうのは，つぎの　どの　ことばと　おなじですか。

①　さきの　ほうへ　いきます。(49%)

2.　こっちへ　きます (15%)

3.　すんでから　いきます (34%)

これら個々の問題や選択肢について見られる，学習指導上考慮すべき点に

ついては第6章で述べることにする。

(ハ)　**内容の理解について**

内容の理解に関する問題は（8）から（15）までの8問である。その中で，つまずきの度の高いものは，第4図に示すとおり，（9）（10）の2問である。第5表は，3つの選択肢のどれに，どれだけの数が解答されているかを，各問題別に示したものである。

（第4図）　内容の理解

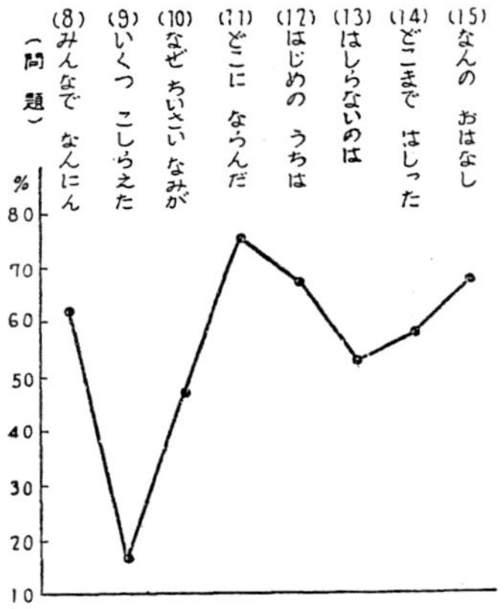

（問題）(8) みんなで　なんにん　(9) いくつ　こしらえた　(10) なぜ　ちいさい　なみが　(11) どこに　ならんだ　(12) はじめの　うちは　(13) はしらないのは　(14) どこまで　はしった　(15) なんの　おはなし

% 80　70　60　50　40　30　20　10

（第5表）　選択肢別

問＼肢	1	2	3	無
(8)	8	8	(62)	2
(9)	69	(17)	12	2
(10)	26	26	(47)	2
(11)	(75)	10	13	3
(12)	(67)	26	4	2
(13)	29	(53)	16	2
(14)	16	25	(58)	2
(15)	15	(68)	16	1

（ ）は正答を示す

第5表によると，つまずきの上から注意すべきものに，（9）（10）のほかに，（12）（13）（14）（15）をあげることができる。

以下それらについて，具体的に示すと，次のとおりである。

(9)　ささぶねを　ひとりが　ひとつずつ　こしらえたのですか。ひとりが　いくつも　こしらえたのですか。

1.　ひとりが　ひとつずつ　こしらえた (69%)

②　ひとりが　いくつも　こしらえた (17%)

3.　みんな　とみこさんが　こしらえた (12%)

(10)　いけには　なぜ　ちいさい　なみが　たって　いたのですか。

1. さかなが　およいで　いたから (26%)

2. かぜが　つよく　ふいて　いたから (26%)

③ かぜが　そっと　ふいて　いたから (47%)

(12) みずの　うえに　はなした　ささぶねは，はじめの　うちは，みんなどう　なりましたか。

① ならんで　はしった (67%)

2. ばらばらに　なって　はしった (26%)

(13) うまく　はしらなかったのは，だれの　ふねでしたか。

1. ごろうちゃん (29%)

② いちろうさん (53%)

3. とみこさん (16%)

(14) さんにんの　ふねは，どこまで　はしりましたか。

1. かぜの　ない　ところまで (16%)

2. いけの　はしまで (25%)

③ いけの　まんなかまで (58%)

(15) この　おはなしを　はじめから　おわりまで　よんで　みて，なんのおはなしが　かいて　あると　おもいましたか。

1. こどもたちが，どての　うえに　ならんで　あそんだ (15%)

② こどもたちが，ささぶねを　いけに　うかして　あそんだ (68%)

3. がっこうで，ふねを　こしらえて　あそんだ (16%)

以上各問のつまずきの原因については第６章で述べることにする。

（２）　第２学年のつまずきの実態

（イ）　漢字の読みについて　漢字の読みに関する問題は，語として見るとき15問となる。この全体平均正答率は，78%弱であるから，低いものではない

が，個々の漢字について見ると，第９表に示すように，高いものもあれば，低いものもあり，その正答率は一様ではない。

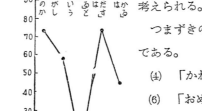

15問の中で，つまずきの現れているものは，「野原」と「生きて」の２問である。

（第５図）　問題別漢字の読みの正答率　（２年）

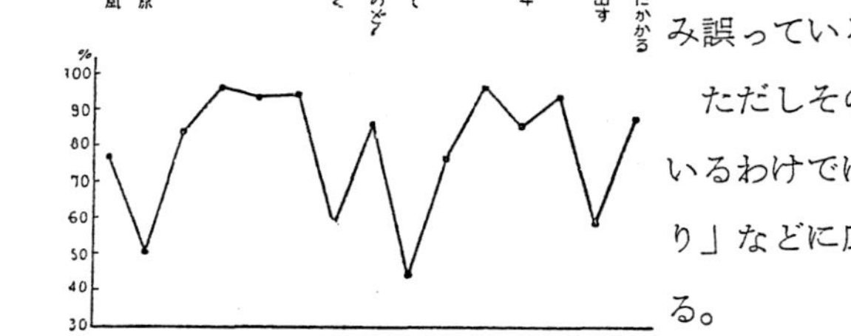

「野原」については，「のぎく」「きく」「のやき」「はら」などのように読み誤っているものが目につく。

ただしその誤答数は高い率を示しているわけではなく，その他の「読み誤り」などに広い範囲に分散されている。

「生きて」についての読み誤りは，「うまれきて」「せいきて」にかなり集中された誤りの傾向が見られる。このほか，「せんきて」「ねきて」「げんきて」「いきて」「いまきて」などの読み誤りに分散したものが見られる。

（ロ）　語句の理解について　語句に関する問題は，（２）から（６）まで５問あるが，この平均正答率は52%である。これは，第10表に見られるように，（４）の11%という，きわめて低い正答率が，全体の平均正答率にかなり響いているものと考えられる。

（第６図）
第２学年語句
(2) どうなったのか　(3) なくこえがしのは　(4) のぎくというのは　(5) いうのはふきだすとは　(6) おめにかかるというのは

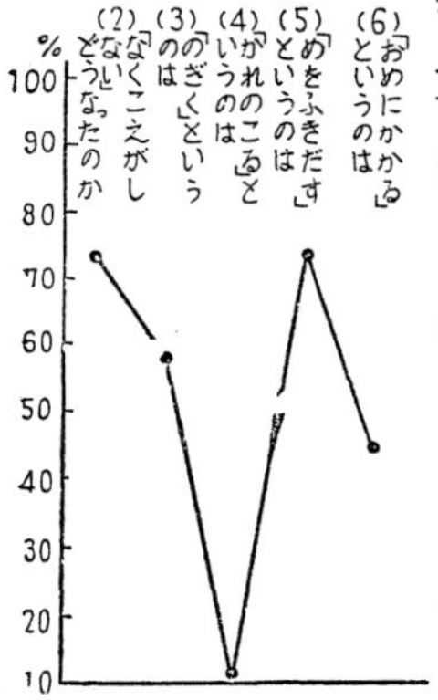

つまずきのある（４）（６）の２問は，次のような問いである。

(4) 「かれのこる」と　いうのは，どんな　ことですか。

(6) 「おめに　かかる」と　いうのは　どう　することですか。

第１学年の選択肢は三つずつであったが，第２学年以

上は四つずつにした。このことは予備調査の結果から見て，第１学年にも四つずつ提出したのであるが，負担の面を考慮して，第２学年以上だけ選択肢４問ずつとした。第６図，第６表を対照すると第６問が目だって低いほかに，第４問，第６問にもつまずきの点に注意すべきものが見られる。

これらの問題について，以下具体的に示すことにする。

(3) 「のぎく」と　いうのは，なんですか。

① のはらに　さく　ちいさな　きく (58%)

3. のはらで　かれて　いる　くさ (17%)

4. にわに　うえて　ある　きれいな　きく (17%)

(4) 「かれのこる」と　いうのは，どんな　ことですか。

1. かれた　くさの　はが　のこって　いる (37%)

3. かれても　らいねん　また　さく (45%)

④ かれないで　まだ　のこって　いる (11%)

(第６表)　選択肢別

問＼肢	1	2	3	4	無
(2)	8	(73)	13	5	1
(3)	(58)	6	17	17	2
(4)	37	5	45	(11)	2
(5)	13	(74)	4	8	2
(6)	11	31	(45)	12	1

( )内は正答

(6) 「おめに　かかる」と　いうのは，どう　する　ことですか。

2. ともだちと　あう　こと (31%)

③ らいねん　はなを　さかせる　こと (45%)

これら誤答についての解釈は第６章にまとめてしるすことにした。

(ハ)　内容の理解に関するもの　第７図によれば，内容に関する問題の中で正答率50%以下のものは，第９問，第13問の二つのようであるが，これをさらに，第７表によって見ると，第10問，第15問，第16問にもつまずきの上に注意すべきものが見られる。

以下これらについて，具体的に示してみる。

(第７図)　内容に関する正答率

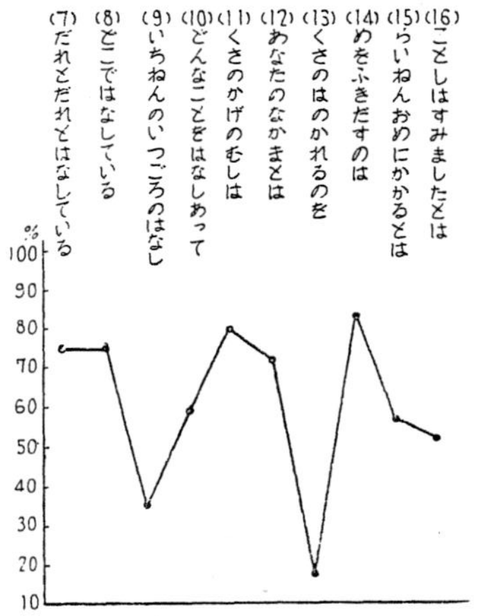

(9) この　はなしは，いちねんの　いつごろ　はなしあったのでしょう。

2. はるの　はじめ (20%)

③ あきの　おわり (35%)

4. ふゆの　おわり (37%)

(10) どんな　ことを　はなしあっていますか。

① のぎくの　なかまが　かれて　きのどくだ (58%)

2. きたかぜが　ふくように　なって　さむい (14%)

3. むしも　なかなく　なって　さびしい (15%)

(第７表)　選択肢別

問＼肢	1	2	3	4	無
(7)	4	(75)	12	8	1
(8)	7	8	9	(75)	1
(9)	6	20	(35)	37	1
(10)	(58)	14	15	12	1
(11)	(80)	4	3	11	1
(12)	7	7	(72)	12	1
(13)	9	32	42	(17)	1
(14)	7	(83)	4	5	1
(15)	13	(56)	25	5	1
(16)	(51)	15	13	20	1

( )内は正答

(13) あきに　なると　くさの　はの　かれるのを，きつねは　どう　おもって　いたのでしょう。

2 きたかぜが　くさの　はを　からして　しまった (32%)

3. くさが　かれて　さびしい (42%)

④ くさが　かれて　しんで　しまった(17%)

(15) 「らいねん　また　おめに　かかりましょう」と　いうのは，らいね

ん　のぎくが　どう　なると　いうのですか。

②　らいねん　また　はなを　さかせる（56％）

3.　らいねん　また　めをだす（25％）

⒃　「ことしは　もう　すみました」と　いうのは，のぎくが　どう　なったと　いうのでしょう。

①　はなを　さかせる　しごとが　すんだ（51％）

2.　おともだちが　みんな　しんで　しまった（15％）

4.　きつねとの　はなしは　もう　すんだ（20％）

これらの個々の吟味については，第6章で触れることにする。

（3）　第3学年のつまずきの実態

(イ)　**漢字の読みについて**　　漢字の読みについて全体的に見ると，平均正答率82％となり，ほとんど問題とすべきところはないが，個々の漢字について吟味すると，正答率の高いものもあり，低いものもある。正答の実態は，第8図に示すとおりである。

（第8図）　漢字の読み

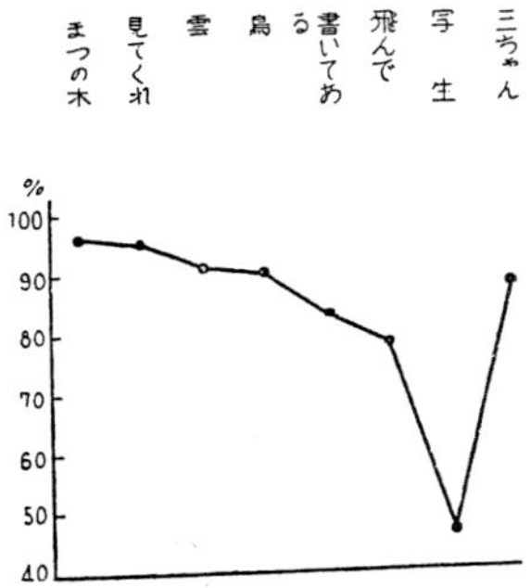

まつの木　見てくれ　雲　鳥　書いてある　飛んで　写生　三ちゃん

全体的には平均正答率82％という正答率であるが，これを個々に吟味すると「写生」の読みに，きわだってつまずきのあとが見られる。これによって見ても，つまずきの上に立って，学習指導の改善を考えるためには，個々の正答率について吟味することが必要となってくる。

「写生」の読みの正答は46％であるから，それほど低いものではないが，全般の読みの成績から見るとき，その低さが目だってくる。

どのように読み誤っているかを誤答の上からひろってみると，

イ．がくせい　　ロ．せんせい　　ハ．ずが　　ニ．させえ

などが，そのおもなものである。

(ロ)　**内容の理解について**　　この学年に与えられた読解文には，問題として提出するだけの難語句はないので，語句に関する問題は提出していない。文章そのものは，他の学年と異なって，地の文なしの対話だけで終始しているところに，読解の困難さがあるように思われる。

内容に関する問題の正答のありさまを示したものが第9図である。

（第9図）　内容に関する正答率

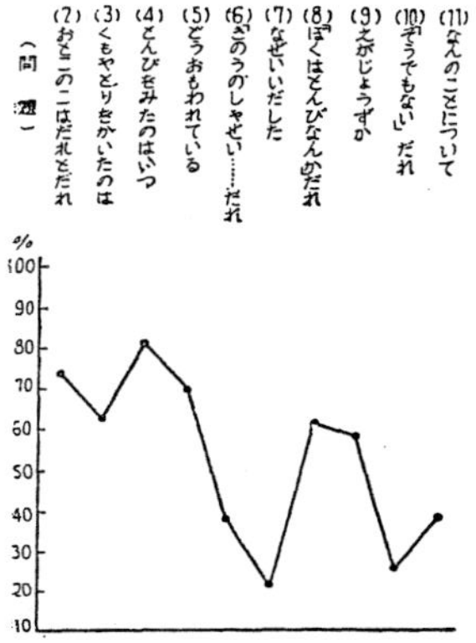

これによれば内容に関するつまずきの現れているのは，第6問，第7問，第10問，第11問の4問題であるが，さらに第8表と照合してみると，第3問，第5問，第8問，第9問にも，つまずきに注意すべきものが見られる。

以下これらについて，具体的に示すことにする。

⑶　まつのきや　くもや　とりを　かいたのは　だれですか。

①　さんちゃん（62％）

2.　りょうちゃん（29％）

⑸　さんちゃんは，ともだちから　どんなふうに　おもわれて　いる　こどもですか。

1.　ずがが　うまい（22％）

③　あわてもの（70％）

⑹　「きのうの　しゃせいって　そんな　もの　あるの」と　いって　いるのは　だれですか。

1.　さんちゃん（26％）

（第8表） 選択肢別

問＼肢	1	2	3	4	無
(2)	7	12	(74)	7	1
(3)	(62)	29	3	5	0
(4)	4	8	7	(81)	1
(5)	22	1	(70)	6	1
(6)	26	(38)	33	4	0
(7)	16	(21)	12	50	1
(8)	2	9	28	(61)	1
(9)	(58)	16	18	8	0
(10)	39	(26)	24	10	0
(11)	26	(38)	34	2	0

（ ）内は正答

② おんなの こ (38%)

3. りょうちゃん (33%)

(7) 「でも へんかな」と なぜ さんちゃんは いいだしたのでしょう。

1. きのう じぶんで いっしんに かいた しゃせいだから (16%)

② きのう みたのでは きょうの しゃせいに ならないから (21%)

3. とんびが すずめの ようだから (50%)

(8) 「ぼくは とんびなんか……」と いって いるのは だれですか。

3. さんちゃん (28%)

④ りょうちゃん (61%)

(9) さんちゃんは えが じょうずだと おもいますか。

① あまり じょうずでは ない (55%)

2. ずがが すきだ (16%)

3. たいへん じょうずだ (18%)

(10) 「そうでもないよ」と いって いるのは，どんな きもちで いって いるのでしょう。

1. ほめられて うれしいと おもったから (39%)

② そう いわないと いばって いる ように おもわれるから (26%)

3. じぶんは ずがが へただと おもって いるから (24%)

(11) これは なんの ことに ついて はなしあって いるのですか。

1. とんびと すずめの こと (26%)

② きのうの しゃせいの こと (38%)

3. さんちゃんの しゃせいの こと (34%)

これら誤答の具体的なことについては，第6章に述べることにする。

（4） 第4学年のつまずきの実態

(イ) **漢字の読みについて** この学年の漢字の読みに関する問題は24問ある。全体としての平均正答率は84%であるが，これを個々の漢字について見たものが，第10図である。

（第10図） 漢字の読み

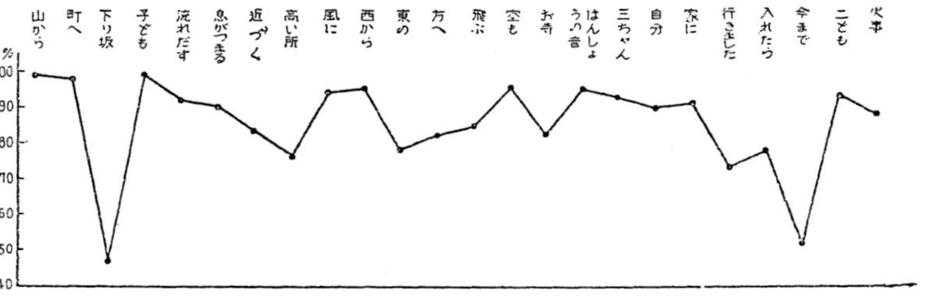

これによって見ると，「下り坂」「今まで」の2つにつまずきの度が強く現れている。どのように読み誤っているかを見ると，

「下り坂」においては，「くだりさか」と「坂」を清音に読んでいる誤りが最も多く，これについで，「したりさか」「さがりさか」と誤っているものが目につく。

「今まで」については，「いまで」と誤っているものが誤答のほとんどを占めている。

これらの誤答の中には，表記上の誤りも含まれていると思われるので，「読みの不明による誤り」と「表記上の誤り」とについてはさらに分析の必要がある。

(ロ) **語句の理解について**　語句に関する問題は，9問題提出されている。全体の平均正答率は73%となっており，個々の語句についての正答率は第11図に示すとおりである。つまずきとして取り上げて吟味すべきものは，全体の見わたしとしてはまずないといえるであろう。

第9表は，どの選択肢にどれだけの解答数が集まっているかを示したものである。

全体として見わたしたときには，正答率が平均化されてくるために，つまずきの所在を見おとしがちになるから，学校や学級を単位として考えるときには，全体を見とおすほかに，その学校，学級としての特殊性を見失わないように留意したい。

（第10図）　語句の正答率

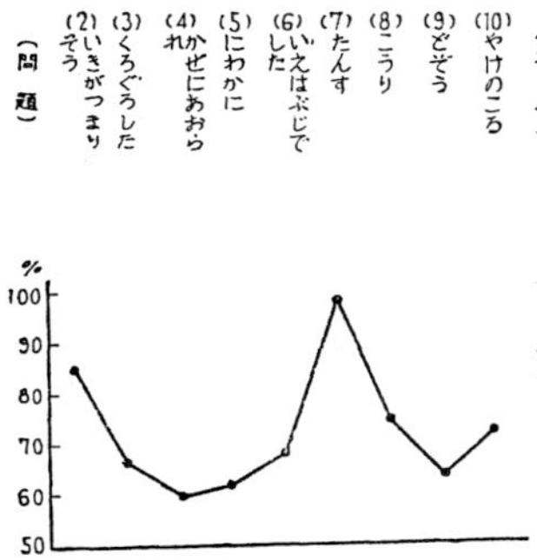

(問題) (2)いきがつまりそう (3)くろぐろした (4)かぜにあおられ (5)にわかに (6)いえはぶじでした (7)たんす (8)こうり (9)どぞう (10)やけのこる

% 100 90 80 70 60 50

第9表の選択肢別の解答を見ると，第3問，第4問，第5問，第6問，第8問，第9問，第10問に，それぞれ問題点のあることが発見される。

以下それらの問題点だけをひろってみることにする。

(3)　「くろぐろした」とは，ここでは　どんな　ことですか。

②　けむりが　まっくろい　こと (66%)

4.　そらが　くもって　いる　こと (25%)

(4)　「かぜに　あおられ」と　いうのは，どんな　ことですか。

（第5表）　選　択　肢　別

問＼肢	1	2	3	4	無
(2)	1	9	4	(85)	0
(3)	7	(66)	3	25	0
(4)	6	(60)	23	6	0
(5)	22	5	(62)	12	0
(6)	6	6	(68)	20	0
(7)	0	1	1	(98)	0
(8)	(74)	17	3	6	1
(9)	16	(63)	19	2	0
(10)	20	4	(72)	4	0

（　）内は正答を示す

②　かぜに　ふきとばされる (60%)

3.　かぜに　ふかれて　あおくなる (23%)

(5)　「にわかに」と　いうのは，どういうことですか。

1.　だんだんに (22%)

③　きゅうに (62%)

(6)　「いえは　ぶじでした」と　いうのは，ここでは　いえが　どうだったと　いうのですか。

③　いえは　もえて　いなかった (68%)

4.　いえの　ものは　けがを　しなかった (20%)

(8)　「こうり」は，なにに　つかいますか。

①　きものなどを　いれて　おく (74%)

2.　びょうきの　とき　つかう (17%)

(9)　「どぞう」と　いうのは　なんですか。

1.　ほらあな (16%)

②　くら (63%)

3.　ものおきごや (19%)

(10)　「やけのこる」とは，どういう　ことですか。

1　すっかり　やけてしまう　こと (20%)

③　やけないで　すむ　こと (72%)

(ハ) **内容の理解に関して**　内容の理解に関する問題は，(11) から (20) まで

10問題が提出されている。

第20表は各問題別に正答率を示したものであり，第21表は，各問題ごとに選択肢別の解答率を比較したものである。

この学年の，内容に関する平均正答率は64%で，漢字・語句・内容と比較したとき，漢字の正答率よりは20%下まわり，語句に比べても，10%下まわることになる。

（第12図）　内容の正答率

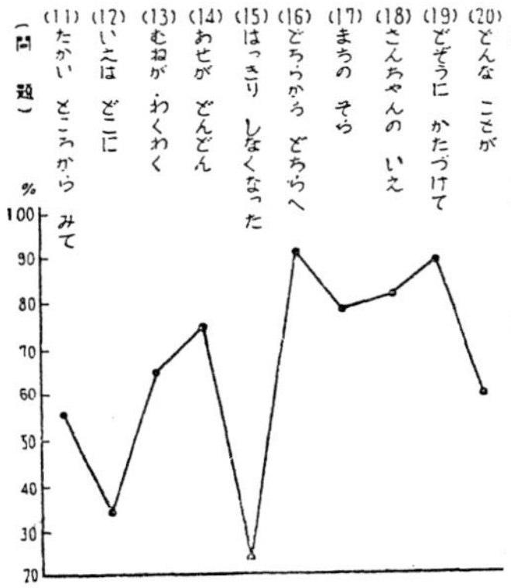

(問題) (11) たかい ところから みて　(12) いえは どこに　(13) むねが わくわく　(14) あせが どんどん　(15) はっきり しなくなった　(16) どちらから どちらへ　(17) まちの そら　(18) さんちゃんの いえ　(19) どぞうに かたづけて　(20) どんな ことが

% 100　90　80　70　60　50　40　30　20

第12図の問題別の正答のありさまを見ると，第12問，第15問にかなりのつまずきが見られる。ことに第15問は，そのつまずきの度あいが著しく目だっている。

第12問，第15問は次のような問題である。

⑿　こどもたちの　いえは　どこに　あったと　おもいますか。

⒂　まちの　ようすが，まちに　ちかづくと，どうして　はっきり　しなくなったの　ですか。

（第10表）　選択肢別

問＼肢	1	2	3	4	無
⑾	2	33	10	(55)	0
⑿	(34)	33	12	21	0
⒀	(65)	7	13	15	1
⒁	14	8	(75)	3	0
⒂	10	(23)	58	9	0
⒃	2	4	(91)	2	0
⒄	(78)	5	10	7	0
⒅	6	9	4	(81)	0
⒆	5	(89)	4	3	0
⒇	1	19	(59)	12	0

（ ）内は正答

内容に関する問題の平均正答率は，さきにも比べたように64%であるが，以上の2問題が，平均正答率を低くしたものとして注意される。

第10表の選択肢別の解答のありさまを見ると，以上あげられた第12問，第15問のほかにも，

第11問，第13問，第14問，第20問の4問題に指導上留意すべき点があるように思われる。全体として注意すべき問題として2問，学校あるいは，学級として，ほりさげて吟味すべき問題として4問題があげられる。

以下これらの問題について，問題となる選択肢を掲げてみることにする。

⑾　こどもたちは　たかい　ところから　まちを　みて，どんな　ことがわかったのでしょう。

2.　はんしょうが　なって　いる　こと (33%)

④　かじだと　いう　こと (55%)

⑿　こどもたちの　いえは　どこに　あったと　おもいますか。

①　まちの　なか (34%)

2.　さかを　おりた　ところ (33%)

4.　やまの　うえ (21%)

⒀　こどもたちは　どうして　むねが　わくわく　したのですか。

①　じぶんの　うちが　もえると　おもったから (65%)

3.　いっしょうけんめい　にげだしたから (13%)

4.　くろぐろと　した　けむりを　みたから (15%)

⒁　あせが　どんどん　ながれだしたのは　どうしてですか。

1.　うちが　やけたと　おもったから (14%)

③　いっしょうけんめい　かけおりたから (75%)

⒂　まちの　ようすが，まちに　ちかづくと，どうして　はっきり　しなくなったのですか。

1.　はんしょうが　ガンガン　なって　いたから (10%)

②　とおくを　みわたす　ことが　できなく　なったから (23%)

3.　くろぐろと　した　けむりが　たって　いたから (58%)

⒇　この　ぶんは，ぜんたいを　まとめて　いうと，どんな　ことが　か

いて　あるのですか。

2. さんちゃんの　いえは　やけなかった (19%)

③ まちが　かじに　なったので　いそいで　かえって　きた(59%)

4. くろぐろした　けむりが　かぜに　あおられて　いた (12%)

(5) 第5学年のつまずきの実態

(イ) **漢字の読みについて**　この学年には，漢字について25問題が提出されている。その全体としての平均正答率は81%であるが，第13図に見られるように「不思議」「結局」「事実」の3問題に，つまずきの度が，かなり目だっている。

(第13図)

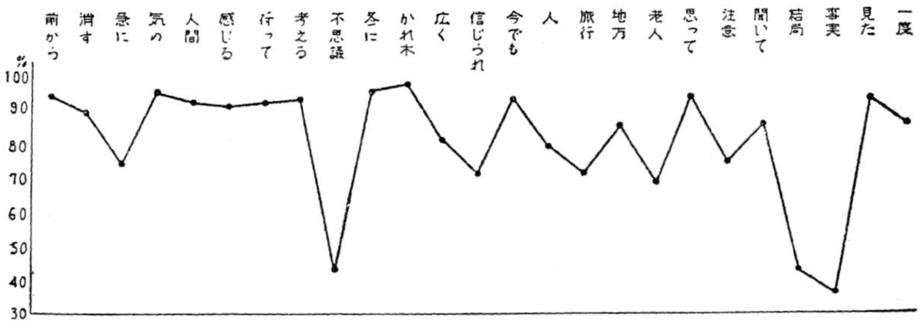

それらの3問題について，どのように読み誤っているかを見ると，次のようになっている。

「不思議」　ふもうぎ，ふおうぎ，ふおんしき，ふおもいき，ふもんぎ，ふもうき，ふおんぎ，ふこう，ふちぎ。

「結局」　ゆうびんきょく，けっちょく，けきょく，しょうきょく，そうきょく，せっきょく，きうきょく，けっしん，けっか。

「事実」　じっさい，じみ，じけん，じっけん，じじゅっ，かじ，じしん，じじ，じつ，ごとみ。

これら誤答の分析に基いて，その原因の吟味が行われなくてはならないが，それは第6章にゆずることにして，ここには，誤答例を列挙したにとどめる。

(ロ) **語句の理解について**　語句の理解に関する問題は10問題提出されている。

(第14図)　語句の理解

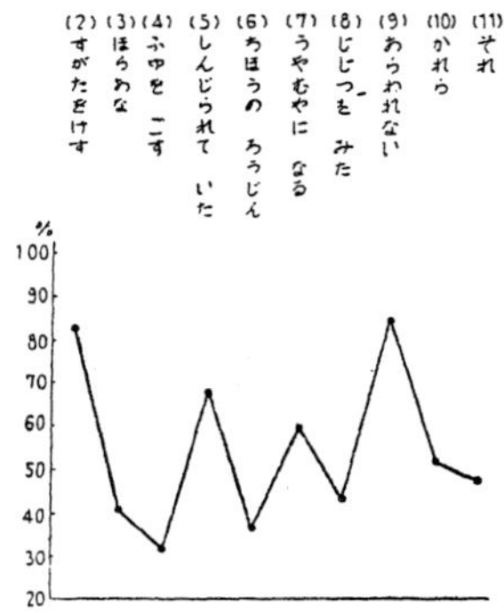

平均正答率は53%である。

10問題の中で，第3問，第4問，第6問，第8問につまずきの度が現れている。これに関する各問題別の正答率は，第14図に示した。

第11表は，各問題別に，どの選択肢に，どのような解答数が集まっているかを示したものであるが，これによって見ると，第14図によって，つまずきの現れていた4問題のほかに，第5問，第7問，第10問，第11問にも，それぞれ注意すべき，つまずきの現れが見られる。

(第11表)　選択肢別

問＼肢	1	2	3	4	無
(2)	4	11	(83)	2	0
(3)	0	(41)	4	54	1
(4)	45	16	(32)	6	0
(5)	(68)	12	6	14	1
(6)	1	(37)	10	51	0
(7)	24	7	8	(60)	0
(8)	(44)	24	26	6	1
(9)	4	4	(85)	7	0
(10)	(52)	15	26	6	1
(11)	9	5	(48)	39	0

( )内は正答

以下それらの問題について，つまずきのありさまを具体的に示すことにしたい。

(3) 「ほらあな」とは，どんな　ところですか。

② なかの　ひろい　おおきな　あな (41%)

4. ふゆの　あいだ　つ

ばめたちが　すむ　ところ（54%）

(4)　「ふゆを　こす」とは，どう　する　ことですか。

1.　あたたかく　なるまで　じっと　して　いる（45%）

2.　ふゆの　あいだ　いなく　なる（16%）

③　ふゆを　ぶじに　おわる（32%）

(5)　「しんじられて　いた」とは，どうなって　いた　ことですか。

①　そうに　ちがいないと　おもわれて　いた（68%）

2.　なんだか　おかしいと　おもわれて　いた（12%）

4.　うわさを　して　いた（14%）

(6)　「ちほうの　ろうじん」とは，だれのことですか。

②　いなかに　すんで　いる　としより（37%）

3.　ほうぼう　あるきまわる　つばめ（10%）

4.　いろいろの　ことを　しって　いる　おじいさん（51%）

(7)　「うやむやに　なる」とは，どうなることですか。

1.　むちゃくちゃに　なる（24%）

④　ほんとだか　どうだか　わからなく　なる（60%）

(8)　「じじつを　みた」とは，なにを　みた　ことですか。

①　ふゆの　あいだ　つばめが　ほらあなに　いる　こと（44%）

2.　はるに　なると　つばめが　やって　くる　こと（24%）

3.　ふゆの　あいだ　つばめは　ほらあなに　いない　こと（26%）

(10)　「かれらに　とっては……」の「かれら」と　いうのは，なにを　さして　いるのですか。

①　つばめたち（52%）

2.　りょこう　して　いる　ひとたち（15%）

3.　わたくしたち（26%）

(11)　「それに　はじめて　きの　ついた……」の「それ」と　いうのは，なにを　さして　いるのですか。

③　つばめたちが　いなくなった　こと（48%）

4.　きゅうに　きが　ついた　こと（39%）

(ハ)　**内容の理解について**　内容に関する問題は，(12) から (18) まで7問題が提出されている。その中で，比較的つまずきの度が現れているのは，第15図によって見れば，第18問だけである。第12表によって選択肢別に分析されたものを検討すると，第18問以外に，第12問，第13問，第14問，第15問，第16問，第17問にも吟味すべきものが発見されてくる。

（第15図）
内容の理解

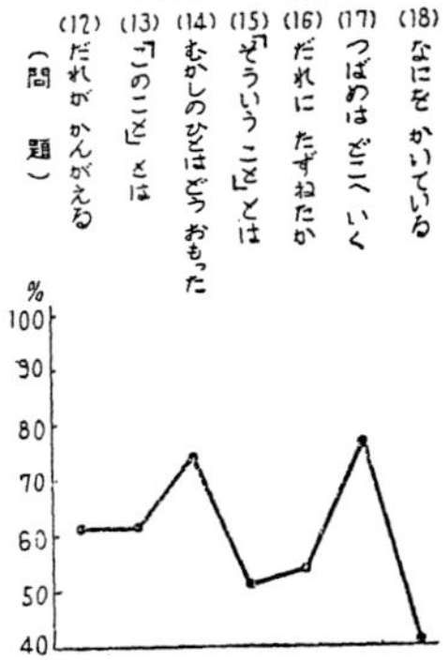

第12表の選択肢別の解答数と各問題とを照合して次に掲げてみることにする。

(12)　「かれらは　いったい　どこへ　いってしまったろうと　かんがえる」と　いうのは，だれが　そう　かんがえるのですか。

1.　きの　ほらあなを　じっさいに　みた　ひとたち（10%）

②　つばめが　いなくなったのに　きが　ついた　ひとたち（61%）

3.　どこかへ　いって　しまう　つばめ（15%）

4.　いなかの　おじいさんや　おばあさん（15%）

(13)　「この　ことは　むかしから　ふしぎに　されて

（第12表）　選択肢別

問＼肢	1	2	3	4	無
(12)	10	(61)	15	15	0
(13)	7	(61)	13	19	0
(14)	7	17	2	(74)	0
(15)	15	(51)	11	22	0
(16)	27	7	(54)	12	0
(17)	(77)	3	2	19	0
(18)	19	12	(41)	28	0

（　）内は正答

いた」と　いう，「この　こと」と　いうのは，なにを　さして　いますか。

② つばめが　どこかへ　いってしまう　こと（61%）

3. うやむやに　なってしまう　こと（13%）

4. はるに　なると　つばめが　くる　こと（19%）

⒁ むかしの　ひとは，ふゆに　なると　つばめは　どう　すると　おもって　いましたか。

2. あたたかい　くにに　いってしまう（17%）

④ かれきの　ほらあなで　ふゆを　こす（74%）

⒂ 「そう　いう　ことを　どう　おもって　いるか」の「そう　いう　こと」と　いうのは，なにを　さして　いるのですか。

1. かれきの　ほらあなは，ふゆでも　あたたかい　こと（15%）

② つばめは　ふゆに　なると，かれきの　ほらあなに　はいる　こと（51%）

4. つばめが　どこかへ　いってしまう　こと（22%）

⒃ この　ぶんを　かいた　ひとは，りょこうの　たびに　つばめの　ことを　だれに　たずねましたか。

1. つばめの　ことを　よく　しって　いる　ひと（27%）

③ そこに　いる　としよりの　ひとたち（54%）

⒄ あきに　なると，つばめは　どこへ　いくのでしょう。

① みなみの　ほうの　あたたかい　くに（77%）

4. きの　ほらあなの　なか（19%）

⒅ この　ぶんは，つばめに　ついて　なにを　かいて　いるのですか。

1. つばめの　ことを　しらべると，いろいろ　おもしろい　ことが　ある（19%）

③ ふゆに　なると，つばめは　どこへ　いって　しまうのだろう（41%）

4. つばめは，かれきの　ほらあなで，ふゆを　こすと　おもって　いる　ひとが　ある（28%）

（６）　第６学年のつまずきの実態

(ｲ) **漢字の読みについて**　この学年は，漢字の読みに関しては，20問題が提出されている。第27表は，個々の問題についての正答率を示したものであるが「罪」の正答が68%となっているだけで，このほかには，つまずきとして取りあげるものはない。平均正答率は90%となっている。

ただし，個々の児童の答案には，漢字の読みに関する，あらゆる種類のつまずきが見られるから，このことについては，第６章において，まとめて述べることにした。

（第16図）　　漢字の読みの正答率

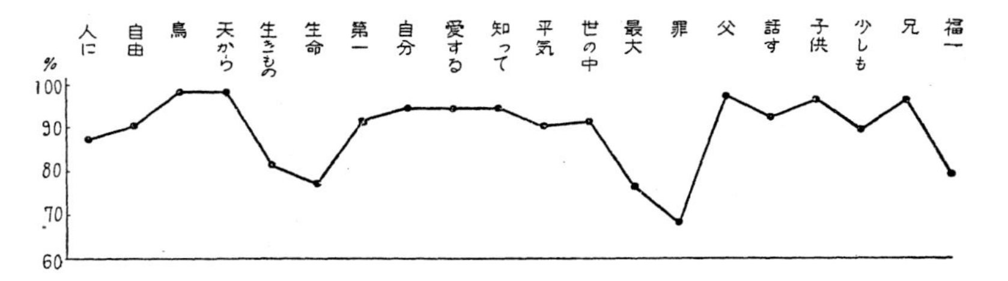

(ﾛ) **語句の理解について**　語句の理解に関する問題は，(２）から（９）まで８問題が提出されている。平均正答率は51%で，あまり高くはない。

各問題別にその正答のありさまを示したものが，第17図である。それによると，第２問が，きわだって，つまずきの多いことが示されているほか，第５問にもつまずきの度が見られる。

(第17図)　語句の理解

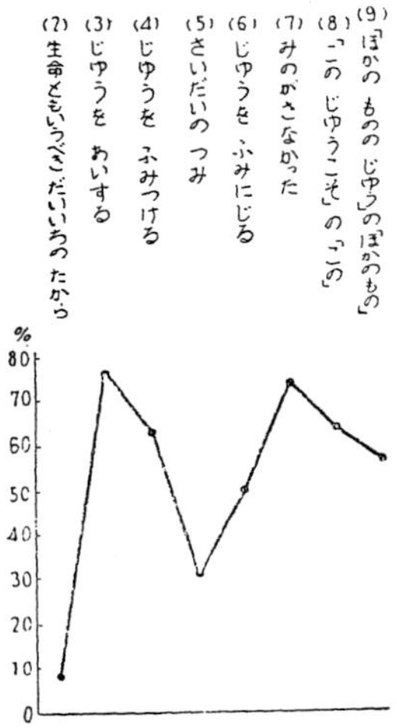

さらに第13表によって選択肢の上に現れた，つまずきの高いものを見ると，以上の２問題のほかにも，第３問，第４問，第６問，第８問，第９問に注意すべきものが発見できる。

以下，問題別に，それらのつまずきの箇所について，具体的に示すことにする。

(2)　「せいめいとも　いうべき　だいいちの　たから」と　いうのは，つぎの　どの　ことばと　おなじですか。

1.　いのちは　だいじな　たからもの(23%)

②　いちばん　だいじな　もの（８%）

4.　いきて　いる　ときの　いちばんの　たからもの（68%）

(第13表)　選　択　肢　別

問＼肢	1	2	3	4	無
(2)	23	(8)	0	68	0
(3)	1	15	(76)	7	0
(4)	13	13	10	(63)	1
(5)	61	(31)	6	2	0
(6)	12	(50)	29	10	0
(7)	(74)	9	6	11	0
(8)	28	6	1	(64)	0
(9)	8	6	(57)	28	0

（　）内は正答を示す

(3)　「じゆうを　あいする」と　いうのは，つぎの　どの　ことばと　おなじですか。

2.　じぶんの　ちからで　じゆうに　くらす（15%）

③　じゆうを　たいせつに　する（76%）

(4)　「じゆうを　ふみつける」と　いうのは,「じゆう」を　どう　することですか。

1.　じゆうを　よく　まもる（13%）

2.　じぶんの　じゆうを　たいせつに　する（13%）

④　ほかの　ものの　じゆうを　ゆるさない（63%）

(5)　「さいだいの　つみ」と　いうのは，つぎの　どの　ことばと　おなじですか。

1.　おおきな　つみ（61%）

②　いちばん　わるい　こと（31%）

(6)　「じゆうを　ふみにじる」と　いうのは，じゆうを　どう　することですか。

1.　じゆうを　たいせつに　する（12%）

②　ほかの　ものを　じゆうに　させて　おかない（50%）

3.　じゆうを　ふみかためる（29%）

(8)　「この　じゆうこそ　それぞれの　いきものに　とって……」と　ある「この」は，なにを　さして　いますか。

1.　いちばん　たいせつな　いのち（28%）

④　てんから　さずけられた　じゆう（64%）

(9)　「ほかの　ひとの　じゆうや，ほかの　ものの　じゆう」と　ある「ほかの　もの」とは，ここでは　なにを　さして　いますか。

③　とりや　けだもの（57%）

4.　ほかの　くにの　ひと（28%）

これらのつまずきの原因の吟味については，第６章に述べることにする。

(ハ)　**内容の理解について**　内容に関する問題は,(10) から (17) までの８問題である。各問題について，正答のありさまを全体的に見わたしたものが第18図である。平均正答率は65%となっている。

第18図によれば，つまずきの度の現れたものとしては，第17問しか浮んでこないが，これを第14表の選択肢別の解答のありさまから判断すると，以上

の問題のほかに第11問，第13問，第15問，第16問にも，注意すべきつまずきのあることが発見できる。

以下つまずきの箇所について，各問題別に具体的に示すことにする。

⑾ たいていの　ひとは，ほかの　ひとの　じゆうは　どう　すると　いうのですか。

2. よく　まもる (20%)

③ そまつに　する (52%)

4. たいせつに　する (18%)

⒀ 「これは　この　よのなかで　さいだいの　つみで　ある」の「これ」は，なにを　さして　いますか。

2. みんなが　じゆうを　あいする (20%)

3. ほかの　ひとや　じぶんの　じゆうを　あいする (15%)

④ ほかの　ひとや　ほかの　ものの　じゆうを　ふみつける(56%)

(第18図)
内容の理解

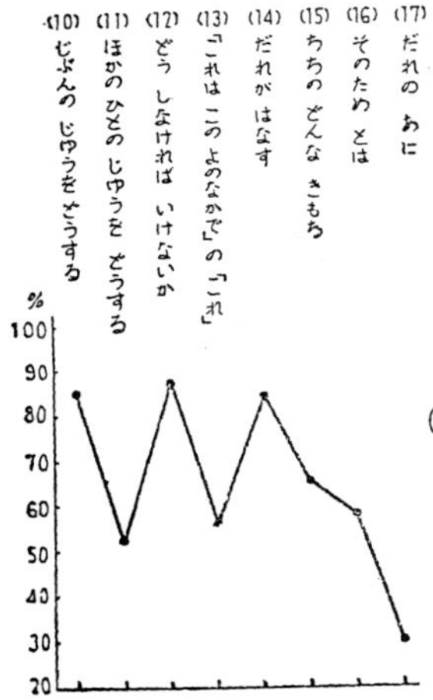

⒂ 「すこしも　みのがさなかった」と　いう　ことばで，ちちの　どんな　きもちが　わかりますか。

2. じゆうと　いう　ことを　よく　はなす (22%)

③ じゆうを　こころから　たいせつだと　おもって　いる (65%)

⒃ 「あにの　ふくいちが　そのために……」と　ある　「そのために」と　いうのは，なにを　さして　いますか。

1. すこしも　みのがさなかった (21%)

② ほかの　ものの　じゆうを　ふみつけた (58%)

(第14表)　選択肢別

問＼肢	1	2	3	4	無
⑽	(85)	6	4	4	0
⑾	12	20	(52)	18	0
⑿	2	11	(87)	0	0
⒀	9	20	15	(56)	12
⒁	(84)	3	6	7	0
⒂	7	22	(65)	5	1
⒃	21	(58)	12	8	1
⒄	32	10	(30)	27	0

( )内は正答を示す

⒄ 「ふくいち」は，だれの　あにですか。

1. こどもたち (32%)

③ この　ぶんを　かいた　ひと (30%)

4. ちちに　しかられた　こども (27%)

6. 読解のつまずきとその指導

(1) 漢字の読みのつまずきの分析

文中におかれた漢字の読み誤りの多いものについては，これまでの章でそれぞれ，どのようなものがあったかを述べてきたが，各学年別にまとめてしるしてみると，次のようなものがある。

第1学年　一つずつ（24%）　四そう（27%）
第2学年　生きて（44%）
第3学年　写　生（46%）
第4学年　下り坂（46%）
第5学年　不思議（44%）　結　局（43%）　事　実（36%）
第6学年　正答率50%以下のものはない。

以上は，その学年としての全体集計の上に現れたものだけを拾ったものであるが，このような表面的な全体集計だけからは，ある限られたつまずきしか，ひき出すことはできない。

全体集計は正答率の高い者，低い者が平均化されてくるから，これによっては，調査児童の全体を通じて，どこに最もつまずきが多かったかということしかつかめない。学習指導に役だてるためには，その学級の児童が，つまずいたすべての姿をたんねんに記録して，そこに誤りの傾向が見いだされるような方向に，誤答を処理することが必要である。

一例を第6学年にとってみる。全体集計の上では，この学年には，50%以下に落ちている読みは一つも見当らないが，児童の個々の答案にあたって，

その読み誤りの傾向を検討してみると，次のような問題点が浮んでくる。

a．発音あるいは表記上からくる読み誤りと思われるもの

イ．「少し」　を　「しこし」「すしし」
ロ．「平気」　を　「えいき」「せえき」
ハ．「兄」　を　「わに」「はに」
ニ．「人」　を　「しと」
ホ．「福一」　を　「ふういち」「うくいち」
ヘ．「最大」　を　「さいざい」「さいだん」
ト．「自分」　を　「じでん」「じんぶん」
チ．「愛する」を　「だいする」

b．音を訓読みしたり，訓読みを音読みしたりする誤りと思われるもの

イ．「最大」　を　「もっとも」「もっとも　だい」「もっとも　おおきい」
ロ．「生命」　を　「いきた　いのち」
ハ．「天から」を　「あまから」
ニ．「少し」　を　「しょう　し」「しょ　し」
ホ．「罪」　を　「ざい」
ヘ．「人」　を　「にんげん」

c．よう音でないものを，よう音にする読み誤り

イ．「自由」　を　「じゅ　う」「じゅ　ゆう」
ロ．「自分」　を　「じゅ　ぶん」「じゅう　ぶん」

d．類似の字形と見誤る読み誤り

イ．「罪」　を　「悲」　と見誤って，「かなし」「かなしみ」
ロ．「鳥」　を　「島」　と見誤って，「しま」
ハ．「愛する」を「受」　と見誤って，「うけする」

ニ．「自由」や「自分」の「自」を「白」と見誤って，「しい」「しろい」

e．読みがなの一部が脱落する読み誤り

イ．漢熟語の第1字目に限って脱落する読み誤りに，「第一」を「だいち」，「生命」を「せめい」，「平気」を「へき」，「福一」を「ふいち」とするものがある。これらの誤りは，表記上の誤りであるともみられる。

ロ．漢熟語の第2字目に限って脱落する読み誤りに，「自分」を「じぶ」，「自由」を「じう」「じゅ」，「最大」を「さいだ」とするものがある。

ハ．漢熟語の第1字目，第2字目の1音が脱落する読み誤りに，「生命」を「せめ」とするものがある。

f．熟語を連想することによるとみられる読み誤り

イ．「罪」から「犯罪」を連想して，「はん」と読む誤り

ロ．「兄」から「兄弟」を連想して，「おとと」と読む誤り

ハ．「父」から「父母」を連想して，「はは」と読む誤り

ニ．「最大」から「最後」「重大」「雄大」「大体」などを連想して，「さいご」「じゅうだい」「ゆうだい」「いだい」「だいたい」などと読む誤り

ホ．「第一」から「第一回」を連想して，「だいいっかい」と読む誤り

ヘ．「鳥」から「小鳥」を連想して，「ことり」と読む誤り

ト．「少し」から「少年」を連想して，「ねんし」と読む誤り

チ．「福一」から「幸福」「不幸」を連想して，「こうふく」「こういち」「ふこう」「ふこいち」などと読む誤り

リ．「生命」から「生徒」「生物」「生活」「人生」「運命」などを連想し

て，「せいと」「せいぶつ」「せいかつ」「じんせい」「うんめい」などと読む誤り

ヌ．「生きもの」から「先生」を連想して「せんもの」

ル．「自由」から「自分」「自転車」などを連想して，「じぶ」「じてん」などと読む誤り

ヲ．「平気」から「平均」を連想して，「へえきん」「へいきん」と読む誤り

ワ．「世の中」から，「世界」を連想して，「せのなか」と読む誤り

g．発音の似ている他の熟語を連想することによるとみられる読み誤り

イ．「生命」から「性質」「説明」「正義」などを連想して，「せいひつ」「せつめい」「せいぎ」などと読む誤り

ロ．「自由」から「理由」を連想して，「りゆう」と読む誤り

f，gの誤りは，一応連想によるものとしたが教師の指導上の欠陥からくるものと思われるふしもあるから，連想からくるものとばかり断じきれないものがある。指導上の欠陥とみられることは，語の合成，分解の指導が不徹底ではないかということである。

h．送りがなを無視することからくる読み誤り

イ．「生きもの」を「うまれきもの」「せきもの」などと読む誤り

ロ．「話す」を「はなしす」「おはなしす」などと読む誤り

i．送りがなにあうような語を思い出して，その語の読みがなをつけることによる読み誤り

イ．「少し」を「ただし」と読む誤り

ロ．「生きもの」を「できもの」と読む誤り

ハ．「最大の罪」を「さいだいのこと」「さいだいのもの」と読む誤り

ニ．「愛する」を「こうする」「わする」と読む誤り

ホ．「知って」を「わかって」と読む誤り

j．濁音を清音に読む，読み誤りか，表記上の問題とみられるもの

イ．「自分」を「じふん」と読む誤り

ロ．「最大」を「さいたい」と読む誤り

ハ．「自由」を「しゅう」と読む誤り

ニ．「子供」を「ことも」と読む誤り

ホ．「第一」を「たいいち」と読む誤り

k．その熟語の意味にあたることばを，読みがなとしてあてる読み誤り

「生命」を「いのち」「いきもの」などと読む誤り

以上は文中におかれた漢字の読みに関する読み誤りを，同じ傾向のまとまりとして検討してみたものであるが，aからhまで，11の傾向に分類することができる。もちろん，一応傾向によって分類してみたものの，これを誤りの心理から見れば，必ずしも一つの傾向にくくることが妥当であるかどうか，多少の疑問が残る。ある傾向の中にくくられてはいるものの，二つの傾向，あるいは三つの傾向が複合されて，その結果読み誤っているものも考えられる。

それにしても，読み誤りの傾向なり，読み誤りの心理なり，そのつまずきの原因を的確につかまないかぎり，これを誤りから正しい方向へと導くことは不可能に近い。児童の誤りやつまずきには，それ相応の根拠があることが，以上の読み誤りの傾向によっても察せられるから，これに対して，単なる一般的な注意を与えても，児童には，自分がなぜそのような誤りに陥ったかの原因は，わからない。教師から一般的な注意を与えられても，それがつまずきを解きほぐしてくれる注意でないかぎり，ふたたび同様の誤りをくり返していくことであろう。

こうしたことからも，学習指導の改善や，効果的な学習指導のためには，

つまずきの原因の解明ということが，重要な意義をもってくる。

（2）つまずきの原因とその指導

つまずきの原因として，

イ．児童の側から考えられること

ロ．教師の指導上の不備から考えられること

の二つの場合が考えられる。もちろん原因として両者のからみあっていることのほうが多い。このことに関しさきに掲げた，第6学年のつまずきの分析の項目に照しながら考えてみることにする。

a．発音からくる読み誤り

b．音を訓読みしたり，訓を音読みしたりする読み誤り

c．よう音でないものをよう音に読む読み誤り

d．字形の類似のものに読む読み誤り

e．読みの脱落または余分の音を加えることによる読み誤り

f．送りがなを無視することの読み誤り

g．送りがなにあうような語を思い出して，その読みがなをつける読み誤り

h．濁音を清音に読んだり，清音を濁音に読んだりする読み誤り

i．その熟語の意味にあたる語を，思いだし，その語の読みを書く読み誤り

以上掲げた読み誤りの九つの傾向は，いずれも大なり小なり，教師の指導技術に関係をもっている。児童の側から考えられることは，

1.　その児童の能力や態度，あるいは家庭環境からくるもの

2.　表記に対する習熟の度が未熟なことからくるもの

が考えられるが，これにしても，教師の個々の児童に対する観察と指導とが

徹底しているならば，これらの原因によるつまずきから救いうることが可能である。

i．教師の適切な指導とか，効果的な指導といわれる場合，担当の学級の全体を対象として考えることはもちろんであるが，全体を見とおしながらも常に個人差に応じて指導がなされてはじめて，適切な指導となり，効果的な指導となる。言いかえれば，教師の指導の手がさしのべられることを必要としている児童に，適切な指導の手がさしのべられてこそ指導の効果はあがっていくといえる。

ii．性格的に注意が集中できない児童に対しては，注意が集中できるように，さらにその原因が身体的な欠陥や，家庭環境からくるものであるならば，父兄と緊密な連絡をとるなどは，その一つの具体例である。

iii．表記法の書き誤りに対しても，一括して，これを学級全体に注意を促すことだけではふじゅうぶんである。そのような誤りをくり返す児童にとっては，自分自身がどこをどのように誤っているかが意識されていないことが多い。もし誤りの箇所が意識されているならば，しいてそのような誤りに陥ることはないからである。このことは，つまずきに陥る児童に共通な誤答の心理ともいえるであろう。

またつまずきの姿は，個々の児童によって異なるのが普通であるから，そのような事情にある児童に対して，一般的な注意を教師がくり返していても，効果は期待できない。

iv．音読の際における不注意が，このようなつまずきの原因となることも考えられる。つまり，

1．児童の読み誤りに対して，教師が適切な指導を加えていない。

2．音読を聞いている児童の態度に不注意な点が見られる。

3．身体的な欠陥のために，正しい聞きとりかたができない。

4．正しい発音の指導や練習が不足している。

5．教師の発音が不正確である。

などが，音読に関連してからんでくる原因と思われる。

これに対しても，学級全般に指導が必要なのか，ある特別の児童に限って指導が必要なのかを考えていかないと，指導の効果はあがらないであろう。

j．熟語を連想して余分の音を加える読み誤り

k．発音の似ている熟語を連想しての読み誤り

これらのつまずきに対して，その原因の一部ではあるまいかと考えられることは，次のようなことである。

i．ある種の児童の思考の形式に，基礎的な弱点があるのではあるまいか。つまり，現に児童自身が当面している問題に正面から取り組んでいるつもりで，事実においては，その当面した問題から派生する他の問題へと思考を横すべりさせていく傾向があり，そうした傾向がこのずれを生じさせるのではあるまいか。

ii．その漢字が使われた他の熟語を想起し，それから現に自分が解答すべく当面する漢字の読みへもどることをせず，さきに想起した熟語の一部の読みをこれに加える傾向の児童も，上述した思考の迷路を持つように思われる。

これらの児童に対しては，思考の運び方に対する基礎的な訓練を施すことによって，思考の横すべりを防止することが，この迷路から救う方法となるであろう。

iii．同音異語，同義語について，指導する場合には，ただ単にそれらの熟語をあげさせるだけに終らず，文中に定着させることによって，その正しい使用法を学ぶ方向に導く必要がある。ただ単に単語だけを列挙

するために，機械的記憶に陥ったり，記憶が薄かったりするために，思考の横すべりから，読み誤りの方向に追いやることもありうる。

iv. 記憶の強さ，再生の強さの点からも，機械的な学習は避けるべきである。つまり，それらの語が単なる文字として，単なる語として学ばれることは，理解的学習ではなく，機械的学習である。理解的学習においては，どこまでも，「漢字交じりのことば」「漢熟語のことば」として，文中に定着させて学ばせるべきである。案外，このような学習指導の不なれなところにも，これらのつまずきの原因がひそんでいるのではあるまいか。

v. 文中に定着させて学習することに，ある程度習熟した後であるならば，定着なしに抽象化された学習でも，その目的を達することが可能であろう。

（3） 語句の理解のつまずきの分析

文中における語句の理解は，語句の意味を単独に抽象化してとらえることとは，根本的に異なるものがある。文中におかれた語句の意味するものは，固定的，決定的であるのに対し，抽象化された単独の語，いわゆる「語い」と呼ばれるものは，それの意味する幅が前者に比べて広く，Aのことも意味し，Bのことも意味することができるから，非固定的であり，非決定的で，文中におかれた語句のように，ぬきさしのならないことを意味するものではない。

したがって，この調査における語句のつまずきに関する処理は,「文中におかれた語句」「単独に示された語句（語い）」との根本的な相違を念頭において，その観点から処理する態度をとってきた。

どんな語句に どんなつまずきが 見られるか， つまずきの多い語句について，学年の順を追って次に掲げてみよう。

——第 1 学 年——

（解答中 ○印が正答）

（3）「そよかぜ」

① そっと ふく かぜ (63%)
2．つよく ふく かぜ (26%)

（4）「そよそよ」

① しずかに そっと (58%)
2．のろのろと ゆっくり (17%)
3．ぐんぐん つよく (23%)

（5）「なみにおくられて」

1．なみと なかよしに なって (28%)
2．かぜが つよく なって (15%)
③ なみに おされて (55%)

（6）「四そう」

1．ひとを かぞえる とき (13%)
② ふねを かぞえる とき (65%)
3．かきや みかんを かぞえる とき (20%)

（7）「すすんで いきます」

① さきの ほうへ いきます (49%)
2．こっちへ きます (15%)
3．すんでから いきます (34%)

——第 2 学 年——

（3）「のぎく」

① のはらに さく ちいさな きく (58%)
3．のはらで かれて いる くさ (17%)

4．にわに　うえて　ある　きれいな　きく　(17%)

(4)「かれのこる」

1．かれた　くさの　はが　のこって　いる　(37%)

3．かれても　らいねん　また　さく　(45%)

④　かれないで　まだ　のこって　いる　(11%)

(6)「おめに　かかる」

2．ともだちと　あう　こと　(31%)

③　らいねん　はなを　さかせる　こと　(45%)

―第　3　学　年―

この学年の読解の対象となる文中には，難語句とよばれるものはない。したがって，語句に関する問題は提出されてない。

―第　4　学　年―

(3)「くろぐろした」

②　けむりが　まっくろい　こと　(66%)

4．そらが　くもって　いる　こと　(25%)

(4)「かぜに　あおられ」

②　かぜに　ふきとばされる　(60%)

3．かぜに　ふかれて　あおく　なる　(23%)

(5)「にわかに」

1．だんだんに　(22%)

③　きゅうに　(62%)

(6)「いえは　ぶじでした」

③　いえは　もえて　いなかった　(68%)

4．いえの　ものは　けがを　しなかった　(20%)

(8)「こうり」

①　きものなどを　いれて　おく　(74%)

2．びょうきの　とき　つかう　(17%)

(9)「どぞう」

1．ほらあな　(16%)

②　くら　(63%)

3．ものおきごや　(19%)

(10)「やけのこる」

1．すっかり　やけてしまう　こと　(20%)

②　やけないで　すむ　こと　(72%)

―第　5　学　年―

(3)「ほらあな」

②　なかの　ひろい　おおきな　あな (41%)

4．ふゆの　あいだ　つばめたちが　すむ　ところ　(54%)

(4)「ふゆを　こす」

1．あたたかくなるまで　じっとして　いる　(45%)

2．ふゆの　あいだ　いなく　なる　(16%)

③　ふゆを　ぶじに　おわる　(32%)

(5)「しんじられて　いた」

①　そうに　ちがいないと　おもわれて　いた　(68%)

2．なんだか　おかしいと　おもわれて　いた　(12%)

3．うわさを　して　いた (14%)

(6)「ちほうの　ろうじん」

②　いなかに　すんで　いる　としより　(37%)

3．ほうぼう　あるきまわる　つばめ　(10%)

4．いろいろの　ことを　しって　いる　おじいさん　(51%)

(7)「うやむやに　なる」

1．むちゃくちゃに　なる　(24%)

② ほんとだか　どうだか　わからなく　なる　(60%)

(8)「じじつ」

① ふゆの　あいだ　つばめが　ほらあなに　いる　こと (44%)

2．はるに　なると　つばめが　やって　くる　こと (24%)

3．ふゆの　あいだ　つばめは　ほらあなに　いない　こと (26%)

(10)「かれら」

① つばめたち　(52%)

2．りょこう　して　いる　ひとたち　(15%)

3．わたくしたち　(26%)

(11)「それ」

③ つばめたちが　いなくなった　こと　(48%)

4．きゅうに　きが　ついた　こと　(39%)

——第 6 学 年——

(2)「せいめいとも　いうべき　だいいちの　たから」

1．いのちは　だいじな　たからもの　(23%)

② いちばん　だいじな　もの　(8%)

4．いきて　いる　ときの　いちばんの　たからもの　(68%)

(3)「じゆうを　あいする」

2．じぶんの　ちからで　じゆうに　くらす　(15%)

③ じゆうを　たいせつに　する　(76%)

(4)「じゆうを　ふみつける」

1．じゆうを　よく　まもる　(13%)

2．じぶんの　じゆうを　たいせつに　する　(13%)

④ ほかの　ものの　じゆうを　ゆるさない　(63%)

(5)「さいだいの　つみ」

1．おおきな　つみ　(61%)

② いちばん　わるい　こと　(31%)

(6)「じゆうを　ふみにじる」

1．じゆうを　たいせつに　する　(12%)

② ほかの　ものを　じゆうに　させて　おかない　(50%)

3．じゆうを　ふみかためる　(29%)

(8)「この」

1．いちばん　たいせつな　いのち　(28%)

④ てんから　さずけられた　じゆう　(64%)

(9)「ほかの　もの」

③ とりや　けだもの　(57%)

4．ほかの　くにの　ひと (28%)

(4) つまずきの原因とその指導

i 単なるいいかえによるつまずき

同じ語句であっても，これを文中におかれた語句としてとらえるのと，文とは関係なしに抽象した語句としてとらえるのとでは，その意味するものの間に意味上のずれが生ずることは，さきに述べたとおりである。

文中におかれた語句として，これをとらえることは，前後の関係においてこれを関係的にとらえることであるから，いわば「ことばとして」これをとらえるのであり，文とは関係なしにこれをとらえることは，単なる「語いとして」受け取ることである。いわゆる「いいかえ」といわれているものは，これに類するものである。戦後「ことばを機能的にみる」といわれているのは,「生動することば」として，これをとらえることをさしているのであるから，当然この立場に立つかぎり，文の読解に際して，文中におかれた語に対するとらえ方は，前者の文の前後関係においてこれをとらえることをさすものである。「文に即して読む」とか,「文脈にそって読む」とかの意味することも，この意味にほかならない。

具体的に示すと，

第1学年の　①「そよそよ」に対して「そろそろ」との混同による「のろのろと　ゆっくり」(17%)

②「なみに　おくられて」に対する「なみと　なかよしに　なって」(28%)

第2学年の　①「かれのこる」に対する「かれた　くさの　はが　のこって　いる」(37%)

②「おめに　かかる」に対して日常生活の会話との混同からくる「ともだちと　あう　こと」(31%)

第4学年の　①「かぜに　あおられ」に対する「かぜに　ふかれて　あおくなる」(23%)

②「いえは　ぶじでした」に対する「いえの　ものは　けがを　しなかった」(20%)

③「こうり」に対する「びょうきの　とき　つかう」(17%)

第5学年の　①「ふゆを　こす」に対する「あたたかく　なるまで　じっと　して　いる」(45%)，「ふゆの　あいだ　いなく　なる」(16%)

②「うやむやに　なる」に対する「むちゃくちゃに　なる」(24%)，「かれら」に対する「りょこう　して　いる　ひとたち」(15%)「わたくしたち」(26%)

第6学年の　①「せいめいとも　いうべき　だいいちの　たから」に対する「いのちは　だいじな　たからもの」(23%),「いきて　いるときの　いちばんの　たからもの」(68%)

②「さいだいの　つみ」に対する「おおきな　つみ」(61%),「じゆうを　ふみにじる」に対する「じゆうを　ふみかためる」(29%)

③「ほかの　もの」に対する「ほかの　くにの　ひと」(28%)

などが，この部類に属するつまずきとみられる。

ii　語の具体化と抽象化の能力の不足

以上分析されたつまずきの原因の一つは，文中の語，つまり機能的に文中におかれた語を，その機能を度外視して，抽象化された語いとして，いわゆる語のおきかえだけによって処理しているところにつまずきがある。さらに，このことは，文中の語としてこれを見ることは，当然文の前後の関係において，関係的にその語をとらえることにならなければならない。したがって，

イ．語の抽象化と具体化の能力

ロ．文の前後を関係的に読みとる能力

ハ．当面している問題を解決するのに役立つ関係部分を，文中からすばやく見とおせる能力

の三つを必要とする。むしろこの三つの能力が前提となって，文中の語を前後関係的に読みとれるとも考えられる。したがって，このつまずきに対しては，この三つの能力が養われていなければ解決がつかないともいえるであろう。

事実，この調査の途中において，教師は，ときどき,「文を読みかえす必要があったら，いつでも読みかえすように」と注意をくり返し，その必要に応じられるようにした。つまり読解文は，調査中いつでも座右におかせたので

あるが，児童の多くは，読みかえせといわれると，ほとんどのものが，文の第１行目から，順に最後の行へと目を移すだけで，当面する問題の解決に必要な箇所を見いだすことや，読みかえすということが能力化していない弱点を示している。 このことは， さきに掲げた抽象化や生活場面の混同による「言いかえ」のつまずきに反省を加えるとともに，今後さらに意を用いてこれを改善の方向に指導することを要望したい。

iii 過去の経験を，文中にそのままあてはめることからくるつまずき。

文中における語句の理解が文脈に即して理解されなければ，具体的な理解とならないことは，これまで述べてきたことであるが，具体的な理解の手がかりとして，過去における直接，間接の経験がその足場となることは否定できない。しかしそれは，どこまでも理解のための足場として意味があるので，現に読解されていることの中に，過去の経験そのものを，そのまま横すべりさせることは，過去の経験のあてはめではあっても，文の読解にまで成長しない。

この関係は，文中の語を，一般的，抽象的な意味のおきかえによって理解できたとする誤りと同じ誤りといえる。つまり，

1．過去の経験をそのままあてはめる
2．過去の経験を読解の糸口として，文それ自体の理解に役だてる

の二つの動きの間には，学年的な能力や教師の指導技術等によって大きなへだたりを生じてくる。つまずきの中には，第１の過程にとどまって，第２の過程にまで高まらないために生ずるつまずきが，いくつか見いだされる。以下具体的に示すと，

第１学年の　①「そよかぜ」に対して，「つよく　ふくかぜ」（26%）
②「そよそよ」に対して，「ぐんぐん　つよく」（23%）
③「なみに　おくられて」に対して,「かぜが　つよく　なって」(15%)

第２学年の　①「のぎく」に対して,「にわに　うえてある　きれいなきく」（17%）
②「かれのこる」に対して,「かれても　らいねん　また　さく」(45%)

第４学年の　①「くろぐろした」に対して，「そらが　くもって　いること」（25%）
②「こうり」に対して，「びょうきの　とき　つかう」（17%）
③「どぞう」に対して，「ほらあな」，(16%)　「ものおきごや」(19%)
④「やけのこる」に対して，「すっかり　やけてしまう　こと」（20%）

第５学年の　①「ちほうの　ろうじん」に対して，「いろいろの　ことを　しって　いる　おじいさん」（51%）

第６学年の　①「じゆうを　あいする」に対して，「じぶんの　ちからで　じゆうに　くらす」（15%）

などをあげることができる。このことは，さきにも述べたように，過去の経験をそのまま文の読解に持ちこむことにもよる適用の誤りとみられるが，その経験の中で，特に印象の強かったものと文中の語句とが，偶然にも似かよった印象をよび起した場合に，これを無批判に結びつけるところからも起るつまずきである。

ここにもまた，文に即して前後関係的に思考するとか，文に即して前後の関係から判断するなどの，読解の基礎能力の指導上の不足が見られる。

iv 文を前後関係的につかむことの，読書技術の不熟によるつまずき

文中の語句の理解において，それらの語句が関係的におかれた原文に，もどして考えようという態度はおぼろげながら持っているが，文中にその語句を正しく関係的に位置づけ，前後の関係を秩序づけて，正しい意味，的確な意味を導き出す読書技術，あるいはその語句の抽象化との関係における再検討等の読解技術がじゅうぶんに身についていないために，つまずきを生じて

いるものとして，次のようなものがある。

第2学年の　①「のぎく」に対して，「のはらで　かれて　いる　くさ」(17%)

第5学年の　①「ほらあな」に対して,「ふゆの　あいだ　つばめたちが　すむ　ところ」(54%)

②「しんじられて　いた」に対して,「なんだか　おかしいと　おもわれて　いた」(12%)「うわさを　して　いた」(14%)

③「じじつ」に対して,「はるに　なると　つばめが　やって　くる　こと」(24%)「ふゆの　あいだ　つばめは　ほらあなに　いない　こと」(26%)

④「それ」に対して,「きゅうに　きが　ついた　こと」(39%)

第6学年の　①「じゆうを　ふみつける」に対して，「じゆうを　よく　まもる」(13%)「じぶんの　じゆうを　たいせつに　する」(13%)

②「この」に対して，「いちばん　たいせつな　いのち」(28%)

などをあげることができる。

これらのつまずきに対しては，

1. 文の大意をつかんで，文の全体的な方向の上にのせて，その語の意味を関係的に決定する読書技術
2. 前後の関係を的確におさえ，抽象化との関係とも合わせて，その語の意味を決定する読書技術
3. 文の前後の関係や筋の進行起伏を秩序づけ，正しく判断する能力

などが養われてことが要望される。

v. 問いを文と関係づけることをしないで，問いそのものだけから答えるためのつまずき

このことは，平素の学習指導の面にも，たびたび現れてくるつまずきで

あるが，教師が児童のつまずきの原因にまでさかのぼって，正しい方向づけを行ってやらないかぎり，このつまずきはいつまでも救われないままに残されてくる。このことに限らず，児童のつまずきに対して，教師が児童の答をただ単に否定するだけでは，児童は自分がなぜその迷路にふみこんだのかを反省する能力はないから，正しい能力を伸ばすことへとは進展していかない。教師の効果的な指導とは，迷路にふみこんだ児童が，ふたたびそのつまずきをくりかえさないように，迷路から解きほぐしてやることでなければならない。

文の読解に際して発せられる問は，すべて大なり小なり，文中におかれる位置においてこれに解答しなくては，正しい読解にはならない。平素の学習指導において，たえずこの読書態度がしつけられていなくては，読解指導にはならない。そのためには，

1. 教師の発問は，つねにこの読書態度を育てる方向に用意されなければならない。
2. 反射的に答えられる発問，児童の反射的に答える態度は，極力これを避ける。

の二点に注意したい。

問いそのものをじゅうぶんに消化しないで，熟さないままに答えることがつまずきの原因と思われるものに，次のようなものがある。

第1学年の　①「四そう」に対して,「ひとを　かぞえる　とき」(13%)「かきや　みかんを　かぞえる　とき」(20%)

②「すすんで　いきます」に対して,「こっちへ　きます」(15%)

第4学年の　①「にわかに」に対して，「だんだんに」(22%)

第5学年の　①「ちほうの　ろうじん」に対して,「ほうぼう　あるきまわる　つばめ」(10%)

②「それ」に対して,「きゅうに　きがついたこと」(39%)

などがあげられる。

VI.　**じゅうぶんに問いを消化しないで，思いつくままに答えたと思われるつまずき**

このつまずきに対しては，児童の性格や，環境などが，かなり大きく関係していると思われる。したがって，それらの性格なり，環境などの調整をはかることが必要となってくる。これまで述べてきた，つまずきの中にも，児童の性格や環境からくる因子がからんでいると思われるものがあるが，それらの細部にわたることは，個々の児童にあたって平素の思考傾向など，いろいろの角度から判断してみなければ，答案の上だけからは，正確につまずきの原因として，判断をくだすことは困難である。

問いに即して，その問いの方向に読解したものを秩序づけることができないものに，**第1学年**の「すすんで　いきます」に対して,「すんでから　いきます」(34%)がある。これは「すすんで」と「すんで」との混同で，文中における語句の秩序づけの不安定な結果である。

第5学年の「ふゆを　こす」に対する,「ふゆの　あいだ　いなく　なる」(16%)は，「こす」を「移転」と同義語としてとらえた結果の抽象化の混乱が見られる。

第6学年の「じゆうを　ふみにじる」に対する,「じゆうを　ふみかためる」(29%)も，「ふみにじる」「ふみかためる」を同義語として，抽象化してとらえ，文をじゅうぶんに消化して，その上に立って具体化することができなかったことによるつまずきではあるまいか。

(5)　内容の理解のつまずきの分析

各学年の，どのような問題に対して，どのようなつまずきがあるかを，次に具体的に列挙してみることにする。

──第　1　学　年──

(○印が正答)

(9)　ささぶねを　ひとりが　ひとつずつ　こしらえたのですか。ひとりが　いくつも　こしらえたのですか。

1．ひとりが　ひとつずつ　こしらえた　(69%)

②　ひとりが　いくつも　こしらえた　(17%)

3．みんな　とみこさんが　こしらえた　(12%)

(10)　いけには　なぜ　ちいさい　なみが　たって　いたのですか。

1．さかなが　およいで　いたから　(26%)

2．かぜが　つよく　ふいて　いたから　(26%)

③　かぜが　そっと　ふいて　いたから　(47%)

(12)　みずの　うえに　はなした　ささぶねは，はじめの　うちは，みんなどう　なりましたか。

①　ならんで　はしった　(67%)

2．ばらばらに　なって　はしった　(26%)

(13)　うまく　はしらなかったのは，だれの　ふねでしたか。

1．ごろうちゃん　(29%)

②　いちろうさん　(53%)

3．とみこさん　(16%)

(14)　さんにんの　ふねは，どこまで　はしりましたか。

1．かぜの　ない　ところまで　(16%)

2．いけの　はしまで　(25%)

③　いけの　まんなかまで　(58%)

(15)　この　おはなしを　はじめから　おわりまで　よんで　みて，なんのおはなしが　かいて　あると　おもいましたか。

1．こどもたちが，どての　うえに　ならんで　あそんだ　(15%)

② こどもたちが，ささぶねを　いけに　うかして　あそんだ　(68%)

3．がっこうで，ふねを　こしらえて　あそんだ　(16%)

―第　2　学　年―

(9) この　はなしは，いちねんの　いつごろ　はなしあったのでしょう。

2．はるの　はじめ　(20%)

③ あきの　おわり (35%)

4．ふゆの　おわり　(37%)

(10) どんな　ことを　はなしあって　いますか。

① のぎくの　なかまが　かれて　きのどくだ　(58%)

2．きたかぜが　ふくように　なって　さむい　(14%)

3．むしも　なかなく　なって　さびしい　(15%)

(13) あきに　なると　くさの　はの　かれるのを，きつねは　どう　おもって　いたのでしょう。

2．きたかぜが　くさの　はを　からして　しまった　(32%)

3．くさが　かれて　さびしい　(42%)

④ くさが　かれて　しんで　しまった　(17%)

(15) 「らいねん　また　おめに　かかりましょう」と　いうのは，らいねん　のぎくが　どう　なると　いうのですか。

② らいねん　また　はなを　さかせる　(56%)

3．らいねん　また　めを　だす　(25%)

(16) 「ことしは　もう　すみました」というのは，のぎくが　どう　なったと　いうのでしょう。

① はなを　さかせる　しごとが　すんだ　(51%)

2．おともだちが　みんな　しんで　しまった　(15%)

4．きつねとの　はなしは　もう　すんだ　(20%)

―第　3　学　年―

(3) まつのきや　くもや　とりを　かいたのは　だれですか。

① さんちゃん　(62%)

2．りょうちゃん　(29%)

(5) さんちゃんは，ともだちから　どんなふうに　おもわれて　いる　こどもですか。

1．ずがが　うまい　(22%)

③ あわてもの　(70%)

(6) 「きのうの　しゃせいって　そんな　もの　あるの」と　いって　いるのは　だれですか。

1．さんちゃん　(26%)

② おんなの　こ　(38%)

3．りょうちゃん　(33%)

(7) 「でも　へんかな」と　なぜ　さんちゃんは　いいだしたのでしょう。

1．きのう　じぶんで　いっしんに　かいた　しゃせいだから(16%)

② きのう　みたのでは　きょうの　しゃせいに　ならないから　(21%)

4．とんびが　すずめの　ようだから　(50%)

(8) 「ぼくは　とんびなんか……」と　いって　いるのは　だれですか。

3．さんちゃん　(28%)

④ りょうちゃん　(61%)

(9) さんちゃんは　えが　じょうずだと　おもいますか。

① あまり　じょうずでは　ない　(58%)

2．ずがが　すきだ　(16%)

3．たいへん　じょうずだ　(18%)

(10) 「そうでもないよ」と　いって　いるのは，どんな　きもちで　いって　いるのでしょう。

1．ほめられて　うれしいと　おもったから　(39%)

② そう　いわないと　いばって　いる　ように　おもわれるから (26%)

3．じぶんは　ずがが　へただと　おもって　いるから　(24%)

(11) これは　なんの　ことに　ついて　はなしあって　いるのですか。

1．とんびと　すずめの　こと　(26%)

② きのうの　しゃせいの　こと　(38%)

3．さんちゃんの　しゃせいの　こと　(34%)

――第 4 学 年――

(11) こどもたちは　たかい　ところから　まちを　みて，どんな　ことがわかったのでしょう。

2．はんしょうが　なって　いる　こと　(33%)

④ かじだと　いう　こと　(55%)

(12) こどもたちの　いえは　どこに　あったと　おもいますか。

① まちの　なか　(34%)

2．さかを　おりた　ところ　(33%)

4．やまの　うえ　(21%)

(13) こどもたちは　どうして　むねが　わくわく　したのですか。

① じぶんの　うちが　もえると　おもったから　(65%)

3．いっしょうけんめい　にげだしたから (13%)

4．くろぐろと　した　けむりを　みたから　(15%)

(14) あせが　どんどん　ながれだしたのは　どうしてですか。

1．うちが　やけたと　おもったから　(14%)

③ いっしょうけんめい　かけおりたから　(75%)

(15) まちの　ようすが，まちに　ちかづくと，どうして　はっきり　しなく　なったのですか。

1．はんしょうが　ガンガン　なって　いたから　(10%)

② とおくを　みわたす　ことが　できなく　なったから (23%)

3．くろぐろと　した　けむりが　たって　いたから　(58%)

(20) この　ぶんは，ぜんたいを　まとめて　いうと，どんな　ことが　かいて　あるのですか。

2．さんちゃんの　いえは　やけなかった　(19%)

③ まちが　かじに　なったので　いそいで　かえって　きた (59%)

4．くろぐろした　けむりが　かぜに　あおられ　ていた (12%)

――第 5 学 年――

(12) 「かれらは　いったい　どこへ　いって　しまっただろうと　かんがえる」と　いうのは，だれが　そう　かんがえるのですか。

1．きの　ほらあなを　じっさいに　みた　ひとたち　(10%)

② つばめが　いなくなったのに　きが　ついた　ひとたち(61%)

3．どこかへ　いって　しまう　つばめ (15%)

(13) 「この　ことは　むかしから　ふしぎに　されて　いた」という，「この　こと」と　いうのは，なにを　さして　いますか。

② つばめが　どこかへ　いって　しまう　こと　(61%)

3．うやむやに　なって　しまう　こと　(13%)

4．はるに　なると　つばめが　くる　こと (19%)

(14) むかしの　ひとは，ふゆに　なると　つばめは　どう　すると　おも

って　いましたか。

2．あたたかい　くにに　いって　しまう　(17%)

④　かれきの　ほらあなで　ふゆを　こす (74%)

(15)「そう　いう　ことを　どう　おもって　いるか」の「そう　いう　こと」と　いうのは，なにを　さして　いるのですか。

1．かれきの　ほらあなは，ふゆ　でも　あたたかい　こと(15%)

②　つばめは　ふゆに　なると，かれきの　ほらあなに　はいる　こと　(51%)

4．つばめが　どこかへ　いって　しまう　こと　(22%)

(16) この　ぶんを　かいた　ひとは，りょこうの　たびに　つばめの　ことを　だれに　たずねましたか。

1．つばめの　ことを　よく　しって　いる　ひと　(27%)

③　そこに　いる　としよりの　ひとたち　(54%)

(17) あきに　なると，つばめは　どこへ　いくのでしょう。

①　みなみの　ほうの　あたたかい　くに　(77%)

4．きの　ほらあなの　なか　(19%)

(18) この　ぶんは，つばめに　ついて　なにを　かいて　いるのですか。

1．つばめの　ことを　しらべると，いろいろ　おもしろい　ことが　ある　(19%)

③　ふゆに　なると，つばめは　どこへ　いって　しまうのだろう　(41%)

4．つばめは，かれきの　ほらあなで，ふゆを　こすと　おもって　いる　ひとが　ある　(28%)

――第 6 学 年――

(11) たいていの　ひとは，ほかの　ひとの　じゆうは　どう　すると　い

うのですか。

2．よく　まもる　(20%)

③　そまつに　する　(52%)

4．たいせつに　する　(18%)

(13)「これは　この　よのなかで　さいだいの　つみで　ある」の「これ」は，なにを　さして　いますか。

2．みんなが　じゆうを　あいする　(20%)

3．ほかの　ひとや　じぶんの　じゆうを　あいする　(15%)

④　ほかの　ひとや　ほかの　ものの　じゆうを　ふみつける　(56%)

(15)「すこしも　みのがさなかった」と　いう　ことばで，ちちの　どんな　きもちが　わかりますか。

2．じゆうと　いう　ことを　よく　はなす　(22%)

③　じゆうを　こころから　たいせつだと　おもって　いる(65%)

(16)「あにの　ふくいちが　その　ために……」と　ある「その　ために」と　いうのは，なにを　さして　いますか。

1．すこしも　みのがさなかった　(21%)

②　ほかの　ものの　じゆうを　ふみつけた　(58%)

(17)「ふくいち」は，だれの　あに　ですか。

1．こどもたち　(32%)

③　この　ぶんを　かいた　ひと　(30%)

4．ちちに　しかられた　こども　(27%)

(6) つまずきの原因とその指導

さきに，この読解のつまずきの調査にあたっては，読解力を次のように

分析して，その観点から問題を構成し，結果の処理を行ったことを述べておいたが，読む能力としては，一応おおまかに次のように考えられる。

○ 書かれている事がらを正しく読みとる。

○ 要点を正しく読みとる。

○ 文章の筋を正しく読みとる。

○ 文の主題を読みとる。

○ 書き手の立場や書かれている内容を考えながら批判的に読む。

○ 漢字を読む。

○ 語いを理解する。

「漢字」「語い」に関しては，第5章以下に述べてきた。ここにつまずきとして掲げた問題と，上掲の読解能力との関係を示せば，次のとおりである。

1．書かれている事がらを正しく読みとる。

第1学年の　(12)　(13)　(14)

第3学年の　(3)　(8)

2．要点を正しく読みとる。

第1学年の　(9)　(10)

第2学年の　(9)　(10)　(15)　(16)

第3学年の　(5)　(6)　(7)

第4学年の　(11)　(12)　(14)

第5学年の　(12)　(13)　(14)　(15)　(16)　(17)

第6学年の　(11)　(16)　(17)

3．文の主題を読みとる。

第1学年の　(15)

第3学年の　(11)

第4学年の　(20)

第5学年の　(18)

4．書き手の立場や書かれている内容を考えながら批判的に読む。

第2学年の　(13)

第3学年の　(9)　(10)

第4学年の　(13)　(15)

第6学年の　(13)　(15)

以下これらの項目にしたがって，述べていくことにする。

i．書かれている事がらを正しく読みとる。

この能力は，便宜的に分けたものであって，つまづきに対しては総合的に判定していかなければならないことは論ずるまでもない。一応この能力でくくったつまずきとみられるものは，第1学年の（12）（13）（14）と，第3学年の（3）（8）の5問題である。この種の問は，漢字が読め，語句の意味がつかめていても，次の心理過程がどれだけ養われているかによって，そのつまずきの原因も異なるであろう。

i．文をいくつかのまとまりとして読む。

ii．書かれている話の筋が，順序だてて再生できる。

iii．順序だてられたものを，関係的に正しく秩序づけて，求められている意味を導きだす。

以下つまずきとその指導とに関連して考えてみたい。

——第 1 学 年——

(12) みずの　うえに　はなした　ささぶねは，はじめのうちは，みんな　どう　なりましたか。

① ならんで　はしった　(67%)

2．ばらばらに　なって　はしった　(26%)

文中には，

みんなは，ささぶねを　水の　上に　はなしました。

そよ風が　そよそよと　ふきつけるので，ふねは　なみに　おくられて四そう　ならんで　うまく　はしります。

とあり，つまずきの「ばらばらに　なって　はしった」（26％）という答は，どこからもまぎれ込む余地はない。文の前後にも，このつまずきを誘発することばは全然見当らない。

なぜこのようなつまずきが生ずるのであろうか。原因として，次のようなことが考えられる。

1. 話の筋を順序だてて再生できるように読んでいない。
2. 問いに答えるために，文のどこを読めばよいのかがわからない。
3. 問いだけを読んで，文中にこれを位置づけることをしないで答えている。

これらのどれか一つが，つまずきの原因となるばあいもあり，これらのいくつかが，からみあっていることもありうる。そのことは，教師のこれまでの学習指導が，どのように行われたかにも関係する。したがって，つまずきを除くためには，教師が平素の学習指導を上掲のつまずきの原因と照し合わせて反省するとともに，つまずきのある個々の児童についてじゅうぶんに観察し，つまずきの原因を的確につかむことが肝要なこととなってくる。このことは以下述べるつまずきの原因に対しても，そのままあてはまることであるから，これ以後は，つまずきを除くことに対しては，これらの注意をくり返すことは省略したい。

(13) うまく　はしらなかったのは，だれの　ふねでしたか。

1．ごろうちゃん　(29％)　② いちろうさん　(53％)

3．とみこさん　(16％)

この問いのかぎとなるところは，文中に

どうしたのか，一ろうさんの　ふねが，くるくると　まわりはじめました。

とある一節である。したがって，この一節が読みとれれば，正答の「一ろうさん」は導き出せると思われるのに，「ごろうちゃん」(29％)「とみこさん」(16％) と，あわせて45％のものがつまずいている。これは，文中に前に掲げた一節に続いて，次の一節があることと関係してくるのではあるまいか。続く一節には，

五ろうちゃん，花子さん，とみ子さんの　三人の　ふねは，そろって　ずんずんと　すすんで　いきます。

とある。そこで，つまずきの原因として考えられることは，

1. 文をひととおり読んで，そのあら筋をとらえることができない。
2. この解答を求めるために，文のどこを読めばよいかが，的確につかまれていない。
3. 三人の名まえが連記してあるところから，適当に答えている。
4. 三人の名が連記してあるところに印象が強く正答を妨げている。
5. 問だけを読んで，本文と関係なしに一読後の印象から適当に答えている。
6. 問のことばの「うまく　はしらなかった」，と　文中の　「くるくるとまわりはじめました」ということばとが，同一の内容を意味していることがわからないための混乱がありはしないか。

などをあげることができる。

(14) さんにんの　ふねは，どこまで　はしりましたか。

1．かぜの　ない　ところまで　(16％)

2．いけの　はしまで　(25%)

③　いけの　まんなかまで　(58%)

この問に対する解答は，文中の最後の節

五ろうちゃん，花子さん，とみ子さんの　三人の　ふねは，そろって
ずんずんと　すすんで　いきます。いけの　まん中まで　いきました。

とある中の，「いけの　まん中まで　いきました」が，おさえられているかどうかにかかってくる。これに対するつまずきは，41%となっている。

つまずきの原因として考えられることは，

1．1節をばく然と読んでいて，その要点を問の方向にまとめることができない。
2．問と自分の生活経験とを結びつけるだけで，文中から解答を見いだそうとしていない。
3．「いけの　まん中」という，位置的な概念が抽象化されていない。

などであろう。いずれにしても，つまずきに対しては，つまずきの原因と思われることに対して，根気強く解きほぐすようにくりかえし指導していかなければならない。同時に，平素の教師の指導方法や指導技術についても，つまずきの原因となることがあるのではないかと反省してみることがたいせつである。

―第　3　学　年―

（3）まつのきや　くもや　とりを　かいたのは　だれですか。

①　さんちゃん　(62%)　　2．りょうちゃん　(29%)

第3学年の読解文は，地の文なしの対話形式による表現形式であるだけに，説明的な地の文を自分の念頭に描きながら読むことが必要になってくる。この問に対する解答は，17の対話が組み合わされて一文となっている中で，最初

の10の対話を秩序づけていかないと，答えのかぎが引き出せないものである。その対話を最頭から必要部分だけ掲げてみると次のとおりである。

「どうだ，いいだろう。」
「なあんだ，まつの木だけじゃないか。」
「まつの木だけ……，おい，よく見てくれ。雲や鳥も書いてあるんだぜ。」
「ふん，へんなかっこうしたすずめだね……。」
「ちがうよ，とんびだよ，これ……。」
「とんびなんか，どこにも飛んでいないじゃないか……。」
「だって，見たんだよ，きのう……。」
「へえ，じゃあ……それ，きのうの写生か……。」
「あら，きのうの写生って，そんなものある……。」
「あわてものの三ちゃんだけにあるのさ……。」

ここまでの対話を順序づけて読まないと，この問に対する解答は見いだされない。29%のものがつまずきを見せているが，これの原因として考えられることは，

1．対話文の秩序づけという読解技術が身についていない。
2．どのことばが，だれのことばであるかということが秩序だてて読まれていない。
3．だれとだれの対話であるかという秩序が，読みの途中で混乱してきた。
4．ことばの表面だけを読んで，そのやりとりの間に流れているものを見失っている。
5．この手がかりとなる対話の最後にある「あわてものの三ちゃんだけにあるのさ……。」から最初にもどって，対話者相互の位置づけをする手順を誤っている。

6．文の主題を読みとって，全体からする部分の位置づけを誤っている。

などの原因が，いくつかからみあって，このつまずきを起していると思われる。どれとどれが，からみあっているのかは，平素の学習指導と，つまずいている個々の児童の能力がつかまれていないので，答案面からの分析では，以上のように一般的なことしか述べられない。したがって，残された最後の処置は，学級担任である教師にゆだねるよりほかに道がない。

（8）「ぼくは　とんびなんか……。」と　いって　いるのは　だれですか。

3．さんちゃん　(28%)　　④　りょうちゃん　(61%)

これに対する解答は，対話の主題をおさえて，対話の最初から順にその展開を秩序づけていくか，対話の前後を3分の1ほど省いて，次の部分に着眼していくかしないかぎり，引き出せないであろう。解答に必要な部分とは，前後を多少省略した，次の部分である。

「ふん，へんなかっこうしたすずめだね………。」
「ちがうよ，とんびだよ，これ………。」
「とんびなんか，どこにも飛んでいないじゃないか………。」
「だって，見たんだよ，きのう………。」
「へえ，じゃあ……それ，きのうの写生か………。」
「あら，きのうの写生って，そんなものあるの………。」
「あわてものの三ちゃんだけにあるのさ………。」
「きのうの写生だってあるよ。……でも，へんかな，うまく書けたんだけど……。」
「うまいもんか，すずめみたいなとんびなんて，いやしないよ。」
「じゃあ，きみのを見せてよ。」
「ぼくは，とんびなんか書いてないよ。」

「うまいなあ，良ちゃんは……。」

したがって，このつまずきの原因としては，

1．対話の主題がつかまれていない。
2．主題と関連させながら，人物の位置づけができていない。
3．間に関連する部分を的確におさえて読みこなしていない。
4．ことばと人物との秩序づけが，話の展開にそって的確にとらえられていない。
5．対話と対話の間にある空間が対話と関連づけて解釈されていない。

などをあげることができる。第3問のつまずきと同様にこれらつまずきの原因は，単独に原因となっているより，さきにあげたいくつかの原因が相互にからみあい，それに，平素の学習指導や，対話文にどれだけ読みなじんでいるかなども複合されて，これらのつまずきを生じているとみるべきであろう。

ii．要点を正しく読みとる。

「要点を正しく読みとる」ためにも，文の前後関係から判断することの必要が当然起ってくる。「書かれている事がらを読みとる」能力についても，このことは考えられたことであるが，これから吟味しようとする能力については,「文章の筋を正しく速く読みとる」能力とのからみあいが，さらに深くなってくる。

「要点を正しく読みとる」能力に関するつまずきは，この調査においては，第1学年から第6学年までに，21件の多数にのぼっている。以下各学年別に触れてみたい。

―第　1　学　年―

（9）ささぶねを　ひとりが　ひとつずつ　こしらえたのですか。ひとりが　いくつも　こしらえたのですか。

1．ひとりが　ひとつずつ　こしらえた　(69%)

② ひとりが　いくつも　こしらえた　(17%)

3．みんな　とみこさんが　こしらえた　(12%)

この問は,「書かれた事がらを正しく読みとる」能力を見るものともとれるが，語句のおさえかたに，かなりの判断力を伴ってくるので，理解の困難さから考えて,「要点を正しく読みとる」能力の部類として処理することにした。

この問に答えるためには，文の最初の部分である，

子どもたちは，じぶんで　こしらえた，一ばん　いいと　おもう　ささぶねを　一つずつ　もって，いけの　どての　上に　ならびました。

が正しく読まれていることが必要であり，特に，「一ばん　いいと　おもう　ささぶね」の指向する意味が的確にとらえられたかどうかが，正答のかぎとなってくる。「一ばん　いいと　おもう」の指向する意味は，多数の中から一つを選択することである。このような意味内容は，単なる「いいかえ」によってひき出されるものではない。どのような場合にこのことばが使用されるかという，ことばの具体的な場面に立つ学習指導でないかぎり，こうしたつまずきの原因を誘発することである。

つまずきの69%までが，多かれ少なかれ，これらことばの一般化と具体化の学習指導を受けているかどうかに関係しているとみられる。

つまずきの原因として考えられる点は，

1．ことばを的確に使いこなす能力に欠けている。つまり，ことばの一般化と具体化の学習指導の面に欠陥が認められる。

2．どこまでを，ひとまとまりの語としてとらえるかの語意識に欠けている。

3．前後関係的に読みとる読書技術が未熟である。

4．問に答えるために，文のどこと関係づけて読めばよいかの技術に欠けている。(選択肢第3の誤答)

5．問と関係なしに，単なる読後の印象から答える傾向がある。(選択肢第3の誤答)

これらのつまずきは，この学年が入学後，いはば白紙の状態から，読解に対して，どのような学習指導を受けてきたかに依存する因子が強いといわざるを得ない。低学年におけるつまずきは，それが教師の学習指導に依存することの強さを考えるとき，できるかぎり速くこれらのつまずきから解きほぐしてやる方向に，学習指導上特に留意しなければならない。つまずきの度が，学年の進むにつれて，固定化してくる傾向に進み，その固定化が度が強くなるほど，つまずきから救うことは困難になってくる。

(10) いけには　なぜ　ちいさい　なみが　たって　いたのですか。

1．さかなが　およいで　いたから　(26%)

2．かぜが　つよく　ふいて　いたから　(26%)

③ かぜが　そっと　ふいて　いたから　(47%)

これに対する解答は，文中の次の箇処に着眼すれば，そう困難なものではない。ここに着眼できたかどうかが，つまずきの原因の一つと考えられる。

そよ風が，もりの　ほうから　ふいて　きて，子どもたちの　あたまをこして，水の　上に　小さな　なみを　たてて　すうっと　ふいて　とおります。

つまずきの原因として考えられることは，

1．問に答えるためには，文中のどの部分を読めばよいかがわからない。

2．どの部分を読めばよいかがわかっても，この一節を問に関係づけて，要約することができない。

つまずきに対しては，くりかえし述べているように，一般的な注意を与えても，つまずきから救うことはできない。個々の児童のつまずきの原因をつきとめて，個々の児童について対策を考えないかぎり，適切な指導とはならないし，効果的な指導ともならない。

――第 2 学 年――

（9）この　はなしは，いちねんの　いつごろ　はなしあったのでしょう。

2．はるの　はじめ　(20%)

③　あさの　おわり　(35%)

4．ふゆの　おわり　(37%)

この問に対しては，57%のものがつまずいている。解答の手がかりとなるところは文中の頭初にある次の1節である。

さむい　北風が　ふいて，野原の　草や花は，たいてい　かれて　しまいました。草の　かげで　ないて　いた　虫も　しんで　しまったのか，もう　なく　声も　きこえません。

誤答(2)の「はるの　はじめ」は，おそらく「野原の　草や　花」から判断したものであろうし，誤答(4)の「ふゆの　おわり」は，「さむい　北風が　ふいて」などが，文脈に位置づけられないで，この調査の時期であった2月末から3月初旬などの事実とからんでいるものとも思われる。

それにしても，この一文の読解において，読解のかぎとなる，「たいてい　かれて　しまいました」や「しんで　しまったのか」あるいは，「もう　きこえません」が，確実にその意味をはあくしたかどうかが吟味すべき問題として残ってくる。このような語と語との関係，句と句との関係から，その文意の方へと，指向する意味を相互関係的にとらえることをしないと，正しい読

解にまで高まる読みの力は育っていかないことに注意したい。

（10）どんな　ことを　はなしあって　いますか。

①　のぎくの　なかまが　かれて　きのどくだ。(58%)

2．きたかぜが　ふく　ように　なって　さむい。(15%)

3．むしも　なかなくなって　さびしい。(15%)

これに対する，つまずきの原因として考えられることは，次のようなことである。

1.　問の，「どんな　ことをは　なしあっていますか」が，だれとだれの話しあいかが，とらえられないままに答えている。

2.　問の観点から文のどこに着眼して，どのような方向に考えをまとめたらよいかが，わかっていない。

3.　問に答えることと，読後の感想を述べることとが混同されている。

4.　読後の最初の印象にひきずられて，それから脱却することができない。

をあげることができる。

どんなことを話し合っているのであるかと問われているのであるから，この問に答えるためには，当然文中の対話の部分に着眼しなければならないのに，つまずきの40%はいずれもこれに着眼していない。

第2のつまずき15%は，第一印象にひきづられているか，問に対して，文中のどこに着眼するかがわかっていないものである。

第3のつまずき15%は，第2のつまずきの上に，さらに自分の感想を述べることとが複合されている。

日常の学習指導において教師が発問する。その発問には答えず，つまり，読みとったことではなしに読後の感想なり，文から受けた印象なりを答える児童がある。これに対して，平素教師がどのような処置をとっているかが，これらつまずきの遠因となり，正しい読解のさまたげとなっていることが予

想される。

(15) らいねん　またおめに　かかりましょう」と　いうのは，らいねん　のぎくが　どう　なると　いうのですか。

② らいねん　また　はなを　さかせる　(56%)

3．らいねん　また　めを　だす (25%)

この問に答えるためには，次に掲げる，野ぎくの答えていることばの中の，

「いいえ，わたくしたちは，①かれたように　みえても　ねは　生きて　います。　土の　中で　しずかに　②らい年の　春を　まって　いるのです。　春に　なって　だんだん　あたたかに　なると，かれた　あとから　また　③めを　ふき出して，そのうちに　きれいな　花を　さかせて　みせます。　ことしは，もう　これで　すみました。④らい年，また　お目にかかりましょう。」

波線の部分が，前後関係的に読まれることが必要となってくる。したがって，つまずきの25%のものは，この ①～④ までの相互の関係づけや，重点のおさえどころが的確につかまれていないとみられる。

文中のどこに着眼するか，それらを相互にどのように関係づけて，どのような意味を正しくひきだすかということは，読解の基本的な問題である。つまり，文中におかれたことばを，どのように正しく位置づけるか，それによってどのように意味を限定するかは，読解の基礎的な学習指導の問題で，これは学年の高低を問わず，その学年相応の読解文に対して，読解のための要点をおさえて指導が行われなければ，読解指導が行われたとは言えない。この点に関しては，教師側の文の構造に関する研究と，読解文に対する児童の読書心理に関する研究とを要請したい。読解は，読まれる文と読む児童との相関的なからみあいによって成立するものであるからである。

つまずきの原因として考えられることは，

1．文中のことばの位置づけが，的確に行われていない。

2．語・句・文を相互関係的に読むことになれていない。

3．文中の「らい年，また　お目にかかりましょう」の一般的な，いわば「あらわれている意味」はわかっても，そこからひき出される具体的な意味，つまり文の指向する「かくされた意味」の読みとりかたになれていない。

などをあげることができる。

(16) 「ことしは　もう　すみました。」と　いうのは，のぎくが　どう　なったと　いうのでしょう。

① はなを　さかせる　しごとが　すんだ　(51%)

2．おともだちが　みんな　しんでしまった。(15%)

3．きつねとの　はなしは　もう　すんだ　(20%)

この問は，(15) と関連して考えられるもので，その つまずきの 原因も，ほとんど前者と同じに考えられる。ただ，第3の20%のつまずきの児童は，問に対して，文中のどこに着眼するかが，的確におさえられていないとみられる。文に即して読むことになれていない点も，あわせて指導上考慮すべき問題ではなかろうか。

―第 3 学 年―

(5) さんちゃんは，ともだちから　どんなふうに　おもわれて　いる　こどもですか。

1．ずがが　うまい　(22%)　　③ あわてもの　(70%)

これに対するつまずきの原因としては，

1．対話文の読みになれていない。

2．論理的に筋をつかんでいく読解になれていない。

3. 対話中の，どこからどこまでを読めば問に答えられるかがわからない。
4. 「あわてものの 三ちゃんだけにあるのさ………。」が，前後関係的に読まれていない。
5. 読後のばく然とした感じから答えている。

などをあげることができる。

（6）「きのうの　しゃせいって　そんな　もの　あるの」と　いっているのは　だれですか。

1．さんちゃん　(26%)

② おんなの　こ (38%)

3．りょうちゃん　(33%)

この問に対する解答は，男性と女性との，ことばに対する感覚が養われているならば，前後の文脈から判断しなくても解答しうると机上では考えられることであるが，こうした一見自明のことと思われることにさえ，59%のつまずきをしている実態を見せられるとき，学習指導の問題は，観念的に机上で解決のつかないものがあることを反省させられる。

つまずきの原因として考えられることは，

1. 文が着実に読まれていない。
2. 対話における人物の位置づけが，正しく行われていない。
3. だれとだれとの話のやりとりかが，一つ一つおさえられていない。
4. したがって，対話の中に，ただ1回しか顔を出していない，女の子の位置づけを誤っている。
5. 「あら，きのうの写生って，そんなものあるの。」に現れている， 女性特有（波線の部分）のことばの使いかたに対する感覚が，養われていない。
6. 地域的な条件が加わって，このような女性語に読みなれていないこと

も考えられる。

などである。

（7）「でも，へんかな」と　なぜ　さんちゃんは　いいだしたのでしょう。

1. きのう　じぶんで　いっしんに　かいた　しゃせいだから　(16%)

② きのう　みたのでは　きょうの　しゃせいに　ならないから　(21%)

4. とんびが　すずめの　ようだから (50%)

この問に対しては，本文中の次の部分が前後関係的に読まれることが，ひとつのおさえどころとなってくる。

「とんびなんか，どこにも飛んでいないじゃないか………。」
「だって，見たんだよ，きのう………。」
「へえ，じゃあ……それ，きのうの写生か………。」
「あら，きのうの写生って，そんなものあるの………。」
「あわてものの三ちゃんだけにあるのさ……。」
「①きのうの写生だってあるよ。②……でも，へんかな，③うまく書けたんだけど……。」

上掲の本文中，波線 ①～③ の部分を，どう意味づけるかによって，66%のつまずきが生じてくる。 さらに，「写生」なる語の意味をどのようにとらえているかも，つまずきの一因となっていることがうかがわれる。

「きのうの写生だってあるよ。」 と答えているのは，前後のことばのやりとりの行きがかりとして述べられたもので,「写生」に関しての正しい意味づけとはならない。

良ちゃんと，女の子によって，「きのうの写生」を否定されていることを，

三ちゃんが，心中自問自答していることばが，「でも，　へんかな」に現わしている。したがって，これは意味の上からは，次にくる「うまく書けたんだけど」とは分離して位置づけしないと，三ちゃんの心の動きは，正しくとらえられたことにならない。いわば，これは「かくされた意味」に属するものである。問題は，書かれた絵について話しあっているには違いないが，それは，「あらわれた意味」で，いま三人が論じていることは，「きのうの写生」があるかないかに転じている。 これをさして，「かくされた意味」といったのである。

つまずきは，第1も，第4も，画面に書かれた絵について答えている。特に第4の50%のつまずきは，書かれた絵に「でも，へんかな」を表面的に結びつけて答えているにすぎない。ことばを，その語る主体と緊密に結んで考えていない。

つまずきの原因として考えられることは，

1. ことばの正しい位置づけが行われていない。
2. 三人が何について論議しているかを見失っている。
3. 「写生」についての語義が，一般的抽象的にとられていて，具体的につかまれていない。
4. ことばを，語る主体の立場からとらえていくことになれていない。
5. 語る主体の心理的な動きと， ことばとの関係を，「あらわれた意味」として，表面的，一般的にしかとらえていない。

などをあげることができる。もちろん，このことは，平素の学習指導と深く関係していることに注意したい。

——第　4　学　年——

(11) こどもたちは　たかい　ところから　まちを　みて，どんな　ことがわかったのでしょう。

2. はんしょうが　なって　いる　こと　(33%)

④ かじだと　いう　こと　(55%)

このことに関しては，本文には何も書いていない。しかし，子どもたちが本文の頭書にある「子どもたちは，いっしょうけんめいにかけだしました」の行動を起すきっかけとして，全文と，本文の頭初の子どもたちの行動とを関係的に読むならば，推読できる範囲のことである。

33%のつまずきの子どもたちは，この点に気づいていないものといえるであろう。 さらに「町に近づくと」と「はんしょうの音が……なりひびきます」とが，関係的におさえられていない点も指摘できる。山の上まで，はんしょうの音が聞えるか，聞えないかを判断するかぎは，本文中のどこにも見いだされないから，聞えるとか，聞えないとかは，かなり浮動的な意味で，正答とは認められない。

つまずきの原因として考えられることは，

1. 部分的な読みにとらわれ，全体的な意味の上に立って，部分的な意味を考える正しい読解の技術に欠けている。
2. 論理的な読みが不足している。
3. 推読の技術が不足している。

などである。

(12) こどもたちの　いえは　どこに　あったと　おもいますか。

① まちの　なか　(34%)

2. さかを　おりた　ところ　(33%)

4. やまの　うえ　(21%)

この問の解答に対しては，本文の頭初の「山から町へかけて」と，中ほどの「町に近づくと」と，終りに近い「ともかく三ちゃんは，自分の家に飛びこんで行きました」の三つの部分が，関連的に読まれていないと，正答が導き出せない。

したがって，つまずきの原因として考えられることは，

1．問に関係のある主要語句をおさえることができない。
2．関係語句を相互関連づけて，一つの意味を導き出すことができない。
3．論理的な思考になれていない。
4．本文を読まないで，問だけから，あるいは本文一読後のばく然とした印象だけから答えている。

などである。つまずきの第2，第4ともに，論理的な思考の欠除が，かなり目だつ誤答である。

(14) あせが　どんどん　ながれだしたのは　どうしてですか。

1. うちが　やけたと　おもったから　(14%)
③　いっしょうけんめい　かけおりたから　(75%)

この問に対する解答は，本文に現れているから，かなり容易な問である。つまずきの14%のものは，次のような事がその原因となっていると思われる。

1．問と本文とを関係的に読むことができない。
2．問の答を導き出すために，本文のどこに着眼したらよいかわからない。
3．本文とは関係なしに，問からだけ答えている。

――第　5　学　年――

(12)「かれらは　いったい　どこへ　いってしまっただろうと　かんがえる」と　いうのは，だれが　そう　かんがえるのですか。

1. きの　ほらあなを　じっさいに　みた　ひとたち　(10%)
②　つばめが　いなくなったのに　きが　ついた　ひとたち(61%)
3. どこかへ　いって　しまう　つばめ　(15%)

この問に対しては，文中の最初の部分が相関的に読まれなくてはならない。すなわち，

つばめたちがわたくしたちの前から，すがたを消すのは，かれらにとっては，なにもいま急にはじまったことではない。しかし，①それにはじめて気のついた人間は，急につばめが，いなくなったと感じるのだ。　そうして，かれらはいったい②どこへ行ってしまっただろうと考える。

上掲の文中の ① ② が相関的に読まれなくては，答が導き出せない。 つまずきの25%の原因と考えられることは，

1．本文中，どこが問に関係のある部分かがつかまれていない。
2．どこを読めばよいかが，わかったとしても，問と相関的に読まれていない。
3．第3の15%のつまずきのものは，問そのものがわかっていないし，論理的な思考にもなれていない。

などである。

(13)「この　ことは　むかしから　ふしぎに　されて　いた」と　いう，「この　こと」と　いうのは，なにを　さして　いますか。

②　つばめが　どこかへ　いって　しまう　こと　(61%)
3. うやむやに　なって　しまう　こと　(13%)
4. はるに　なると　つばめが　くる　こと　(19%)

この問に対しては，本文中に

①かれらはいったいどこへ行ってしまっただろうと考える。②このことは，むかしからたいへん不思議なことだとされていた。

とある，① ② が相関的に読まれることが条件となってくる。この32%のつまずきも，第12問に述べたと同じことが原因として考えられる。

(14) むかしの　ひとは，ふゆに　なると　つばめは　どう　すると　おも

って　いましたか。

2. あたたかい　くにに　いってしまう　(17%)

④ かれきの　ほらあなで　ふゆを　こす　(74%)

この問に関係のある部分は，本文中の

そのことは，①むかしからたいへん不思議なことだとされていた。②「つばめは，冬になると，かれ木のほらあなにかくれて，冬をこすのだ。」と広くいわれ，信じられていた。そうして，それを③今でも信じている人もある。

の1節であり，特に波線の部分がおさえられ，関係的に読まれなくてはならない。波線の部分は，まず②③が関係的におさえられ，これと①が次に関係づけられていくといった論理的な意味的のつながりがある。この点に着眼しないと，文中には,「むかしの人は」と「あらわれた意味」としては書かれていないから，問に答えることがむずかしくなってくる。

つまずきとしての17%は問の「むかしの人は，どう思っていたか」を無視して答えたものである。着実に文に即して読む訓練の不足が問を着実に読まない原因ともなってくることに注意したい。

(15)「そう　いう　ことを　どう　おもっているか」の「そう　いう　こと」というのは，なにを　さして　いるのですか。

1. かれきの　ほらあなは，ふゆでも　あたたかい　こと (15%)

② つばめは　ふゆに　なると，かれきの　ほらあなに　はいる　こと　(51%)

4. つばめが　どこかへ　いって　しまう　こと　(22%)

本文中で,この問に答えるための手がかりとなるところは,次の部分である。

①「つばめは，冬になると，かれ木のほらあなにかくれて，冬をこすのだ。」

と，広くいわれ，信じられていた。そうして②それを今でも信じている人もある。そこで，わたくしは，旅行のたびに，地方の老人などが，③そういうことをどう思っているかを………。

この問に対するつまずきは，37%である。つまずきの第1の15%にあたるものは，文中のどこにもふれていないことであるが，現実としては，そうであろう。しかしそれは文をはなれたことで，問を着実に読んでいないことには変りはない。つまずきの原因としての主たるものは，

1. 問に答えるために，文中のどこを読めばよいかがわかっていない。

2. 「それを」「そういうことを」が，どれに対応することばであるかが，関係的に読まれていない。

の2点であろう。今まで述べてきた初歩的なつまずき，それは，読解の基本的な能力に関するものであるから，それらも複合されてこのつまずきを起している点もあるが，ここには改めて述べることは避けたい。

(16) この　ぶんを　かいた　ひとは，りょこうの　たびに　つばめの　ことを　だれに　たずねましたか。

1. つばめの　ことを　よく　しって　いる　ひと　(27%)

③ そこに　いる　としよりの　ひと　たち　(54%)

この問は，今まで述べてきた，第14・15問と一連のもので，つまずきの原因も，それらと大同小異のものと考えられる。問の選択肢は文中の「地方の老人などが」を避けて，「そこに　いる　としよりの　ひとたち」としているところが，文中のことばそのままの形では出していないが，前後関係的に読む能力のあるものに対しては，さして読解のつまずきの原因となるとは思われない。

(17) あきに　なると，つばめは　どこへ　いくのでしょう。

① みなみの　ほうの　あたたかい　くに　(77%)

4. きの　ほらあなの　なか　(19%)

この問は，文中からはひき出せないもので，いわば理科的な常識で答えられるものである。ただしつまずきの第4のように，本文を読みとっているものがあるかどうかを検討する意味において，やはり本文の読解に関する問であることには違いない。つまずきの原因として考えられることは，本文中の最後の結論的な次の1節が読解できているかどうかにかかっている。

地方の老人などが，そういうことをどう思っているかを，注意して聞いてみると，①結局はうやむやになるのであった。②事実を見たという人は，一度もあらわれない。

ことに，上掲の文中の波線の部分が，正しく位置づけられ，その言外に含まれている結論としての「かくれた意味」が，あるべき意味として読みとられているかどうかである。「かくれた意味」といっても，②のように，かなり強い語調で述べているのであるから，これがなにに対しての否定的な意味をあらわしているかがつかまれれば，さして困難な問ではない。ただし，正答の中には，本文の読解とは関係なしに，単に理科的な常識から答えているものもまぎれているから，事実においては，つまずきのものは，19%を上まわるものがあると思われる。

つまずきの第2の原因は，いわゆる「いいかえ的」な指導を受けているために，前後関係的に読む能力なり，態度なりができていないものも含まれることが予想される。

——第 6 学 年——

(11) たいていの　ひとは，ほかの　ひとの　じゆうは　どう　すると　いうのですか。

2. よく　まもる　(20%)　③ そまつに　する　(25%)

4. たいせつに　する　(18%)

この問に対しては，本文中の次の1節がおさえられていなくてはならない。

その自由を，自分だけが愛することは，だれでも知っているが，ほかの人の自由や，ほかのものの自由は，ともすれば平気でふみつける。

特に波線の部分が，重点的に読みとられていることが必要となる。つまずきの38%は，選択肢のことばは異るが，同じ内容を意味している。したがって，これは一括して同種のつまずきとみることができる。

つまずきの原因として考えられることは，次の2点である。

1. 「平気でふみつける」が行動と結んで理解されていない。

2. 文に即して答えることをしていない。

一文を読解して後に発せられる問であるから，その問は，常に文に即して答えられなくてはならないのであるが，平素の学習指導における問に対する児童の答え方について，つまずきをおさえての指導が行われていないのではあるまいかとも考えられる。

(16) 「あにの　ふくいちが　そのために……」と　ある「そのために」というのは，なにを　さして　いますか。

1. すこしも　みのがさなかった　(21%)

② ほかの　ものの　じゆうを　ふみつけた　(58%)

この問に対しては，本文中の次の1節がおさえどころとなる。

父は，ただ話すだけではなかった。子供たちが，①その自由をふみにじるようなことをすると，すこしもみのがさなかった。兄の福一が，②そのためにさんざんにしかられたことがある。

つまずきの21%のものは，問に当る②の語が，どれに対する語であるかを関係的に読みとっていない。平素の学習指導に際しては，教師の発問に対して，児童が答えた場合，つまずきがあれば，その児童の思考の経路をたどることによって，そのつまずきに適切な手をさしのべてやることが必要である。このことなしには，同じつまずきを児童はいたずらにくり返すだけでなく，教師に否定されることの度数が重なるごとに，学習そのものに対する意欲も失ってしまうことになる。

(17)「ふくいち」は，だれの　あにですか。

1．こどもたち (32%)　③ この　ぶんを　かいた　ひと (30%)

4．ちちに　しかられた　こども　(27%)

この問に対しては，本文中の最後の1節が，関係的に，どのように読まれたかが，つまずきの原因となってくる。すなわち，

①父は，ただ話すだけでなかった。②子供たちが，その自由をふみにじるようなことをすると，少しもみのがさなかった。③兄の福一が，そのために④さんざんにしかられたことがある。

上掲の文中の①②③の関係が正しく読まれているかどうかが問題となる。つまずきの原因としては，

1．第1の32%のつまずきは，②が①に対する関係を示す語であるという，文中におけるその語の位置づけを誤っている。

2．第4の27%のつまずきは，③④の関係が，正しく位置づけられて読まれていない。

3．つまずきの59%に，共通することは，問いに対する主要語句がおさえられていない。

4．主要語句，その他文の前後を関係的に読みとる能力に欠けている。

5．論理的な思考に欠ける。

などのことがあげられる。

Ⅲ **文の主題を読みとる。** この能力は，これまで述べてきた

1．書かれている事がらを正しく読みとる。

2．要点を正しく読みとる。

3．文章の筋を正しく速く読みとる。

の三つの能力が総合されたものと考えることができる。単なる抽象された，「推読の能力」などというものはない。文の主題が，推読によって可能と考えられるにしても，その前提には，やはり上掲の三つの能力が養われていることが条件となる。

これに関する問は，各学年に提出された文の構造や，問題の質的な関係もあって，第1，第3，第4，第5の4つの学年だけになっている。

—第 1 学 年—

(15) この　おはなしを　はじめから　おわりまで　よんで　みて，なんの　おはなしが　かいて　あると　おもいましたか。

1．こどもたちが，どての　うえに　ならんで　あそんだ。(15%)

② こどもたちが，ささぶねを　いけに　うかして　あそんだ (68%)

3．がっこうで，ふねを　こしらえて　あそんだ (16%)

つまずきの31%のものについて，その原因と考えられることは，

1．書かれている事がらが正しくつかまれていない。したがって，平素の生活経験にひきづられがちである。第3のつまずきにこれが見られる。

2．書かれている話を，順序だてて話すことができないとみられるふしがある。このことは，要点が正しく読みとられ，秩序づけられていないことによる。第3のつまずきにこれが見られる。

3．事がらが正しくつかまれ，要点が正しく秩序づけられていれば，文章の筋はおのずから整頓され，位置づけられてくるのであるが，この点にも指導上不備な点があるとみられる。

4．主題を読みとるためには，以上の能力の上に立って，文の力点と関係づけ，ある程度の見とおしの力が必要であるが，第1のつまずきは，この見とおしの能力に欠けている。

──第 3 学 年──

(11) これは　なんの　ことに　ついて　はなしあって　いるのですか。

1. とんびと　すずめの　こと　(26%)
② きのうの　しゃせいの　こと　(38%)
3. さんちゃんの　しゃせいの　こと　(34%)

この間に関するつまずきは，第1，第3合わせて60%にのぼっている。つまずきの原因として考えられることは，

1．対話文による主題の読みとりかたになれていない。

2．第1の26%のつまずきは，話題の中心になっていること（主題）と，話題の資料としてひきあいに出されていることとの判別がついていない。

3．第3の34%のつまずきは，話題になっていることと，話題の中心との混同である。大意と主題との判別がなされていない。

などである。これらのつまずきは，いずれも教師が，平素の学習指導において，主題のつかみかたに関し，どのように指導しているかと密接な関係があるので，その立場からの反省に注意したい。

──第 4 学 年──

(20) この　ぶんは，ぜんたいを　まとめて　いうと，どんな　ことが　かいて　あるのですか。

2. さんちゃんの　いえは　やけなかった　(19%)
③ まちが　かじに　なったので　いそいで　かえって　きた　(59%)
4. くろぐろした　けむりが　かぜに　あおられて　いた (12%)

この間に関しては，第2，第4合わせて31%のつまずきがあるが，その原因として考えられることは，

1．文中における部分的なまとまりと，それをふまえての全体的な見とおしとの間に混乱があり，それが秩序づけられていない。

2．全体と部分との相関的な位置づけから，主題を導き出す見とおしの能力に欠けるところがある。

の2点をあげることができる。

──第 5 学 年──

(18) この　ぶんは，つばめに　ついて　なにを　かいて　いるのですか。

1. つばめの　ことを　しらべると，いろいろ　おもしろい　ことがある　(19%)
③ ふゆに　なると，つばめは　どこへ　いってしまうのだろう　(41%)
4. つばめは，かれきの　ほらあなで，ふゆを　こすと　おもっている　ひとが　ある　(28%)

この間に関してのつまずきは，第1，第4合わせて47%になり，学年としての位置から見て，あまり高い能力があるとはいえない。つまずきの原因として考えられることは，

1．平素の学習指導と強く結びつくことであるが，文に即してひき出される意味と，読後の所感とが混同されている。第1の19%のつまずきは，これに当るものである。

2. 全体の見とおしの上に立って，部分的な意味の位置づけ，全体と部分との秩序づけという，読解の基本的な能力に欠けている。第４の28％のつまずきはそれに当る。

などである。これらの主題を読みとる能力のつまずきは，教師自体が，文章の構造に関して，どれだけの研究を進めているか，またその研究から，児童にどのように指導を行っているかに関係することが大きい。読書の心理という立場からは，これらのつまずきが，読む主体である児童自身の能力の欠除と判断されるが，読書の教育心理あるいは学習心理という立場からすれば，その原因の一半は，指導の立場にある教師自体の学習指導の問題となってくることに注意したい。

Ⅳ 書き手の立場や書かれている内容を考えながら批判的に読む

この能力に関しては，全体的に前後の関連を的確におさえて読む能力が，今まで述べてきた他の読解能力の部門よりも，より高度に要求されてくるところに，特殊性があると考えられる。以下つまずきの具体的な問題について考えてみることにする。

──第 2 学 年──

(13) あきに　なると　くさの　はの　かれるのを，きつねは　どう　おもって　いたのでしょう。

2. きたかぜが　くさの　はを　からして　しまった　(32％)

3. くさが　かれて　さびしい　(42％)

④ くさが　かれて　しんで　しまった　(17％)

この間に関するつまずきは74％で，強いつまずきの度を示している。つまずきの原因として考えられることは，

1. 書き手の立場に立って，書かれている内容を考えながら読むことになれていない。

2. 文の読解は，すべて書き手の立場に立って読むことから出発する。つまり文に即して読むことであるが，この態度が弱い。これら74％のつまずきは，以上の１，２，の原因によるものと考えられる。

3. さらに，第２のつまずきの32％の中には，問の「きつねは　どう　おもって　いますか」の立場を離れて答えていることが考えられる。文のどこに着眼するかがわかっていないものも含まれている。

4. 第２のつまずきの中には，文中の「さむい　北風が　ふいて，野原の草や　花は，たいてい　かれて　しまいました」を，「からして　しまいました」と読み誤ったものがあるとみられる。

などのことをあげることができる。

──第 3 学 年──

(９) さんちゃんは　えが　じょうずだと　おもいますか。

① あまり　じょうずでは　ない　(58％)

2. ずがが　すきだ　(16％)

3. たいへん　じょうずだ　(18％)

この間に関しては，文の全体から判断しないと解答できない。

1. つまずきの第２の16％は，問そのものに対する判断を誤っている。

2. つまずきの第３の18％は，対話の人物の位置づけを誤っている。文に即して，秩序正しく読んでいない。

(10) 「そうでもないよ」と　いって　いるのは，どんな　きもちで　いって　いるのでしょう。

1. ほめられて　うれしいと　おもったから　(39％)

② そう　いわないと　いばって　いる　ように　おもわれるから　(26％)

3. じぶんは　ずがが　へただと　おもって　いるから　(24％)

この問に対しては，第1，第3のつまずきを合わせて63%あり，かなりのつまずきの度を示している。その原因として考えられることは，

1. 話の筋の展開が的確につかまれていない。この対話で，「良ちゃん」が，どんな立場に立っているかの位置づけが正しく読まれていない。第1の39%のつまずきは，このためと思われる。
2. たとえ，その位置づけが行われたとしても，前後の関連から問に答えるための判断を誤っている。
3. 第3の24%のつまずきも，だいたいにおいて，第1のつまずきと考えられるが，第1のつまずきからは，ほめられて，てれている姿が描かれ，第3のつまずきからは，人のわるさが描れてくる。同じつまずきではあるが，前後の話のやりとりから，どのような人物像を描いているかということが第1と第3とでは異なっている。

などのことである。

――第 4 学 年――

(13) こどもたちは　どうして　むねが　わくわく　したのですか。

　① じぶんの　うちが　もえると　おもったから　(65%)

　3. いっしょうけんめい　にげだしたから　(13%)

　4. くろぐろと　した　けむりを　みたから　(15%)

この問いに答えるためには，本文中の次の主要語句が，前後関係的に文脈の中に位置づけられ意味づけられなくてはならない。すなわち，

……①かなり下り坂です。……②いっしょうけんめいにかけだしました。

③むねはわくわくするし，……………。

④くろぐろしたけむりが，風にあおられて，…………。

…………⑤はんしょうの音が，ガンガンガンガンとなりひびきます。

……。⑥しかし，家はぶじでした。…………

上掲の①～⑥の主要語句の中で，③の波線の語句に関連して問題が提出されたものである。この主要語句をおさえ，その前後をどのように関連的に体制化するかということによって，つまずきが生じてくる。

つまずきの第3の13%のものは，①②を結んだだけで解答しているし，第4のつまずきの15%のものは，③④を結んだだけで解答している。したがって，つまずきの原因として考えられることは，

1. 本文を部分的に読んでいて，全体との関連において，部分を正しく位置づけることができない。
2. この問に当る語に前後関連する主要語句を，全体の上に立っておさえることができない。
3. 本文の主題がつかまれておらず，したがって，主題との関連の上に立って，部分を正しく意味づけることができない。

などが，主となるものとして指摘できる。

(15) まちの　ようすが，まちに　ちかづくと，どうして　はっきり　しなく　なったのですか。

　1. はんしょうが　ガンガン　なって　いたから　(10%)

　② とおくを　みわたす　ことが　できなく　なったから　(23%)

　3. くろぐろと　した　けむりが　たって　いたから　(58%)

この問に関するつまずきは，第1，第3合わせて68%の強い度を示している。ことに第3のつまずきに，その強さが集中されている。つまずきの原因としては，第13問に掲げたことが，この問のつまずきにもあてはまる。そのほかに，

1. つまずきの第1の10%のものには，問のねらいからそれて，連想による原因が考えられる。つまり，

　　はんしょうがなる――むねがわくわくする――おちついて見ること

ができない。

といった一連の連想のたどりかたが考えられる。

2. つまずきの第4の58%のものは，子どもたちの一連の足どりが，全体的におさえられ，その上に立ってこの問を意味づけをしていない。子どもたちが，最初から町の中にいたと思いこんだところからきたつまずきが見られる。したがって，文に表現されている地形的な移動がおさえられ，そこから判断することに欠けている。

3. なお，このつまずきの中には，本文をおさえないで，問だけから解答しているものも含まれていると思われる。

などの原因があげられる。

──第 6 学 年──

(13)「これは　この　よのなかで　さいだいの　つみで　ある」の「これ」は，なにを　さして　いますか。

2. みんなが　じゆうを　あいする　(20%)

3. ほかの　ひとや　じぶんの　じゆうを　あいする　(15%)

④ ほかの ひとや ほかの ものの じゆうを ふみつける　(56%)

この問に関しては，本文中の次の部分が文脈的に意味づけられることが必要である。

その自由を，自分だけが愛することは，だれでも知っているが，ほかの人の自由や，ほかのものの自由は，ともすれば平気でふみつける。これは，この世の中で最大の罪である。

つまずきの原因として考えられることは，

1. つまずきの第2の20%のものは，文の筋を正しく読みとっていないか，あるいは，本文をまったく念頭においていないかである。文中の

どの部分をとって考えるにしても，その部分は，いつも全体との関連において，はじめて意味をもつものである。この読解の基本的な能力に著しく欠けていることが見られるつまずきである。

2. つまずきの第3の15%のものにも，上掲の原因が見られる。なおこのつまずきの中には，前後の事がらを正しく秩序づける「書かれている事がらを正しく読みとる」能力や,「要点を正しく読みとる」能力の低いことも考えられる。

などである。

(15)「すこしも　みのがさなかった」と　いう　ことばで，ちちの　どんな　きもちが　わかりますか。

2. じゆうと　いう　ことを　よく　はなす　(22%)

③ じゆうを　こころから　たいせつだと　おもっている (65%)

この問に関しては，文中の次の部分に着眼して,「かくされた意味」つまり，ことばの底を流れている意味を読みとることが必要である。

父は，①ただ話すだけでなかった。子どもたちが，その自由をふみにじるようなことをすると，②少しもみのがさなかった。

解答のためには，これらが文中の波線の①②の関係が正しく位置づけられなくてはならない。相互関連的に読みとられるならば，①には父の意志がかなり強く読みとられるし，②はその意志の行動化というように位置づけることができる。こうした前後の関連的な読みは，語句を文に帰属させないで，それから抽象して，いわゆる「いいかえ的」な学習指導によっては，育成されない能力である。第2のつまずきの22%は，このようなところにも，その原因があるように思われる。

以上各学年別に，読解の各問題別に，そのつまずきをさぐり，その原因と

なっていることを追求してきた。これらのことは，この調査について述べられたことであって，この調査に与えられたものと異なる種類，異なる構造の文についても，これらの分析がそのままあてはまるとは言いきれない。

それについては，この種の調査が今後も続けられそれが集積研究されなくてはならない。今後これに類する調査が，各地の研究機関において実施され集大成されることへのふみ石として，この結果が活用されれば幸せである。

この報告を終るにあたって，一言述べたいことは，読解ということは，読まれる文と，読む主体の働きとのからみ合いによって，分節された部分の，従属関係や，語法的な意味の導き出しかた，つまり文を構成している語や句や節の互にささえ，ささえられて，意味をになっている前後関係が，的確につかまれ，それを一文の指向する有機的な全体にまでまとめることである。

このことは，読む主体の能動的な活動によって，前後関係的な全体にまとめることであるともいえる。これが読解の中心機能であるとするならば，読むものの心に，どのような手順，過程を経て一文の意味が全体的に有機的にまとめられるかの研究は，読解指導における中心的な研究課題となってこなければならない。読解のつまずきに関する研究もまた当然ここにその中心の課題がおかれる。

同時に，文の種類，文の構造によって，読む主体の活動も異なってくることが予想されるから，読書過程の研究とともに，読まれる文の全体構造の研究が単なる内容研究としてではなく，読むものの心に正しく秩序づけられるための語法的な観点からあわせ行われなくてはならない。しかも，そのいずれもの研究がことばの機能の上に立って行われることが必要である。

これらのことを見とおした上で，学習指導の問題が考えられなければならない。これまで述べてきたことは，このような根拠に立って究明したつもりである。

――第１部おわり――

第 2 部

実験学校研究報告

実験学校　栃木県日光市立清滝小学校
実験課題　読解のつまずきとその指導
実験期間　昭和28年5月～30年3月

1. 漢字の読みのつまずきとその指導

(1) 第1学年の漢字の読みのつまずきの分析

(第1図)
第1学年　漢字の問題別正当率

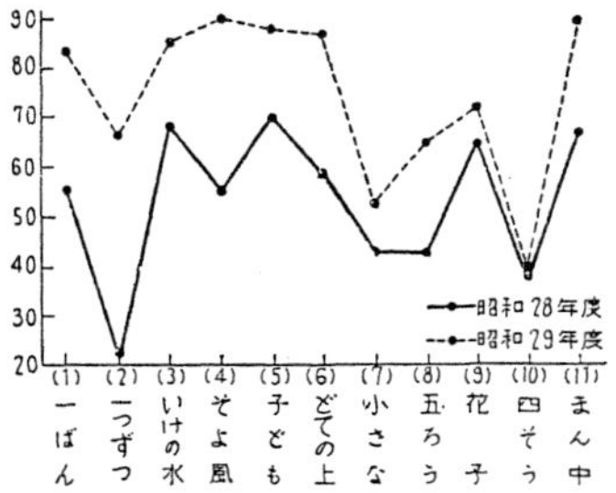

—●— 昭和28年度
--●-- 昭和29年度

(1) 一ばん　(2) 一つずつ　(3) いけの水　(4) そよ風　(5) 子ども　(6) どての上　(7) 小さな　(8) 五ろう　(9) 花子　(10) 四そう　(11) まん中

第1図は，昭和28年7月と同30年2月とに実施した診断テストの結果を比較して示したものである。

ここでは，個々の問題の分析は避けて，誤答の実態から，第1学年におけるつまずきの傾向についての分析を掲げることにした。

第1表は，問題別に，そのおもな誤答例を示した。その誤答例をつまずきの傾向によって類別すると，誤答総数に対して，次のような百分率が得られた。

1. 正しく表記できないための誤り　(36%)
2. 送りがなを無視したための誤り　(27%)
3. 音読み・訓読みを取り違えた誤り　(14%)
4. 意味的に関係のある他の語いを連想したり，他の熟語との混同によるための誤り　(2%)
5. 字形の似ている他の語いとの見違いによる誤り　(0.2%)
6. 適当にあて読みした誤り　(30%)

また，本校が別に実施した詩の診断テストにおける漢字語いは，「手ぶくろ」「白い」「目」「見える」の誤答分析の結果からは，

(第1表) 第1学年　漢字誤答例　(昭和28.7.8.調査)

漢字	誤答例 (数字は百分率を示す 語幹のふりがなのみを記す)
一ばん	いちばん(3.5) ばん(5.6) 1(3.1) 1ばん(3.1) 1ち(0.35) 一ばん(2) 一ちば(0.35) 一ば(1) 一(2) 一つ(0.35) い(3.1) いばん(1.4) いし(0.35) 行はん(0.35) ひとつ(1) ひ(0.35) はじめ(1) その他(4.9)
一つずつ	いち(21.2) いちず(0.7) いちつずつ(0.7) いちばん(1) ひつ(2) ひとつ(1.7) ひ(0.7) ひとつずつ(0.7) しと(0.7) しとつ(4.2) 一つずつ(3.1) 一(3.1) 一つ(1.7) 1つずつ(1.7) 1(3.5) 1つ(0.7) 1ち(0.35) いつずつ(1.4) いつず(1) いつつ(0.7) 他(1.4)
いけの水	水(3.8) いけの水(5.9) いけ(1.7) い(0.2) 行け(1) みぜ(0.35) みご(0.35) み(0.35) こおり(0.35) 川(0.35) その他(1.4)
そよ風	そよ風(28.4) 風(0.35) そか(0.35) かせ(0.35) か(1.4) かザ(0.35) そよそよ(0.35) そよふく(0.35) そよや(0.35) そ(1.7) そよ(3.1) それ(0.35) いい(2) 一ばん，1ばん，ばん，いち，ば，一(3.5) 他(10)
子ども	こども(7.3) こど(3.5) ど(0.35) 子ど(2.8) 子(0.7) いいこ(0.7) いい(1) たちは(0.35) 他(2.8)
どての上	もつて(7.6) もて(1.7) うい(0.7) どてのうえ(1.4) の上，どての上，上え，とでのい，上(各0.35) どてのつち(0.35) あたま(0.35) 他(11.8)
小さい	ち(12.3) ちさい(4.5) ちさな(2.8) ちさ(1.7) ちち(0.35) ちいさな(3.5) ちいさい(2.8) ちいさ(0.35) ちいち(0.35) ちいい(0.7) こさな(1.7) こ(2.8) 小(3.8) ちな(0.7) 1(0.35) いけのみず，水，みず，いけ，(計2.1) 他(4.5)
五ろう	5(5.9) 5ろう(1) 五ろう(2) 五ろうちゃん(1.4) 五(1.7) 五ろ(1) ごん(0.7) ごう(2.4) ごろう(0.35) ごろうちゃん(1.7) ころう(0.7) こを(0.7) ごろ(1.4) ろう(1.4) いつつろうさん(0.7) いつつ(1.7) そよ(1.7) そよかぜ(28) そ(0.35) 他(10.4)
花子	はこさん(1.4) はこ(1.4) は子さん(0.35) はなこさん(3.5) はた(0.7) はつ(0.35) は(1) こど(0.7) こども(2.9) こ(1.7) せこさ(0.35) せんせい(1.4) みんなは(0.35) みちこ(0.35) 花火(0.35) はなや(0.7) 他(9)
四そう	よ(5.9) よそう(1.4) よそ(1) よう(0.35) ようそう(0.35) 四そう(3.5) 四そ(0.35) 四つそう(0.35) 四(1.4) 4(8.0) 4ん(1) 4そう(1.7) よっつ(1.4) よっ(28) ようつ(0.35) しそう(0.7) し(3.5) しい(2) そう(1.4) どてのうえ，上(2.8) 他(10.8)
まん中	まん中(3) まん(2) ま(0.35) まん中(1.7) 中え(0.35) 中(0.7) 中か(0.7) いけのまなか(0.35) たか(0.35) な(0.35) なま(0.35) ごろうちゃん(1) ごうちゃん(0.35) いけ(1) 他(4.9)

1. 表記力の不足によるふりがなの誤り（25%）
2. 字形の類似した他の漢字との読み誤り（13%）
3. 送りがなの無視による誤り（12%）
4. 意味の通ずる他の漢字への連想や，他の熟語への連想による誤り(4%)
5. 適当にあて読みした誤り（41%）

などである。

以上の実態の分析によって，第１学年のつまずきの目だつ点は，

1. 表記力の不足のために，字音の一部が脱落する傾向が強い。

　実際に，誤答した児童に音読をさせた場合には，これらの児童のほとんどが，正しく音読をしている。したがって，このつまずきは，表記力の未熟によるものと考えられる。

　表記力の未熟は，さらに，「五」に「５」「四」に「４」と算用数字をふりがなとすることや，「中」に「たか」，「目」に「ぬ」をふりがなするなどのつまずきにも現れている。（25〜36%）

2. 音読みの訓読みや，訓読みの音読みの誤り（14%）
3. 送りがなを無視してふりがなをつける誤り（12〜27%）
4. 幼児語的な発音の不正確なための，読み誤り（約4%）
5. 類似した字形を，他の漢字と混同したり，見違えたりする誤り（13%）
6. 意味の通ずる他の漢字や，他の熟語への連想にはしる誤りが見られるもの（2〜4%）
7. 前後のことばに合わせて適当にあて読みをする者は，漢字の読みのわからない者で，これの百分率が大きいのは，ある限られた児童が，全問題に対してあて読みを行っているためである。特定の難解語いに対して，一部児童のあて読みによるものが加わっているため，誤答率は高いが，このつまずきは全般的な傾向とは考えられない。（31〜41%）

（２） 第２学年の漢字の読みのつまずきの分析

（第2図）　第2学年漢字問題別正答率

第2図は第2学年の診断テストの結果を示したものであり，第２表は個々の漢字語いについて，おもな誤答の例を示したものである。

（第２表）　第２学年　　漢字誤答例　　（昭和28.7.8.調査）

漢字	誤答例
北風	かぜ(５%) みなみかぜ(３%) にしかぜ(２%) ひがしかぜ，きたかぜ(各1%) 他(13%)
野原	の(７%) のぎく(２%) のやま，のぐち，のは(各1%) 他(18%)
草	は(13%) くるま(２%) かぜ，く，はや(各１%) 他(２%)
花	なな(１%) 他(４%)
虫	なか，み(１%) 他(６%)
声	こい(２%) こ(１%) 他(９%)
野ぎく	のはら(５%) きく，こ(１%) 他(10%)
お気のどく	て(２%) てん，げんき，てき，けん(各１%) 他(１%)
生きて	せ(11%) ねん(６%) せい(５%) さき(3%) とし，き，さいて，うま(各１%) 他(18%)
土	ど(６%) うえ(２%) ちち(２%) と，こ，しち，つて(各１%) 他(９%)
中	むし(１%) 他(７%)
らい年	ね(３%) よ(２%) ねい，しゅう，せい，とく，わん，うま(各１%) 他(11%)
春	あき，のはら，は(各1%) 他(６%)
ふき出す	でし(10%) だす(６%) でま(３%) でで(３%) だし(２%) あなたす，ただ(各１%) 他(３%)
お目にかかる	めめ(６%) ひ(２%) ひる，めい，他(各１%)

以上を誤答の傾向によって類別してみると，次のような比率が得られた。

1. 音読み・訓読みの別に習熟していないための誤り（29%）
2. 熟語の一部となる漢字から他の熟語を連想するための誤り（24%）
3. 表記力が不足なための誤り（41%）
4. 送りがなを無視するための誤り（17%）
5. 意味的に関連する他の語いに連想するための誤り（17%）
6. 熟語の一部だけしか読めないための誤り（12%）
7. 音の似た他の熟語と混同したための誤り（9%）
8. 前後のことばに合わせて，適当にあて読みをしたための誤り（43%）

などである。

また，本校作製の詩の診断テストの漢字語い，

「土」「作った」「白い」「出す」「学校」「行く」「時」「子」「大きく」「電せん」「上」の読み誤りの分析の結果からは，

1. 表記上の誤り　（60%）
2. 音読みと訓読みの取り違え（13%）
3. 類似した字形との読み誤り（5%）
4. 他の熟語への連想による読み誤り（5%）
5. 意味の通ずる他の語との混同による読み誤り（3%）
6. 適当にあて読みする誤り（11%）

などの結果が得られた。

以上のテストの結果を総合して，第２学年のつまずきの特徴を見ると，

1. 「音」「訓」二つ以上の読みがあり，そのいずれも比較的使用度数の多い漢字語いを，文中に使い分けることについて，使いなれていない。（13～29%）
2. 学習する熟語が多くなるにつれて，熟語を構成する他の漢字の一部の

印象から，他の熟語と混同したり音や意味の似ている他の熟語と読み誤る傾向が増大した。（1年　4～6%，2年　8～24%）

3. 読みの音の一部が脱落するなど，表記力の不足のための誤りが強い。（41～60%）
4. 送りがなを無視するための誤り（17%）
5. 類似した字形の漢字と読み誤る（5%）
6. あて推量で読む児童が，一部の者に限定され，数においても減じた。（1年　31～41%，2年　11～30%）

もちろん，このテストだけから，第２学年に提出されるすべての漢字について，つまずきの実態を推定することは困難であり，またこれだけの資料によって解釈をくだすことは問題でもあるが，本校の研究の主体が内容の読解にあるため，このテストに提出された漢字語いは，この文の読解に現れたかぎりの分析であって，広く漢字全般にわたって，どのように読み誤るか，また，どのように読解の障害になっているかの分析は現場の限られた労力によっては，高度の専門技術を要することと相まって，その検討はかなり困難である。

（３） 第１・２学年の漢字の読みの指導

1. 漢字の字音と意義と字形の総合的な理解について

第１学年で漢字をはじめて指導する際の第一のつまずきは，ひらがなと漢字との区別をつけることである。

ひらがなは表音文字であり，漢字は表意文字である。この使い分けの理解が確かでないために，

あさ　大(お)きて　かおを　あらいました。

うちに　かえって　お日(ひ)るを　たべました。

など，作文中にもその誤用がしばしば見られる。この傾向は，27年度に本校で実施した，「教育漢字を書く力の実態調査」にも，高学年にまでわたって見られる誤用の傾向である。

これらのつまずきの指導の例としては，

イ．実物や事物と結びつけ，具体的に実体との関係を通して漢字の表わす意味を理解させる。

指導例の一例を示すと，

左のような絵カードによって，字義と結びつける。

つまり，絵と結んで，視覚的に興味的に漢字の形と意味とを関連づけ，さらに読みがなを，必要に応じてカードの裏にしるし，形・音・義の三者を相関的に理解させるようにくふうしている。

ロ．文から孤立した単独の文字としてではなく，文中におけることばとして指導する。

同音異字の指導については，

① お日さまが　のぼる。あさ日が　のぼる。日のまるの　はた。

② 火が　もえる。火を　おこす。マッチで　火を　つける。

など，ことばとして文中に定着させながら，日や火の意味上の区別を理解させていく。

2.　字音を正しく表記することの指導

教師の悩む第二のつまずきは，

大きい　を　おきい
山　　　を　や
中　　　を　な
小さい　を　ちさい

のように，字音の一部が脱落することである。

これらの児童に音読でためしてみると，

「おおきい」「やま」「ちいさい」と正しく読んでいる。したがって，この誤答は，表記力の不足によるものと思われる。これらの児童は，作文でも，

がこ（学校）から　かえ（帰り）ました。

おか（おかあ）さんが　おかえりなさいと　い（言い）ました。

など，音の脱落が文中に現れている。この指導には，

i　教師が黒板に板書して，一音一音はっきりと読みながら児童に視写させる。

ii　ひらがな文を視写させる。

iii　教師の話を聴写させる。

iv　視写・聴写とも一音一音見ながら書いたのでは，効果があがらない。分ち書きによってことばのまとまりを見取って，まとまりを続けて書かせるようにした。

v　作文・ノート・テストなどは，ただ単に朱を入れ採点して返すだけでなく，つまずきのある児童には，ひとりひとりについて，そのつまずきの点を意識させ，この誤りを解きほぐしていくことに努力している。

3.　㋑　送りがなを無視して読みがなをつける。

㋺　文中において，音読みするか，訓読みするかを考えずに読む。

などのつまずきは，ことばのはたらきを無視した，機械的な練習によって陥

ったものと考えられるふしがあるので，このようなつまずきの指導としては，

④「見」の指導であれば「見る」と板書してこういうことばが，文の中でどのように使われているかを調べさせる。

むこうを　見ると，

赤い　やねが　見える。

でんしんばしらを　見あげた。

など，児童が調べた用例を板書し，文と関係づけて文中における意味と使い方とを確かめる。次に，教師は話の中にいくつかの別な用例を用いて，児童に拾い上げさせたり，児童自身にも短文を作らせたりする。

このように生きたことばの場において，語尾の変化による内容の変化を，具体的に理解させるようにしている。このことは，語句の指導とも関連するもので，漢字の指導は，語句指導の一部と考えて，ことばとしての指導を行っている。

㋺ 音読み・訓読みの指導の例

文中において，音読み・訓読みの使い分けを理解させるための指導は音訓の間に難易の隔たりの少ない漢字や，数名詞などにおいては，文中で位置づけをして読みを選ばせる方法をとっている。

ぼくは　かけっこで　一とうに　なりました。

かいだんを　一つ　一つ　かぞえて　のぼりました。

ふじ山は　にっぽんで　一ばん　たかい　山です。

などの用例によって，文中でその使い分けを理解させるように心がけている。このほかに，カード学習でも裏面に用例を示すとか，短文つくりをさせるとかいろいろくふうしている。

㋩ ワークブックによる指導

本校では，881字の実態調査に基いて，漢字指導のためのワークブックを作製し，ことばの機能に基いた指導の手がかりとしている。

次に，その一例を掲げてみたい。

1年の　ワークブック　(例)

かんじ	かく　じゅんじょ　月　月　月　月
よみ	つき　お月さま　がつ　四月　げつ　月よう日
ことばの　つかいかた	
	お月み　みか月　じの　できかた　1　2　3
まるい　お月さまが　ひがしの　そらに　のぼりました。(れんしゅう)	
◎	
◎	
1月から　12月まで　書きましょう。	
まん月　月よう日　らい月	
×つぎの　ような　じを　かくと　まちがいです。	
5月　×目　×月　5日は　こどもの日　です。	
本のページ	下25　下46

以上，漢字指導の要点と，いくつかの指導例を報告したが，中・高学年の指導についても，この初歩的なものの上に，学年の発達段階に応じたくふうと改善を積み重ねていくことにしている。

(4) 漢字の読みの指導結果の反省

以上のようにして，1か年の指導の結果を見るために昭和28年7月のテス

トの結果と，同30年2月のテストの結果とを比較したものが第1図である。

第1図によって見ると，

昭和28年度　平均正答率　　52.6%

昭和29年度　同　　　上　　74.5%

と，約22%増加している。

つまずきの傾向としては，前回同様「一つずつ」「四そう」「五ろう」が低位にとどまっている。このことは，文中における音読み・訓読みを文に即して選択することの困難さを示しているものと考えられる。

しかし，「一つずつ」が44%も上昇を示していることは，将来への明るい見通しをもつものとして考えられる。

「四そう」の正答率がほとんど変化していないのは，「よんそう」「しそう」「よそう」「よっつそう」と，「四」の読みが多岐に分れているためであろう。

これら誤答のグループの児童は，「四人」を「よにん」と読むのにならって「よそう」と読んだつまずきが多い。

第1学年と同様に，第2学年について漢字語いの正答率を昭和28年度と29年度と比較したものが第2図である。

第2学年においては，

昭和28年度　平均正答率　　81.3%

同　29年度　同　　　上　　92.0%

と，約10%向上したことが見られる。

特に「生きる」「北風」「野はら」の3語の向上は目立っている。

「ふき出す」「らい年」「土」の三語は，正答率においては，10%内外の向上であるが，これについてのつまずきの傾向が強く現れていることは28年度の傾向と同様である。この点，これらの「よみかえ」の多い漢字の語い指

導にいっそうの努力と注意の必要が感じられる。

ことに漢字や語句は，それぞれの語の性格や，児童の言語経験に影響される面が多いから，生活経験を通して，できるだけ語いを豊かにすることと，数多くくり返して経験させるよう，言語環境を整えることに留意していきたい。

さらに，個人的なつまずきに対しては，その診断と治療のためのチェックリストや，カルテ（診断個票）の活用について，いっそうの研究を進めていきたい。

（5）　第3・4学年の漢字の読みのつまずきの分析

（第3図）　第3学年
漢字問題別正答率

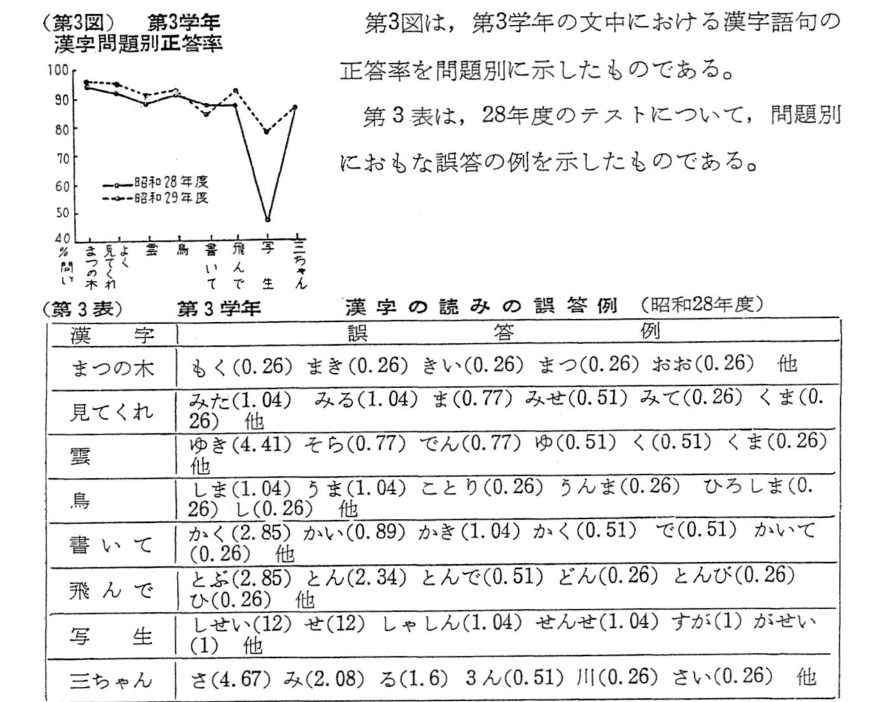

第3図は，第3学年の文中における漢字語句の正答率を問題別に示したものである。

第3表は，28年度のテストについて，問題別におもな誤答の例を示したものである。

（第3表）　第3学年　漢字の読みの誤答例（昭和28年度）

漢字	誤答例
まつの木	もく(0.26) まき(0.26) きい(0.26) まつ(0.26) おお(0.26) 他
見てくれ	みた(1.04) みる(1.04) ま(0.77) みせ(0.51) みて(0.26) くま(0.26) 他
雲	ゆき(4.41) そら(0.77) でん(0.77) ゆ(0.51) く(0.51) くま(0.26) 他
鳥	しま(1.04) うま(1.04) ことり(0.26) うんま(0.26) ひろしま(0.26) し(0.26) 他
書いて	かく(2.85) かい(0.89) かき(1.04) かく(0.51) で(0.51) かいて(0.26) 他
飛んで	とぶ(2.85) とん(2.34) とんで(0.51) どん(0.26) とんび(0.26) ひ(0.26) 他
写生	しせい(12) せ(12) しゃしん(1.04) せんせ(1.04) すが(1) がせい(1) 他
三ちゃん	さ(4.67) み(2.08) る(1.6) 3ん(0.51) 川(0.26) さい(0.26) 他

（第４表）　第４学年　漢字の読み誤答例　（昭和28・７・調査）

漢字	誤答数	誤答例（%は調査人員286名に対しての数である。）
山	4	や（１%）
町	4	まつ（１%）　ち（0.4%）
下り坂	146	くだりさか（11%）　したりさか（８%）　したり（５%）　くだりりざか（３%）
子ども	7	こども（１%）　こどども（１%）
流れ	13	ながれれ（１%）　だか（１%）　あれ（１%）
息	13	えき（１%）　のど（１%）　こえ（１%）　むね（0.4%）
近づく	60	ちづく（10%）　つづく（７%）　つかづく（２%）　きづく（１%）　もとづく（１%）
高い所	51	たかいとこ（６%）　たかい（３%）　たかいところ（１%）　たかいばしょ（１%）　たかいほう（１%）
風	12	かせ（２%）　かざ（１%）　たぜ（0.4%）
西	13	みなみ（１%）　ひがし（１%）　に（１%）　にち（１%）　きた（１%）　みし（１%）
東	43	へがし（２%）　きた（３%）　みなみ（１%）　にし（１%）　しがし（１%）　ひが（２%）
方	66	ほ（16%）　ほお（３%）　ほほ（２%）　ぽ（１%）
飛ぶ	18	とぶぶ（４%）　どぶぶ（１%）　とべぶ（１%）
空	8	くも（１%）　そらに（１%）　そらも（0.4%）
寺	19	こ（１%）　まち（１%）　き（１%）　でら，おてら，じ（各0.4%）
音	16	おん（３%）　をと（１%）　ね，がく，お（各0.4%）
三ちゃん	18	さちゃん（４%）　３ちゃん（１%）　みちゃん（１%）
自分	16	じゅぶん（１%）　ぢぶん（１%）　じぶんぶん（１%）　じぶぶん（１%）
家	25	うち（６%）　いち（１%）　にえ（１%）　えい，かてい（各0.4%）
行きました	55	いききました（８%）　いくもました（６%）　ゆくきました（１%）　きぎました（２%）
入れる	49	いれれる（８%）　ひとれる（５%）　しとれる（２%）　いれる（１%）
今まで	135	いまで（44%）　きょうまで（２%）　きまで（１%）　こんまで（１%）　いいまで（１%）
二度	19	ふたど（２%）　にどど（１%）　ふたつど（１%）　ふたりど（１%）
火事	22	かじじ，ひしごとー，ひし，ひごと（各１%）　ひじ，かし，しごと，かず，かさい（各0.4%）

（第4図）　第4学年　漢字の問題別正答率

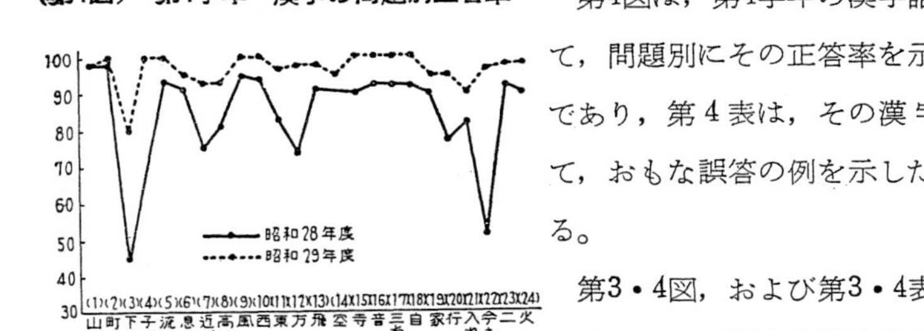

第4図は，第4学年の漢字語いについて，問題別にその正答率を示したものであり，第４表は，その漢字について，おもな誤答の例を示したものである。

第3・4図，および第3・4表によって，このテストに関する漢字の読みについてのつまずきの傾向を見ると，

1.　表記上の誤りによるもの（3年～18.7%，4年～38.8%）
2.　送りがなを無視したための誤り（3年～18.9%，4年～10.5%）
3.　他の熟語を連想したための誤り（3年～19.4%，4年～1.8%）
4.　音読み・訓読みの取り違いや混同による誤り　（3年～3.0%，4年～12.9%）
5.　意味の通ずる他の語いや同類の内容を表わす他の語いに誤ったもの（3年～15%，4年～8.2%）
6.　字形の似た他の語いと誤ったもの（3年～10%，4年～3.8%）
7.　前後のことばに合わせて，あて読みをしたための誤り（3年～24.2%，4年～14.3%）

などに類別することができる。

特に中学年になると，平均正答率は，80%以上に達し，誤答の児童は，つまずきを持つ特定の児童に限られている。このことは，学年の上昇によって，一般の児童の読字力が急に育っていることを表わすものと考えられる。

共通的につまずきのある語としては，３年における「写生」，4年の「下り坂」「今まで」である。

これらの学年でも，低学年同様に，つまずきの最も大きなものとしては，

表記上の誤りである。

このテストの本文を音読させた場合には，「今まで」を「いままで」と正しく読んでいることからすれば，これらの誤答は，表記上の誤りと見られる。したがって表記についての指導には，これらの学年でも重点をおいて実験を継続している。

(6) 第3•4学年の漢字の読みの指導

漢字の基礎的な指導については，低学年のところで報告したものと重複するので，ここでは，次の3項目について報告したい。

i　難解語いと初出文字について

ii　漢字指導と内容読解との関係づけについて

iii　漢字の練習について

難解語いと初出漢字について見ると，　児童にとって，どの漢字がどのように難解であるかは，児童各個人によって異なり，漢字の一つ一つについても調べなければわからない。

難解の要因としては，それを理解するための生活経験の有無によって左右されるものと思われることが多い。このことは，各学年のテストを通じて，学年により，学級により，個人により，またテストの時期によっても，その誤答の実態に大きな差が見られる。

新しい題材の学習にはいる際に，ともすれば，難解漢字として，教科書の初出，読みかえ漢字だけを取り上げ，それで漢字指導が行われたものと錯覚を起しやすい。初出漢字といわれるものは，難解なものが多いことは事実であるが，当面の児童の問題としてのつまずきの実態は，個々の児童にあたってみないと，初出漢字が必ずしも難解とはいいきれないことがわかる。

難解の漢字を手早く見つけ出す方法としては，

㋑　素読の際に，その文中に提出されているすべての漢字を印刷して与え，文を読みながら，ふりがなをつけさせる。つけ終ったものから，あらかじめ与えてある問題を目あてとして，目標をもった読みにはいらせる。

この間，教師は，児童の漢字に対するふりがなの検討によって，つまずきの多い漢字，つまり難解な漢語を発見することができる。

㋺　同様に，読みの作業において，読めない漢字，読みの不安定な漢字，意味のわからない語句を，小さなカードに書いて机上に置かせる。

教師は巡視しながらその紙片を集め児童の当面している難語句をつかむことができる。

以上のような方法によって，児童の当面している具体的なつまずきの問題をとらえ，個々に，あるいは共通的に指導を行って，そのつまずきを解きほぐしていくようにしている。

第2の問題点として漢字指導と内容読解との関係づけについて述べると，漢字の指導は，とかく単なる漢字の「かきとり」に終ることが多い。この方法によっては，漢字を読解の足場として見る場合，指導ふじゅうぶんであることを反省し，本校では，漢字を本文の読解の一つの要素として指導することにしている。

その一，二の指導例を示すと，

○　児童の実態からとらえた，つまずきの多い語いを，文の順序に従って板書したり，時にはカードによって提示したりする。次に，それらの漢字を文中に発見させて，その漢字語いが文のどんなところに，どのように使われているかを調べる。

○　同様な方法で漢字まじり語句を取り上げ，その語句を文中に定位することにより，文の内容読解の学習と関係づける。また，漢字語句の意味を調べることと，内容読解とを常に関係的に取り上げる。

以上の例に示すように，漢字語いを文中から抽象された漢字としてではなく，文中に置かれることばとして，読解の一分野としての指導を進めることをねらってきた。

第３の問題点として漢字の機能的なドリル学習について述べていくことにする。　機能的なドリルとしての指導は，短文つくり（話す，書くを含む）カード学習など低学年で例を示したので，ここではことば遊びの時間を一例として示すことにする。

(1)　これにあてる時間は，特に定めていない。題材の終末や，必要に応じて小時間をとっている。

(2)　方法　　熟語しりとり

写生→生活→活動→動物→物おき

写生→生年月日→日本→本屋→屋根

などのように，漢字を使って，しりとり遊びを指導する。

この学習からの発展としては，短文中に漢字を一つ交えて話すことにより，ことばの使い方も合わせて学んでいくことができ，読解の基礎を育てる方法として有効のように思われる。

以上の指導についての結果は，第3図，第4図に示すように，漢字習得において，

第３学年　　　4%増

第４学年　　　11%増

と，やや高まっている。これは，常に，このような指導がなされ，個々のつまずきについても留意されてきたための結果を表わすものと考えている。

（7）　第５・６学年の漢字のつまずきの分析

（第５表）　第五学年　　漢字の誤答例　　（　）内は%

前	まい(15.1)　いま(2.2)　のまえ(0.2)　よる(0.2) ところ(0.2) まる(0.2)　まわり(0.2)　そば(0.2)　な(0.2)　中に(0.2)
消　す	けすす(5.6) きえ(1.1) き(0.2) あらわ(2.2) あら(0.2) あられ(0.2) しょ(0.2) もす(0.2) も(0.2) ずす(0.2) かい(0.2) かく(1.1) 書(0.2) こ(0.2) だ(0.2)
急　に	きゆ(14.8) きゆうに(0.8) きゆに(1.1) きう(0.8)　きょう(0.2)　おもい(0.2) しずか(0.2)　あらそい(0.2)　ちゅい(0.2)　こと(0.2)　ようき(0.2)　げんき(0.2)　きもち(0.2) すぐ(0.5) 行に(0.2) す(0.2) とき(0.2) すくう(0.2) けい(0.2) よう(0.5) ここ(0.2) よ(0.2)つい(0.2)
気がつく	きじ(0.2)　を(0.2)　まち(0.2)
人　間	ひと(0.5) ひとたち(0.2) にんけん(0.2) 人げん(0.5) しんぶん(0.2) にん(0.2) にげ(0.2) にけん(0.2) しとびと(0.2) ひんけん(0.2) しんと(0.2)
感　じ	かんじ(0.8) かんじる(0.2) しん(0.8) おな(0.5) か(0.5) せい(0.2) そう(0.2) と(0.2) んで(0.2) えん(0.2)
行　く	いく(11) いつ(1) いって(0.2) いて(0.2) いる(0.2) ゆき(0.2)
考　え	かん(2) こた(0.8) おも(0.8) かんがえる(0.2) かんかん(0.2) か(0.2) かく(0.2) ない,ゆう(0.2) こんかつ(0.2)
不思議	ふおもぎ(5)　ふおんぎ(3)　ふおもいき(2)　ふおもいぎに(0.5)　ふおぎ(1) ふおもぎし(6) ふもぎ(0.5)
冬	かん(9.5) つう(4.2) のぶ，しんじ(各0.2) の，か(各0.5)
木	木(0.8) こ,たき,り(0.2)
広　く	いろ(0.8) はや,くろ，しろ(各0.5)　ひろく,だい,い,いる,さも,ひく,ひ,ちか,ひど,とうい，た(各0.2)
信　じ	かん(14) つう(5) つうじ(2) のぶ(2) つ(2)
今でも	いまま(1.4) まえ,き,お,いて,まい,きょう(各0.2)
人	しと(26.3) いと(0.5) こと(0.2) 人(0.2)
旅　行	りょうこう(5) たび(1) しょこう(0.5) たびゆく(0.5) りょいこい(0.2) りょさに(0.2) ゆよこう(0.2) りこう(0.5) りょこん(0.2) りょこ(0.2) りょりうこう(0.2) りょうこ(0.2) しょうこう(0.2) のうんで(0.2)　こうき(0.2) たい(0.2) ひこうき(0.2)

地　方	ちほ(2) ちょう(0.2) ちづ(0.2) とち(0.2) かくち(0.2) とちほう(0.2) しほ(0.2) と(0.2) きょう(0.2) ほうに(0.2)
老　人	かんじん(1.4) すんじん(0.5) まじん(0.2) ふじん(0.2) しゅじん(0.2) しゅじゅん(0.2) そうじん(0.2) かじん(0.2) しじん,ろじん(0.2) やくにん(0.2) しょうにん(0.2) ろうにん(0.2) じんこう(0.2) じんん(0.2) じん(0.2) じんか(0.2) じんぶつ(0.2) ひと(0.2) しと(0.2) もつひと(0.2) みんな(0.2)
思って	おもう(1.1) お(0.8) おもつ,おもい,をもう,し(0.2)
注　意	ちゅい(12) ちうい(0.8) ようい,あい,しゅうい,ようじ,ちゅうしん,ちゅう,ちょい,かいつ,しごと,ちゅうかい,ようじん,しんぱい,かんしゃ,ちゅうし(各0.2)
聞いて	ひら(3) きい(2.2) ぶん(1.1) お(0.5) たの,ふ,きいて,か,かん,あい,きく,ひらく,ふく,いて(各0.2)
結　局	むきょく(5.3) きょく(2.8) むすきょく(2.2) むすびきょく,きゅうきょく(各1.1) じきょく,けきょく,そうきょく(各0.5) むすぶきょく,けいきょく,とうきょく,けっきく,せいきょく,けいきょう,やっきょく,けんきょく,とうきょく,ほんとう,けっか,むすび,きゅうに(各0.2)
事　実	じみ(4.2) じっさい(3) じけん(2.2) じさい(1.4) じっけん,ことじつ(各0.8) じじ,じ,きじ(各0.5) じんじつ,じんみ,しゅしゅっ,じしゅっ,きみ,じつ,かえる,ちぢつ,(各0.2)
見　た	みた(1.6) みて(0.5) よ,よる,みま,見(各0.2)
一　度	いど(0.8) ど(0.5) いく,い(各0.2)

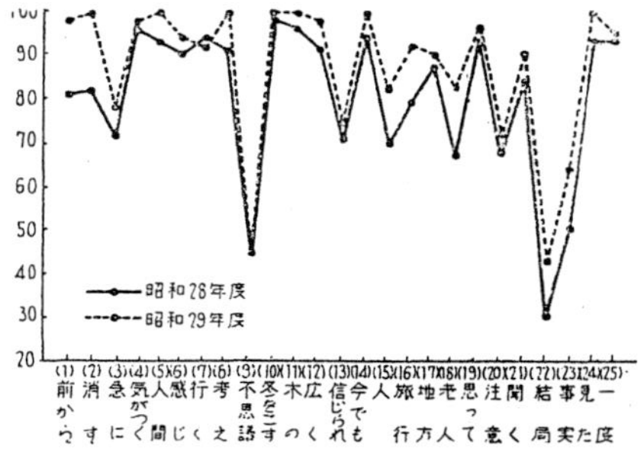

（第５図）　第５学年　漢字の問題別正答率

（第６図）　第６学年　漢字の問題別正答率　（昭和28年度）

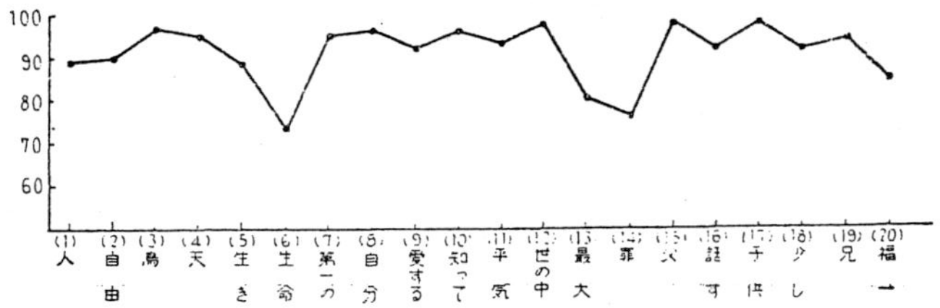

（第６表）　第６学年　漢字の誤答例（昭和28・7・調査）（　）内は%

漢　字	誤　答　例
人	しと(8.7) にんげん(1.6)
自　由	じゅう(5.4) じゆゆう(1.6) じうゆう(1.3)
鳥	ことり(1.6) しま(0.6)
天	て(1.9) あまから(1.3)
生　き	うまれる(7.4) せん(1.9) せい(1.3)
生　命	いのち(7.4) しめい(2.2) せめい(2.5) せいしつ(2.2) めいれい(1.3) せいかく(1.3) せい(0.9) せめ(3.5)
第　一	だいち(1.9) だいいっかい(0.6)
自　分	じゅぶん(1.3) しぶん(0.9)
愛	あ(1.3) うける(0.9)
知って	わかって(0.9) して(0.6)
平　気	へいきん(1.3) へき(0.9) へえきん(1.3) てんき(0.6)
世	せかい(0.6)
中	な(1.6)
最　大	もっともだい(2.5) さいしょ(1.9) いだい(0.6) じゅうだい(3.5) さいご(0.9) さいざい(1.3)
罪	ひ(3.5) かなしい(2.9) かなしみ(0.9) ざい(2.5) はんざい(1.9)
父	おとうさん(0.3) はは(0.3)
話　す	はなす(3.5) わ(0.6) おはなし(0.9)
子　供	いとも(3.1)
少　し	しこし(2.2) ただし(0.6) しょ(1.2)
兄	おとうと(1.2) ちち(0.9) おとと(1.2) はは(0.6)
福　一	こういち(4.8) こうふくいち(0.6) ふいち(0.6) ふくかず(2.2) ふこう(0.6) こいち(1.2)

第５図および第５表は第５学年の漢字について，第６図および第６表は第６学年の漢字について，それぞれ問題別に正当率と，そのおもな誤答例を示

したものである。

第5・6学年の実態の分析から本校児童の誤りの傾向を拾い上げてみると，次のとおりである。

1．表記の不正確なための誤り（5年～31％，6年～31％）

例　急に　「きゅに」「きうに」「きょうに」

旅行　「りょうこう」「りょこ」

生命　「せいめ」　第一「だいち」

2．音・訓のとりかたの誤り，または音訓を混同するための誤り

（5年～14％，6年～23％）

例　不思議　「ふおもいぎ」「ふおもいぎ」

生きる「うまれる」「せいきる」

3．熟語の一部の漢字から，他の熟語を連想するため，またはその漢字で構成される他の熟語の漢字と誤る（5年～21％，6年～25％）

例　老人　「ふじん」「しゅじん」「やくにん」

信じ　「つうじ」（通信）

最大　「さいしょ」「いだい」「さいご」

平気　「へいきん」「てんき」

福一　「こういち」（幸福）

4．「送りがな」に適当に合わせる誤り（5年～11％，6年～2％）

例　信じ　「かんじ」広く「はやく」「しろく」「ひくく」

少し　「ただし」

5．送りがなを無視したための誤り（5年～11％，6年～6％）

例　消す　「けすす」考え「かんがえる」

聞いて　「きいいて」「きくいで」

話す　「はなしす」少し「すこしし」

6．意味的に関係のある他の語と混同するための誤り

（5年～6％，6年～6％）

例　兄　「おとうと」「ちち」「はは」

消す　「かく」　人間　「ひとたち」

考え　「おもう」　冬　「かん」（寒）

7．字形の似た他の漢字と読み誤る（5年～4％，6年～6％）

例　聞いて「ひらいて」（開）

鳥　「しま」「うま」

愛　「うけ」（受）

などである。

5・6学年の正答平均は80％以上で，特定の漢字については，共通的なつまずきが見られるが，他の多くは，個別的なつまずきによるものが多い。

（8）第5・6学年の漢字の読みの指導

高学年の指導については，自主的な漢字学習の面から，

i　漢字の手びきを与える。

ii　辞書つくり

iii　漢字カードつくり，

について報告したい。

第1の漢字の手びきを与えることについて述べると，高学年の教科書は漢字の数が多くなるため，読解力の低い児童には，漢字の抵抗が強く，そのため文を読みたがらなくなる。そこで本校では，漢字の手びきを作製して与え，教科書の読解以前の文字のつまずきの克服を図っている。その方法は，指導計画に基いて，約1・2か月分の学習資料について，そこに提出される漢字に，教科書の提出ページとふりがなをつけた手びきを印刷して与え，家庭や学校

での学習時に自由に活用させている。このことによってその題材の学習にはいる時期には約3分の2の児童が漢字の抵抗から救われている。この方法は調べ読み，問題解決の読みの上からは多少の問題も残されているが，内容読解の素地をつくるものとして効果的であった。

第2の辞書つくりについて 述べてみたい。「わたくしたちの　学習辞書」という題をつけて，学習ノートのほかに，別に1冊のノートを用意している。このノートに学習した漢字語いを音訓に従って「ア」の部，「イ」の部というように分類して記入し，その用例や熟語などを記入するようにしている。4年生からこの記入を続けると，6年終了までには，児童自身で1冊の辞書を作り上げることができる。この方法は，継続的な努力と教師の絶えざる指導が必要であるが，非常に効果的であった。

第3のカード作りに ついては，部首・画引きの辞書指導と漢字の構成から類似語との弁別，漢字の音訓の弁別，意味の理解などを行って学習におりこんできた。

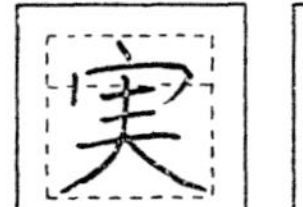

① 上に示すように，へん・つくり・かんむり・きゃく等を色線で区切り，漢字の構造を明らかにし，裏面には，その読みがなや用例をあげる。

② 左のような円盤カードを作り熟語つくり，短文つくりの手がかりとした。

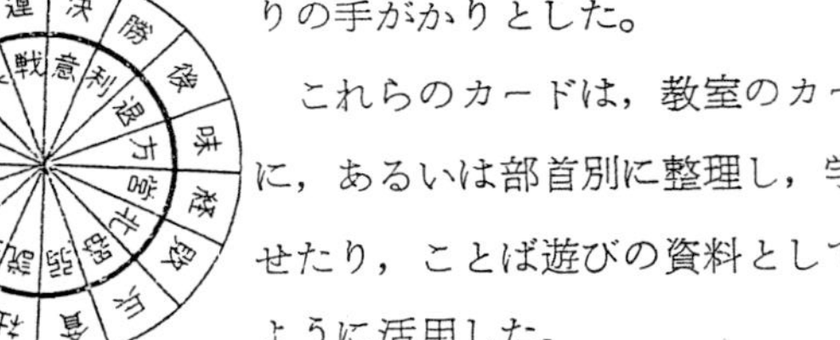

これらのカードは，教室のカードかけに五十音別に，あるいは部首別に整理し，学級辞書として使用させたり，ことば遊びの資料として，学習態度を高めるように活用した。

以上の1か年の指導の結果は，第5図に示された前後2回のテストの比較

によって示されるように，平均して7％の上昇となっている。

これらの実験は，限られた漢字についてのテストによって検討しているので，これが教育漢字のすべてにあてはまるかどうかは，これだけからは断じきれないものがある。

特に高学年では漢字語いの数が多いため，児童の負担量は相当に強いものと考えられる。これは，昭和27年度に本校で実施した教育漢字を書く能力の実態調査によっても明らかにされている。読む場合にも，ほぼ同様な傾向があることが推察できる。この点本校では，学年の負担量を考慮して，使用教科書の漢字配当とは別に，調査に基いた学年別の配当を行い，指導の出発点は同一であっても読む漢字と書く漢字との完全習得学年に差をつけて，負担量の軽減を図っている。この結果についての検討は，数量的には，まだつかめていないが，漢字を読む力が各学年ともに向上していることや，児童の読書力や他教科への影響などと考え合わせて，かなりの好結果を示していると判断される。

2. 文中における語句の理解のつまずきとその指導

（1） 第1・2学年のつまずきの分析

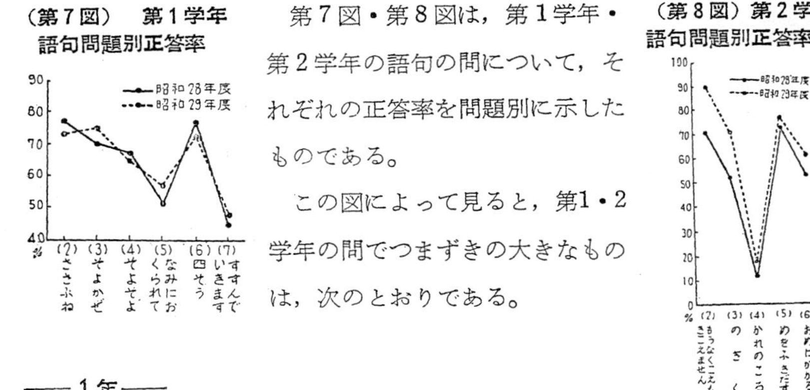

第7図・第8図は，第1学年・第2学年の語句の問について，それぞれの正答率を問題別に示したものである。

この図によって見ると，第1・2学年の問でつまずきの大きなものは，次のとおりである。

——1年——

(7) 「すすんで　いきます」と　いうのは，どういう　ことですか。（45%）

(5) 「なみに　おくられて」と　いうのは，どういう　ことですか。（50%）

——2年——

(4) 「かれのこる」と　いうのは，どんな　ことですか。（12%）

(3) 「のぎく」と　いうのは，なんですか。（52%）

(6) 「おめに　かかる」と　いうのは，どう　する　ことですか。（53%）

これらの問に誤答した児童について，その実態を分析すると，

1 「すすんで　いきます」について

選択肢(3) 「すんでから　いきます」と誤答した33%のグループの児童は，

i 早のみこみの性格の者（13%）

ii 一目読みの習熟していない者（5%）

iii 音読・黙読の速度は速いが，思考態度の軽薄な者（6%）

iv 理解のおそい者（8%）

v 問題を与えられても，考えようとしない者（1%）

などである。これらの児童の思考経路について検討してみると，

イ 問と選択肢とを見比べて,「すんで」と「すすんで」とが似ているから，同じことばだと思った。

ロ どちらにも「す」がついていたから。

ハ ふねが　やすんでから，またはしったと考えたから。

ニ あまり考えないで答えた。

のような，いくつかの段階に分けられるが，i，iii，Vなど合わせて20%のものは，文を読んで考えようとする思考態度に乏しいということがいえる。

選択肢(2) 「こっちへ　きます」と誤答した19%のグループの思考の経路をたどってみると，

イ 「すすむ」は,「あっちへ　いったり」「こっちへ　すすんだり　する」から，後者と考えて「こっちへ　きた」と　答えた。

ロ 「ふねが，うごいて　いる」から，別に文を読みかえさずに答えた。

などで，この誤答者を集めて，本文の中にことばの意味を考えながらさらに読ませた結果は，大部分の者が正解できるようになった。

これらの誤答者が，ふたたびこの迷路にはいらないためは，

1. 文字をことばとしてとらえることに習熟させる。
2. ことばとその意味内容とを，結びつけて考えながら読む態度をつける。

3．語句は，いつも文脈の中で，その意味を判断するように慣らしていく。

などの指導に努力をしている。

2 「なみに　おくられて」について

選択肢(1)「なみと　なかよしに　なって」と誤答した31％のグループの思考の経路は，次のようである。

イ　なみに　おくってもらったから，なかよしに　なった。

ロ　なみと　いっしょに　いったから，なかよしだ。

ハ　よく　考えたら，ふねと　なみは，なかが　よさそうに　思った。

と，波におくられていく状態に自分の感想を加えて，なかよしになったと答えたもので，文中の事実と，自分の感想との混同から誤答におちこんだものと思われる。

以上のほかに，ただ単に，ことばが似ているからという誤答や，言いかえ的に，問われている内容をよく考えずに答えた児童がいくらか見られる。

選択肢(2)「かぜが　つよく　なって」と誤答した14％のグループの思考の経路は，

イ　風が強くなるからおされる。

ロ　風が強くなるから波も強くおす。

と，波におくられた理由を答えているものである。これらの誤答者は，いずれも，文を注意深く読まずに解答したものに多い。

このようなつまずきに対しては，

1．文に書かれていることと，自分の感想とを区別して，文に即して読むこと。

2．問に対して，常に文中から解答の手がかりを見いだして考える態度をつけること。

といった指導に力を注いでいる。

3．「かれのこる」について

選択肢(3)「かれても　らいねん　また　さく」に誤答した54％のグループの思考の経路は，

イ　かれても根が残っているから，らい年もまたさく。

ロ　かれて，根だけが残っているから。

ハ　よく考えないで答えた。

ニ　「かれのこる」ということばがわからない。

などの原因からの誤答である。

この選択肢に誤答したグループには学習成績の比較的良い者が多く，(ハ)，(ニ）の誤答に属する児童は少数である。

選択肢(1)「かれた　くさの　はが　のこって　いる」に答えた25％のグループは，

イ　文に即して注意深く読むことに慣れていない。(19％)

ロ　言いかえだけに終っている。（4％)

ハ　読字力の低いもの。（3％)

ニ　学習意欲の乏しいもの。（1％)

であり，誤答への思考の経路は，

イ　くさが，かれて残っているから。

ロ　くさは，みんなかれてしまっているから。

ハ　「かれのこる」は，「かれる」と「のこる」だから。

ニ　あまり考えないで答えた。

という，いくつかの段階が見られる。特にその中でも，問のことばだけから言いかえた，文に即して読むといった力に乏しいつまずきが目だっている。

これらのつまずきに対しては，その語句が文の中で，どのように使われているか，そのことばは，どんなときに使われるかといった，文に即して理解させることに慣れさせる指導に努力している。

4　「のぎく」について

選択肢(4)　「にわに　うえて　ある　きれいな　きく」　と誤答した21%のグループの誤答への原因を検討すると，

イ　早のみこみで，問われるとすぐその場の思いつきで答えるもの。(15%)

ロ　まじめではあるが，応用力・思考力に欠けるもの。（3%）

ハ　理解のおそいもの。（3%）

などで，「きく」についての自分の生活経験から答えたものが多い。

選択肢(1)　「のはらで　かれて　いる　くさ」　に答えた18%の誤答の原因は，

イ　早のみこみで，文をよく読まないもの。（9%）

ロ　読字力の低いもの。（4%）

ハ　融通性のないもの。（3%）

であり，「のぎく」の「野」に注意が固定されて，場所的な「野」については関心を払わないで答えたものと思われる。

5　「おめに　かかる」について

選択肢(2)　「ともだちに　あう」　と誤答した22%の誤答の経路を検討してみると，

イ　「おめに　かかる」ことは，あうことだから，友だちとあうこと。

ロ　野ぎくときつねは，友だちだから。

ハ　おとなの人が，他人といきあったとき使うことばだから。

などで，これらの誤答は，平素比較的文を表面的に読んでいる者に多い。

選択肢(4)　「さむくて　ひどいめに　あう」　に誤答した15%のグループ

の誤答経路は，

イ　「お目にかかる」　ということばの意味を知らない。

ロ　寒くてかわいそうだから。

ハ　よく考えないで思いつきで答えた。

などで，これら誤答のグループは，なぜ，この選択肢に解答したのか，自分でも理由がはっきりしない者が多い。

これらのつまずきに対しては，

イ　あらゆる機会を通して，読解の背景としての言語経験を豊かにすること。

ロ　思考を順序だてることのできないグループには，思考の手がかりを見つける力を養っていく。

ハ　文中の事がらと，読後の感想とを区別して考えさせる。

などの指導を行っている。

以上，つまずきの多い語句について，それぞれの誤答の実態について，その原因と，これに対する指導とについて述べてきたが，これらのことが，読解の能力とどういう関係をもっているかは，次のような観点と結んで考えたい。

この実験研究の中心は，文の読解にあるのであるから，その全文の読解に，語句のつまずきが，どのように影響しているかの吟味が重要になってくる。

したがって，語句のつまずきは，当然，全文の読解のつまずきと密接に関連させて，つまずきの原因を分析することを重点として考えたい。

（2）　第1・2学年の語句の指導

1　文の筋を全体の上に立って読む

（第7表）　(4)「かれのこる」とは（%）

性別等＼選択肢		1 かれた くさが のこって いる	2 きれいな くさが さいて いる	3 かれても らいねん また さく	④ かれないで のこって いる	無答
第1回	男	29	4	64	4	0
	女	42	0	58	8	0
	均	31	2	62	6	0
第2回	男	27	19	15	38	0
	女	23	0	41	36	0
	均	25	10	27	38	0
1 2	増減	−6	+8	−35	+32	

第7表は，第2学年のテストの問の（4）「かれのこる」というのは，どういう　ことですか。について，語句指導の結果を比較したものである。

この学級は，この問に対する平均正答率が6％という低率で，誤答の分析は，第7表の第1回の欄に示した状態であった。

第1回テスト後の誤答の分析から，指導の重点を次の点においた。

イ　「いつ，どこで，だれと　だれが，どんな　ことを　話して　いるのか」に　注意して読みなおさせた。

ロ　「はなしを　して　いる　まわりの　ようす」を　あらわす　ことばを見つけさせた。

以上の2点に注意を払って，およそ1か年の指導をした後の テスト 結果が，第2回の正答率である。その結果は正答率が32％上昇している。

第2回テストから見ると，文の筋をとらえて文脈の中で語句の意味を読む態度や，文の要点をとらえることの指導が，文中の語句を正しく理解するための指導の要点であることがわかる。

なお，要点をおさえる力の弱いグループは，その手がかりをうることが弱いために，選択肢の③から①へ，③から②へと，さまよっている状態がわかる。ただ①の誤答者（主として言いかえに終始しているもの）から③（主として，ばく然とした印象で答えるもの）への移り変りが見られないことは，

これらの児童は比較的理解力にすぐれているが，文に即して読む読書態度がつちかわれていないためのつまずきであると考えられる。

（第8表）　(6)「おめにかかる」について

性別等＼選択肢		1 つきに くもが かかる	2 ともだちと あう	③ らいねん はなを さかせる	4 さむくて ひどい めに あう	無答
第1回	男	7	39	39	11	4
	女	0	29	58	12	0
	均	4	35	48	12	2
第2回	男	0	15	69	15	0
	女	0	5	95	0	0
	均	0	10	81	8	0
1 2	増減	−4	−25	+33	−4	−2

問の（5）「おめにかかる」について

第1回，第2回のテストの結果を比較すると，33％の正答増が見られる。

選択肢(2)「ともだちと　あう」（主として，語句を文から抽象された単語として，言いかえている者）は，25％減じている。そのうち23％は正答へ移ったが，2％は（4）へ移ってしまった。

選択肢(1)　(4)（主として，文を読まずに思いつきで答えた者や，文中に解答のかぎがつかまれていなかったための誤り）から，10％の者が正答へ移り，合計33％の者が，語句を正しく文中に位置づけて読むことができたことになる。

以上のテストによって見られるように，「いつ，どこで，だれが，何を」というような，意味を限定する場合の文のおさえどころを暗示しただけで，30％以上の正答率の上昇が見られることは，語句指導が直接内容読解を深めていくことを意味していると考えられる。と同時に，これらの読書技術の不足のために意味限定の不安定な者が多いことがわかる。

こうした反省から，本校では，漢字や語句の指導を，主題を読み取るという一連の目標の上に立って，読解への過程として行ってきた。

以上の実験から，語句の意味を文中でとらえるためには，文の要点や，そ

の前後関係に注意して読むことが必要であるといえる。

2　生活経験と結びつけて理解させる。

次に語句の理解には，その背後に，広い生活と結んだ言語経験が必要であることは，実態の分析によっても明らかである。これに関する指導例をいくつかあげてみると，

㋑　動く絵カードによる学習

〔i〕　黒板または模造紙などに，児童と話合いを進めながら，大きく絵の背景をつくる。 その間に「がっこう」「かきね」「かだん」「こうもん」「くもが　うかんで　いる」などの語句を絵と結びながら理解させる。

〔ii〕　できあがった背景について，その情景を自由に話し合い，「山が　かすんで」「つぼみが　ひらく」「風が　そよそよ」などの語句を経験と結びつける。

〔iii〕　用意した人物や動物のカードを動かしながら，「太郎さんは，いそいで　がっこうへ　いきました。」 などの説明や話合いにより，ことばとして，まとまった文として指導する。

〔iv〕　話合いから，これをまとめて書くことに発展させ，広範囲な言語指導の各面にも利用する。

㋺　教師と児童の話合いの中で，ことばの力を育てる。

これは，教師があらゆる機会を通して，語いを豊かにするよう，その準備がなされていなければならない。

晴れた朝には，児童とのあいさつも「けさは，すっきりと晴れて，すがす

がしいですね。」と話しかけたり，教室の机の上に児童が持ってきた花をとって，「なんの花でしょうね。」 と花の名を尋ねたり，花の美しさについて，いろいろな表現活動を通して話し合ったりする。教師も「つやつやした葉」「みずみずしいくき」など，児童の表現を助けてやることにより，児童の語いは生活の中にとけ込んで豊かになっていく。

㋩　ことばあそび

○　しんせきの　ことばあつめ

○　反対の　ことばあつめ

○　短文つくり

など，「ことばあそび」も随時取り上げている。いずれにしろ，これらの指導は，文章読解のより広い背景を的確に作ってやる方向に努力している。

漢字や語句を文章から切り離しての指導は，極力警戒している。

これらの背景となる力が，読解指導にどのように結合されていくかの技術的な研究をおろそかにしては，読解への力は高まっていかない。

（３）　第1・2学年の語句指導結果の反省

第７図・第８図は，第1・2学年における語句の指導の結果が，どれくらい効果があったかを検討するために，30年２月中旬に行ったテストと，28年７月のテスト結果とを比較したものである。28年度の１年生は，29年度の２年生であるから，ここに比較されている児童は同一の児童群ではない。

この結果から見ると，第１学年では語句の理解において平均正答率が28年度は64%，29年度は65%で，ほとんど変化が見られない。また，入学以来２学期間の指導では，考えながら読むという読書態度がじゅうぶんにつけにくいためとも考えられるが，28年度と29年度とで異なる児童に実施しても，つ

まずきの箇所はほとんど同じところにあることは，この学年のつまずき点が，ここに固定されているとも考えられる。

第2学年について見ると，平均正答率は28年度は52%，29年度は63%と，その間に11%の上昇をしている。このことは，1か年の指導の結果とも考えられる。

②③の問は18～19%上昇している。これらの語句は，文中に直接解答を求めることのできる語であることが上昇の原因と見られる。

⑤「かれのこる」⑥「おめにかかる」とい語句は，児童が経験する場が少ない上に，文中でも前後関係的に読む力を必要とする語である。このような種類の語句については，文中で読むという態度の弱さが，なお残っていると見られる。

第2回目の誤答に目だつこととしては，「かれた　くさが　のこって　いる」から「かれても　らいねん　さく」の誤答に移っている点，「おめにかかる」についても，「つきに　くもが　かかる」「ひどいめに　あう」から「ともだちに　あう」に誤答が移った点である。このことは，誤答の傾向から一歩正答に近づいてきたことと見られる。

この場合にも，常にこれらの語句が，文脈の中に置かれるようにくふうして，語句の力が読解力を育てることから遊離しないように配慮しなければならないと考えている。

これら語句のつまずきの検討が，読解力を高める方向に生かされるようにと，われわれは努力してきた。

（4）　第3・4学年のつまずきの分析

第3学年のテストでは，読解に困難をもたらすような語句がないために，

語句についての問題は省略されている。

第9図は，第4学年における語句の問題について，問題別に正答率を示したものである。

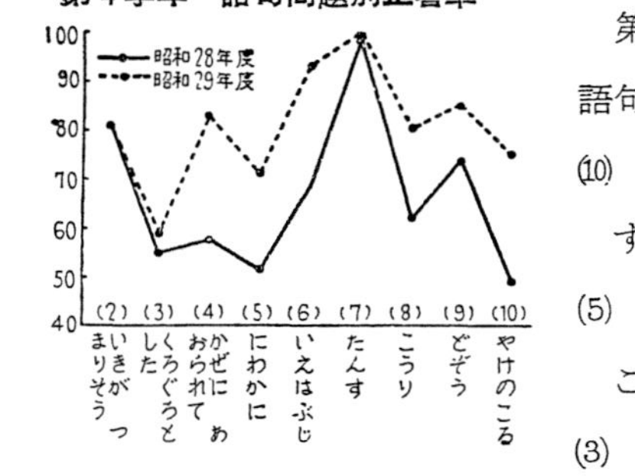

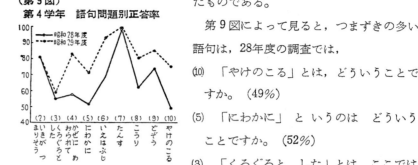

（第9図）
第4学年　語句問題別正答率

第9図によって見ると，つまずきの多い語句は，28年度の調査では，

⑽　「やけのこる」とは，どういうことですか。（49%）

(5)　「にわかに」というのは　どういうことですか。（52%）

(3)　「くろぐろと　した」とは　ここではどんな　ことですか。（55%）の3問である。

⑽　「やけのこる」について誤答した児童の実態を検討して見よう，

選択肢(1)　「すっかり　やけてしまう」に誤答した40%のグループを分析してみると，

イ　本文を注意深く読まないで答えた者（20%）

ロ　早のみこみで，問のことばから思いつきで答えた者（15%）

ハ　学習不振な者（4%）

であり，その誤答の経路は，

イ　「すっかりやけて，骨やはいがのこる」と火事の現場の写真などから連想して答えた。

ロ　「やけのこる」という意味が，はっきりしないので，表面的にことばどおりに答えた。

ハ　「やけて　のこる」と考えた。

ニ　火事になれば，みんなやけてしまうから。

と，いずれも問と本文とを関係づけて読まずに，「やけのこる」という語句

だけから解答しようとするための誤りである。

他の選択肢に答えた者の中には，ただ前後に並べられた選択肢を見比べて，適当に答えた者もある。

(5)　「にわかに」　の問に誤答したグループの誤答の原因は，

イ　あまり使ったことがないことばなので，よく意味がわからなかった。しかたがないので，文を読んだ感じで答えた。

ロ　はじめは，「きゅうに」だと考えたが，文を読んでいるうちに，「だんだんに」のような感じがしたから。

ハ　空は，ときどき曇ることがあるから，「いくども」が正しいと考えた。

などで語いとして経験しているものが少ないこと，文脈にそって正しく位置づけができていないことに，誤答の原因があると考えられる。

(3)　「くろぐろと　した」の問に対する誤答の経路は，

イ　けむりが黒いから　空が曇った。

ロ　文中に「くろぐろした……そらがくもって」とあるから。

ハ　文をよく読まないで，くろぐろしたものを答えた。

などである。「くろぐろした」という語句の内容はわかっているが，「ここでは」何をさすのかと，文脈にそって考えないで，すぐ次に続く空のこと，あるいは，想像から顔のことと思考がゆがめられたものと考えられる。

以上の誤答者のつまずきの原因を整理すると，

1.　おちつきがなく，早のみこみのために文を注意深く読まない。

2.　文を読んでも，これを順序立てて話の筋をつかんでいない。または，要約することができない。

3.　語句を文中に位置づける手がかりがつかめないため，自分の経験や感想と混同する。

4.　問のことばと文との関係を無視して，問のことばだけしか考えない。

5.　理解の基礎となる言語経験が足りない。

などのことが，からみあっているものと考えられる。

（5）　第3・4学年の語句の指導

以上の語句のつまずきは，低学年と本質的な差は見られないが，第3・4学年以上になると，語いが急に多くなるため，経験に乏しい児童は，しばしば理解困難に陥り，その結果として，文中の表面的な事がらや，自己の経験と混同するつまずきの傾向が強く見られる。

本校では，これら誤答の原因となっていることを除くために，以下に掲げるような方法をとってきた。

1　**語いを豊かにする。**

㋑　**話題交換の時間**をつくる。　都会地から離れた，文化的なふんい気の少ないこの地域の児童の，狭い経験を広めるために，毎日話題交換の話合いの時間を短時間ずつ特設した。自然界，季節の変化，生活内のできごと，学校のできごと，日課，行事，内外ニュース，スポーツ，科学，学芸，娯楽など，児童生活の全分野にわたって，自由な話題交換を行うことにした。その結果児童の生活経験は広められ，それにつれて，言語経験も豊かにすることができたと思っている。なおこの方法の実施により，話す能力や態度，聞く態度，質問のしかた，説明のしかた，司会，記録，思考態度，感想をまとめる力など，広範囲な言語指導の場が与えられ，ものの見方，考え方，観察の態度などにも著しい進歩が見られるようになった。

㋺　**ことばのスケッチ**による，語いの増加と語感への育成。

春の花壇，秋の野山，郊外，町かどなどに児童を引率し，場面スケッチの短い文を書かせた。その結果，端的な表現の中に，多くの意味を含む語の内容の理解，詳細な描写による，語いについての細かい心づかいなどが育てられてきた。

2　全体的な流れの上に立って語句を理解する。

さきに報告したとおり，児童の着眼は部分的であり，全体的な文脈の中で理解することは困難であるという傾向が見られた。

この最もひどいつまずきは，問のことばだけしか考えず，問を文と関係づけて読まないことに現れてくる。次に，問と本文を関係的には注意するが，文中の一部，あるいは，印象の強い所にだけひきつけられて，正しい前後関係を見失う傾向が見られる。

このような傾向のある児童についての指導では，次にあげることに留意して指導した。

イ　児童との話合いの中で，問に無関係に答える児童を観察し，個人的指導を加えた。

ロ　つまずきをもつ児童には，そのつまずきの原因を意識させ，自発的につまずきからぬけるように努力させた。この際，児童の努力に対しては，その努力をよく評価し，進歩したあとを認めてやることが必要である。

ハ　主要語句から，文全体の流れを予想させる。特に詩には，この方法を用いた。主要語句を取り上げ，その語を通して主題の予想を立てさせ，ふたたび語の吟味にもどるなど，全体と部分，主題と表現との関係に立って読むように指導した。

ニ　前後の文の関係から，語句の意味を推読させるよう指導した。

以上のような観点に立って，一か年指導した結果は，第９図に，28年度と比較して示したように，語句の理解は28年度67％，29年度81％と，その間に14％の向上を示している。

（６）　第5・6学年のつまずきの分析

（第10図）　第５学年
語句問題別正答率

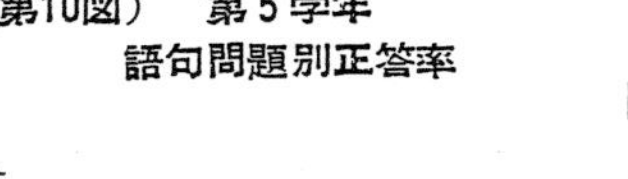

第10図は，第５学年における語句に関する問について，問題別に正答率を示したものである。この図によって見ると，つまずきの多い語句は，

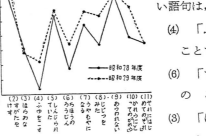

(4)　「ふゆをこす」　とは，どう　することですか（23％）

(6)　「ちほうの　ろうじん」　とは　だれの　ことですか。（37％）

(3)　「ほらあな」　とは　どんな　ところですか。（51％）

を取り上げることができる。次に28年度の調査によって，誤答の分析を次にしてみた。

(4)　**「ふゆをこす」**　について

選択肢(1)「あたたかく　なるまで　じっと　して　いる」に誤答した58％のグループの誤答におちた原因は，

イ　早のみこみして，文を注意深く読まないための誤り。（29％）

ロ　考えすぎて，かえって文中の事がらにとらわれたための誤り。（16％）

ハ　融通性がないための誤り。（12％）

ニ　理解がおそく，学習意欲に乏しいための誤り。（２％）

である。これらの多くは，問と本文とを関係づけて，注意深く読まなかったための誤りが，目だっている。

「つばめは，冬になると，かれ木のほらあなにかくれて，冬をこすのだ」と文中にあるので，冬をこすことは，「木のほらあなの中で春をまつのだ」

と答えている。すなわち，文は読んでいても，その読みが主題の上に立って，あるときは前後関係的に，あるときは事実に即して読むという能力に欠けることからくるつまずきが目だっている。

これらのつまずきに対しては，次のような指導を行ってきた。

1. 読みの目あてをはっきりさせる。
2. 考えないでも即答できるような発問は，極力これを避けることによって，思考の習慣をつくる。
3. いつも文全体の見通しを立てさせ，その上に立って部分を関係づけるような，読書の習慣をつくる。
4. 語句を文から抽象しないで，前後関係的に文脈の中で考えさせる。

(6) **「ちほうの　ろうじん」** について，

選択肢(4) 「いろいろの　ことを　しっている　としより」 と誤答した54%のグループの誤答の原因をまとめてみると，

i 文を前後関係的に読まない。(33%)
ii 言語経験が少ない。(15%)
iii 学業不振。(6%)

となる。その原因を検討してみると，

i 「ろうじん」については，一応，年よりのことと理解しているが,「ちほう」ということばが加わったために，はっきりしなくなった。
ii 童話などに出てくる「ろうじん」は，物知りだから。
iii 「ちほうの　ろうじん」に聞いたのは，ろうじんが物知りだから。
iv 「ちほうの　ろうじん」は，つばめが木のほらあなにいることを知っていたから。

などの段階が見られる。そのうち，特に目だつのは，読後のばく然とした感想や，読書などによる経験と混同しているものと，語いが少ないために理解

できなかったものとである。

これらの結果から，言語経験を豊かにするための，読書指導や話合いによって語いを増すことの指導，および，文中の事がらと自分の経験や感想とを判別することの指導を重視してきた。

(3) **「ほらあな」** について

選択肢(4) 「ふゆの　あいだ　つばめたちの　すむ　ところ」 と誤答した58%のグループについて見ると，これらの児童は，事実としてはつばめが冬の間南の国へ行ってしまうことは，よく知っている。なぜ「ほらあな」をつばめのすと誤答したかの思考の経路を吟味してみると，

イ 文中に「つばめは冬になると，かれ木のほらあなにかくれて冬をこすのだ」と書いてあるので，事実にあてはめて判断することをせず「つばめのすむところ」から「つばめのす」と答えたものが大半であった。

ロ ほらあなは「土の中のあな」だから，へんだと思ったが，つばめには，そういうこともあるかもしれないと思ったから。

ハ ほらあなとは，どんなものかよく知らなかったから。

と，以上(イ)(ロ)(ハ)のいずれものものが，大なり小なり，事実にあてはめて考えることをしないで，文を表面的に読んで，それにひきずられて答えている。

これら誤答のグループに，落ち着いて，事実にもあてはめて判断しながら読むことを指示して読ませると，誤答の中の約半数のものが正解できるようになってきた。

次に，残りの半数の誤答者に対して，「もう一度事実も考え合わせてごらん。本文の『つばめは』からあとをよく考えながら読んで答えなさい。」と指示して読ませた結果は，残りの約6割が正解できた。これら正答に移った児童の理解の度がどのように変ったかというと，

イ かれ木のほらあなだから，つばめがはいることができるくらいの広さ

の穴である。

ロ　山やがけにある大きな穴をほらあなというが，それと形が似ている。

といった程度の理解で，ほらあなについては概念的に理解できたが，つばめの住むところという点では，なお混乱が残っている。

「ほらあな」について理解できない残りの児童には，写真や絵を見せて理解させてから，ここではどれをさすかを選ばせた結果，正解に導くことができた。

以上のことから，

1.　文脈に即して読む。
2.　事実にあてはめて考えながら読む。
3.　文のどこに，どのように使われているかを明らかにした上で，さらに事実とも考え合わせて読む。
4.　写真や絵などの視覚教具を利用して，具体的な助けをかりて読む。

といった，語句指導の一つの段階が考えられる。

（第11図）　第6学年
語句問題別正答率(28年度)

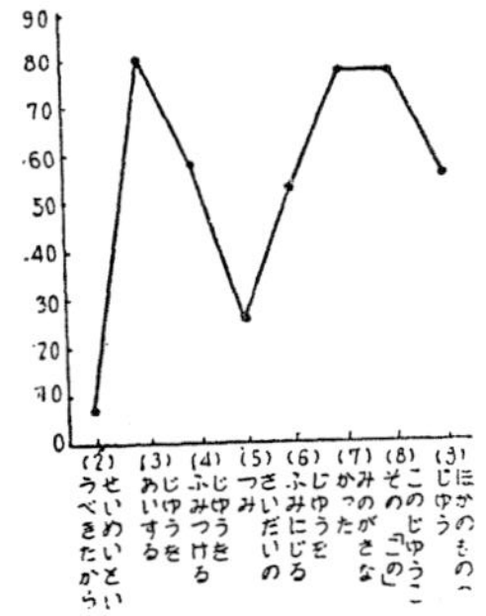

第11図は，第6学年の語句について，問題別に正答率を示したものである。

正答率の最も低い

(2)　「せいめいとも　いうべき　だいいちの　たから」　と　いうのは（7％）

(5)　「さいだいの　つみ」　と　いうのは（25％）

の2問について分析してみると，

(3)　**「せいめいとも　いうべき　だいいちの　たから」**

誤答の大部分が選択肢　「いきて　いる　ときの　いちばんの　たからもの」　に集中し，誤答65％となっている。これらのグループは，直訳的に，

生命ともいうべき（生きているときの）だいいちの（いちばんたいせつな）たから（たからもの）としたもので，

○　文中において思考を進めていない。

○　主語・述語の関係がとらえられていない。

○　「ともいうべき」というような語の意味がつかめていない。

などのつまずきと思われる。

(4)　**「さいだいの　つみ」**　について

この問も「おおきな　つみ」といいかえを行ったものが67％で，これが誤答の大部分を占めている。「さいだいのつみ」とは，「何が」「どうなのか」文の中で読んでいない欠点が露出している。

第5・6学年の語句のつまずきを総合的に見ると，第5学年では，

イ　事実に即して論理的に読む力。

ロ　文の筋や主題の見通しの上に立って，部分を全体と関係的に読む力。

の2点が強くつまずきとして考えられる。

第6学年では

イ　語と語の前後関係を論理的に読む力。

ロ　主語・述語・目的語等，語の位置を全体的な文の中に位置づけて理解する力。

ハ　比ゆ的に間接表現されている語の真意を読み取る力。

などの欠陥が，つまずきの大きなものとして考えられる。

（7）　第5・6学年の語句の指導

語句指導における基礎的能力については，低・中学年にあげたのと同様なことが重視されなければならない。

低・中学年で報告した指導上の問題は，高学年としての発達の段階に即し

て，くふうされ，改善されて，高学年向きに指導されることの必要はいうまでもない。このことは高学年といっても，つまずきを多くもつ児童は，低・中学年の基礎的能力から指導をしていかないと，効果を上げることはできないからである。

本校では，この基礎的な能力の上に，高学年に対しては，

1．全体的な立場からの語句理解の指導
2．語句を前後関係的に理解する指導
3．言いかえに終らない辞書利用の指導

のような点に指導の力点をおいてきた。以下これらについて述べる。

1　全体的な　文脈にそっての語句指導

i　文を全体的に理解するためには，まず文中に書かれている事がらがわかる。

ii　事がらを文の順に，または，内容的な関係によってまとめる。

iii　事がらの奥にひそんでいる，中心的な要点をおさえ，それらの関係から主題をとらえる。

というような一つの過程が考えられる。この一連の読解のらせん的な作業の中で，語句指導が考えられなければならない。

この間において，語句を指導する場合，さきに述べた読解の一過程の例を示すと，

イ　学習準備として，伏線的に経験をさせておく。その題材を扱う前に，教室環境の中に，話合いの中に，できるだけ経験させ，特に必要な場合には，小黒板・カードなどを利用して，あらかじめ掲示しておく。

ロ　文中の事がらを読む段階で，内容読解と関係づけながら，難解語句・重要語句を取り上げ，板書や，カードによって指導する。

ハ　文意の方向に掘り下げながら，文意の決定に関係する主要語句を色チ

ョークなどで板書する。

ニ　その語句を中心に節を要約して，節意の全体における部分の位置から，語句の意味を明確にする。

ホ　それらを前後の関係をつけて，主題を決定する。

ヘ　主題にそって，さらに細部にわたり読みを深める。この時期に，主要語句とそれの補助的位置にある関係語句を取り上げてそれらの関係的な理解を深め，同時に文意をたしかに読み取る。

以上のように，語句の理解は読解そのものとして指導され，文中における語句を全文中に位置づけることが重要である。

2　語句を前後関係的に読むことの指導

i　主語・述語の関係など，文の基本的なおさえかたを心得て，文中に離れて置かれた主語（または述語）を見つけさせる。主語・述語の間にはいってくる各種の語の，主語・述語に対する関係に注意させる。

ii　関係代名詞「その」「それ」「これ」「あれ」などが，何をさすかに注意させる。

iii　関係部分を（　　）としたワークペーパーを作り，文を読みながら記入させる。

などの指導を取り上げてきた。

3　言いかえに終らない辞書利用の指導

第5学年では，辞書の利用度が急に増加してくる。したがってこの時期は，文脈の中で語句を理解するということの指導上特に注意すべき時期と考えられる。

この指導として，本校では児童に「語いカード」を作らせ，効果をあげている。

語い よみがな
用例
1
2
3
4
5

左の図のように，児童が持ち歩きのできるような大きさのカードに意味不明の語句を書き，漢字には，ふりがなをつける。辞書をひいてその意味や用例も記入しておく。ここまでは，辞書を引いた場合の作業である。

次に，文を読んで，その語の文中におけると同様の用例の番号に○印をつける。このように，何回かくり返されていくうちに，語句を言いかえでなく，文中において意味づける読書習慣がつちかわれ，語句の指導ばかりでなく漢字の学習にも非常に役だつことになった。

第10図に示されたように，第5学年の語句指導の結果は，28年度の59%が29年度には69%となり，10%の進歩を示している。これは，ことばを常に文中に位置づけて読むという指導の結果と関係のあるものと考えられる。しかし，本校児童の思考態度は，まだ不安定なところがかなりあり，かすかの環境の変化や暗示によって，結果が左右されることが多い。日常不断のくふうと研究によって，あくまでも，文に即して論理的に思考し，判断する読書態度を育てることに，今後ともに努力していきたい。

3. 内容の理解のつまずきとその指導

(1) 第1・2学年のつまずきの分析

(第12図)
第1学年　内容問題別正答率

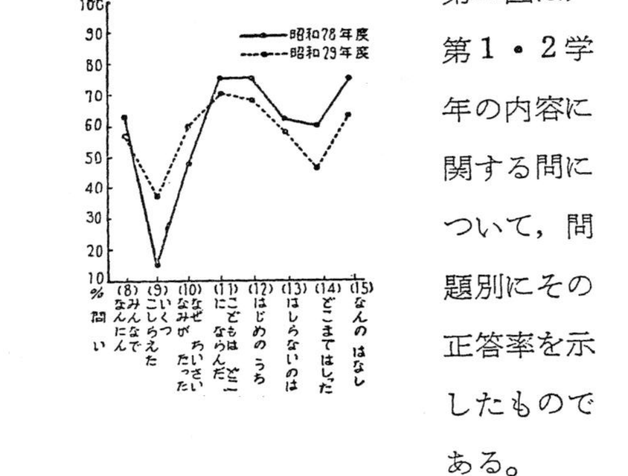

第12図・第13図は，第1・2学年の内容に関する問について，問題別にその正答率を示したものである。

(第13図)
第2学年　内容問題別正答率

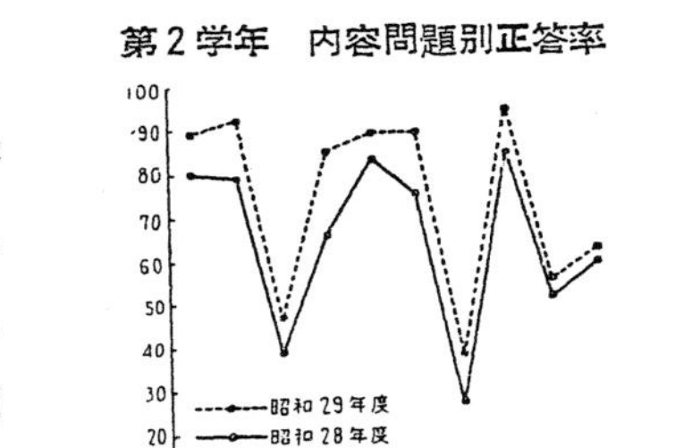

28年度の調査によって，つまずきの大きいものをあげてみると，

— 1　年 —

(9) ささぶねは，ひとりで　いくつ　こしらえたのですか。　(31%)

(10) なぜ　いけには　ちいさい　なみが　たったのですか。　(43%)

— 2　年 —

(9) この　はなしは　いちねんの　いつごろの　ことですか。　(29%)

(15) くさの　かれたのを　きつねは　どう　おもいましたか。　(45%)

の4問である。29年度では，以上のほかに1年の

(14) ささぶねは，どこまで　はしりましたか。　(45%)

がある。次に，これらの問につまずいた児童の実態と，その思考の過程を分

析すると，

1．「ささぶねを，ひとりが　ひとつずつ　こしらえたのですか。いくつも　こしらえたのですか。」について

選択肢 (1)　「ひとりが　一つずつ」と誤答した69％のグループの誤答の傾向は，

イ　みんなは　ささぶねを　一つずつ　もって　うかしたから。（大半のもの）

ロ　4人で　4そう　うかしたから。（3人で3そうというのもある）

ハ　「ささぶねを　一つずつ　もって」と書いてあるから。

ニ　よくわからないが　そんな気がした。

選択肢 (3)　「みんな　とみこさんが　こしらえた」と誤答した14％のグループは，

i　注意散漫なもの（9％）

ii　知能・学力ともに低いもの（5％）

で，誤答の傾向としては，

イ　文が読めないから，問だけで答えた。

ロ　文を読まないで答えた。

ハ　とみこさんが　じょうずだと思ったから。

というような，いくつかの段階に分けられる。

これらのつまずきのおもな原因として，取り上げられることは，

1．文の表面に現れている事がらにとらわれて，ことばとことばの関係の中にかくされている意味を，秩序づけて読み取ることができない。

2．話の筋の展開を順序立てて，注意深く読んでいない。

3．問のことばにとらわれて，問のことばだけから答えている。

4．一読後のばく然とした感想や思いつきで答えている。

5．文字を，ことばとして読むことに慣れていない。

などに分析することができる。

2．「なぜ　いけには　ちいさい　なみが　たっていたのでしょう。」について

選択肢 (1)　「さかなが　およいで　いたから」と誤答した24％のグループは，

イ　早のみこみで，文を注意深く読んで答えないもの（13％）

ロ　理解がおそく，基礎的な学習が身についていないもの（11％）

であり，その誤答の傾向を見ると，

イ　さかながいると，なみがたつから。

ロ　いけには，きんぎょがいるから。

ハ　文を読まないで，選択肢だけから適当に答えた。

というようになっている。中でも，文を関係的に読まないで，問に応じて自分の経験をそのままあてはめたものが最も多い。

選択肢 (2)　「かぜが　つよいから　なみが　たった」と誤答した25％のグループは，

イ　成績の上位にある者（9％）

ロ　成績の中位にある者（9％）

ハ　素読もたどたどしい者（7％）

となっており，前の選択肢に比べ，学習成績の良いものが誤答している。これらの児童の誤答の経路を見ると，

イ　かぜが強いと，なみがたつ。

ロ　そよ風がふくから，なみがたつ。

（「そよ風」「そよそよ」を「強い風」と思いこんでいる児童たちである。このことから，語句そのものの使い方に経験がなく，語句の理解ふじゅうぶんなために，誤答が生じてくることが考えられる。）

ハ　ささぶねが，はしるのは風が強いから。

ニ　よく考えないで，思いつきで答えた。

などの段階が見られるが，そのおもなつまずきの原因は，波と風とを関係づけては読んでいるが，その関係づけが誤っていることと，文を離れて，自分の経験とだけ結んで答えるものとの，二つのつまずきが複合されて，そこからくる誤りであるとみられる。

経験とだけ結んで答える児童に対しては，学習時の問答や，日常の会話などで，その場の話題をそれて，自分の経験を混同して話すことはないかを特に留意して観察し，その場その場でつまずきを解きほぐしていくように努めている。

3　**「さんにんの　ふねは　どこまで　はしりましたか。」**について，

誤答している37%のグループの実態は，

i　いわゆる学習不振といわれる者（14%）

ii　注意力の足りない者（12%）

iii　あきやすい者（5%）

iv　なげやりな者（3%）

v　一目読みの，じゅうぶんにできない者（3%）

である。

選択肢 (2)　「いけの　はしまで」と 誤答したグループの思考の経路は，

i　ずんずん　すすんだから　いけの　はしまで　いった。

ii　いけが　ちいさいから　はしまで　いった。

iii　いけの　橋の　ところまで　いった。

iv　考えないで，適当に答えた。

などがあげられるが，大部分がiに集中している。

いずれにせよ，文の最後まで，しっかりと読解のための要素を組み立てて

読んでいないこと，読み返しても，どこに解答の手がかりがあるかがわからないために，誤答の方向に追いやられたなどのことが考えられる。

選択肢 (1)　「かぜの　ない　ところまで」と 答えた者は，風がなくなると舟がとまるから，風のない所まで走ったと考えた者たちである。

このつまずきの原因としては，話の筋を順序立てて，再生できるまで読んでいないこと，問だけを読んで答えているなどの欠陥が考えられる。

— 2　年 —

4　**「あきに　なると　くさの　はの　かれるのを，きつねは　どう　おもいましたか。」**について，

選択肢 (3)　「くさが　かれて　さびしい」と誤答した 28%の児童は，

i　早のみこみで，文を注意して読まない者（15%）

ii　問われても考えないで，思いつきで答える者（6%）

iii　学習不振といわれる者（8%）

となっており，それらの思考経路は，

i　くさが　かれて，さびしそうだから。

ii　くさが　かれてしまって，かわいそうだから。

iii　くさが　かれたので，はなが　かわいそう。

iv　くさが　かれて，ともだちが　いなくなったから。

v　なんとなく，そんな　かんじが　した。

などであり，「きつねは，どう思ったでしょう。」と問われたのに，きつねの立場に立たないで，自分の感想を答えていることが目だっている。

選択肢 (2)　「きたかぜが　くさの　はを　からして　しまった。」と誤答した29%のグループの思考の経路は，

i　くさが　かれるのは　北風がふいて　いたから。

ii　北風がふいて　寒いから。

iii　北風が強くて　寒いから。

iv　よく文を読まないで，適当に答えた。

などであり，このグループは，問のねらいをはきちがえて，「きつねは，くさがかれるのは，なぜだと思ったのでしょう。」と受け取って答えたものである。

選択肢 (1) 「きつねより　よわい」と誤答した 14%の思考の経路は，寒くなると，野ぎくはかれてしまう。だから，きつねより弱いと，問のねらいからそれて，自分の論理で答えたものである。

以上のように，この問に対するつまずきの原因は，

1. 語る主体の立場に立って，書かれている内容を考えながら読むことに慣れていない。
2. 問の内容を正しく理解しないで，自分の考えやすい方向に，問を変更する。
3. 文の主題を正しくとらえていない。

などの欠陥が見られる。

これらのつまずきに対しては，

1. 書き手の立場に立って，話題の底に流れている意味や感情を考えさせる。
2. 文の骨組を秩序立てて，全体的にとらえ，問に対して，どこに着眼して読めばよいか，問と本文との関係を，適確に結ばせる，といった指導を重視してきた。

5 **「この　はなしは，いちねんの　いつごろ　はなしあったのですか。」**について

「はるの　はじめ」「ふゆの　おわり」と誤答した51%のグループの実態

は，

イ　早のみこみで，文を注意深く読まない者（33%）

ロ　素読がじゅうぶんにできない者（11%）

ハ　判断，応用力の弱い者（7%）

であり，

「はるの　はじめ」と誤答した者の思考経路は，

イ　「春になって　だんだん　あたたかくなる。」と書いてあったから。

ロ　だんだん　あたたかくなるから。

（調査の時期２月の気候からの連想と，文の内容との混同）

ハ　めをふき出すから。

ニ　まだ　めが出ないで，かれているから。

などであり，

「ふゆの　おわり」と誤答した者の思考の経路は，

イ　虫がしんで，くさが　かれているから。

ロ　かれたあとから，めを出すから。

ハ　くさが　かれて　いるから。

ニ　北風が　ふいてくるから。

ホ　「ふゆ」だけを見て「おわり」とあるのに気がつかなかった。

などのため，誤答におちたものと思われる。これらの誤答者に共通的な欠陥として，文中の一部のことからだけ判断して，関係部分を，前後関係的に読んでいないか，または本文を読まないで，問だけから思いつくことを解答したためのつまずきが目だっている。

以上，つまずきの大きいものについて，そのつまずきの原因の分析をしたが，これが読解能力において，どのような欠陥からくるものかについては，今後さらに継続実験していきたい。

(2) 第1・2学年の内容読解の指導

第1・2学年の読解のつまずきの分析から，

1. 文字群をことばとして読むことに慣れさせるための指導
2. 注意深く前後関係づけながら読む技術と態度をつけるための指導
3. 見通しの学習に対する指導

の三つが重点となってくる。次に，この三点について，低学年として最も重視してきた指導の要点と，その指導例について報告したい。

1. 文字としてでなく，「ことば」として読む基礎力の指導

i 入門期における一目読みの指導

本校は，昭和28・29年度入学児童に対して，ひらがな71文字の読み書き調査を実施し，その結果によって，児童が入学前習得したひらがなの順位を調べた。その上位のひらがなから10字，あるいは20字の文字群を使って，それぞれ児童の生活経験に近い語いに構成し，カードに書いて，話合いを行いながら一目読みの指導を行ってきた。一目読みが全員についてできるようになった時を見て，教科書の簡単な文章を取り上げるようにした。この結果は，ひらがなの一字ずつの読みは7月下旬86%の習得率であるが，大半の者はひろい読みやたどり読みから脱脚することができた。

ii たどり読みの傾向が強い児童の指導

ひらがなの一字一字は完全に読めても，ことばとして読ませた場合，たどり読みの傾向を脱しきれない児童については，毎時一目読みの練習を重ねると同時に，ことばについては，分ち書きによって区切られている，一まとまりのことばを，親指と人さし指とではさんで，それを黙読させ（ことばとして理解してから），その後に一まとまりとして音読させる方法をとった。

<例>

たのしい　えんそく。

やまが　みえる。　かわも　みえる。

この結果は，語として読む習慣がつくとともに，急速に読みの速度と正確度とを増すことができた。また，3年生になっても，まだたどり読みをする児童に対しても，この方法を用いて指導した。その結果，一気に読書力がつき，読書を好むようになった実例をあげることができる。

2. 注意深く前後関係的に読む，読書態度を育てるための指導

i 教師のおしゃべりをつつしむ　読むことは，文を読んで理解することであり，個人作業である。このわかりきった事実もしばしば無視され，その結果，児童の活動を教師が横どりして，文の説明に終始することが多い。この教師のおしゃべりのために，児童は文を注意深く読まなくなり，教師の説明で理解しようとする習慣に陥る。教師は，内容をわからせることよりも，どのような読書態度や技術を身につけてやればよいのか，どのようにして数多く読みの経験を積ませ，読みを深めてやることができるかを考えて指導することが，読解力を伸ばす正道であると，一か年の実験指導結果の検討から考えている。

ii ハイハイ学習をやめる。　低学年に特に目立つ「ハイ ハイ」学習は，一部の限られた児童の学習に終りやすく，能力中以下のグループにとっては，クラスの学習から取り残され，その結果文も読まないようになるので，各自の考えをまとめる余裕もない。このことは，他人の頭で学習を進めていく結果となっている。

また，これらのグループが，たまたま発言できることは反射的に自己の経験や思いつきを述べるだけであって，さわがしさの中では，じゅうぶんに考

えをまとめる習慣を育てることができないことを反省させられる。

教師の発問を文中に位置づけて解決するためにも，注意深く読む態度を育てるためにも，この「ハイハイ」学習はやめなければならない。

このためには，

① 「みなさん」「だれか」と発問せず，「○○さん」とあらかじめ指名して発問する。

② 正答として，ひとりの児童の答を取り上げるだけでなく，「△△さんはどう思いますか」,「××さんは」と，他人の解答を注意深く聞くように指導する。

iii **必ず目あてを与えて読ませる。** 文を注意深く読まないのは，読む必要と読む目あてがわからないためのことが多い。最初の読みから最後の読みまで，必ず目あてを与えて読ませることが肝要である。ただ，「読んでみましょう」とか「なんども読みなさい」と漫然と読ませることは絶対に避けなければならない。しかも，そのときそのときの読みの段階によって与えられるこれらいくつかの目あてが，最終的には主題を読み取るという方向に向かって，すべてが統一されることが必要である。

iv **発問のくふう** 発問はさきにも述べたように，思考態度を養う方向に向けられなければならない。

このためには，次のような諸点に留意して指導した。

① 「○○さん」と指定して，まず心構えをつくる。

② ばく然と「どんなことがわかりますか」と問わずに，具体的に思考の焦点を指示してやる。つまり，読みを進める方向やその目あてとしての焦点を鮮明にしてやる。

③ 発問は，反射的に即答できるものを極力避けて，思考・判断の力を高めるようくふうする。

④ 一問一答式の発問を避けて，考えなければ答えられないような，しかも第1問から第2問へと関係づけられるような発問をする。

⑤ 問に対しては，じゅうぶんに自分の考えをまとめる時間を与える。

⑥ 児童の答に対しては，単に表面的な正誤にとらわれず，内面的にかくされている思考過程を評価する。

⑦ 考えられない者，答えようとしない者のために，解答の手がかりとなる誘導的な問を用意しておく。

⑧ 発問は，読みの進展に従って，一貫した関連のもとに漸次高められるように準備する。

⑨ 一つの発問は，次の読みの土台となり，次の発問と関連し，より確かな読みへと連続するように系統づける。

⑩ 個人差に応じられるように，常にいくつもの段階の発問を用意する。

3. 読解を深めるための，読みの技術の指導

第12図と第13図とによって見ると，

① 第1学年では，

(11) (12) (15) の正答70%台の3問，

第2学年では，

(7) (8) (11) (12) (14)の正答70%台の5問は，

いずれも，文中の事がらやあらすじをとらえる問である。

② 第1学年 (8) (13) (14)

第2学年 (10)

の60%前後の正答率を示す5問は，

いずれも　文中には直接表現されてはいないが，前後の手がかりから要点をおさえることによって，答が導き出せるものである。

③ 第1学年 (10)

第2学年　(9)　(15)　(16)

は正答率40%前後のもので，これらは文の要点をおさえ，さらに前後関係的に多少の判断を要求されている問である。

④　第1学年　(9)　正答10%前後

第2学年　(13)　正答20%前後

これらの問は，表現の裏にかくされた意味を読み取ることと，多少の批判的な読みとを要求されているものである。

以上の問いに現われたつまずきから，次のように指導の要点を計画した。

i　文中の事がらを，正しく読み取るための指導

①　文の筋を追って，順序よく話せるように読む。初歩的な段階では，このために文中に書かれている事がらを拾い上げさせ，これを整理して板書し，それを見ながら話させる。

②　文中の主要な事がらをカードに書き出し，バラバラにしたものを，筋の順に話させる。

③　以上のような作業を，用意したワークペーパーに記入させる。

ii　文の筋を読み取るための主要語句と補助的な語句とを発見し，その関係をおさえる指導

①　板書またはカードによって，拾い上げられた語句を互に関係づける。

②　関係づけられた主要語句を見ながら，文の筋を話す。

iii　文中の要点をおさえ，それらの前後関係から文の主題を読みとる指導

①　色チョークで，取り上げられた要点とその関係を図示し，前後関係をとらえる基礎とする。

②　各節と全体とのつながりの関係を図示する。

iv　文の書き手の立場や内容を考えながら論理を追って読む能力をのばすための指導

①　文中の人物なり動物なりの立場に立たせるために，会話の部分を対話

読みさせる。

②　文のおかれている場や作者の位置，あるいは時間的な推移や事件の推移に中心をおいて，読み取らせる。

③　文中の事がらと児童の生活経験との間に起る混同を意識させる。

v　問われていることをよく考えてから答えるようにする指導

①　質問したことを児童に復唱させるようにする。

②　問のねらいがはずれた答には，そのつまずきの原因を解き，ふたたび同様のつまずきに陥らないようにする。

vi　問に答えるため，文中のどこを読んだらよいかの指導

この指導のためには，反射的に答えられるような問を極力避ける。

次に，第2学年のテストで，最もつまずきの多い問の(9)「この　はなしは　いつごろ　はなしあって　いるのですか」について，内容読解指導の結果を比較したものが第9表である。

（第9表）

選択肢＼性別等		1 なつのはじめ	2 はるのおわり	③ あきのおわり	4 ふゆのはじめ	無答
第1回	男	0	32	29	36	4
	女	0	29	37	33	0
	均	0	31	33	35	2
第2回	男	0	8	88	4	0
	女	0	18	77	5	0
	均	0	13	83	4	0
1 2	増減	0	−18	+50	−31	−2

この学級では，この問に対する正答率は33%で，誤答の分布は第9表の第1回の欄に示した状態であった。第1回テスト後の分析により，指導の重点を次の点においた。

i　季節を表わすことばに，サイドラインを引かせる。

ii　それらの部分を前後関係づけて，いつごろの　ことかを　考えさせる。

以上の2点に注意を与えて指導した後のテスト結果が，第2回の欄に示した成績である。

この結果，「はるのはじめ」は18%減じ「ふゆのおわり」は31%減じ，正答が50%増となった。

このテストの結果から判断して，問に対して「どこを」「どのように」関係づけて読めばよいか。それらの要点を関係づけて読解するための指導をくり返すことの必要がわかる。また，文中の人物の立場に立って論理的に読むことを必要とする問の⒂「くさの　かれるのを　きつねは　どう　おもっていたでしょう」について，同様の検討を行って見たのが，第10表である。

（第10表）

選択肢＼性別等	1 きつねよりもよわい	2 きたかぜがくさのはをからした	3 くさがかれてさびしい	④ くさがしんでかれてしまった	無答
第I回 男女別	14 12 13	46 21 35	18 29 23	18 37 27	4 0 2
第II回 男女別	4 18 10	27 14 21	35 23 29	35 41 38	0 5 2
I－II	－3	－14	＋6	＋12	0
第III回 男女均	0 5 2	12 8 9	18 14 16	70 73 72	0 0 0
II－III	－8	－12	－13	＋34	－2
I－III	－11	－26	－7	＋45	－2

第1次のテストの結果から，第2次テストでは「だれと　だれが　どこで　なにを　はなして　いるのか」，「それは　いつごろか」など，文の要点に注意するように読ませたところ，正答は12%増した。　まだ60%ほどの者が，文の主題にそって，話合っている事がらをはっきりと見通していない。これらの誤答の者は，きつねの考えと自分の考えとを混同していることがわかった。そこで，さらに次のような指導を加えてみた。

① きつねと　のぎくは　どんな　ことを　はなしあって　いるのか。
　きつねの　いったこと。
　のぎくの　いったこと。
に分けて考えさせた。

② 「きつねは　くさの　はが　かれるのを　見て　なんと　思ったか」

を考えながら読みなさいと，問のねらいを明らかにして読ませた。

これらの指導を行って，ある時間的な隔たりをおいてから行ったのが，第3次のテストである。

第1次よりは45%増，第2次より34%増という結果となっている。

4. つまずきの診断の上に立つ指導

第12図・第13図は，つまずきの診断の上に立って1か年実験指導した結果，第1年次のつまずきがどのように減少したかを，第2年次の（30年2月に実施）結果と比較したものである。この図によって見ると，

第1学年では　平均正答率

28年度　55.8%

29年度　57.4%

と，1.4%の増加であるが，これによって効果を判定することは困難である。部分的に見ると，問の⑼が23%増している。

第2学年については，

28年度　64.2%

29年度　74.0%

と，9.8%増加している。つまずきの傾向はほとんど前回と同様な折れ線を描いているが，注目される点は，事がらや要点をおさえる読みの能力が85%～94%台に引き上げられたことである。残された問題は，前後関係から論理的に秩序づける能力，文の主題をとらえ，その上に立って文中の人物などの考えを論理的に読む能力をどうして高めるか，ということである。

各問の選択肢について検討すると，問からまったくそれたような誤答は著しく減少したが，文の筋に慎重すぎて誤る者の増加が見られる。たとえば，問⒂「らいねん　また　おめに　かかりましょう」を，「らいねん　また　はなしを　する」に誤答したごときものである。そのつまずきは「はなを

さかせても　あうとは　かぎらない」「はなが　さいたから　また　はなしを　しましょう」と考えた結果によるものである。

いずれにせよ，文意を正しく読解することは，簡単にかたづけられるものでなく，日常の読書態度，前後関係の論理的な秩序づけをつかむなどの能力が積み重なって，これらの能力がつちかわれるものであることが明らかにされた。一度指導したから，それでよいというのでなく，毎日毎日の学習がすべてこの方向に進められなければならない。

このためには，以上述べたような観点からの徹底した教材研究と，個々の児童のつまずきの実態をよくとらえて，つまずきの原因から，これをどのように治療すべきかをはっきりおさえ，これに応ずるための指導を続けることである。

（3）第３・４学年のつまずきの分析

（第14図）
第３学年　内容問題別正答率

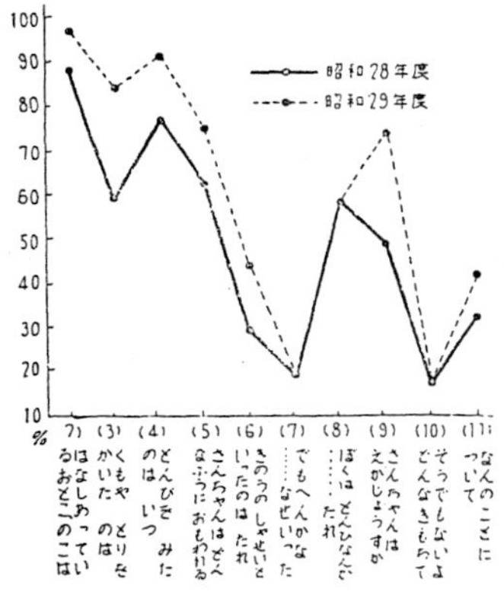

第14図は，第３学年における正答率を問題別に示したものである。

第３学年のテスト文は，地の文のない対話文である。地の文の加わった読解文と比較して読解の抵抗が多いためか，全学年を通じて最も低い平均正答率で，49％である。

28年度のテストの結果から，つまずきの大きな問題をあげてみると，

(7)　「でも　へんかな」と　なぜ　さんちゃんは　いいだしたのでしょう。（19％）

(10)　「そうでもないよ」と　いって　いるのは　どんな　きもちで　いって　いるのでしょう。（18％）

(6)　「きのうの　しゃせいって　そんな　もの　あるの」と　いって　いるのは　だれですか。（29％）

(11)　「これは　なんの　ことに　ついて　はなしあって　いるのですか」（32％）

の４問である。

1.　**「でも　へんかな」に　ついて**

誤答80％の実態を見ると，

i　対話の主題の線にそって，ことばの位置づけができない者（56％）

ii　ことばのやりとりの前後関係から，その間に流れる主題への方向づけができない者（14％）

iii　ことばを語る主体の立場に立ってとらえる読み，語る主体の心理的な動きと，そのことばとの関係を考えて読むことに慣れていない者（10％）

であり，その思考の経路の代表的なものを示すと，

イ　「でも　へんかな」とは，「へんな　かっこうを　して　いる　すずめだね」のすずめをかいたから。

ロ　「うまいもんか，すずめみたいなとんびなんて，いやしないよ」といわれているから。

ハ　「でも　へんかな　うまく書けたんだけど……」の「うまく書けた……」から，いっしんに書いたんだが　でも　へんかなと，「でも」でつながることばの前後関係を反対に読んでいる。

ニ　三ちゃんは，みんなに悪口をいわれて，かわいそうに思ったから。

ホ　文を読まないで思いつきで答えた。

と，いくつかの段階が見られる。

これらのつまずきに対しては，

①　文の骨組をしっかりと順序づけて，主題の見通しをつけさせる。

② 全体的な見通しの上に立って，ことばのやりとりの位置づけをさせる。

③ 書き手や話し手の立場に立って読ませる。

④ 接続詞や関係代名詞などの使い方を理解させ，ことばの前後関係を読み取る力をつける。

などに重点をおいて指導にあたってきた。

2. **「そうでも ないよ」** に ついて

誤答者81%について，そのつまずきの原因を見ると，

i 語る主体の立場に立って，ことばのやりとりの関係をおさえて読まない者（43%）

ii 語り手のことばを文脈から離れて，一般的に言いかえている者（27%）

iii 文を順序づけて読み取れないため，主感的な感想にとどまっている者（9%）

iv 文字や語句の抵抗が多いため，思いつきで答えている者（2%）

などであり，思考の経路について見ると，特に自分が「うまいなあ」といわれたときの感情が，文中のことばの前後関係を見失う原因となっていることが目だっている。

治療的な指導としては，前項に掲げたのと同様の点に力を入れてこれにあたっている。

3. **「きのうの しゃせいって」** に ついて

誤答者70%の実態を見ると，

i 「りょうちゃん」と答えたもの（39%）

ii 「さんちゃん」と答えたもの（29%）

iii 「おとこのこ」と答えたもの（2%）

であり，つまずきの実態は，

i 文を順序づけて相互関係的に読まない者（51%）

ii 読解の基礎的な力がついていない者（14%）

iii 文を読まないで，問だけから思いつきで答える者（5%）

である。

これらのつまずきについては，これはだれが言ったこと，次はだれのことばと，対話を順序づけておさえることの指導と，男女に特殊のことばづかいがあることから性別を判断するといった語感を育てる指導に努力してきた。

4. **「これは なんの ことに ついて はなしあって いるのですか」** について

この問は，文の主題について尋ねたものである。正答32%，誤答68%である。地の文のない対話文であるためか，他の説明的な要素の多い読解文と比較して，主題決定の困難度が強く現れている。

誤答の傾向を見ると，

i 「とんびと すずめの こと」と答えたもの（41%）

ii 「さんちゃんの しゃせいの こと」と答えたもの（25%）

iii 「おとこの こと おんなの この こと」と答えたもの（1%）

となっており，つまずきの原因としては，話題の中心となっている「きのうの しゃせいの こと」という主題と，その話題の資料として引き合いに出されている「とんびと すずめ」の話や「三ちゃんの しゃせい」の話とが，判別できなかったためと考えられる。

このつまずきの指導としては，

イ 文の要点をおさえて，文の骨組を順序立てて読み取らせる。

ロ 話題に引き出されていることを相互に関係づけて，それらをふまえて立つ高次の意味を考えさせる。

に重点をおいてきた。

（第15図）
第４学年　内容問題別正答率

第15図は，第４学年の内容読解について，問題別に正答率を示したものである。28年度の結果から，この学年のつまずきの傾向を見ると，

① 文の要点やおさえ，全体的な流れの上から部分を理解する。　⑾　⑿

② 文の主題を読み取る。　⒆

③ 文を批判的に読む。　⒀　⒂

に大きく現れている。特に ⒂「まちの　ようすが　まちに　ちかづくと　どうして　はっきり　しなくなったのですか。」に，①②③の能力不足が最も強く現れている。

第15問の誤答85％のうち60％は，「くろぐろとした　けむりが　たって　いたから」と答えている。この60％の中に含まれる児童の実態は，

i　全体と部分との順序づけがじゅうぶんでない者（26％）
ii　主要語・関係語の位置づけの基礎訓練ができていない者（13％）
iii　読解のために，一定時間の注意の持続ができないもの（９％）
iv　学習成績は良いが，応用的な思考に慣れていない者（６％）
v　文字や語句の抵抗が多い者（６％）

などで，児童の実態に見られる思考の過程にはいくつもの段階があり，その段階に応じた指導の必要を感じている。

「はんしょうが　ガンガン　なって　いたから」「まちは　たかい　ところに　あったから」と答えた24％のグループも，文の順序づけや主要語・関係語の位置づけに対する力の不足などのために，文の一部分，あるいは思いつきで答えているもので，読解の結果を問の方向に整理する力に欠けているためのつまずきと思われる。

以上の分析から，中学年では文の要点を正しく早く読み取り，文の筋をおさえて，前後関係的に読む能力の指導を重視してきた。

（4）第３・４学年の内容読解の指導

i　読みの度数と理解との関係

（第11表）　黙読の回数と内容理解との関係（第３学年29.12・調査）

黙読の回数	人員（名）	正答の総数	平均正答数
3 回	5	30	6
4 回	8	57	7.1
5 回	12	87	7.2
6 回	12	96	8
7 回	8	72	9
8 回	6	47	7.8
9 回	5	36	7.2

注　実験クラス　3年3組　56名
テスト問題　診断テスト本文
問題数　11問

第11表は，第３学年の１学級で，５分間に黙読を行った度数と，その正答数との関係を表わしたものである。

この表によって見ると，必ずしも読みの回数と理解との関係は正比例するものではないことがわかる。例をあげれば，９回読んだグループ５名の平均正答数は 7.2問であり，５回読んだグループ５名の正答平均も 7.2問で，９回読んだ者と同率である。最も正答平均の高いのは，７回の９問，第２位は８回の 7.8問である。最下位は３回の６問である。この結果から見ると，何回読めば理解が高まるとは簡単にいえない。目標なしに回数だけ多く読んでも，そこからは，正しい読解力は育ってこないからである。

試みに，９回読んだグループについて検討してみると，これらの児童の多くは，家庭でも学習を強要される者が多い。これらの児童は，すらすらつかえないで，音声化するだけで，内容を考えないで読むことが習慣化されている。８回読んだグループには，概して早のみこみの軽薄な性格の者が含まれている。３回読んだグループは，たどたどしい読みの能力しかなく，問のあ

る場所を読み返すことができず，ふたたび最初から読み返すか，まったく文を読み返さないで思いつきから答える者が多い。以上のことから判断すると何回読んだかという回数が問題となるのではなく，目標をもって，まとめながら読むことがたいせつであるといえる。

ii 内容理解のつまずきの多い者には，どのような指導をしたらよいか。

具体例を対話文の指導にとり，診断の結果に立って，その誤答者に対して行った読解指導の一例をあげてみたい。

指導の資料として，次に掲げるものを使用した。

第 3 学 年

「はい，できましたよ。このまま　ほすと　表紙が　そりますから，本の上に　板を　のせて，おしを　して，ほすのですよ。」

「かわいてから，字を　書いてね。おかあさん。」

「朝川さん。」

「朝川くん。」

「山村くん，にわから　おいでよ。」

「あら……。」

「きれいに　なったわねえ。」

「朝川くん，ぼくたち，その　本の　ことを　聞きに　来たんだよ。……三さつも　借り出して　いるので『また貸し』をして　いるかもしれないと思ったんだ。……ごめんね。」

「いや，ぼくが　わるかったんだ。としょがかりに　ことわっておけばよかったのに，そう　しなかったもんだから，　みんなに，　うたがわれたんだ。

今度から　一さつずつに　するよ。ごめんね。」

「いいよ，いいよ。 本の　つくろいを　するためだったんだから。 あした，ぼくが　みんなに　わけを　話すよ。」

「それから『本を　いためた　人は　自分で　なおす。』やくそくを　守らなければ　いけないって　いいましょうね。」

この対話文の読解で最もつまずきの多い問は，次の問であった。

「この　はなしは　どんな　ことに　ついて　はなしあって　いるのですか」

1. あさかわくんが　またがしの　わるくちを　いった　こと。(11%)
2. あさかわくんが　ほんの　つくろいを　した　こと。(30%)
③ あさかわくんが　ほんを　かりだした　わけが　わかった　こと。(43%)
4. あさかわくんを　みんなで　ほめて　いる　こと。(15%)
5. 無答（1%）

これらの誤答者に対して行った指導は，授業中に行われたものではなく，誤答者のみについて，児童がどのような点につまずいて誤答に陥ったか，またどのような助言や指導を行ったら，そのつまずきを解きほぐすことができるかを見るための一つの試みである。

指導の対象となった児童は，この問に誤答した35名である。

1. このテスト本文に地の文を加えて，対話まじりの文として与えて，同じ問題を出した。その結果は，選択肢 (1) 2名 (2) 21名 (3) 10名（正答）(4) 2名と，10名の者が正答となり，正答にいちばん近い (2) に誤答が集中した。 このテストによって正答した10名は，地の文なしではつまずきがあるが，地の文を加えればつまずかなくなることがわかる。

2. 残る誤答者25名に対し，文のどこに注意がひかれているかを見るために，地の文なしの対話文を与え，これに題をつけさせた結果は，

「本のこと」（8名）「本のつくろい」（7名）「三さつの本」（2名）

「ぶんこの本」（1名）「本のかり出し」（1名）「いたんだ本」（1名）

「本と朝川くん」（1名）　以上21名は，本を中心として話題をとらえている。

「やくそく」（1名）「守らない」（1名）の2名は，話合いの内容について注意が向けられている。

「あしたの　はなし」（1名）「はなしあい」（1名）は，文の組立てが頭に秩序づけられない者である。

3．以上の結果，これらの児童は話の筋の展開が秩序づけられて読み取られていないことが考えられたので，次に文を場面によって節に分け，その節意を要約して話し合った後，文の筋を考えさせた結果，さらに5名の正答者を得た。

4．残った20名の解答は，「本の　つくろいの　こと」（9名）「三さつの　本の　こと」（8名）「本を　いためて　まもらない。」（2名）「おけば　よかった」（1名）で話の中心がばく然としか，とらえられていないため，文中の事がらのみをあげている。

5．次に文中の事がらを 秩序づけるために 「朝川君は　なぜ本をかりたか」「どのようにしてかりたのか」「山村君たちは，なぜ，朝川君をたずねてきたか」「それで，どういうことがわかったのか」「なぜ両君ともあやまっているのか」など，文の要点について話し合った後，話題の中心を問うと，4名の者が即座に正答した。残りの者は，「また貸しを　したと思いちがいをした」という解答で，正答に接近してはいるが，全体的な見通しの中に立っての秩序づけの判断ができていない。

6．次に，また貸しについて文中の事実を調べさせ，全体とのつながりを考えさせた結果，6名が正答できた。残りの10名は「かりた　人が　だれだれか　わかった」「きこうと　した　ことが　わかった。」と答えている。

7．10名の誤答の前者に対しては，借りた人は，文中に明らかになってい

ること，後者については，聞こうとしたことは何であったか，を注意して読ませた結果，6名が正答に転じてきた。

残りの4名は本のつくろいをしたことに注意が固定して，それ以上は読みを深められなかった。

以上は，主題を読解するためのつまずきを調べるためにとられた，診断と指導の一例である。

このことから，文章読解の指導として，

1．文の表面的な意味だけでなく，文意を解明する方向に読ませる。

2．文の筋を順序立て，相互関係づけて読ませる。

3．文章の構造を解明させる。

4．文の要点をとらえて，その前後関係から話題の底に流れる意味を考えさせる。

5　全体的な見通しの中で，どこに重点をおいてまとめたらよいかを考えさせる。

6．判断に際しては，文中に明らかにされていること，それらの関係から明らかにされたことをメモして，思考が漸次発展されていくように整理させる。

などの指導の要点が考えられる。

特に児童の読解のつまずきとして，文の話題として表面に出ている事がらにとらわれやすい。このつまずきに対しては，

1．どのことばと，どのことばを関係的に読めばよいか。

2．全体的な骨組の上に立って関係的に読んだことを，どのようにまとめたらよいか。

の2点を重視して指導してきた。

以上のようにしてたどってきた，第3・4学年の1か年の指導の結果は，

第3学年	28年度	48.6%
	29年度	60.4%
第4学年	28年度	65.0%
	29年度	72.1%

と変化し，第3学年において 11.8%， 第4学年において6.9% の増加を見ている。目だって上昇しているのは，次の2点である。

1. 文に書かれている事がらを読み取ること。
2. 文中に現れている要点を読み取ること。

あまり変化を示していないのは，

1. 文の背後にある要件を，思考判断して読み取ること。
2. 主題をとらえるための読みの深め方。
3. 批判的に読み取ること。

の3点である。

(5) 第5・6学年のつまずきの分析とその指導

(第16図)
第5学年
内容問題別正答率

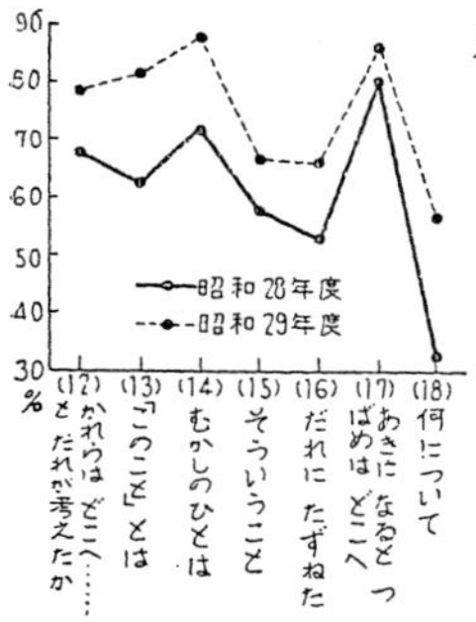

第16図は，第5学年における内容の理解について，問題別に正答率を示したものである。この図によって見ると，つまずきの大きいのは，問の

⒅ 「この　ぶんは　つばめに　ついて　なにを　かいて　いるのですか」(33%)

⒃ 「この　ぶんを　かいた　ひとは　りょこうの　たびに　つばめの　ことを　だれに　たずねましたか」(54%)

⒂ 「そう　いう　ことを　どう　おもっているか」の「そう　いう　こと」とは，なにを　さして　いますか。(58%)

の3問である。

これらの誤答者の実態を分析すると

① **「この　ぶんは　つばめに　ついて　なにを　かいた　ぶんですか」**については，誤答者77%のうち36%が，選択肢(1)「つばめは　かれきの　ほらあなで　ふゆを　こすと　おもって　いる　ひとが　ある」に集中している。このグループの理解のつまずきを分析してみると，

イ　全体と部分との秩序づけに熟していない。(27%)

ロ　同上の手順がよくのみこめていない。(6%)

ハ　秩序づけが方法的にはわかっているが，全体的における部分の比重を誤るもの。(3%)

の，三つの弱点に分類できる。これらの児童の思考の経路をたどってみると，

○　文中に「つばめはふゆになると，かれきのほらあなにかくれて，ふゆをこすのだ」と書いてあるから，そう考えている人がいるということについての話であると思って答えたというものが大部分である。

このように考える児童のつまずきは，

i　第1の型のものは文を吟味的に読まないで，文中のある一点に強く印象づけられ，それをもとにして自分なりの論理を組み立てている。つまり，全体を通しての見通しの力に欠けている。

ii　第2の型のものは，文をくり返し読んではいるが，印象の強いところに自分の考えが固定されていることは，前者と同様である。

iii　第3の型のものは，書かれている事がらが，主題の方向に，どう役だてられているのかという判断がつかない。

「つばめの　ことを　しらべると　いろいろ　おもしろい　ことが　ある」という選択肢に誤答した22%の児童たちの誤答への経路は，

イ　つばめのことが，いろいろ話されているから。

ロ　木のほらあなをしらべると，おもしろいと思ったから。

ハ　地方の老人は，おもしろいと思ったから。

などと文を一読して，その時の読後印象から，単純に選択肢に答えたものである。

これらの誤答者33名を集め，「この文は，つばめについて，どんなことを話しているのか，筋の進め方に注意して読みなさい。」と問を1問に集中して時間を制限なく与えて読ませた結果，19名の者が正答になった。このことから，文を読む場合における問題意識の強さと，文の骨組に注意して読むということが，指導上の大きな問題として反省させられた。

33名中，以上の取扱で，なお正答にいたらない残りの14名に対しては，さらに骨組をつくる三つの段落の要点を考えさせ，それらを相互に関係づけて読むことを注意して答えさせた結果，10名が正答に移ることができた。14名中残りの4名は，「かれ木のほらあな」に注意が固定して，そのことのために，読みが深められず，最後まで正答に導き得なかった。こうした最後に残された児童は，学業成績も一般に不振なのであるから，読みの基本的なことについて，個別指導の方法をとるべきだと考えている。

② **「この　ぶんを　かいた　ひとは、りょこうの　たびに　つばめの　ことを　だれに　たずねましたか」**について

選択肢(2)　「つばめの　ことを　よく　しって　いる　ひと」と答えたもの（27％）

選択肢(4)　「ほらあなを　みた　ひとたち」と答えたもの（11％）

があるが，これら38％の児童のつまずきとして考えられることは，

イ　文の秩序づけの基礎指導を必要とする者　（14％）

ロ　文の秩序づけを誤りやすい者　（13％）

ハ　能力はあるが，文の秩序づけが不安定なもの（7％）

ニ　個別指導を必要とするもの（4％）

などに分類できる。誤答への思考の経路としては，

i　老人はいろいろなことをしっているから

ii　つばめのことをよくしっている人でなくては，だめだから

iii　ほらあなを　よくしっている人でなくては，わからないから

iv　よく考えないで答えた

などで，「地方の老人にたずねた」とある老人にたずねたわけを答えている者が多い。

その原因は，

a　文を秩序づけながら読んでいないために，「地方の老人」が主要語としておさえられていない。

b　「地方の老人」の意味が明確でない。

などが分析されてくる。これらの誤答者に，次のような指導を加えてみた。

「問(6)　『ちほうの　ろうじん』とは　だれの　ことですか。」にもどり，地方の老人の意味を明確にしてから読ませると，18名の誤答者中，14名が正答にもどった。

残りの4名には，次に示すように文を図解しながら読ませた結果，それらの児童も理解できた。

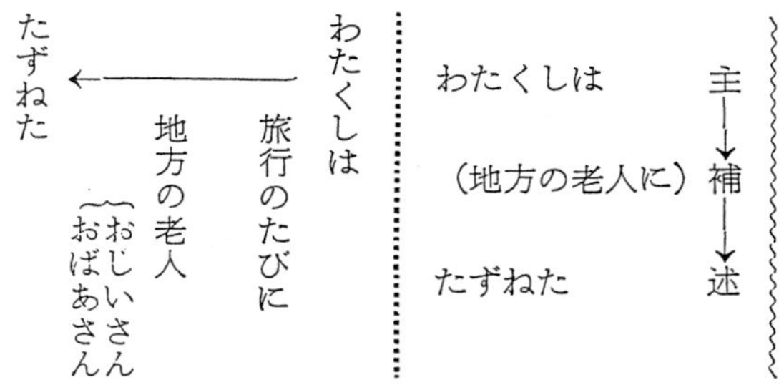

わたくしは
旅行のたびに
地方の老人（おじいさん　おばあさん）
← たずねた

わたくしは　主
（地方の老人に）　補
たずねた　述

この指導の結果から，

イ　文の内容読解を容易にするために，語い経験を豊かにしていく。

ロ　文の読解には，

主語・述語・補語といった基本的な語と語の関係を見抜いて，それらを相互に関係づけ秩序づけて読む技術をのばしていく。

といった指導を重視したい。

③ **「そういう ことを どう おもって いるか」の「そういう こと」**について

この問に関する誤答者42%は，関係代名詞が何を受けて，どういうことを表わしているのかが読み取れないでいる。

選択肢別に検討してみると，

選択肢(4) 「きゅうに つばめが どこかへ いってしまう こと」と誤答した者は，文の初めに「急につばめが，いなくなったと感じるのだ」または，「わたくしたちの前から，すがたを消すのは」とあるところに誘われて答えたもので，文の最初の部分に注意が固定している。

選択肢(1) 「かれきの ほらあなは ふゆでも あたたかい こと」と誤答した者は，「そういう こと」に該当する部分は，尋ねてみれば答えられるが，自力でそれを解明する方向に整理できないためのつまずきと考えられる。

これらの児童には，文中の「そういう こと」にあたる部分と他の部分との連関を見つけさせ，その節を読むことを指示して読みかえさせることにより，正答に導くことができた。この指導でもまだ理解に到達できない児童には，文中に「そういう ことを どう 思って いるか」と あることから，「だれが」「だれに」聞いたのかを念頭におき，次に「どんな ことを」聞いたのか，「どんな へんじが あったか」と思考過程を順序づけて読ませた結果，「つばめが かれ木のほらあなで 冬を こす」ということについて，「うやむやで あった」ことを指していると理解することができた。

これらの児童のつまずきの経路は，

イ 問に関係のある場所が，文中のどこかはっきりわからない。

ロ 問に答えるために， 文のどこから どこまでを 読めばよいかがわからず，文の初めから読み返して，ばく然とした立場で答えた。

ハ 文の前後を関係づけて結論を導き出す読み取り方に慣れていない。

ニ 以上の3点がからみあって，文の要点がおさえられない。

などである。これらのつまずきのある児童でも，そのつまずきが一度ほぐれると正答に導きうることが判明した。つまずきから解放されないで，最後まで残された数名の児童は，文そのものの読みが，たどたどしく，国語の学習に非常に抵抗がある者で，これらの児童には，その能力に応じた学習資料によって，個別的に国語学習に慣れさせることが，当面した問題である。

（第17図）

第6学年 内容問題別正答率

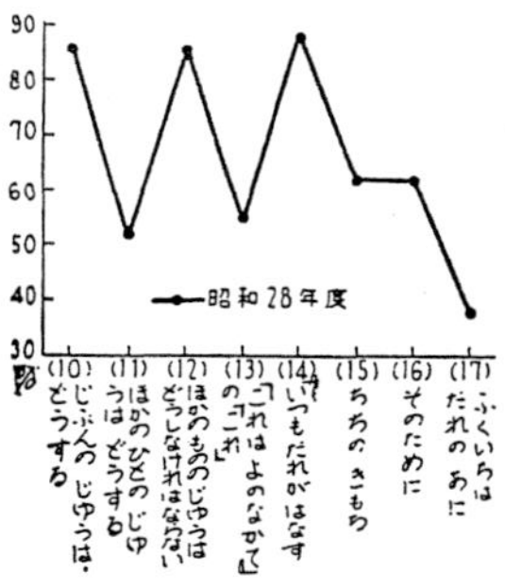

第6学年について，内容に関する問題の正答率を示したものが第17図である。

この図によって，この学年のつまずきの大きい問を拾ってみると，

(17) 「ふくいちは だれの あにですか。」(38%)

(11) ほかの ひとの じゆうは どうする というのですか。 (52%)

の2問である。

これらの誤答者の実態を分析すると，

1 **「ふくいちは，だれの あに ですか」**についての誤答者61%のなかで，

選択肢(1) 「こどもたち」と答えた者 (32%)

同 (2) 「ちち」と答えた者 (12%)

同 (4) 「ちちに しかられた こども」と答えた者 (17%)

となっている。これら誤答の児童の平素の学習状況は，

i どこをどのように関係づけて読めば，よいかがわからない (18%)

ii どこを読めばよいかはわかっても，それらの関係から意味を見いだす

ことができない（26％）

iii　文の秩序づけの反応がおそく，それに自信がもてない者（９％）

iv　読後の印象に左右されやすい者（３％）

v　学習不振で個別指導を必要とする者（５％）

などに分類することができる。

次に，各選択肢ごとに誤答の経路をたどってみたい。

選択肢　(4)に誤答した者は，「ふくいちがしかられたから」と，福一の説明をしているもので，問のねらいを読み取っていない。

選択肢　(2)に誤答した者は，「しかった　ちちの　こどもで　あるから」「しかったのは　ちち」というように考えたもので，問のねらいをよく理解していない。

選択肢　(1)「こどもたち」に誤答したものは，ばく然とこの文の中にいる「こどもの　兄」と考えたものである。

いずれの誤答者も，文を終りまで読んで，その要点をおさえ，関係することがらから意味を導き出すことが行われていない。

2「たいていの　ひとは，ほかの　ひとの　じゆうは　どう　すると　いうのですか。」について，この問に誤答した46％の児童のつまずきの原因を見ると，

選択肢 (1) の「はなしあう」に誤答した10％の者は，学業も不振で，なぜこのように答えたのか自分自身の根拠も不明なものが多い。文を秩序づけて正答を導き出すための初歩的なことも，のみこめていない。

選択肢 (2) の「よく　まもる」（19％）(3)「たいせつに　する」（17％）と誤答した者は，文そのものの中に問を位置づけて正答を導き出さないで，自分自身の論理で「ふつうの人は，他人の自由をたいせつにするから」と答えたものである。

要するに，これらの誤答者は，文に即して論理的に思考を進め，解答へのふまえるべき手順をふむという，文の秩序づけに慣れないため，自分の経験や思いつきの意見をそのまま答えたものである。

これらのつまずきに対する指導としては，高学年であるため，文の構造も複雑なのであるから，それに応じて，文の構造の解剖のしかたとともに，文の秩序づけも語法的な前後関係を正しくおさえて，その上に立って解答への見通しをするという読みの技術を身につけることに特に留意してきた。

——第２部おわり——

初等教育研究資料第XII集
読解のつまずきとその指導
（I）

MEJ 2386

昭和31年2月18日印刷
昭和31年2月22日発行

著作権所有　文部省

東京都千代田区神田神保町1の39
発行者　矢崎慶吉

東京都千代田区神田錦町2の2
印刷者　中島豊治
（有限会社 工文社）

東京都千代田区神田神保町1の39
発行所　博文堂出版株式会社
電話 東京（29）4927・1814
振替 東京 119926番

定価 70円

博文堂出版株式会社
¥70.00

初等教育研究資料第XIII集

教育課程
実験学校の研究報告

文部省

教育課程
実験学校の研究報告

（1956年度）

文部省

まえがき

この研究報告は，文部省初等教育実験学校として指定された，東京学芸大学付属世田谷小学校と，神奈川県足柄上郡福沢小学校の研究成果を収録したものである。両校の研究は，昭和27年4月から昭和30年3月まで3か年間続けられた。文部省から依頼した研究課題は「教育の全体計画は，どのように立てるのが，こどもの学習に有効か」というのであった。

この研究は，教育課程の構成に関する問題であって，実験研究としては，きわめて困難な問題に属するものといえる。すべて，この種の研究はただ単に理論上からだけでなく，実際指導の結果からもこれを検討してみる必要がある。

そしてこの主題は，どうしたら統一ある指導計画のもとに，調和のとれた人間形成ができるかということに直接つながるものであり，またそれは学校教育のみならず，家庭・社会教育にも関連をもつ広範な領域を含むものである。

およそ教育課程にかぎらず，こうした実験研究は，実際に授業を担当する教師の能力や，その学校の施設・設備，職員・児童の編制組織等に影響されることが少なくない。

したがって本書に収録されたものは，これらすべて問題を解決するための資料にはなり得ないかもしれない。

すなわち，ある学校の研究成果が，そのまま他の学校にも通用するとは言えないものもあろう。しかし，少なくとも教育の全体計画立案のための考えかた，ならびにその研究方法等はすべての学校に多くの示唆を与えることと信じて疑わない。

どうか，これらの資料を参考とし，学校の教育計画が有効に作成されることを大いに期待したいと思う。

最後に3か年の間，困難な研究に努力を惜しまなかった両校の先生がたに対し，深く謝意を表したい。

昭和31年6月

初等・特殊教育課長　上野芳太郎

第Ⅰ部

実験課題　全体計画をどのように立てるのが，こどもの学習に有効か

実験学校　東京学芸大学付属世田谷小学校

実験期間　昭和27年4月～30年3月

≪第 I 部　もくじ≫

I 研究の目標

学校教育が意図的，組織的，継続的な教育の営みであるかぎり，そこに計画がなければならないことは当然である。しかして，特にそれが「全体計画」と名づけられた場合，これは，いわば小学校教育の全般を貫く，全体をおおい包む計画といえよう。それは，小学校の教育を時間的にも，空間的にも，すべてをもれなく，教育的自覚・意図の下に方向づけ，かつ具体的に展開させる根本となる計画である。

このような意味では，逆説的に言えば，全体計画のないような教育は存在しないとも言えないことはない。しかし，今日このような全体計画を特に問題とする理由は，戦後のわが国の小学校の現状からの強い要請であると考えられなくてはならない。すなわち，戦前のわが国の小学校教育は，いわばすべてが国定という名のもとに，規格化され，統制された方向のものであったのに対して，戦後は，教育の大きな方針は法律によって国家的な意志として決定されても，その具体的な点は，あげて現場の創意と自主的な決定とに譲られた。この結果各地において，それぞれの地域の特性や児童の実態に即して，多くの全体計画，もしくはこれに類するものが発表され論議された。このような発表や論議を通して，われわれはわが国の，そして自分たちの学校や学級のこどもたちが，真にすこやかに育ってゆくための教育の具体的な全体計画を探究してきた。さて，このような発表や論議のはなばなしい展開が，一種の流行病のように全国に広がって数年たつうちに，いくつかの批判の声が聞かれるようになった。まず，学力低下の問題をはじめとして，道徳教育・学習能率の問題，教科以外活動の問題，社会科の再編成問題など，いくつかの問題に向って，鋭い批判が加えられるようになった。

ここに小学校の現場においては，あらためて戦後の教育の考え方や進め方について，真剣に反省される時期が到来した。

わが校の実験学校としての課題が「全体計画をどのように立てるのがこどもの学習に有効か」となっていることも，以上のような客観的な状況を合わせ考えるとき，どのような意義を持つかはおのずから明らかとなろう。

全体計画とは，先にも述べたように，個々の学習指導計画や学習活動を包括し，これらに正しい位置づけをするための全体の構想であり，計画である。このような全体計画の構想は，多くの類型があげられるであろうが，大別して，経験中心のものと，教科中心のものとになるであろう。前者はいわゆる戦後の新教育の行き方であるのに対して，後者は昔からの伝統的な考え方ということもできよう。

わが校では，研究の進め方として，まず，このような相対立する二つの型の全体計画と，その中間的なものの三つの型をとり，それを各学年3学級のそれぞれに実施して，その比較研究の実際を通して，最も望ましいと思われる全体計画への探究を考えた。すなわち，1年から6年までを通じて，1組は経験カリキュラムにより（これを便宜上第1部と称した），2組は教科カリキュラムにより（これは第2部と称した），3組は低学年は経験カリキュラム，高学年になるに及んで教科カリキュラムへと移行するいわば，1部と2部の複合した形のカリキュラム（これを第3部と称した）を実際に構成し実施して，これら相互の比較検討を行った。

この結果，われわれは「こどもの学習に有効」であるためには，全体計画はいかにあるべきであるかについて，いくつかの結論を得た。これを1つの試案として提案をして，なおその実験方法・結果についても詳細に検討を願って混とんとした現在のわが国の小学校の全体計画の考え方，実際の進め方に関して，資料を提供しようとするのが，この研究の目標である。

Ⅱ　研　究　の　経　過

当校の，文部省実験学校としての課題は，さきに述べたように，「全体計画をどのように立てるのが，こどもの学習に有効か」ということであったが，この課題について，昭和27年4月から30年3月まで，満3か年の継続研究を実施してきたのである。以下，その研究の歩みをふりかえってみよう。

1.　研究第1年度（昭和27年度）

(1)　まず，課題の分析的吟味を行った。

「全体計画を，どのように立てるのが，こどもの学習に有効か」の課題を吟味してみると，全体計画ということも問題なら，「有効な学習」ということも意味深い事がらである。われわれが，到達した結論は，「有効な学習」とは，学習経験が統合的に獲得され，実践的な知性として働くということであり，「全体計画」というのは，そのようなこどもに，育成するための，「学校生活の組織と編成のすべてである」ということであった。

(2)　このように，こどもみずからの経験統合を中核とした全体計画は，どのような理想的人間像を描いて構成されるべきものであろうか，これが，次になされた研究である。

統合的に発達した，望ましいこどもは，

①環境に対して，いつも積極的に働きかけ，自分で問題を見つけようとし，また見つけるこどもである。

②正しい判断のできるこどもである。

③行動的なこどもである。

④健康なこどもである。

⑤問題の解決に役だつさまざまな能力・技能・態度・知識が心身の発達に即して，統合的に獲得されているこどもである。

⑥個性のはっきりしたこどもである。

⑦行動が社会的効果性をもったこどもである。

という結論に到達した。

(3)　このような，統合的なこどもを育てる全体計画の分析が次に行われた。

全体計画を支えるもろもろの条件のうちで，中核となるものは，生きて働くこどもである。言いかえれば，こどもの生活である。こどもが，興味や欲求を核心とし，習慣や既有経験・身体条件を基盤とし，安定感・情緒性・社会性・知識や技能などが統合されて，有機的に存在することの確認である。

さらに，このようなこどもは，複雑な外部条件と力動的に連関しつつ存在している事実，その外部条件のおもなものは，地域社会，家庭，学校の施設・環境，教育計画，指導法，教師の人格などであろう。

教育計画をさらに分析的に考えるなら，教育目標，教育課程の形態，学習経験の組織と配列，年・週・日計画などがある。

このような全体計画をささえる諸条件の分析から，われわれは，より望ましい全体計画は，生きているこどもの姿，そして，そのこどもたちが生きている外部条件を綿密に検討して，教育計画を立てることによって，その全体性を遺憾なく発揮するものであることを痛感したのである。

(4)　全体計画の実験的研究として，われわれがこの年度に実施したことは，

①性格検査による1・2・3部のカリキュラムの比較検討である。（心理的側面からの実験）この実験において，われわれは，統合的に発達した

こどもの性格を分析し，それによって，性格検査をくふうし，性格の統合の度合を診断し，カリキュラムとの関係を考察したのである。

②問題解決の活動を中心とした学習の実践による1・2・3部カリキュラムの比較検討である。（学習指導の実践による実験）実験に，問験解決の活動を選んだのは，この活動が，こどもの経験統合に密接な連関があり，こどもが，どのように経験を深化し，拡充するかの実態を究明するのに適切であると考えたからである。この実験は，第2年度の予備的実験として計画され，問題解決学習を，全体計画の中に，経験統合の立場から合理的に位置づける根処を探究する方法を発見しようとする意図をもっていたのである。

2.　研究第2年度（昭和28年度）

この年度の実験研究の核心は，問題解決の学習を，全体計画の中に正当に位置づけることであって，どのような型の問題を，どのような過程で解決し，その解決の状態をどのように見きわめ（つまり評価し）たらよいか，などの課題について，1，2，3部のカリキュラムによって実践的に研究し，おおむね，次のような結論を得た。

①生きた問題は，こどもがばく然とつかむのではなく，何らかの形で，環境に「反発」し，または，「働きかける」ことによって，成立するものであり，それを類型化すると，理解型のものと，実践型のものとに大別することができる。

②問題の型による，こどものくいつき方は，低学年においては，実践型のもののほうがより多く，高学年に進むに従って，理解型のものへとしだいに移行する傾向がある。

③生きた問題をとらえるのには，経験型のカリキュラムにおけるほうがより弾力性があり，したがって，問題解決の学習は，経験型のカリキュラムに位置づけることが適切である。

④教科型のカリキュラムにおいても，理科・社会科等においては問題解決の活動が，かなり円滑に行い得て，児童も興味的である。

⑤問題解決学習は，統合的，集中的に行うことが望ましい。あまたの問題が，とくに連関性もなく，並列的にとりあげられると，こどもは，問題意識の分裂を起して，経験統合の上からも，学習の能率化の点からも疑問が起る。この点，教科並列の教科型カリキュラムには問題点が存する。

⑥問題の型によって，学習活動の形態は異なった傾向性をみせるが，あまり片寄ってしまうことは望ましくない。型による学習活動の特殊性を認めるにしても，豊かな学習活動への考慮は，いずれの型においても必要である。

⑦反面，問題の型による学習活動の片寄りを積極的に生かして，全体計画における学習経験の配列と組織を考慮しなくてはならない。

3.　研究第３年度（昭和29年度）

(1)　初年度および第２年度が，経験統合の核ともいわるべき，問題解決の学習を全体計画に位置づけることに集中していたのに対して，第３年度は，残された諸種の問題を解決して，望ましいと思われる全体計画を打ち出してみようとすることがねらいであった。残された諸種の問題の中には，次のようなものが考えられた。

①一般に用具教科とか，基礎教科などと，いわれるものの，全体計画への位置づけ。

②創造的表現に役だつ図画工作・音楽などの位置づけ。

③教科以外活動といわれている，奉仕活動・クラブ活動・行事活動・児童会活動などの検討とその位置づけ。

④その他，諸種のガイダンス活動の位置づけ。

⑤健康保険に関する活動の位置づけ。

⑥情操教育・道徳教育・生産教育などといわれているものの位置づけ。

われわれは，これらの広範な問題を能率的に処理する方法として，当校の三つのカリキュラムの比較検討により，それぞれのカリキュラムにおけるそれらの活動の効果性を経験統合の立場から批判したのである。それには，

①研究授業による批判検討（学習実践の観察）

②実践記録による比較調査

③校外（家庭および地域社会など）における実践活動の評価

④基礎学力の調査

⑤教師の指導の経験の話合い

⑥こどもの感想（作文・討議・座談会など）

等の方法を用いた。

(2)　このようにして，第１，２年度に実験研究された問題解決の活動，第３年度において究明された残された諸種の活動が，統合的に組織され，新しい全体計画がまとめあげられたのである。この新しい全体計画は，われわれの継続研究による成果であって，いわば，われわれの実験研究の累積の集大成であり，教師としての体験的な意味をもつものである。

すでに，経過の説明において述べたように，われわれは，われわれの三つのカリキュラムを通して，新しい全体計画の構想をここに明らかにしたのであって，この全体計画は，われわれの生みなしたカリキュラムの必然的生長であるとの確信をもっている。

Ⅲ　全体計画の比較研究

実験研究第３年度において，提案される当校の新しい全体計画の構想は，すでに当校において実践しつつあった３種のカリキュラム，つまり第１部経験カリキュラム，第２部教科カリキュラム，第３部複合カリキュラムの比較検討成果を基盤として成立したものである。もとより，異なったカリキュラム・パターンによる学習実践の効果性が，わずか数年の比較研究によって，適確に，かつ明確に精密な科学的処理によって完成するのであるならば，カリキュラム・パターンの差異による効果性の問題はつとに解消し，いわゆるカリキュラム論争などはあり得ないであろう。教育界は，あげて，その最も効果的なカリキュラムによって，こどもたちの教育を行い，平穏無事であるべきである。

しかし，実情は，それに反して，さまざまな提案がなされ，実践の結果，いろいろと思い悩んでいるのである。「効果的な全体計画」が課題として成立するのもこの間の事情を物語っているのであろう。そのような意味において，われわれが実施したカリキュラムの比較研究は，方法的にも，その効果性の判定においても，完全な信頼度を期待することはできない。けだし，教育研究のむずかしさであろうか。しかし，３年の実践的研究からにじみでた以下の結果は，深い示唆を含んでいるものであるということについては確信を持つことができる。

さて，比較研究の方法であるが，これは前節においてもその一部を掲げたように，

①学習実践の直接観察法による。

②実践記録の累積とその比較による。
③校内および校外(家庭および地域社会)における実践活動の状況の調査。
④教師の指導の経験の話合い。
⑤こどもの感想（作文・座談会・討議等)。
⑥基礎学力テスト。
⑦問題はあく力のテスト。
⑧パーソナリティテスト。
⑨問題解決力のテスト。

等の方法を利用した。

ここで，第１部・第２部・第３部のそれぞれの展開について実際の例を掲げよう。

以下に掲げるものは，説明の便宜上，同一時期のしかも同じような学習内容のとりあげられているものがよいと考えて，４年生の１月中旬の「冬の生活」を中心としたものを抜き出してみた。

第１部(経験カリキュラム)では，大きく冬の生活を問題としてとりあげ，これを社会科的・理科的な問題として，問題解決学習をするとともに，言語・数量形・音楽・造形の各基礎学習に内容を導いて，基礎能力・技能を伸ばそうとしている。

第２部（教科カリキュラム）では，各教科がそれぞれ「冬」を主題としたものを学習の内容としてとりあげ，これら横の関連を保ちつつ平行的に学習を進めている。

第３部（複合カリキュラム）では，「冬の生活」を分析して，あるものは生活単元として第１部の場合と同じように，他のものは教科学習として第２部の場合と同じように学習している。この例には，教科学習の中で共通的な題材を学習する場合に，いくつかの教科学習をまとめて教科単元として学習する場合は現れていない。生活単元に対して教科単元をとるのが，この第３部の１つの特色ともいえる点である。

第 1 部

単元	問題	興味・欲求・関心	目標	社会的	学習内容 理科的	言語科	数量形的	音楽的	造形的	健康的
冬の生活（冬になってどのように暮したらよいか）	◦冬になって楽しく暮すにはどのようにしたらよいか	◦元気よく運動をしたい	運動　技術 人格尊重・習慣・							△冬の運動 ・体育時間 ・なわ飛び ・ドッジボール ・計画 ・休み時間 ・なわ飛び ・家庭へ ・はねつき ・たこあげ ・自転車のり ・なわ飛び
		◦冬の写生をしたい	色・明暗・構図・書く技術						△冬の景色 ・絵をかく ・鑑賞 ・家庭へ ・雪景色 ・冬枯れ	
		◦歌をうたったり楽器を鳴らしたい	審美 楽譜・発声・旋律・リズム					△冬の歌 ・歌う ・作曲 ・家庭へ ・歌集作り		
		◦冬の作文や詩を作りたい	審美 詩・文　作る・書く 審美・根気			◎冬の詩 ・鑑賞 ・作る ・家庭 ・詩集作り ◎冬の作文 ・作文 ・推こう				
		◦学級新聞を作りたい	新聞　書く・読む・作る 協調・根気 数理と数量　処理能力			◎学級新聞→ ・読書 ・編集会議 ・編集 ・鑑賞 ・家庭へ ・新聞発行 ・雑誌発行	▲分数 ・単位分数 ・分数と小数 ・分数の大小 ・問題練習			
	◦冬になってもっとよい生活ができるようにするにはどのようにしたらよいか（合理性）	◦じょうぶに暮したい	病気予防法 習慣							◎冬の衛生 ・話合い ・家庭へ ・個人衛生 ・集団衛生
		◦寒さを防ぎたい	安全で便利な生活・熱 科学的態度 道具使用 問題解決 反能反応力 資料使用	◎生活様式の改善 ・防寒施設発達と改善 ・家庭へ ・暖房 ・風当り ・霜どけ ・雪かき	◎火と空気 ・火のもえ方 ・空気のはたらき ・家庭へ ・火鉢・コンロの使い方 ・換気					
備考			理解　能力 態度	◎単元学習	△単元学習と基礎学習へのかみ合い　▲基礎学習					

第 2 部

教科 行事	国語科	算数科	社会科	理科	音楽科	図工科	体育科
・成人の日 ・体格測定	◎冬の作文と歌 ○話合い ・経験を話す ・聞く ○冬の作文 ・作文 ・発表 ・鑑賞 ・聞く ○冬の歌 ・鑑賞 ・読む ・作る ・発表 ・歌集作り	◎学級新聞 ○編集 ・話合い ・記事 ・見だし ・さし絵 ○用紙の割付 ・段組み ・除法の計算 ・検算のしかた ○分数 ・単位分数 ・分母 ・分子 ・分数の大小 ○分数と小数 ・分数と小数の関係 ・応用 ○発行 ・時刻の表わし方 ・体温計の度の読み方 ・費用の計算	◎冬の生活 ○東京(話合い) ・生活様式 ・防寒 ・遊び ・霜どけ ・雪と雪どけ ○雪国の生活 ・雪の多い地方 ・気温分布 ・降雪量分布 ・生活様式 ×山村 ×農村 ×市・町 ・気候 ×気温 ×降雪期 ×降霜期 ・暖房 ×室内 ×衣服 ・交通 ×雪の害 ×施設 ・仕事 ×山村(男・女) ×農村(男・女) ・娯楽 ×種類 ×施設	◎火と空気 ○話合い ・火の利用 ・火の使い方 ・火の種類 ○火の起し方 ・コンロ実験 ・炭火 ・新しい空気 ○空気 ・酸素実験 ・窒素 ・炭酸ガス ○炭酸ガス ・炭酸ガス実験 ・石灰水 ○熱の使い方 ・用器の大きさ ・燃料の量 ・かまどの種類	◎冬の歌 ・歌う ・読符 ・リズム ・メロディー ・作曲 ◎冬の曲 ・鑑賞 ・リズム ・メロディー ・歌集	◎冬の景色 ○色彩 ・明暗 ・寒暖色 ○描画 ・描画材料 ・構図 ・構想 ・遠近 ・描画 ・鑑賞	◎冬の運動と衛生 ○運動 ・手つなぎ鬼 ・鬼遊び考案 ・ドッジボール ・ルールの選定 ・危険防止 ・場所と運動の種類 ○衛生 ・病気の種類 ・病気の手当 ×しもやけ ×ひび ×かぜ ・病気の予防

第 3 部

問題	問題の内容分析	予想される学習内容	A 生活単元 B 教科単元 C 教科学習 の3つの系統への結びつき
冬の生活 (冬になったら，どのように暮すのがよい生活か) 1. 楽しく暮すのにはどうしたらよいか 2. 冬の生活にもっともよく適応していくのにはどうしたらよいか	1. 元気よく運動したい 2. もっと体育がしたい 3. なわ飛びをうんとしたい 4. 雪あそびがしたい 1. 冬景色を絵にしたい 2. 水彩画でかきたい 3. 工作をやりたい 4. 写生がしたい 1. 詩をどんどん作りたい 2. 冬の朝の作文を書きたい 3. 本をどんどん読むようにしたい 1. 冬の健康状態を知りたい 2. 雪のことを調べたい 3. 燃料のことを調べたい 4. 冬ごもりの生物のようすを調べたい 1. 計算をうんとしたい 2. 温度調べがしたい 3. 算数の問題が速くできるようにしたい 4. 英語をやりたい 5. 生活表を作って守りたい 6. ほがらかにしたい 7. かるた会，はねつき会をしたい 8. カレンダーつくりをやって予定をたてたい 9. 雪国の生活をしりたい 10. ラッセル車の中を知りたい 11. 冬の着物を調べたい	(国)16 1. 都会の生活を作文にする 2. 雪国の学校との手紙交換 3. 作文の批評・鑑賞 4. 他作品（作文集）の鑑賞 (算)10 もようあつめ (社)12 1. 暖い地方と寒い雪国の地方との生活比較 2. 雪国の交通および苦心くふうした点 3. 昔の交通で苦労した点 (理)6 1. 雪の多い地方　雪の降るわけ 2. こんろと火おこし 3. 火と空気 4. 熱によるぼうちょう (音)4 冬の音楽鑑賞 1. 歌あつめ 2. レコードあつめ 3. 旋律研究 (図工)6 冬の景色 絵の具（水彩）墨，クレパス (体育)6 1. 元気よく運動 2. 遊び場 3. 運動後の汗・手の始末	冬の生活（生活単元） 教科学習（算数） 教科学習（理科） 教科学習（音楽） 〃（体育）

次に，比較研究のための窓口である，つまり，批判の観点をどのように定めるか，ということであるが，これについては，種々な観点が考えられるであろうが，われわれは，次のような，17の観点から比較を実施することとした。

①児童の興味欲求の満足

②児童の成熟度や経験的背景の適合

③児童の問題意識

④社会的要求への適合

⑤生活態度の変容

⑥自然的および社会的環境に対する理解

⑦生活環境に対する適応の技能

⑧問題解決のための技能の習熟

⑨基礎的理解および技能の獲得と習熟

⑩実践的活動との関連

⑪美的情操的心情の深化

⑫学習の統合性

⑬学習の連続性

⑭学習の弾力性

⑮学習の能率化

⑯学習のための資料および施設環境の利用

⑰その他学習指導上の特徴

以上の観点から，三つのカリキュラムの特徴をまとめたものが別表（この章の末尾にある）である。

以上の，比較研究から導きだされた結論は，

(a)　総体的に見て，経験型カリキュラムに利点が多い。それはこのカリキ

ュラムには，生活性とか課題性とかいうことが強調されているので，こどもの心理的発達に即して，いきいきとした学習ができる素地が準備されているということである。しかし，それは無条件に良いというのではなく，そこには改善されなければならない種々な問題が含まれている。たとえば，まず学習の問題となる「問題」そのものに問題があるし，さらに，学習という点になると，その実践性・統合性・連続性・弾力性・能率性等に関して，未解決の点が少なくない。これらの障害を克服しないかぎり，前進はあり得ないであろう。

(b)　しかしながら，教科型カリキュラムにおける系統性にも大きな利点があることを認めなくてはならない。比較表にみられる教科型の特徴は，よいにつけ，わるいにつけ，そのほとんどが，教科のもつ系統性によるものである。教科は系統によって運命づけられたとでも言おうか。基礎学習や特定のトピックに関する鋭い能率的な追究を意図するとき，その系統性はじゅうぶんに偉力を発揮するのである。かみそりを持って料理することの不可であるように，すべての学習を系統性を中心に，押し切ることは避けなくてはならないが，生かすべき所に集中的に生かし，学習の能率化を図ることが有効であろう。

(c)　第三に結論づけられることは，どのカリキュラムにおいても，美的情操的心情の深化について，あまり効果性を発揮していない点である。その原因はどこに内在するのであろうか。おそらく，その１つは，次に掲げる実践性の問題と関連があるのではなかろうか。

(d)　実践性の問題

低学年においては，経験型のカリキュラムにおいては，学習と実践が直結し，問題解決と，望ましい習慣の形成とが，有機的に連関して，かなり望ましい状態に進行するが，高学年になると，問題解決は知的な面に限定され，

極端な場合は，単なるインフォメーションのみを追いかけているというようなことさえある。実践活動が全然遊離してしまう傾向が見える。教科型のカリキュラムにおいても，この問題が大きくとりあげられる。

実践性の薄らいだ学習は，断片的な知識の寄せ集めで，豊かな人間性を裏づける美的心情や，情操をも欠く結果となって，真の学習にはなり得ない。

社会・学校の行事活動，奉仕活動，クラブ活動，児童会活動その他学習に伴う実践的諸活動が再検討され，より実践性を強調する改善が必要であることを端的に認めなくてはならない。

さて，以上の考察から，新しい全体計画の具備しなくてはならない条件は，次のようにまとめることができよう。

①新しい全体計画の基本型は，経験型であって，問題解決の活動を中核とする。これによって，学習の統合を高度にし強力にするものでなくてはならない。

②教科型の特徴である系統性を効果的に生かすものでなくてはならない。

③情操性と実践性を強化することに留意し，学校生活における実践的諸活動をすべて組織する必要がある。

これを要約すれば，望ましい全体計画構想は，生活性(課題性)・系統性・実践性を重視した教育課程を構成することにあると言えよう。

全体計画の比較

観点	第1部（経験）	第2部（教科）	第3部（複合）
1. 児童の興味欲求の満足	低～高学年を通じて，満足感を与えやすい。	高学年になると，教科の論理性がこどもを満足させることがある。	低学年はおもしろいが 高学年はおもしろくない 高学年も興味的である
2. 児童の成熟度や経験的背景への適合	できるだけ適合しようと努力している。	教科の目標に照して適合をできるだけ考える。	こどもの心理的発達と，論理的発達のバランスを考慮して適合につとめている。
3. 児童の問題意識	生活課題に対する意識はかなりはっきりとしている。 かつそれが統合的である場合が多い。	高学年になると，教科的な問題意識はかなりはっきりとする。 それが並行的，さらに分裂的な傾向になることがある。	低学年は生活的であり，高学年はむしろ教科的傾向を示すが，おおむね統合的である。
4. 社会的要求への適合	現実の社会の要求を学習の中へ，比較的導入しやすい。 （適合しやすい）	各教科の目標に適合する傾向が顕著である。	むしろ教科的目標への適合の傾向が強い。
5. 生活態度の変容	自主性，責任，協力などの社会性は，長い間には養われる。 短期間では目だたない。	長期間にわたると，受動的態度が目だつようになる。	指導に留意すれば，よい生活態度が形成されるが，一般的には，2部的になって受動的になる場合がある。
6. 自然および社会的環境に対する理解	統合的に理解できる利点があるが，計画がよくないと自然と社会とのバランスがとれなくなる。 系統性に欠けがちである。	系統性が強く理解は徹底しやすいが，興味的でなくなる場合がある。	1～2部の中間である。
7. 生活環境に対する適応の技能	生活に対する考え方や，処理のしかたが手ぎわよくなってくる。	各教科で，特に留意すれば技能的に高めることもできる。 無関心の場合は1部よりは劣る。	低学年の場合習慣形成としてかなりうまくできる。 高学年になると，2部と同様な傾向がみられる。
8. 問題解決のための技能の習熟	こどもは自主的にかなり習熟する。	社会科，および理科においてはかなり養うことができる。	2部と同様である。
9. 基礎的理解および技能の獲得と習熟	教師が特に留意しないと，低下する傾向がある。 機会をふやす必要がある。	総体に平均してすぐれている。 練習のための機会をとらえやすい。	低学年については，1部のような傾向がみられる。 他は2部と同じ。

10. 実践的活動との連関	低学年においては習慣形成はかなりうまくいく。 高学年においては実践的でなくなる場合がある。 奉仕，クラブ児童会，行事活動などは単元と結んで扱いやすい。	教科と教科以外活動とのむすびつきはなかなか困難である。 一般的に実践性に欠けやすい。	低学年については1部と同様。 高学年については2部的である。
11. 美的，情操的心情の深化	深化のきっかけは生活の問題としてとらえやすいが，深化することはなかなか困難である。	こどもの心理に即して，問題をとらえることは，1部より困難であるが，深化することは1部より容易である。	問題はあくは1部のようにし，深化は2部的に行うことができる。
12. 学習の統合性	単元構成が適切であれば，こどもみずからが経験を統合することができる。	各教科の教材の統合であって教師がその中心となる。 統合についてこどもは受動的である。	原則的には，こどもみずからの経験統合であるが，時には，2部的傾向に走る場合もある。
13. 学習の連続性	1つの学習経験が，他の経験へと連続しやすい。 単元から単元，問題から問題が内容的にスムースに流れやすい。	各教科の系列によって連続しやすい。 したがって，理解の面ではっきりとする。	低学年には経験から経験への連続性が強く， 高学年においては，系列から系列への傾向が強くなる。
14. 学習の弾力性	きわめて弾力性にとむが，はっきりとした目標と計画をもたぬと，学習が分裂状態となる。	弾力性に乏しいが，それだけに，あらかじめ計画したコースを確実に学習できる。	弾力性はかなりあるが，1部ほどの弊害も伴わない。
15. 学習の能率化	学習形態をくふうしないと，時間の浪費の割に効果的ではない結果になりやすい。しかし興味的であるから指導法のくふうによって能率化できる。 (特に高学年)	時間区分がはっきりとしているから，能率的に進行しやすい。 時に興味的でないこともあるから，負担が荷重になることがある。	低学年は能率的であるが，指導法のくふうが必要である。 高学年においては，単元と，教科の学習を区別して，特徴を生かせば，能率的である。
16. 学習資料および施設環境の利用	利用が広はんであるから効果的にするためには，かなりのくふうが必要である。(特に教科書) 反面身近なものを有効に利用できる。	学習の内容がかなり，はっきりとしているので，利用計画は立てやすい。 反面教科書や教具にとらわれやすい。	1〜2部の中間である。
17. その他学習指導上の特徴	導入が生活に即して有効的にできる。 学習計画が自主的にできる。 学習の自己評価ができやすい。	導入が分断的である。 学習の見通しは立てやすい。 計画はどうしても教師中心になる。 評価も教師中心になりやすい。	単元学習については1部的 教科学習については2部的} である。

Ⅳ 全体計画への提案

1. 望ましい全体計画の基本的な構想

先にも述べたように，三つの異なる全体計画の比較検討から，さらに望ましい全体計画への構想を進めるにあたって，われわれはまず，わが校の教育目標を確認することから出発した。なぜならば，すべては目標達成のための全体計画であって，目標を明確にすることなしには，具体的な清新な全体計画はあり得ないと考えたからである。

(1) わが校の教育目標

ここでは，わが校の教育目標を設定するまでの手続などについては，触れている余裕はないので，その結論だけをあげることとする。

わが校の教育目標は，最大の自己実現と，最大の社会奉仕と，そのための民主的人格の基礎をつちかうことである。

すなわち，自分の才能を伸ばせるかぎり自主的に伸ばし，これによって，社会のために尽くせるかぎり尽くすという，民主的な人間としての基礎をしっかり作るにある。ところで民主的な人間というのは，個人の価値と尊厳に目ざめて自他の人間をたいせつにし，自分の個性や能力をみがくとともに，他の人々とよく協力し，また事にあたっては，自分でよく考えて，自他の問題を正しく解決し，知性と科学を信じ，特に集団の知性を信じて，何事も皆で話し合って決め，そしてよいこと，正しいことは進んで行動に移し，やってみて絶えず改善するという人間である。平等の人，思考する人，協力する人，実践する人，このような人が民主的な人間であって，これがわが校の教育目標である。

以上のわが校の教育目標を，さらに具体的な方向に焦点づけるならば，次の三つになる。

第１は，毎日の日常的な実践がりっぱにできるこどもということである。第２は，次々と問題ととり組んで，これを解決していくことのできるこどもである。第３は，基礎的能力を身につけたこどもである。

さて，このような目標に対して，全体計画はどのような構想であるべきであろうか。以下この基本的な点について述べる。

（２） 望ましい全体計画への基本的な方向

①まず，日常の実践を通して，実践する人を育てるという観点については，わが校で計画した１部，２部，３部の三つの全体計画のどれもが持つ共通の弱点であることにかんがみて，さらに広い立場から，学校生活全般の組織化を考えた。全体計画とはいっても，ともすると，それは「学習の設計」ということにのみ終りがちとなる。そこで，われわれは，一歩進めて，「学習の設計」から「生活の設計」という方向を確認した。すなわち，こどもが学校の門をはいって，１日の生活を済ませて，ふたたび学校を去るまで，すなわち，時間的にも，また校内のどの場所も，すべてをあげて教育の場とならなければならないということ，すなわち空間的にも，すべてをあげて教育の自覚の中に入れようとする観点である。

②次には，問題解決学習を大きくとりあげることである。この点については，特に第１部と第３部のすなわち経験カリキュラムの立場を強く押し出して，ここから多くのものをとり入れようと考えた。この場合，問題の内容については，慎重な考慮のいることは，過去の全体計画の比較検討からわれ

われの苦心したところである。(この点は，第２年度，つまり昭和28年度の中心課題でもあった。)われわれは，ここでは問題を社会科的なものと理科的なものを中心とするものに限定しようとした。もちろん，この二つに分れるというのではなく，問題は両者を一体として展開されるものであるが，比較的に，重点の置かれる強さに応じて，社会科的，理科的の区別をしようとするのである。問題解決学習の構想にあたっては，なお，いくつかの大きな問題点が残るが，詳細はあとに回すこととする。

③基礎的な能力を，能率的にしかも確実に身につけさせるためには，特に第２部の教科カリキュラムの行き方から多くのものをとり入れることとした。すなわち，学習の系統性，連続性など，むかしからの教科中心の全体計画の中から，こうした面はわれわれの新しい全体計画の積極的にとり入れるべきことであると考えたからである。

④次に最も現場に連なる問題として，学習の連関ということである。すなわち毎日の日常実践といい，問題解決といい，基礎能力の習得といい，いったいこれらは，ばらばらに行われるものであろうか。それならば，むかしの教科別カリキュラムの亜流にすぎない。そうでなくて，これらが真に有機的に正しい連関を持って学習が進められることこそ，望ましい全体計画の不可欠の要件でなければならない。われわれはこの連関を「互に生かし合う連関」と呼びたいと思う。具体的に言うならば，問題解決で学習された事がらは，日常実践でくり返し強力に実践に移され，解決活動に用いられた基礎的能力は，さらに確実になるように反復練習されるとか，反対に，日常実践から起った問題をとりあげて，問題解決の学習にするとか，お互が真に力動的に結びついた関係である。

以上のような基本的な方向を持って，われわれは，１部，２部，３部の三つの全体計画の長短を検討しつつ，望ましい全体計画への構想を固めた。

（3）　望ましい全体計画の基本的な構想

まず，われわれは「生活の設計」という立場から，生活そのものを三つの層，ないし三つの成長分野に分けて組織化することとした。すなわち次の三つの層である。　○日常実践　○問題解決　○基礎研究

いま，これらのおのおのの内容について簡単に述べることとしよう。

①日常実践の層

これは日常的な実践を通して，実行力のある実践人を育てる場であって，学校および学級の集団生活によって，民主的な人間関係のあり方をじかに学び取らせようとするのである。学校を学級も，明るく楽しい民主的なふんい気に盛り上げ，互に助け合って，よい学校，よい学級になるように，たとえば日常の規律を申し合わせるとか，行事を計画するとか，学級新聞を作る相談をするなどである。

このためには，一方では，毎日の，毎週の，さらには年間を通じてのこどもたちの学校生活の全般が詳しく分析されなくてはならない。

この分野を「実践課程」と名づけて，これを組織化した。

②問題解決の層

学校を中心とし，ときには地域社会に連なら社会的な問題を中心として，問題解決をして，その中に立っていく心構えを得させようとする場であって，人間の営むさまざまの社会生活と，その背景をなしている自然環境を理解させ，そこに横たわっている個人的，社会的な問題をとりあげ，人間として正しく生活するにはどうしたらよいかを具体的に学び取らせようとするのである。

この分野は「問題解決課程」または単に「問題課程」と名づけた。

③基礎研究の層

これは民主的な生活に必要な基礎的能力を一つ一つ周到に育てる場である。すなわち，日常の実践やあるいは問題解決の際に必要とされた基礎的な知

識・理解や技能を確実に身につける分野であって，これを「基礎課程」と名づけた。この基礎課程はさらにこれを大きく四つの学習分野に区分した。第1は，国語と算数の基礎的な技能を養い，これを自由に使いこなせるようにする分野であり，第2は音楽や図工によってさまざまの美を鑑賞し，表現し，人間としての愛情や情操を豊かに養う分野であり，第3は家庭生活のあり方を導き，家庭生活に必要な技能を学ばせる分野であり，第4は体育によって，からだを練り，運動能力を養い，スポーツの趣味を得させる分野である。これらは，いずれも人間の基礎教育として特に重要であり，そしてできるだけ系統的に指導し，反復練習して，基礎の能力を一つ一つ確実に身につける必要があると考えたからである。

以上述べてきた実践課程・問題課程・基礎課程の3課程を立てて全体計画を構成することが，わが校の全体計画の基本的な構想である。これをわかりやすく表にして示すと次のとおりになる。なお，この表には，便宜上内容の詳しいことまで入れてあるが，それらの具体的な説明は，次節以後を参照願いたい。

望ましい全体計画

基礎技能	基礎課程	Ⅰ　国語・算数	
		Ⅱ　音楽・図工	
		Ⅲ　家庭	
		Ⅳ　体育	
問題解決	問題課程	Ⅰ　社会科的単元	総合的単元
		Ⅱ　理科的単元	

日常実践	実践課程	随時	随時活動
		定時	行事
		常時	クラブ活動
			奉仕活動
		日常規律	

2. 望ましい全体計画の具体的な構想と展開

実践・問題・基礎の3課程を立てて，全体計画を具体的なものにするためには，さらにいくつかの問題点がある。

まず，第1に，各学年の指導目標が明確にされなくてはならない。先にあげた学校全体としての大きな教育目標は，1年から6年までの各学年のそれへと具体化されなくてはならない。第2にたいせつなことは，年間学習日数および週を単位としての各課程および各学習分野の時間配当である。

第3には，各課程の具体的な学習内容や学習活動の構成である。すなわち，実践課程・問題課程・基礎課程の1年から6年までの具体的な構成と各学年単位による学年としてのカリキュラムの構成である。

第4には，各学年において，毎日の具体的な学習の展開をどのようにするかどうか，デーリープランを作るかの問題である。これは年間および週単位の各課程や各学習分野への配当日数とともに，各学習内容の結びつきであって，具体的な現場の学習を考える場合に，最も問題の多い部面である。

以下，各学年の教育目標の設定やその具体的な点は，ここでは割愛することとして，主として，第2の点以下の諸問題について，その具体的なものを掲げるとともに，いくつかの観点を提案することとする。

(1) 年間学習日数および週配当時数

1. 年間学習日数について

当校では昭和20年以来，5日制を実施している。過去10年間の資料によって，年間の学習日数を求めてみると，平均200日である。当校としては，この200日を基礎として，しかも，学習指導要領一般編（昭和26年改訂版）の18ページに示された各学年の総時数を割ることのないように時間配当を行っている。

200日の内容をさらに分析しよう。200日の授業日数は，5日制として40週に当る。年間40週を通じて，毎日の学習を次のように区分することができる。

A……学級で，自分たちの教室を中心に，いわゆる平常どおりに，朝から下校まで学習ができる場合。

B……学年あるいは学校全体の行事のために，Aのように一日中平常どおりにはならずに，その一部が変更される場合。

C……行事などのために，学級の，自分たちの教室における学習（つまりAの場合）がまったく行われない場合。

まず上の三つの区分の中から，Cに属するものを拾ってみよう。（これは，あとにも触れるように，実践課程にはいる）

4月——始業式　　11月——音楽会
5年——遠足　　12月——終業式
7月——終業式　　1月——始業式
9月——始業式，水泳大会　　3月——学芸会・終業式・卒業式
10月——運動会予行練習，運動会，遠足

合計14日である。

次にBに属するものは下のとおりである。これも具体的にいうと，実践課程に属するものである。

月	内	容
四	○入学式　(80) ○身体検査　(160) ○新入児童紹介式　(20) ○委員任命式　(20)	○大そうじ　(80) ○委員選挙　(40)
五	○体格測定　(20) ○ツベルクリン反応注射　(20) ○レントゲン検査　(40) ○校内競技会　(80)	
六	○体格測定　(20) ○避難訓練　(20) ○知能および適応性検査(40) ○映画会　(80)	○予防注射　(20)
七	○体格測定　(20)	
九	○体格測定　(20) ○委員選挙　(40) ○委員任命式　(20) ○研究発表会　(120)	○身体検査　(20) ○大そうじ　(80)
十	○体格測定　(20)	
十一	○体格測定　(20) ○避難訓練　(20) ○図画工作展覧会 (160) ○校内競技会　(120)	
十二	○体格測定　(20)	○映 画 会　(80)
一	○委 員 選 挙　(40) ○委員任命式　(20) ○大 そ う じ　(80)	○身体検査　(20) ○避難訓練　(20) ○体格測定　(20)
二	○映画会　(80)	
三	○卒業式予行練習　(80)	

表の中の（　）の中の数字は，所要時間を分単位で示したものである。

この合計は，１時間の学習を40分とすると，換算して48時間と⅔時になる。

このほかに，７月に２週間，９月に１週間の短縮学習がある。全学年とも午前中で学習を打ち切る。日数にして15日である。この15日の中には，終業式と始業式が１日ずつ，それに水泳大会が１日はいるから（これらは前のＣに属する）４時間ずつ普通に（Ａのように）学習するのは12日で，これは時数にして，４時間×12＝48時間である。この短縮中の学習は，先に述べたＢに属する48⅔時間にほぼ等しいと考える。

そこで，Ａに属する日数は，次のようにして算出する。

200 日から，Ｃに属する14日を減ずる。次に，短縮の12日を減じて，残りの 174 日が一応Ａに属するものとみなされる。（Ｂに属した48⅔時は，短縮の午前中の学習で，置きかえられたものとみなす）

174 日は，５日制で換算して，約35週である。そこで，当校では週単位の各課程配当時数を考える場合には，年間を35週あるものとして算出している。低学年の場合には，先に述べたＢやＣに属するもので，参加しないものもあるが，計算の便宜上，これも35週としている。

2.　**週配当時数について**

年間35週とみなして，１週間の各課程・各学習分野別の配当時数を示すと下の表のとおりである。

課程＼学年	問題課程		基礎課程						実践課程	計
	社会的	理科的	国語	算数	音楽	図工	家庭	体育		
一	4	2	6	3	2	3	／	3	4	27
二	4	2	6	4	2	3	／	3	4	28
三	5	2	6	4	2	3	／	3	5	30
四	5	3	7	5	2	2	／	3	7	34
五	6	4	7	5	2	2	1	3	9	39
六	6	4	7	5	2	2	1	3	9	39

次に上の表について，いくつかの点を説明しよう。

(a)　この表の数字は1時間の学習を，40分学習の10分休憩，計50分としたものである。

(b)　この表の中の実践課程の時数は次のようにして算出してある。

(イ)　1～2年の場合……毎日朝の話合い5分と校内放送・集会20分に，下校時の反省5分とそれに金曜日の下校時は特に下校時の反省を10分多くしてその週の反省もする。(20＋10)×5＋10＝160　これは40分1時限として，4時間分である。

(ロ)　3年は金曜の今週の反省を「学級児童会」として3分延長し，そのほかに，1週1回だけ交代で自分の教室を清整する。

(20＋10)×5＋30＋20＝200……(5時間分)

(ハ)　4年は3年の場合にさらに，毎日の清整20分を加えて計280分（7時間分）となる。

(ニ)　5～6年は4年の場合に，さらに毎週のクラブ活動と奉仕活動を各1時間ずつ加えて，計9時間となる。

以上のようにすると，週の学習計画表として，実際に掲げられる場合には，1年は23時，2年は24時，3年は26時，4年は28時，5～6年は33時となる。（ただし3年以上は，金曜の最終時は，学級児童会とする）

(c)　したがって，毎週のいわゆる時間表に，1週の学習計画として掲げられるのは，下のようになる。

1年…4時間が2日，5時間が3日　　4年…5時間が2日，6時間が3日
2年…4時間が1日，5時間が4日　　5年…6時間が2日，7時間が3日
3年…5時間が4日，6時間が1日　　6年…6時間が2日，7時間が3日

（計週が5日になるのは5日制のためである）

(d)　当校の週配当時数を，学習指導要領一般編の各学年の総数と比較す

る場合には，このままでは比較できない。当校では，50分を1時間としているのに対して，一般編では60分（休憩を含む）を1時間単位としているからである。そこで，学習指導要領一般編の数字に$^{6}/_{5}$を掛けたものと，当校のそれとを比較すればよいことになる。

1～2年　870時×$^{6}/_{5}$＝1,044時…(Ⅰ)　　5～6年　1,050時×$^{6}/_{5}$＝1,260時…(Ⅲ)
3～4年　970時×$^{6}/_{5}$＝1,164時……(Ⅱ)

すなわち，当校の数字の場合で，年間の総時数を出した場合は，1～2年では少なくとも，1,040時以上でないと，一般編より下回ってしまうこととなる。

試みに，4年の場合を取ってみると，週34時で35週であるから，34時×35で1,190時となる。このほかになお先に述べた，Bに属する行事その他を時数に換算すれば，(Ⅱ)の1,164時をはるかに上回ることとなる。

1年の場合は，27時×35＝945時，これに先のCに属するものが計52時，Bに属するもの計48時を加えると1,045時となり，ほぼ一般編並となる。

2年，3年，5～6年についても同様である。

(e)　このような週配当時数から算出すると，実践課程の百分率は，低学年で約15%，高学年で約24%となる。B，Cに属するものも入れるとすれば，この百分率の数字はさらに若干高まるであろう。

全体計画としてながめた場合，実践課程の占める時数が低学年で15%～17%，高学年で24%を上回ることは果して妥当であろうか。

しかしながら，実践課程がこれまでも述べてきたように，真に積極的な内容を持ち，問題課程や基礎課程とも一体的な活動を展開するならば，これは必ずしも高すぎるとは考えられない。したがって，その具体的な展開のいかんによって，この数字の当否は決せられるものと言えよう。われわれの提案する全体計画は，このように一面においては，積極的に実践課程として，いわゆる教科以外学習として，はっきりした位置づけもないものをとり入れる

反面，その運用のいかんによると，企画倒れとなり，学力低下の一つの原因を供する危険をも含むわけである。

（２） 各課程の構成と展開

1. 実践課程の構成について

実践課程の構成に当って，まず実際にどのようなものが実施されているかを反省し，その再構成という方法が最も現実的である。実践課程の分類・区分には，次のいくつかの観点が考えられる。

○時間的な区別によるもの（毎日・毎週とか，随時などの区別）

○場所によるもの（校内・校外など）

○参加者の構成によるもの（学級・全校など）

○目標によるもの（健康的なもの，レクリエーション的なものなど）

○他の課程との関連によるもの

当校では，これらの中で，最もわかりやすく，便利な時間的な区別によるものを中心として構成した。したがって，実践課程は次の三つに大別される。

(a) 常時的なもの（常時活動）　(c) 随時的なもの（随時活動）

(b) 定時的なもの（定時活動）

この区分によって，実践課程の活動を構成すると下表のとおりとなる。

実践課程の活動一覧

区分		実践活動		
常時活動		朝会 清整 奉仕活動	朝の話合い 給食 クラブ活動	下校時の話合い 学級児童会
随時活動		大そうじ 予防注射	映画鑑賞 見学	
定時活動	4 月	始業式 委員選挙また任命式	体格測定 定期身体検査	入学式 新入生紹介式
	5 月	遠足 学内競技会	体格測定 レントゲン検査	ツベルクリン反応の検査
	6 月	映画会	体格測定	避難練習
	7 月	終業式	体格測定	
	9 月	始業式 委員選挙また任命式	体格測定 水泳大会	研究発表会 定期身体検査
	10月	運動会予行 運動会	体格測定 遠　足	
	11月	音楽会 図画工作展覧会	体格測定 校内競技会	避難練習
	12月	終業式 映画会	体格測定	
	1 月	始業式 委員選挙また任命式	体格測定 定期身体検査	避難練習
	2 月	映画会	体格測定	
	3 月	終業式 卒業式	体格測定	

このような実践課程の活動に対して，その目標や内容となっているものはどうであろうか。実践課程の内容が，ともすると思いつきになり，形式化の固定化することを防ぎ，これに常に生気を与え，指導に一貫性を持たせるためには，その目標内容が系統化され整備されていなくてはならない。

当校では，目標として４月から３月までの年間にわたり，全学年同一共通の目標を設定した。すなわち次の11の項目である。

4 月	きれいな楽しい学校にしよう。	11月	きまりを進んで守ろう。
5 月	計画を立てて進んで実行しよう。	12月	安全な生活をしよう。
6 月	じょうぶなかだになろう。	1 月	ことばづかいや礼儀を正しくしよう。
7 月	よりよい生活をしよう。		
9 月	自分たちのことは自分たちでしよう。	2 月	物をたいせつにしよう。
10月	強いからだをつくろう。	3 月	一年間を反省しよう。

このような目標は同一であっても，各学年では，さらにこれを学年の目標と実態に照して具体化している。

これを第４学年の実際の例について示すと別表のとおりである。

第 4 学 年

学期＼月	4 月		5 月	
第一学期	きれいな楽しい学校にしよう		計画を立てて進んで実行しよう	
	1. 始業式をりっぱにしよう	1. 始業式をりっぱにする (一行事　始業式一) 並び方・話の聞き方 2. 実践と反省	1. 祝祭日や休日は有意義に過そう 天皇誕生日一4月憲記念日こどもの日母の日	1. 祝祭日や休日の意義の理解 2. 祝祭日や休日をどのようにして過したらよいか話し合う (イ)　計画を立てて話し合う (ロ)　母の日について ・今までどんなことをしたか ・今年はどんな計画をもっているか 3. 計画の実践と反省
	2. 学校(学級)委員の選挙	1. 学校(学級)自治委員の組織と任務について ・生活・厚生・学芸・図書・飼育・気象・社会・創作・放送 2. 学校(学級)委員選挙 (イ)　公正本選挙のしかた (ロ)　選挙の方法 (ハ)　開票のしかた（児童の手で） 3. 委員および部員所属決定 4. 学校自治への参加	2. 生活をきまりよくしよう	1. 教室内の生活でもっとくふうする点がないか話し合う 学級自治会 (イ)　室内での生活のありかた (ロ)　へやへの出入のしかた (ハ)　教室の整美整とんのしかた ・机の配置・飼育 ・掲示・用具の始末 ・花を飾る ・学校図書の整理整とん (ニ)　鐘がなったら静かに早く集まる 2. 実践と反省
	3. きれいな楽しい学級にしよう	1. 学級生活を楽しくするためのくふうについて話し合う (イ)　係の仕事と責任の完遂 (ロ)　学校委員会の決定事項の伝達(および掲示) (ハ)　学級の清掃（含他の分担個所）の組分け ・清掃の方法のくふう ・協力して責任を果たす (ニ)　規律を守る 2. 実践とくふう	3. 遠足を楽しくしよう	1. 遠足の話を聞く(行事遠足) (イ)　目的地　(ロ)費用　(ハ)希望 2. バスや電車の使用についてどんなことに気をつけたらよいか話し合う (イ)　集合のしかた (ロ)　バス電車の乗り降り静かに，早く，整然と (ハ)　車内での道徳について考える ・危害予防について ・衛生について ・態度について(言語) ・協力と自治 3. 実施と反省
	4. 身体検査をまじめに受けよう	1. 身体検査をまじめに受ける。静かに，秩序正しく 2. 順序よく考えて手順よく受けるようにする		

実 践 課 程

6 月		7 月	
じょうぶなからだになろう		きまりよい生活をしよう	
1. つゆ時には教室の清掃について特に気をつけよう	1. つゆ時にはお教室の清掃についてどんなことに気をつけたらよいか話し合う (イ)　ゴミ箱は毎日きれいにしておこう 必ずゴミを捨てる (ロ)　雑きんはかびないようによく広げて干そう (ハ)　机の中・ロッカーの中を清潔にしよう パンくず・ぬれもの (ニ)　教室の換気に気をつけよう 2. 実践と反省	1. きまりよい生活をしよう	1. 学期末を迎えて1学期の生活の反省をする (イ)　1学期の生活面から問題を拾う (ロ)　1学期の学習面から問題を拾う (ハ)　(イ)(ロ)の問題点について検討して7月の生活の充実をはかるようにする (ニ)　時の記念日についての話合いを行い時間をたいせつにするようにする 2. 7月の努力すべき事項を決める 3. 実践と反省
2. からだをじょうぶにしよう	1. つゆ時には健康のためにどんなことに気をつけたらよいか話し合う 単元　つゆと健康と連絡 (イ)　天気のよい日はつとめて外で元気に運動しよう (ロ)　伝染病にかからぬよう気をつけよう ・ロすすぎと手洗い ・からだを清潔にしよう ・なまものは特に気をつける ・かやはえの駆除 ・衣服はいつも清潔にしよう特に下着類 2. 実践と反省	2. 楽しく水泳をしよう	1. プールと危険予防について話し合う　体育水泳と連絡 (イ)　プールの使用担任指導のもとで行うこと (ロ)　水あそびは必ずおとなといっしょにすること (ハ)　つめ，耳あかを取ること 2. 夏の暑い日は必ず外出には帽子をかぶること 3. 実践と反省
3. 給食は喜んでみんなで食べよう	1. 給食の話を栄養士に聞く 2. 給食の配ぜん (イ)　当番の清潔な服装 (ロ)　手をよく洗おう (ハ)　ナフキンを用意しよう (ニ)　よくかんで食べよう (ホ)　好ききらいなくしよう 3. あと始末をきちんとしよう	3. 楽しい臨海生活をしよう	1. よい臨海生活を送るのにはどんなことに気をつけたらよいか話し合う(単元より臨海生活) (イ)　準備はきちんとする ・名札・記名・一覧表 (ロ)　団体生活のくふう (ハ)　車中の規律 ・危害予防・食べ物 ・態度(特に言語) (ニ)　臨海生活 ・団体の規律・持ち物の整とん・通信・日記・行動範囲の厳守等 2. 実施と反省
		4. 終業式をりっぱにしよう	1. 終業式をりっぱにする (行事終業式) ・並び方・話の聞き方 2. 実践と反省

第 4 学 年　実 践 課 程

学期	月	月の目標	主題	内容
第二学期	9月	自分たちのことは自分たちでしよう	1. 始業式をりっぱにしよう	1. 始業式をりっぱにする (一行事　始業式一) 並び方・話の聞き方 2. 実践と反省
			2. 学校(学級)委員の選挙	1. 1学期の委員活動について委員から話を聞き，委員の任務について理解を深める 2. 学校(学級)委員選挙 (イ) 公正な選挙のしかた (ロ) 開票(児童の手で行う) 3. 委員および部員所属決定 4. 学校自治への積極的な参加 5. 学級全体として，1学期の基礎の上に立って自律・自治的な活発な生活を展開させる
			3. 夏休み作品展覧会を開こう	1. 夏休み作品展覧会を先生といっしょになって計画する (一行事　夏休作品展一) 2. 飾りつけをする・かげひなたなく仕事をする ・進んで仕事を見つけてする 3. 飾りつけも他の学級の作品を見るのにも手を触れたり，乱暴に扱かったりしない 4. 実践と反省
			4. 楽しく学級生活のできるようくふうしよう	1. 2学期の予定について先生から話を聞く 2. 楽しく学級生活ができるようくふうする (イ) 係の仕事をいっしょうけんめいする (ロ) わがままをなくしよう (ハ) 教室をきれいにし，楽しい勉強のへやにする (ニ) 集合は早く静かに集まる (ホ) 教室の出入を静かにする (ヘ) 持ち物に名まえを書く (ト) 学習は進んで計画的にする (チ) かげひなたのない生活をする 3. 実践と反省
			5. 自由研究発表会をりっぱにやろう	1. 自由研究発表会に参加する (一行事　自由研究発表会一) ・静かに・まじめに聞く 2. 実践と反省
	10月	強いからだをつくろう	1. 楽しく運動会に参加しよう	1. 運動会について計画を聞いたり進んで計画に参加する (イ) 種目をみんなで相談して決める (ロ) 練習を進んでする (ハ) じょうぶな身体をきたえる (ニ) 規律を守る 2. 楽しい運動会を自主的に規律正しく行う 3. 実践と反省
			2. 楽しく運動をしよう	1. からだをきたえることについて話し合う (イ) 姿勢を正しくする (ロ) つとめて戸外で運動をする (ハ) あそびのきまりを守る (ニ) あそびのくふうをする 2. 実践と反省
			3. 楽しく遠足しよう	1. 秋の遠足について話し合う (一行事　遠足一) (イ) 自然に楽しむ (ロ) 団体行動を規律正しくする ・車の乗り降り ・車内の道徳を守る ・言語動作に気をつける ・危害予防に注意する ・自然資源をたいせつにする 2. 実践と反省
			4. 楽しく本を読もう	1. 読書週間について話し合う (一行事　読書週間一) 2. 図書館利用について (イ) 図会館でのきまりを守もる ・静かにする・手を洗う (ロ) 読書衛生に気をつける ・本の読み方・姿勢 (ハ) 本の取扱方 ・本の出し方・ていねいに扱う 3. 実践と反省
	11月	きまりは進んで守ろう	1. 落着いて勉強しよう	1. 学習のしかたについて話し合う (イ) 学習のきまりを自主的に守る (ロ) 決められた学習をしっかりやる (ハ) 進んで学習をする (ニ) 学習は計画的にするようにする 2. 実践と反省
			2. 体力テストをしよう	1. 体力テストを先生といっしょに計画する 2. 自分たちでできる準備は自分たちでやる (イ) 準備・記録と整理 3. 実施上のきまりは進んで守ろう 4. 実践と反省
			3. 音楽会には静かに楽しく参加しよう	1. 音楽会の出演と聞き方について話し合う (一行事　音楽会一) 2. 出演と練習 (イ) 練習は静かに熱心にしよう (ロ) 出入は静かに秩序正しくしよう (ハ) 姿勢正しく堂々とやろう 3. 聞き方について (イ) 静かに楽しく聞こう (ロ) いたずらを止めよう 4. 実践と反省
			4. 展覧会をりっぱにしよう	1. 展覧会の飾りつけについて話し合う (一行事　図画工作展覧会一) (イ) 与えられた仕事は真剣に (ロ) 進んで仕事をみつけよう (ハ) 配置配合にくふうをこらそう 2. 展覧会のしかたについて (イ) 作品に手を触れないこと 3. 実践と反省
	12月	安全な生活をしよう	1. 生活を楽しくしよう	1. 冬の生活を楽しくするくふうについて話し合う 2. 交通の面から (イ) 交通規則を守ろう (ロ) 雪(雨)の日などの道路踏切の横断は特に気をつけよう 3. 防火の面から (イ) 火の用心に気をつけよう (ロ) 避難訓練をまじめにやろう 4. 学級生活の面から (イ) 室内のあそびをくふうしよう (ロ) 天気の日は戸外で運動しよう (ハ) お楽しみ会の計画を立てよう (ニ) 思わぬけがなどをしないようにお互に気をつけよう 5. 実践と反省
			2. 冬休みの計画を立てよう	1. 冬休みの計画について話し合う 2. 冬休みの生活について (イ) クリスマスやお正月を楽しく過そう (ロ) お手伝いを進んでしよう (ハ) 訪問は礼儀正しくしよう 3. 学習の面について (イ) 学習は規則正しくやろう (ロ) 得意なものをますます伸ばすとともに，不得手なものについても積極的に努力しよう (ハ) 学習の計画はあまり多くなく立てる (ニ) 教科書だけでなく進んで本を読もう 4. お楽しみ会を計画しよう 5. 実践と反省
			3. 終業式をりっぱにしよう	1. 終業式をりっぱにする (一行事　終業式一) ・並び方・話の聞き方 2. 実践と反省

第 4 学年

学期＼月	1月		2月	
第三学期	ことばづかいや礼儀を正しくしよう		物をたいせつにしよう	
	1. 始業式をりっぱにしよう	1. 始業式をりっぱにする (一行事　始業式一) 並び方・話の聞き方 2. 実践と反省	1. 物をたいせつにしよう	1. 物をたいせつにすることについて話し合う (イ) 物の生命を尊ぶ (ロ) 持ち物には必ず記名しておく (ハ) 扱いをていねいにすれば長くもつことを知ってたいせつに扱う (ニ) 学校のいろいろな施設についても自分のと同じようにたいせつにする (ホ) 町の公共施設についても同じように扱うこと 2. 実践と反省
	2. 学校(学級)委員の選挙	1. 学校(学級)委員選挙 (イ) 公正な選挙のしかた (ロ) 児童の手で開票 2. 委員および部員の所属決定 3. 学校自治への積極的な参加 4. 学級全体として，1，2学期の基礎の上に立って．自律自治的な活発な生活を展開させる		
	3. 学級生活をもっとよくなるよう努力しよう	1. 3学期の生活について話し合い，明るい進学のできるようみんなで努力する (イ) いろいろな行事 (ロ) 3学期の見通し (ハ) 学習の見通し 2. わたくしたちのくらしのくふうをする 単元　私たちのくふうと連絡 (イ) 学習の充実をはかるくふう (ロ) ことばづかいを正しくするくふうをする (ハ) 礼儀を正しくするくふうをする ・知人にあいさつをする ・廊下ですれちがうときは会釈をする (ニ) 生活の充実をはかる ・みんな仲よくするくふうをする　協力 ・人の悪口を言わない (ホ) 不意のできごとにあわてないようにする ・火事・地震など (ヘ) 遊びを楽しくするくふうをする 3. 実践と反省	2. 学芸会の練習をいっしょうけんめいにしよう	1. 学芸会について計画を聞き4年生は何をやるかみんなで話し合う 2. 配役を相談して決める 3. 道具作りの係を決める 4. 練習と道具作り (イ) 練習はみんなで仲よくやる (ロ) よくなるように批評し合う (ハ) 人に迷惑にならぬように注意する (ニ) 道具作りはいっしょうけんめいにやる (ホ) 演出はみんなの一致協力があってはじめてりっぱなものができることを話し合う 5. 実践と反省

実践課程

3月		3月	
一年間を反省しよう			
1. 学芸会を楽しくしよう	1. 学芸会を楽しくするためにはどうしたらよいか話し合う (イ) 演出はみんなで協力し合ってりっぱにやろう (ロ) それぞれの立場を考えて責任を果す (ハ) 会場での作法 ・大きな声を出さない ・人に迷惑をかけない ・むだ口をきかないで楽しく見る ・拍手はいっしょうけんめいする ・出入りは静かにする 2. 実践と反省	4. りっぱに卒業ができるようにしよう	1. 卒業式には服装を整えて真心をもって参列することについて話し合う (一行事　卒業式一) ・静粛な・真心をもって ・話の聞き方・歌のうたい方 2. 実践と反省
2. 一年間の反省をしよう	1. 喜びの進学を前にして4年生1年間の反省をし5年の計画をたてる 2. 生活面について (イ) 規律はどうであったか (ロ) 礼儀はどうであったか (ハ) ことばづかいはどうであったか (ニ) 集会のし方や廊下の歩行の問題はどうであったか (ホ) 遊びと運動のきまりはどうであったか (ヘ) そうじ当番はどうであったか 3. 学習面について (イ) 楽しく思いきって学習ができたか (ロ) 不足な点はなかったか 4. 健康面について (イ) 健康についてはどうであったか 5. 5年生生活の希望を話し合う 6. 5年生の計画をたてる		
3. 終業式をりっぱにしよう	1. 終業式をりっぱにする (一行事　終業式一) ・並び方・話の聞き方 2. 実践と反省		

常時活動や随時活動の目標は，学級や学校の実状により，さらにいくつかがつけ加えられることが現実であるし，またそうすることがこれらの活動の本来の姿から見て当然でもある。

あるいは，定時活動でも，問題課程などとの関連で，目標がいくらか変更されることもある。

こうした意味では，実践課程の目標や実践活動は，あくまで固定化したもの，形式化したものではなく，その場に応じ，人に応じた生き生きとしたものでなくてはならない。

2. 実践課程の展開について

全体計画の構想と具体化という観点から，実践課程の展開について，いくつかの問題点をあげてみよう。

(a) 目標や実践活動を精選する。

実践課程の指導においてたいせつなことは，こどもの自発性・自発活動を主体とする点である。このことは，一方においては，活動が真に生き生きとした，こどもの積極的な意欲を満足させるとともに，一方においては，思いつきの，無計画の，非能率的なものに陥る危険をももっている。全体計画における時数不足ということも考えられるべき点である。このような点にかんがみて計画面において，目標や実践活動の方法，時期，時間数については，慎重に配慮がなされなければならない。

(b) 問題課程・基礎課程との連関を考える。

この点については，先に構成のところでものべたように，実践・問題・基礎の３課程は３者がそれぞれの特色を生かすとともに，３者がお互に助け合い，力動的なからみ合いをもって展開されるべきである。この３者が，ばらばらに展開されるときは，全体計画として，いわば真の機能を発揮するものとは言えない。

この点はカリキュラムの構成の一つの技術としても考えられるべきことであるとともに，その展開に当って留意されるべき事がらであろう。

(c) 目標や実践活動の系列化。

実践課程における目標や活動は，学級という形をはずして行われる場合が多いので，指導がこどもの現実や成長に即して，系統的段階的に行われる点がおろそかになる。この点については，指導計画が適確に用意される必要があろう。当校のプランも，この意味での一つの試案である。

3. 問題課程の構成について

問題課程の構成についての手続などについては，ここで割愛することとして，構成上の問題点を述べることとする。

(a) 問題課程の内容は教科でいうところの社会科と理科に限るか，それとも他の学習も随時含めて構成するのがよいか。

この場合「問題」ということばの意味をはっきり限定する必要がある。当校の実験学校としての第２年度（昭和28年度）の研究の主たる中心はここにあった。当校の結論によると，問題とは，あくまでこどもの社会的・自然的なものに対する疑問・関心から育てられるべきものであって，したがって，社会科的な内容や理科的な内容は中心となるのは当然ではあるが，これだけに必ずしも限ることなく，必要に応じては，算数的なものも，図工的なものも，音楽的なものも，およそ問題解決に役だつかぎり取り入れてゆくのがよいという結論である。

(b) 一つの問題解決の過程に，社会科的なものと理科的なものとがどのように位置づけされるのが妥当か。

実際に単元を構成したり，展開してみると，社会科的な方向に片寄ったり，理科的なものばかりになったり，この両者をうまくとり入れることは必ずしも容易ではない。

特にこの点は，学年の進むにつれて困難度が高くなる。

われわれの案では高学年においては，むしろこの両者を分けてとりあげるほうがよいのではないかということも考えた。しかし，結論においては，1年から6年まで，社会科的な内容と理科的な内容を分けずに，一つの問題解決過程に入れて構成した。

(c) 社会科と理科の基礎能力のために，問題課程と別途に，もしくは基礎課程としてコースを設ける必要はないか。

社会科・理科の内容には，技術的なもので，系統的に学習したほうがよいと思われるものも少なくない。これに対しては，問題課程の中でとりあげてもよいという考えと，別系統にしたほうがよいという考えとがあった。われわれの全体計画においては，けっきょく前者の立場をとって，これを問題課程の中に含めて構成した。理由としては，問題の選択とその配列にくふうを加えるならば，基礎能力・技能の系統的な習得も不可能ではないという見通しを持ったことと，もう一つは，社会科や理科の学習の本来のあり方を考え，これは当校の場合には，問題課程として問題解決の過程において，それぞれの理解や技能を得させることが最も本来の姿にふさわしいと考えたからにほかならない。

当校の問題課程の実際については，別表を参照願いたい。

4. **問題課程の展開について**

(a) 社会科的な内容についての学習と，理科的な内容についての学習と，その問題解決の過程には根本的な差は認められない。いずれも，人間生活の問題としてとりあげられるからである。ただ，その解決過程に，この方法は，どちらかに比較的多く用いられるという学習方法上の差は，ある程度認められる。

(b) 問題解決の基本的形態は，こどもの発達に即して，多少程度の差は

認められる。低学年，特に1～2年では，問題のとらえ方が質的にも，深さにおいても，高学年にみられる場合とかなり異なり，いわゆる問題意識が発達していないといえよう。また，論理的思考力も発達していないから，論理的思考を要する計画段階での見通しを立てることや，整理段階での結果の検討などは困難である。このようなことから，問題解決の本格的な形態をとるのは，第3学年以上であろう。

(c) 低学年の問題課程は実践課程と特に不可分に結びつくものが多い。これは，こどもの発達の状態からみて，むしろ当然と言えよう。当校の場合も，この関連は積極的にとりあげて展開した。

5. **基礎課程の構成について**

(a) 基礎課程の構成において，最も問題となるのは，能力の分析とその系統づけである。これについては，別表の当校の実例についてごらんを願いたい。全部を掲げることは紙面のつごうもあるので，中でも特に問題の多い国語・図画工作・音楽・体育について示すこととする。

第3学年基礎課程資料例

例として国語の分析表に掲げる。

経験の系列		1年	2年	3年
大分類	中分類	言語の意識化		言語の標準化
	対話 1. あいさつ	◦家庭・先生・近所の人にあいさつ	◦家庭・学校・近所の人にあいさつ	◦訪問や辞去のときのあいさつ
	2. 紹介	◦自分の名まえ・両親の名まえ	◦自分の両親の名まえ・家の職業	◦簡単な自己紹介
	3. 面接		◦意見や許可	◦ 同
	4. 問答	◦先生・父母に質問や返事	◦先生・父母に質問・応答	◦ 同
	5. 電話	◦電話ごっこ	◦ 同	◦電話あそび

談話と聴取	会話 6.話合	◦遊びや作業のときの話合	◦集団的な遊びや作業の時 ◦おもな経験についての話合	◦自由な座談の場合 ◦生活経験の話合い ◦学級の相談 ◦お楽しみ会の相談
	7.会議 8.討論 9.司会	◦簡単な相談 ◦ ◦	◦いろいろな相談 ◦自由な討論 ◦	◦　同
	独話 10.発表 報告	◦家庭にあった事がらの発表 ◦物語・紙しばい（話，聞） ◦伝言やお使いの報告 ◦朗読・作文の発表	◦　同 ◦　同 ◦伝言・お使い・欠席の報告 ◦　同	◦生活経験の発表 ◦　同 ◦　同 ◦　同 ◦観察・見学・読書の報告や発表
	11.お話 説明	◦絵・労作作品の説明 ◦お話・発表会 ◦朝会・集会	◦　同 ◦学芸会・誕生会 ◦　同	◦労作作品・図表の説明 ◦　同 ◦　同
	12.放送 映画	◦ラジオ・学校放送を聞く ◦校内放送 ◦映画	◦　同 ◦　同 ◦　同	◦　同 ◦　同 ◦　同
	13.劇化	◦ごっこ遊び・影絵遊びをする ◦呼びかけ・簡単な劇	◦ごっこ遊び・影絵遊び・ものまねあそび ◦簡単な児童劇	◦　同 ◦　同
読解と鑑賞	実用的 14.手紙	◦簡単な便り	◦　同	◦依頼状・招待状を読む
	15.日記 記録 報告	◦絵日記 ◦自然の観察・小動物の飼育 ◦生活文	◦飼育・栽培・観察季節だより ◦生活文・掲示文・作品の説明文 ◦学習	◦　同 ◦　同 ◦見学・発表会の発表原稿覚え書き
	文芸的 16.詩歌	◦童話・童詩を読む	◦　同 ◦自由詩・定形詩を読む	◦　同 ◦自由詩・定形詩・散文詩を読む
	17.随筆	◦空想的な文を読む	◦感想文を読む	◦　同
	18.物語	◦絵本・童話・ぐう話・笑話・漫画	◦　同	◦童話・ぐう話・笑話 ◦伝記・伝説・探て

	19.脚本 シナリオ	◦簡単な児童劇の脚本 ◦呼びかけの台本 ◦簡単な紙しばい	◦児童劇の脚本 ◦　同 ◦　同	い冒険物語 ◦科学的童話 ◦　同 ◦放送劇の台本 ◦　同 ◦シナリオ（漫画的）
	編集 20.新聞 雑誌	◦こどもの雑誌	◦　同 ◦かべ新聞	◦　同 ◦　同
	21.文集	◦かるた・自己の作文	◦　同	◦自己の作文集
図書館利用	図書 22.機能 構造 23.愛護	◦本の各部の名称 ◦本の扱い方・出し入れ	◦各部の名称と役目 ◦　同 ◦新本の開き方	◦文集作り（物的構成） ◦　同 ◦　同
	24.選択	◦好きな本を選ぶ	◦程度を考えて選ぶ	◦目次や造本に注意して選ぶ
	25.読書 衛生	◦よい姿勢で本を読む	◦目との距離や汚損の原因を考えを読む	◦　同
	26.図鑑 辞書 27.百科辞典 その他		◦低学年用図鑑	◦　同
	図書以外の資料	◦定期刊行物（雑誌） ◦紙しばい・幻燈	◦　同 ◦　同	◦　同 ◦　同
	28.資料	◦映画・掛図	◦絵はがき・切り抜き	◦　同
	図書館 29.市民性	◦静かにして係のさしずに従う	◦静かにしきまりを守る	◦　同 ◦図書・館内設備・備品の愛護
	30.活動	◦各種の催しに参加	◦　同 ◦広報活動に協力する	◦　同 ◦　同
	諸書法 31.きまり	◦読後感を話す ◦音読・黙読	◦読書の記録 ◦　同	◦読書日記・感想文 ◦黙読・通読・多読
	基本技能 32.分類	◦絵本・雑読などの区分	◦形態・種類などによる大まかな区分	◦形態・種類・内容を考えての区分
	33.目録			◦こども用冊子目録を使う

	学級文庫 34.運営管理	◦持ち寄り文庫の運営または巡回文庫の利用	◦組織化した学級文庫の運営または巡回文庫の利用	◦　同
作文（創作）	実用的な文 35.日記	◦絵日記(生活日記)	◦　同 ◦飼育栽培日誌（季節だより）	◦生活日記 ◦飼育栽培観察日記 ◦学級日記
	36.記録	◦遊びの生活 ◦ノート	◦学校生活・家庭生活 ◦季節だよりを書く	◦郷土生活 ◦見学調査 ◦人の話をメモする
	37.通信文	◦手紙 ◦郵便ごっこ	◦お礼・お願い・お見舞の手紙	◦年賀状・見舞の手紙 ◦招待状・依頼状 ◦　同
	文芸的な文 38.生活文 随筆	◦生活文	◦　同	◦読書の記録
	39.編集	◦かるたつくり	◦　同 ◦切り抜き集め	◦個人文集 ◦壁新聞
	40.詩歌	◦自由な童詩	◦　同	◦　同 ◦　同
	41.お話	◦絵話	◦　同	◦読み・聞きした話の改作 ◦幻燈・映画のまとめた話
	42.演劇	◦ぬり絵	◦物語を紙しばいにする(脚色)	◦紙しばいを創作する鉛筆問答
書写	43.字形	◦ひらがな・漢字	◦ひらがな・かたかな・漢字	◦漢字組立の基本（へん・つくり・かんむり）
	44.筆順	◦筆順のあることを知る （ひらがな・漢字）	◦文字の形が整う （ひらがな・かたかな・漢字）	◦標準的な筆順で書く （同）
	45.正しさ 速さ	◦ゆっくり正しく書く　（視写） （1.5センチ角ぐらいの文字）	◦正しく書く （視写・聴写） （同）	◦要点を速く書く （同） （1.2センチ角ぐらいの文字）
	46.書式		◦はがき	◦はがき・手紙・学級日記
	47.告知			◦プログラム・ポスター・壁新聞
	48.用具	◦鉛筆・クレヨン ◦けい紙	◦鉛筆・クレヨン・チョーク ◦　同	◦　同 ◦白紙・けい紙

語法	49.品種	◦物の名まえ ◦名まえのかわり	◦人の名まえのかわり ◦時の言い表わし	◦場所のさし方 ◦物の形や様子 ◦受動と能動
	50.用字	◦ひらがな ◦漢字	◦かたかな ◦かたかな書きのことば ◦漢字	◦漢字 ◦かたかな書きのことば
	51.用語	◦表音と表意 ◦かなづかい ◦相手の呼びかた ◦好きなことば	◦幼児語 ◦はやりのことば ◦くり返しことば ◦ていねいことば ◦ことばのつなぎ ◦格の区別	◦かなづかい ◦ことばのつなぎ
	52.文型	◦主語と述語 ◦問いと答え ◦言い方のいろいろ	◦主語と述語	◦話しことばと書きことば
	53.文体	◦あいさつ	◦説明と訴え 親しみと厳格	◦敬体と常体
	54.表記 語形	◦母韻 ◦促・よう音・鼻音・濁音ひらがなの字形・音形・句読点	◦なまり音 ◦アクセント ◦かたかなの字形 ◦長音の書き方	◦漢字の組立 ◦同音異義のことば

基礎課程図画工作学習経験要素表

大分類	中分類	1年	2年	3年	4年	5年	6年
描画	想画的表現	①あそび，仕事，行事，学習など生活の自由表現をする	①前学年に準ずる。 ②童話などを想像的にかく	①こどもの生活，おとなの生活，童話，人物，動物などを自由にかく	①前学年に準ずる	①前学年に準ずる	①前学年に準ずる
	抽象的表現				②変った絵を考えだす	②心持を絵にする	②前学年に準ずる
	写生的表現			②簡単な風景や人物をかく	③前学年に準ずる	③風景，静物，人物，建築物などをかく	③前学年に準ずる
	説明的表現			③簡単な絵地図		④絵地図	④精密描写，略写 ⑤図表
	描法			④割合，関係に注意する	④形，色，明暗，陰影，遠近に気づかせる ⑤構図に注意する	⑤構図，調和に注意する	⑥前学年に準ずる
	形式	②はり絵 ③絵日記	③絵巻物 ④紙しばい	⑤集団画 ⑥シルエット（影絵） ⑦すみ絵 ⑧いも版，こすり出し	⑥布絵 ⑦ガラス絵 ⑧木版画	⑥ペン画 ⑦絵巻物 ⑧速写，略写	⑦モザイク
	材料用具	④クレヨン，パス類，鉛筆 ⑤色紙	⑤不透明水絵の具，墨，粉絵の具	⑨墨	⑨ポスターカラー，布，糸，色紙 ⑩版画材料，用具	⑨ペン，毛筆	⑧水絵の具
図案	自由図案	⑥並べ模様を作る ⑦好きな色や線で模様ふうにかく	⑥前学年に準ずる ⑦丸，三角，四角で模様を作る	⑩紙，糸，布なども加えてかく	⑪前学年に準ずる	⑩モンタージュ ⑪紙，布，金属，木などで立体的に構成する	⑨前学年に準ずる
	実用図案			⑪ポスター，衣服，表紙図案などをかく ⑫箱，粘土のうつわなどの形や意匠を考える	⑫前学年に準ずる ⑬工作品の形や意匠を考える	⑫家庭用品，服飾品の形や意匠を考える	⑩文字図案，商品図案などを考える
	配置配合	⑧教室を飾る ⑨机の中の整理整とんをする	⑧前学年に準ずる	⑬教室の整理整とん美化をはかる	⑭前学年に準ずる ⑮成績品の展示を考える。 ⑯スクラップに美しくてん付する	⑬へやの器物の配置配列を考える ⑭新聞のレイアウトや掲示板の展付を美しくする。	⑪学校園の美化をはかる ⑫住宅の間取，へやの中の色や配置を考える
	図案美の理解				⑰色合い，明かるさ，形の大小の従属による変化，対立による変化，つり合い	⑮色合い，明かるさ，あざやかさ，線，形，面積などの従属，対立，形や色の調和	⑬線の方向，くり返し，色の連続反復，形や面積の級類的配列

工作	おもちゃ模型	⑩簡単な遊び道具	⑨前学年に準ずる	⑭動く仕掛のあるおもちゃ ⑮建物乗物などの模型	⑱前学年に準ずる	⑯機構を持つおもちゃ ⑰構造物の模型	⑭前学年に準ずる
	実用品			⑯学習や遊び道具，装飾品	⑲前学年に準ずる	⑱学習用具，生活用具	⑮前学年に準ずる ⑯家庭用具
	自由構成			⑰１枚の紙からの立体構成	⑳前学年に準ずる	⑲板金，針金，木，竹などによる立体構成	⑰前学年に準ずる
	粘土工作	⑪生き物や遊び道具	⑩前学年に準ずる	⑱彫塑的なもの ⑱工芸なもの	㉑前学年に準ずる ㉑前学年に準ずる	⑳彫塑的構成物 ⑳工芸的構成物	⑱前学年に準ずる ⑱前学年に準ずる
	材料	⑫色紙，うす紙，中厚紙 ⑬きびがら，竹ひご ⑭粘土 ⑮木の実，葉，花，野菜	⑪前学年に準ずる	⑲前学年に準ずる	㉒厚紙 ㉓小丸竹，割竹，太丸竹 ㉔紙粘土 ㉕細木	㉑針金，板金 ㉒木材，竹材 ㉓糸や布	⑲前学年に準ずる ⑳セメント ㉑枝木，たまごがら
		⑯のり，のり下紙			㉖セメダイン	㉔カゼイン，にかわ ㉕洋くぎ	㉒半田 ㉓木，竹，くぎ
					㉗サンドペーパー	㉖と石	
				⑳絵の具		㉗エナメル，ワニス ㉘染料	㉔ラッカー，ワニス ㉕うわぐすり
	用具	⑰はさみ ⑱粘土板	⑫ものさし ⑬粘土べら ⑭定木	㉑切出し小刀 ㉑きり ㉒三角定木，コンパス ㉓裁板，裁定木	㉘彫刻刀，バレン ㉙竹ひきのこぎり，竹割りなた，竹けずり台 ㉚木づち，金づち	㉙平がんな ㉙曲尺直角定木(スコヤ) ㉙糸のこぎり㉙両刃のこぎり㉙けびき㉙万力 ㉙くぎ抜き ㉚ペンチ，金切ばさみ，くいきり，やっとこ ㉚木やすり，鉄やすり類 ㉛染色用具	㉖ハンドドリル ㉗半田ごて ㉘のみ ㉘木口台 ㉙丁定木 ㉚編物用具
	製図	⑲展開図を切る，折る ⑳のりしろの意味	⑭展開図をよむ ⑭工作方眼紙に簡単な展開図をかく ⑭定木で線を引く	㉔工作法眼紙に自由に展開図をかく	㉛白紙に展開図をかく	㉜簡単な投影図を読む ㉜簡単な投影図をかく	㉛投影図をかく ㉛投影図の基本的法則を理解する
	工作法	㉑紙の折り方，切り方 ㉒のりのつけ方 ㉓きびがらの切り方，つぎ方 ㉔粘土の練り方	⑮中厚紙の切り方，折り方，組立て方	㉕前学年に準ずる	㉜厚紙のたち方，折り方，目ばり ㉝竹のひき方，割り方，削り方 ㉞粘土の板作り，巻作り ㉟紙粘土の作り方	㉝板の切り方，削り方 ㉞板金の切り方，曲げ方，つなぎ方 ㉞針金の切り方，曲げ方，つなぎ方 ㉟にかわカゼインのつけ方	㉜木取りと組立て方 ㉝半田づけのしかた
		㉕はさみの使い方	⑯ものさしの扱い方	㉖切出し小刀の扱い方 ㉗きりで穴をあける方法	㊱工具の手入れと保存法 ㊲のこぎりの扱い方	㊱刃物の保存法 ㊲かんなその他の工具の扱い方	㉞機械工具の扱い方 ㉟刃物の手入れ

	工作法	㉖二つ折りの立たせ方	⑰紙で簡単な立体形の作り方	㉘くみ紙のしかた	㊳紙箱の組立て方 ㊴版画のすり方 ㊵指人形の作り方	㊳各種塗装のしかた ㊴型紙ずりのしかた ㊵模型飛行機の作り方 ㊶木の組立て方 ㊷染色のしかた しぼり染め おし染め 板染め，クレヨン染め はり絵染め ㊸アップリケのしかた ㊹浮き彫り	㊱ラッカーのぬり方 を ㊲しん棒のある粘土彫塑 ㊳木せっこうなどの丸型り ㊴楽焼のしかた ㊵編物のいろいろ ㊶ぬいぐるみ ㊷ろう染めのしかた
色彩	色相	㉗あか，だいだい，きいろ，きみどり，みどりあおみどり，みどりあお，あお，あおむらさき，むらさき，あかむらさき，がわかる ㉘しろ，はい，くろがわかる	⑱前学年に準ずる	㉙有彩色無彩色を区別する ㉙色合いによって分類する			
	明度			㉚無彩色の明るさの11段階 ㉛有彩色の純色と明るさの当合	㊶有彩色の純色明色暗色と無彩色との当合 ㊷明度による色相の分類	㊺明暗いろいろの有彩色を作る	
	彩度					㊻色のあざやかさの理解 ㊻彩度による色の分類	
	配色	㉙簡単な色並べ		㉜色合いの明るさの面からの配色調べと配色練習	㊸目だつ配色，目だたぬ配色	㊼色合い，明度，彩度の面からの配色しらべ ㊽暖色，寒色のとり合わせ主調色の理解	㊸面積の大小の面からの配色調べ
	混色					㊾白黒灰と有彩色の混合 ㊾有彩色と有彩色との混合	㊹前学年に準ずる
鑑賞選択	自然物 美術作品	㉚花や葉の美しさを見る ㉛友だちの作品を見る	⑲前学年に準ずる。	㉝郷土の自然美をながめる ㉞友だちや先生の作品を見る	㊹前学年に準ずる	㊿風景の美しさ，自然物の美しさを発見する (51)よい絵や彫刻，工芸などを見る	㊺美術館や博物館を見学する
	実用品			㉟表紙，さし絵のよしあし，ポスターの色や感じ，学用品の形や機能	㊺ポスター，レッテル，日用品，学用品などのよしあし	(52)家庭用品，身のまわり品の形や色や機能のよしあし	㊻家具類，建築物などの形や色や機能のよしあし
	造形材料	㉜工作材料集め	⑳材料を選ぶ	㊱作品に適した材料を選ぶ	㊻むだなく生かす	(53)材料の性質用途を理解する	㊼前学年に準ずる
	美術的常識				㊼学校にある美術品を調べる	(54)郷土の美術品，日本の美術品を調べる，国宝重要美術品の意味を理解する	㊽日本の美術品，世界の美術品を調べる ㊾簡単な美術史を知る
	美的感覚	㉝色や形のおもしろさに気づく	㉑生き生きとした動きを感じる	㊲質の感じの美しさ	㊽量の感じ，力の感じ	(55)変化やつり合い調和の感じ	

基礎課程音楽 学習経験要素表

分類 大分類	分類 中分類	1年	2年	3年
用語や記号がわかる	音符と休符	①階名を覚える ②絵譜と楽譜の形 ③一うち音符♩ ④一うち休み𝄽 ⑤二うち音符𝅗𝅥	①八分音符♪ 𝄾 八分休符 ②全音符𝅝 ③付点音符♩. 𝅗𝅥.	①全休符 𝄻
	いろいろな記号と標語		④ト音記号 ⑤リズム譜	②拍子記号(2拍子) ③拍子記号(3拍子) ④拍子記号(4拍子) ⑤間，線，五線 ⑥縦線，複縦線 ⑦音名(ハ，ニ，ホ，ヘ，ト，イ，ロ)
演奏様式がわかる	声楽	⑥独唱とせい唱	⑥独唱とせい唱	○輪唱
	器楽			
リズムに合わせる		⑦リズム打ち ⑧マーチに合わせて歩く ⑨敬礼 ⑩歌に合わせて遊戯する	⑦二拍子の拍子打ちとリズム打ち ⑧カスタ，タンブを鳴らしながら歩く ⑨ ♩. ♪ | ♩ ♪♪ | ♪♪♪♪	⑧3，4拍子の拍子の打ち方とリズム打ち ⑨2，3，4拍子の指揮のとり方
楽器を演奏する	リズム楽器 旋律楽器	⑪カスタネット，タンブリン，大ダイコ，スズ	⑩シンバル，トライアングル，小ダイコ ⑪木琴	⑩木琴，鉄琴，小ダイコ ⑪ハーモニカ
歌をうたう	単音 唱歌	⑫口型模唱 ⑬どならないでうたう ⑭階名模唱 ⑮楽しく歌う	⑫擬声音 ⑬静な声で歌う ⑭聴唱的階名 ⑮声をそろえて歌う ⑯ひとりで歌う	⑫きれいな声で歌う ⑬鼻濁音の発音ができる ⑭階名視唱に慣れる ⑮伴奏に合せて歌う ⑯買物するときの節を歌にする
	輪唱			⑰輪唱を歌うことになれる
	合唱(和音)			⑱ハ長調終止形合唱
楽譜を書く	音符		⑰ 𝅝，♩，𝅗𝅥.，𝄽 (𝅗𝅥=♩+♩)	⑲ ♪ ♩. 𝅗𝅥. 𝄾 (𝅗𝅥.=𝅗𝅥+♩)
	楽譜		⑱ 𝄞	⑳五線，小節，縦線，拍子記号
	創作		⑲音をうめる(一つ)	㉑一小節をうめる ㉒買物するときの節を書いてみる
曲の感じをとらえる	いろいろな感じの音楽	⑯元気な歌，静な歌 ⑰リズミカルな歌を聞く ⑱身体的に反応表現する ⑲友だちや先生の歌をじょうずに聞く	⑳フレーズの感じ ㉑旋律的な歌を聞く ㉒身体的に反応表現する	㉓好きな暗称歌をもつ ㉔擬音や擬声音 ㉕描写音楽
	日本と外国の音楽			
楽器の音色がわかる	オーケストラの楽器	⑳リズム楽器の音色を当てる (カスタネット，タンブリン，大ダイコ，スズ) (シンバル，トライアングル，小ダイコ)	㉓リズム楽器の音色を聞いて曲のどんな所に使ったらよいか ㉔(フルート，クラリネット)	㉖リズム楽器 ㉗トランペット，(バイオリン，チェロ)
形式がわかる	歌の形式			
	器楽の形式			

大　分　類	中　分　類	4　年	5　年	6　年
用語や記号がわかる	音符と休符	①16分音符		
	いろいろな記号と標語	②拍子記号(6拍子) ③ ♭,♯　(ヘ長調; ト長調)(二短調) ④強弱記号 *p*, *mp*, *mf*, *f*, ＜ ＞	①ニ長調，変ロ長調 ♯♯, ♭♭ ②ト短調 ③反復記号 D.C.D.S. ④速度標語 ♩=120 ⑤Pocorit ⑥ 𝄆 𝄇 ⑦atempo ⑧スタッカート ⑨タイ，スラー ⑩弱起の曲 ⑪シンコペーション	①イ長調，変ホ長調 ♯♯♯, ♭♭♭ ②本位記号(ナチュラル) ♮ ③臨時記号
演奏様式がわかる	声　楽	⑤二部合唱 ⑥二重唱	⑫三部合唱 ⑬重唱との違いを知る(トリオ，クワルテット，クインテット)	④三部合唱 ⑤混声，同声合唱
	器　楽	⑦三重唱	⑭トリオ，クワルテット，クインテット	⑥トリオ，クワルテット，クインテット
リズムに合わせる		⑧2, 3, 4拍子の指揮のとり方 ⑨6拍子の指揮のとり方	⑮6拍子の指揮のとりかた ⑯リズム楽器で曲の伴奏をくふうする ⑰指揮に応じて(与えられたリズムをもって)テンポの変化に反応して表現する	⑦指揮に応じてリズムの変化の表現ができる ⑧指定された曲のリズムを自由に変化できる
楽器を演奏する	リズム楽器 旋律楽器	⑩タテ笛	⑱タテ笛，ヨコ笛	⑨ヨコ笛
歌をうたう	単音　唱歌	⑪階名視唱に慣れる(ヘ長調．ト長調)	⑲階名視唱(ニ長調，変ホ長調) ⑳各国の民謡	⑩階名視唱(イ長調，変ホ長調) ⑪各国の民謡
	輪　唱	⑫音の重なりに親しむ	㉑輪唱のおもしろさを味わう	⑫輪唱の響きを味わう
	合　唱 (和音)	⑬二部合唱に慣れる ⑭終止形合唱	㉒三部合唱 ㉓終止形合唱(ニ長調，変ホ長調)	⑬三部合唱 ⑭終止形合唱
音符を書く	音　符			
	楽　譜	⑮写譜(正しくきれいに)	㉔移調して書ける(C⇄F，C⇄G，F⇄G) ㉕簡単な既習曲を見ないで書いてみる	⑮移調して書ける(C⇄D，B⇄C，D⇄E，E⇄F，G⇄A，A⇄B)
	創　作	⑯よい節を(聞いて書く(2～4小節)，つくる ⑰リズムの創作 $\frac{2}{4}$, $\frac{4}{4}$, $\frac{3}{4}$	㉖よい節を(きいて書く(8小節)，作る) ㉗歌詞に節をつける(8小節)	⑯二部形式の曲を(きいて書く(16小節)，作る) ⑰自由に節を作る
曲の感じをとらえる	いろいろな感じの音楽	⑱表題音楽 ⑲和音の美しさを知る ⑳しづかな節とリズム ㉑元気な節とリズム	㉘絶体音楽(行進曲，舞踏曲，序曲，変奏曲) ㉙長調と短調の識別	⑱絶体音楽(交響曲，組曲)
	日本と外国の音楽		㉚名高い音楽家の伝記 ㉛日本の音楽	⑲日本音楽 ⑳各国の民謡 ㉑名高い音楽家の伝記 ㉒名高い音楽家の作品を調べる
楽器の音色がわかる	オーケストラの楽器	㉒リズム楽器と旋律楽器 ㉓フルート，クラリネット，バイオリン，チェロ，オーボー，バスーン，ホルン，トロンボーン	㉜オーケストラの形態と音色，演奏のしかた(含調弦) ㉝楽器の組合せ(デュエット，トリオ，クワルテット) ㉞琴，ハープ，ダブルベース，ビオラ	㉓日本音楽の楽器を知る(三味線，尺八) ㉔音の科学 ㉕オーケストラの配置，音色，演奏のしかた(含調弦)
形式がわかる	歌の形式	㉔一部形式	㉟二部形式	㉖三部形式
	器楽の形式		㊱行進曲，舞踏曲，序曲，前奏曲，変奏曲	㉗交響曲，組曲

基礎課程体育科　学習経験要素表

大分類	中分類	1，2年	3，4年	5，6年
運動	力試し運動	1. 正しい姿勢で歩く 2. 50mを全力で走る 3. なわ飛びをする 4. 前まわり，横まわりする	1. 足をそろえて歩く 2. 80mを全力で走る. 50mを続けて走る 3. なわ飛びをする 4. 前まわり，横まわりをする	1. 足をそろえて歩く 2. 100mを全力で走る　1,000mを続けて走る　3. なわ飛びをする 4. 前まわり，横まわり，後まわりをする 5. いろいろの力試し運動をする 6. 徒手体操が正しくできる
	ボール運動	5. ボールを自分の思っている方向に投げる 6. ボールを両手で受け止める 7. ボールをける 8. いろいろのボール運動をする	5. ボールを目標に向って投げる 6. ボールを両手で受けとる 7. ボールを思う方向にける 8. いろいろのボール運動をする	7. いろいろのボールゲームをする 8. ボールを遠くの目標に投げる 9. フライ，ゴロをうける，ボールをすぐ投げ返せるように受けとる 10. バットでボールを打つ
	リレー	9. 簡単なリレーをする	9. 簡単なリレーをする	11. リレーをする
あそび	固定施設のあそび	10. 固定施設を楽しくじょうずに使う 11. 鉄棒であそぶ 12. とび箱に乗ったり，降りたりする	10. 固定施設の特長を知り，楽しく使う 11. 簡単な上がり方，まわり方をする 12. とび箱で腕立てとび越しをする	12. とび箱でいろいろの運動をする 13. 鉄棒でいろいろの運動をする
	鬼あそび	13. いろいろの鬼あそびのしかたがわかり行う	13. いろいろの鬼あそびのしかたがわかり進んで行う	14. いろいろの鬼あそびをする
	水あそび	14. 水あそびの注意をよく知る 15. 水あそびをする	14. 水あそびの注意をよく知る 15. 少し泳ぐ	15. いろいろの泳ぎをする 16. 水あそびの注意をよく知る
	雪あそび	16. 雪あそびをする	16. 雪なげをする	17. 雪なげをする
リズム	基礎リズム	17. アンダンテ，アレグロのテンポをいろいろなやり方で反応できる 18. 二拍子四拍子の区別をする 19. 手足の動作で強弱がつけられる 20. 簡単なリズム型で動作する	17. ホッピング　ステップ 18. バランス　ステップ 19. ツー　ステップ 20. ワルツ　ステップ 21. クロス　オーバー　ターン 22. フオーロー　ステップ	18. ポルカ　ステップ 19. マズルカ　ステップ 20. スケーティング　ステップ 21. スライディング　ステップ 22. リーピング　ステップ
	歩法	21. ウォーキング　ステップ 22. ランニング　ステップ 23. スキップ 24. ギャロップ	23. アンダンテ，アレログロ，アダジオの変化をいろいろなやり方で反応できる 24. 二拍子，四拍子，三拍子の区別をする 25. 手足の動作で強弱がつけられる 26. やや複雑なリズム型で動作する	23. アンダンテ，アレグロ，アダジオの変化に正しく反応できる 24. 二拍子，四拍子，三拍子，六拍子の区別をする 25. 強弱による動作によって感情を表現する 26. 多様なリズム型で動作する
	表現	25. 人の動きやことば，歌などで即興的なまねの表現をする 26. 動物や植物のまねをする 27. 身近な生活経験のまねをする 28. 動きのある物のまねをする 29. 個人表現をくふうする 30. 簡単な民踊をする	27. 人の動きやことば，歌などで即興的にまねの表現をする 28. 同前 29. 同前 30. 動きのある事物の表現をする 31. 自然現象などの表現をする 32. 物語，劇などの表現をする 33. 簡単な組舞をくふうする 34. 多人数の組合せによる民踊をする	27. 人の動きやことば，曲などで即興的にまねの表現をする 28. 同前　29. 同前 30. 動くもの，動かぬものなどの表現をする 31. 同前 32. 同前 33. 簡単な思想感情的な表現をする 34. 群舞の構成をくふうする 35. やや複雑な民踊をする

保健衛生	清　潔	31. 運動のあとでよく手を洗う 32. 汗が出たらよくふきとる 33. 手や足のつめはいつも短く切っておく	35. 清潔によく注意する	36. 用具を清潔に保つ
	安　全	34. 運動に適した服装で遊ぶ 35. はちまきは忘れないで準備する 36. 危険な場所で遊ばない 37. 危険物を取り除く 38. 決してひとりで泳ぎに行かない	36. 軽い服装で運動する 37. はち巻は忘れないでいつも準備する 38. 準備運動や整理運動をする 39. よくないあそびや危険なあそびをしない 40. 不潔な場所や危険な場所であそばない 41. 水泳についての注意をよく守る	37. 自分のからだに適した運動を選ぶ 38. かたよった運動をしない 39. 準備運動や整理運動を忘れない 40. 身体検査の結果を運動に活用する 41. 危険な場所で運動しない 42. 水泳の心得を守り，プールの清潔に注意する
	救　急	39. けがをしたときはすぐにおとなに知らせ手当を受ける		
	休　養	40. 運動のあとは静かに休む 41. 病気やからだの調子の悪いときは，家族や先生に知らせ運動を休む 42. 食事の直後は運動しない	42. 適当に運動し，また休む 43. 病気のときは運動を休むか，見学する 44. 空腹時や食時の直後には運動を控える	43. からだの調子を考えて運動し，過労を避ける
	予　防	43. できるだけ戸外で遊ぶ 44. 炎天下で長く運動することを避ける 45. 不潔な場所で運動をしない 46. 進んで身体検査を受ける	45. 季節や天候に合った運動を選ぶ 46. 進んで身体検査を受ける	44. 季節や天候に合った運動をする
施設用具	活　用	47. 施設用具を正しく，安全に使う 48. 施設用具の使い方についての規則やきまりを守る	47. 施設や用具を正しく使う 48. 施設や用具の使用についての規則やきまりを守る	45. 施設や用具の正しい使い方をくふうする 46. 施設や用具の使用についての規則を作りまたよく守る
	管　理	49. 用具のあるところがわかる 50. 用具の出し入れによく協力する 51. 用具の破損に注意する	49. 用具の出し入れは自主的にする 50. 用具をきまった場所におく 51. 施設や用具の破損に注意し，気づいたら報告する	47. 施設や用具の取扱いについて責任をもつ 48. 用具の手入れをする 49. 施設や用具の破損に注意し，簡単な修理ができる

(b)問題課程・実践課程との内容的な関連を考える場合，必ず問題となるのは，個々の能力や技能の必要とされる生活上の順序と，一方はいわば論理的な筋から考えられる系列との食い違いの点である。生活上の順序を無視しては，われわれの提案する全体計画はその特色を失う。しかし，論理的な系列を考えないところには，能率的な効果的な学習は期待されない。この点は，どちらを主とするというわけにもいかない問題点である。当校の考えでは，

論理的な系列で，無理なく問題課程・実践課程の内容と結びつくものは関連づけ，結びつきのうまくできない場合は，すべて基礎課程で別系統として構成してある。したがって，基礎課程の構成上の着眼点としては三つのものが考えられるわけである。

○問題課程や実践課程となんらかの形で結びついて基礎学習としてとりあげられているもの。

○上の基礎能力の発展としてとりあげられているもの。

○問題課程・実践課程と直接の結びつきはないが，基礎学習の系列のポイントとしてとりあげられているもの。

(c)基礎課程の各学習分野における時間配当の問題。

これについては，すでに当校の実例を表にして掲げてあるが，一方には，最小限度の内容を押えつつ，それに必要な最少限度の時間数を算出することは容易なことではなく，われわれの全体計画の場合も一つの試案である。これはまた，指導法とも関係させて考えるべき事がらであろう。

6.　基礎課程の展開について

(a)国語や算数などの社会的なコミュニケーションの用意を学習させる場にあっては，できるだけ生活の実際と結び，これらコミュニケーションの用具が実際に用いられる場において学ばせ，実際にこれを活用させて，その意味と用法とを実感的にわからせるようにする。同時に語法や計算などの形式的ドリルも決してゆるがせにせず，必要な反復練習は絶えず心がける。

(b)音楽や図画工作の情操教育の場においては，実際の生活の中に生きている音楽や美術とよく結びながら，好んで歌い，進んで描くように指導する。同時に音楽や図工などの基礎的技能については一歩一歩確実に習得させ，必要な反復練習に努める。

(c)家庭や体育においても，日常生活とよく結びつけて，技能を確実に得させ，習慣形成に努める。

(d)国語・算数など，特に反復練習を要するものについては，毎日の学習時間のとり方にも，いっそうのくふうをする。たとえば，5～10分ぐらいの書取練習や暗算練習を，毎日午後の初めの学習にとり入れるなど，40分単位の学習時間のとり方にしばられることなく，最も能率のあがる効果的な学習のあり方をくふうする。

実践・問題・基礎課程を構成することが，縦の仕事とするならば，これは各学年の立場から学年としてのカリキュラムにするのは，横の仕事となる。

学年による構成には，各課程がそれぞれ縦に構成された場合と比べて，さらにいくつかの重要な問題点がある。その中でも，最も大きなものは，三つの課程の学習内容・学習活動をどのように結びつけるかである。われわれはこれを「互に生かし合う関係に」と考え，また力動的なものであることを理想としてその構成に努力した。

なお，このような努力を背後からささえるものとして，次のようなことがたいせつであることが痛感された。

○児童実態調査

○地域社会の実態調査

○地域社会の教育に活用できる資料の調査

○校内における学習に活用できる資料調査（教科書研究も含む）

これらの中で，児童調査にしても，社会調査にしても，形式的には一応どこでも行われているが，たとえば，児童調査にしても，1年生のこどもが9月にはどのようなことに最も関心や興味を持っているかとか，いったいこどもの本当に学習を推し進める原動力になっている興味や関心は，およそどのようなものかなど具体的に，かつ毎日の学習に役だつような調査やその結果はまことに少なくない。われわれの学校においても，昭和28～29年度と，2年にわたって，こどものもつ問題を中心として調査を行ってきた。

以下，当校におけるカリキュラムの実際を掲げて，批判を仰ぐこととする。全学年，全学期分を載せることは，紙幅が許さないので，例として，低中高の学年につき，第2学期のものを選んで載せることとした。

1.　第1学年の教育目標

(1)すべての面から学校に慣れ，楽しく学校生活ができるようになる。

(2)身のまわりの整理・整とんがしっかりできるようになる。

(3)友だちと仲よく遊んだり，仕事をするように努力するようになる。

(4)家族の人々の働きを理解し，家族に迷惑をかけないように努力するようになる。

(5)身なりに気をつけ，日常のあいさつができるようになる。

(6)学習品をはじめとして，物をたいせつにすることができるようになる。

(7)道路の歩き方や交通機関を安全に利用して，通学ができるようになる。

(8)食前や用便後に手を洗ったり，朝夕歯をみがいたり，健康のための初歩的な習慣を身につける。

(9)身近な問題の解決やその実践を通して，基礎的な能力を身につける。

2. 第 1 学 年

月	行事	問題解決課程		基礎課程					実践課程	
		単元	学習内容	国語	算数	音楽	図工	体育		
9	二百十日 始業式 委員任命 水泳大会 教育実習 学習研究発表会 秋分の日	14. なつやすみのせいり 15. なつのあそび 16. おともだち 17. おつきみ	夏休みの経験発表 夏休みの思出(絵作文等) 夏休みの作品展の計画と実施 水あそびを中心とした夏のあそびの計画と実施（しゃぼん玉，舟，色水あそび，水およぎ） 水の危険防止 よい遊びについての理解 友だち調べ，交友についての問題解決，仲よくするくふう，グループ作り 校外での友だちづきあい 月の形の変化，月の出，月の入，月についての伝説 お月み行事の理解 お月みにちなんだお楽しみ会の計画と実施	夏休みの経験を話す 夏休み話を中心とした会話への理解と読み 主語と述語の整った話をする 自作のものを話す 人の話をじょうずに聞く（話しましょう） 長文の童話を読みこなす 文の筋やおもしろさをとらえる	七時までの合成分解 （きれいな花） 四方位についての理解 （ひので，ひのいり） 円，正方形，長方形，三角形形についての興味をみる ※（おつきみ）	継続とアクセント発想 リズミカルに軽く歯切れよくうたう のリズム （かくれんぼ） トライアングルの名 の奏法 （おにごっこ） 軽い発声 五線に親しむ ※（お月さま）	いろいろの描法を高める構図のとりかた（なつやすみのおもいで） 中厚紙のつかい方，立体のつくり方 ※（ふね）(工) 粘土べらのつかい方※（おつきみのごちそう）(工) 動的なものの表現 全体のつり合のとり方※（友だち）(描)	※運動会のれんしゅう 大王ころがし 玉入れ ボールおくり かけっこ ぴょんぴょんとんで じゃんけんとりおに	※⑭夏休みの発表会，展覧会をする ⑮なかよく，危険のないよう水あそびする ⑰月の形の変化を継続して記録をする ⑰お月見にちなんで楽しく会を行う ◦秋の彼岸の行事を知る ◦秋分の日の昼夜半分をみとめる ⑰友だちつきあいについて ⑰学友会をする	自分のことは自分たちで
10	運動会 遠足 読書週間	18. あきがきた 19. うんどうかい 20. あきのえんそく 21. おんがくかい	秋の天気の様子，秋の花と虫のいろいろ 秋のたねまき（飼育と栽培） 運動会の楽しさの話合 運動会にするものその練習 運動会参加の心得 運動会の反省 春の遠足の話合 遠足の計画と実施，遠足の行き帰り 遠足でする仕事遠足の反省 音楽会の計画と実施・反省	会話の部分の読み方 音読と黙読 劇表現の初歩（おはなし） 運動会の話合 運動会の場面を絵にかき説明する 運動会の文を読み共感する ※（運動会）	五十まで数えかく 十ずつまとめてかぞえる 二位数の位取りの原理 ※（たまいれ） 五十まで数え書く二位数の位取り数系列 ※（くだもの） 数や量の半分四半分数の二倍（くだもの） 正方形長方形三角形の辺と頂点，立体の素地（まめざいく）	音階の階名を拡大する 楽譜のみかた（ゆうやけこやけ） 階名模唱と暗唱 四拍子の拍子打ち（おうま） 階名模唱と暗唱 三拍子の拍子打ち（ぶらんこ）	ひこうきのつくり方，紙の折り方（ひこうき）(工) 空箱の利用法きびがらひごの用法（きしゃとけーぶるかー）(工) 情景のとらえ方 構図のとり方※（うんどうかい）(描) 共同製作のしかた，自然美と人物の調和※（えんそく）(描)	※運動会のれんしゅう 同上 なわとび かごめかごめ まりつき てつなぎおに	※⑱学級園の世話 ⑱秋のたねまきをする ⑲運動会について相談する ⑲運動会の練習 ⑳遠足のきまりをつくる ⑳遠足をする ㉑音楽について相談する ㉑音楽会の練習 ◦読書週間の行事に参加する	強いからだをつくろう

11	文化の日 音楽会 図工展 勤労感謝の日	22. あきのめぐみ 23. くらしのきまり 24. てんらんかい 25. ふゆがくる	秋の野菜とくだものの理解 野菜とくだものの表現と観察 やおやあそび 学校や家庭のきまり，きまりを守るくふう 生活表のくふうと使い方 日記の書き方と利用 展覧会の計画と作品の製作 かざりつけ 展覧会の反省 秋の自然(天気，木のみ，草のみ，紅葉) 木の葉，実の集め 葉や実を使ったおもちゃ，構成物 冬じたく，生物の冬ごし	本の正しい扱い方 長文を読みとおす 話のあらすじを話す 身ぶりをともなった話をする (ほんを読みましょう) 会話の進行に理解 本文のあらすじの理解 会話らしく読む 動作をしながら会話する (きしゃごっこ) 劇のすじの理解 あらすじを文章化する 場面の変化の理解 役がらの理解ト書きせりふの用語 「」の意味 劇(放送劇でも)としてやってみる (ねこのすず)
12	冬至 始業式 冬休み開始	26. さむさにまけず 27. 火のようじん 28. としのくれ 29. おしょうがつ	冬の運動のしかた，寒さの防ぎ方 冬のあそび 冬の病気と予防と手当（かぜ，ひび，しもやけ） 冬の火器の扱い方 火の使い方 火のつきやすいものとつきにくいもの 火の用心のしかたと火事のときの心得 年のくれの行事 年のくれの町の様子，買物のしかた 店のいろいろお店やごっこ お正月の行事のいろいろ，お正月のあいさつ 正月のあそび お正月の暮し方のくふう	いろいろのことばのあそびによって話合い拡充をはかる 簡単な文の構成を理解する 動詞の使いかたの理解 (あのつくことば) (しりとり) (もじいた並べ) (ことば並べ) (ことば作り) (ことばつなぎ) (はなし作り)
週予定時数			(6)	(6)

百までかぞえる 百まで読む，書く 二倍数の位取りの原理 ※（おちばひろい） 十までの合成原理 (かずあてあそび) (おてだま入れ)	歌詞譜による歌唱 歌詞分担唱 合唱的唱法 (あかいとりことり) 範唱を聞き階名でうたう 歌詞をはっきり歯切れよくうたう (たきび) 階名模唱，暗唱 打楽器による分担奏 (ももたろう)	形のとり方もののつり合い ※（やさいとくだもの） (描)(工) 材料のえらびかたつかいかた。すたんぷの作り方。もようの作り方 (すたんぷあそび)　(図) 大きく表現する。形のつり合(のりもの) 自然物の美しさ。抽象的な構成法 ※(はなや木の並べ方) (図)(鑑)	かけっこ おきかえリレー なわとび はんかちとりとびおり いっぽんばしてっぽうあそび でんしゃごっこ 馬のりじゃんけん	※㉒自分の責任を果して仲よくやおやあそびをする 。文化の日のいみを理解する ㉓自分たちのくらし方の反省会をもち，これから実践することをきめる ㉔展覧会の行事へ参加する ㉕木の葉あつめに野山や庭をふみあらさない ㉕草花や樹木をたいせつに扱う	きまりを進んで守ろう
十までの合成分解 おかねのねうち おかねの種類 ※(おみせごっこ) 百までのかんたんな数の合成，分解 ※(かいもの)	♩♫♩♫♩♫♫のリズム奏 大だいこによる拍子打 タンブリンの拍子打 (おもちゃのマーチ) 絵譜による拍子とリズム (あられ) 四拍子の拍子とリズム 連続八分音符の発音 (おしょうがつ)	風車のつくり方 まわし方のくふう (かざぐるま) (工) こまのつくり方 こまの着色 (こま)　(工) 墨絵のかき方 情景のとらえ方，いろいろの挿画材料のつかい方 ※(かいもの) ※(くれのまち) (描)	きしゃごっこ ころころまわり どうぶつのまね スキップあそび はねつき こままわし 子ふやしおに	※㉖運動後汗をぬぐいきがえをする ㉖ひび，しもやけなどの予防をする（手当をする） ㉖うがいを実行する ㉗マッチ，ガス，こんろなどの扱い方にきをつける ㉗火事のときの避難のしかたを身につける ㉗火災の通報法を知る ㉘なかよくお店やごっこをする 。とうじのいみを知る ㉙お正月の生活（冬休みの生活）の計画をたてる	安全な生活をしよう
(3)	(2)	(3)	(3)	(4)	

3，第3学年の教育目標

(1) 学習をはじめとして，すべてのことを自主的に進んでしようと努力するようになる。

(2) 学級や家庭において，自分のできることを通して，みんなのためになることをしようとするようになる。

(3) 自分より幼い者をかわいがることができるようになる。

(4) 服装やことばに注意し，来客に礼儀正しく接することができるようになる。

(5) 学級や学校の物をたいせつにすることに努力するようになる。

(6) 事前に計画を立てて，能率的な仕事をするように努力するようになる。

(7) かかりやすい病気について関心や理解を深め，衛生に注意するようになる。

(8) 近隣の地域社会の様子，ここを中心とする自然物などについて，問題の解決やそれに関連する実践を通して，基礎的な能力を身につける。

4. 第 3 学 年

月	おもな行事	問題解決課程			基
		単元	社会的	自然的	国語
9	始業式 学校委員任命 水泳大会 教育実習開始 自由研究発表 秋分	6. 多摩川と公園 ・いろいろな公園 ・多摩川と遊園地 ・川の上流，中流，下流	公園のつくり 多摩川の近くの公園，遊園地 公園遊園地の見学 正しい公園，遊園地の利用	台　風 川の変化 川の利用 石や土	学級文庫の利用 ・みんなの力 ・ピノキオ ※発表の聞き方
10	秋季大運動会 遠　足 読書週間	7. 農家のしごと ・農家のくらし ・いねかり ・いもほり ・農村と町 8. 東横線と渋谷自由ケ丘 ・学校の近所 ・自由ケ丘の駅	農家のつくり いねかりのしごと 農家の道具 いもほりのしごと 青果市場の見学 道路 交通	秋まきの草花のせわ 秋の取り入れ ・いねの一生 ・いもほり 飼っている生き物 秋の野山	童話の読み方 ・山のむこう ・ろばの親子 ・せんにんになりそこねた話 ・手ぶくろを買いに
11	文化の日 音楽会 図工展 勤労感謝の日	・渋谷駅 ・いろいろなのりもの ・昔と今ののりもの 9. わたくしたちの町 ・町の施設と利用	駅の実態 乗物の種類 交通博物館の見学 じょうずな乗物の利用 駅と附近の商店 町をよくする仕事	乗物のしくみ 機械のしくみ おもちゃのしくみ 動くおもちゃ	※参考書の利用 ※発表のしかた かべ新聞を作る
12	校内競技大会 冬　至 終業式	・昔の町 ・昔の人のくらし ・くらしのくふう	おもな施設の見学(保健所，図書館) 博物館の見学 くらしの変化 ぼろ市見学 くれの町の店の活動	冬のえいせい からだの中 冬の天気	・そうだん ・ひろば第１号
週予定時数		(8)			(7)

礎	課	程		実践課程
算数	音楽	図工	体育	
かけ算 0×a a×0 1×a a×1 一位数 ×10 10×10 10×一位数 ※方位 四方位，八方位，じしゃく ・学校からの道のり	おんぷしらべ ・秋 ・十五夜お月さん 。ワルツに合せて ・リズム遊び ・おどり	夏休みの作品くらべ（鑑） ねん土の工作（工）	。運動会 ・かけっこ ・フォークダンス ・だるまはこび ・山のぼり（リズム）	。自分たちのことは自分たちでする 1. 学級委員の選挙 2. 夏休みの作品展を開こう 3. 自分たちのことは自分たちでしよう
分数 ・カード作り 小数点 ・はばとび ※重さ ・重さしらべ ※長さ	。リズムの譜に慣れる ・運動会のうた ・村まつり 。うたのはやさ ・虫の声 ・くりひろい	※秋のけしき（描） 運動会（描） ※えきやみなと（描）	。スタンツ ・かた足とび ・ひざたて腕まげのばし ・体おこし・頭つけ ・うでたて足うち	。強いからだをつくろう 1. 食物をたいせつにしよう 2. 楽しい運動会にしよう 3. 楽しい遠足をしよう 4. 楽しい本を読もう
きょり，所要時間 ・学校からの道のり わり算 除法九九 ・くみわけ ・かけかたのくふう	。へ長調のうた ・野ぎく ・おもちゃのシンホニー 。昔からあったわらべうた ・わらべうた ・手まりうた	※模型工作（工） へきが（描） てんらん会（鑑・図）	。ドッジボール ・ドッジボール 。体力テスト ・かけっこ ・立幅とび ・けんすいうでまげ ・スポンジボールなげ	。きまりは進んで守ろう 1. よいきまりをつくって見学しよう 2. きまりは進んで守ろう 3. 火の用心をしよう
※実務 ・かいもの 三位数±三位数	。おもしろいうたのうたいかた ・夜中 ・はだかの王様 。たのしい輪唱と合唱 ・汽車 ・もちつき	※防火ポスター（図・描） ※くれの町（描） いもばんとすりだし（工・描）	・とび箱あそび 。とびこし ・とび上りおり ・うでたてとび上りおり	。安全な生活をしよう 1. 生活を楽しくしよう 2. 安全な生活をしよう 3. 二学期の反省をし楽しい冬休みを迎えよう
(4)	(2)	(2)	(3)	(1)

5. **第5学年の教育目標**

(1) 積極的に学習に努力し，教養を高め，自律的に行動しようとするようになる。

(2) 余暇を活用して，スポーツや健全な娯楽を求め，心身の健康を増進することができるようになる。

(3) 強い責任感をもって，りっぱに自分の職分を果すようになる。

(4) わが国に対する愛情を深め，平和的，民主的な国家として，祖国の繁栄について関心を持つようになる。

(5) 物資の生産・流通・消費についての理解を深め，物資を活用することができるようになる。

(6) 公衆衛生について理解を深め，健康の増進にいっそう努力するようになる。

(7) 社会の機構，経済生活および生活合理化について問題解決をするとともに，これらについての理解を深め，関連ある基礎能力を身につける。

6. 第 5 学 年

月	おもな行事	問題解決課程			基礎課程						実践課程
		単元	社会的	自然的	国語	算数	音楽	図工	家庭	体育	
9	始業式 学校委員任命 水泳大会 教育実習開始 自由研究発表会 秋分	衣服とせんい(1) せんいのいろいろ せんい工業の様子 衣服のうつりかわり	せんいの種類 せんい工業の発達過程 日本，世界の衣料資源	気候と衣服 せんいの種類と見分け方 糸から布になるまで 衣服と健康 せんたくと防水	学級新聞 編集会議 なかよし新聞 ニュース版 学習版 ひひょう会記録	小数のかけ算 わり算 あんない図 道のり調べ 概測 小数×整数 小数÷整数 平均，縮図 時間 体力テスト 1分＝60秒	和音伴唱の歌 まき場の朝 ねむれよ モーツァルトの音楽 山里の夕ぐれ セレナード（合奏）	浮き彫り（工） ※案内図 ※染物	正しい身なり よい身なり ※衣服の手入れ ※染色	※運動会 かけっこ（100m） 馬のり，帽子とり バージニヤリール リレー 組立て運動	自分たちのことは自分たちでしよう 学校（学級）委員選挙 楽しく水泳大会をやろう 夏休み作品展を開こう 自由研究発表会をしよう 学級生活のくふうをしよう
10	秋季大運動会 遠足 読書週間	箱根の旅 箱根の歴史 国立公園 大地の変化 火山と温泉	東海道と箱根の関所 日本の国立公園 遠足の計画と整理	（秋の気象） 大地の変化 火山，芦の湖 地下水と温泉 地球の内部 地震 いおう	読書をする 秋をうたう 日本の歩み 松阪の一夜	※速さ 速さくらべ 分数 ものの分け方 紙のあつさ 分数の意義 種類	ト長調のおさらい まつりのよい かりがわたる たのしい合唱 ※山はよぶ	※秋の行事（描） 木の工作（工） 製図 役立つもの 秋のスケッチ（描）	暖かい暮し 冬じたく	体力テスト 50m走 立幅とび けんすい うでまげ スポンジボール投げ	強いからだをつくろう ※運動会を楽しくしよう 体力テストをしよう 楽しく運動をしよう ※楽しい遠足をしよう
11	文化の日 音楽会 図工展 勤労感謝の日	衣服とせんい(2) 化学せんいのでき方 化学せんいのいろいろ 京浜工業地帯のはたらき 京浜工業地帯の様子	日本の衣料生産と化学せんいの必要性 衣生活の改善 工場の種類と分布	化学せんい 原料 作り方 種類 特長，用途 いろいろな道具	記録文を読む 造船所 みかん山 燈台を守る人	分数のよせ算 ひき算 よせ算，ひき算 答の書き方 帯分数のよせ算ひき算 尺貫法 貫と匁 石，斗，升 合「トン」，	泉のほとり 指揮のけいこ さざんか やさしい二部合唱 牧歌と鑑賞	版画（描） ※よい作品（鑑） 展覧会 ※色と形のくみ合せ（図）	毛糸あみ ししゅう	とび箱の運動とマットの運動 うで立てとびこし ななめとび れんぞく後回（マット） とびこみ前回（マット）	きまりは進んで守ろう たくさん本を読もう 落ち着いて勉強しよう ※音楽会を楽しくしよう ※展覧会をりっぱにやろう
12	校内競技会 冬至 終業式	発達の理由 工業の発達 日本の地下資源 工場見学 日本工業の将来	手工業から機械工業 動力資源 日本の鉱業 工業と交通 加工貿易	機械と工具 自転車とミシン	物語の読み方 氷の国に光を 南国の日章旗	実務 いろいろな料金 家計簿 問題解決 わたくしたちの研究	リズミカルな歌と静かな歌 そりのすず 冬景色	図案のいろいろ（図）	クリスマスとお正月 クリスマス	ポートボール 表現のくふう いろいろな表現	安全な生活をしよう 校内競技会を楽しくやろう 生活を楽しくしよう 冬休みの計画を立てよう 終業式をりっぱにしよう
週予定時数		(10)			(7)	(5)	(2)	(2)	(1)	(3)	(9)(含奉仕，クラブ)

(3) 毎日の学習計画

全体計画が最も具体化された姿となるのは，言うまでもなく毎日の学習計画，すなわち毎日の学習計画である。

この毎日の学習計画の骨格をなすものは，時間的な規正の面であろう。われわれの全体計画によると，一日の生活時刻は次のとおりである。

毎日の学習計画

8:25	8:30	話合い
8:30	9:10	第1時
9:10	9:50	第2時
9:50	10:05	自由運動・休み
10:05	10:45	第3時
10:45	11:00	自由運動・休み
11:00	11:40	第4時
12:40	1:00	校内放送(月・木) 集会(火・水・金)水が雨天のときは校内放送
1:00	1:40	第5時
1:40	1:55	自由運動・休み
1:55	2:35	第6時
2:35	2:40	清整の用意
2:40	3:00	清整
3:10	3:50	第7時

火と木は次のとおりとなる

1:40	1:45	清整の用意
1:45	2:05	清整
2:05	2:20	話合い・下校用意
2:20	3:00	第6時

(火曜は奉仕活動，木曜はクラブ活動)

この生活時刻表の運営にあたっては，朝会・昼食時・清整・奉仕活動・クラブ活動など，全校としての活動をする以外は，時間のとり方は，すべて担任の自主的な判断に任せてある。したがって，途中の休憩時刻や時間などは，各学級の事情によって，それぞれ異なってくるわけである。（もちろん，事情が許すならば，なるべく，同じ時刻に休憩をとるようにはしている。)

また，第1時と第2時は，途中に自由時間をおかずに80分連続となっている。これは，後に述べるように，1つの提案であって，このようにすることによって，われわれは学習効果を上げうるものと信じている。この80分を，問題課程か基礎課程か，それぞれどのような学習を配列するかは，次章の実験結果を参照していただきたい。

Ⅴ 実　　　験

（1） 実験のねらい

われわれの提案する全体計画も，特にその具体的な展開の面には，いくつかの問題点を持っている。この具体的な展開の面についてこれを実際について，実証的に研究しようとするのがこの実験である。

まず，初めにいくつかの仮設を設定し仮設に基いた実験のいくつかの記録を参考にしながら，その検討をし，実態をとらえてみることにした。

ここで実験の課題として，次のようなものが考えられる。

① 一日の学習の流れの中に，中心がなくてはいけない。問題課程は，その中心として位置づけられるのだが，午前中の前半に置くのがよいか，後半に置くのがよいか，また午後に置くこともできないものか。

② 問題課程の学習時間数は，学年によって，必ずしも一定したものではない。どのくらいの時間数が，その学年として適当か。

③ 基礎課程の学習のうち，反復練習を要するものは，毎日置くのがよいか，置くのであったらどのくらいの時間数が適当か。

④ 基礎学力を高めるために，他の二つの課程とどう組み合わせていくのがよいか。

⑤ 実践課程の内容としていったいどのようなものが具体的に考えられ，指導されていくか，どのようにまた実践化されていくか。

⑥ 毎日の学習がいきいきとして，しかも深まり，高められていく学習を進めるために，毎日の学習計画をどのように立てたらよいか。またその

実際は，どのようなものか。

これらの課題に対して，われわれは，次のような予想をたてた。

① 問題課程は，児童の学習の中で，生活課題を解決していく総合的な学習であるから，一日の生活の中で当初に置き，しかも時間的にも比重を多くかけなければならないと考えられる。

② 基礎課程の学習は基礎課程それ自体として連続性を持つものと，問題課程と相互連関して生かされるものと，実践課程に生かされていくものとが考えられる。問題課程による合理的な創造的な人間形成を目ざす一面，基礎課程による知識技能を身につけることの重要性を認めていなければならないので，特に反復練習を要するものは毎日置く。

③ 朝の話合い，下校時の話合い，また休憩時と普通にいわれる休み時間，給食の時間なども含めて，実践課程の時間は多いと考えられる。これらをすべて実践課程として指導する。

④ 三つの課程は，切り離されたものではなくて，動的に構造づけられ有機的に統一されているものであるから，単なる平面的な流れをとるのではない。

⑤ 一日の学習の流れが，計画的であり，創造的であって，仕事のあとには必ず評価がなくてはいけない。このために，朝の話合いと下校時の話合を生かしていく。

以上のように課題に即して，予想したいくつかの項目について，果たしてどのように実際に生かされていくか，日々の実践の中に，実験していくことにした。そこには，成功もあろうし，予想外のことも起ることだろうし，明らかに児童の興味，関心から離れて失敗に終ることもあろう。すべて計画が，児童とともに展開されていくときの姿は，興味深いものである。

(2) 実験の過程

実験は，一つの仮題に基いて，実際に行って，その結果を検討して結論を導きだす過程である。われわれのこの仕事に対する実験も，この過程を踏むのであるが，学級担任が，自分の学級で実際に学習を展開しながら，一方には実験計画に乗せていかなければならないところにむずかしさがある。ひとりの教師が，準備もし，指導もし，実験記録もとり，それに基く評価もし，結論も出すという，まことにたいへんな仕事である。しかしながら，日々の学級指導を，絶えず反省的に，教師の問題解決として考えていくことは，むしろわれわれの当然の仕事であって，何か特別なものと考えることに，むしろ不自然を感ずるのである。

われわれ学級担任の18人の同人は，よくこの立場を理解し実践してくれているが，長期にわたる実践の記録，そこから生れる反省や一応の結論が出ているので，この点について述べることにしたい。

別紙プリントは，４年３組のある一日の学習の流れを記録したものである。この記録用紙には，実験中各学級で毎日記録してこれを累積していき，これに反省・討議を加えていったものである。

一例をこの４年３組にとってみる。

1. 学習の流れとして

(a) 朝の話合いの内容が，一日の学習の動機づけになっていること。

(b) 問題課程の単元が，生活課程と結びついているので，これを一日の生活時間のスタートにもってきている。

(c) 体育は基礎課程の学習として進められながら，その後に行われる国語，算数の学習と，初めの問題課程の中間に置かれている良さを示している。

(d) 国語は必ず文字練習を入れており，辞書を引くことを実践化しようとねらっている。基礎から実践へという一つの姿である。

(e) 算数としては，15分の予定で，×÷の九九のカード練習をねらっている。

(f) 給食の時間には，実践課程の問題として，個人相談をやっている。毎日１人ずつ担任が食事をともにしながら，児童の声を聞いてやっている。

(g) 集会には学校全体の問題として，共通な運動用具のじょずな使い方について，児童委員から注意を受けている。

(h) 音楽は歌と器楽の学習で，基礎学習としての連続したものである。

(i) 金曜日には，学級会を持って，学級としての実践面の反省を行っている。

2. 実験を通して

(a) 通学と電車という身近なものを内在しながら，「わたくしたちの町と東京」の単元学習，特に「東京の交通」についての学習は，やはり一日の大きい学習の中心であった。朝の話合いの内容に続いて，この学習が進められるのが自然であった。時間数は90分にわたっているが地図をかく作業が加えられていたので，変化に富み児童の興味が持続した。

(b) 休憩時がなく体育にはいっているが，これでも無理なくいっている。体育というものが決してレクリエーションそのものでないが，単元の学習に続いて午前中行なってもいいということが言える。普通なら，すぐ国語，算数を単元学習に続いて学習することが一般的で，体育を午後にするという考え方，１日の学習の最後に持っていくという考え方については，反省しなければいけないと思う。体育としての目標を達しつつ1日の生活の調和という立場からも考えてみて，この4年3組の例は，一つの方向を示している。

(c) 国語，算数の基礎課程は，1週間の連続性を持った学習として進められているが，国語の辞書を使う，辞書を引くという仕事を，土曜日の家庭学習に生かして実践への方向へ指導している。そして辞書を使って，ことばの自由研究へと進むなら，これは，りっぱな実践課程の仕事として成立してくる。基礎課程を日常生活化へとねらっていく一面を，児童みずからのものとしてゆくなら，宿題ということばも消滅して，計画性のある創造性のある家庭学習になる。

(d) 個人相談の時間をいつ取るかということについては，いろいろと苦心するのであるが，給食時，教室の中で児童と食事をともにしながら，1日1人の割合で児童から担任へ，担任から児童への問題について話し合っている。ここに一つの計画としての成功があるのではなかろうか。給食の時間をどのようにして実践課程の問題して生かしていくかは，デーリープランの問題点の一つであるが，他の学級では，児童の日記指導に使ったり，交代で児童が話をすることに使ったり，献立に即して食べ物・栄養についての話に使ったりしている。楽しい食事のうちによい指導の場があることを各学級の実験は物語っている。

(e) 金曜日であったので，反省会として一応，20分予定されていたが，実際は45分行われている。とり上げられた問題について，関心が深かったので発言も多かったのであるが，1日の学習の初めと終りの話合い，1週間の終りには反省会をもつということは，児童の生活への自己評価という立場から必要であると思った。生活への計画性・創造性・評価性ということは，児童の人間成長にとって意義深いものであり，学習を明確に，能率化していくものであるとも思った。

次に，第1学年，第3学年，第6学年と実験記録の一例をとり，学年の系列を追って特色と考えられる点を拾ってみることにする。

(別紙プリントを参照)

1. 第1学年1組の例

(a) 「学校の行き帰りを安全に行儀よくするためには，どうしたらよいか」という問題解決のために，問題課程を中心にして，1日の生活や学習がすべてこれに統合される。基礎の算数としては，登校・下校の時刻に結んで時計の見方を指導しており，朝の話合い，下校時の話合いは，すべてこれに集中されており，日常規律として，入学後1か月たった1年生としても，かなりの問題をはあくしている時期に，この解決をねらっていることは，時期を得たものといえよう。図画・工作は前の単元の「春の遠足」のまとめを，はり絵の仕事にしている。単元の学習と同時に二つのものの流れがあるが，日常生活規律の学習の流れに，こうした情操面をとりあげていくことは，1日の生活の調和の上から考えてたいせつなことと思う。学年の性質上，問題課程の学習がまったく生活そのものである。

ごっこという児童の興味ある学習が中心になっているので，90分の単元学習として，続けられているのは，注目に値する。

2. 第3学年2組の例

1日の学習の流れの中で，各所でグループを構成し，問題・基礎両課程とも能率的に学習され，成功している一例である。共通の理解，協同の作業は，児童はこれを喜ぶ。児童が興味を持ち能率的に学習することが効率をあげていく必要条件の1つである。どうしたら，こどもがいきいきとして，1日の学習を進めていくかについての実験の一例である。第3学年という児童の心理からいって，グループ指導は，目的的でなければいけないことがいえる。

問題課程の「生き物のせわ」についての問題は，前日の下校時の中で，本日の学習の中心問題であったので，朝の話合いの本日の計画の第1に取り上げられ，ただちにその解決にはいろうとして，問題課程の学習が展開されている。1年生同様，問題の内容の性質は，日常の学習の中に具体的に生きているもので，飛びつき方も直接的である。1日の学習のスタートに問題課程が取り上げられることは，低学年としてはむしろ当然でこうした姿が，比率としては多くあるものと考えた。

3. 第6学年の例

高学年になると，基礎課程の学習の理解事項が多岐にわたり，理解そのもの，練習ということに，児童自身高圧を感じて，日常を送るということが多くなってくる。その関心が絶えずこのことに向かっている。こうした生活の基盤が，朝の話合いの中に発表されて，学習の計画が第1に取り上げられることが多い。

この例はそうした一例である。午前中はすべて基礎課程で通している。そして午後は，約2時限問題課程を取っている。われわれは，学年のいかんを問わず，児童の興味のいかんを問わず，問題課程が中心であると決めること，時間的に1日の生活の最初において進めるというマンネリズムをくり返すけれど，この例は，基礎課程を最初において児童の関心を解きほぐし，その問題の一つを解決していくというたてまえをとって，成功している例である。しかも午後，体育のあと，りっぱに単元の学習を進めている。ここで問題課程を経て基礎課程へというコースを取らずに，基礎を経て問題へということの可能性を実証している。

高学年の性格上，基礎から基礎へという形が強くなるので，基礎から問題へ，問題から基礎へという姿は，この例ではみられない。

以上，4つの実験をすなおにながめて，先に立った予想に照して考察してきたが，そのいずれも1日の学習が，40分ずつのわくに閉じこもらないで児童とともに，自由に時間を操作しながら，しかも1日がひとまとまりに統合された学習となっている。「学習の流れ」の欄に示された実際の時間数は，予定されたものでなく実際の所要時間数である。40分の時間のわくにむりに入れてしまうのでなく，内容に時間を合わせたのである。かくして最大の学習効果をあげる1日の学習が流れていくのである。

次に，このような1日，1日の学習が，1週間としてどのようにまとまるか，ということについての一例を，第2学年1組とってみることにする。先の毎日の学習計画を，重点的にこの表にまとめたものである。この表の特色としては次のものが見られる。

(a)　3つの課程を横にながめると，1週間の流れが押えられること。

(b)　1日の流れを縦にながめ，しかも1週間として，調和がとれているかどうかを検討することができる。

(c)　1日の学習時間数を縦に，各課程の学習時間数を横に合計することができる。

(d)　毎週の各課程の配当時間数と参照して実時間の調整ができる。

(e)　特に，落ちた学習，漏れた学習を次週に生かす予定を立てることができる。

などがあげられる。配当時間数と実時間数と比較してみると次のとおりである。

	問題課程		基礎課程						実践課程	合計
	社	理	国	算	音	図工	家庭	体育		
配当時間数	160分	80分 240分	200	120	80	80	—	120	40	880分
実時間数	250分		205	155	50	(80)問題課程に含まれる	—	50	305	1,005分

この表を見ると，だいたい各項目についての時間数は，調和がとれているが，いくらか食い違いのあるところもある。結果をまとめてみる。

① 問題課程の学習中，理科的なものは，「井の頭の自然文化園の春の花」「薬草園の植物」いずみという内容的には多種なものを扱っているが，１日に学習が偏しているきらいがあり，毎日の問題課程は，社会科的，国語的，図工的な学習である。担任としては，季節だよりを書くこと，毎日の天候・温度調べの記録をしていくことで，この点を補っていた。

② 算数・国語の基礎課程は，毎日これを取り上げてみた。練習を要するものについては，継続性を持たせるほうが効果が上っている結果が出た。文字練習，くり上げ寄せ算の九九のカード練習は，興味もあり，身についている点，評価してわかった。

③ 音楽は，多少時間が少なかったが，教室にアコーディオンを持ち込んで，休憩時や学習の切れ目に歌唱していたので，実際には毎日の生活の中に音楽を生かしていた。

④ 体育は遠足のあった翌週であったため，計画的に少なくしたが，休憩時に，走ることを主体にした運動を児童とともにやって補った。

⑤ 実践課程が，約７倍半に時間数がふえていることは，給食・読書

指導としての本読みを加えたことと，朝および下校の話合いが超過しているためである。そそぞれ内容のあることで，実際としては，当然と考えた。このようにして反省してみると，この１週間は遠足を意義あらしめるために，そのまとめをじゅぶんにしようという問題を中心として流れていたが，一方では，よい話・よい話し方・よい作文という一連の学習と寄算九九の反復練習が，基礎・実践の主流をなしていたわけである。問題課程としては一応の解決をし，次週は新しい問題に取りかかることにした。

（3） 実験の結果

1. 問題課程のあり方

(a) 低学年の問題課程は，生活それ自体に含まれる問題の解決のために学習の大部分が占められているので，毎日の学習計画では，朝の話合いに続いて，第１校時・第２校時に置くのが適当である。ただ活動の形式によって，時間的な配分には，次のような考慮がいる。

(イ) 話合いを中心とするような活動が主体になる場合は，平均20分ないし30分が，興味の持続の点からも，能率をあげることからも適当である。

それ以上はむしろ学習にだれをもたらす結果となっている。しかも，１日の学習のまとめをするために，さらに10分ないし20分の時間を，１日の最後に置く考慮が払われるならいっそう効果的である。

(ロ) ごっこ・作業などを入れた活動があるときは，平均50分ないし80分の持続が可能であることがわかった。創造的に展開され，児童ひとりひとりが生かされ，しかも学級全体としての問題が解決されていく姿が最も望ましいので，低学年の問題課程の学習には，活動の

多様性，変化のある学習を計画する必要を確認している。

(ハ) 高学年では問題意識の持続，あるいは解決の意欲の持続は，低学年に比べてはっきり強く現れているので，平均80分ないし 100分の持続が可能であり，また，午前・午後いずれに配分しても可能であることが確認された。その日の朝の話合いで，この１日の学習計画が学級全体に再確認され，きょう１日の仕事は，全体としてこれだけとわかれば，前後関係は別に問題としなくてもよい。

(b) 問題課程から基礎課程へと流す計画の配慮は，教師の周到な準備にまつ必要があるが，学習の展開に応じて，有機的に基礎課程の問題として取り上げていく機動性は，毎日の学習計画において，生かされなくてはならない。

(c) 問題課程の内容として社会科的なものが，やや多くなりがちで，理科的なものの配慮を週の計画で，絶えず調整していく必要を認めた。

2. 基礎課程のあり方

(a) 低学年では，問題課程とよく結びついて展開されるが，高学年になると，結びつきが時間的に多少，前後することがあるのでその調整に苦労する。反復練習する事項は，１週間続けて10分ないし15分反復して時間を取ることは，ある曜日にのみまとめて学習させるよりは効果があがっている。

(b) 児童の自発的な家庭学習にあっても，計画を立てやすく，学力低下を防ぐ１つの対策にもなっている。この方法を続けることによって，確実性のある基礎学力が身につけられていくものと考える。

(c) 音楽・図工・体育などの基礎課程の学習は，実践課程に生かしている面が多い。自由研究への動機づけになって家庭学習によく生かれている。

3. 実践課程のあり方

朝および下校時の話合い，給食，土曜日の家庭学習などをも含めると，この時間はきわて多くなる。しかし，実際の問題として指導する内容が多く，人間形成に大きい役割を占めていることが認められる。集成教育課程の１つの特色として，実践課程が計画されたのであるが，実験の結果，この課程の教育的価値が大きいので，改たて認識を強くしている。

4. 毎日の学習計画の進め方

３つの課程が３つの層に分れて流れるのでなく，絶えず交流しながら１日の学習全体が統合されていくところに，学習の高まり，あるいは深まりが見られる。しかも問題課程を中心にして立体的に組み合わされる１日の学習であるから，児童は，生き生きとして活発に，しかもひとみを輝かして，取り組んでいくことができる。生活がプロジェクトされることは人間を活動的にさせる。

３つの課程の流れに即して，情操的な教養や適当なレクリエーションは必要である。この点15分休みのとき，運動場に児童をつっぱねる従来のやり方を改ため，児童とともに木琴をたたいて合奏を楽しんだり，学級園の継続観察をともにしたり，校庭の散歩をしたりすることによって，次の学習への切替えがむしろなだらかにいく。このことは休み時間の改革であると考えている。

朝の話合いで１日の計画を立て，下校時の話合いで１日の評価をすることは，１日の学習を計画的にし確実にすることに効果があった。この話合いに，児童と教師とがともどもに慣れてくれば，５分ないし８分もあれば，じゅぶん目的を達することができるようになる。

5. 3課程の統合

１日の学習においては，この３課程が質的には，どれも展開されることが望ましい。しかも１週間としては，予定週時間数ともほぼ一致して，偏することなく学習が進められるよう調整していく技術がむずかしい。しかしこれがなくては，３課程の望ましい統合は考えられない。そこで週プランおよび毎日の学習計画には，たえず３課程の統合を目ざして計画する必要を認めたし，さらに，１週間の結果をまとめ，学習内容の連続性，時間数の合計とそれに基く次週への調整をとる必要を認めた。

6. そ の 他

(a) 担任がすべての課程を指導するのが望ましいが，実際問題として，当校では音楽の専科教員がいくつかの学級の音楽指導に参加していること，クラブ活動・奉仕活動が全校の教官によって指導されていることなどを通して考えると，担任以外の教官も全校計画に絶えず精通して，学級としての教育課程の展開においての連続性・統合性に支障のないようにしていかなければならない。この点今後に残された課題でもある。

(b) 当校の全体計画を満足に展開していくために，支障をきたす事項の一つとして，実践課程の随時活動が時間的にまで規定されないことである。何曜日の何時から体格測定があるとわかっていても，何時何分からあると予定されないのが現状で，展開にあたって支障をきたしている。こうした一例から考えて，学校のすべての教育計画は，時間化されていなければいけない。

全体計画立案点の一つとしては，すべてを時間にのせて考えていくという必要な線が生れる。

(c) ゆたかな展開をしていくための教具・施設というものが，じゅぶん

に準備され活用されなければいけない。その充実と活用方法についての努力と検討が今後にも残されている。

このようにこの教育課程には改善していかなければならない点を残しているが，今後の実践の歩みの中で，一歩一歩研究を積み上げて，よりよいものへ高めたいと念じている。

1.　4年3組　毎日の学習計画実験記録

内容＼時割		8:30 — 9:10 — 10:05 — 10:45 — 11:00 — 11:40	12:40 — 1:00 — 1:40 — 2:20 — 2:35 — 3:15 — 3:20 — 3:40 — 4:30
基礎課程	学習内容	○ 体育 1. 徒手体操 2. キャッチボール 3. 運動後はからだを休める ○ 国語 1. 書取のテスト 2. 辞書の引き方 3. 家庭学習へ ○ 算数 1. 暗算練習 2. 時間の計算 母の1日から 起きている時間 寝いる時間	○ 音楽 → 1. せい唱，アマリクク　せいくらべ 2. 器楽合奏
	児童の活動	・厚生委員の管理している学級のボールを2人につき1箇ずつ喜々として持ち出してキャッチボールをする ・終って机に顔を伏せて休む ・ノートによる書取 ・家庭学習と結んで辞書の引き方を話し合う ・カード練習 ・話を聞いて練習	
問題課程	学習内容	○わたくしたちの町と東京(単元) 1. このごろのラッシュアワーの様子について（問題の切実な裏づけとして） 2. 仕事の進め方について話合い準備をする 3. 東京の区と，交通図をかく 4. 家の父母と東京との結びつきについてのペーパーによる実態調査	
	児童の活動	1. ラッシュアワーで困ったこと その理由，見通しについて話し合う，生き生きとはずむ，これによっていっそう問題の切実さを加える 2. この時間の仕事の進め方の確認 3. せっせとトレンジングペーパーに地図を写す。非常に喜こんで作業をする。(この仕事の好きな子はと 4. 家庭学習に持ち込んでおいた父親はどこに仕事に行くか，母親はどこへ買物に行くか等の答をペーパ	聞いたら全員手をあげる) ーに書く，まとめるのは1.3のグループでするという
実践課程	学習内容	・よい話の聞き方 ・よい発言のしかた ・よい乗物の使い方 ○給食 ○個人の相談	○集合 ・集まり方 ・運動用具の使い方 ○学級会 ・よその家へ行ってお行儀をよくしよう ・人のいやがることはやめよう ・下校をうまくしよう
	児童の活動	・話合い （家庭学習へ） ○グループによる給食 ・個人相談 先生や学級への希望 わたくしから児童への希望	・学校委員を中心に話合い 議題を決めて討議 長い時間であったが問題がおもしろかったためによく続く
学習の実際の流れ	（時刻）	8:30 — 9:10 — 9:50 — 10:05 — 10:45 — 11:00	11:40 — 12:40 — 1:00 — 1:40 — 2:20 — 2:35 — 3:15 — 3:20 — 3:40 — 4:30
	（基礎）	35 (体)キャッチボール 5 休憩(ひるね) 35 (国)テスト練習 20 (算)時間の計算	60 (音)器楽合奏
	（問題）	ラッシュアワーについて話合い 仕事の進め方 90 区と交通機関の地図をかく作業 ペーパーによる業態調査	
	（実践）	10 朝の話合い	40 給食　個人相談 20 集会 40 学級会 25 そうじ

2. 1年1組 毎日の学習計画実験記録

内容＼時刻		8:30 9:10 9:50 10:05 10:45 11:00 11:15 11:20 11:40 11:50	12:40 1:00 1:40 2:20 2:35 3:15 3:20 3:40 4:30
基礎課程	学習内容	10:45–11:15 (算)時間の見方 ・ちょうど時 ・はん (間) 11:20–11:50 (国) はり絵のし方	(基)→ ↓ (間)
	児童の読物	・登校，下校の時刻を学校の行き帰りとむすんで，はっきりと自覚する ・午前，午後，ちょうど，半の時刻の読み方がわかる ・先日の遠足のまとめとして様子をはり絵することを話し合う ・はり絵のしかたについて理解する ・この次に持ってくるものを決める	
問題課程	学習内容	9:00–10:30 学校の行き帰り 1. でんしゃごっこ ・でんしゃの乗り降り ・ホームの礼儀 ・車内のり (実)	
	児童の活動	・学校の行き帰りを安全に行儀よくするためにどんなことをしたらよいか話し合って決める ・教室を電車，廊下をホームにして乗降，ホームの作法，車内の作法を実践する ・よくできたか，どうかを反省する	
実践課程	学習内容	8:45–9:00 朝の話合い ・きのうのこと ・きょうのこと 10:30–10:45 休み 11:15–11:20 休み 11:50	12:40 1:00 1:30 給食 まとめ 下校
	児童の活動	・きのうの学習を思い出し，きょうの仕事に気づく ・きょうの仕事をどのように進めるか話合う ・静かなる ・ゆっる	・に品よく食べるべく残さないくりかんで食べ ・きのうの事がらを話合う ・おもしろかったことを発表する ・あしたの準備をメモする ・あしたの仕事を確認する ・道は右側を2人ずつ歩く ・道をかけて歩かないか ・新車を待っていない ・ホームでふざけていない (問)
学習の実際の流れ		8:30 9:10 9:50 10:05 10:45 11:00 11:40 (基) 10:45 (30分) 11:15 時計の見方　11:20 (30分) 11:50 はり絵のしかた (間) (20分) 9:00–9:20 でんしゃごっこの計画　(70分) でんしゃごっこ (実) 8:45 (15分) 9:00 朝の話合い　9:20　10:30 10:45 休み (15分)　11:15 11:20 (5分) 休み　11:50	12:40 1:00 1:40 2:20 2:35 3:15 3:20 3:40 4:30 (50分) 給食　12:40 (20分) 1:00 まとめの話合い　(30分) 1:30 下校

3.　3年2組　毎日の学習計画実験記録

内容＼時刻		8:30〜9:50	10:05〜10:45	11:00〜11:40	12:40	1:00〜1:40	2:20〜2:35	3:15〜4:30
基礎課程	学習内容		○国語(教科書) ・きぬえさんの日記 1.読み 2.内容理解 3.記録の発表のあり方の検討	○算数 ・掛算九九 作文(題新校舎) 感想文		○体育 楽しくリレーグループ単位 バトンの受け渡し方		
	児童の活動		1.読みは家庭学習の必修項目だけにだいたいよく読めた 2.むずかしい語句の検討(グループ) 3.記録や発表の方法についての話合い(後でグループごとに発表)	1.掛算九九 グループで練習大変喜ぶ 1.作文は原案作成が中心，わら半紙使用のため，せんひき，紙折りに時間のかかった者が約10名あった		1.教室の席のグループごとで受け渡し練習 2.グループを等質にして競争し，楽しく自主的に行った		
問題課程	学習内容	○多摩川と温室村 ・生き物はどのようにして育っていくだろう (1)教室ではどんな生物が育てられるか話し合う (2)育てるために必要な事項の検討 (3)記録や発表のしかたの検討 → (国語 3.へ)						
	児童の活動	1.教室で育てられる生き物をグループで決定する。たくさんあげられたが，ダブらないように分担しあう 2.飼育班が中心になり非常な興味をもって活発に体系を考究した 3.世話をする内容の究明発表の形式の理解をグループで話合う → (国語 児童の活動 3.へ)						
実践課程	学習内容	○朝の仕事 ・きのうの反省 ・本日の計画			○給食 ・じょうずなくばり方 ・じょうずな食べ方	○集会 ・整とん ・正しい体操	○そうじ	○1日の反省と明日の計画 ○下校 ○交通安全
	児童の活動	1.日直が台上に立ってあいさつ 2.きのうの日直が日記を読む 3.きょうの大略の計画の話合い			1.くばり方は自主的によくできた 2.食べ方，6名ばかりさわいだ者がある	1.姿勢のくずれやすい者5名あった 2.正しく体操		1 今日の1日でおもしろかったことつまらなかったことの話合い 2.ルールを破った者の名前を生活班と相談してあげる 3.家庭学習の確認をする 4.あしたの計画の大要の話合い

学習の実際の流れ

8:30	7′ 朝の仕事
8:30〜9:50	18′ 問題のはあく／20′ 飼育できる生き物の決定／25′ 世話の内容／15′ 記録や発表のしかたのまとめ
9:50〜10:05	15′ 自由時
10:05〜10:45	5′ 読み／25′ 内容理解／10′ 記録の発表
10:45〜11:00	15′ 自由時
11:00〜11:40	10′ 掛算九九／30′ 作文(新校舎)
11:40〜12:40	60′ 給食昼休み
12:40〜1:00	20′ 集　会
1:00〜1:40	40′ 体育(リレー) バトンタッチ 走法
1:40〜2:20	15′ そうじ／25′ 反省下校

4.　6年2組　毎日の学習計画実験記録

内容＼時刻		8:20	9:10	9:50	10:05	10:45	11:00	11:40	12:40	1:00	1:40	2:20	2:35	3:15	3:20	3:40	4:30
基礎課程	学習内容	○算数(教科書) • 研究問題と復習 → 1. 二乗の研究 2. 直角の書き方 3. 復習	○英語(書くこと話すこと) It is here It is there They are here They are there You are here 〃 〃 there We 〃 here We 〃 there	→	○国語(教科書) 杉田玄白 • 文の内容精査 • 文法的な取扱い		○同(〃) 修学旅行 • 通読 1. 全文通読 2. 全文概観			○体育 ソフトボール → 1. 組と練習試合							
	児童の活動	1. 各自家庭学習の結果発表 2. 二乗と直角の書き方研究 3. 復習問題	→ 広い場所における直角の書き方	→体育のコート作りに関連	1. 主題をとらえて発表と話合い 2. 表現と文法について理解(語法)		1. 音読による輪読 2. 読みを確かにする話合い 3. 家庭作業(読み)										
問題課程	学習内容										○国立公園と日光の修学旅行 3. 日光の地形と歴史 • 日光の地形模型の説明 • 歴史的説明						
	児童の活動										1. 日光の地形模型の作り方を調べる 2. 日光の歴史について教師の話を聞く						
実践課程	学習内容								給食 1. 準備 2. 食事の作法 3. 日記の朗読	集合				自治会 1. 来週の生活目標 2. 来週の学習予定		清掃	
	児童の活動								1. 準備(当番) 2. 静かに食べる 3. まじめに日記を書く					1. 来週の生活目標の話合いと決定 2. 来週の学習予定決定 3. 今週の反省			

学習の実際の流れ

8:20–8:30	10分	本日の学習予定話合い
8:30–9:10	40分	(基)算数(教科書) 研究と復習
9:10–9:50	40分	(基)英語 • 指示代名詞(単復) • ここ・あそこ • 人称代名詞
9:50–10:05	15分	休けい
10:05–11:40	95分	(基)国語(教科書) • 杉田玄白 文の調べ • 修学旅行 通読
11:40–	35分	(実)給食
–12:40	25分	休憩
12:40–1:00	20分	(実)集合
1:00–1:40	40分	(基)体育 ソフトボール 練習試合 対一組
1:40–1:50	10分	休憩
–3:00	70分	(問)国立公園と日光の修学旅行 日光の地形と歴史の調べ
3:00–3:15	15分	(実)学級自治会
3:20–3:40	20分	(実)清掃
3:40–	5分	今日の反省 → 下校

5. 実験記録一覧表 2の1

		(月)	時間数	(火)	時間数	(水)	時間数	(木)	時間数	(金)	時間数	時間数合計
基礎課程	国語	○国語(教科書) 「先生にはなす」を読む 1. 口頭作文をする	35	○国語 1. 口頭作文をする	20	○国語(児童作品) 作文の読み直し {1. 自分のもの {2. 他人のもの	50	○国語(教科書) うらの絵 1. 絵と文 2. 絵日記	30	○国語 「絵と文」の読合せ	70	205
	算数	○算数(教科書) 1. 元気なこども くり上り寄算	20	○算数(教科書) 1. 元気なこども くり上り寄算	30	○算数(教科書) 1. 元気なこども くり上り寄算	35	○算数(教科書) 1. 宿題調べ 2. くり上り寄算練習	40	○算数 ドリル くり上り寄算	30	155
	音楽	○音楽 1. 譜の書き方(ノート)	10	○音楽 1. 歌 唱 2. 鑑 賞	50			○器楽合奏 1. せい比べ 分担を決める，合奏する	40			100
	図工					遠足の絵 色の配合―かんしょう	(80)					(85)
	体育	○体育 1. 徒手体操 2. リレー，走り方	50									50
	家庭					家庭						
	時間数		115		100		85		110		100	510
問題課程	学習記録	・春の遠足 3. 遠足のまとめをじょうずにしよう (1)おもしろかったところ，ために なったところ，話合い (2)どんな形にまとめたらよいか決める		○春の遠足 3. 遠足のまとめをじょうずにしよう (1)自然文化園の花壇 薬草園についてまとめる (2)井の頭の池，水についてまとめる		○春の遠足 3. 遠足のまとめをじょうずにしよう (1)題材を決める (2)かく(絵) (3)かんしょうする		○春の遠足 3. 遠足のまとめをしよう (1)作文を読み合う (2)遠足のいいところのつかまえ方 (3)文の表現法		○学校の近所の店 店調べをする どんな店があるか，班にわかれて調べる		
	時間数		30		40		95		35		50	250
実践課程	学習記録	・給 食 ・話 合 い ・読 書 会	20 15 20	○給 食 ○話 合 い ○読 書 会	20 15 30	○給 食 ○話 合 い 始学前．下校時	30 10	○給 食 ○話 合 い ○読 書 会	30 20 10	○給 食 ○集 会 ○読 書 会 ○反 省 会 ○下 校	20 20 15 20 10	
	時間数		55		65		40		60		85	305
合計			200		205		225		205		235	1,005

Ⅵ 残された問題

以上われわれは，望ましい全体計画はいかにあるべきかについて，その具体例とともに実際の展開を通して，いくつかの提案を行ってきた。その際になお残される問題点は適宜触れてはきたが，ここで改めて全般的に述べることとする。

1. 問題の構成や展開における社会科的なものと理科的なものとの調和を どのようにするかということ

これは，高学年になるに従って，社会科や理科のどちらかに偏してしまう傾向になりがちである。われわれの考えでは，社会科的なものと理科的なもの，さらには算数的なものも，図画工作的なものも，家庭科的なものも，すべて問題解決に必要とされるかぎり，随時取り入れられ，かくして総合的な観点から解決されることを理想としている。しかしながらこのことの実行は，一方には学習の能率とか，こどもの興味の持続とか，また，問題そのものの内容からいって，具体的には極めて困難な点が多い。高学年では，むしろ社会科的な内容を中心とする問題と，理科的な内容を中心とする問題とに分けて，両者を平行してとりあげる案も考えられる。当校でも，このように考えて，実際に検討の結果は，分離しないこととしてきたが，なお，問題は残っている。

2. 問題課程と基礎課程との結びつきにおける主として技術的な点について

問題解決に必要とされ，使われた知識や技能をただちに基礎課程で受けて，これを深め確実に身につけるという点は，われわれの提案の重要なことの一つであるが，こうすることにより，ともすると基礎課程の特色ともいうべき

系統性・系列性・論理性の上に多くの難点が出てくる。主として技術的な問題とも言えるわけであるが，基礎技能や能力について，いっそうの分析とその系列化に努める要があろう。基礎課程におけるいわゆる論理性とは何か，（それは単なる学問的系列ではない）ということも，真剣に考えられるべき問題である。

3. 基礎課程の構成について

ここでけっきょく重要なことは，基礎能力・基礎技能の分析である。当校の考え方についてはすでに実例について述べてあるが，ここにもなおいくつかの疑念もある。われわれの苦心するところは，基礎的な能力や技能をもれなく，しかも問題課程などとの結びつきを考えて，分析し組織することである。国語・算数・音楽・図画工作・家庭・体育などのそれぞれの学習分野に応じて，分析の基準・考え方も異ならねばならず，したがって，これらの横の連絡ということを考える場合，困難点が出てくる。

4. 家庭科的な学習のとりあげ方について

当校では，家庭科的な内容の技能的なものは基礎課程として，5～6年では毎週1時間ずつの学習を予定しているが，家庭生活などの主として理解事項は，これを問題課程に含めてある。家庭的な学習が果して .これでじゅうぶんであろうか，なお問題は残ると思われる。

5. 毎日の学習計画について

全体計画が真に具体化されるのは，何といっても毎日の学校生活の展開である。当校の実験学校として最も力を入れたのはこの点であった。1日の学習において，こどもは，どのようなリズムをもって学習することが最も能率的・効果的であろうか。学習疲労の問題もあろう。活動の質や量にもよるであう。学年の発達も考えられよう。環境もたいせつな要点になるであろう。これらを一体として，しかも，有効に展開される全体計画はどうあるべきか，

われわれの結論も，一つの試案として御批判願いたいところである。

この毎日の学習計画の問題は，いわば運営の問題とも言えよう（わく組や各課程を考えることが構成というのに対して）。したがって，そこには，計画にしばられすぎて，動きのとれない固定化した運営であってはならない。つまり，臨機応変に新しい事態やできごとに即応する流動性と同時に，反面にはあくまで思いつきやその場しのぎにならないように計画を忠実に実践しようとすることも必要であろう。このように考えてくると，毎日の学習計画の真に有効な展開，運営には，全体計画の根本をささえている教育理想・教育愛が確立されることが何よりの急務となろう。

第 Ⅱ 部

実験課題　全体計画をどのように立てるのが，こどもの学習に有効か

実験学校　神奈川県足柄上郡南足柄町立福沢小学校

実験期間　昭和27年4月～30年3月

≪第 Ⅱ 部　もくじ≫

Ⅰ 研究目標

与えられた研究主題に対して，われわれは次のように考えた。全体計画を形作っている各部コースが，単元課程・教科外課程等その名称はいろいろ異なっていても，それがいかなる関連をもって構成され展開されるのが，こどもの全体的発達に対して有効であるか，こどもの全体的発達とは，いわゆる全人としての統一あるまとまった人間としての発達であって，身体的にも，知的にも，情操的にも，よく調和のとれた発達であると考える。そのような発達を期待するための学習の全体計画は，どのようにたてられなければならないかというように研究課題の意味を解釈した。

新教育が実践されてから数年経過した，昭和26～27年のころ，ようやくその批判が生じた。すなわち，基礎学力の低下，道徳教育の不徹底，知識と実践の不統一などの声となって現れた。

これらは新教育に対する不信の声としてしだいに広くかつ強くなっていった。その原因にはいろいろあろう。戦時中の教育に対する空白，社会一般の世相の混乱による道徳の低下，あるいは新教育の理論や実践におけるあまさなど，その他にもいろいろあろう。外的の原因はしばらくおき，学習の全体計画のたて方やその指導法にも，一半の原因があったであろう。

学習の全体計画の各部が，真にその本質が究明されず，そのおのおのが分離してしまっていることはなかったであろうか。相互の連関統合がじゅうぶん考えられていなかったのではないか。基礎課程の一つを取りあげてみても，各教科の目標は立てられ，その目標達成に向かっての努力がなされたけれども，各教科間の横の連絡統一はきわめてふじゅうぶんではなかったろうか。

これらの点から考えてよく統合された学習の全体計画の必要が説かれた。

以上の考えに対して，一方には他の考えに立った主張がなされた。すなわち統合も必要であるが，各教科の特色がなくなってしまうから，教科主義でなければならないというのがそれである。こうした二つの異なった主張の間にあって，こどもに有効な学習計画はどのように立てるのがよいか，という問題を究明しなければならないことになった。

本校では終戦後いち早く新教育の実践的研究を始めて，生活教育課程を構成し，その実践に基く反省修正を加えてきた。しかし，こどもの人間形成の面に立って，真に有効な学習計画であるかどうか，根本的に究明する必要に迫られた。

われわれはまず教育課程の各領域について，まずその本質を掘り下げ，単元課程，基礎課程，教科外活動の課程のおのおのの連関を究明しようと考えた。そしてこどもの全体的な発達に有効な学習の全体計画は，その根底は主体的必要性にあると考えた。すなわち主体であるこどもの必要性に基く全体計画でなければならないと考え，こどもの実力とは何かを検討し，知識と実践の関係から学習の全体計画を検討してきた。さらに研究を進めてみると，われわれが念願するこどもに育て上げるためには，教育の目標をよく検討し，理想的なこどもの姿を描き，現実のこどもの実態をよく見つめ，理想と現実の落差をなくすための教育課程を考えなければならなくなってきた。単元と教科外の連関ばかりでなく，教育の全体をながめてみると，各教科には教科の独自な技能面と，教科として人間形成に寄与する重要な面があるから，この方面から各教科を検討して，各教科の位置づけを考えることが有効な全体画を立てる上に重要であることに気づいた。すなわちともすれば，個々ばらばらとなりやすい傾向にある学習計画を，人間形成という観点に立って統合しようとするものである。

Ⅱ 研 究 経 過

1. 昭和27年度は，民主社会における有能な社会的実践人としての実力を検討し，単元学習の難点を究明し，実力の面より教科以外の活動との連関を明らかにしようと考えた。そしてその考えのもとに全体計画について検討を加えた。

2. 昭和28年度は前年度の実験研究の結果，実力の検討を一歩つき進めて，知識の問題を解明して，基礎学習の位置づけを明らかにすることの必要が必然的に生じてきた。すなわち，知識と実践との具体的な究明によって，単元学習と教科以外の活動の連関をさらにつきつめ，基礎学習のあり方を追求した。

3. 昭和29年度は研究をさらに一歩すすめた。すなわち前2カ年の研究は実力や知識の観点から，こどもの内面的な獲得のさせ方，その構造づけの点であり，主として内面的主体的連関の究明であった。それとともに客体としての各教科の教科内容の連関統合の相を，目標によって明らかにする必要にせまられた。そこで29年度は，こどもの実体を見きわめ，教育目標を検討して，念願するこどもの理想像を求め，各教科の目標を検討して，連関統一を明らかにし，全体計画をどのようにたてたらよいかを考究した。

Ⅲ 研究の実際

1. 単元学習と教科以外の活動の連関

両者の連関を明らかにするにあたって，実力の観点から掘り下げていった。実力を目的論から見て，民主社会の有能な社会的実践人になることにあるとし，さらに方法論から見て，こどもそれ自身の立場から出発し，主体的にこどもの力が伸ばされること，こども自体の学習の中にも，学習の対象となる事象にも必然性をもたせること，いかなる知識も，それがこども自体のうちに統一性をもち，構造づけられ位置づけられなければならないと考えた。

実力をこのように考えて単元学習と教科以外活動との連関を追求した。すなわち両者は統一的方向をもち，主体的必然性という同一の方法原理にたっている。単元学習は問題解決力を身につけるのに，典型的，意図的，選択的であり，教科外活動は，日常的，実践的，リズム的であり，この両者がこどもによって統一されるときに，はじめて生きて働くまとまりとしてのこどもとして，近代社会人としての方向に育成されていく。

また学習の発展としては次のような種々の連関がある。日常生活の場から単元学習へ連関するもの，単元学習の終末から教科以外活動へ連関するもの，単元学習の中途から教科以外活動へ連関するもの，教科以外活動から単元学習へ連関してくるものなどがある。

つぎに，知識と実践の関係から両者の連関をさぐった。すなわち，単元学習では実際指導の面から知識と問題のあり方をさぐった。知識はそれ自身一つの方向を内にもっているものである。そして，豊かな経験をその背後にも

っていなければならない。しかも独断的なものでなく，ある条件を前提とした科学的知識でなければならない。また，前後の関連が位置づけられなければならない。

以上の条件を満たすものが生きて働く知識である。また単元の実際指導から見て，社会性をもった知識と自然性をもった知識が考えられる。前者は具体的であり，意味を強くもっており，後者は抽象的で主として原因をもっている。意味と原因のからみ合った中に知識は位置をもっている。

教科以外の活動では，知識は生活の上に有効に使われる実践的知識であり，生活の事象を正しく判断し，処理することのできる具体に即し，しかも機能をもつ知識である。正しく判断するには，主として社会科でねられる知識が考えられる。処理する能力の根底には，各教科で養われる基礎的知識がある。これらの内容的知識や基礎的知識がこどもの心の中で組みたてられ，一つの構造をもって解決に当ることのできる知識，これが教科以外活動で考える知識である。

知識の面からいえば，単元学習と教科以外活動とは同一平面の延長にあり，基礎学習はその基盤的な層をなしている。基礎学習は単元学習，教科以外活動に対して，一見分離しているかのように見えるが，主体的必然性に即して知識の働きの面で，おさえれば共通している。しかし基礎学習では主として普遍的知識が，教科以外の活動では主として具体的知識が，単元学習では主として個性的知識が獲得される。この三つの知識は，そのままでは完全であり得ない。基礎・単元・教科以外のそれぞれの課程をふみ，相互に関連させることによって，知識は，はじめて確実になり，生きて働く知識となることができる。

われわれは以上のように，いろいろの角度から単元学習と教科以外活動との連関を究明しようと努力してきた。しかし抽象的でなかなか理解しにくいので，単元学習「新聞」と教科以外活動新聞部の「福沢タイムス」の二つを

取り上げ，連関の姿を具体的にはあくしようとして，映画に作成した。以下はその映画のストリーである。

※　映画ストリー

映画「新聞と福沢タイムス」

この映画，「新聞」はわたくしたちが実際に学習した結果をそのまま記録したものです。しかし全部ではありません。一部分の新聞配達を中心とした新聞の速報性のところだけです。

わたくしたちの壁新聞作り。新聞作りに余念のないこどもたち，この子どもたちの心に新聞はどううつっているのでしょうか。何の関係もない遠い世の中のものなのでしょうか。

いえいえ，こどもたちは新聞の来るのを，まちこがれています。「新聞が来ているかしら」とかけ足で，わが家へといそぐこどももありました。

「母さん，新聞きた」

「きょうもこないんだよ」

「つまんないなあ」

ここでは新聞が二，三日ためられて配達されるのです。新聞が配達されると，こどもたちは急いでひろげるのです。それはいったい何が読みたいからでしょうか。こどもたちはスポーツ，その中でも野球のニュースが最も興味をひきます。また漫画も読みたがっているのです。野球と漫画を通して，新聞が毎日配達されないことに不満をもっているのです。

自分たちの作った新聞を見るときにも，したがって記事の新しい古いをいちばん問題にしました。

「その話はもう1年も前のできごとです。それは新聞の記事としては古いと思います。」

記事が古い新しいということから，話は新聞配達に進んでいきました。ひとりは新聞配達にも苦労があるから，遅くてもしかたがないといい，他のひとりは，遅れて配達されたのでは新聞ではないと主張しました。

そこでわたくしたちは新聞発達の苦労を知るために，じっさいに新聞配達をしてみることになりました。そのために学校新聞の臨時号を編集して村中に配達することになりました。ではどんな新聞を作ったらよいか，この新聞の編集は近ごろの学校の様子をできる限り村の人にお知らせするという考えで仕事が進められました。ではどんな記事がのせられたでしょうか。この記事はいずれも午後2時30分という原稿締切時間にまにあわせるために，分担した記者たちが，心をこめて書き上げたものばかりです。

トップ記事は何にしょうか，それはどうしても学校の屋根がえのことでなければならないと決定しました。

雨もりがして雨の日に困っていたが300万の経費と一カ月余りの日時を要して，赤いスレートの屋根にかわったこと，また体育部からは，ピンポン・バドミントン・ゴールハイなど新らしく最近ととのえられた運動用具の使い方やその注意などがのせられました。

購買部が安くて，よい品がたくさんとりそろえてあることや，図書館の様子などがのせられました。

おもしろい記事としては，こどもから村の人へのお願いとして，ＰＴＡの総会に必ず出席してもらいたいことや，川の水を使わないようにしてもらいたいというような記事がありました。

こうしてできあがった学校新聞を，いよいよ部落に分れて配達することになった。五日間の配達を通して，朝四時半ごろ起きるのは非常に眠くてつらいこと，雨の日は泣くほど特別つらいこと，などがわかりました。実際配達の人に聞いても，いちばんいやなことは雨が降ることで，二番目は眠いことで，このことは皆と一致しています。

だからといって，新聞がいつ配られてもよいということになるのでしょうか。

村の人は95％も新聞をとっていますし，ためて配達すると時々新聞配達にこごとをいったり怒ったりしているのを見かけます。

その反対に朝早く配達されると，うれしそうで，村の人たちもわたくしたちと同じように早く配達されることを望んでいます。早く知りたいと思っている証拠です。

小田原や松田では，朝刊・夕刊ともにきちんと配達されています。

そこでわたくしたちは早く知らせるということについて新聞のできるまでを調べてみることにしました。早く知らせようと努力しているところをさがしだしました。そしてさらに確かめるために東京の読売新聞へ見学に出かけました。新聞社ではどのようにして記事を集めているのでしょうか。

まず通信はとです。電信や電話の使えないときにこの通信はとを使います。写真や原稿を入れた筒を脚にしょって一時間60キロのはやさでとんで本社に帰ってきます。

またたくさんの自動車やサイドカーが用意されていて，いざ事件がおきたというときには，いち早く記者がかけつけるようになっています。新聞を運ぶ自動車がいっぱいならんでいます。

また世界の通信社と連絡をもっていたり，特約をしていたり，直接特派員を世界のおもなところにおいたり，支局や通信部を網の目のようにつくっておき，専用電話があるのも，いつでも，どこでもニュースをさがして早く本社に送り，少しでも早く記事にするためです。飛行機との連絡，ニュースカーとの連絡，電送写真，ここは早く早くというためにできた科学の国という感じでした。

編集室はとても大きくて，いろいろな仕事を一つの室でするようになっています。資料室がそばにあり，よく整備されて，いつでもすぐにまにあうようになっています。

整理部で整理された原稿は，文選係にまわされます。活字を一つ一つ拾うのは遅いなあと思っていたが，とんでもない。実に早く1分間に30から40拾うそうです。ここでもやはり速さが問題になっていて，わき目もふらずに一心に仕事が進められていました。それでもまだ満足されないで，モノタイプが生れたと聞いたときには，おどろいてしまいました。これも早く知らせようとしている証拠だと思います。

ゲラずりができるとすぐに校正で，分担が決まっていてどんどん進められています。

校正されたものはいよいよ大組で，新聞の大きさに組み立てられます。大組ができあがると，こんどは紙型を作ります。紙型ができあがると鉛をながしこんで鉛版が作られ，おもしろいようにとび出してきます。できた鉛版は機械にかけて水洗いされ，次から次へと輪転機にかけられていきます。輪転機のいちばん下のところに大きな紙のたばがぐるぐるまわって，一つのたばが終ると次のたばの紙がでていき，ひとりでにつながるように機械ができています。帯のようにつながっている紙がすばらしい早さで流れていきます。1時間に24万枚，1秒間に約66枚印刷されることになります。印刷されるとすぐに折りたたみ機で折りたたまれて出てきます。50枚ずつわかるようになっています。折りたたまれた新聞はベルトにはさまれて上にのぼって，発送部にまわされます。

50枚ずつわかるようにして送られてきた新聞を，ひとりがまとめます。これをふたりが組になって包み，荷作りしてでき上がったものはベルトに乗せられ，次のへやに送られます。ここで行先別に分け，自動車につみこまれます。

新聞には1版から10版まであって，その地方に時間いっぱいまにあわせるために印刷されています。これはできるだけあたらしいニュースを知らせようとしているからです。東京にくばられる朝刊は朝の4時ごろできあがるのだそうです。新聞社ではどこからどこまでみんな速さが大きな問題になっいてることがわかりました。

新聞の発達をしらべてみても，印刷術が進歩して早く印刷されるようになったことがわかります。また，時々の発行から週刊に，それから日刊にと進歩するようになりました。ですから新聞では速さがたいせつです。この速さを速報性といいます。

これほどみんなが苦心をしているのに，新聞配達だけがなまけていていいとはいわれません。どんなに苦労があっても配達しなければなりません。こうして速報性を学習している間に，速さを通してラジオとのちがいが問題になり，さらに速さだけではいけない，うそがあってはいけないとして，真実性が問題となり，単元が発展していった。

この単元学習記録映画「新聞」の続編として「福沢タイムス」を構成した。学習の結果新しい考え方をもったこどもたちが，学校新聞発行という仕事にとりくみ，たゆみない努力を続け，もりたてていく姿を記録したものです。

1枚1円で売られる新聞は小さい3，4年生も喜んで買ってくれます。新聞委員も配布するのに一苦労ですが，みんなが買ってくれれば，それだけ自分たちの仕事が学校のために役だっているのだと考えると，新聞部にはいってよかったなあと思い，鼻も高いのです。3，4年の人たちも自分たちの苦心して取った記事だから，よく読んでくれるといいなあと思います。

でもこれはどうしたことだろう。おや，ごみ箱の中に新聞がすててある。

「あぁここにも1枚，まだある。2枚3枚4枚」

ぼくはみんなが，よろこんで読んでくれるものだとばかり思っていましの

で，くやしくてたまりません。新聞をすてないよう注意していただくために，先生の所へ話しにいきました。

先生は「3年生にはこの新聞はむずかしくてよめないんですよ」3年だって学校の様子を速く知りたがったり，おもしろい漫画や作文などがのっているから買うのですが，「ほらごらんなさい」（3年の黒板をさしながら）3年生の新聞にはこんなむずかしいことばや字はありません。3年生の新聞は文も短くて，それに合う絵もかきいれます。3年の子は絵をかいて，お話しのように文を書いては知らせあってよろこんでいるのですね，といわれました。

さっそく，この問題を新聞委員会に出しました。この委員会は4年以上の委員で，各組から出てきた新聞委員で作られています。「3年生はよろこんで新聞を買っているようですが，ほんとうは読まないですててしまうものがあります」「3年生なんかには売らないほうがよい」とか，「いや3年生や2年生にも読める新聞を作るほうがよい」とか，いろいろと意見が出ました。けっきょく，黒板にかいておく，低学年と高学年に分けて新聞を作る，ことに決まりました。だがまだ問題があるようです。5年のA子さんが立ちました。

わたくしたちの組ではこの間，学級新聞で「なかよし新聞」「協力新聞」の二つを作り，記事のよしあし，文の作り方などを比べあいました。知りたい人に知らせてよろこばれるのが新聞だと思います。知りたいと思うことを知らせるようにしてください。それからＰＴＡの人にも配ったらどうですか。と意見を述べました。そして最後に4年の受持の加藤先生から「みなさんは新聞を発行することによって記事としての文のまとめ方や，かき表わし方がたいへんじょうずになりました。先生の組でもかべ新聞を作るのに記事のわりつけ，見出し，記事のいつ，どこでだれがの五つの書き表わし方など勉強するのに，かべ新聞がたいへん役にたちました」とほめてくださいました。

読める新聞，知りたいことを知らせるということから，低学年，高学年新

聞の二つを発行することにしました。

低学年向けには，なるべくやさしく親しみやすいために絵入り新聞を発行することになりました。高学年向けの新聞では，ぐっと取材する場所を広げて校外へも進出します。

なるべく速く読者に知らせようとして，新聞部は大馬力で集まった原稿をもとにして新聞を作っています。発行日が来た，新聞委員の責任を果すため朝早く来て印刷し，各組へ配ります。

でも６年生から「11月14日の秋の全校写生会の記事はもうとっくにみんなが知っているニュースだ，もう少し読む人の気持を考えて，めずらしいこと新しいことを速く，ふるぶんにならないうちに知らせてください。新聞は速報性・真実性と，知りたいと思うことを知らせることがたいせつだ」と言われて，突き返されてしまった。

朝早くから夜おそくまであんなに苦労して速くとどけようとしたのに…。つくづくいやになって，ほかの部にとりかえてもらおうと先生のところへ申し出た。先生にいろいろとさとされた。新聞でいちばんたいせつなことは，「速い」ということだ。世の中の様子が時とともに変っているのだから，早く知ってこそ珍しい。たいせつなことを速く，これが新聞社のモットーだ。新聞はこの速さのためにどんな努力もおしまず払っているのだ。君は友だちからでる意見に負けてしまっているが，その意見は正しいのだ。正しいことに負けてしまってはひきょうだ。その意見に勝つようにがんばることが，君の今のとるべき態度だといわれ，「わたくしもよし負けるものか」と心に誓いました。

速報の問題を新聞部ではどう解決していったでしょうか。まず速報板をつくって中央廊下にさげる。新聞部は３年以上の学級新聞係にごく新鮮なニュースを話して，各組の背面黒板に書いてもらう。１，２年の教室は新聞部の

ものが行って書く。また，放送部に連絡して，合同で放送する。

村の人たちに学校のことを知らせるために，号外も出すことにしました。

学校新聞は速報した学校のできごとのくわしい結果や，みんなの意見や作品，明るい学校にするための問題をとりあげて発行することにしました。

学校新聞が打合せや学習に使われます。５年のある組では，わたくしたちが記事として取り上げたかきねごしの事件が討論されています。この組の生徒が多く学校の行き帰りに校門を通らないで，かきねごしをするようです。「だれが通ったのだ，通ったものがなおせ」などと盛んに意見が出ています。「ぼくはかきねを通りこさないように木の苗をうえたいと思います。」

わたくしたちのとり上げた記事がみんなを反省させ学校がどんどんよくなっていく，こんな力が新聞部にあったんだなあともう一回考えなおしました。これから後もみんなの意見を代表し，みんなの幸福のために働くことを誓いました。

この映画の中のこどもの活動に現れた連関の姿について考えてみる。

単元学習「新聞」で，村の課題——それは，こどもたち自身につながる問題であるが——を見いだし，その原因をつきとめようとして，「実際に自分たちで配達してみようじゃないか」ということになり，新聞を発行し配達する。記事を集めることから配達するまでの一連の活動は，教科以外活動で「福沢タイムス」を実際に発行する場合，そのまま生きて活用されている。学校新聞を作るとき，５年生の国語学習「学級新聞」で学習した結果は非常に有力な，適切な意見となって現れている。学級へ配られた福沢タイムスがよい手本となり，学級の壁新聞に対して非常に役だっているのが，４年生の場合に見られる。

単元学習「新聞」で中心的な追求目標となっていた速報性は教科以外活動で学校生活の現場で，「福沢タイムス」を一刻も早く発行するという実践的

な行動に現れている。

速報性の問題について，こどもたちは現在の学校の施設のもとにあって，中央廊下に速報板を出し，１，２年生の教室には新聞委員が出むいて黒板掲示を書いて知らせようとし，また学校放送によって解決していこうとしている。しかし学校放送は各人への徹底に限界があるので，概略を放送し，詳しいことは，学校新聞で伝えている。新聞の単元学習で，正しい世論の喚起ということが新聞や放送の役目であることを学んだが，福沢タイムスでまさに自分たちの学校社会に正しい世論をひきおこし，学校児童会の問題となり，かきねの切目に苗木を植えて，かきね越し通行を防ぐところに発展している。

改善と適応を，一方は主として知的に，典型的に行い，一方は主として行動的に，経験することによってこどもたちのパースナリテーは形成されていく。

この映画は昭和28年２月に製作されたもので，当時６年生の単元に「新聞」というのがあり，実践展開されていたのである。昭和30年になって，社会科の改訂によって「新聞」の単元は多少変った。しかし，３年の「あそび場」や，４年の「みんなの問題」６年の「学校の問題」「税金と選挙」等これらの単元は，新聞と学校新聞より以上に，単元学習と教科以外活動の連関を，密接にかつ強力に示すものである。

2. 基礎学習のありかた

(1) 基礎学習の位置

単元学習は児童が社会の歴史的現実につながる問題を出発点として，広く社会への視野を広め，現代社会への適応と改善への意欲や能力を高めていくものであり，教科以外の活動は，こどもの経験する身近な環境，すなわち学校社会への積極的なはたらきかけをなし，これを改善し進歩させようとする

実践的な態度や能力を身につけさせることをねらっているものである。こどもたちが広く社会に，または学校の社会に働きかけていく場合，それを解決していくための知識や，技術が必要になってくる。スポーツや音楽に親しみ，より豊かな生活を送ろうとしても，それらを楽しむためには，スポーツや音楽のよさがわからなければならないし，よさがわかるためには，その底にある音楽やスポーツに対する基礎的な知識がなければならない。また，教科以外の活動でにわとりを飼育している場合，よりよく飼育するためにはいろいろな経験をしなければならない。その中の一つとして，読書するということも考えられる。かりに「にわとりの飼育のしかた」という本を読もうとしても，その基礎となる文字・ことばを駆使するだけの力がなければ，正しい飼育のしかたも理解されないであろう。逆に基礎学習の立場から考えると，単元学習や教科以外の活動は，知識や技術をはたらかせる場とも考えられる。このように基礎学習は常に二者との有機的な連関の中に位置づけられていることがたいせつである。

(2) 基礎学習の伸ばしかた

こどもたちが，かれらの生活を通して，客観的な文化財に働きかけて，生きて働く知識や技能を，正しくより深く身につけるように，われわれ教師は願っている。それにはどのような点に考慮が払われなければならないのであろうか。

○素材の機能的な組識の必要

まず，こどもに生きて働く知識や技術を身につけさせるためには，その対象となる素材がはたらきをもったものでなければならない。対象そのものの「はたらき」と学習する主体の心的な「はたらき」の両者のはたらきかけによって，知識や技術を自分のものとして受容することができるのである。そ

れならば素材のもつ構造はどんな姿であろうか，それは対象のもつはたらきに即して，知識が系統的に連関的に組織されているものであろう。かかる時に生きて働く知識や技術となるものである。

(a)　素材が受容性をもっていること

ややもするとこどもの生活からかけはなれた知識がこどもに与えられる傾向がある。こどもの生活や発達段階に即応して，素材が，こどもに学習されやすい状況におかれていることが基礎学習においては特に必要である。

(b)　こどもの働きかけを活発にすること

対象に対して，積極的に働きかけることが必要である。低学年においては，感覚的であるので視聴覚的な興味に訴えて「おもしろそうだ」「何だろう」という具合にして働きかけを活発にさせるくふうが必要である。高学年になると相当知的になるので，対象のもつ働きに対して，積極的に追求させることが必要であろう。

(c)　知識の系統的指導の必要

知識は，学習の順序系統に即して指導されなければならない。「生徒たちにまず材料をあたえ，そしてこの材料のつみかさねによって，それをこども自身の体系を作り出していく材料が，こどもの力に即してより多く多様につみかさねられるほど，ますます，体系は高くなり，ついには論理的，哲学的命題の抽象性にまで到達する」とある学者はいっている。

こどもみずからが系統を持って習得したさい，いくつかの結論は，事実を秩序だて習得していくものである。わたくしたちは知識をより確かなものにするために，こどもたちが獲得しやすいように知識を順序づけ整理してやることを忘れてはならない。そしてこどもたちが原理や法則を発見するようにしなければならない。

(d)　こどもの心的なはたらきを活発にする

人間の心的生活は，認識・感情・意志が互に孤立したものではなく，感情をいだく場合にはなんかの形で対象を認識し，あるいはおこなっていることに対する自分との関係を体験し，そして意志決定をする場合には，一定の思考や感情から出発する。このように人間の心的生活においては三者が連関しているものであり，特に重要なことは，心的過程が常になんらかの活動の中を推移する点である。このことは，認識する過程すなわち，感覚・知覚・表象・記憶・想像・思考の諸過程と情緒過程についてもいえる。人間は常になんらかの形で行動し，また自分の活動を進める過程において認識し，感情をもつものである。わたくしたちは人間の心的生活のどの面をとりあげてみても，常にその中に認識過程・情緒過程や意志過程を見いだすことができる。基礎の学習において特に知識の獲得の場合は，認識する過程に着目し，感情をより高度なものにしてやる必要があるのではなかろうか。本校の教育のモットーである「感ずる子」「考える子」「働く子」は，こどもたちの心の働きの重要さを表わしたものである。

(e)　こどもの問題を出発とし，こどもの思考力を高める

こどもたちが対象に働きかけるときに，最も重要なのは，こどもの認識過程を重視することである。低学年の場合は非常に感覚的であるが，学年が進むに従って，漸次，知性的な傾向が強く出てくる。学年に応じてこどもたちの思考力を深めていくことがたいせつである。

思考のプロセスは，何か困難な事を処理し，何かを理解し何かの課題を解決しようとする欲求がその人の中に生れた時から始まる。けっきょく思考は常に問題から始まる。ただ単に「考え」させるだけでは思考の積極的なはたらきを呼び起すことはできない。

解決のために「考える」ことを必要とする問題が，こどもの前に提起されること，その問題を解決しようとする欲求をこどもたちが感ずることが必要

である。ひとりひとりが問題を発見しているかどうかが問題である。問題を発見するようにしむけることが必要であり，またその問題の焦点は何かということを完全に認めさせることがその次に必要である。こどもたちがこのように問題を認識し，解決のための活動をすることによって，技能や知識が獲得されていくものである。このようなかたちで学習が営まれることが，こどもに最も力がつくし，けっきょくそれは能率的であるといえる。

(f) 能力の差に応ずる指導の必要

こどもたち（6年生）に「昔の船と今の船」の幻燈を見せて，終ってから，「どんなことがわかった」かという質問を出してみると，共通の興味をすべてのこどもたちがもっているにもかかわらず，ある子は「昔の舟は人力であった」また，「船のうつりかわりがわかった」という子，また，「時代が進むに従って船も進歩した」というこらで，各人各様の考えや能力をもっている。基礎学習において，知識や技能の習得も，それぞれ各人各様である。このような能力の差に対する配慮，すなわちグループ学習のさせ方，反復練習のさせ方が考えられなければならない。

(g) 学習の基本を身につけさせておく

こどもたちが学習をしていく場合に，音楽にしても，算数にしても，こどもたちにそれぞれの学習のしかたを知らさせ，また身につけさせておくことはたいせつなことである。どの学習にも，とまどいせずに学習にとりくむことができる。こどもたちに学習の基本を身につけさせておくことによって，学習をますます高度なものに高めていくことができる。

以上，基礎能力の伸ばし方についてやや理論めいたことを述べてきたが，つぎに基礎的能力の伸ばし方の実際についてしるしてみよう。

(3) 国語能力を伸ばすには

新しく衛生係になったTは，みんなの前に立って，「手ぬぐいを持っていない人と，つめの伸びている人は手をあげてください。」といった。

このごろ，係が，いちいち机間をまわって検査しなくても，隣席のものどうしで調べ合い，手をあげることによって，能率的に検査をしているのである。

こどもたちは，お互に手ぬぐいを示し合い，両手の指先をそろえて見せ合っていたが，このTのことばを聞いて，何人かはだまって手をあげた。しかしKは困ったような顔をして，「そんな聞き方では困るよ。」という。Kは手ぬぐいを忘れたが，つめはきれいに切ってあるのだ。

それまで，ぼんやりと手をあげていた者も，今の問い方のまずかったことに気がついて，あわてて手をおろす。けれども，まだTは気がつかない。もう一度，同じことをくり返して言っている。

そこで，教師は「どうして，みんなが，はっきり手をあげてくれないのでしょう。あなたの言い方を，もう一度よく考えてごらんなさい。」と注意する。みんなも，どちらを先に調べるか決めておかないからいけないのだということを，Tに注意する。やっと気がついて，よく考えてから，「はじめに，つめの切ってない人は，手をあげてください。」と言いなおす。

これは，ある朝の，3年生の打合せの時間の一風景である。

ことばは，思想表現の用具であるといわれるが，同時に考えることも，ことばを通して行われるのであって，単にことばだけを取り上げてとやかく言ってみても，決して高まっていくものではない。考え方がはっきりしていなければ，はっきりと言い表わすことはできず，逆にことばの使い方が正しく行えないこどもの論理的思考力は，はなはだたよりないものである。

また，心の中に豊かな内容がなければ，いかに表現の力をねろうとしても，それは不可能である。

さきのTが，係として，何をどう調べるのかということを，前もってはっきり考えて事に当ったならば，あのような不適確なことばを発することはなかったであろう。

国語は，聞く・話す・読む・書く・作ると，一口に言っているが，考える道具としての，心の内のことばの指導が重視されるゆえんである。したがって，国語科それ自体がもっている意味の重視さは，今さら言うまでもないことであるが，あらゆる教科の学習や，こどもの生活の中で，ことばの指導がなされなければならないし，また，ものの考え方や感じ方，豊富な知識があらゆるところで高められてこそ，はじめてこどものことばも高められていくものと信ずる。

福沢のこどもは，国語の力において，いくつかの欠陥を持っているが，中でも首尾一貫した話ができないという点は，最も重視しなければならないと思われる。

決定が文の終末にくるという国語の性質上，とかくいろいろのことを並べたてて，終りのほうはうやむやにしてしまう場合が多い。話しことばの欠点は，そのまま文章の欠点ともなっている。文に句読点をつけるくせをつけるように努力している。

農村の民主化をはばむものの一つが，人々がはっきりと自分の意志を表示しないことであるとすれば，こどもの，いかなる発言の場においても，あいまいな言い方や，いわゆるしりきれとんぼであることを見のがさずに指導していかなければならない。

それには，教師の言うことをよく聞くように要求すると同時に，こどもの言うことも本気で聞いてやるようにしなければならない。本気で聞いてやるということは，目さきの親切心から，かたことを許容したり，語尾のあいまいなのを，かってに想像してやったりすることではない。そのこどもが言お

うとしていることを，じゅうぶん言いつくさせることである。それには，適当に問い返してやることも必要だし，また，考えをはっきりさせるために，必要な時間をおいてやらなければならないのである。

(4) 体位を向上させるには

体位の向上や体育技術の向上は，決して体育科の時間だけで満足されるべきものではない。もちろん，そこに体育の大きなねらいはおかれてあるが，各教科の学習や，遊びの指導がこれに加えられ，広い生活の分野からついて行かなければ効果はあがらないものである。それは生活環境と，こどもたちの生活内容が体位を規定していく一つの条件となっているからである。農村のこどもは背が低い，農村のこどもは姿勢が悪いと一般にはいわれているが，これはひとり福沢だけが持つ問題ではない。

農村における仕事の性質から，どうしても腰をまげて作業することが多い。したがってその仕事に直接あるいは間接参加しているこどもたちは，自然に姿勢は悪くなる傾向にある。こどもたちの遊びをみても，「おはじき・めんこ・カチン玉」等が多く，遊びの場が狭く，運動量の少ないもので，姿勢もよくない遊びが行われている。これらのことは都市に比べて農村の特異性ということができるかもしれない。姿勢が悪いことは腹筋力の弱さを意味し，健康な身体を育成することはできないと考えられる。

自然的な条件については，現在の農業生産の方法を改良しないかぎり解決することは不可能である。しかし，後者の場合では，学校において，あらゆる機会を通して指導することができる。すなわち教室内での学習，朝会，部落常会等において機会あるごとに指導し，特に体育科では，それらのものをきょう正する意味で徒手体操をより多くとり入れて，鉄棒や柔軟運動・リズム運動を実施している。柔軟度テストの内容としては，足を伸ばしたままで，

- 。体をまげてひざの関節にひたいがつく　5点
- 。体をまげて手で足くびをつかむ　4点
- 。体をまげて手のひらを地面につく　3点
- 。体をまげて指先が地面につく　2点

以上について個人表をつくり，記入させ，自己の柔軟性をはっきりと意識させ努力するように計画している。

さらに日常こどもたちが遊んでいる遊びそのものを高めていくことが，根本的に必要であると考える。めんこやお手玉などは局部的な運動であるから，積極的に全身的な活動を要求する遊びの方向にもっていくことがたいせつで，これによってこどもたちの姿をより正しくして，体位増進をすることができる。それには身体活動をじゅうぶん行って身につけなければならない。この運動内容と技術を身につけることによって，集団における個人の位置や自覚がそこにうまれ，遊びの範囲が拡大され，望ましい方向に進んでいくのである。

そこで本校では，各学年の正規の体育のカリキュラムに，さらに次のような計画を加えた。毎週火曜日の第6時校と全校体育の時間とに，これを実施した。４月から９月までは４年以上，10月からは３年生も参加し，学年の発達に応じた指導内容を計画した。教師は自分の特技を生かして各種目の運動を専門に分担し指導する。種目としては，バスケットボール・ポートボール・バレーボール・リズム運動・ゴールハイ・フットボール・ドッチボール・卓球・鉄棒・とび箱・マットなどである。各学年は毎週計画された部門に行って指導を受けるのである。そのためこどもたちの技術的な面はここ数年によって適当な種目が決定される。７月，11月，２月には球技大会があって，こどもたちの関心はここに集中されてくる。特に球技大会前後の遊びは相当変化し，チームをどう編成してバスケットボールやポートボール・ドッチボー

ルの試合に臨むか，こどもたちの間で相談が行われる。１月には部落対抗競技と，球技会が行われるが，それは冬季休業の生活指導として，その価値は高く評価されるのである。この球競技会によって，道祖神の祭りからくる弊害から完全に福沢のこどもたちは脱出し，他の周囲の地区よりも早く安定された生活を求めるようになった。部落の班長を中心として１年生から６年生まで全員休み中を利用して計画的に運動練習をする。種目としては，フットボール・円形ドッチボール・バスケットボール・羽根つき・卓球・部落一周マラソン・継走などが行われる。本年ですでに６回を数え，地域の人たちもあれだけ根強かった道祖神の因習から目ざめ，こどもたちの生活を因習の害から救うという意味をもって，冬季地域運動会を催さうとする気運も見られる状態になってきた。３月には卒業生と５年生との間に懇親試合が計画されて，男女ともにソフトボール大会を行う。また職員と卒業生の野球の試合も計画され，実施している。

以上述べたように，こどもたちの体位を向上させるために，まずその欠点とするところをとらえ，その対策として体育科の学習時においては，身体のきょ正運動をとりあげ，その他の時においては遊びを，望ましい方向に変えていくことを考えた。そして，体育科の時間においては，姿勢をよくするために柔軟度測定カードを各人にもたせ，腹筋力を強めるための鉄棒・とび箱・なわとびなど，おもに個人的な運動の面の強化をはかり，さらに，校内対抗・部落競技球会を全校的組織のもとに計画的に行った。また遊びを教育的に高めるために，一段と全校体育を盛んにし，その指導に努めた。それによって，確かに遊びが変ってきたと同時に，問題とされた点も変りつつある。こどもたちが討議において，とりあげる話題も以前は，「Ａさんはめんこをやっていましたから注意してください。」「カチン玉は児童会でとめられているからやらないでください。」「ボールが運動場に置きざりにしてありましたが，これから

使った人は，あとかたづけをしておいてください。」などのことが多かった。

ところが現在では２台しかない卓球台をみんなで使うにはどうしたらよいかということを討議し，自分たちでＡクラス・Ｂクラスに分けて練習している。運動場の使い方も，野球をするために他の人たちの運動が制限されてくる。こういったとき，その使い方をどうしたらよいかということを話し合うように，こどもたちは成長してきている。これは社会的な生活態度がつかちわれて，自分たちが遊びをどのようにしたら全体の喜びが得られるかということを考え，生活内容として，体育の目標や豊かな運動内容をもつようになったからである。しかし，まだ残された問題として，敏活性と伸び伸びとした表現活動の分野がある。それは第二段階のことであり，目下その究明のための研究が進められている。

3. 内面的統合（協力という視点から）

実際にわたくしたちが毎日行っている学習指導とは非常にかけはなれているが，一つの試みとして次のようなことを行ってみた。

乗数が二位数の乗法を指導する場合に，まずいっせい指導をしてその後徹底的にテストを実施し，その結果を一覧表にして一々家庭に連絡して学習を進め，これを毎日くり返した。それこそまったくの個人学習であり，テスト一辺倒の学習である。この学習をしている間にこどもたちはどう変っていったかというと，第一に九九もできなかった子どもが九九ができるようになり，乗法も正確になり，連絡も早くなり，いわゆる応用問題もその処理のしかたが適確になってきた。

いわゆる向上したわけである。ところが，グループに問題用紙を１枚余分に配布してみたところ，ふだんならその１枚をわたくしの所に返しにくるの

だが，そのときだれも返しにこない。１枚をそこにおいてまず鉛筆を握る。

さらに中には，わたくしが問題を説明している間にこっそり第１問に手をつけているこ子がいる。

１枚をわたくしのところに返しに来る時間が惜しい。始めの合図の前に少しでもやっていて時間をかせいておこうとする心，それは，はっきり点数に結びついていることがわかる。点をとることが最高の目的となったわけである。ここでいう試験は，一定のふるいにかけて，人間をいくつかの段階に品定めするわけである。それには何の愛情もなければ，人間としてのあたたかみも感じられず，まことに冷たい世の縮図が現れている。そのころ，わたくしは，家庭の人がわたくしの連絡した得点の一覧表を見てどんな気持でいるのだろうと思い，各家庭に質問の手紙を出した。それは，わたくしがやっている事はテストによい点をとればいいんだというやり方，これにこどもたちが影響されているのは事実ですが，家庭ではどんな影響をこどもたちに与えているかを知りたかったからである。

「テストをごらになって，お子さんにどんなことを言われましたか，また言おうと考えられましたか。」という問に対して，

「こう表に出されると，人に負けず，ゆだんをせず，ふだんの勉強が足りないことがよくわかるだろう。少しずつ復習しなければいけない。」また「みなさんの成績を見て，ちょうどまん中のように思いますので，もう少し努力をするように申しました。」というように，他人に負けるなという親の言い方が半数，それに対して，

「問題をよく読むこと，計算をあわてずに，まちがえないでやること，最後にもう一度見直すこと」など，テストに臨む注意を与えた親が約半数であった。後の半数については，何に臨む注意を与えたか，その理由は判然としないが，前の半数は明らかに競争である。何ゆえ親はこのような考えを持つ

のかを究明しなければならないが，それは別にして，とにかくこのような考えをもっているといえる。それは第2問の答にはっきりと現れてきた。第2問は，

「テストの結果をこうして家庭に知らせることについてどうお考えですか。」である。この問に対して，負けるなという親は，

「結構なことだと思います。やはり組の中で自分のこがどのくらい力があるか，組の平均がどのくらいなのかよくわかりますから。」というようなことが，似たりよったりで書かれている。そうすると，親はたしかに他のこどもよりよい点をとることを希望しているといえる。こうした中に育っているこどもたち。わたくしと同じような力が親からもこどもに与えられていると考えてさしつかえないと思う。

しかし中には，「家庭に知らせていただくことはよいことだと思いますが，それによって，こどもが点数のことばかりに気にするようになることは，小学校のこどもとして思わしくないと考えます。」と述べている母親もありました。わたくしは，成績がよくなることは，たしかにいいことであるにちがいない。しかしそれだけでいいだろうか。何か欠けているものがあるような気がしてならない。その欠けているものとは何だろうか。点数のことばかり気にしていては困るという母親が考えているものは何だろうか。わたくしももちろんそれを心配していたからこそ，あえてこのような極端な実験をしてみたのであるが，学校は，計算機を生産する工場ではないはずである。計算力を高めるときにも，計算機には与えることのできない人柄のよさを育てなければならない。

ある日，ややむずかしい算数の問題を与えてみた。「だれか黒板に出てやってみる人はないかね。」とのわたくしの質問に，だれひとりとして手を上げる子がいない。考えるのではなくだれかに遠慮しているような顔をしている。

やってもいいんだけれど，もしまちがったら困るというのであろう。まちがうことがえらく恥だと思っている様子である。

「A君やってごらん。」A君はしぶしぶと不満そうな顔で黒板の所に出てきた。しかしその答は正しくはない。「これはどうだろう。」と質問すれば，今度は言いたいような顔をしていて言おうとはしない。学習の終った後できいてみると，「だって先生，いってもいいけど，もしまちがって言ったらみんなになんか言われるんでもの。」という。こういう傾向が，算数の時間には以前よりも多く現れてきた。そういえば朝の打合せのおりにも，他の友だちの悪いところ，欠点をいうことが多くなってきたように思う。1つの学習指導の影響は，いろいろな部面にその結果が現れてくるが，何か人柄の上に大きな欠陥が生れでる心配がある。確かに算数という教科は，ひとりひとりのこどもに数理的な技能や態度を育成することには違いないのであるが，その指導の方法・学習の方法のいかんは，人格の形成に大きな影響力をもっている。算数に限らず他の教科についても言えることだが，わたくしたちは統一のある人間の育成とか，民主的社会の実践人を育成するとはいっても，各教科それぞれに独特な方法がとられて，その方法にもし統一がないとしたら，その影響から生れでるこどもたちの人柄は統一あるものとはいわれないと考える。

もちろん教科にはその教科が成立しているためのその教科独特の内容があり，その内容にともなう方法があることは当然であるが，そのおのおの方法の中にも，望ましい人間を育成するため共通した方法がなければならないわけである。

学習指導計画に統一をもたせるということは，いろいろな角度から行うことができると思うが，わたくしはその一つの角度として，望ましい人間を育成するための方法上の統一を考えたわけである。

そこで望ましい人間とはいったい何だろうか。民主的社会的実践人としての資質として，真理追求，正義至善の愛好，勤労を尊ぶ，豊かな情操，健康な体力，創造力，協力をおさえ，その力にはいずれも自主自律の精神が貫かれているものであり，もう一方基本的な能力として，言語，数量，科学的，経済的等の力をおさえてみた。そうしてすべての学習活動がどのような姿のときに，こうした力はむじゅんなく育成されるだろうかを究明していったわけである。すべてについては書けないので，まず協力について，具体的な例をひいて説明してみたいと思う。

協力については，最近改訂社会科が発表され，協力が強くだされているとして論議をかもしてはいるが，わたくしたちはこの協力をどのようにとらえて歩んできたかを報告してみたいと思う。

小学校のこどもに学校のそうじを分担させることについて批判の余地はあるが，現状としてわたくしたちの学校でも行っている。２年生から６年生までが，それぞれの班に編成されて，受持場所を清掃の時間にそうじしているが，その班には常に問題がおきている。なまける子，かってなことばかりやっている子，けんかする子。そこで時々学校の目標として，「おそうじをしっかりやる」というのがたてられることがある。班長を中心として，どのようにやったらいいか相談され，実施され，協力してまじめに行っている班は，週番から全員に報告されてほめられ，うまくいかない班は注意を受けたりする。なかなか一つの班をまとめることもたいへんであるが，みんなが力を合わせることもたいへんである。ある班長は日記にこう書いている。

「わたくしのそうじ場所は運動場です。初め男生は，わたくしたち女生といっしょにやるのをきらっていました。運動場を半分に分けて，男生と女生と受け持つことにしてしまった。その上女生は道までやることになった。女生は６人，男生は９人です。ですから女生のほうはいつもそうじ時間にやり終

えません。そこでわたくしは，『男と女といっしょにやろう。』といったら，男生はしぶしぶ『やろう』と言いました。今いっしょにやっていますが，まだ遊ぶ人は男生に多いのです。

またほうきではくのはみんな好きですが，植木の下のごみをはきだすとか，はき集めた木の葉や紙くずを，ちりとりで取って捨てに行く人はいません。わたくしと２組の絹代さんと，代りばんこに捨てにいきました。５年生などなかなかやってくれませんので，軽いのは３年生ぐらいに，少し重いのは５年生に，いちばん重いのはわたくしたち６年で持っていくように決めて，さしずをするようにしましたので，うまくいっています。」また，この班の５年の男生は，「ぼくは，そうじの鐘が鳴ると，急いでぼくのそうじ場所に行って，いちばんいいほうきを取ってしまう。６年のひろし君が来て，はやくそうじをやれという。みんないっしょけんめいでやる。６年のひろし君はそうじをやらないで，すぐに遊びに行ってしまう。」と書いている。

この作文を通して，それぞれのこどもたちがどんな様子かがわかる。こういう班の現状の場合，どう指導することが力を合わせるこどもになるだろうか，それを考えるときに班の指導もたいせつだが，もっとたいせつなことは力を合わせること，すなわち協力ということである。ところで「おそうじをしっかりやる」という目標を立てて，班内の人々の協力を求めていくことが妥当だろうかということである。いけないというのではないが，いちばんいい方法がほかにありはしないかというところに研究問題がある。上にあげた目標には何か強制的な，この仕事をしっかりやればいいんだという圧力が加わっているように思える。そこには自主性もなければ，はつらつとした自由が見当らない。「なまけている，ふざけている」ということから生みだされたこの目標は，結果的には，極端にいえば奴隷のようなみじめさがある。とすると，ここで求められている協力は一つの封建社会の中での被支配者の協力

ということになる。労働，ただ働くということについて協力であり，その労働の価値が判然としていない。これも協力の一つかもしれないが今わたくしたちが求めている民主的社会における人間関係は生れでない。それを裏書きするようにだれかがいなければすぐなまけるし，週番は，そうじの時間に校内を回って指導し，おそうじをやらなくてもよいことになっているので，この時間だけは週番になって，ふだんいろいろな仕事の時には週番であることを忘れてしまい，そうじをやらなくてもいいからというので，週番になっているという，こどもも出てくるわけである。それではこれをどう変えなくてはならないだろうかが問題になる。

協力には，社会的な方向がなければならない。一つの学校という社会の中で，そのひとりひとりが望んでいるものが集約されてこそ，それが目標となるものである。「こうせよ」という目標ではなくて，「これもしよう」「あれもしよう」というものが生みだされてくるような目標でなければならない。それには目標をつくる仕事が非常に重要になる。枯れた花が花さしにさしてあったり，窓ガラスがよごれていたり，ぞうきんが廊下のすみにそのままになっていたり，上ばきのまま，下におりる子がいたり，だれもがいやな気持をもっている。このいやな気持をもつと強く目ざめさせると，「学校をきれいにしよう」という意欲に変ってくる。この意欲を目標としたら，どんなものだろうか，きれいにするためには，どこをどう改めなければいけないのか，ひとりひとりがどうすればいいのかが，具体的にはっきりしてくる。「こうして学校をきれいにしよう」という目標が立てられた。ある学級では鉛筆のけずりくずが問題になった。めいめいの机の中にごみがあると，それが教室の床に落ちるといって問題になった。便所のくみ取りを問題にしたクラス，水道の流し場の作り方を問題にしたクラス，教室に花を飾りましょうと話し合った1年生，ポケットの中に何でも入れておくと，いつのまにか落ちてしま

うからと言って，ポケットを問題にした組，ごみすて場の位置が問題になったり，またそうじの班では，そうじのしかた・はき方，いちばんいけない所，などがとりあげられて，朝会の折に相互にそれらの意見が発表され，多方面にわたって行動が展開される。ひとりひとりの目標が具体的に立てられ，それが統一をもち，また相互に依頼されたり依頼したり，時にはそのために学校の施設の改善を訴えたりする姿，これが一つの協力の姿だろうと考える。協力ということばは教えなくとも自然の間に協力する仲間の中に自分は溶け込み，そこに自分の行動基準を見いだしていくならば，これでこそ協力するこどもが育つだろうと考える。協力はただ自分と同じ仕事をする仲間の間にあるだけでなく，もっと高い目あてのために，めいめいがおのおのの仕事を受け持つという協力の姿を体得させたいものである。したがって直接的に力を合わせるということだけでなく，もっと社会的な方向をもった協力にまで高めなければならないといえる。これがあるいは社会的善と言えるかもしれない。「学校をきれいにしよう」という目標と「おそうじをしっかりやる」という目標との間には，こうした本質的な差がある。そこから生れてくる協力にも差が現れる。後者が普通りのしつけだとすれば前者は民主的社会における道徳と言える。もちろん「学校をきれいにしよう」という目標から「おそうじをしっかりやる」という目標が生れた場合は別である。まずわたくしたちは協力をこのように考え，日々の指導に生かしたいと考える。

第2の例として「ある日の幻燈会」の例を説明もてみたいと思う。わたくしの記録をそのままここに載せてみることにする。

ひとりのこどもがいっしょうけんめいに幻燈の台本を読んでいる。その読みはたどたどしく，聞きにくい読み方である。前のほうに座を占めている5，6人は熱心に聞いているが，他の者は友だちと話をしたりして，幻燈を見ていない。これはある日の幻燈の時間のことである。

実は，わたくしの組の自治組織の中に，お話と幻燈を受け持つ班があって，この係は１週間交替になっていて，月曜日の放課後，班の打合わせをし，その週における分担した係の仕事について計画を立て，その計画に従って実行することになっている。お話と幻燈の係には，わたくしは特別に午後の１時間（これは学校運営に支障のない何日の時間でもよい。とにかく１時間）をお話と幻燈の時間に使ってよいことにしている。そこで月曜日の放課後の班の打合せでは，プログラムの決定や，お話をしたり，幻燈の機械を受け持ったり，台本を読んだりする分担をきめ，その準備計画を立てて，学級全員にそれを予告することになっている。今はこの係によって行われている幻燈の時間である。この仕事にはわたくしは相談には喜んで応じてやるが，なるべく口や手を出さずにこどもたちの手で運営させてやろうと思っている。

みんながよく幻燈を見ていないのを見て，係のひとりが「静かにして幻燈を見てください」と注意した。注意されると，ちょっとの間は静かになるが，また何やかやとごたごた話が始まる。

この様子を黙って片すみで見ていたわたくしは，係のこどもに代って注意してやろうかと思った。幻燈をみなかったり，さわいだりすることはよくないことである。注意することは当然であるにちがいない。けれどもあの読み方では，聞いて何が何だかわからないのだから，こどもたちがさわぐのも無理もないことである。といって練習が不足していると，はっきりわかっている読み手に対して，もっとじょうずに読んでくださいといってもはじまらない。だからといってさわいでもいいということにはなりそうもない。興味のないことにがまんさせられることほどつらいことはない。興味はたいせつである。しかし，つらいことをがまんしなければならないこともたいせつである。興味を重んずるという考えの教育と，社会的にがまんをするという考えの教育と，はっきり二つにわけて考えることができる。前者の場合には幻燈を

中止させるか，あるいはさわぐままに放置しておくかであろうし，後者の場合にはさわぐこどもをしかることによって静粛を保たせるだろう。こうして教育に対する考えが二つの立場として対立するもののように考えられていた。しかし二つともたいせつなことなのだ。能力と程度に応じたものでなければならないということと，たくさんの人々の間の中にあっては，自分は自己を統制しなければならないということは，ともにたいせつなことである。けれどもわたくしたちの現実生活はなかなかこの二つがバランスのとれた調和した姿となってはいない。どちらかがほとんど無視されていることが多い。道徳教育も実はこの二つの間をさまよい歩いているように思われる。

幻燈はしだいに悪化していく空気の中で一部の人の努力をふみにじって進められていく。ちょうど現実の世の姿と同じように。だがこのままではわたくしの責任を果したとはいわれない。少なくとも意図的にこうした機会をつくり出した以上，この機会をつかまえて何かの指導か助言がなされなければならない。ではいったいどうしたらいいのか。もはや係のこどもはあきてしまって注意もしない。台本を読む声も小さく熱がなくなってきた。すべてのこどもたちにいや気がさしてきたのである。

「これからあとは先生が読んであげるよ。」

静かに台本読みのこどもにわたくしは声をかけた。困りぬいていたひとみに安心の光が輝いた。わたくしが読み始めるとこどもたちは静かになった。実に不思議だ。幻燈が終った後，わたくしは静かに，「きょうの幻燈会についていろいろな事を考えたと思う。あとで話合いをしますが，その前に自分自身の考えをまとめて書いてください。それをもとにして話合いをしてみましょう。」といって，めいめいのノートに反省を書かせてみた。その結果あるこどもは，「きょうの幻燈会はさわがしくていけませんでした。女生は裁縫に使うきれをもらったりしていました。今度から裁縫のある日は幻燈をやらないほう

がいい。また読む人はもっと前に練習をしてもらいたい。それから学校には読むのにやさしい幻燈の台本も用意してもらいたいと思います。」と反省し，また他のひとりは「きょうの幻燈はよく読めなかったり，声が小さかったりしたので聞きにくかった。みんながわいわいさわいだので絵だけ見ているようだった。これからは，よく練習して，大きい声でやったほうがいい。それから６班の人が幻燈をせっかくやってくれるのだから，さわがないで，ぎょうぎよく見たほうが，みんなに迷惑にならないでいいと思います。」と書いていた。これは確かに二つのものを調和させようとする努力である。そうかと思うとあるこどもは，「６班の人は練習をしなかったと思います。練習をしていっしようけんめいやっつてくれれば，わらったり，さわいだりする人もなくなると思います。これから責任をもってやってもらいたいと思います。」と書き，もっぱらその責任は幻燈係にあると批判をあびせている者もあった。また「いい幻燈だったからむちゅうで見ていたが，だんだんあきてしまったので，ついさわいでしまった 。これはいけないと思う。今度から幻燈をやる前に約束をきめておいたらよいと思う。」と反省した子のように，責任が自分たち見るほうにあると考えた者もあった。だいたい以上の三つの考え方にこどもたちは分れた。明らかにここでも二つのものの対立と調和がある。わたくしは調和のこどもたちに賛成し，その線にそうよう話合いをまとめた。こうして確かにこどもたちの良心は，よびさまされたと思う。この次の幻燈会がうまくできなかったとしても，こどもたちにとってみれば，良心のむちが自分自身を打つことになろう。自己反省が生れてくる。こうした良心のつみかさねが，道徳教育の心棒だとわたくしは思っている。

この幻燈会とその後の話合いには，一つの社会の中で相対立した考え方をもったこどもたちが，対立をもちながら一つの仕事の完成へと協力していく第１段階が明確に出ていると思う。わたくしはここにもほんとうの協力があ

ると思う。こういう生き方をこどもたちの中に育成することが重要だと思う。

以上は幻燈会の場合に行った指導例であるが，この考えの基本は，各教科の学習の中にじゅうぶん取り入れられ生かされていると思われる。学校教育の中で１学級に40人なり50人なりのこどもが編成されている意義は，いろいろな事情で人数が多いという現実は別にして，とにかく学級という社会を構成しているという姿は，このような共同学習を進めるためであるといえる。これを無視したら，もはや学級という編成は無用だといわなくてはならない。もちろんわたくしたちは何の気なしに，たくさんのこどもがいるために共同学習を進めていたわけであるが，それには重要な意味がひそんでいることを今一度確認して出発したいと思う。ひとりひとりのこどもが，自分の経験と考えをもとにして，相互に話合いを進め，新しい立場へと高められていく姿，これがほんものの共同学習であるといえよう。この共同学習には，真実を求めて進むための協力が生き生きと輝いている。そうして共同に学習が進められている陰には，深い愛情が流れている。愛情につながれ真実を求めていく協力の姿，これこそ，わたくしたちが求めている協力であろうと思う。学習指導法には，いっせいに教える方法と，個別的に教える方法と，共同で学ばせる方法と，自分で学習させる方法の四つがあるが，何といっても共同で学ばせる方法と自分で学習させる方法のからみあった姿が，学習の基本になり，いっせいに教える方法と，個別に教える方法がこれを援助している形が最もよい指導法だと思う。前にいった幻燈会の話合いは，同一の経験について，まず自分の考えをまとめるという独自学習から，討論する共同の学習に進んだわけである。算数で各人が，めいめい問題を解き，それを発表して，まちがっているか，まちがっていないか，いちばんよい方法か，どうかなどを検討していく学習も，この中にはいるであろう。さまざまな学習の中に，こうした学習方法を１本確立しなければならない。その具体例は省略するが，各教科

の指導要領の中にこうした点が見落されていることは残念である。次にいま一つの具体的な例をあげてみよう。

「農業の機械化」という単元学習を進めてきて，機械化がじゅうぶん行われていない理由があがってくる。それは田畑の交換分合すなわち耕地整理と機械の共同所有の問題である。その学習の様子を，少し詳しく説明してみよう。田畑が分散しているというがどのくらい分散しているのだろう。めいめいの家について，その田畑の所在地を略図に書いてみた。なるほど，どこの家の田畑もあちこちに散らばっている。これではやりきれない。でも一つの所にまとめるというのは，なかなかむずかしい。いろいろな家がいりこんでいるからというので，その実際を学校の前のたんぼについて調べてみた。これではまとめるのはたいへんだ。しかしこのままでは機械化は進んでいかない。福沢村でも交換分合を一度考えたこともあったが，そのままでいっこうにはかどっていない。なぜだろう。第1によい田，悪い田がある。日の当る田，当らない田，ぬかっている田とかわいている田，よい土と悪い土，仕事をするのにつごうのよい所と悪いところ，第2はひろさがちょうどよくあわない，それは土地台帳にのっている面積と実際の面積と違う。第3に昔からの田を手ばなすのはいやだ，祖先に対してすまないということなどがあげられる。こうしたことを知ったこどもたちは，「悪い土地にはお金をつければいい。」「いくらつけたらいいんだ。」「それはその田によって違う。」「ふたりで相談すればいい。」「お金をもらっても使ってしまえば同じだ。」「毎年やればいい。」「これからずうっと何百年もか。」「それよりも悪い田は面積をふやしてやればいい。」「面積がふえれば手間がかかって損だ。」「少しぐらいはがまんするんだよ。」「親せきならいいんだが。」「仲良しの友だちならできるよ。」「そんな親せきや，仲良しだけでは交換分合は全部できないよ。」というような話から，代表を選んで交換分合委員会を作り，そこで計画を立ててやれば

いいんだと話は進んでいった。少しくらいの損があっても仕事の能率があがればそのほうがいい。損得ばかり考えないで，仕事の能率をみんなが考えて，やる気でやればできないことはないということになった。だんだん考えが政治の分野にはいる。一方機械の共同所有について福沢村を考えた結果，その利点として，資金や経費の面ばかりでなく，お互に手伝いができるし，機械について，使いなれた人がいるので，機械係として面倒をよくみてくれるなどがあげられ，その反面，自分の家でつごうのよい時に機械が使えないときもあり，経費をどのように出し合うかをいつも相談しなければならないなどの欠点がわかってきた。その後，こどもたちは「親せきどうしで共同するとあまり問題がおきないでいい。」「仲のよい者どうしでも割合にうまくいく。」「それでは仲間になれない人が出るかもしれない。」「そんな人が出ないようにみんなでよく相談すればいい。」「部落でいくつかの組をつくって機械を買えばいいかもしれない。」などの話合いが行われた。ここでも民主的な政治的解決が必要になってくる。

その結果わたくしたちは，「農業の機械化についてこれこれの学習をしました。これについて何か感想がありましたら書き入れてください。」として，学習のあらましをまとめて父兄に配布した。集まった父兄の感想をまとめてみると，たいへんよい研究であったと思う。農業の機械化を進めなければいけないことは，よく承知しているけれども，なかなか思うようにはいかない。その理由は，1. 買うお金が無い。2. 耕地面積が少ない。3. 土地が散らばっている。4. 協同で使うのに，うまくいかない。5. 機械についてよく知っていない。6. 福沢の土地に合った機械がないなどである。しかしみなさんの勉強と努力で少しでも機械化が進むようにしてくださいということであった。

この学習の終った後，こどもたちのもった考えは「百姓は，こどもまでたくさん働かなければいけない。だけれど機械化を進めると，仕事の能率があ

がります。でもまだまだ農業の機械化は進んではいません。おとなの人たちはやる気がないように思えます。これからもみんなで機械化を進めるために力を合わせていきたいと思います。百姓をすればお米や麦やくだものなどがとれます。だけれど，機械化があまり進んでいないのでやる気がしないと思います。やる気がしないとあきらめてしまえば，一生百姓はよくできません。だから少しでも機械化を進めるように努力しなければいけません。」と書いている。一つのものを実現するためには協力が必要であるとわかっても，それがただそれだけで終ってはならない。現実の社会では，それがどういう形になっているのかを見きわめ，協力されない原因はどこにあるのかを，批判する目を開かせるとともに，その解決の１つの糸口が民主的な政治にあることにも気づかせていくような学習がたいせつである。こうしてはじめて協力していこうとするこどもが育成されると思う。

第１に述べたことは協力には社会的方向がなければならないこと，第２は異なった考えや経験をもった人々の間で協力が進められるということ，第３には協力しようとするためには民主的な政治が必要であることである。これらのことがいつも学習の中に考慮されてはじめて協力しようとするこどもが育成される。しかしながら協力しようとするときに，必要でまた重要な能力は，話合いの力である。言語能力を豊かにし，話合いの技術を身につけなければ，実際に協力しようとする意志は完全に発揮されない。ことばの学習は，他人の意志を理解するための聞く読むことと，自分の意志を発表するために話す・書くの二つに分けることができるが，これらは単に国語の時間にというのでなしに，あらゆる場において指導がなされなければならないが，ただ一つ重要なことは，聞くためにも話すためにも，そのことばはどのように構成されていたらいいだろうかということである。たとえば話合いや討論の場合，まず結論を言い，それからその理由を述べるべきか，それとも，先に理

由を言い，終りに結論を述べたほうがよろしいか，これはたいへん大まかであるが，こうした点について分析なり条件に応じた話し方なりがまだきわめ尽してないと考えられる。じょうずな話合いや討論とは，こうした点にまだ研究の余地があろうかと思う。次には協力のためには技術なり知識を身につけていなければならないが，これは今度のわたくしたちの研究しなければならない課題である。

4. 形式的統合　—児童の活動の組織—

（１）昭和26年度以前

児童の活動の組織は，学習の全体計画の背後に用意され，全体計画を実践に移す場合に動力の役目を果すもので，学習効果の成否を左右する重大な問題である。

学校全体としての児童活動の組織としては，学級編成・教科外活動としての経営活動とクラブ活動，さらにこどもの自治活動組織と，これらの活動に関連して学級で行われる教科活動とがある。

これらの活動は，具体的にこどもの状態と学校の大きさ，職員数，施設，教師の指導能力，教育計画の立て方などいろいろの条件によって，その運営の方法も組織のしかたも異なってくる。

今，教科外活動における組織の問題について一般的にいえば，

(a)　できるだけ運営をこどもの手に任せ，主体的運営のしかたおよび態度を，他の教科学習にも日常生活にも養うこと。

(b)　できるだけこどものなまの経験となるように考えること。

(c)　こどもの個人差および学年差に応じて，技術的な指導をすること。

(d)　時間数の考慮。

(e)　教師の指導の能力の限界と時間数。

等を考えることが重要な問題となってくる。

以下本校でいろいろと行ってきた概要について，経営活動を中心に，児童の働きの統一という面に焦点をしぼって，そのおのおのの長所短所を考え，現在までの過程について考えてみよう。

当初考えられたことは，学校の教育目標上から，こどもの生活のしかたのまとまりを考えて，こどもが親しみのもてるもの，楽しさや，良さの味わえるものから，次々にこどもたちとともに，自治活動組織を作っていったのである。

その組織はおよそ次のようなものであった。

○生活部	○学習部	○経済部	○体育衛生部	○美育部
1 家庭班	1 図書班	1 こども銀行班	1 衛生班	1 清掃整備班
2 時事班	2 学校新聞班	2 購買部班	2 こども看護婦班	2 文化班
3 奉仕班	3 校内放送班	3 農事班	3 体育班	

（昭和26年度以前のもの）

（2）　昭和26年度

上に述べた活動組織は，ただ生活事象面からだけでなく，人としての生活の諸形式を考え，価値高きものをねらいとし，政治的な面，経済的な面，芸術的な面，文化的な面，社会的な面，健康的な面，倫理的な面等の諸側面から考えて部を作り，それらの面を実際生活の上から伸ばしていこうとしたのである。

このような考えのもとに，実際の活動が展開され，こどもたちの力による運営が出発したのである。

今まで鉄筆をもち，やすり板を使い，原紙に字を書くことなどは思いも及ばなかったこども，放送といえばＮＨＫの放送を聞くことだけかと思っていたこども，いつも朝会の運営は教師の手にのみ任せられ，自分たちの言いたいことも言えなかったこどもたちは，解放の喜びとともに生活に張りをもち，こどもたち自身も自分たちの力の大きさを感じて熱心な経営をして，教師や父母を驚嘆させたものである。

やがてこどもたちの考えが進歩してくるに従い，概念でくくってある部の中での経営では息苦しさを感じ，経営に生彩を欠くようになってきたのである。

ここに反省されるものは，

(a)　部と班との関係が同一原理の上に統一されているが，実際活動では密接な関係が保たれず，合同会議がうまく運営されなかった。

(b)　生活部の実際運営面は，学校児童会員がなすという点で協議機関としてはよいが，経営活動としての執行運営が困難であり，家庭班の仕事などは部落班でなされることが多く，あまり協議すべきものを持たなかった。

(c)　主として６年生がその運営の実際面に携わり，執行は学年本位であり，協議は学校全体でなされるため，５年生以下のこどもたちは常に受身に立たされ，批判の余地がなく，発言もまれであった。

このような点から，部に仕事をもたせることが考えられてきた。経営しやすい部活動の編成をして，４年以上の全員が協議し実際運営に当ることが望ましいものであるという考えから，委員会制度をとり，他の学校組織との関連も考えてみたのである。その結果26年度は下記の表のような組織となった。

学校常会

部落常会　班常会　生活指導部会　経常部会　学級常会

部落委員

生活委員会　生産委員会　美化委員会　購買委員会　銀行委員会　保健委員会　体育委員会　放送委員会　新聞委員会　図書委員会

学級委員会

週番――学級経営係

（昭和26年度のもの）

部名	経営	行事
図書	希望図書の調査、購入、貸出、宣伝、修理	読書週間
新聞	学校新聞の編集、印刷、発行、配布	
放送	学校放送のプロ編成、各部の通達、学校行事、トピック放送	
保健	校地、校舎の清掃、児童の衛生および調査、統計	虫歯予防デー、視力保存デー、結核予防週間
体育	運動器具の保管、運動遊びの奨励、紹介	運動会各種対抗小競技会
銀行	預金の取扱い、金銭教育	
購買	学用品の購入、販買	
生産	飼育、栽培	バード・ウィーク、緑の週間勤労感謝の日
美化	余暇の利用、企画、立案、実施、校舎の整美、美化、管理、幻燈、映画会、こども会、学芸会の運営、掲示資料の募集、掲示、管理	入学式、こどもの日、夏休みこども会、文化の日、展覧会、新年こども会、学芸会
生活	校舎内外のこどもの遊び、諸行動の観察、調査処理、他の部に属しない学校行事の計画、運営	交通安全週間、防火週間、報徳週間、共同募金、善行児童表彰

（3）　昭和27年度

(a)　生活部は今まで６年生の各組の代表が学校委員として校内の自治活動を担当していたのであるが，この学校委員の仕事の外に，今まで生活部の仕事であった学校諸行事の運営・時事・奉仕・清掃というような諸部面を担当して，独立機関として校内の生活指導にあたることになった。

(b)　経営が空転しないようにあらかじめ年間計画を立て，計画的に行うこととした。

(c)　学級と学校と同一組織をもって運営の円滑をはかった。

しかし，このように細かい心づかいを払っても，なかなかうまい運営はできなかった。

初めのうちこそ，各学年児童が兄弟のように助け合い，はげまし合って仕事をしたが，

慣れてくるに従い，技術的に拙劣な下級生，経営についての意識の低い下級生と，上級生である６年生はなかなか協調ができなくなってきた。

そこで経営活動の反省として，

(a)　単元学習や教科学習の各学年における指導の差は，経営上の意識や技術にその差が現れ，下級生は上級生に追いつくことが困難であり，つい上級生の意のままに動くこどもとなり，望ましい社会関係が生じないようになってきた。

(b)　教室経営活動と学校経営活動の調和がなかなかとれず，運営の面でスムースに行われず，つい，経営部の担当教師と該当学級児童が，中心となって行うようになってきた。

(c)　学級社会における利益社会的な関係と，学校社会における協同社会的な関係においては，こどもの行動に望ましくない表裏が現れるとともに，望

ましくない非近代的な人間関係が現れてきた。また農村社会における縦の人間関係からくる年下のこどもへの圧迫もある程度，この活動に悪い影響を及ぼした。

(d) 協議会の正規の時間を持たなかったために，協議そのものが予期どおりに行われなかった。

(e) 生活部の長い期間の運営が困難であった。

これらの欠点を除くためには，学級解体が理想的であるのであるが，もう1度学級単位制をとってみることにした。

運営は学級主体
協議は学校全体
報道—六の一
新聞
放送
購買—六の一
銀行—六の二
美化—六の二
体育保健—五の一
図書—五の二
生産—各学級担任
生活部は学校週番として五、六年児童の学級週番から選出されたものが当る

（昭和27年度）

この場合

(a) 単元学習や基礎学習と経営活動の一体化を考える。

(b) 学級運営を主体として，運営の円滑化をはかるとともに，学級担任により常時指導する。

(c) 担当外学級においても，学校経営活動組織と同一の組織を学級内に持たせることによって，密接な連関をはかり，以前のような失敗をふたたび重ねないように警戒する。

(d) こどもたちの学級内や学校内での経営活動の能力を探るために，教科経営と教科外活動の運営の一元化をはかり，カリキュラムの構成や，実際活

動面のシーケンスの発見をはかることにした。

この組織編成により運営は容易になり，学習によって得た知識や技術がよく生かされ，教師をまた重点をここにおいて指導したので，運営の姿も望ましく能率もあがってきた。

単元学習・基礎学習・教科以外活動が教育構造の上から統一され，知識とその実践応用という面からみて，一応の望ましい経営がなされたわけである。

しかし，こどもたちの学校社会における望ましい人間関係は解決したわけではない。

またこの経営において次の点が問題となってきた。

(a) 教科主任と経営部主任との間の問題（教師の個性や実力をじゅうぶんに生かすことの困難）

(b) 部の担当学級の事情によるところの活動の中断と学級によるマンネリズム。

(c) 技術の継承の問題—新しい学年を迎えるにあたって，さらに再出発の準備期を置かなければならないという困難。

こうした学級単位制の中においても，学級解体を理想として，着々その基盤を作るために努力を注いでいたのである。

こどもたちの間の望ましい人間関係をうち立てるために，低学年児童にあっても自由に発言し，校内活動を批判させるための低学年のみの朝会や朝の活動を作るなどして，一部のものの支配を真に否定する社会を作るように努力した。

また，こどもの技術の未熟による運営の困難を除くために，各学年相応の学級内経営活動を盛んにすることとした。例を新聞発行にとると，1年生の文字板，2年生の黒板新聞，3年生の壁新聞，4，5年生のがり版印刷新聞といったように基礎技術の修得にも心がけた。

奉仕の意義の不徹底，部活動と取り組む場合の意欲の乏しいのは，単元学習や基礎学習の不徹底にありとして，基礎としての学習にも力を注ぎ，生活を改造していくだけの意議や能力を持たせることを心がけた。

また新鮮であり，生活に変化や張りを持たせていくための，事象に対して鋭敏な感覚の持ち主になることを目ざし，情操教育の振興にも心がけた。

次には

○技術の修練と運営

○望ましい人間関係に立っての学校運営

○学習と教科以外活動の統一（学年相応の知識・技術をはっきりつかんだ上での経営奉仕活動）

（4） 昭和28年度

このような観点に立って，学級解体編成のための基礎指導とあいまって，再び学級解体を試みたわけである。しかし，以前の様相と異なるところは，技術の修練による運営という点から，経営活動がクラブ活動的色彩を帯びてきたことである。また，その経営活動班が主催する学校行事をはっきり持つようになってきたことである。

この組織の当初における大綱は次ページの表のようである。

経営活動を容易にして，自分たちの習得した技術をもって奉仕し，ともに学校生活を楽しむということ，各種の行事を自分たちの力で運営させていくということのために，今までのクラブ活動の時間を経営活動に充当して，技術指導や運営のための協議する時間として再発足したのである。

たとえば購買部ならこどもの個性に従って，仕入れ係・販買係・宣伝係というように個性的なものは非常によく生かされたのである。

（昭和28年当初のもの）

経営	新聞（掲示活動を含む）	放送	購買銀行	美化	図書	体育	衛生	生産
技術指導	作文、印刷、編集	音楽、放送劇	珠算	図工	劇化活動	スポーツ	リズム衛生	理科
行事	作文コンクール	音楽コンクール	珠算コンクール	図画コンクール、校内写生会	幻燈会、読書週間	各種体育会	リズム運動会、衛生展示会	飼育栽培コンクール

全体計画に必要な組織はそれぞれに目標をはっきりもたせることがたいせつである。そこでまづ経営にこのような内容，すなわち目標をもたせ，学校全体としての社会的性格をもって，基礎能力のささえによる働きとして統一を図るよう組織を改めてみたのである。（次ページの表参照）

さらにクラブでは，個人的教科的性格をもたせ，個人の最大成長をならいつつ学校全体の律動的な経営である体育記録会等への参加によって，それぞれの技能の充実を計り，この両者の結びつきが児童の発達に有効に作用するものと考えたのである。

この結びつきは，以上の考えの外に，時間的能率という点からも必要視されるのである。なぜならば，経営もクラブも同一の教師と同一の児童によって編成されているからである。それが別々な日と時間を費してまったく分離された働きをするよりも，統一されたときの能率は当然よくなるのである。

基盤組織表

社会的な生活における問題状況 ― 個人的な生活における律動状況

経営
- 衛生 … 保健指導、負傷の手当、衛生検査
- 体育 … 運動器具の保管、準備、整理、遊びの奨励と紹介
- 生産 … 学校園の経営、花だんコンクール、飼育、試食会
- 美化 … 校舎内外の美化整とん、校舎内の装飾
- 放送 … 学校放送の選択、校内放送の運営
- 銀行 … 郵便貯金の取扱、こづかい帳指導
- 購買 … 学用品の購入販売
- 新聞 … 学校新聞の発行、作文集編集、掲示
- 図書 … 図書館経営、読書指導、楽しみ会

クラブ
- 演劇
- 作文 … 作文コンクール、PTA通信用作文の募集
- 珠算・習字 … 珠算競技会、各種行事用標語の製作
- 音楽 … 音楽コンクール、合唱練習、行事のうたの作詩作曲、学校愛誦歌集の編集
- 図画・手芸 … 低中高の写生会、ポスターコンクール、学年別掲示版の取替、ポスターの収集と掲示、行事用背景作製
- 科学 … 研究発表会、気象観測掲示、季節の花の実物掲示、金魚の卵のふか観察、草花の種子や球根の購入配布
- スポーツ … 校内紅白対抗競技会、部落対抗競球技会
- リズム … 低学年高学年リズム練習、体育記録会

学校全体に奉仕するおもなる機会

学校委員 ― 学級常会・学校常会・低高朝会・全校朝会 （班常会 部落常会）

基礎

この社会性と個人性とさらに内容あるいは目標との統一は，学習の構造となっているのである。言いかえれば全体構造である。だから基盤もこういう構造でなければならないという結論に到達したのである。

要するに，過去の目標をもたなかったばらばらな組織から，学習全体の基盤組織へと変ってきたのである。

もちろん，この経営とクラブの結びつきは，ここにあげてあるのは大まかなもので，決定的なわくでなく，こどもとの話合いによって自由に変えうる幅のある機動性をもったものである。

この結びつきが，こどもの見方・考え方をどう向上させていったか１・２の例をあげてみよう。

放送部のこどもが，まづ音楽の学習でその基礎を養い，さらにクラブの音楽でその音楽的センスをみがき，高まった技術と能力を活用して日々の校内放送の運営をするのである。たまたま他の者の放送を聞き，その音程の誤りを発見しその理由を考え，放送室にオルガンがないことに気づき，放送室にオルガンを備えたのである。また鑑賞の技能が修錬され，自分たちの放送を聞く人の立場を考え，放送の音量を種々くふうして最も聞きよい音量としたことなどは，顕著な結果であると思う。

また美化部のこどもが，協議の時間に廊下の壁間の絵画による装飾を取り上げた。しかし相当広い壁間を埋めるための大作や共同作の技術は持ち合わせていない。そこでこどもたちは図画の時間の基礎をもとにして，クラブでその技術の習得を研究練磨し，ベニヤ板による大作を完成した。ここで習得された技術は，また教室での図画の時間に還元され，他の生徒への暗示となり，個人的にまた学級社会全体や学校社会全体が向上していったのである。

5. 週計画の立て方

（1） 基本の週計画

前節までに述べたように，よい民主的社会人を形成するには周到な教育計画が必要である。学校の教育計画は，週を基本単位として計画されているだけに，教育計画のうちでも週の計画や指導の方法は重要な事がらといわなければならない。

各学習における児童の内面的統合と形式的統合（児童の行動の組織）とが真に結合されたときに，日々の学習は能率的に効果的に達成されるのである。そこで，学校という協同社会における秩序と，同じような内容をもった活動の基本として下のような週計画の基本を定めているのである。

第　学年　組　週予定案　月　日より　月　日まで　受持

曜	日						1	2		3	4					5	6		時数
月		経営活動	清掃	職員打合せ	全校朝会	学級打合せ			学校放送・休憩			校内放送	昼食，昼休み	清掃	休憩			学級打合せ	教科別に予定、実施、累加欄をもうける
火					低学年朝会，高学年音楽												全校体育日（3年以上）		
水					低学年音楽，高学年朝会												全校作業日（3年以上）		
木					全校テスト														
金					部落 班常会											経営クラブ活動（4年以上）			
土					全校朝会														

（2） 学級の週計画

以上の週計画の基本と前節に提示された学校の全体計画の背後に用意されている基盤組織表とを比べて，さらに下表から割り出され作成された形式的な学級の時間割とを総合的に考えながら，学級の計画は，年計画・月予定の一部として1週間の見通しを持って，立てられる。これは学級独自の立場から自由に計画的に立案され，学習の重要な指標となるのである。

小学校教育課程時間配当の基準

教科 ＼ 学年		1.2	3.4	5.6
Ⅰ	国語	6	6	6
	算数	3	4	4
Ⅱ	社会	3	4	4.5
	理科	2	2.5	2.5
Ⅲ	音楽	2	2	2
	図画工作	2	2	3
	家庭			
Ⅳ	体育	3	3	3
教科外活動		2	2	3
計		23	25.5	28

この計画を作るに当っては，特に下のような諸点が留意され強調されているのである。

(a) 週計画は，主体的に学習にうちこむこどもを作るために，教師とこどもの協同による計画であること。

(b) 学習によって得た知識を身につけ実践させるための全生活の構造化も

計画の上に明確に打ち出されなければならないこと。

(c) 学習内容は形式的な時間割表のように固定したものでなく弾力性に富んだものであること。

(d) 児童と父母と共に利用できるものであること。

(e) 予定が簡単でしかも明確に筋が通っているものであること。

以上のことをもとにしてどう週計画を立てているかを，1年と5年を例にとって簡単に述べてみよう。

——1年の場合——

1年の児童は，まだ幼児期の特性が残っており，非常に活動的でじっとしていることがきらいである。またその行動は自己中心的であり情緒的である。興味があればやるが，いやならいっこうに動かない。細かい筋肉活動ができないので，手のこんだ作業はできにくいといったような傾向が強い。

したがって，このようなこどもを指導する計画を立てる条件としては，

(a) 児童とともに相談して週計画を立てるというようなことはやや困難であること。

(b) 興味を中心として活動的・情緒的である素材の選択が必要であること。

(c) 児童の生活は遊びが中心であるので，遊びを通して生活を高めることが必要であること。

などがあげられるのである。

これは学校全体としこの週計画立案の留意点とやや矛盾しているようであるが，1年生としての特殊性を考えるならば，当然このようでなくてはならないと思う。

さて，具体的に例をあげて週計画の立案について説明をしてみよう。

時期は9月第3週。9月25日に秋季大運動会が実施される。校庭には上級生により白線のラインが毎朝引かれる。朝会時には体育部よりのいろいろな

運動会についての決議事項が発表される。廊下や昇降口には運動会のポスターが掲示され，1年生の興味と関心は運動会に集中する。このような環境において，単元学習として運動会をこの時期に計画しておいた教師は，週計画の全体に運動会という筋を通し，学校の行事計画と週計画の基本と基本時間割とを比べて，下のような計画を立てたのである。

1年1組第3週予定案　自9月5日 至9月10日

曜	日			1	2		3	4			5	6
月	5	全校朝会	朝の学級打合せ	運動会について話し合う　・資料を見て話し合う・参加か否かをきめる		学校放送聴取・休憩	運動会　・国語52P—61P・全文を読む・内容の1次的はあく		帰りの学級打合せ	校内放送・昼食と休み・清掃	クラブ活動・図画と音楽	
火	6	低学年朝会		参加の方法について話し合う　・どんな種目にどんな方法で参加したらよいか			おはじきのかけっこ・計数器セット利用・おはじきをはじく・1等2等…について					
水	7	低学年音楽		運動会　・国語52P—61P・読みの練習・内容の吟味—種目と方法			参加の種目を決定する，・やりたい種目の発表・その中からどれを選択するか				クラブ活動・図画と音楽	
木	8	算数テスト		歌のけいこ　・運動会の歌を習う・遊戯の歌の指導			運動会の絵をかく・もうすぐ運動会という題で画く					
金	9	班常会		遊戯の練習　・講堂や外で遊戯の練習をする			運動のあと　・新しい科学・きれいな手と足・発汗の処置					
土	10	全校朝会		運動会　・国語56—57・お馬の親子の遊戯の所・歌の取扱い			予定会・来週の行事と学習について	自由時間・楽しみ会・紙しばい・童話会				

学校全体の運営として各学年の練習のはち合せを避けるため，講堂および運動場の使用は1・2時間目は低学年，3・4時間目は中学年，5・6時間目は高学年と決議され発表されている。なおクラブ活動は1学年独自な立場で1組，2組のかきをはずし，希望者により図画と音楽をそれぞれ週2回実施しているものである。このようにこどもの興味と関心を筋として，各教科の統合が図られるように計画されるのである。

さらにこれが児童と父母とともに利用できるように，下表のような予定表として印刷され配布される。

9月 だい3週よてい

- 特別指導を開始いたします。希望申込者は弁当持参のこと。
  (月曜日　図画・音楽)
  (水曜日　図画・音楽)
- 運動会の練習が始まります。軽い身なりになれるよう御配慮ください。なおはち巻をお願いいたします。からだの都合でできない者は申し込みください。
- 9日（金）1，2年生貯金日です。朝来たら窓口へ。

曜	日		1.2　校　時	やすみ	3.4　校　時	学校行事
月	5	う	うんどうかいについてはなしあう。きょうしつにあるえやしゃしんをみてはなしあう・うんどうかいは9月25日である・1ねんせいはやるかやらないかそうだんする		うんどうかい。 ・こくご52—61・ぜんぶんをよむ・ここをならう・どんなおはなしかはなしあう	全校朝会 職員研究
火	6	ん	やりかたについてはなしあう。 ・どんなことをどんなやりかたでやってさんかするかそうだん ・くみでまとめてはっぴょうしあう		おはじきのかけっこ。 ・けいすうきセットをわすれない・おはじきをはじいてとばせる・1とうはどのいろ2とうは……	低学年朝会，高学年音楽，全校体育日
水	7	ど	うんどうかい。こくごのほん52—61・よみのけいこ・どんなことをどんなふうにやったかよみとりはなしあう		やるのをしっかりきめる。・やりたいのをはっぴょうする・どれをやるかそうだんする・みんなできないわけをかんがえる	低学年音楽高学年朝会，全校作業日
木	8	う	うたのけいこ。 ・うんどうかいのうたをならう ・ゆうぎのうたをならう（きしゃぽっぽのうんてんし）		うんどうかいのえをかく。 ・あといくつねるとうんどうかい・けいけんのせいり・たのしいばめんをえにかく・くれよんをわすれない	全　校 テ　ス　ト
金	9	か	ゆうぎのれんしゅう。 ・こうどうでけいこをする ・だいたいできたらレコードにあわせてみる		うんどうのあと。・どうしたらよいかかんがえる・てやあしをよくあらう・くちをすすぐ・あせがでたらどうするか	班常会，経営クラブ活動
土	10	い	うんどうかい。 ・こくごのほん56.57・おうまのおやこのところ・しとうたのくらべあい		よていかい。・よていひょうをいただく・らいしゅうのぎょうじとがくしゅうについて / じゆうじかん。・どうわのろうどく・かみしばい会・げんとう会	全校朝会 大そうじ

さて，この予定表作成にあたって教科の配分やその構造は別述のとおりであるが，なおもう一つ考慮していることがある。それはここに表現する絵である。1年は文章で読むより絵で内容を読みとることがその発達の上から有効である点を考慮し，この1週間の内容を察知できるような絵を考案して表現するのである。土曜日の予定会にはまず絵について自由に発表させそれを整理しつつ学習や行事についての内容を説明し，1年生なりに1週間の見通しをつけさせるのである。こどもたちはこの絵に非常な関心を示し，それとの関連において学習の内容をつかむのである。なおまた，絵の上には父母のための連絡事項を記入し，合わせてこどもの学習についての協力を求めているわけである。

土曜日の自由時間には，こどもたちどうしの楽しみ会を主体として，時には幻燈や紙しばいをやってやり，1週間の学習の労をねぎらうとともに，次週の期待を図るものである。

このような配慮と条件によって立てられた週計画は，さらに，1日の指導の計画に配分されてはじめて日々の学習が有効に行われるのである。

—5年の場合—

5年のこどもたちは，急にこどもの世界から抜け出て，成人の世界にはいったような錯覚に陥ってくる。かれらを取り巻く成人たちの環境から雑多な知識を取り入れ，成人の考え方でそれをつなぎ合せ，物を見たり考えたりするために，感受性が鈍くなり自己主張の一貫性が弱められてくるのである。

また学校全体としては，経営活動や週番活動を通して学校自治組織の指導者的位置に立たなければならないのである。

そのためには1週間の見通しをもって，みずから学習の計画や生活の目標をたて，おのおのの責任と協力によって活動しながら反省しては生活の向上を図ることが望ましいのであるが，なかなかうまくいかない。

(a) 学習の準備や態勢が整わなかったりして，自分から取り組んで学習しようという意欲に乏しい。

(b) 教科の学習において，前時の学習から次時の学習へと思考や作業の過程が連続的に発展せず，寸断された学習に陥りやすい。

(c) 学習と生活との間で，理解された事項や習得された技能が，実際使うべき場があるにかかわらず使われずに済まされてしまい，その技能や知識が体制化されていない。

(d) 生活目標を立てたり，学級の経営計画を立てたり，経営活動やクラブ活動の計画を立てたりすることはできるが，なかなか全体的に満足に実践されない。

など，このような欠陥があげられる。考え方としては，週計画がこどもたちに実力をつけさせるように下図のように学校の基本に5年生としての独自の計画をつけ加えて構成されているのであるが，現実の事態と一致しないのである。

週　計　画　基　本　表　(30.6.1)

時刻…	8:00	8:10	8:10–8:20	8:20–8:40	8:40	8:40–9:30	9:30–10:20	10:20–10:30	10:30–11:20	11:20–12:05	12:05–12:15	12:15–1:00	1:00–1:15	1:15–1:20	1:20–2:10	2:10–3:00	3:00–3:20
月	経営活動	清掃	職員打合せ	全校朝会	朝の打合せ			学校放送・休憩			校内放送	昼食・昼休み	清掃	休憩			(学級経営部打合せ)
火				低学年朝会，高学年音楽												全校体育	
水				低学年音楽，高学年朝会												全校作業	(サービス日)
木				全校テスト													
金				部落班常会											経営クラブ活動		週番引継
土				全校朝会		8:40–9:25	9:25–10:10	10:10–10:20 休憩	10:20–11:00	11:00–11:40	11:40–12:05 そうじ						

(　　)は5年独自の計画

今，(d)の問題を中心に，真剣に生活と取り組み，生活と学習を向上させ，こどもたちのうちに統一ある生活態度を築くために，いかに週計画を編成し指導したか，その実際について述べてみよう。

金曜日に定められてある経営活動の時間では，各経営部の事業計画が立てられる。その事業計画のうち，自分たちの部の行うべきものと，学校全体に伝達し，協議し実践してもらうものとを分ける。みずから行うべきものについては，その時間に活動が行われ，経営上の基礎技術の修練や実際経営が行われる。

また，その日の放課後には新旧週番の引継が行われる。4年以上の各学級からの代表である新旧週番によって，その週の目標の反省，次週の目標の設定が行われる。また，各学級では週目標の反省が行われる。

翌土曜日の全朝会には，週目標の反省の発表・討議，新目標の発表，各部からの伝達協議事項の発表・討議があり，いろいろ討議される。

これらの伝達を受け入れて実践するのは，個人である場合と学級である場合とがある。こどもたちは部活動や週番の働き手であり実行者である。多くの要求や注文が異った姿で出されると，バラバラに受けとられ頭の中で整理ができない。実行しようと思うのは，興味や欲求に基いたもの，心に強く意識したものである。それ以外の多くの計画は，こどもたちの心の中に統一され位置づけられないまま忘れ去られてしまうのである。その結果は週番活動に当るもののつまらなさ，経営活動に対する不満となって現れ熱心さが失われていく。

週目標と各経営クラブ活動の計画が並進したのでは，こどもたちの心にバラバラに受けとられ，わずらわしいものになってしまう。時期により統一した目標をもって進み，その一つの目標に，週活動，各部の活動，学級の打合せ，学級常会等の多くの活動が集中して活動全体が統合された姿で行われれば，こどもたちの心も統一され，精神的にも積極的にうちこもうという希望も持てて円滑に進められるのである。

たとえば２月上旬，悪性の流感が全国に広まったときのことである。福沢村にもこの流感が侵入し，日を追って欠席児童が多くなりつつあるときである。この恐しいかぜについて「だれだれが休んだ」とか「今度のかぜは熱が39°～40°出てからだが痛く鼻血もでる」とか，よりより話し合っている。この多勢の声を週番がとらえ，「かぜをひかないように元気をつけよう」という目標を設けた。各部の活動も週の目標に合わせて活動することにきめた。

＜保健部の活動＞

流行しているかぜの特徴を調べ予防の対策などを協議して，中央廊下の黒板に掲示したり，各組に報道したりした。

「ことしはやっているかぜのもとは，ヴィルスＡといって，とても悪いかぜです。急に熱が出て頭痛・寒気・ふるえが起り，はいたり下したりします。この学校でも友だちが30人くらい休んでいます。かぜにかからないようにするには，よく寝，よく休んでください。それからうがいをよくし，そうじのときにはマスクをしてください。かぜにかかったと思ったら無理をしないですぐ休んでください。自分のからだが悪くなるばかりでなく，人にも移しますから，よく気をつけましょう。」

また，保健部では折れ線グラフの統計を習得している５年生が中心となって，かぜのための欠席統計表を作り，６年生が全校調査を行い，毎日の推移を見つめ，まん延の勢いが衰えるまで警戒をゆるめなかった。

＜新聞部・放送部の活動＞

小学生毎日新聞や小学生朝日新聞などから，日本各地で小学児童のかぜにかかっている状況を校内新聞に転載したり，放送のニュースにしたりした。

＜美化部の活動＞

流感予防のポスターを作り，校舎内外に掲示した。

＜体育部の活動＞

運動後の汗ふき，うがいを励行する。運動中汗をかかないように軽快な服装で行う。風の強い日は講堂で運動するなど警告を発した。

このように「かぜを引かないように気をつけよう」という一つの目標に対して，週番や保健部の活動を中心に各部各学級の経営がいっせいに動きだした結果こどもたちの心にも強く刻みこまれ，「自分たちのからだを守ろう」「この目標を守ろう」という気持が強くなり，行動に変化を生じてきた。

さて，５年生では学校全体のこのような動きの中で，流感と湿気との関係が問題となり，理科の学習「冬の天候」のよい導入となり，興味ある学習が展開された。

すなわち，なぜ毎日晴天が続き，湿度が低くなるか。教室の湿度をあげるにはどうしたらよいか。などが問題となって，学習が展開された。

こどもたちは，教室内の湿度52°を少しでも高めようとして，多くのバケツに水を入れておいたり，蒸気を立ててみたりして，いろいろ対策を考え実践した。

また，家庭科では「冬あたたかく」の単元と連関して，室の保温，着物の着方を扱い，冬の保健対策を立てた。

算数科では，月ごとの気温や湿度の変化と病気の種類，病欠児童数の調査をし，これらをグラフに表わし，どの季節にどの病気が多いかを研究した。

以上日常の生活行動と，それを深めるための教科の学習がマッチして，かぜの対策が数的・科学的に追究され，多くの者の協力によって，理解と実践が統一され生活行動が深まっていった。

こどもによっては，保健部の報道にあったヴィルスに疑問をもち，ヴィルスとは何か，ばい菌とどう異なるのか，どのように伝染するのか，これらのことについて図書室へ行って調べるものもいた。

このように週計画や週活動を考えるには，たとえば学校できまっている週計画の基本や，学級の形式的な時間割というわくがあっても，そのわくにとらわれてかたくるしいものになってしまったのでは，こどもとともに高まった指導はできないのである。

その時期に適合した一つの目標を中心に，学校の全体的組織から生れる日々の律動的流れと比べて学校活動を統一するという方向に立案されてこそ，はじめて効果的に能率的に運営することができるのである。

6. 生活指導と学習

(1) こどもたちのまよい

こどもたちは，もらったこづかいをなるべくむだづかいしないで，有意義に使おうと思っている。しかし実際は自分の好きなものを心のおもむくままに買いこんでは，生活を楽しんでいるのが現状である。だからといって，この二つの矛盾に，全然悩んでいないかというと，そうではない。話がこづかいのことに及んだり，こづかい帳の整理のときになると「先生ぼくどうしてもむだづかいしてしまいます」と，訴えている。その内容をよく聞いてみると，菓子やおもちゃの類を買うことが多いからだという。こどもたちは，菓子・おもちゃ＝むだづかいというきわめて素ぼくな考え方をしている。この素ぼくな考え方がこどもたちの頭の中を支配している間は，こどもたちの金の使い方はじょうずにならない。わたくしは，こどもたちに，いったいどのように使うことがむだづかいであろうか，ということを考えさせなければならないと思った。そしてその中から，結論を引き出し，金や物に対する合理

的な考え方を打ち出してやろうと思った。

しかし，この指導が教師の一方的なものであってはならない。こどもたちに問題をとらえさせる契機となるよい時期を選ばなければならない。

今年の１月，冬休みを中心とした１カ月間のこづかいを整理することによって，問題発見のよい時期を考え，その指導に当るとともにより広い視野から，こどもたちの金や物に対する考え方を調査し，その場かぎりの形式的な指導に終ることなく，こどもたちの内面に食い入っている意識を改造し，行動との統一を図ろうとした。

(2) こどもの金銭に対する考え方と実際

こどもたちは，金銭に対してどんな考えをもっているのであろうか。１年と４年と６年のこどもたちについて調べたことのおもな例を紹介すると。

○１年生

- お金があれば何でも買える。ただでは買えない。
- むだづかいをしてはいけない。必要なものに使う。
- お金をもらったら貯金する。
- お金を盗まない。
- 貧乏は，かわいそうだ。

○４年生

- お金をかせぐには，たいへんだ。
- お金がないと一幸・不幸のもとである。
- 貯金すると利子がつく。
- 品物を売ったりして，お金をもうける。損をするときがある。
- 人間はお金を作る知恵がある。

○６年生

- お金を少なく出すには，買物を安くするくふうをしなければならない。
- 日本の国は，貧乏で品物もあまりないから，金をむだに使わない。
- インフレやデフレがある。
- 貯金をすれば，入用のとき，じゅうぶん使える。

などとお金の尊さ，節約しなければならないことの考えが学年の段階を追って進んでいる。また，こどもたちは，お金があったら，どのように処理したいと思っているのだろうか。

各学年児童に適当な金額を示して，どのように処理するか作文を書かせてみた。これは，児童の欲望の中味と処理のしかたその考え方を知ろうとしたからである。その結果は

学　年		一年	二年	三年	四年	五年	六年
金　額		100円	100	500	500	1,000	1,000
食べ物		37%	59	8	9	16	9
おもちゃ	低級	42	7	5	4		
	高級	1		13	8	3	7
あてもの						1	1
学用品		3	5	28	12	22	30
本		3	13	17	24	10	11
衣　料		3	1	17	13	23	4
社会見学					3	5	7
貯　金		8	13	12	24	20	29
その他		3	2		3	4.5	2

というような考え方をしている。おもちゃや菓子の類は，学年が進むに従

って減少しているのに対して，貯金や学用品の購入などは高学年になるに従い増大し，むだづかいをしないようにという心構えが見られる。

しかし，実際使う面ではどうだろうか。

4年1組（わたくしが昭和28年度に受け持った学級）の12月16日から1月15日までの冬休みを中心とする1月間を例にとると。

こづかいの使途　四ノ一　40名　12月16日から　1月15日まで

使途　項目	食物	おもちゃ	学用品	本	あてもの	社会見学	貯金
件数	三六	二五	一二	一一	一五	七	一〇
金額	二、三一五	六六五	一、八五六	一、八四〇	四四〇	五六〇	一、七〇〇
率%	二七	七	二〇	二〇	四	五	一七

お金に対する考え方と実際の食い違い

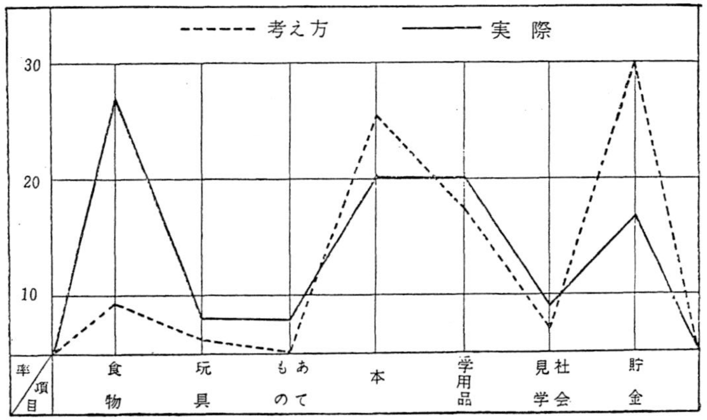

------ 考え方　—— 実際

率 30 20 10

項目：食物　玩具　あてもの　本　学用品　社会見学　貯金

という傾向で，考え方と実際では大きなずれがある。ここに実践行動のむづかしさがあり，素ぼくな考え方や知識では，自己の欲求に負けてしまい，考え方と実際とは合わなくなっている。役にたたない考え方，知識というものは，表面のものであり，こどもの内面に食い込んで人格の上に体制化され，一貫性のないはかないものである。

（3） 考え方と実際のずれの原因

村の人たちの経済観念

こどもたちの経済観念は，こどもたちの使う金や物の出所である家庭の人々の経済観念に大きく左右される。この辺にもその一因があると思われる。

(a) 金がものいう世の中，村にあっては，貧富や家柄や格式というものが重んぜられ，その人自身の値うちよりも金の多少によって，人の値うちを決めようとする傾向がある。

(b) 金銭主義，金がものをいう世の中と考えているので，貧乏な人たちは，自己の生活をぎせいにしてまでも，早く蓄財して，多くの田地田畑を求めようとする気持があり，守銭奴的傾向が強い。ここに極端な個人主義が見られる。

(c) 予算を立てて生活をしない。一家の話合いの経済生活ではなく，戸主が，ほとんどすべてを握り，他のものは金銭の出入をいろいろと戸主に伺いを立てる。母親などは，お金が自由にならないところから「へそくり」なるものをためる。このように明るい経済でないところから予算生活など考えられない。

(d) こどものこづかいの与え方が計画的ではない。こどもがねだるのでうるさいからやるという考え方で，こどもはねだればねだるだけ得だという考え方をもつようになっている。金の使い方を知らないこどもたちは，すぐ菓

子屋へとんでいく始末，村にだ菓子屋の多いのも一理あるわけである。最近こどもを働かせるのに，いくらいくらやるからというような働かせ方が多い。これでは，こどもたちに正しい勤労に対する考え方を持たせることができないばかりでなく，功利的な考え方を持たせ，遂には，勤労をいとう結果を招来しかねない。

(e) 農作物の原価計算が確かでない。農作物の価格を決めるのに，ルーズであるところから商人につけ込まれもうけられてしまうといった面があり，そのため，いつまでも経済的に余裕をもった生活がなかなかできにくい。

(f) 買いものがへたである。農村では商店が少ないところから商品の選択が自由でなく，また高いものをいつも買わされていることが多い。

また日常生活を豊かにするために，生活用品をそろえるという考え方よりも，たまに見える来客のため，ふとんや家具，じゅう器をそろえておこうとする傾向があり，日常使用するものは，粗末なものでがまんしようとする現状である。

（4） こどもたちのむだづかいの実情とその原因

こどもたちの，お金の使い方や物の取扱い方の実情を見，むだづかいをしていると思われる点をあげると，

(a) カードあて・キャラメル・くじ等の購入，これは，こどもたちの万が一を望む，射こう心の現れであり，何か一つのものを得たいために，いっしょうけんめいにカードを集めその品物を求める。けっきょく損になることを知らないで，くじあてなどに金を使う。人間は本来優越の欲求，闘争心とか，とばく本能とかをもっている。業者はこれらの本能を巧みに利用し利潤をあげようとしているのであるが，これらの本能が増大すると正常な勤労意欲をそぐ恐しい結果になる。

(b)　おもちゃのピストル・めんこなども(a)と同様な本能を巧みに利用したものである。

(c)　菓子の買い方。菓子など，こどもたちが好んで買うということは，おなかのすくこどもたちに補給する糖分類に欠けているという点もあるが，人と同じものを買って食べてみたいというような簡単な考え，（平等観）買うこと自体がおもしろいといったような考え方で買うこどもたちの多いのをみる。

(d)　でたらめな物の買い方。これは買うこと自体がおもしろいということに通ずるが，つり銭があったから，ついでに買うとかいったようなもので，気まぐれなものがある。まだ家に使えるものがあるにもかかわらずに買うというようなたぐいである。

(e)　悪い品物を買う。買物自体は善意のもとに必要な品物を買っているのであるが，すぐ破損したり使用中途で役にたたなくなるような買いものをする。

次に，ものの使い方についてむだづかいと思われる点を見ると，

(a)　ノートの端を破き，いたずら書きをしたり，ものをすぐこわしてしまうといったこどもがある。

(b)　へたに書くとノートや紙をすぐ破るこどもがある。

(c)　ノートや本などを使っても，投げやりにして整理しておかないこどもがある。

以上，金と物に対する児童の実情を例示したわけであるが，原因を詳細に追究すると，

(a)　不当所得による快感—低級な優越感，好奇心の満足，射こう心・とばく本能の現れ。

(b)　物に対する愛情の欠如。

(c)　物に対する美的感覚にとらわれすぎているか，もしくはその欠如—自己統制力に乏しいこども。

(d)　物の価値—用途や機能をじゅうぶんに知らない。

(e)　物の選択眼がない。

(f)　金に対する価値をじゅうぶん知らない。金自身の価値，金が自分の手にわたるまでの経路を知らない。金の使い方の計画性に乏しい。

といった点が考えられる。これらの点が解決されないかぎり，こどもたちの考え方は進まず，またそれに従っての行動も高まらない。そこには消費生活の合理化，こづかいの賢明な使い方も生れてこない。

（5）　指導の実際

こどもたちの素ぼくな考え方を高め，実践行動との間の障壁を除去するため，次のような指導を展開した。

(a)　冬休みを中心とする12月16日から1月15日までの1月間のこづかい帳の計算をする。（本学級は，28年9月以来こづこづかい帳をつけさせている）

(b)　こどもたちの中から2，3人のこづかいの使い方の例を取り上げて比較する。

- 両者の買い方を検討する。

どちらがよいか，なぜよいかを考える。よい買い方は品物の値段とは違うものであることをわからせる。

(c)　値うちのあるものは，どんな品物かを考える。

- 物を買うときの選択眼を養う。
- 物の価値や使い方をわからせる。

(d)　値段は，どのようにつけられるかを考える。

- 供給と需要との関係をわからせる。

・生産者から消費者までに，多くの仲介者がないほうがよいということに気づかせる。

(e) 物の値段が上がらないようにするには，どうしたらよいかを話合う。

(f) 貯蓄の価値を知る。

(g) 自分たちが貯金したり，使ったりする金の出所はどうだろうか，家の経済との関係はどうだろうかを考える。

・予算の立て方をわからせる。

・家計と自分のこづかいとの位置をわからせる。

というような筋に従って教室で指導を展開した。また，購買部やこども銀行の運営に参加している児童がどのような変化を示すか，利用のしかたがどのように変るか，こづかいの使い方がどのようにかわっていくか，を見ることにした。

＜2・3の指導例＞

○こどもたちの買うキャラメルが問題になったとき，カード集めでカメラや本などが当るキャラメルと，そうでないメャラメルとどちらがよいかが問題になった。カードのあるキャラメルは，いろいろ自分の好きなものが当るから得である。という考え方のこどもと，むかしから売られている信用のあるキャラメルのほうが，粒が大きくておいしいというものとの論争のとき，組のものが，2派に分れて討論しあった。

一方のこどもたちは，実際もらったものを紹介し，普通のキャラメルは，それだけ会社がよけいもうけているのだと主張する。もうけの問題になると，ちょっと他方のこどもたちは困ってしまった。その中，賞品をもらうまで，どのくらい買い集めたかという質問が出された。当ったこどもが30枚集めて換えたというと，それでは300円もキャラメルを買って，ほしいものを当てたのか，そういうものなら，町で20円か50円で売っている。きみは，キャラ

メルを買いたいのか，ものを当てたいのか，どちらか，けっきよく，きみは損をしている。しかも，キャラメルの粒は小さいし，と数量的に考えて相手かたを説得していった。そこで，わたくしは，両者の主張を聞き，2つのキャラメルの値段の中味を調べていくことにした。

値段＝原料，包紙，箱代，加工賃（機械使用費・労働者賃銀）＋利潤，輸送費＋カードあて賞品

キャラメルを買うには，キャラメルの値うちのある品物がよいということになり，そこで値段をつけるにも，そのような賞品代がはいるということから，値段のつけ方の研究にはいった。

○買物の選択帳の問題のとき，すでに値段と値うちとは違うこと，値うちのあるものを買ったほうがよいということはわかり，また値うちとは，そのものが，人間に役だつ使い道であることはわかったが，値うちのあるものは，どんなものかが問題になったときである。

(a) ノートなど半分ぐらいしか使わないうちにとじ糸が切れてしまうようなものは，値うちがない。ぞうりならば，鼻緒が切れないうちに，裏のゴムが取れたり，裏のゴムがなんでもないのに鼻緒が切れたりするようなものは悪い品物である。いたむときは全部がいっしょにいたんだほうがよい。いわゆる機能をじゅうぶんに生かして損耗していくものならよいが，一部分が悪くなって使えなくなるものはいけない。劣化が平均していくものは値うちのあるものだということがわかった。

(b) 信用のある品物を買う。鉛筆・消しゴムなど，ＪＩＳマークのついている品物なら安心して買えるということがわかった。

(c) また，こわれやすいところは，特別ていねいに作られてある品物，作る人が使う人の気持になって作ってある品物がよい。こどもたちは，本の装

ていなど思い浮べながら，日ごろ不満に思っている点からよい品物の条件を発見していった。

(d) また，品物によっては，体裁ばかり良くて，内容の悪いものがある。こどもたちは，箱入りようかんの話などをあげて話し合った。

(e) 宣伝に迷わされないこと，よい子の鉛筆，よい子のノートなどと書いてあっても，品物を見きわめなければだめだという結論をもつようになった。

このようにして，こどもたちは，学用品の用途や機能と，日ごろ使用している間に起った不便や不満とを考え合わせながら，物を選んで買う眼をりっぱに作りあげていった。

商品に関して高い鑑識力をもつことこそ，むだづかいをはぶく大きな道であり，悪徳商人や不良品製造工場を追放し，明るい社会を築くもとであると思う。

〇次にむだづかいを省くという話合いのとき，金を多くもっているから，むだづかいをするようになるし，どろぼうや殺人も起る。世の中から，金をなくし，みんなが勉強し，みんなが働けば，楽しく食べていけるような世界にしたい。みんなが作ったものを，みんなで公平に分け合えば金などなくてもよい。そして世界中の人が一つの気持になって暮せばよいというようなこどもも多くできてきた。ここでも金の無用論者と有用論者が，お互に意見をたたかいあった。こどもたちの意見では，無用論者が勝つといった調子である。

そこでわたくしは，物を作るには容易に作りうるものと多くの資材や労働によって作られるものがあって，交換する場合，値うちの基準がなければだめであることを話し，その単位を表わしたのが金円であることをわからせた。そして，金に使われる人間でなく，金を使う人間になること，金は社会生活上必要な手段であること，を話して無用論者を納得させた。

〇最後に，こづかい帳を開いて，こづかいの再検討をした。どのくらい買わなくてもよいものがあるか，品物の買い方のじょうずだったものは，何かということを調べあげることにした。そしてどのくらい，お金が浮くかを計算させ，ういたお金は，どうしたらよいかということから貯金を扱うことにした。

こどもたちは，貯金というものは，家へおいておくより安心だ。まとまったものを買うのに便利だぐらいにしか思っていなかったので，貯金通帳をよく見るように話すと，そこに利子がついている。銀行や郵便局で利子を付けたら損をするのではないかと心配するものもある。そのこどもの疑問を契機として銀行の機能，蓄貯の効用を説いていった。

（6） こどもたちの実践の姿

こづかい帳を中心として，どのように金やものを使ったらよいかという学習以後

(a) こづかい帳を全員が継続的計画的につけるようになった。

(b) 品物を買うのに，いろいろな条件を思いうかべて買うようになった。

（母親からの話）

(c) 家のものに品物の買い方を教えて感謝された。

(d) 学習以来，くじあて，キャラメルのカード集めをしなくなった。

(e) こどもの貯金も，今まで親にもらって貯金していたことが恥ずかしくなり，日ごろのこづかいを倹約して貯金するようになり，また月いくらと，こづかいを決めていただくようになった。

(f) 先生が，あまりたくさんの鉛筆を持ってきては，いけないという意味がやっとわかった。

(g)　1年のとき，先生がノートにページをつけてくれた意味がいまになってわかり，自分でノートにページをつけるようになった。

さて，このような考え方が，いつまで持続するかはわからないが，物を買うたび，金を使うたびにこの考えが新たな意識となって浮び，こどもたちの性格とまでなることを望んでやまない。

学習してから，４カ月たった。５月４日の本村のお祭のとき，当時の４年１組のこどもたちのこづかいの使い方はどうだろうか。さいわい銀行部のこどもたちが，この調査に乗り出した結果があるので紹介してみると，４年のときこづかいについて真剣に取り組んだこどもたちである５年１組のこどもたちは，いただいた金額も低いし，しかも使った金額は最低である。その使用内容も，他の学級に比して堅実であり，食物やおもちゃなどに使うよりも，学用品や本，植木や草花の苗や種，金魚など，直接間接に，自分たちの学習のかてになるものを買うほうによけい使っている。

福沢神社のお祭に１人当りのこづかい平均額

学級	3年	4年 1	4年 2	5年 1	5年 2	6年 1	6年 2
もらった金高	二二三	一九六	一八五	一七二	一八二	二〇九	一四〇
使った金高	一二〇	一一〇	一二五	九九	一三六	一二四	一一五
率	五四	五六	六七	五八	七五	五九	八二

もうここまでくると，こどもたちの金や物に対する高い意識は，一つの性格

にまでなっているらしく，意識と行動とは統一されているようである。どうか本物になってくれと願い，常に話合いの機会を作っては，前進を心がけている。

(７)　こどもたちの実践人としての望ましい性格

わたくしは，つねに指導した結果が実践にまで高められることを願い，こどものあるべき姿を描いて，それに到達するように努力している。それは，次の四つである。

(a)　考え方と行動が，連続し体制化して一貫性のあるこども一安定したこども。

(b)　自己統制力をもち，社会に適応する行動をとることができるとともに，社会の矛盾を乗り越えていくこども一立場のはっきりしたこども。

(c)　常に生活目標をもち，自己の能力を知って向上の理想をもち，それを実現していくこども一発動するこども。

(d)　豊かな感情の持主であるこども。情緒的に鈍いこどもは新しい問題をもつこともできず新しい世界観を築くこともできない一新しい見方をするこども。

しかし，こどもたちを，一挙に，この高い位置にまで引き上げることはできない。日々の営みに心を尽すのみである。

あとがき　今後に残された問題

以上われわれは単元学習と教科以外の活動と基礎学習の連関をみて，学習の全体計画の立て方を究明し，さらに背後の児童の生活指導のあり方を具体的に究明した。

貫ぬく目あては民主主義的な社会が目ざすこどもを念願している。すなわちこどもについて現実と理想との差を求めて，これを解決するための全体的な計画のあり方を求めた。

研究の経過をふりかえってみると，さらに児童の実態の分析が必要であり，そのためにはさらにこどもの発達段階を明確にしたいと切実に考えられた。

こどもの育成には家庭および，社会環境からの影響が大であることを考えると，さらにいっそうこどもの環境を分析して的確な計画に組み入れることの必要性を痛感する。

初等教育研究資料第XIII集
教育課程実験学校の研究報告

MEJ 2585

昭和31年9月1日　印刷
昭和31年9月5日　発行

著作権所有　文部省
東京都中央区入船町3の3

発行者　藤原政雄
東京都台東区上根岸72

印刷所　株式会社 第一印刷所

東京都中央区入船町3丁目3番地
発行所　明治図書出版株式会社
電話築地（55）4970・4351・867番　振替東京18513

定価 91円

明治図書出版株式会社

定価９１円

編集復刻版 戦後改革期文部省実験学校資料集成（せんごかいかくきもんぶしょうじっけんがっこうしりょうしゅうせい）
第Ⅱ期 第1回配本（第1巻〜第3巻）

2017年3月30日 第1刷発行
揃定価（本体75、000円＋税）

編・解題者 水原克敏
発行者 細田哲史
発行所 不二出版
東京都文京区向丘1-2-12
TEL 03(3812)4433
印刷所 富士リプロ
製本所 青木製本

第3巻　ISBN978-4-8350-8045-1
第1回配本（全3冊 分売不可 セットISBN978-4-8350-8042-0）